P9-EDU-010

L'état du monde

Annuaire économique géopolitique mondial

2000

Les Éditions du Boréal remercient le Conseil des Arts du Canada ainsi que le ministère du Patrimoine canadien et la SODEC pour leur soutien financier.

ISBN 2-7646-0001-1
Dépôt légal : 4e trimestre 1999
Bibliothèque nationale du Québec

Diffusion au Canada : Dimedia

L'état du monde

Annuaire économique géopolitique mondial

2000

Éditions La Découverte
Éditions du Boréal

4447, rue Saint-Denis
Montréal (Québec) H2J 2L2
www.editionsboreal.qc.ca

Rédaction

Coordination et réalisation

Serge Cordellier, Béatrice Didiot.

La conception et la rédaction de L'état du monde *ont bénéficié, au cours des années quatre-vingt-dix, des conseils et de la collaboration de :* **Hélène Arnaud, Bertrand Badie, Jean-François Bayart, Rachel Bouyssou, Serge Cordellier, Béatrice Didiot, Jean-Luc Domenach, François Gèze, Yves Lacoste, Catherine Lapautre, Annie Lennkh, Gustave Massiah, Alfredo G. A. Valladão, Francisco Vergara.**

Rédaction

Mariam Abou Zahab, sociologie politique, INALCO.
Fariba Adelkhah, CERI-FNSP.
Monica Almeida, *El Universo*, Quito.
Aline Angoustures, historienne, Centre d'histoire de l'Europe du XXe siècle.
Benoît Antheaume, géographe, IRD (ex-ORSTOM).
Jean-Christophe Augé, doctorant, IEP-Paris, allocataire de recherche au CERMOC, Amman.
Richard Banégas, politologue, Université Paris-I-Panthéon-Sorbonne.
Karel Bartošek, historien, IHTP.
Catherine Baulamon, chargée de recherche, OEG, Lyon.
Jean-François Bayart, science politique, directeur du CERI (FNSP).
Salah Bechir, journaliste.
Roberte Berton-Hogge, La Documentation française, *Problèmes politiques et sociaux*, série « Russie » (rédacteur en chef).
Romain Bertrand, allocataire de recherche, CERI-FNSP.
Nicolas Bessarabski.
Sophie Bessis, historienne-journaliste.
Diallo Bios, journaliste.
Pierre Boilley, historien, Université Paris-VII-Denis-Diderot, laboratoire SEDET (Sociétés en développement dans l'espace et le temps, études africaines).
Emmanuel Bonne, politologue, CERMOC.
Bernard Botiveau, CNRS, CERMOC et Centre de droit de l'Université de Birzeit (Palestine).
Xavier Bougarel, chercheur, CNRS.
André Bourgey, géographe, président de l'INALCO.
Robert Boyer, économiste, CNRS, EHESS, CEPREMAP.
Sabine Cessou, journaliste, *L'Autre Afrique*.
Greg Chamberlain, journaliste, *Caribbean Insight/Haïti-hebdo*.
Véronique Chaumet, La Documentation française.
Cheong Seong-Chang, politologue, Université Kyunghee, Séoul.
Bertrand Chung, sociologie politique, relations internationales.
Étienne Copeaux, ancien pensionnaire de l'IFEA (Insitut français d'études anatoliennes, Istanbul), chercheur au CNRS (GREMMO, Lyon).
Serge Cordellier, directeur de la rédaction de l'annuaire *L'état de la France* (Éditions La Découverte).
Luis Costa Bonino, politologue, IEP-Paris/Université de Montevideo.
Jean-Marc Crevoisier, responsable de la rédaction de *Construire* (Zürich).
John Crowley, politologue, CERI-FNSP.
Olivier Dabène, politologue, IEP-Aix-en-Provence, CERI.
Pierre-Marie Decoudras, géographe, Université Bordeaux-III.
Pascal Delwit, politologue, Institut d'études européennes, ULB.
Renaud Detalle, politologue, Centre français d'études yéménites, Sanaa.
Jean-Michel De Waele, politologue, Institut d'études européennes, ULB.
Jean-Michel Dolbeau, politologue, CEAN/IEP-Bordeaux.
Jean-Luc Domenach, directeur scientifique, FNSP.
Bruno Drweski, historien politologue, INALCO.
André Dumoulin, attaché de recherche, GRIP.
Hervé Dupouy, doctorant en géographie, Université Paris-X.

Iman Farag, politologue, CEDEJ, Le Caire.
Michel Foucher, géographe, OEG, Lyon.
Thomas Fricke, journaliste économique, *Deutsche Financial Times*.
Alexandre Fur, économiste, IPSE.
Éric Gauvrit, politologue, CEAN/IEP-Bordeaux.
Pierre Gentelle, géographe, CNRS.
François Grignon, politologue, IFRA, Nairobi.
Pierre Grundmann, journaliste écrivain.
André Guichaoua, sociologue, Université des sciences et technologies de Lille.
Janette Habel, politologue, IHEAL, CREALC.
Ali Habib, journaliste.
Pierre Haski, *Libération*.
Duncan H. James, économiste, DIAL (Développement et insertion internationale).
Sophie Jouineau, doctorante, IEP-Paris.
Kamal Kara Uglu.
Pierre Kende, politologue, Institut 1956, Budapest.
Guy-André Kieffer, journaliste, *La Tribune*.
Joseph Krulic, historien et politologue, associé au CERI-FNSP.
Jérôme Lafargue, politologue, CREPAO, Université de Pau et des Pays de l'Adour.
Christian Lechervy, politologue, INALCO.
Jean-François Legrain, politologue, CNRS, GREMMO-Maison de l'Orient, Lyon.
Ignace Leverrier, chercheur et consultant.
Philippe L'Hoiry.
Édith Lhomel, chargée d'études, CEDUCEE, *Le Courrier des pays de l'Est*, La Documentation française.
Lubomír Lipták, historien.
Pierre-Jean Luizard, histoire contemporaine du monde arabe, CNRS-Groupe de sociologie des religions et de la laïcité (Paris).
Paul Magnette, politologue, Institut d'études européennes, ULB.
John Maguire, responsable du service en langue anglaise à *Radio France Internationale*.
Roland Marchal, sociologie politique, CERI, CNRS.
Jean-Marie Martin, Institut d'économie et de politique de l'énergie (IEPE)-CNRS, Université de Grenoble.
Giampiero Martinotti, journaliste, *La Repubblica*.
Patricio Mendez del Villar, économiste, CIRAD.
Christine Messiant, sociologue, EHESS.
Francis Mestries, socio-économiste, Université autonome métropolitaine, Mexico.
Éric Meyer, historien du monde indien, INALCO.
Françoise Milewski, économiste, OFCE.
Georges Mink, sociologue, sciences politiques, CNRS, IEP-Paris.
Stéphane Monclaire, politologue, Université Paris-I-Panthéon-Sorbonne.
Tazeen M. Murshid, histoire, science

CEAN : Centre d'étude de l'Afrique noire ; **CEDAF** : Centre d'études et de documentation africaines ; **CEDEJ** : Centre d'études et de documentation économique, juridique et sociale ; **CEDUCEE** : Centre d'étude et de documentation sur la CEI et l'Europe de l'Est ; **CERI** : Centre d'études et de recherches internationales ; **CEPREMAP**: Centre d'études prospectives d'économie mathématique appliquées à la planification ; **CERMOC** : Centre d'études et de recherches sur le Moyen-Orient contemporain ; **CEVIPOF** : Centre d'étude de la vie politique française ; **CIDIC** : Centre d'information et de documentation internationale contemporaine ; **CIRAD** : Centre de coopération internationale en recherche agronomique pour le développement ; **CNRS** : Centre national de la recherche scientifique ; **CREALC** : Centre de recherches sur l'Amérique latine et les Caraïbes ; **CREPAO** : Centre de recherches et d'études des pays d'Afrique orientale ; **EHESS** : École des hautes études en sciences sociales ; **FNSP** : Fondation nationale des sciences politiques ; **GREMMO** : Groupe d'études et de recherches sur la Méditerranée et le Moyen-Orient ; **GRIP** : Groupe de recherche et d'information sur la paix et la sécurité ; **IEP** : Institut d'études politiques ; **IFRA** : Institut français de recherche en Afrique ; **IHEAL** : Institut des hautes études de l'Amérique latine ; **IHTP** : Institut d'histoire du temps présent ; **INALCO** : Institut national des langues et civilisations orientales ; **IPSE** : Institut de prospective et de stratégie économique ; **OEG** : Observatoire européen de géopolitique ; **OFCE** : Observatoire français des conjonctures économiques ; **IRD** : Institut de recherche pour le développement (ex-ORSTOM : Institut français de recherche scientifique pour le développement en coopération) ; **ULB** : Université libre de Bruxelles.

politique, SOAS (School of Oriental and African Studies)-North London University ; Wissenschaftskolleg, Berlin.
Alain Musset, géographe, Université Paris-X-Nanterre, Institut universitaire de France.
Jules Nadeau, spécialiste des questions asiatiques, Montréal.
Ana Navarro Pedro, journaliste, *Público*.
Alain Noël, politologue, Université de Montréal.
Mathias Éric Owona Nguini, politologue, Université de Yaoundé-II-SOA.
Pierre-Yves Péchoux, géographe, Université de Toulouse-Le-Mirail, laboratoire Mutations des territoires en Europe.
Claude Pereira, journaliste, Caracas.
Jean-Jacques Portail, journaliste.
Patrick Quantin, politologue, CEAN, IEP, Bordeaux.
Witt Raczka, politologue, Université de Strasbourg, Université de Syracuse (New York).
Nadège Ragaru, science politique, études est-européennes, IEP-Paris, CERI.
Philippe Ramirez, ethnologue, CNRS.
Jean-Christophe Rampal, journaliste, *Courrier international, Amérique latine Info.*
Gilles de Rapper, anthropologue.
Bernard Rougier, CERMOC, Beyrouth.
Kathy Rousselet, CERI-FNSP.
Michel Roux, géographe, Université de Toulouse-Le-Mirail.
Olivier Roy, politologue, CNRS.
Jean-François Sabouret, sociologue, CNRS.
Jean-Luc Schilling, gestionnaire de capitaux, Londres.
Stephen Smith, *Libération*.
Francis Soler, journaliste, *La Lettre de l'océan Indien*, Indigo Publications.
Helmut Szpott, politologue, Vienne.
Hugues Tertrais, historien, Université Paris-I-Panthéon-Sorbonne.
Yves Tomić, historien, Bibliothèque de documentation internationale contemporaine (BDIC).
Comi Toulabor, politologue, CEAN, Bordeaux.
Olivier Truc, journaliste.
Charles Urjewicz, INALCO, Université Paris-VIII-Saint-Denis.
Francisco Vergara, économiste et statisticien.
Ibrahim A. Warde, politologue, Université de Californie, Berkeley.
Jean-Claude Willame, politologue, Université catholique de Louvain, Institut africain-CEDAF.
Jasmine Zérinini-Brotel, politologue, Université Paris-I, Centre de Sciences humaines, New Delhi.

La réalisation de *L'état du monde* bénéficie de la collaboration scientifique du Centre d'études et de recherches internationales de la Fondation nationale des sciences politiques (CERI-FNSP). e-mail : http://www.ceri-sciencespo.com

Statistiques

Francisco Vergara, avec la collaboration de Ljiljana Petrović.

Cartographie

Bertrand de Brun, Claude Dubut, Martine Frouin-Marmouget, Anne Le Fur, Catherine Zacharopoulou.
AFDEC, 25, rue Jules-Guesde
75014 Paris - tél. 01 43 27 94 39
fax 01 43 21 67 61.
e-mail : afdec@wanadoo.fr

Traductions

Ivan Bartošek (tchèque).
Béatrice Didiot (anglais).
Ulrike Kasper (allemand).

Graphisme

Conception de la couverture, maquette intérieure et création typographique :

Agence Achard-Sauvage
81, rue des Archives - 75003 Paris
tél. 01 40 29 97 17 - fax 01 40 29 04 94.
e-mail : achard.sauvage@wanadoo.fr

Les titres et les intertitres sont de la responsabilité de l'éditeur.

Par **Serge Cordellier** *et* **Béatrice Didiot**
Coordinateurs de la rédaction

Ce millésime 2000 s'ouvre sur deux réflexions s'inscrivant dans le temps long. La première, due à Jean-François Bayart, directeur du Centre de recherches et d'études internationales (CERI), porte sur l'illusion identitaire et sur les conceptions ethnonationalistes héritées du XIXe siècle, aujourd'hui encore malheureusement au cœur de nombreux conflits. En parallèle à cette réflexion politique d'une grande sagacité, l'économiste Robert Boyer, l'un des principaux animateurs de l'« école de la régulation », s'interroge sur l'avenir du capitalisme. Il souligne la confusion qui règne dans les débats sur la globalisation/mondialisation et dément le pronostic d'une convergence vers un capitalisme de marché pur.

Outre ces contributions, la première section de l'ouvrage, « Enjeux et débats », comporte des articles suscités par la crise du Kosovo. Ils questionnent les liens existant entre souveraineté, démocratie et nation, ainsi que les rôles respectifs des États-Unis et de l'Union européenne dans la politique de sécurité en Europe. D'autres études sont consacrées aux évolutions économiques internationales, notamment à la mise en place de l'euro et aux crises financières. Comme chaque année, la conjoncture mondiale fait l'objet d'une attention particulière. Outre le bilan de l'année pour « Tous les pays du monde » (deuxième section), cet ouvrage offre 80 pages d'annexes : 20 pages de tables statistiques mondiales, 20 pages consacrées aux organisations internationales et régionales, 15 pages de références de sites Internet et 25 pages d'index.

En l'an 2000, *L'état du monde* fêtera son 20e anniversaire. Pendant ces vingt ans, il aura scruté et accompagné les grandes mutations du monde, dont la principale a été la chute du soviétisme et la fin du monde bipolaire. Depuis leur lancement, l'annuaire et les collections qui lui sont liées ont mobilisé plus de 4 000 auteurs, spécialistes reconnus dans leur domaine : géographie, science politique, économie, sociologie, histoire, démographie, droit, philosophie politique… Ce réseau, d'une très grande richesse et largement internationalisé, s'est construit peu à peu, prenant appui sur des centaines d'équipes de recherche. Il représente une capacité collective d'analyse et d'étude exceptionnelle, couvrant le monde entier, et permettant d'offrir des diagnostics sur chaque pays et sur les grandes mutations à l'œuvre, dans les relations internationales et dans l'économie. Bref, la

DEPUIS LEUR LANCEMENT, *L'ÉTAT DU MONDE* ET LES COLLECTIONS QUI LUI SONT LIÉES ONT MOBILISÉ PLUS DE 4 000 AUTEURS, SPÉCIALISTES RECONNUS DANS LEUR DOMAINE.

richesse et la qualité de *L'état du monde*, ce sont ses auteurs. Cet ouvrage est complémentaire des autres sources d'informations, notamment de la presse écrite et audiovisuelle, car il autorise une lecture très décantée des faits, mis en perspective. La nouvelle formule inaugurée en 1998 a reçu les faveurs du public : le tirage a été épuisé en quelques semaines. L'introduction de la couleur, la nouvelle maquette, la nouvelle cartographie, l'agencement plus pratique des articles ont été autant d'innovations appréciées. Publié simultanément à Paris et à Montréal, *L'état du monde*, au contenu totalement renouvelé chaque année, est un ouvrage à caractère véritablement international. Les règles de traitement de l'information qui président à sa réalisation (refus de favoriser un continent ou un pays par rapport aux autres, rigueur d'analyse et indépendance de jugement à l'égard des pouvoirs) permettent qu'il soit simultanément et intégralement traduit en plusieurs langues.
Parallèlement à cette édition est publié cette année *Le nouvel état du monde. 80 idées-forces pour entrer dans le XXIe siècle*. Celui-ci énonce les tendances globales des relations internationales, de l'économie et du politique en ce tournant de siècle.
Et bientôt le site Internet « L'état du monde »…

Table des matières

Un monde en mutation

Enjeux et débats,
l'année économique

Tous les pays du monde

Voir aussi la liste alphabétique des pays p. 673

Afrique

Amérique du Nord

Amérique centrale et du sud

Europe occidentale et médiane

Espace post-soviétique

Annexes

80 pages
de documents complémentaires

Présentation

Se repérer dans L'état du monde

Le nouvel agencement de *L'état du monde* (notamment de la partie « pays »), adopté depuis l'édition précédente, vise à en faciliter la consultation. Le livre est organisé en trois grandes parties.

Un monde en mutation

Ouvrant l'ouvrage, cette partie accorde toute leur importance aux grandes évolutions qui marquent notre temps. Alors que dans les décennies précédentes la « guerre froide » avait octroyé un poids considérable aux réalités militaro-stratégiques et au jeu des États, la situation présente est plus complexe. Des acteurs non-étatiques tiennent désormais un rôle de plus en plus essentiel (que l'on songe aux réseaux de communication, aux firmes transnationales, aux grandes ONG, etc.), laissant parfois deviner l'esquisse d'une « société mondiale ». Cette première partie, « Un monde en mutation », accueille deux sections :

1. Enjeux et débats

Des articles de fond y traitent de questions majeures, qu'elles soient de nature politico-diplomatique, économique, sociale, scientifique et technique... Ainsi sont analysées le paradoxe identitaire hérité du XIXe siècle ; l'évolution des capitalismes contemporains ; l'usage qui est fait des notions de « souveraineté », « nation », « démocratie », selon les cultures politiques ; le projet d'une « Identité européenne de sécurité et de défense » ; l'impact au niveau financier international de la naissance de l'euro...

2. L'année économique

Cette rubrique s'ouvre sur un « Tableau de bord de l'économie mondiale » qui procède à une analyse synthétique de la conjoncture de l'année 1998 et du premier semestre 1999 par grands ensembles d'États : pays industrialisés, pays en développement, pays en transition. Ce tableau global est complété par des études de conjoncture relatives aux matières premières et à la finance internationale.

Tous les pays du monde

Cette deuxième partie offre le bilan complet de l'année écoulée pour chacun des 225 États souverains et territoires sous tutelle de la planète. Les pays sont classés par continents et, à l'intérieur de ceux-ci, par « ensembles géopolitiques ». Ces derniers, au nombre de trente-huit, correspondent à des regroupements permettant des comparaisons et des rapprochements. Pour chaque ensemble géopolitique sont présentées une carte commune, une synthèse statistique et une bibliographie sélective. Une rétrospective statistique (1975, 1985, 1997, 1998) ainsi qu'une bibliographie particulière sont en outre proposées pour vingt-cinq pays sélectionnés selon un critère tenant compte de la puissance économique, de la population, de la superficie et de la situation géopolitique.

Pour tous les pays, un article rédigé par un spécialiste dresse un bilan de l'année. Celui-ci analyse les principaux développements politiques, diplomatiques, économiques et sociaux de l'année écoulée. Chaque État souverain est en outre accompagné d'une fiche signalétique comportant de nombreux renseignements institutionnels, ayant trait à l'État, au régime, aux dirigeants, à la monnaie, aux langues parlées, etc.

Annexes

Cette section de quatre-vingts pages réunit des tables statistiques : Indicateur de développement humain (IDH), Produit intérieur brut (PIB), population mondiale, ainsi qu'un répertoire très complet des organisations internationales et régionales, une sélection de sites Internet par pays, permettant au lecteur de poursuivre sa recherche, et, enfin, un index très détaillé et hiérarchisé.

Les ensembles

Afrique

Proche et Moyen-Orient

Asie méridionale et orientale

géopolitiques

Abréviations utilisées dans les tableaux statistiques

A&NZ .... Australie, Nouvelle-Zélande
AELE .... Association européenne de libre-échange
Afr .... Afrique
AfS .... Afrique du Sud
Alena ... États-Unis, Canada, Mexique
AmL .... Amérique latine
AmN .... Amérique du Nord
Arg .... Argentine
Arm .... Arménie
ArS .... Arabie saoudite
Aus .... Australie
Azer .... Azerbaïdjan
Belg .... Belgique
Bul .... Bulgarie
Bré .... Brésil
CAEM .... Conseil d'assistance économique mutuelle
Cam .... Cameroun
Can .... Canada
CdI .... Côte-d'Ivoire
CEE .... Communauté économique européenne
CEI Communauté d'États indépendants
Chin .... Chine populaire
Cor .... Corée du Sud
CorN .... Corée du Nord
CROA .... Croatie
Dnk .... Danemark
EAU .... Émirats arabes unis
Esp .... Espagne
Éth .... Éthiopie
Eur .... Europe occidentale
Fin .... Finlande
Fra .... France
Gre .... Grèce
Guad .... Guadeloupe
h .... hommes
HK .... Hong Kong
Indo .... Indonésie
Isr .... Israël
Ita .... Italie
Jap .... Japon
Jord .... Jordanie
Kaz .... Kazakhstan
Kén .... Kénya
kgec kilogramme équivalent charbon
Kir .... Kirghizstan
Kow .... Koweït
Mal .... Fédération de Malaisie
Mart .... Martinique
M-O .... Moyen-Orient
Nor .... Norvège
N-Z .... Nouvelle-Zélande
Pak .... Pakistan
P-B .... Pays-Bas
Pbal .... Pays baltes
PED .... Pays en développement
PEst .... Pays de l'Est[b]
PI .... Pays industrialisés[c]
PIB[a] .... Produit intérieur brut
PNB[a] .... Produit national brut
Pns .... Produits non spécifiés
Pol .... Pologne
Por .... Portugal
PPA ...... A parité de pouvoir d'achat
RD .... République Dominicaine
Rou .... Roumanie
RTc .... République tchèque
R-U .... Royaume-Uni
RUS .... Russie
Scan ... Pays scandinaves + Finlande
Sing .... Singapour
Slq .... Slovaquie
Slov .... Slovénie
Srl .... Sri Lanka
Som .... Somalie
Sou .... Soudan
Suè .... Suède
Sui .... Suisse
Taï .... Taïwan
Thaï .... Thaïlande
T et T .... Trinidad et Tobago
TEP .... tonne équivalent pétrole
Tur .... Turquie
UE .... Union européenne
Ukr .... Ukraine
Vén .... Vénézuela
Viet .... Vietnam
Yém .... Yémen
Zbw .... Zimbabwé

a. Définition p. 33; b. Y compris l'ancienne Yougoslavie; c. Pays de l'OCDE, sauf Turquie, Mexique et Corée du Sud.
Notations statistiques : •• non disponible; – négligeable ou catégorie non applicable.

Les ensembles géopolitiques

Yves Lacoste
Géographe

Dans cet annuaire, on a choisi de regrouper en « ensembles géopolitiques » les deux cent vingt-cinq États souverains et territoires non indépendants qui se partagent la surface du globe. Qu'entend-on par « ensemble géopolitique » et quels ont été les critères de regroupement retenus ?

Contrairement à ce qui se passait encore au lendemain de la Seconde Guerre mondiale, plus aucun État ne vit aujourd'hui replié sur lui-même. Les relations entre États, en s'intensifiant, sont devenues plus complexes. Aussi est-il utile de les envisager à différents niveaux d'analyse spatiale.

– D'une part, *au niveau planétaire*. Il s'agit des relations de chaque État (ou de chaque groupe d'États) avec les grandes puissances : les États d'Europe occidentale, le Japon, les États-Unis et la Russie. Ces grandes puissances, qui entretiennent des rapports complexes sur les plans politique, économique et diplomatique, possèdent, pour certaines, des « zones d'influence » privilégiées. Il en est ainsi, par exemple, de l'Amérique latine pour les États-Unis, de la région Asie-Pacifique pour le Japon, de son ex-empire pour la Russie.

– D'autre part, dans le cadre de chaque *ensemble géopolitique*. Définir un ensemble géopolitique est une façon de voir les choses, de regrouper un certain nombre d'États en fonction de caractéristiques communes. On peut évidemment opérer différents types de regroupement (par exemple : les « pays les moins avancés », les États musulmans, etc.). On a choisi ici – sauf exception lorsque l'ensemble contient des « États-continents » – des regroupements ayant environ trois à quatre mille kilomètres pour leur plus grande dimension (certains sont plus petits et quelques-uns plus grands).

Considérer qu'un certain nombre d'États font partie d'un même ensemble géopolitique ne veut pas dire que leurs relations sont bonnes, ni qu'ils sont politiquement ou économiquement solidaires les uns des autres (certains d'entre eux peuvent même être en conflit plus ou moins ouvert). Cela signifie seulement qu'ils ont entre eux des relations (bonnes ou mauvaises) relativement importantes, du fait même de leur proximité, des caractéristiques communes jugées significatives et des problèmes assez comparables : même type de difficultés naturelles à affronter, ressemblances culturelles, etc. Chaque État a évidemment, au sein d'un même ensemble, ses caractéristiques propres. Mais c'est en les comparant avec celles des États voisins qu'on saisit le mieux ces particularités et que l'on comprend les rapports mutuels.

Ce découpage en trente-huit ensembles géopolitiques constitue une façon de voir le monde. Elle n'est ni exclusive ni éternelle. Chacun des ensembles géopolitiques définis dans cet ouvrage peut aussi être englobé dans un ensemble plus vaste : on peut, par exemple, regrouper dans un plus grand ensemble qu'on dénommera « Méditerranée américaine » les États d'Amérique centrale et les Antilles et ceux de la partie septentrionale de l'Amérique du Sud. Mais on peut aussi subdiviser certains ensembles géopolitiques, si l'on considère que les États qui les composent forment des groupes de plus en plus différents ou antagonistes : au sein de l'ensemble dénommé « Péninsule indochinoise », le contraste est, par exemple, de plus en plus marqué entre les États communistes (Vietnam, Laos...) et les autres.

On ne peut aujourd'hui comprendre un monde de plus en plus complexe si l'on croit qu'il n'y a qu'une seule façon de le représenter ou si l'on ne se fie qu'à une représentation globalisante. Les grandes « visions » qui soulignent l'opposition entre le *Centre* et la *Périphérie*, le *Nord* et le *Sud*, ce qu'on appelait hier encore l'*Est* et l'*Ouest*, sont certes utiles. Elles apparaissent cependant de plus en plus insuffisantes, parce que beaucoup trop schématiques. Il faut combiner les diverses représentations du monde.

Pour définir chacun des trente-huit ensembles géopolitiques, nous avons pris en compte les intersections de divers ensembles de relief comme les grandes zones climatiques, les principales configurations ethniques ou religieuses et les grandes formes d'organisation économique, car tous ces éléments peuvent avoir une grande importance politique et militaire.

En sus du découpage en trente-huit ensembles géopolitiques, un deuxième type de regroupement a été opéré, par continent ou semi-continent : Afrique, Proche et Moyen-Orient, Asie méridionale et orientale, Pacifique sud, Amérique du Nord, Amérique centrale et du Sud, Europe occidentale et médiane, Espace post-soviétique. On trouvera, en tête des sections correspondantes, des présentations géopolitiques de ces grands ensembles qui permettent d'en saisir à la fois l'unité et la diversité. - **Y. L.** ■

Les cartes

Plusieurs niveaux d'information

Chacun des États souverains et des territoires non indépendants étudiés dans l'ouvrage fait l'objet d'une représentation.

Cette édition comporte en outre des cartes des grands blocs géographiques qui structurent le classement des ensembles géopolitiques : « Afrique », « Proche et Moyen-Orient », « Asie méridionale et orientale », « Amérique du Nord », « Amérique centrale et du Sud », « Europe occidentale et médiane », « Espace post-soviétique ».

Afin de faciliter leur utilisation, une attention particulière a été portée au tracé des frontières, à la localisation des principales villes, ainsi qu'aux délimitations territoriales, administratives et politiques internes à chaque pays (régions, provinces, États, etc.).

En se référant aux p. 26-27, on prendra connaissance du découpage du monde en ensembles géopolitiques, auxquels correspondent les cartes de cet ouvrage *(liste en fin d'ouvrage, p. 675)*. - **Bertrand de Brun, Claude Dubut, Martine Frouin-Marmouget, Anne Le Fur, Catherine Zacharopoulou** ■

Légende pour la taille des villes

- ● plus de 10 000 000 habitants
- ● 5 000 000 à 10 000 000 habitants
- ● 2 500 000 à 5 000 000 habitants
- ● 1 500 000 à 2 500 000 habitants
- ● 750 000 à 1 500 000 habitants
- ● moins de 750 000 habitants

Les indicateurs statistiques

Francisco Vergara
Économiste et statisticien

Les définitions et commentaires ci-après sont destinés à faciliter la compréhension des données statistiques présentées dans la partie « Tous les pays du monde ».

On trouvera p. 28 la liste des abréviations et symboles utilisés dans les tableaux.

Démographie

• Le chiffre fourni dans la rubrique *population* donne le nombre d'habitants en milieu d'année. Les réfugiés qui ne sont pas installés de manière permanente dans le pays d'accueil sont considérés comme faisant partie de la population du pays d'origine. [*Sources principales* : 3 et 6.]

• *L'indice synthétique de fécondité* (ISF) indique le nombre d'enfants qu'une femme mettrait au monde, du début à la fin de sa vie, en supposant que prévalent, pendant chaque tranche d'âge de cette vie, les taux de fécondité observés pendant la période indiquée. [*Sources principales* : 3 et 6.]

• *Le taux de mortalité infantile* correspond au nombre de décès d'enfants âgés de moins d'un an rapporté au nombre d'enfants nés vivants pendant l'année indiquée. [*Sources principales* : 3 et 6.]

• *L'espérance de vie* est le nombre d'années qu'un nouveau-né peut espérer vivre (en moyenne) dans l'hypothèse où les taux de mortalité, par tranche d'âge, restent, pendant toute sa vie, les mêmes que ceux de l'année de sa naissance. [*Sources principales* : 3 et 6.]

• *La population urbaine*, exprimée en pourcentage de la population totale, en dépit des efforts d'harmonisation de l'ONU, est une donnée très approximative, tant la définition urbain-rural diffère d'un pays à l'autre. Les chiffres sont donnés à titre purement indicatif. [*Sources principales* : 6, 32 et 33.]

Indicateurs socioculturels

• *L'indicateur du développement humain* (IDH), exprimé sur une échelle allant de 0 à 1, est un indicateur composite. Il prend en compte le niveau de santé, d'éducation et de revenu atteint dans le pays concerné (pour plus de détails : voir p. 592. Voir aussi le classement de tous les pays p. 596 et suiv.). [*Source principale* : 39.]

• *Le taux d'analphabétisme* est la part des personnes ne sachant ni lire ni écrire dans la catégorie d'âge « 15 ans et plus ». [*Sources principales* : 22, 39, 36, 7 et 8.]

• *Le niveau de scolarisation* est mesuré par plusieurs indicateurs. *L'espérance de scolarisation* (inspirée de *l'espérance de vie*) mesure le nombre d'années d'enseignement auquel peut aspirer, pendant sa vie, une personne née pendant l'année si, pendant toute sa vie, prévaut le taux d'inscription par âge de cette année. *Le taux d'inscription dans le secondaire* mesure le nombre d'enfants inscrits dans le secondaire qui appartiennent à la tranche d'âge pertinente divisée par le nombre total d'enfants dans cette classe d'âge. Est donné, pour presque tous les pays, le taux « net » qui exclut les adultes inscrits dans le secondaire et les enfants redoublants au-delà d'un certain âge. Pour les pays en développement (PED), nous avons préféré au taux d'inscription dans le secondaire le taux d'inscription pour la tranche d'âge « 12-17 ans ». Pour l'ensemble des pays, le taux d'inscription au « 3e degré » (niveau universitaire) correspond au nombre d'étudiants divisé par la population ayant 20 à 24 ans. Dans les très petits pays, ce taux n'est pas toujours significatif dans la mesure où une part importante des universitaires étudie à l'étranger. Dans les pays développés, le taux en question peut

Attention, statistiques

Comme pour les éditions précédentes, un important travail de compilation de données recueillies auprès des services statistiques des différents pays et d'organismes internationaux a été réalisé afin de présenter aux lecteurs le plus grand nombre possible de résultats concernant l'année 1998.

Les informations – plus de 40 indicateurs – portent sur la démographie, la culture, la santé, les forces armées, le commerce extérieur et les grands indicateurs économiques et financiers. Pour les 25 États les plus importants au regard de leur puissance économique, leur population, leur superficie ou de leur situation géopolitique, les données pour 1975, 1985, 1997 et 1998 sont fournies, afin de permettre la comparaison dans le temps et de dégager certaines tendances. Dans les statistiques du « Commerce extérieur » présentées pour chacun de ces pays, les années 1974 et 1986 ont été retenues afin d'éviter les fluctuations les plus brutales, mais passagères, du prix du pétrole et du taux de change du dollar.

Les résultats de 1998 sont présentés pour tous les États souverains de la planète et pour onze territoires non indépendants.

Les décalages que l'on peut observer, pour certains pays, entre les chiffres présentés dans les articles et ceux qui figurent dans les tableaux peuvent avoir plusieurs origines : les tableaux, qui font l'objet d'une élaboration séparée, privilégient les chiffres officiels plutôt que ceux émanant de sources indépendantes (observatoires, syndicats...), et les données « harmonisées » par les organisations internationales ont priorité sur celles publiées par les autorités nationales.

Il convient de rappeler que les statistiques, si elles sont le seul moyen de dépasser les impressions intuitives, ne reflètent la réalité économique et sociale que de manière très approximative, et cela pour plusieurs raisons. D'abord parce qu'il est rare que l'on puisse mesurer directement un phénomène économique ou social : le « taux de chômage officiel », au sens du BIT (Bureau international du travail), par exemple, même lorsqu'il a été « harmonisé » par les organisations internationales, n'est pas un bon outil pour comparer le chômage entre pays différents. Et même lorsqu'on compare la situation d'un même pays dans le temps, il se révèle être un indicateur trompeur, tant il existe de moyens de l'influencer, surtout en période électorale.

Il faut aussi savoir que la définition des concepts et les méthodes pour mesurer la réalité qu'ils recouvrent sont différentes d'un pays à l'autre malgré les efforts d'harmonisation accomplis depuis les années soixante. Cela est particulièrement vrai pour ce qu'on appelle « impôts », « prélèvements », « dette publique », « subventions », etc. De minimes différences de statut légal peuvent ainsi faire que des dépenses tout aussi « obligatoires » partout apparaissent comme des « impôts » dans les comptes d'un pays et comme des « consommations des ménages » dans l'autre. - **Francisco Vergara** ■

refléter le caractère plus ou moins élitiste du système universitaire, voire une forme différente d'organisation de l'enseignement supérieur. [*Sources principales* : 7 et 31.]

• *Livres publiés.* Selon les recommandations de l'UNESCO sur « la standardisation des statistiques internationales concernant la publication de livres (1964) », est considérée comme livre toute publication non périodique, de 49 pages au moins et disponible au public. [*Pour le détail, voir sources* : 7, 11 et 36.]

• L'indicateur relatif aux *adresses Internet* est issu de la Banque mondiale. Il correspond aux ordinateurs dotés de fonctions « actives » (autres que boîte-à-lettre) reliés à un réseau. [*Source* : 5.]

Armées

Les effectifs des différentes armées sont issus du rapport *Military Balance*. [*Source* : 45.]

Économie

La mesure de la production annuelle d'un pays ainsi que l'évaluation de son taux de croissance posent des problèmes philosophiques et statistiques complexes [*voir, à ce propos V. Parel, F. Vergara,* « Revenu national », *Encyclopaedia Universalis, 1996*]. Depuis la fin de la Seconde Guerre mondiale, les différents États tendent à harmoniser les définitions et les méthodes utilisées dans leurs comptabilités nationales. Les comparaisons des données présentées ici n'en doivent pas moins être considérées avec précautions.

• *Le produit intérieur brut* (PIB) mesure la richesse créée dans le pays pendant l'année, en additionnant la valeur ajoutée dans les différentes branches. Cela exige quelques compromis. La valeur ajoutée de la production paysanne pour l'auto-consommation ainsi que celle des « services non marchands » (éducation publique, défense nationale, etc.) sont incluses. En revanche, le travail au noir, les activités illégales (comme le trafic de drogue), le travail domestique des femmes mariées ne sont pas comptabilisés (un homme qui se marie avec sa domestique diminue ainsi le PIB).

• *Le produit national brut* (PNB) est égal au PIB, additionné des revenus rapatriés par les travailleurs et les capitaux nationaux à l'étranger, diminué des revenus exportés par les travailleurs et les capitaux étrangers présents dans le pays.

Certains pays à économie de marché utilisent le PIB comme indicateur de croissance, d'autres utilisent le PNB. Pour les périodes de dix ans et pour des pays suffisamment grands, la différence est, en général, négligeable. Mais pour des pays petits ou très liés à l'extérieur, la différence pour une année donnée peut être considérable. [*Sources principales* : 2, 5, 9, 10, 12, 13, 14 et 15.]

Dans les pays communistes, la production nationale était mesurée par le *Produit matériel net*, le *Produit matériel brut* et le *Produit social global* (pour une définition, voir *L'état du monde* 1996, p. 27).

Afin de comparer le niveau de richesse atteint par les différents pays, leur PIB doit être exprimé dans une monnaie commune, généralement le dollar des États-Unis (US $). Trois méthodes sont habituellement employées pour convertir les PIB en dollars. La première consiste à utiliser simplement le *taux de change courant* (de l'année en question). Il s'agit d'une méthode assez arbitraire, les taux de change pouvant fluctuer du simple au double d'une année à l'autre sans que les fondamentaux de l'économie aient changé. La deuxième méthode, appelée *méthode de la Banque mondiale*, consiste à transformer les PIB en dollars en utilisant le taux de change moyen des trois dernières années. Comme les taux de change sans rapport avec les fondamentaux durent rarement longtemps, cette méthode permet de « lisser » les fluctuations les plus fortes. Mais le taux de change moyen ne reflète pas très bien les différences de prix d'un pays à l'autre, d'où une troisième méthode dite *à parité de pouvoir d'achat* (PPA), qui utilise un taux de change imaginaire qui rend comparable le prix d'un panier de marchandises (pour une définition plus complète, voir p. 593). Ce sont ces PIB *à parité de pouvoir d'achat* qui sont présentés dans les tableaux des pays et des régions.

• Le *taux d'inflation* indique le pourcentage d'augmentation des prix des produits de consommation, pour le panier d'un ménage représentatif, défini différemment selon les pays. [*Sources principales* : 2, 10, 14, 19 et 30.]

• Par *population active*, on entend, au sens du BIT (Bureau international du travail), la population qui a travaillé – même seulement une heure – pendant la semaine de référence, ainsi que celle qui n'a pas « travaillé » mais était activement à la recherche d'un emploi et immédiatement disponible pour le prendre. Le « travail » en question n'a pas besoin d'être rémunéré. Il exclut cependant les activités illégales et les tâches ménagères du foyer. La population active indiquée dans les rétrospectives consacrées aux 25 pays les plus importants est classée en trois branches : agriculture, industrie et services. L'agriculture comprend la pêche et la sylviculture. L'industrie comprend la production minière, le bâtiment et travaux publics et la production d'eau, gaz et électricité (qui sont des *biens* et non des services, comme on le pense parfois). Les *services* comprennent tout le reste : transport, commerce, banque, assurance, édu-

Principales sources utilisées

1. Perspectives de l'emploi, 1999, OCDE.
2. Principaux indicateurs économiques, mai 1999 (OCDE).
3. World Population Prospects. The 1998 Revision, ONU, 1998.
4. Population and Vital Statistics, n° 1, 1999 (ONU).
5. Banque mondiale, World Development Indicators, 1999.
6. World Population Projections 1994-95 Edition, World Bank, 1995.
7. Annuaire statistique de l'UNESCO 1998.
8. UNCTAD Statistical Pocket Book, ONU, 1994.
9. Statistiques financières internationales, Annuaire 1998 (FMI).
10. Statistiques financières internationales, juin 1999 (FMI).
11. « An International Survey of Book Production During the Last Decades », *Statistical Reports and Studies*, n° 26 (UNESCO).
12. Atlas de la Banque mondiale, 1999.
13. Perspectives économiques de l'OCDE, juin 1999.
14. Séries « Country Profile » et « Country Report » (The Economic Intelligence Unit).
15. Economic Survey of Europe, 1999, n° 1, Commission économique pour l'Europe (ONU).
16. Eurostat, Commerce extérieur, mai 1999.
17. Statistiques de la population active 1977-97 (OCDE).
18. Statistiques trimestrielles de la population active, n° 1, 1999 (OCDE).
19. Bulletins périodiques des postes d'expansion économique (PEE) auprès des ambassades de France dans le monde.
20. Global Development Finance, 1999 (Banque mondiale).
21. Annuaire statistique du commerce international, 1996 (ONU).
22. Compendium of Statistics on Illiteracy, 1995 Edition. Statistical Reports and Studies n° 35, UNESCO.
23. CNUCED, Annuaire statistique du commerce et du développement, 1996-97.
24. Direction of Trade Statistics, Yearbook 1998 (FMI).
25. Direction of Trade Statistics, mars 1999 (FMI).
26. Statistiques mensuelles du commerce extérieur, mai 1999 (OCDE).
27. Croissance et Emploi, Union européenne, 25.2.98 (CEE).
28. Annuaire de statistiques du travail 1998 (BIT).
29. Population active, évaluations 1950-80, projections 1985-2025, vol. 1-5 (BIT).
30. Perspectives économiques mondiales, FMI, mai 1999.
31. Trends and Projections of Enrolment by Level of Education and by Age, UNESCO, 1993.
32. World Urbanization Prospects, ONU, mai 1997.
33. ONU, Compendium of Human Settlement Statistics, 1995.
34. Le travail dans le monde, vol. IV, Bureau international du travail, 1989.
35. OCDE en chiffres 1999.
36. Statistical Digest, 1990, UNESCO.
37. Energy Yearbook 1995, ONU.
38. État de la population mondiale 1999, FNUAP, 1999.
39. Rapport sur le développement humain 1999, PNUD, 1999.
40. Trends in Developing Economies 1997, Banque mondiale.
41. World Metal Statistics Yearbook, 1999.
42. FAO Quarterly Bulletin of Statistics, 1999/1.
43. FAO Production Yearbook, 1996.
44. FAO Trade Yearbook, 1996.
45. Military Balance, The International Institute for Strategic Studies (IISS), Londres.

cation, police, etc. [*Sources principales* : 1, 13, 17, 18, 28, 29 et 40.]

• Le *taux de chômage* est le rapport entre le nombre de chômeurs et la population active, qui, bien que la définition de base soit la même, est calculé de manière assez différente dans chaque pays. Pour la plupart des pays développés, les chiffres indiqués sont ceux qui résultent de l'harmonisation partielle effectuée par l'UE et l'OCDE. Cette harmonisation ne permet néanmoins pas de comparer vraiment le niveau de chômage d'un pays à l'autre. Elle ne supprime pas non plus l'effet du « traitement social » du chômage, souvent plus intensif à l'approche des échéances électorales. Pour les pays en développement, il a semblé préférable de ne pas mentionner les chiffres du chômage tellement leur interprétation est délicate. [*Sources* : 1, 2, 17, 18 et 27.]

• *Dette extérieure.* Pour les pays en voie de développement, c'est la dette brute, publique et privée qui est indiquée. Pour certains pays, la dette est essentiellement libellée en dollars, pour d'autres, elle est libellée en francs (suisses et français), en marks, etc. L'évolution des chiffres reflète donc autant les fluctuations des taux de change que le véritable recours à l'emprunt net. [*Sources principales* : 14, 15 et 20.]

• Par *administrations publiques* on entend : 1. les administrations centrales tels l'État et, dans les pays où elle est nationale, la Sécurité sociale ; 2. les administrations locales : les communes, départements et régions, provinces, États fédérés, communautés autonomes...; 3. les administrations supranationales, comme le Parlement européen, Eurostat, etc. Les statistiques de *dépenses, recettes, solde* ainsi que de *dette* des administrations publiques ne peuvent en aucun cas servir pour évaluer le poids de l'État. Ces chiffres, bien qu'ils soient calculés presque de la même manière (au moins dans les pays de l'Union européenne), ne tiennent pas compte de l'éducation des enfants et de la protection sociale de la même manière. Ces services, bien qu'obligatoires et réglementés dans tous les pays développés, sont dispensés (ou gérés) plutôt par les administrations publiques dans certains pays, plutôt par le secteur privé dans d'autres. Ce qui est compté est donc très variable d'un pays à l'autre. La « dette brute » des administrations publiques n'a aucun rapport avec la « dette extérieure » mentionnée dans les tableaux statistiques relatifs aux pays en développement. Un « solde » négatif ne signifie pas nécessairement que la nation ou le pays est en train de s'endetter. Le solde des administrations publiques indiqué est le solde dit « structurel », corrigé des variations cycliques. Pour les pays de l'Union européenne est indiqué le niveau de la dette publique selon la définition retenue par le traité de Maastricht.

• Par *production d'énergie*, on entend la production d'« énergie primaire », non transformée, à partir de ressources nationales. Est donc exclue l'« énergie secondaire » (par exemple l'électricité obtenue à partir de charbon, ce dernier ayant déjà été compté comme énergie primaire). Cependant, l'électricité d'origine nucléaire est comptée dans la production d'énergie primaire, même si l'uranium utilisé est importé. L'uranium produit par un pays et exporté n'est, en revanche, pas compté comme énergie primaire. Le bois, qui est une source importante d'énergie dans certains pays en développement, n'est pas compté non plus. La *« consommation »* d'énergie indiquée est celle dite « apparente », c'est-à-dire que le pétrole brut transformé sur place et exporté comme essence est considéré comme faisant partie de la consommation nationale. La consommation d'énergie par habitant est exprimée ici en kg. Le taux de couverture désigne le rapport entre la production nationale et la consommation totale d'énergie, et peut être considéré comme un indicateur approximatif du dégré d'indépendance énergétique. [*Source principale* : 5 et 37.]

Échanges extérieurs

Pour les 25 pays faisant l'objet de rétrospectives statistiques, quatre indicateurs de base relatifs aux échanges extérieurs sont présentés : les importations de services, les importations de biens, les exportations de services et les exportations de biens telles qu'elles sont calculées dans les *balances de paiements*, en appliquant des méthodes communes adoptées par les pays déclarant leurs chiffres au FMI. Pour tous les pays sont par ailleurs présentées dans les tableaux statistiques consacrés aux ensembles géopolitiques les importations et les exportations de biens telles que les communiquent les *Douanes*. Les statistiques des Douanes ont l'avantage d'être très détaillées et rapidement disponibles. Elles ont le désavantage d'être moins significatives pour les comparaisons entre pays, les Douanes d'une nation reflétant son histoire particulière.

• C*ommerce extérieur par produits.* Afin de comparer la composition du commerce extérieur d'un pays à l'autre et de suivre son évolution dans le temps, les marchandises ont été ici regroupées en grandes catégories se fondant sur la nomenclature internationale dite CTCI (Classification type du commerce international). La dénomination « *produits agricoles* » désigne, en plus des produits de l'agriculture, de la sylviculture et de la pêche, les produits des industries agricoles et alimentaires (elle comprend donc les rubriques 0 + 1 + 2 – 27 – 28 + 4 de la CTCI). La dénomination « *produits alimentaires* » désigne les mêmes produits moins les matières premières agricoles, à l'exception des oléagineux (rubriques 0 + 1 + 22 + 4). La dénomination « *produits manufacturés* » désigne, en plus des produits manufacturés au sens courant du mot, les produits chimiques, les machines et le matériel de transport, mais elle exclut les produits des industries agricoles et alimentaires, ainsi que les métaux non ferreux (5 + 6 + 7 + 8 – 68). L'appellation « *minerais et métaux* » ne comprend pas les métaux ferreux (27 + 28 + 68). L'appellation « *céréales* » ne comprend ni le soja ni le maïs. [*Sources* : 21, 26, 23 et 16.]

• *Commerce extérieur par origine et destination.* L'évaluation de la part des différents partenaires commerciaux des pays de l'Afrique au sud du Sahara, des petits pays des Caraïbes, et de quelques pays asiatiques (Myanmar, par exemple) pose des problèmes complexes. Certains de ces pays n'ont pas communiqué leurs chiffres depuis très longtemps ; pour d'autres, les chiffres fournis sont douteux. Leur commerce est donc estimé d'après les statistiques de leurs partenaires.

Le découpage des régions et les noms qui leur sont donnés dans ces tableaux sont ceux utilisés par le Fonds monétaire international (FMI), dans son annuaire *Direction of Trade 1997*. Les découpages et les appellations sont donc différents de ceux retenus par *L'état du monde* dans son classement géopolitique, et ils diffèrent des regroupements utilisés par les Nations unies, la Banque mondiale (et le FMI lui-même dans d'autres analyses). Ainsi, les *pays en développement* (PED) comprennent la Chine, la Corée du Nord et tous les pays ex-socialistes. Sont compris aussi tous les pays « riches » de ces régions (Singapour, Israël, etc.), mais ni la Grèce ni le Portugal. Le *Moyen-Orient* comprend l'Égypte et la Libye (qui ne sont donc pas classées en Afrique) ; il ne comprend ni le Pakistan ni l'Afghanistan. L'*Amérique latine* comprend le Mexique et les territoires européens de l'hémisphère occidental. L'*Asie* ne comprend ni la Turquie ni les ex-républiques soviétiques de ce continent [*Sources* : 13, 23, 24 et 26.]

Sont désormais aussi présentés deux indicateurs concernant les relations avec l'étranger : le *solde des transactions courantes* (total des montants inscrits au crédit moins le total des montants portés au débit des postes des biens, services, revenus et transferts courants), qui indique si un pays est en train de dépenser plus qu'il ne gagne, et – pour les pays développés – la *position extérieure nette* (avoirs extérieurs moins engagements à l'égard de l'étranger), qui indique s'ils sont débiteurs ou créanciers à l'égard de l'extérieur ; il s'agit de la mesure du fardeau (ou du pécule) laissé aux générations futures. - **F. V.** ■

Un monde en mutation

Enjeux et débats

LA FIN DU XXe SIÈCLE AURA MARQUÉ UNE SENSIBLE ÉVOLUTION DANS LES RELATIONS INTERNATIONALES. ALORS QUE DANS LES DÉCENNIES PRÉCÉDENTES LA GUERRE FROIDE AVAIT OCTROYÉ UN POIDS CONSIDÉRABLE AUX RÉALITÉS MILITARO-STRATÉGIQUES ET AU JEU DES ÉTATS, LA SITUATION PRÉSENTE EST PLUS COMPLEXE. DES ACTEURS NON ÉTATIQUES TIENNENT DÉSORMAIS UN RÔLE DE PLUS EN PLUS ESSENTIEL, LAISSANT PARFOIS DEVINER L'ESQUISSE D'UNE « SOCIÉTÉ MONDIALE ».

Sortir du XIXe siècle

Jean-François Bayart
Science politique, Directeur du CERI (FNSP)

Nul ne sait si la guerre du Kosovo menée en 1999 n'aura été qu'un mirage supplémentaire de l'illusion identitaire qui s'est refermée comme un piège sur l'histoire du monde au XIXe siècle, ou sa trop tardive dissipation. Comme toujours, certains ont été prompts à annoncer des temps nouveaux et à en voir le signe dans la capitulation de Slobodan Milosevic ou dans l'émergence d'une diplomatie européenne, qu'aurait consacrée la crise. Mais, de la chute du Reich en 1945 à celle du mur de Berlin en 1989, cette ritournelle a déjà été chantée, et l'on n'en finit pas de prédire l'avènement d'un « nouvel ordre mondial ».

Or, l'éclatement de la Yougoslavie, quel que soit l'avenir dans lequel il nous projette, procède bien d'une problématique politique vieille de près de deux siècles et de sa sinistre ingénierie. La globalisation n'en peut mais, car elle est elle-même un ingrédient de ce moment historique dont l'Europe a tant de difficulté à s'émanciper. D'une part, elle se nourrit de la rétraction identitaire autant qu'elle l'alimente. De l'autre, elle a systématisé à l'ensemble du monde cette combinatoire paradoxale de l'exacerbation des particularismes et de la prétention à l'universalité. On dit volontiers que la globalisation accélère l'interdépendance des sociétés au sein du système international. Mais comme l'avait bien compris l'austro-marxiste Otto Bauer, cette idée kantienne de l'« interaction mutuelle générale » est elle-même constitutive de la nation et du nationalisme, y compris dans ses formes les plus radicales : l'identité nationale n'est pas l'expression dite authentique d'un Soi collectif enfoui dans les profondeurs de l'histoire, elle est rapport à l'Autre et souvent emprunt à l'Autre. C'est bel et bien de ce paradoxe identitaire de la globalisation qu'il faut nous déprendre si nous voulons que le prochain siècle rompe enfin avec les apories du XIXe.

L'onde de choc du dépeçage des empires multiculturels

Le démembrement de la Yougoslavie dans les années quatre-vingt-dix est la lointaine onde de choc du dépeçage, après la Première Guerre mondiale, des empires multiculturels qui ont dominé les Balkans pendant quatre siècles : l'Empire ottoman et l'empire des Habsbourg. Il s'inscrit dans le prolongement des guerres de libération (ou supposées telles) qui ont permis la constitution d'États-nations (ou supposés tels), non sans que les grandes puissances de l'époque instrumentalisent au service de leurs intérêts ce chambardement. Mais il fait également écho à d'autres épisodes connexes : la russification de l'Empire moscovite et de sa légataire universelle, l'Union soviétique ; le soutien des chancelleries et des nations européennes aux minorités chrétiennes de l'Empire ottoman, qui conduira finalement les ultras nationalistes turcs à concevoir le génocide des Arméniens en 1915 ; l'appui également au mouvement sioniste, qui se soldera par l'exode des Palestiniens ; la fin de non-recevoir opposée aux attentes kurdes après la Première Guerre mondiale, qui ne mènera pas à de moindres souffrances ; la manipulation du nationalisme arabe, qui enfermera le Moyen-Orient dans une spirale de la violence politique et de la dépendance économique. De la partition de Chypre en 1974 à celle de la Bosnie en 1995 et peut-être à celle du Kosovo en 1999, la question des Balkans – c'est-à-dire, historiquement, celle de l'empire des Habsbourg et de l'Empire ottoman – n'en finit pas d'être réglée par division à l'infini, sur la base du plus petit dénominateur identitaire commun.

Ces logiques scissipares, pour singulières qu'elles aient été d'une situation à l'autre, ont bien été interactives. À la fin du XIXe siècle, le nationalisme turc a trouvé ses théoriciens parmi les intellectuels musulmans des Balkans et de l'Empire des tsars qui se réfugiaient à Istanbul à la suite de l'indépendance des provinces ottomanes ou de la poussée impériale russe aux confins de l'Europe orientale. Progressivement le système ottoman des *millet* a changé de nature au contact de l'Occident, s'est réifié et s'est politisé. Le sionisme s'est inspiré du « réveil des nationalités » en Europe centrale, mais aussi de la vision coloniale britannique, et s'est trouvé en symbiose avec le nationalisme palestinien, notamment dans le cadre du mouvement ouvrier. Le nationalisme kurde a entretenu un rapport de symétrie avec le nationalisme turc dont il est en quelque sorte l'« ennemi complémentaire ». Tous ces exemples rappellent que l'idée nationale en Europe orientale et au Moyen-Orient partage des racines idéologiques et des expériences historiques communes : les mobilisations nationales du XIXe siècle, les enseignements des grandes universités ouest-européennes, la défense wilsonienne des minorités, le national-socialisme d'un Adolf Hitler dont l'historien Eric Hobsbawm a justement pu dire qu'il a été un « nationaliste wilsonien logique », et jusqu'à la théorie stalinienne de la nation que les partis communistes ont colportée dans la région pendant de longues décennies. Au fond, il n'y avait donc rien d'étonnant à voir l'ancien communiste Slobodan Milosevic épouser en 1989 la cause de l'ultra-nationalisme serbe au Kosovo.

Dans leur dissemblance, ces courants et ces événements se ramènent à un travail d'assignation identitaire qui impute aux individus et aux populations une appartenance ethnique ou ethnonationale, et prétend territorialiser ces identités culturelles en identités politiques ou, pis, en identités étatiques. L'ingénierie logique et inévitable de cette approche est ce que l'on nomme désormais la purification ethnique, que celle-ci soit relativement « douce » (par arasement de l'autonomie sociale et par assimilation politique et culturelle coercitive) ou franchement « dure » (par déportations et massacres, ou par ségrégation comme dans l'apartheid sud-africain). Sa consécration est l'instauration de l'« État ethnocratique » auquel aspire, parmi d'autres, le leader du parti Romania Mare (« Grande Roumanie »), Corneliu Vadim Tudor.

Les mille visages de l'ethnocratie

L'ethnocratie peut certes prendre le visage hideux des pogroms et des milices, mais, ne nous y trompons pas, son apparence est souvent plus aimablement démocratique. La Turquie, après tout, connaît un authentique régime parlementaire en dépit du poids politique et économique de l'armée, et en fidèles descendants de l'Empire ottoman les citoyens grecs ou israéliens portent des cartes d'identité sur lesquelles figure leur confession.

Cette conception de l'« ethnocitoyenneté » doit beaucoup à l'histoire de l'Europe occidentale. Le culturalisme qui lui est sous-jacent a fait ces dernières années un *comeback* remarqué. Les États-Unis ont accordé une oreille complaisante à la théorie fumeuse du « choc des civilisations » (« *clash of civilizations* ») par laquelle l'universitaire américain Samuel Huntington leur désignait un ennemi de substitution après l'effondrement du communisme : à savoir l'islam. Et la « forteresse Europe », en se fermant à son « étranger proche », s'est honteusement ralliée à cette vision des choses, nonobstant son soutien aux causes bosniaque et kosovare.

Par ailleurs, l'expansion impérialiste de l'Europe, l'influence du mouvement communiste mondial et la globalisation ont généralisé les stratégies identitaires et l'idéologie culturaliste qui confondent la citoyenneté et l'appartenance à une culture, la nation et l'ethnonationalisme, l'État et le pouvoir, la souveraineté et la purification ethnique. Sur tous les continents tend à prévaloir non pas tant le « Ote-toi de là que je m'y mette » – caractéristique des colonisations classiques de peuplement, comme en Amérique du Nord, en Afrique du Sud ou en Australie – que le « Ote-toi de là que je m'y remette », propre à l'illusion identitaire.

Banalisation des affrontements entre « autochtones » et « allogènes »

De même que des auteurs comme Sieyès, Augustin Thierry ou Guizot ont pu voir dans la noblesse les descendants des envahisseurs barbares et interpréter la Révolution française dans les termes d'un conflit ethnique entre ceux-là et le vieux fond gallo-romain de la population, que les Serbes revendiquent l'antériorité de leur présence au Kosovo quand les Albanais s'imaginent en Illyriens, et que les sionistes entendent rétablir les droits du peuple juif sur Jérusalem, le *Hutu Power* de l'entourage de feu le président Juvénal Habyarimana, au Rwanda, voulait renvoyer les Tutsi en Éthiopie, dont ils sont censés venir. L'Asie n'échappe pas à ces fantasmagories. En Inde les nationalistes hindous du BJP (Bharatiya Janata Party) ont rasé la mosquée d'Ayodhia (6 décembre 1982) qu'ils disent avoir été construite sur l'emplacement d'un temple dédié au dieu Ram. Et à Taïwan, le jeu politique s'est longtemps ordonné autour du clivage entre natifs de l'île et continentaux arrivés dans les fourgons du Kuomintang en 1949.

Les antagonismes entre autochtones et allogènes, dont les enjeux économiques et politiques sont tangibles, mais qui s'énoncent sur le plan identitaire, se banalisent : les affrontements entre Kalenjin et Kikuyu dans la vallée du Rift, au Kénya, ou entre pasteurs banyamulenge d'origine rwandaise et agriculteurs « du cru » dans la province du Kivu, au Congo-Kinshasa, les violences entre chiites et sunnites à Karachi, ou entre Tamouls et Cinghalais à Sri Lanka reprennent cette thématique, même si ces divisions portent fondamentalement sur l'accès à la terre, à l'immobilier, aux flux commerciaux ou bancaires, au pouvoir local ou national. De la sorte, la définition de la citoyenneté s'apparente à une quête des origines : l'une des causes du soulèvement des Banyamulenge au Kivu, en septembre 1996, a été la remise en question de la loi qui leur avait accordé la citoyenneté zaïroise, et en Côte-d'Ivoire Henri Konan Bédié a écarté son rival le plus dangereux, Alassane Ouattara, de l'élection présidentielle de 1995 sous prétexte qu'il est d'origine burkinabé.

Le malheur est que la conception ethnonationaliste de la cité ne résout aucun problème du monde contemporain, au-delà même des objections éthiques qu'elle soulève. Sur un plan politique, l'idée d'une nation ethniquement homogène est vaine. Elle ne peut être mise en œuvre ni par le génocide, ni par l'échange des populations, comme le prouve le précédent turco-arméno-grec : il reste toujours des Arméniens et des Grecs en Turquie, et des Turcs en Grèce. Il s'agit en fait d'une mission impossible. Toute identité est un simple fait de conscience, relatif et incertain : le mariage et le libre choix aidant, il y a toujours plus ou moins « pur » que vous. C'est l'une des raisons pour lesquelles l'approche identitaire du politique et sa logique d'exclusion ne peuvent engendrer la sécurité. Le rappellent derechef les contentieux territoriaux entre la Turquie et la Grèce, le conflit entre les deux parties de Chypre, le terrorisme de l'ASALA (Armée secrète arménienne pour la libération de l'Arménie), ou encore la permanence de la revendication palestinienne un siècle après l'enclenchement du projet sioniste, et le désastre de l'Europe des nationalités et des « économies nationales » qui a débouché sur la Seconde Guerre mondiale.

Références

B. Anderson, *L'Imaginaire national. Réflexions sur l'origine et l'essor du nationalisme,* La Découverte, Paris, 1996.

A. Appadurai, *Modernity at Large. Cultural Dimensions of Globalization,* University of Minnesota Press, Minneapolis, 1996.

J.-F. Bayart, *L'Illusion identitaire,* Fayard, Paris, 1996.

S. Gruzinski, *La Pensée métisse,* Fayard, Paris, 1999.

A.-M. Thiesse, *La Création des identités nationales. Europe XVIIIe-XXe siècle,* Seuil, Paris, 1999.

@ **Sites Internet**

http://www.ceri.sciencespo.com

Se départir de l'illusion identitaire

Il n'y aura donc pas de tâche plus urgente au début de ce nouveau millénaire que de se départir de cette illusion identitaire dans laquelle le monde s'est laissé enfermer voici deux siècles. Ni l'État, ni la globalisation ne nous en délivreront comme par magie, car depuis le début ils en sont eux-mêmes la fabrique sociale. En Europe, les identités nationales peuvent certes parfois plonger leurs racines dans l'époque prémoderne, comme le font valoir certains théoriciens du nationalisme, mais elles se confondent désormais avec le travail d'invention de la modernité par invention de la tradition qui a marqué la formation de l'État à partir du XIXe siècle. La centralisation politique n'a pas simplement procédé par uniformisation ou standardisation culturelle, mais aussi par différenciation de singularités régionales ou ethniques, telles que la promotion de l'artefact de la culture et notamment de la musique populaires en Europe centrale et balkanique, ou la cristallisation de nations au Caucase et en Asie centrale dans le creuset des institutions soviétiques.

De même, la transposition du modèle étatique occidental en Asie et en Afrique, largement par le biais de la colonisation, a fait des identifications particularistes les modes de participation privilégiés aux nouvelles structures politiques ou administratives. Le communalisme en Inde, l'ethnicité en Afrique subsaharienne, le confessionnalisme au Liban sont les produits de l'interaction des colonisés avec l'État colonial, puis postcolonial, plutôt que les survivances de la période antérieure à la colonisation. Les agents de l'État – les fonctionnaires, les enseignants, les intellectuels plus ou moins tributaires de ce dernier – et ses services – les musées, les conservatoires, les universités – ont d'ailleurs joué un rôle éminent dans les mobilisations identitaires aussi bien dans les colonies qu'en Europe même. Et les opérations de purification ethnique ont été des entreprises étatiques, parfois très bureaucratiques, à l'instar de la Shoah ou du génocide des Tutsi au Rwanda en 1994 : c'était l'onction de l'État qui semblait rendre légitime l'extermination du mauvais voisin.

Explorer de nouvelles formes de souveraineté et de représentations politiques

Dans le même temps la globalisation du système international, qui s'amorce dès le début du XIXe siècle avec l'expansion impérialiste de l'Europe et l'amélioration des moyens de transport et de communication, est « réinvention de la différence », au lieu d'être ce rouleau compresseur que dénoncent les pourfendeurs de la « mcdonaldisation » du monde et de l'« agression culturelle ». Loin de saper les fondements de l'État, elle en a assuré la diffusion à l'échelle de la planète et elle continue de le consolider en fournissant aux citoyens-consommateurs les symboles, éventuellement marchands, qui leur permettent de transcender les appartenances de terroir et de se reconnaître dans une société nationale. Pour autant, elle n'arase pas cette dernière tant sont singuliers les processus d'appropriation des objets ou des représentations culturelles importés. Surtout, la globalisation a directement servi la rétraction identitaire : par la systématisation du principe étatique, chaudron des particularismes, mais aussi par l'intervention de divers mouvements ou institutions multilatéraux, tels que les missions chrétiennes qui ont été parties prenantes de la précipitation – au sens chimique du mot – de l'ethnicité en Afrique ou du communalisme en Inde.

Les logiques transnationales ne sont en rien contradictoires avec le développement du nationalisme. En Europe, puis dans le reste du monde, la diffusion de celui-ci a été une entreprise transnationale et a fait l'objet de véritables transferts de répertoires et de savoir-faire d'une société à l'autre : à travers le Vieux Continent, des métropoles vers les colonies, mais aussi de ces dernières vers leurs métropoles comme le démontrent des recherches récentes des historiens. Aujourd'hui, les extrémismes identitaires s'appuient volontiers sur les communautés de la diaspora, à l'image des républicains de l'IRA (Armée républicaine irlandaise) ou des sionistes, et parfois ils n'ont plus de lien avec le territoire de référence que virtuel et fantasmatique, à travers les médias, le web et l'expérience de l'exil ou de l'émigration, à l'instar du nationalisme des Kurdes vivant en Europe occidentale ou à Istanbul.

Dès lors il ne suffit pas d'attendre que la globalisation ou la restauration de l'État, c'est selon, rende caduque l'illusion identitaire et mette fin aux opérations de purification ethnique. Les trois termes peuvent continuer à faire bon ménage, et les stratégies radicales à se déchaîner. Seule l'exploration de nouvelles formes de souveraineté et de représentations politiques qui dissocieraient l'identitaire de la gestion du territoire, de la répartition des ressources et de l'exercice du pouvoir seraient à même d'endiguer cette combinatoire de l'horreur. Les austromarxistes (Otto Bauer, Karl Renner...) s'y étaient essayés au début du siècle, avec le succès que l'on sait. À sa manière, pataude et morose, l'Union européenne a repris le flambeau. Mais l'un des avantages comparatifs des stratégies identitaires tient à leur capacité à faire vibrer chez leurs adeptes les passions et les figures imaginaires de la mort et du sexe. L'expression même de « purification ethnique » le suggère : l'illusion identitaire met en forme la phobie de la souillure dont serait menacé le corps ethnonational dans sa relation à l'Autre. Il faudra sans doute plus que l'idée utilitariste et sceptique de la « citoyenneté économique » pour contrer ce genre d'appréhensions. ■

La globalisation n'implique pas la convergence vers un capitalisme de marché pur ni la fin du politique

Robert Boyer
Économiste, CNRS, EHESS,CEPREMAP

Généralisation des idées et des programmes de retour au marché, essor malgré la crise ouverte en 1997 des nouveaux pays industrialisés du Sud-Est asiatique, disparition des économies de type soviétique, diffusion des pratiques managériales visant à la production frugale, essor des technologies de l'information et de la communication, autant de transformations qui ont marqué les années quatre-vingt-dix. Ce sont sans doute la permanence et la vivacité du processus d'internationalisation qui constituent le trait d'union entre ces différents changements et définissent l'un des enjeux déterminants de la période.

La phase actuelle d'internationalisation, sans précédent historique, implique-t-elle pour autant la convergence vers un capitalisme de marché, dans lequel le rôle du politique serait réduit à la portion congrue ? Beaucoup soutiennent ce raisonnement et le présentent comme un syllogisme. Or, on peut opposer de fortes objections à la domination de cette vision. De fait, chacun des trois termes – globalisation, convergence, fin du politique – pose problème au regard de l'évolution des capitalismes contemporains.

« Globalisation », un concept flou

Le terme « globalisation » correspond à un concept flou dont le succès provient précisément de son caractère polysémique. Ce terme, utilisé dans les contextes les plus divers, n'est pas innocent, puisqu'il suggère que nations, firmes et plus encore individus sont impuissants face à un déterminisme implacable, car venu d'ailleurs... hors du contrôle politique national. Cette opinion, largement admise, y compris auprès des adversaires politiques de la globalisation, mérite une critique systématique. En un mot, le concept de globalisation dissimule et obscurcit plus qu'il n'éclaire l'évolution des modes de régulation contemporains [*Boyer, 1997*].

L'emploi immodéré du terme « globalisation » caricature en outre la réalité des interdépendances qui régissent le déploiement des firmes sur l'échiquier mondial. Observe-t-on en effet une convergence vers la loi du prix unique, de sorte que le régime économique se définirait dans les années quatre-vingt-dix directement au niveau mondial, transgressant les frontières de l'État-nation ? De fait, les écarts du prix d'un même produit n'ont pas tendance à se résorber, ne serait-ce que parce qu'il est de l'intérêt de chaque entreprise multinationale de différencier ses prix en fonction du marché et de la concurrence au niveau local. De plus, un certain nombre de prix dépendent essentiellement de la fiscalité, qui demeure du domaine des décisions des gouvernements, pour la plupart des marchandises dont les coûts de transport sont élevés ou qui ne sont pas échangeables sur le marché international. La technologie et les méthodes de production peuvent faire l'objet

de brevets ou de codifications... et pourtant les connaissances tacites demeurent essentielles pour déterminer celles des entreprises qui occuperont la position dominante. Or, la localisation demeure un élément important dans la transmission des savoir-faire.

De même, en dépit de l'internationalisation de certains marchés financiers, divers régimes monétaires coexistent et organisent la distribution du crédit de façon extrêmement différenciée, ce qui joue quant à l'impact de la variation des taux d'intérêt sur l'activité économique. Au demeurant, ces taux demeurent conditionnés par les décisions de politique économique qui correspondent à autant de conjonctures nationales ou continentales (l'euro)... sauf crise financière globale qui propagerait de pays à pays une dépression du type de celle des années trente. Quant aux salaires, le fait que l'Allemagne commerce avec la Chine n'a pas fait converger les salaires du textile vers un même niveau pour les deux pays. Ainsi la globalisation désigne un changement structurel majeur par rapport au système international de l'immédiat après-guerre, mais la diversité des modes de régulation et des conjonctures qui en sont l'expression continue à être considérable.

Le second terme du syllogisme n'est pas plus assuré. D'une part le marché n'est pas toujours autorégulateur, d'autre part il n'a pas la propriété de s'auto-instituer comme le montre la douloureuse transformation de l'économie soviétique en une économie de... non-marché [*Sapir, 1998*]. Mais ce n'est pas une surprise pour l'honnête économiste qui aurait suivi les travaux des théoriciens de l'équilibre général et aurait appris les conditions extrêmement restrictives sous lesquelles un équilibre de marché existe. Il serait alors convaincu que la monnaie, constitutive du marché, ne peut être gérée par la seule concurrence marchande. Que la concurrence est imparfaite d'autant plus que la qualité des biens échangés est inégalement appréciée par les partenaires de l'échange. Les biens publics pour leur part exigent des procédures particulières pour révéler la valeur que leur attribuent les individus. Les externalités tant positives, liées à l'innovation, que négatives, associées à la pollution et l'encombrement, ne peuvent être surmontées par le marché laissé à lui-même. Dès lors que les transactions ne sont plus instantanées et que les marchés à terme sont en petit nombre, se déploient des anticipations hétérogènes, qui livrent autant de pathologies de l'équilibre intertemporel. Ainsi, le marché devrait avoir la tâche de coordonner les décisions marginales de courte portée, alors que les instances politiques de délibération sont absolument nécessaires pour les choix des orientations stratégiques, qui canalisent ensuite les ajustements au jour le jour des marchés.

Le terreau de la contre-stratégie conservatrice

Mais que répondre à l'argument selon lequel l'action collective, tout spécialement celle de l'État, rencontre des limites intrinsèques [*Wolf, 1990*] ? Elles seraient presque symétriques de celles du marché. Si la monnaie a besoin du contrôle du politique, alors ce dernier peut perturber sa fonction proprement économique par des choix discrétionnaires qui résultent des luttes au sein du champ politique lui-même. Le rôle de maintien et de défense de la concurrence peut se renverser dès lors que les autorités publiques chargées du contrôle deviennent les alliés et les défenseurs des entités qu'elles sont censées contrôler. De même, il n'existe aucune procédure de choix collectif qui respecte le principe de transparence dès lors que la société est hétérogène et qu'elle affiche des principes démocratiques.

Coordonner les vues sur l'avenir des agents économiques constitue une tâche essentielle de l'État si l'on suit la logique keynésienne... mais la tâche se révèle extrêmement difficile dans les sociétés hautement différenciées, d'autant plus que se

Bibliographie

M. Aglietta, « Le capitalisme de demain », *Note de la Fondation Saint-Simon*, Paris, nov. 1998.

Association Recherche et Régulation, « État et politique économique », *in L'Année de la régulation. Économie, institutions, pouvoirs*, vol.3, La Découverte, Paris, 1999. (Voir notamment R.Boyer, « Le politique à l'ère de la mondialisation et de la finance : le point sur quelques recherches régulationistes » pour une approche plus large et plus globale du sujet traité dans cet article.)

R. Boyer, « Les mots et les réalités », *in* S.Cordellier (sous la dir. de), *La Mondialisation au-delà des mythes*, La Découverte, coll. « Les Dossiers de L'état du monde », Paris, 1997.

R. Freeman, « Faut-il imiter le modèle américain ? », *Actes de la recherche en sciences sociales*, Paris, sept. 1998.

J. Sapir, « Quand l'économie rencontre le politique : spontanéisme, constitutionnalisme et la question de l'État », ronéo, CEMI-EHESS & IRSES-MSH, Paris, janv. 1998.

C. Wolf Jr, *Markets or Governments : Choosing between Imperfect Alternatives*, MIT Press, Cambridge, 1990.

déploieraient des comportements opportunistes dissimulant aux autorités publiques la teneur de l'information privée dont chaque agent dispose. Même l'objectif de justice sociale n'est pas aisé à réaliser puisque l'action publique peut être à l'origine de nouvelles inégalités, distinctes de celles qu'aurait engendrées le marché. Si le marché, laissé à lui-même, pousse les inégalités au point parfois de compromettre l'efficacité, de son côté un égalitarisme offensif impulsé par l'État peut lui aussi détériorer l'efficacité du système économique dans son ensemble.

C'est à la lumière de ces insuffisances des interventions publiques que s'est déployée à partir des années quatre-vingt la contre-stratégie conservatrice, avec une vigueur telle que les conceptions du rôle de l'État en ont été durablement affectées. La politique monétaire devrait perdre tout caractère discrétionnaire en obéissant à des règles préétablies, connues de tous. A la propriété publique de certaines entreprises devrait succéder une série de contrats canalisant au mieux les tendances opportunistes des agents économiques, chargés de livrer les biens collectifs précédemment fournis par le secteur public. La fixation des normes de qualité, et des normes technologiques, devrait être laissée au marché, car lui seul est supposé coordonner des vues et des intérêts extrêmement contradictoires. Afin de révéler la valeur qu'attribuent effectivement les citoyens aux services publics, rien ne vaut une privatisation mettant en jeu un principe de concurrence, à l'opposé du monopole dont jouissait auparavant l'État. De même, pourquoi ne pas créer un marché des droits à polluer en matière d'environnement ou encore remplacer les instituts publics de recherche par des subventions à la R-D (recherche-développement) privée ? Pour éviter la sclérose de l'État et sa croissance excessive, pourquoi ne pas le démembrer en une série d'agences indépendantes spécialisées, sans aucune référence à une quelconque planification globale, supposée hors d'atteinte ?

Ainsi, le retour au marché apparaît surtout comme un antidote aux failles de l'action collective... que les interventionnistes avaient négligé de prendre en compte dans leur défense et illustration de l'État. Enfin, les années quatre-vingt et quatre-vingt-dix ont enregistré de vigoureuses campagnes pour essayer de convaincre l'opinion publique que le prix du marché était l'expression d'un principe de justice sociale puisqu'il récompensait « chacun selon sa contribution ».

La tentation du libéralisme dogmatique

Si l'on n'y prenait garde, on pourrait en conclure (à nouveau) que le marché est autorégulateur et sans faille : c'est la tentation du libéralisme dogmatique qui, ce faisant, nie les avancées de la théorie des économies de marché. Mais il peut séduire car il semble apporter une solution évidente et simple à des problèmes compliqués, auxquels les politiques et les responsables eux-mêmes n'entendent plus grand-chose... même s'ils l'avouent rarement. Peut-être faut-il rappeler alors que l'extension de la sphère soumise à la logique du marché n'a pas apporté les résultats promis par les tenants de la privatisation, de la libéralisation et de la décentralisation de l'activité économique. Les échecs sont à bien des égards spectaculaires.

La configuration internationale construite sur la libéralisation des mouvements de capitaux et la variabilité des taux de change a certes succédé au système de Bretton Woods et permis de répondre aux changements structurels intervenus depuis trois décennies. Pourtant, jamais les fluctuations de change n'ont été aussi importantes, la polarisation des excédents et déficits commerciaux aussi durable, sans compter que les politiques économiques nationales, qui devaient être libérées de la contrainte extérieure, y sont au contraire soumises à travers un contrôle quasiment quotidien des marchés financiers, maîtres de la formation des taux de change, et même de certaines orientations stratégiques des gouvernements.

En matière de régime monétaire et financier, la libéralisation financière devait favoriser l'investissement productif, les marchés des produits dérivés partager le risque, et la spéculation promouvoir la stabilité du processus de croissance. C'est précisément le contraire qui a été observé dans les années quatre-vingt-dix : essor de la consommation des groupes les plus favorisés au lieu de l'investissement productif attendu, création par les « hedge funds » de risques systémiques d'une ampleur sans précédent, puissance de la spéculation qui est parvenue à déstabiliser les régimes de croissance parmi les plus dynamiques, ceux des pays du Sud-Est asiatique. Quant à la volonté monétariste de réduire à zéro l'inflation grâce au contrôle de la base monétaire, le tout sans impact sur le chômage, l'expérience européenne des années quatre-vingt-dix montre assez que l'arbitrage inflation-chômage est loin d'avoir disparu à court et même à moyen terme.

Un État minimaliste était censé stimuler l'épargne, l'innovation, la productivité et, par voie de conséquence, la croissance et l'élévation du niveau de vie. L'observation de la trajectoire américaine suggère que le sous-investissement dans l'éducation de base et les infrastructures s'est aggravé, que la productivité globale n'a pas retrouvé les tendances de l'époque fordienne et que les inégalités sociales pèsent sur des budgets publics que l'on voulait réduire [*Freeman, 1998*]. Pour avoir négligé les composantes collectives de la productivité et les contraintes liées à l'insertion à titre viager des salariés dans la société, les gouvernements conservateurs ont rarement obtenu les résultats attendus.

L'évolution des formes de la concurrence est non moins paradoxale : à une époque où la glorification de la concurrence est poussée à un point extrême, se constituent à l'échelle mondiale des groupes dont l'ambition affichée est de maîtriser le marché... et non pas de servir naïvement l'idéal d'un marché de concurrence pure et parfaite. Les services publics ont été privatisés... mais ils ont cédé la place à des oligopoles ou monopoles privés qui ne manquent pas d'utiliser leur position privilégiée dans la maîtrise des grands réseaux. La concurrence conduit au monopole ou à l'oligopole… résultat qui n'aurait pas étonné l'auteur du *Capital*.

La déréglementation du « marché du travail » qui était supposée assurer un retour au plein-emploi est loin d'avoir eu les effets attendus, tout au moins en Europe. Des déréglementations, certes prudentes, n'ont pas eu d'effets majeurs sur la création d'emploi en Allemagne et en France, alors qu'au Royaume-Uni le chômage s'est réduit, non pas sous l'effet du dynamisme de la création d'emploi, mais à la suite d'importants mouvements de retraits de la population active. Aux États-Unis mêmes, il ne faut pas oublier qu'une politique économique finalement très keynésienne, optimisant l'arbitrage modération de l'inflation/croissance, a aussi été à l'origine de la réduction du taux de chômage à des niveaux sans précédent depuis un quart de siècle. La tentation est alors forte de considérer qu'il faut pousser la flexibilisation des marchés du travail européens… mais les arguments théoriques et généraux précédents incitent à la prudence.

Lorsqu'on rassemble ces arguments, il est logique de conclure à la faible vraisemblance d'une convergence vers un capitalisme de marché pur. ■

Souveraineté, nation et démocratie Trois concepts à l'épreuve de la guerre du Kosovo.

Joseph Krulic
Historien et politologue

L'intervention *Force alliée* (« *Allied Force* ») de l'OTAN (Organisation du traité de l'Atlantique nord) contre la République fédérale de Yougoslavie (RFY) de Slobodan Milosevic (24 mars-9 juin 1999) a mis à l'épreuve l'articulation de trois concepts – la souveraineté, la nation et la démocratie – dont les acteurs ont fait un usage intensif, révélateur de leurs cultures politiques respectives.

Le projet d'accords de Rambouillet (6 au 23 février 1999, prolongation à Paris du 15 au 19 mars) reconnaissait la « souveraineté » de la République de Yougoslavie sur la province du Kosovo, mais cette reconnaissance de principe s'accompagnait d'une limitation si importante de ses modalités d'exercice (présence d'une force militaire de l'OTAN, limitation des forces serbes à 1 500 hommes, définition d'une « autonomie substantielle » pour une durée de trois ans comprise par tous comme un préalable à l'indépendance) que la délégation serbe a estimé ne pouvoir accepter cet accord.

Les bombardements menés par la coalition atlantique, du strict point de vue du droit international public positif, ont été illégaux pour une raison que n'ont pas contestée les gouvernements parties prenantes : aucune résolution des Nations unies n'avait en effet autorisé l'intervention armée, même s'il est vrai que les résolutions 1199 et 1203 avaient prescrit aux protagonistes un comportement aux antipodes de celui du gouvernement Milosevic, et que la résolution 1199 s'est référée aux stipulations du chapitre 7 de la charte de l'ONU, relatif à l'usage de la force contre un État contrevenant à ladite charte. Cette carence n'a pas seulement résulté d'un souci d'évitement des pouvoirs de veto dont disposent les membres permanents du Conseil de sécurité (la Chine et la Russie étaient susceptibles de l'exercer), mais plus largement de la nature du droit international public. Celui-ci est essentiellement un droit de coordination interétatique des souverainetés de chaque État dans le cadre d'une « société internationale » qui est la forme que prend l'introuvable « communauté internationale » lorsqu'un réseau de liens juridiques relie les sujets de droit que sont les États.

Quels fondements légitimes à la souveraineté ?

La souveraineté a également été invoquée comme argument par beaucoup d'opposants aux bombardements en Yougoslavie, en Europe et en France. Ces invocations ont illustré une conception pratiquement absolue de ce principe, considérant qu'il existe entre les affaires « intérieures » et les affaires « étrangères » une cloison étanche intangible, celle de la souveraineté de l'État. Les crimes commis par un État sur son territoire, même très graves, n'autoriseraient pas le désordre international que constitue, dans cette optique, une intervention contre un État qui n'aurait pas violé la souveraineté d'un autre État (comme ce fut le cas de l'Irak en 1990 après qu'il eut envahi le Koweït). Corrélativement, cette tradition admet souvent l'usage interne de la « raison d'État » et veut limiter le contrôle des juridictions de toutes natures sur le pouvoir politique et administratif. Logiquement, les tenants de cette conception ont condamné l'inculpation de Milosevic, le 27 mai 1999, par le procureur général du Tribunal pénal international de La Haye, Louise Arbour. L'idée d'une souveraineté indivisible, voire absolue sous réserve d'éventuelles lois divines ou d'un droit naturel difficile à identifier, plonge ses racines philosophiques dans le XVIe siècle français (Jean Bodin) et italien (pour l'idée d'une raison d'État).

Les Albanais revendiquaient pour leur part l'indépendance, ce qui supposait juridiquement que le Kosovo disposerait d'une souveraineté étatique. Si la revendication d'un État souverain est claire dans les négociations internationales, elle est généralement présentée à l'intention des opinions publique comme une revendication d'autodétermination du peuple. Philosophiquement, cela est significatif, même si politiquement et juridiquement, la différence n'est pas évidente, puisque l'objectif est bien l'indépendance et non l'autonomie. Encore faut-il s'entendre sur les acceptions de « peuple », de « nation », ainsi que sur les fondements légitimes de la souveraineté.

L'article 3 de la Déclaration des droits de l'homme du 26 août 1789 dispose que « le principe de toute souveraineté réside essentiellement dans la nation ». Pour ce qui la concerne, la tradition politique et juridique yougoslave, depuis une déclaration fondatrice de la Résistance des « partisans » en date du 29 novembre 1943, distingue les « peuples » (*narodi*) et les « minorités nationales » (*narodnosti*). Seuls les premiers (Serbes, Croates et Slovènes reconnus depuis 1921 dans la première Yougoslavie, le Royaume des Serbes, des Croates, et des Slovènes ; Macédoniens et Monténégrins depuis 1945, Musulmans depuis 1968 dans la République socialiste fédérative de Yougoslavie) avaient le droit de constituer une « république » de plein exercice, dotée de la prérogative de se séparer de la fédération. Les « minorités nationales » (Albanais du Kosovo, Magyars de Voïvodine notamment) ont été ainsi qualifiées pour signifier que leur « nation » ethno-linguistique de référence est située sur le territoire d'un autre État, et que, bien que pourvus de droits, ils n'avaient pas les mêmes que les « peuples constitutifs ». Les Albanais, par exemple, se sont vu reconnaître le statut de « république autonome » en 1974, lequel comporte presque tous les attributs d'une « république », hors le droit de sécession [*voir encadré p. 535*]. Cela explique que les Monténégrins, dont une partie estime être une composante du peuple serbe, soient considérés comme un « peuple », tandis que les Albanais, dont l'identité linguistique notamment est bien spécifique, se sont vu dénier cette qualité de « peuple » et refuser l'institution d'une « république ».

« Peuple » ethno-linguistique et « peuple » politico-juridique

Mais l'attribution de ce statut de république autorisant l'autodétermination a été réclamée par les Albanais du Kosovo, notamment lors des émeutes du mois d'avril 1981, violemment réprimées. Ils revendiquaient la qualité de « peuple » au sens yougoslave du mot. La politique de S. Milosevic, depuis sa prise du pouvoir lorsqu'il accéda en 1987 au poste de secrétaire général de la Ligue des communistes de Serbie, a justement eu pour but avoué de supprimer toute forme d'autonomie qui pouvait permettre à ces derniers d'espérer atteindre ou approcher ce but ; la suppression de cette autonomie, le 23 mars 1989, a été le point de déclenchement d'une crise de décomposition de l'ex-Yougoslavie, mais aussi un point de non-retour au Kosovo. Les accords de Rambouillet de 1999, s'ils étaient entrés en vigueur, auraient rendu cette qualité juridique de « minorité nationale » aux Albanais dans le cadre de l'exercice d'une « autonomie substantielle » et peut-être, au bout des trois ans de période transitoire, le statut de peuple au sens juridique dans la mesure où une forme de consultation était prévue. Les Albanais du Kosovo seraient ainsi passés de la qualité de peuple au sens ethno-linguistique à celui de peuple au sens politico-juridique. Mais certains analystes considèrent que l'ère de l'autodétermination se serait close avec les décolonisations, même si d'autres voient justement dans une situation perçue comme coloniale la justification des revendications albanaises.

Cette volonté de « clore » l'histoire de l'autodétermination à la fin d'une décolonisation difficile à délimiter n'a pas de réel fondement, sinon une inquiétude portant sur la stabilité du système international qui se rattache à la volonté de limiter le nombre des États souverains. Mais au nom de quoi ? L'évolution du concept de souveraineté de Jean Bodin à Carl Schmitt montre qu'il s'agit d'un concept largement théologico-politique dans ses origines et sa structure. Si on pose comme hypothèse que la modernité politique est largement, bien qu'avec un temps de décalage sur la sphère économique et marchande, un processus de désenchantement du monde, un processus de « sortie de la religion », il n'est pas surprenant que le concept et la réalité de la « souveraineté » s'érodent. S'incliner devant un substitut conceptuel de Dieu n'a rien d'évident : le culte de l'État suppose une croyance de type religieux. À l'ère démocratique, rien ne permet de fonder ce déni de l'autodétermination et de la qualité de peuple/nation à une population. Cela souligne d'autant la nécessité d'examiner l'usage fait du concept de « démocratie » dans le contexte de la crise du Kosovo.

Démocratie et crimes de masse

Il a été fréquemment affirmé que Milosevic était un « dictateur » et que l'OTAN luttait pour le triomphe de la « démocratie ». La première affirmation mérite réflexion. Elle peut être trompeuse, supposant qu'un Milosevic « démocrate » serait incapable de crimes de masse, ce qui n'a rien d'évident. En réalité, les protagonistes utilisent ce mot dans des acceptions diverses, parfois en les cumulant.

Milosevic, hiérarque communiste, s'est fait élire au suffrage universel la première fois le 23 décembre 1990, lors du second tour des élections présidentielles, comme président de Serbie. Réélu à ce poste en décembre 1992 contre Milan Panic avec une majorité absolue, il a organisé de nombreuses élections législatives dont les résultats globaux n'ont pas été contestés, son parti perdant la majorité absolue en 1997. La même année, alors qu'il se faisait élire président de la Yougoslavie par le Parlement, le candidat Milutinovic qu'il soutenait ne l'a emporté que de justesse aux élections présidentielles de Serbie : il est possible que le vainqueur réel dans les urnes ait été Vojislav Seselj, leader fascisant de l'extrême droite, devenu vice-premier ministre fédéral. L'autre cas d'irrégularité, mieux établi, est celui des élections municipales de l'automne 1996 : les opposants de Milosevic de la coalition Zajedno l'ont emporté dans les grandes villes, les élections municipales ont été annulées mais, devant les manifestations populaires, Milosevic a reculé.

Malgré la maîtrise des principaux médias, malgré le recrutement d'une police de plus de 110 000 hommes en 1992-1993 pour doubler une armée qu'il a épurée à deux reprises (avril 1992, novembre 1998), la maîtrise de la scène politique par Milosevic est très incomplète. Si la « démocratie » se limitait au sens le plus évident d'exercice de la souveraineté par le peuple ou la nation, il ne serait pas un dictateur, pourrait passer pour un démocrate non de conviction, mais de résignation et accessoirement pour un fraudeur intermittent aux élections et un ordonnateur de massacres. La démocratie ainsi définie ne préserve pas du massacre de masse.

Mais la démocratie a un deuxième sens politique : il s'agit de l'exercice de la souveraineté par le peuple dans le cadre de la légitimité procédurale de l'État de droit. Ce dernier suppose l'acceptation de la hiérarchie des normes juridiques et la reconnaissance de droits fondamentaux opposables à l'État, d'où le contrôle de constitutionnalité pour assurer la suprématie de la Constitution sur la loi ordinaire, et l'acceptation des limitations de souveraineté par les conventions internationales régulièrement ratifiées et, corrélativement, de juridictions compétentes pour statuer sur chaque cas de méconnaissance d'une norme, depuis les tribunaux locaux jusqu'aux cours internationales, dont le TPI de La Haye, créé en 1993 par l'ONU. La non-ratification de certaines conventions sur le droit humanitaire (dont la convention de 1948 sur le génocide) ou la méconnaissance manifeste et répétée de certaines d'entre elles (par exemple, en Europe, la situation de la Turquie au regard de la Convention européenne des droits de l'homme) signale l'État non démocratique dans cette acception. Les agissements, à compter de 1989, de la Serbie – qui est une partie de la Yougoslavie fédérale (Serbie-Monténégro) au sens de la Constitution du 27 avril 1992 – ont à l'évidence marqué une rupture avec la « démocratie ».

Une acculturation despotique de l'âge démocratique

Il est vrai que la démocratie a également un troisième sens tocquevillien, englobant les deux précédents. Dans *De la démocratie en Amérique*, Tocqueville montre que la démocratie est un état de la société, marqué par l'« égalité des conditions », c'est-à-dire par le refus de légitimer toute hiérarchie statutaire, et corrélativement, par l'individualisme, dont Louis Dumont a montré qu'il s'agit d'une tardive bifurcation occidentale de certaines sociétés humaines, alors que la plupart, l'Inde en constituant l'exemple emblématique, ont été et demeurent largement des sociétés « holistes » fondées sur la hiérarchie et l'intégration hiérarchisée à un groupe (*holos*). Les sociétés féodales constituaient la manière occidentale d'être holiste jusqu'à des périodes récentes à l'échelle historique (XVIIIe ou XIXe siècle). A cet égard, la Serbie constitue cependant un cas particulier. La destruction de l'Empire serbe par les Ottomans l'a privée de toute noblesse féodale pendant plusieurs siècles. Il est classique de décrire la société serbe de la fin du XIXe siècle comme une société de petits paysans dont les institutions politiques étaient en voie de démocratisation rapide, notamment sous l'influence du Parti radical serbe. Le nom de ce parti a été repris depuis 1991 par l'extrême droite de Vojislav Seselj. Il s'agit certes d'une captation abusive d'héritage, mais il est vrai que les 8 000 miliciens de Seselj et les diverses milices fascisantes serbes sont le produit d'une démocratisation tocquevillienne (individualisme croissant, perte de repères et d'identité, perte d'emploi) comme l'étaient les corps francs que décrit Ernst von Salomon dans l'Allemagne de 1920 ou ceux qui ont suivi Gabriele D'Annunzio ou Mussolini. Tocqueville avait lui-même noté qu'un des risques de la « démocratie » au sens sociologique du terme était justement le despotisme politique, mais il n'avait pas analysé le rôle qu'allait jouer le nationalisme extrême dans cette acculturation despotique de l'âge démocratique.

Cette acculturation a pour effet, au moins provisoire, d'opposer la « démocratie » au sens sociologique à la « démocratie » au sens procédural de l'État de droit, laquelle est difficile à faire accepter dans les périodes pré- ou post-totalitaires, car elle suppose une limitation de souveraineté à la fois à l'intérieur et à l'extérieur. ■

L'OTAN, Washington, l'UE et la sécurité sur le Vieux Continent

André Dumoulin
Attaché de recherche, GRIP

« Un véritable bouleversement », telle a pu être l'impression retirée des diverses déclarations diplomatiques du premier semestre 1999. Des « ballons d'essai » britanniques sur l'intégration de l'Union de l'Europe occidentale (UEO) dans l'Union européenne (UE) à la volonté des Quinze, exprimée lors du « sommet » de Cologne (4 juin 1999), de transformer l'Eurocorps (unité composée de militaires français, allemands, espagnols, belges et luxembourgeois) en un Corps européen d'action rapide, la volonté d'avancer en matière d'Identité européenne de sécurité et de défense (IESD) s'est manifestée sous plusieurs formes.

Pour les Européens, aux termes du « sommet » de Cologne, « l'Union doit disposer d'une capacité d'action autonome soutenue par des forces militaires crédibles, avoir les moyens d'y recourir et être prête à le faire afin de réagir face aux crises internationales, sans préjudice des actions entreprises par l'OTAN ».

Certes, beaucoup de partenaires européens n'ont pas semblé prêts à aller au-delà de la constitution d'un « pilier européen de défense » au sein de l'OTAN (Organisation du traité de l'Atlantique nord). Certes également, l'intégration des moyens militaires de l'UEO pourrait se faire dans l'Alliance atlantique, l'UE conservant seulement la responsabilité des volets politiques de l'organisation, mais pareil dispositif entérinerait les faiblesses de l'Europe en termes de défense.

En outre, le processus qui mettrait à la disposition des Européens des moyens de l'OTAN (et précisément ses moyens intégrés, ainsi que les outils nationaux stratégiques américains) *via* le concept de Groupes de forces interarmées multinationales (GFIM), dans les crises où Washington ne souhaiterait pas intervenir n'a pas été complètement défini. C'est le cas du droit de veto politique au sein du Conseil de l'OTAN pouvant refuser aux Européens de disposer de ces moyens. C'est aussi le cas de la probable présence américaine dans ces opérations dès lors qu'elles seront d'importance. Enfin, rien n'interdit d'imaginer que les Européens pourraient préférer intervenir en coalitions volontaires, sans emblème de l'UE ou de l'UEO, comme ce fut le cas avec l'opération *Alba* lors de la crise albanaise en 1997

Si la réflexion est restée ouverte entre une « Europe puissance » ou une « Europe espace », selon la formule de Valéry Giscard d'Estaing, ou encore entre d'autres conceptions, la question de la maîtrise européenne de la sécurité a été fortement stimulée par la guerre du Kosovo du printemps 1999, par l'évolution des positions britanniques exprimée lors du « sommet » franco-britannique à Saint-Malo (décembre 1998) et par la volonté de bien des acteurs politiques et militaires de favoriser synergies et plus grande intégration des politiques de défense.

Le « nouveau concept stratégique » de l'OTAN

Lors des débats relatifs à l'adoption d'un « nouveau concept stratégique » au sein de l'OTAN – et qui fut adopté lors du 50e anniversaire de l'organisation atlantique à Washington en avril 1999 –, des divergences se sont manifestées entre la France, rejointe par quelques États, et les États-Unis. Ces divergences, qui aboutirent en définitive à un compromis, reposaient sur des visions différentes du rôle de l'OTAN dans les missions, aux zones d'intervention (circonscrites aux territoires des États ou dans un champ élargi) et à la question du mandat de l'ONU comme préalable à tout engagement de l'Alliance hors article 5 (défense collective des États en cas d'agression). Le refus de voir l'OTAN se transformer en « Sainte Alliance » habilitée à s'occuper de tout et partout, devenant une sorte d'organisation de sécurité « attrape-tout » manifesta la volonté européenne, et particulièrement française, de maintenir les prérogatives d'autres organisations multilatérales comme l'ONU, l'AIEA (Agence internationale de l'énergie atomique), l'OSCE (Organisation pour la sécurité et la coopération en Europe) ou les organes de coopération policière.

En outre, le refus de voir l'OTAN « s'auto-saisir » d'une crise sans disposer d'un mandat clair et précis du Conseil de sécurité de l'ONU – comme ce fut le cas pour les bombardements en Yougoslavie – devrait rendre ce fait exceptionnel. Mais en parlant, à propos du nouveau concept stratégique, d'une « base légale appropriée », en intégrant la notion de « principale responsabilité du Conseil de sécurité » [*paragraphe 15*] de l'ONU en matière de maintien de la paix, l'Alliance a laissé la porte ouverte à une certaine liberté d'action pour le cas où le Conseil de sécurité devait être bloqué par un veto. La notion d'agissement « au cas par cas et par consensus », tout comme la notion géographique de « région euro-atlantique » sont apparues témoigner d'un souci de pragmatisme.

A l'évaluation faite par le ministre français des Affaires étrangères, Hubert Védrine, d'un vrai compromis (entre positions européennes et américaines) lors du « sommet » de Washington – peut-être permis par le refus serbe d'accepter les conditions de l'Alliance malgré les bombardements – répond le plus petit commun dénominateur d'un document censé exprimer les fondements d'une Alliance pour le XXIe siècle mais ne formulant aucune audace. Au-delà des relations franco-américaines se pose, pour l'avenir, la question d'une possible multiplication des désaccords transatlantiques portant sur les missions de gestion de crises hors zone article 5, et sur la primauté américaine dans leur conduite.

L' « Identité européenne de sécurité et de défense » confrontée à la crise du Kosovo

Si l'UE a joué un rôle moteur dans la gestion de la crise au Kosovo en servant de médiateur entre Russie et États-Unis après le massacre de Racak (15 janvier 1999), puis dans le cadre des négociations de Rambouillet (6 au 23 février 1999) et de Paris (15 au 19 mars), très vite, Washington puis l'OTAN reprirent le contrôle du processus diplomatique et militaire.

Malgré l'initiative franco-britannique du 28 janvier 1999 portant sur l'envoi éventuel d'une force d'interposition dans le cadre de l'OTAN pour garantir l'application d'un hypothétique accord entre les autorités serbes et les représentants du Kosovo (sans évoquer de contribution terrestre américaine) et malgré le caractère majoritairement européen de la force d'extraction et de protection des observateurs de l'OSCE au Kosovo, le poids grandissant pris par les États-Unis a montré combien la possession d'une capacité de suivi militaire était décisive pour mettre en œuvre des options diplomatiques.

Même si 48 % des missions de bombardements ont été réalisés par les forces des pays européens, au premier rang desquels la France et le Royaume-Uni, on a pu constater la subordination opérationnelle et doctrinale de celles-ci à la stratégie américaine du « zéro mort » et la suprématie qualitative et quantitative de l'US Air Force et de l'US Navy. Le contrôle des opérations par le Commandement suprême allié en Europe (Saceur), placé sous direction américaine (général Wesley Clark), et la confidentialité du choix des cibles lorsque le Pentagone mit en œuvre ses systèmes d'armes les plus stratégiques (bombardiers B-1, B-2 et missiles de croisière Tomahawk) manifestèrent également cette suprématie.

A la question du ciblage et des objectifs politico-militaires s'est ajoutée celle de terminer rapidement la guerre – les deux mois de frappes aériennes n'ayant pas réussi à empêcher ce qui avait officiellement motivé l'intervention alliée, à savoir l'épuration ethnique au Kosovo – comme si la doctrine stratégique mise en œuvre durant la guerre du Golfe de 1991 avait été « plaquée » sur les Balkans.

La crise du Kosovo a aussi légitimement relancé certaines interrogations relatives au renseignement et à la capacité européenne d'intervention autonome lorsqu'il y a crise dans son environnement immédiat. Ce n'était certes pas la première fois. Les mêmes constats et les mêmes regrets s'étaient déjà exprimés après la guerre du Golfe et pendant la guerre de Bosnie-Herzégovine, après l'opération *Alba* ou lors de la crise des Grands Lacs (1994). Or bien peu d'avancées ont eu lieu à ce sujet. Mais le Kosovo a démontré que parler concrètement de défense européenne, c'est mettre en avant le passage du virtuel au réel par une intégration des diplomaties nationales au bénéfice de la PESC (Politique étrangère et de sécurité commune) et d'une visibilité politique européenne. C'est aussi harmoniser et mettre en commun les outils militaires européens pour améliorer leur capacité sans efforts budgétaires surdimensionnés

Les « 3 D » de Madeleine Albright

Les 3 D de la secrétaire d'État américaine Madeleine Albright (pas de découplage ni de duplication entre les deux rives de l'Atlantique, pas de discrimination intra-européenne) ont été une tentative pour limiter ouvertement le champ de manœuvre politico-militaire des pays européens. L'articulation Union européenne-OTAN, autant que l'européanisation de l'OTAN, est devenue un enjeu décisif pour que l'Alliance ne réponde plus seulement aux intérêts de son acteur dominant.

Car si, à l'occasion de l'adoption du « nouveau concept stratégique », l'Alliance a confirmé la construction de l'Initiative européenne de sécurité et de défense en son sein et « s'est réjouie » de la déclaration franco-britannique de Saint-Malo, cette identité est restée sous contrôle, comme le soulignent l'insistance mise sur la transparence effective à rechercher entre l'OTAN et l'UE ainsi que les considérations en matière de double emploi de moyens. Or certains moyens devront être redondants si doit être respectée une résolution de l'Union européenne (Vienne, 3-4 novembre 1998) par laquelle elle entend se doter d'une capacité d'action autonome, ce qui suppose au moins des moyens de renseignement et de logistique intra-européens. La volonté germano-française de rendre plus mobile et plus flexible l'Eurocorps a déjà exprimé cette volonté.

Mais la question des outils ne peut occulter celle des structures. La nomination de Javier Solana (jusqu'alors secrétaire général de l'OTAN) comme Haut Représentant pour la Politique extérieure et de sécurité commune devrait en principe permettre d'accroître la visibilité de celle-ci, ainsi que celle de l'IESD au sein de l'Union. « Monsieur PESC » est chargé de diriger l'Unité de planification de la politique et d'alerte rapide, dans le contexte des rivalités de prérogatives des commissaires européens compétents en matière de relations extérieures, sans compter les Directions générales en voie d'unification et le président de la Commission.

L'horizon 2000 devrait voir se clarifier plusieurs pistes relatives au concept du système GFIM (Groupe de forces interarmées multinationales) entre l'OTAN et l'Union européenne, à l'intégration/fusion de l'UEO dans l'Union, à la définition – au travers d'une

Références

L'Année stratégique 1999, IRIS, Paris (annuel)

Collectif, *La Nouvelle Architecture de sécurité en Europe*, GRIP/Complexe, Bruxelles, 1999.

Collectif, *La Guerre du Kosovo, Éclairages et commentaires*, GRIP/Complexe, Bruxelles, 1999.

A. Dumoulin, *L'Identité européenne de sécurité et de défense. Des coopérations militaires croisées au Livre blanc européen*, Presses interuniversitaires européennes, Bruxelles, 1999.

N. Gnesotto, *La Puissance et l'Europe*, Presses de Sciences Po, Paris, 1998.

B. Boëne, C. Dandeker, *Les Armées en Europe*, La Découverte, Paris, 1998.

@ Sites Internet

GRIP (Groupe de recherche et d'information sur la paix et la sécurité) **http://www.grip.org**

Nations unies **http://www.un.org**

OSCE (Organisation pour la sécurité et la coopération en Europe) **http://osce.org**

OTAN **http://www.nato.int**

UEO (Union de l'Europe occidentale) **http://www.weu.int/home**

IRIS (Institut de relations internationales et stratégiques) **http://www.iris-France.org**

FRS (Fondation pour la recherche stratégique) (ex-FED) **http://www.frstrategie.org**

nouvelle conférence intergouvernementale (CIG) – des aspects institutionnels liés à la sécurité-défense en Europe, à la nécessité de garantir au minimum la permanence de la solidarité collective qu'est l'article V du traité de Bruxelles (UEO), *via* un protocole additionnel au traité de l'Union.

Dès l'instant où les Européens insistent sur une nécessaire autonomie d'emploi et d'action, la question de la crédibilité opérationnelle devient prioritaire. L'objectif premier est de réduire les redondances intra-européennes en matière d'outils et de structures nationales de défense. Il est aussi de formuler une véritable doctrine de sécurité européenne. En d'autres mots, la notion de *Livre blanc européen de la sécurité et de la défense* (envisagé dès 1994 par le Premier ministre français Édouard Balladur) doit pouvoir être abordée de nouveau, et avec un nouvel état d'esprit.

L'interrogation majeure n'est pas de savoir s'il faut créer une Commission sur la défense qui disposerait de la légitimité d'édicter des directives contraignantes en vue d'aboutir à des convergences des politiques de défense. Aujourd'hui, ces dernières n'aboutissent que rarement, compte tenu du poids énorme des intérêts des États-nations dans les domaines des industries de défense, de la définition des politiques de sécurité et des niveaux d'opérationnalité.

Harmoniser le droit communautaire économique, harmoniser la monnaie, harmoniser les politiques policières ont nécessité bien des compromis, bien des contraintes consenties, tout comme ce fut le cas pour certains traités de désarmement. Le devenir de la dimension sécurité-défense de l'Union européenne devra obligatoirement passer par cette forme de contrainte, sauf à considérer que l'Europe puisse se contenter des coalitions *ad hoc* et de la dominance américaine dans l'OTAN. ■

L'euro, les crises financières et l'Europe

Françoise Milewski
Économiste, OFCE

Le 1er janvier 1999 est né l'euro, après des années d'efforts de convergence (le traité de Maastricht a été signé en 1992) et de tensions, voire de crises. Jusqu'en mai 1998, des incertitudes ont plané sur la liste des pays qui feraient partie du premier cercle de la monnaie unique.

Qu'est-ce qui finalement a changé ? En apparence pas grand-chose. Les particuliers continuent non seulement de faire des opérations de change, mais surtout celles-ci ont un coût (frais de traitement) alors que les taux de change sont fixes entre les monnaies européennes. Malgré la naissance de l'euro, en grande cérémonie, rien n'aurait donc changé aux yeux des citoyens... C'est probablement l'un des fondements, parmi d'autres, de l'abstention qui s'est révélée majoritaire aux élections au Parlement européen de juin 1999.

Pourtant, au plan économique, l'instauration de l'euro change tout, ou presque, tant pour le rôle de l'Europe dans les relations financières internationales – et donc pour le système lui-même – que pour les liens entre les pays européens – et donc pour le développement mutuel et le développement propre de chacun.

Les multiples formes de la crise financière

L'euro pourrait-il constituer un facteur de stabilité dans le cadre de la globalisation financière ? La fin de la décennie quatre-vingt-dix a vu s'enchaîner des événements économiques de grande importance : approfondissement de la crise en Asie du Sud-Est, extension à d'autres pays en développement d'Amérique latine, débâcle de la Russie, récession au Japon puis crise boursière mondiale. A la charnière du millénaire, un risque de rupture est apparu aux États-Unis mêmes. Des causes particulières ont, chaque fois, déclenché ces crises, mais la diffusion de chacune a illustré les liens existant entre les régions et témoigné des mécanismes de contagion, *via* les prix – de matières premières par exemple – et *via* les marchés de capitaux.

Le Sud-Est asiatique a été, pendant toutes les années quatre-vingt et quatre-vingt-dix, l'archétype de la réussite du développement économique. Les « dragons » étaient devenus des nouveaux pays industrialisés et étaient présentés comme l'exemple à suivre pour les pays en développement. Des causes spécifiques et le mode d'intégration à l'économie et à la finance mondiale ont précipité la crise à la mi-1997. Celle-ci s'est amplifiée à l'été 1998 et s'est rapidement étendue à la Russie (août 1998), puis au Brésil (à partir de septembre 1998).

Certes, les crises financières sont une donnée permanente de l'émergence. Haute rentabilité et haut risque se conjuguent. Mais le risque est d'autant plus grand que la libéralisation financière s'est faite brutalement, sans contrôle, et sous la pression de l'extérieur. La nature de la crise asiatique aura ainsi été très différente de celle de la crise de la dette des pays en développement des années quatre-vingt, en particulier en Amérique latine. En effet, celle-ci était d'abord une crise de la dette extérieure (à cause des déficits commerciaux) et de la dette publique (à cause des déficits budgétaires). En Asie, il s'est agi d'une crise du secteur privé, et non du secteur public. Les investisseurs étrangers trouvaient dans cette région une rentabilité supérieure à celle des pays industrialisés ; les prêts à court terme affluaient, fragilisant le système, car ces capitaux sont très volatils. Les doutes sur la solvabilité des emprunteurs privés (entreprises et banques) se sont amplifiés quand la croyance des créanciers que les États garantissaient implicitement les dettes s'est révélée fausse : les États risquaient aussi de faire faillite. Les mesures prises pour rassurer l'extérieur (hausse des taux d'intérêt) étant très défavorables aux entreprises locales, il devenait difficile de surmonter la crise et la récession.

Toutes les Bourses ont fortement monté jusqu'à la mi-1998. L'afflux de capitaux de retour d'Asie à la recherche de placements sûrs avait, dans un premier temps, contribué à ce gonflement : l'attrait pour les titres publics existait, mais l'offre de titres était réduite par la faiblesse des déficits publics aux États-Unis et en Europe ; d'où le report vers les Bourses. Mais le ralentissement de la croissance économique américaine et la conviction, encouragée par des déclarations de responsables de la politique monétaire américaine, que la hausse avait été excessive, a précipité le retournement. Les Bourses européennes ont été plus affectées que Wall Street, car elles représentent souvent un marché de diversification pour les capitaux américains ; l'effet de baisse a ainsi été démultiplié en Europe à l'automne 1998. La chute a néanmoins été de courte durée et le creux a ensuite été effacé par une forte remontée. L'offre de capitaux est abondante et cherche des placements. Tant que les taux d'intérêt sur les titres publics sont bas, donc peu rémunérateurs, la Bourse apparaît comme un placement intéressant.

L'économie mondiale a été affectée par ces différentes crises. Le Japon, déjà en récession du fait de son système bancaire, a fortement subi les conséquences négatives de la crise asiatique, et ne parvient pas à surmonter ses difficultés ; les rebonds apparaissent passagers. Tout cela a exercé un effet restrictif sur les États-Unis et l'Europe, d'autant que l'effondrement des monnaies asiatiques a entamé la compétitivité des produits occidentaux. Au fur et à mesure de la reprise en Asie (déjà amorcée), la concurrence s'intensifie et fait apparaître des surcapacités mondiales dans certains secteurs industriels.

Aux États-Unis, les risques liés à la surévaluation boursière pourraient conduire à des ruptures qui se répercuteraient au plan mondial. La demande d'actions par les fonds de pension est demeurée importante, ce qui explique la montée des cours. Les ménages détenteurs d'actions s'enrichissent et consomment, ce qui soutient la croissance. Mais cet équilibre est instable. A moyen terme, l'accroissement du pouvoir des fonds de pension dans la détention d'actions pèse sur les entreprises ; pour afficher des rendements élevés, d'importantes restructurations, fusions et acquisitions sont réalisées. A court terme, un ralentissement de la conjoncture économique peut mettre en cause l'équilibre du marché boursier.

L'euro et la régulation financière

L'instauration de l'euro pourrait changer la donne. Peut-elle conduire à un réaménagement du Système monétaire international (SMI) et à une plus grande stabilité ? A court terme cela est peu probable et, au contraire, davantage de volatilité est possible car la mobilité internationale des capitaux s'est accrue. A moyen terme, cela dépendra de la stratégie adoptée par les banques centrales. Deux types d'incertitudes demeurent. En premier lieu, comment sera géré le nouveau système tripolaire dollar/yen/euro ? Les organismes mondiaux souhaitent-ils même le gérer, en établissant par exemple des zones cibles, ou bien continuent-ils à préférer la flexibilité des marchés ? Quelle sera la stratégie de la Banque centrale européenne (BCE) ? Aura-t-elle un objectif de change et lequel ? En second lieu, à quel rythme se fera l'internationalisa-

Des relations financières internationales déréglementées

Les années quatre-vingt ont été caractérisées par une déréglementation des marchés de capitaux ; l'objectif était d'en accroître la mobilité par la suppression des contrôles des changes, avec la conviction que la libre circulation des capitaux allait permettre une allocation optimale de l'épargne au plan international. Déjà, au début des années soixante-dix, la crise du Système monétaire international (SMI) avait conduit au flottement généralisé des changes. Les taux de change flexibles, par opposition aux taux de change fixes, perdurent depuis lors. Le marché des changes est un marché comme les autres, avec une offre, une demande et un prix. L'accroissement des endettements publics et privés avait, en outre, donné un poids croissant aux créanciers.

La logique spéculative des marchés de capitaux a fini par s'imposer dans les années quatre-vingt-dix : les capitaux flottants sont à la recherche du rendement maximum à court terme ; si les rendements entre les places financières diffèrent, les actifs se déplacent instantanément. La logique de court terme domine et l'instabilité est accrue. La propagation des crises est accentuée. La nature même des objectifs de la politique économique est changée ; la priorité donnée à la lutte contre l'inflation dans les pays de l'OCDE (Organisation de coopération et de développement économiques) en est la conséquence. Le souci permanent d'éviter toute accélération de l'inflation, y compris lorsque son niveau est faible, ne peut s'expliquer autrement que par la contrainte exercée par les marchés financiers. La stabilité des taux de change, dans un contexte de libre circulation des capitaux, suppose que la rémunération des capitaux (les taux d'intérêt) soit attrayante et que la confiance des opérateurs financiers ne soit pas mise en cause.

L'importance croissante des marchés de capitaux suscite pourtant de plus en plus d'interrogations. La libre circulation des flux financiers et l'ampleur des masses en jeu font que des décisions privées viennent de plus en plus contrecarrer les décisions publiques. **- F.M.** ■

tion de l'euro, c'est-à-dire son utilisation par des pays non européens ? La remise en cause de la suprématie du dollar apparaît encore lointaine. Si la naissance de l'euro modifie la configuration des changes et donc des capitaux mondiaux, elle ne résout pas en tant que telle le mode de régulation financière, sauf si l'initiative en est prise, par la BCE par exemple.

Les crises de cette période ne sont pas les premières. Mais elles ont remis à l'ordre du jour la réflexion sur les nouvelles dynamiques de la régulation ; le débat sur l'éventualité de re-réglementer les marchés financiers, tabou dans les années du libéralisme triomphant, apparaît désormais au sein même de certains organismes internationaux, car la libéralisation des capitaux à court terme qui a été imposée aux pays émergents s'est révélée dévastatrice. Les organismes internationaux n'ont pas su ou pas pu limiter l'ampleur des dégâts. Et les règles mises en place après les crises précédentes (règles dites « prudentielles ») se sont révélées nettement insuffisantes. Les banques sous-estiment toujours les risques, car elles sont confrontées à une concurrence effrénée pour offrir la meilleure rentabilité à leurs clients. Les gouvernements ont toujours tendance à fournir les liquidités nécessaires pour éviter les faillites des grandes institutions financières ; ils agissent comme « prêteurs en dernier ressort », avec un coût budgétaire important. Cela tend à laisser croire que les pertes seront toujours couvertes quelles que soient les

Références

R. Boyer, *Le Gouvernement économique de la zone euro. Rapport du groupe Coordination des politiques macroéconomiques,* Commissariat général du Plan, La Documentation française, Paris, 1999.

« Crise mondiale et marchés financiers », *Cahiers français,* n°289, La Documentation française, Paris, 1999.

O. Davanne, *Instabilité du système financier international* (Rapport du Conseil d'analyse économique), n°14, La Documentation française, Paris, 1998.

J.-P. Fitoussi (sous la dir. de), *Rapport sur l'état de l'Union européenne,* Fayard/Presses de Sciences Po, Paris, 1999.

M. Lelart, *Le Système monétaire international,* La Découverte, coll. « Repères », Paris, 1998.

Les Notes bleues de Bercy, Ministère des Finances, Paris. Voir notamment, sur l'UEM, les nos 153, 16-28 févr. 1999 ; 139, 16-31 juill. 1998.

OCDE, *UEM : faits, défis et politiques,* Paris, 1999.

D. Plihon, *Les Taux de change,* La Découverte, coll. « Repères », Paris, 1999.

Problèmes économiques, La Documentation française, Paris. Voir notamment « A l'heure de l'euro », n° 2597, 30 déc. 1998 ; « Euro, convergence et politique économique », n° 2573, 17 juin 1998 ; « La politique économique dans la zone euro », n° 2623, 30 juin 1999 ; « Mondialisation et gouvernance mondiale », nos 2611-2612, 7-14 avr. 1999 ; « Monnaie et finance », n° 2604, 17 févr. 1999 ; « Union européenne », n° 2585, 7 oct. 1998

@ Sites Internet

Union européenne
http://www.europa.eu.int/

Banque centrale européenne
http://www.ecb.int/

Fonds monétaire international
http://www.imf.org/

Banque mondiale
http://www.worldbank.org/

ATTAC, Association pour la taxation des transactions financières pour l'aide aux citoyens
http://attac.org

opérations faites. La prise de risque, même excessive, peut ainsi perdurer.

Une limitation des flux de capitaux pourrait être introduite par l'instauration d'une taxation (la « taxe Tobin », du nom de l'économiste américain James Tobin, prix Nobel en 1981, qui l'a suggérée). Deux modalités sont envisagées. D'une part, pour décourager les entrées de capitaux spéculatifs donc instables et prêts à s'enfuir à la moindre crainte, une taxe (ou un dépôt spécial) pourrait être instaurée. D'autre part, une taxe sur les transactions de change, négociée au niveau international, pourrait être créée. Mais l'Europe y contribuera-t-elle ?

Le poids et l'autonomie de l'Europe sont potentiellement accrus

La naissance de l'euro modifie fondamentalement la place de l'Europe dans le monde, car elle en accroît le poids et l'autonomie. Avec l'euro, l'Europe devient une zone intégrée. Si l'on élimine les échanges commerciaux intracommunautaires, l'ouverture européenne est nettement réduite, et devient similaire à celle des États-Unis et du Japon. L'Europe est donc désormais un grand marché intérieur. Celui-ci a d'autant plus d'autonomie que la balance des paiements courants européenne est excédentaire.

Le poids de l'Europe dans les négociations commerciales multilatérales est désormais accru. Or le nouveau *round* de l'OMC (Organisation mondiale du commerce) s'ouvre en 2000. L'Europe pourrait y jouer un rôle plus important. La configuration mondiale des balances de paiements traduit un déséquilibre entre les États-Unis et l'Europe. Les premiers sont fortement déficitaires, du fait d'une croissance largement supérieure à celle du reste du monde dans la décennie quatre-vingt-dix. Ils chercheront à résorber ce déficit, soit par des mesures protectionnistes limitant les importations, soit par un développement de leurs exportations ; mais celui-ci suppose que la croissance économique du reste du monde s'amplifie. L'Europe pourrait contribuer à ce rééquilibrage si elle s'orientait vers une politique de croissance au lieu de s'obstiner à réduire une inflation désormais inexistante.

Renonciation volontaire et blocage

L'autonomie et l'efficacité des politiques budgétaires européennes sont également accrues par l'existence de l'euro. Les risques de change intra-européens ont disparu, ce qui libère les pays de la forte contrainte extérieure d'avoir à défendre des parités sur les marchés financiers. Sans risque de change intra-européen, sans risque d'inflation et avec un excédent extérieur confortable, l'Europe peut privilégier son marché intérieur en donnant la priorité à la lutte contre le chômage. Il lui reste à se saisir de cette opportunité.

Ces possibilités ont, cependant, été volontairement limitées. L'Europe a perdu ses marges de manœuvre, en les encadrant dans le Pacte de stabilité et de croissance (adopté au Conseil européen de Dublin de décembre 1996) qui veut éviter les « déficits publics excessifs ». L'objectif de suppression des déficits à moyen terme (les finances publiques devant être proches de l'équilibre ou en excédent à l'horizon 2002) constitue un carcan qui revient à renoncer collectivement à l'autonomie dès sa réapparition.

Le coût du passage à l'euro, pour respecter les critères de convergence, a été élevé en termes d'austérité et de pertes d'emplois. Une fois mis en œuvre, l'euro peut potentiellement conduire à une orientation différente. Mais une politique monétaire unique, obnubilée par l'inflation (la mission prioritaire reste le maintien de la stabilité des prix), des politiques budgétaires nationales mais contraintes (par un choix européen volontaire) et un budget européen trop faible pour constituer une alternative limitent le développement mutuel, la croissance et la réaction à des chocs éventuels. Ainsi, la naissance de l'euro et les modalités de sa mise en œuvre changent bien des choses, mais dans le sens du blocage et de la renonciation à des politiques actives de croissance et d'emploi.

Les difficultés de l'Italie en témoignent : le ralentissement économique y aura été plus prononcé qu'ailleurs et l'annonce par le gouvernement italien d'un déficit budgétaire un peu plus important que prévu a été condamné par les institutions européennes. La menace d'une crise de l'euro a même été brandie. Or l'Italie a continué d'afficher un objectif de retour à l'équilibre budgétaire à l'horizon 2003 !

Au-delà de la faible croissance commune de l'Europe (en 2000, seulement 2,4 % prévus par l'OCDE et 2,7 % selon la Commission européenne), la question de la réaction possible à des chocs spécifiques reste posée. Les chocs asiatique et russe ayant eu des conséquences différentes selon les diverses spécialisations du tissu productif, l'Europe a connu une croissance différenciée. L'Allemagne et l'Italie ont été les plus touchées. Si un choc plus important devait survenir, le blocage des moyens d'action pourrait devenir drastique. L'ajustement se ferait alors par les marchés du travail, avec une remontée du chômage.

Aucun pays de la Zone euro ne peut plus désormais utiliser l'outil de la dévaluation pour corriger des écarts de compétitivité. La concurrence accrue des entreprises sur un marché unifié conduira donc inévitablement à des développements différenciés, l'approvisionnement des distributeurs et la localisation des productions se déplaçant plus facilement et plus rapidement qu'auparavant. C'est l'équilibre du marché du travail de régions entières qui peut être mis en cause, si les priorités ne sont pas inversées. ■

Par **Véronique Chaumet**
La Documentation française

1998

17 juillet. CPI. Le statut de la Cour pénale internationale (CPI) devant être créée est adopté par 120 pays réunis à Rome sous l'égide de l'ONU (Organisation des Nations unies) depuis le 15 juin. Elle aura compétence pour juger de génocide, crimes contre l'humanité, crimes de guerre et agressions. Elle siégera à La Haye.

29-31 juillet. SAARC. 10e sommet à Colombo (Sri Lanka). L'achèvement d'une zone de libre-échange entre les sept pays de l'Association de l'Asie du Sud pour la coopération régionale est fixé à 2001.

20-22 août. Caraïbes. Les seize pays du Forum des Caraïbes réunis à Saint-Domingue (République dominicaine) proposent la création d'une union économique avec Cuba. Le 17 avril, lors du 2e sommet de l'Association des États de la Caraïbe (AEC), les vingt-cinq pays membres annoncent le projet d'une zone de libre-échange dans la région.

4 septembre. TPIR. Le Tribunal pénal international pour le Rwanda condamne à la réclusion à perpétuité l'ancien Premier ministre du Rwanda, Jean Kambanda, puis, le 2 octobre, Jean-Paul Akayesu, ancien maire de Taba, pour leur responsabilité dans le génocide de 1994.

23 septembre. ONU/Yougoslavie. Le Conseil de sécurité de l'ONU adopte la résolution 1199 menaçant Belgrade de « mesures additionnelles » si la paix n'est pas rétablie au Kosovo.

3-8 octobre. FMI-Banque mondiale. Lors de la 53e assemblée annuelle à Washington, divergences entre le FMI et la Banque mondiale sur la gestion des crises financières.

2-14 novembre. Climat. 4e conférence de l'ONU sur le changement climatique à Buenos Aires. Les États-Unis signent le protocole de Kyoto adopté en 1997, mais les 161 pays représentés ne parviennent pas à adopter d'engagements contraignants pour la mise en œuvre des accords de Kyoto (réduction de 5,2 % des émissions de gaz à effet de serre d'ici à 2012).

17-18 novembre. APEC. Adhésion du Pérou, de la Russie et du Vietnam, lors du 6e sommet de l'APEC (Coopération économique de la zone Asie-Pacifique) à Kuala Lumpur, portant à 21 le nombre d'États membres.

4 décembre. AMI. Après le retrait de la France le 14 octobre, les pays de l'OCDE (Organisation de coopération et de développement économiques) décident d'« enterrer » la négociation sur l'Accord multilatéral sur l'investissement (AMI), engagée en 1995 et visant à établir l'ouverture totale des marchés aux investissements.

17-20 décembre. Unscom. Un rapport de l'Unscom (Commission spéciale des Nations unies chargée du désarmement irakien) jugeant que Bagdad « n'a pas fourni la pleine coopération promise », les États-Unis et le Royaume-Uni bombardent l'Irak, sans l'aval du Conseil de sécurité.

1999

1er janvier. Euro. Lancement de la monnaie unique européenne dans onze pays de l'Union européenne (UE) : Allemagne, Autriche, Belgique, Espagne, Finlande, France, Irlande, Italie, Luxembourg, Pays-Bas et Portugal [*voir article p. 57*].

14-23 février. OGM. A Carthagène (Colombie), une conférence mondiale sur les risques biotechnologiques réunit 170 pays sous l'égide de l'ONU. Elle ne parvient pas à adopter le protocole sur la prévention des risques biotechnologiques – destiné à contrôler le commerce des organismes génétiquement modifiés (OGM) et ses conséquences sur l'environnement – rejeté notamment par les États-Unis.

1er mars. Désarmement. Entrée en vigueur du traité d'Ottawa (1997) sur l'interdiction des mines antipersonnel, signé par 133 pays.

16 mars. UE. Démission collective de la Commission européenne, suite au rapport de cinq sages commandé par le Parlement européen sur les « allégations de fraude, mauvaise gestion et népotisme ». Romano Prodi sera désigné futur président de la Commission le 24 mars par le Conseil européen de Berlin. Le Conseil de Berlin approuvera l'Agenda 2000, cadre financier de l'UE pour 2000-2006.

24 mars-10 juin. OTAN/Yougoslavie. L'OTAN (Organisation du traité de l'Atlantique nord) bombarde la Yougoslavie pendant 79 jours pour contraindre le président yougoslave Slobodan Milosevic à accepter le plan de paix pour le Kovoso, après l'échec des négociations de Rambouillet et de Paris en février et mars [*voir article p. 53*].

5 avril. ONU/Libye. En application de la résolution 1192 adoptée le 27 août 1998 par le Conseil de sécurité de l'ONU, les sanctions internationales qui frappaient Tripoli depuis 1992, à la suite de l'attentat de décembre 1988 à Lockerbie en Écosse, sont levées, en échange de la remise à l'ONU des deux suspects libyens, qui seront jugés aux Pays-Bas.

14-15 avril. Francophonie. A Monaco, 44 ministres de l'Économie et des Finances des pays francophones se réunissent pour la première fois sur un projet de coopération économique.

23-25 avril. OTAN. Le sommet du cinquantenaire à Washington est marqué par l'élargissement à l'Est, avec l'adhésion récente, le 12 mars, de la Hongrie, de la Pologne et de la République tchèque, et par les bombardements en Yougoslavie (opération *Allied Force*).

27 avril. Conseil de l'Europe. La Géorgie devient le quarante et unième État membre.

30 avril. ANSEA. Le Cambodge est admis comme dixième État membre de l'Association des nations du Sud-Est asiatique.

1er mai. UE. Entrée en vigueur du traité d'Amsterdam (1997), qui donne des pouvoirs accrus au Parlement européen et crée un poste de haut représentant de la PESC (Politique étrangère et de sécurité commune), que le Conseil européen de Cologne attribue le 4 juin à Javier Solana, secrétaire général de l'OTAN.

5 mai. ONU-Timor oriental. Signature par l'Indonésie et le Portugal, sous l'égide de l'ONU, d'un accord sur l'organisation en août d'un scrutin d'autodétermination à Timor oriental, ancienne colonie portugaise annexée par l'Indonésie en 1975. Le 11 juin sera créée la Mission des Nations unies à Timor oriental (Minuto) pour l'organisation du référendum.

6 mai. G-8-Yougoslavie. Le Groupe des Huit, réuni à Bonn, élabore un nouveau plan de paix pour le Kosovo : retrait des troupes serbes, création d'une force internationale, retour des réfugiés et administration provisoire.

27 mai. TPIY. Slobodan Milosevic est inculpé par le Tribunal pénal international pour l'ex-Yougoslavie (TPIY) pour crimes de guerre et crimes contre l'humanité, commis depuis janvier 1999 au Kosovo.

3-12 juin. G-8/OTAN/ONU/Yougoslavie. Après l'acceptation par la Yougoslavie du plan de paix pour le Kosovo du G-8, l'OTAN signe le 9, avec les généraux yougoslaves, un accord militaire à Kumanovo (Macédoine) sur le retrait serbe du Kosovo et la suspension des bombardements. Le 10, le Conseil de sécurité de l'ONU adopte la résolution 1244 autorisant le déploiement d'une force internationale. Le 12, les premiers éléments de la Kfor (Force de paix au Kosovo, 50 000 hommes) entrent au Kosovo.

13 juin. UE. Les élections au Parlement européen donnent pour la première fois la victoire à la droite, le Parti populaire européen (224 sièges) devançant le groupe socialiste (180 sièges), et voient la percée des Verts (44 sièges).

17 juin. OIT. Une convention sur les pires formes du travail des enfants est adoptée par les 174 pays de l'Organisation internationale du travail.

18-20 juin. G-7-G-8. Lors du 25e sommet, à Cologne, les dirigeants du G-8 s'accordent sur un allégement de la dette d'environ 41 pays pauvres très endettés (PPTE) et sur la nécessité d'« humaniser » la mondialisation économique.

28-29 juin. UE/Amérique latine. Réunis à Rio de Janeiro, les 34 pays latino-américains et les quinze de l'UE adoptent une déclaration de « partenariat stratégique » concernant le libre-échange, la démocratie et les droits de l'homme. L'UE lance un projet de zone de libre-échange avec le Mercosur et le Chili, à l'horizon 2003. ■

1998

17 juillet. CPI. Le statut de la Cour pénale internationale devant être créée est adopté par 120 pays au terme de la conférence réunie à Rome sous l'égide de l'ONU depuis le 15 juin. La CPI aura compétence pour juger de génocide, crimes contre l'humanité, crimes de guerre et agression. Elle siégera à La Haye.

26 juillet. Soudan. Appel à une aide internationale d'urgence face aux risques de famine menaçant 400 000 personnes dans les zones de combats du Sud. Le 28, le gouvernement dénonce une attaque conjointe de forces de l'opposition et de l'Érythrée.

26 juillet. Sierra Leone. Le chef de la rébellion du RUF (Front révolutionnaire uni), Foday Sankoh, est arrêté au Nigéria et rapatrié à Freetown. Il est condamné à mort en octobre pour le coup d'État de mai 1997.

2 août. Congo (-Kinshasa). Rébellion des soldats banyamulenge contre Laurent-Désiré Kabila après le départ des troupes rwandaises. Deux fronts s'organisent dans l'Est et dans l'Ouest. L.-D. Kabila reçoit le soutien militaire du Zimbabwé, de l'Angola et de la Namibie.

7 août. États-Unis. Attentats contre les ambassades américaines de Nairobi (Kénya) et Dar es-Salaam (Tanzanie) tuant 224 personnes et revendiqués par l'Armée islamique de libération des Lieux Saints. En riposte, le 20 août, les États-Unis bombardent, en Afghanistan, les camps de l'islamiste saoudien Oussama Ben Laden à qui ils attribuent la responsabilité des attentats. Ils bombardent aussi en représailles l'usine pharmaceutique Al-Shiffa, au Soudan.

10 août. Afghanistan. Les taliban font leur entrée dans Mazar-i-Charif, au nord-ouest de Kaboul.

31 août. Angola. Suspension de l'UNITA (Union nationale pour l'indépendance totale de l'Angola) dans le gouvernement et au Parlement pour violations répétées du cessez-le-feu.

31 août. Corée du Nord. Un missile balistique (ou une fusée porteuse d'un satellite) est lancé au-dessus du Japon et retombe en mer.

4 septembre. TPIR. Le Tribunal pénal international pour le Rwanda, qui siège à Arusha (Tanzanie), condamne à la détention à perpétuité l'ancien Premier ministre du Rwanda, Jean Kambanda, puis le 2 octobre Jean-Paul Akayesu, ancien maire de Taba, pour leur responsabilité dans le génocide de 1994.

8 septembre. Congo (-Kinshasa). Échec du sommet de Victoria Falls (Zimbabwé) réunissant les chefs d'états du Zimbabwé, du Congo-Kinshasa, de la Namibie, d'Angola, d'Ouganda, du Rwanda sous la présidence de la Zambie. La délégation de la rébellion rejette toute idée de cessez-le-feu. Le 13 septembre, L.-D. Kabila recevra les soutiens diplomatique du Gabon et militaire du Tchad. Une contre-offensive est lancée vers l'est du pays.

16 septembre. Espagne. Le mouvement séparatiste basque ETA (Euskadi ta Askatasuna) annonce une trêve unilatérale dans l'action armée suscitant l'espoir d'une paix définitive au Pays basque.

22 septembre. Lésotho. Intervention militaire brutale de l'Afrique du Sud et du Botswana pour faire cesser l'insurrection d'une partie de l'armée et clore l'agitation qui secoue le royaume depuis les élections législatives du 23 mai. L'opposition dénonce l'irrégularité du scrutin qui avait vu le LCD (Congrès du Lesotho pour la démocratie au pouvoir) remporter 78 des 79 sièges.

23 septembre. ONU-Yougoslavie. Le Conseil de sécurité des Nations unies adopte la résolution 1199 menaçant Belgrade de « mesures additionnelles » si la paix n'est pas rétablie au Kosovo.

13 octobre. Yougoslavie. Un accord est signé entre le président yougoslave Slobodan Milosevic et Richard Holbrooke, émissaire du président des États-Unis. Cet accord prévoit un cessez-le-feu au Kosovo, une diminution des effectifs des forces spéciales de la police serbe, le déploiement d'observateurs internationaux dans le cadre d'une « mission de vérification » de l'OSCE (Organisation pour la sécurité et la coopération en Europe), l'organisation d'élections dans neuf mois.

16 octobre. Nobel de la paix. Le prix est attribué conjointement à John Hume, leader du Parti social-démocrate et travailliste (SDLP, catholique), et à David Trimble, du Parti unioniste d'Ulster (UUP, protestant). Le prix vient saluer l'accord du « vendredi saint » du 10 avril 1998, qui a suscité l'espoir d'une paix durable en Irlande du Nord. Cet accord va cependant achopper sur la question du désarmement des groupes paramilitaires, aucune formule ne paraissant acceptable par toutes les parties en présence.

17 octobre. Pinochet. L'ancien dictateur Augusto Pinochet est arrêté à Londres, à la demande des juges espagnols Baltasar Garzon et Manuel Garcia Castellan réclamant son extradition afin de le juger pour crime contre l'humanité.

23 octobre. Palestine. Après dix-huit mois de stagnation du processus de paix, Yasser Arafat et Benyamin Netanyahou signent à Washington l'accord de Wye River, qui prévoit un retrait limité de l'armée israélienne de Cisjordanie, en échange de mesures de sécurité anti-terroristes et d'un amendement de la charte de l'OLP (Organisation de libération de la Palestine).

26 octobre. Équateur/Pérou. Un accord de paix entre les deux pays est signé à Brasilia, mettant un terme à un différend frontalier ayant provoqué une courte guerre en janvier-février 1995. L'Équateur renonce à sa revendication territoriale sur l'Amazonie péruvienne, tandis que le Pérou lui concède un droit de propriété sur une enclave de 1 km² à Tiwinza.

29 octobre. Afrique du Sud. Remise à Nelson Mandela du rapport de la commission « Vérité et réconciliation » chargée d'instruire les crimes commis durant l'apartheid et mettant en cause plus de 200 personnes et organisations dont l'ANC au pouvoir. La plupart des partis politiques tentent en vain d'en interdire sa publication.

31 octobre. Irak. Pour la seconde fois en deux mois, Bagdad interrompt sa coopération avec l'Unscom, la commission spéciale chargée de son désarmement, qu'elle accuse d'être « aux mains des Américains ».

5 novembre. Botswana. Afflux de réfugiés namibiens, dont deux chefs de l'opposition, fuyant la répression dans la région sécessionniste de Caprivi.

7 novembre. Colombie. L'armée conclut l'évacuation d'une portion de territoire de 42 000 km² dans le Sud du pays, cédant à une exigence des Forces armées révolutionnaires colombiennes (FARC) pour entamer des négociations de paix.

14 décembre. Palestine. Bill Clinton est le premier président américain à visiter Gaza, reconnaissance avant l'heure d'un État palestinien indépendant.

15 décembre. Guinée-Bissau. Accord signé entre le président Viera et les troupes mutinées du général Mané sous égide régionale. En janvier, formation d'un gouvernement d'union nationale dirigé par Fernando Fadul et retrait des troupes sénégalaises et guinéennes remplacées par un contingent togolais.

16 décembre. Irak. Après une nouvelle interdiction d'accès à un « site sensible », les États-Unis et le Royaume-Uni lancent une série de raids aériens intensifs contre l'Irak.

17-20 décembre. Unscom. Après la remise d'un rapport de l'Unscom (Commission spéciale des Nations unies chargée du désarmement de l'Irak) jugeant que Bagdad « n'a pas fourni la pleine coopération promise », les États-Unis et le Royaume-Uni bombardent l'Irak, sans l'aval du Conseil de sécurité de l'ONU.

29 décembre. Somalie. Déploiement par l'administration conjointe créée le 4 août précédent par les trois principaux chefs de guerre d'une force de police de 2 000 hommes dans Mogadiscio. La reprise des combats en avril mettra fin à l'expérience.

1999

6 janvier. Sierra Leone. Offensive des troupes rebelles sur Freetown tuant au moins 4 000 personnes. Médiation régionale auprès du leader emprisonné Foday Sankoh.

6 Janvier. Irak. Un responsable américain reconnaît que l'Unscom a favorisé le recueil de renseignements pour le compte des services secrets américains, en violation du mandat du Conseil de sécurité de l'ONU.

5 février. Éthiopie/Érythrée. Début d'une offensive de masse pour le contrôle du port d'Assab. Le 1er mars, l'Éthiopie remporte une victoire à Badmé obligeant le président érythréen Afeworki à accepter le plan de paix de l'OUA (Organisation de l'unité africaine). Mais les combats se poursuivent.

6-23 février. Kosovo. A Rambouillet (France), sous la présidence de la France et du Royaume-Uni, négociations entre une délégation d'Albanais du Kosovo et représentants de Belgrade. L'objectif des organisations est d'aboutir à la confirmation de la souveraineté de la Yougoslavie sur le Kosovo tout en limitant celle-ci par la concession d'une « autonomie substantielle » à la province. Ces négociations n'aboutissent pas. Elles reprendront du 15 au 23 mars à Paris, sans aboutir à un accord avec la Yougoslavie. L'ordre de frappes aériennes sera ensuite aussitôt donné par l'OTAN.

16 février. Turquie. Abdullah Öcalan, leader du Parti des travailleurs du Kurdistan (PKK, insurgé depuis 1984), est enlevé par un commando turc au Kénya. Lors de son procès, il appellera ses partisans à cesser la lutte armée et à quitter le pays.

20-22 février. Pakistan/Inde. Visite à Lahore du Premier ministre indien Atul Bihari Vajpaye qui laisse entrevoir un apaisement de la tension entre les deux pays, quelques mois après qu'ils ont procédé chacun à des essais nucléaires (en mai), et alors que des escarmouches se poursuivent sur la ligne de partage du Cachemire. L'éclaircie sera cependant brève. En mai, des militants infiltrés du Pakistan lanceront une offensive dans la région de Kargil, au Cachemire indien. Plus de 30 000 hommes seront dépêchés côté indien, en contre-offensive.

1er mars. Désarmement. Entrée en vigueur du traité d'Ottawa (1997) sur l'interdiction des mines antipersonnel, signé par 133 pays.

24 mars-10 juin. OTAN-Yougoslavie. Bombardement par l'OTAN (Organisation du traité de l'Atlantique nord) de la Yougoslavie pendant 79 jours afin de contraindre le président yougoslave Slobodan Milosevic à accepter le plan de paix pour le Kovoso, après l'échec des négociations de Rambouillet et de Paris menées en février et mars. En riposte à la décision de l'OTAN de procéder à des frappes aériennes contre la Serbie, la Russie rappelle son représentant spécial au quartier général de l'Alliance atlantique, ferme la représentation de l'OTAN à Moscou et gèle la coopération avec l'Alliance. Le président B. Eltsine exige la convocation du Conseil de sécurité des Nations unies.

5 avril. ONU-Libye. En application de la résolution 1192 adoptée le 27 août 1998 par le Conseil de sécurité des Nations unies, les sanctions internationales qui frappaient Tripoli depuis 1992, suite à l'attentat de décembre 1988 à Lockerbie en Écosse, sont levées, en échange de la remise aux Nations unies des deux suspects libyens, Lamine Fahima et Abdel Basset el-Meghrahi, qui seront jugés aux Pays-Bas.

9 avril. Niger. Coup d'État du commandant Daouda Mallam Wanké et assassinat du général Ibrahim Baré Maïnassara arrivé lui-même au pouvoir par la force en janvier 1996. Un Conseil de réconciliation nationale et un gouvernement de consensus à majorité civile sont formés.

13 avril. Kosovo. Les chefs des diplomaties russe et américaine s'entendent sur les principe d'une sortie de crise, mais divergent sur le rôle de l'OTAN dans une force internationale de paix. Le 22, V. Tchernomyrdine, représentant spécial du président B. Eltsine dans les Balkans, est reçu par le président Slobodan Milosevic qui propose « une présence internationale civile » au Kosovo, plan rejeté par l'OTAN.

15 avril. Algérie. Les élections présidentielles sont remportées par Abdelaziz Bouteflika avec officiellement 73,79 % des suffrages et une participation de 60,25 %. Ses six concurrents s'étaient désistés juste avant le scrutin, contestant sa loyauté. Le nouveau chef de l'État entreprend aussitôt ce qu'il nomme une « réconciliation nationale ». Des milliers d'islamistes emprisonnés sont libérés, laissant entrevoir un retour à la paix après sept années de violences qui auraient fait entre 70 000 et 100 000 morts.

25 avril. OTAN. Clôture du sommet du cinquantenaire à Washington. Celui-ci est marqué par l'élargissement à l'Est, avec l'adhésion le 12 mars de la Hongrie, de la Pologne et de la République tchèque, dans le contexte des bombardements aériens de l'Alliance en Yougoslavie.

29 avril. Palestine. Sous la pression de la communauté internationale et dans l'attente des législatives israéliennes anticipées, l'OLP ajourne la proclamation de l'État palestinien, une semaine avant la fin de la période intérimaire fixée par les accords d'Oslo.

30 avril. Comores. Coup d'État du chef d'État-Major, le colonel Azali Assoumani, pour « rétablir l'ordre ». Des émeutes secouent le pays depuis le refus par Anjouan (l'une des îles de l'archipel) de signer un accord élargissant l'autonomie des trois îles.

5 mai. ONU-Timor oriental. Signature par l'Indonésie et le Portugal, sous l'égide des Nations unies, d'un accord sur l'organisation en août d'un scrutin d'autodétermination au Timor oriental, ancienne colonie portugaise annexée par l'Indonésie en 1975. Le 11 juin, création de la Mission des Nations unies au Timor oriental (Minuto) pour l'organisation du référendum. Depuis l'annonce faite par le chef de l'État indonésien, en janvier, d'une possible autodétermination des Timorais, les milices anti-indépendantistes affrontent les pro-indépendantistes.

6 mai. G8-Yougoslavie. Le Groupe des Huit, réuni à Bonn, élabore un nouveau plan de paix pour le Kosovo : retrait des troupes serbes, création d'une force internationale, retour des réfugiés et mise en place d'une administration provisoire de l'ONU.

6 mai. Colombie. Les négociations de paix s'ouvrent officiellement entre le gouvernement et les Forces armées révolutionnaires colombiennes (FARC).

8 mai. Guinée-Bissau. Coup d'État du général Mané, mettant fin à un an d'instabilité et renversant le président Vieira accusé de trafic d'armes vers le Sénégal.

11 mai. Congo (-Kinshasa). Bombardement de la ville rebelle de Goma alors que la rébellion se divise et démet son chef Ernest Wamba dia Wamba. Le 28, le Rwanda annonce une cessation unilatérale des combats.

17 mai. Guatémala. Le référendum organisé dans le cadre des accords de paix entre le gouvernement et la guérilla (29 décembre 1996), pour approuver les réformes à la Constitution devant favoriser les Indiens (60 % de la population), se traduit par une double suprise : 81, 5 % d'abstention et rejet des réformes.

27 mai. TPIY. Le président yougoslave Slobodan Milosevic est inculpé par le Tribunal pénal international pour l'ex-Yougoslavie pour crimes de guerre et crimes contre l'humanité, au titre des actes commis depuis janvier 1999 au Kosovo.

31 mai 1999. Papouasie-Nouvelle-Guinée. Le leader indépendantiste, Joseph Kabui, est élu président du Congrès populaire de Bougainville, chargé de négocier l'avenir politique de la province avec les autorités de Port Moresby (l'île de Bougainville a connu un conflit de plus de dix ans, un cessez-le-feu est entré en vigueur en avril 1998).

3-12 juin. Kosovo. Après l'acceptation par la Yougoslavie du plan de paix pour le Kosovo du Groupe des Huit [*voir 6 mai*], l'OTAN signe le 9 un accord militaire à Kumanovo (Macédoine) avec les généraux yougoslaves. Ce plan porte sur le retrait serbe du Kosovo et la suspension des bombardements. Le 10, le Conseil de sécurité de l'ONU adopte la résolution 1244 autorisant le déploiement d'une force internationale. Le 12, les premiers éléments de la Kfor (Force de paix au Kosovo, 50 000 hommes) entrent au Kosovo.

24 juin. Israël/Liban. Pour répliquer à des tirs de roquettes du Hezbollah sur le nord d'Israël, qui font suite à des bombardements israéliens de villages libanais hors de la zone de sécurité, l'armée israélienne détruit des infrastructures civiles et des positions du Hezbollah au Liban. ■

Un monde en mutation

L'année économique

SUCCESSION DES CRISES FINANCIÈRES, DU MEXIQUE AU BRÉSIL, EN PASSANT PAR L'ASIE ORIENTALE ET LA RUSSIE... CROISSANCE AMÉRICAINE SOUTENUE... LE TOURNANT DU SIÈCLE VOIT S'AIGUISER LES DÉBATS SUR LA RÉGULATION FINANCIÈRE ET SUR LES CONDITIONS DE LA CROISSANCE, UN DÉBAT QUI TRAVERSE DÉSORMAIS LES INSTITUTIONS INTERNATIONALES.

1998

11 juin. États-Unis/Mexique. Les travailleurs de deux usines de pièces automobiles du Michigan amorcent une grève de près de huit semaines qui paralyse presque complètement les opérations de General Motors en Amérique du Nord. Le transfert de la production et des emplois vers le Mexique constitue un enjeu central de cette grève : depuis 1978, General Motors a ouvert plus de 50 usines de pièces au Mexique, faisant de l'une de ses filiales, Delphi Automotive Services, le plus important employeur privé du pays.

7 juillet. Bourse. Signature d'un accord de coopération entre les Bourses de Londres (London Stock Exchange) et de Francfort (Deutsche Börse) en vue de constituer le cœur d'un marché financier européen. La Bourse de Paris pourrait y perdre une part de ses positions.

13 juillet. Krach russe. Un prêt de 23 milliards de dollars est accordé à la Russie par divers bailleurs internationaux dont le FMI.

26 juillet. Télécommunications. L'américain ATT et British Telecom créent une société commune pour leurs activités internationales.

29-31 juillet. SAARC. 10e sommet à Colombo (Sri Lanka). L'achèvement d'une zone de libre-échange entre les sept pays de l'Association de l'Asie du Sud pour la coopération régionale est fixé à 2001.

3 août. Chine. Devant les risques engendrés par des inondations catastrophiques, les autorités font sauter les digues sur le Yangsi pour préserver des villes.

11 août. Pétrole. Les compagnies BP (Royaume-Uni) et Amoco (États-Unis) annoncent leur fusion, formant désormais le troisième groupe mondial, derrière Shell et Exxon.

17 août. Krach russe. Alors que, le 14, le président Boris Eltsine excluait encore toute dévaluation, le rouble continuant de plonger, la Banque centrale de Russie et le gouvernement le dévaluent et décrètent un moratoire sur le remboursement de la dette intérieure. Le 23, Sergueï Kirienko sera limogé de ses fonctions de Premier ministre. La Douma accordera, le 11 septembre, son investiture à Evgueni Primakov qui cherchera également à renouer avec les institutions financières internationales.

20-22 août. AEC. Lors du 2e sommet de l'Association des États de la Caraïbe à Saint-Domingue, les 25 pays membres annoncent le projet d'une zone de libre-échange dans la région.

27 août. Bourses. Onde de choc du krach russe : les marchés boursiers enregistrent un mini-krach.

25 septembre. Fonds spéculatifs. Faillite du fonds LTCM qui sera sauvé par l'intervention du Federal Reserve, la Banque centrale américaine.

3-8 octobre. FMI-Banque mondiale. Lors de la 53e assemblée annuelle à Washington, divergences manifestes entre le FMI et la Banque mondiale sur la gestion des crises financières. Pour faire face à leurs récurrences (Mexique, 1995 ; Asie orientale, 1997 ; Russie, 1998 ; Brésil, 1999) la proposition de création d'un fonds d'urgence destiné aux pays émergents est émise. [*Sur les débats ouverts au sein des institutions internationales, voir encadré p. 74.*].

12 octobre. Japon. Le Parlement adopte une série de lois ayant pour objet de recapitaliser certaines banques en difficulté par des fonds publics, dans un contexte de faillites et de restructuration touchant le secteur financier nippon [*voir 23 octobre*].

14 octobre. Prix Nobel. La distinction est attribuée à l'économiste indien Armatya Sen. Soucieux de justice sociale, A. Sen est spécialiste des problèmes de la pauvreté et du développement. Il collabore au Programme des Nations unies pour le développement (PNUD). C'est la première fois qu'un économiste asiatique est distingué par ce prix.

17 octobre. Kirghizstan. Référendum approuvant la propriété privée de la terre, avec un moratoire de cinq ans sur la vente des terres agricoles.

19 octobre. Antitrust. Ouverture du plus grand procès antitrust de la décennie contre Microsoft, sur plainte du ministère de la Justice américain qui accuse Bill Gates d'avoir violé la loi.

23 octobre. Japon. Le gouvernement annonce la nationalisation de la LTCB (Long Term Credit Bank), premier établissement nippon de crédit à long terme. Japan Leasing, sa filiale la plus importante, avait déposé son bilan le 27 septembre. Le 13 décembre, le gouvernement nationalisera à son tour la Nippon Credit Bank (NCB), troisième établissement de crédit à long terme. Ces décisions s'inscrivent dans le cadre du plan d'assainissement bancaire [voir 12 octobre] dans un contexte de faillites et de restructuration financières.

24 octobre-1er novembre. Amérique centrale. Le passage de l'ouragan Mitch laisse la région dévastée, avec plus de 6 500 morts et des destructions matérielles considérables. Le Honduras et le Nicaragua sont particulièrement touchés.

2-14 novembre. Climat. 4e conférence de l'ONU sur le changement climatique, à Buenos Aires. Les États-Unis signent le protocole de Kyoto adopté en 1997, mais les 161 pays représentés ne parviennent pas à adopter d'engagements contraignants pour la mise en œuvre des accords de Kyoto (réduction de 5,2 % des émissions de gaz à effet de serre d'ici à 2012).

9 novembre. Bancassurance. L'assureur italien Generali et le banquier allemand Commerzbank annoncent leur alliance pour créer un nouveau pôle financier européen.

10 novembre. Aéronautique. L'État français annonce qu'il transfère à Aérospatiale les parts (45,8 %) qu'il détient dans Dassault Aviation. Avec le rapprochement d'Aérospatiale et du groupe Lagardère se profile un ensemble susceptible de participer à la constitution d'un grand groupe européen.

17-18 novembre. APEC. Adhésion du Pérou, de la Russie et du Vietnam, lors du 6e sommet du Forum de coopération économique Asie-Pacifique à Kuala Lumpur (Fédération de Malaisie), portant à 21 le nombre d'États membres riverains du Pacifique.

24 novembre. Informatique. Netscape est racheté par America Online par échange d'actions.

1er décembre. Pétrole. Le français Total prend 41 % du capital du belge Petrofina et se hisse au 5e rang mondial. Le même jour, les américains Exxon et Mobil annoncent leur alliance pour former Exxon Mobil Corp.

1er décembre. Pharmacie. Le français Rhône-Poulenc et l'allemand Hœchst annoncent leur intention de fusionner leurs activités dans une nouvelle structure, Avantis. Celle-ci, filiale 50/50, occupera le deuxième rang mondial des laboratoires pour les sciences de la vie, derrière le suisse Novartis.

4 décembre. AMI. Après le retrait de la France le 14 octobre, les pays de l'OCDE (Organisation de coopération et de développement économiques) décident d'enterrer la négociation sur l'Accord multilatéral sur l'investissement, engagée en 1995 et visant à établir l'ouverture totale des marchés aux investissements.

1999

1er janvier. Euro. Lancement de la monnaie unique européenne dans onze des quinze pays de l'Union européenne (Allemagne, Autriche, Belgique, Espagne, Finlande, France, Irlande, Italie, Luxembourg, Pays-Bas et Portugal) après la fixation des parités définitives des monnaies nationales en euro. Seuls quatre États membres de l'UE n'adoptent pas la monnaie unique : le Danemark, le Royaume-Uni et la Suède par choix politique ; la Grèce parce qu'elle ne satisfait pas aux critères de convergence fixés par le traité de Maastricht [*voir article p. 57*].

13-15 janvier. Crise brésilienne. Démission du gouverneur de la Banque centrale. Le gouvernement dévalue la monnaie nationale, le real, de 9 %, puis deux jours après, la laisse totalement flotter. En quelques jours, la dépréciation atteint 40 %, mettant en difficulté les économies voisines, notamment de l'Argentine.

28 janvier. Automobile. L'américain Ford annonce le rachat du suédois Volvo.

31 janvier. Banque. Le 9 mars, la BNP (Banque nationale de Paris) dépose deux offres publiques d'échange (OPE) inamicales ayant pour objectif une fusion BNP-SG-Paribas. La Société générale et Paribas venaient d'annoncer leur prochaine fusion par échange d'actions.

14-23 février. OGM. A Carthagène (Colombie), une conférence mondiale sur les risques biotechnologiques réunit 170 pays sous l'égide des Nations unies. Elle ne parvient pas à adopter le protocole sur la prévention des risques biotechnologiques destiné à contrôler le commerce des organismes génétiquement modifiés et ses conséquences sur l'environnement, le projet de traité étant rejeté notamment par les États-Unis.

20 février. Télécommunications. Annonce du lancement d'une OPA (offre publique d'achat) par Olivetti sur le capital de Telecom Italia.

16 mars. UE. Démission collective de la Commission européenne, à la suite du rapport de cinq « sages » commandé par le Parlement européen sur les « allégations de fraude, mauvaise gestion et népotisme ». L'Italien Romano Prodi est proposé le 24 mars par le Conseil européen de Berlin, comme futur président de la Commission, nomination approuvée par le Parlement le 6 mai.

22 mars. Eau. Le groupe français Vivendi annonce l'achat de US Filters, « numéro un » américain du traitement de l'eau.

24 mars. UE. Lors d'un Conseil européen extraordinaire tenu à Berlin, approbation de l'Agenda 2000 et du cadre financier pour les réformes des politiques structurelles de la période 2000-2006.

27 mars. Automobile. Le français Renault devient le seul actionnaire de référence du constructeur japonais Nissan en prenant une participation de 36,8 % dans son capital. Le nouvel ensemble industriel sera le quatrième constructeur automobile mondial.

28 mai. Amérique centrale. Les pays et institutions donateurs réunis à Stockholm décident d'octroyer à l'Amérique centrale une aide d'un montant de 9 milliards de dollars pour faire face aux dommages provoqués par le passage de l'ouragan Mitch en octobre 1998.

17 juin. OIT. Une convention sur les pires formes du travail des enfants est adoptée par les 174 pays de l'Organisation internationale du travail.

18-20 juin. G7/G8. Lors du 25e sommet, à Cologne (Allemagne), les dirigeants du Groupe des Huit s'accordent sur un allégement de la dette d'environ 41 pays pauvres très endettés (PPTE) et affirment leur volonté d'« humaniser » la mondialisation économique.

28-29 juin. UE-Amérique latine. Réunis à Rio de Janeiro, les 34 pays latino-américains et les quinze de l'Union européenne, adoptent une déclaration de « partenariat stratégique » concernant le libre-échange, la démocratie et les droits de l'homme. L'Union européenne lance un projet de zone de libre-échange avec le Mercosur (Marché commun du sud de l'Amérique) et le Chili, à l'horizon 2003. ■

Conjoncture 1998-1999 Net ralentissement de l'économie mondiale

Francisco Vergara
Économiste

En 1998, la production mondiale n'a augmenté que de 2,5 %, marquant un important ralentissement par rapport aux 4,2 % des deux années précédentes. Les États-Unis et l'Union européenne (UE) ont enregistré des performances presque identiques à celles de 1997, les pays en développement (PED) ont connu quant à eux une forte chute de leur taux de croissance, tandis que le Japon et la Russie sont entrés en récession. En 1999, la croissance mondiale devait, selon les prévisions disponibles début août, être du même ordre de grandeur, le ralentissement de la plupart des régions du monde étant compensé par une accélération – ou une moins mauvaise performance – de l'Asie en développement et du Japon.

Les économies industrialisées

Les pays industrialisés pris dans leur ensemble ont vu la croissance de leur produit intérieur brut (PIB) ralentir, passant en rythme annuel de 3,2 % en 1996 et 1997 à 2,2 % en 1998. Ce ralentissement s'explique principalement par l'entrée en récession du Japon (– 2,8 %), les autres régions développées ayant maintenu leur croissance au même niveau que l'année précédente (3,9 % aux États-Unis et 2,8 % en Europe). En 1999, la performance moyenne du monde développé devait être du même ordre, le ralentissement (assez important en Europe et plus modéré aux États-Unis) étant compensé par un recul moins fort (ou même une légère croissance) au Japon.

Le maintien des taux de croissance américain et européen, malgré la faiblesse de la demande extérieure, s'explique principalement par un sursaut de la consommation des ménages. En ce qui concerne les produits industriels, ce sursaut a surtout profité aux producteurs asiatiques. Ainsi, dès le début de 1998 la production industrielle américaine s'est fortement ralentie tandis qu'en Europe elle commençait à diminuer presque partout. En Asie, en revanche, on a assisté à la stabilisation de la production industrielle japonaise (celle-ci ne reculant plus à partir de mai 1998) et à une forte reprise en Corée du Sud. Au premier trimestre 1999, ce dernier pays avait effacé totalement les effets de la crise ouverte en 1997, dépassant les sommets historiques atteints par la production industrielle à la veille de son déclenchement.

Dans chacune des grandes régions, l'interprétation de l'évolution économique a donné cours à des débats. Aux États-Unis, deux thèses se sont affrontées à propos de la croissance. Pour les optimistes, une « nouvelle économie » américaine aurait vu le jour. Assainie par les réformes menées depuis les années quatre-vingt, l'économie des États-Unis serait entrée dans une ère de prospérité durable et sans précédent. Les partisans de cette thèse mettent en avant la croissance très forte enregistrée pendant quatre années consécutives : 3,7 % par an pour le PIB entre 1995 et 1999 et 7,7 % par an pour l'investissement. Les pessimistes ont une tout autre lecture. Ils font observer que pendant la reprise des années Reagan, les États-Unis ont connu quatre années de performances encore plus spectaculaires

Du rififi dans les institutions internationales

Les divergences d'opinion au sein des organisations internationales en charge de l'économie mondiale ont pris un tour public. La succession des crises financières à compter de fin 1994 (Mexique, Asie orientale, Russie, Brésil...) et le retour au pouvoir de gouvernements de gauche ou de centre-gauche dans de nombreux pays occidentaux expliquent peut-être ce phénomène.

Joseph Stiglitz (économiste de réputation internationale), passé directement du poste de président du Conseil des conseillers économiques de Bill Clinton à celui d'économiste en chef de la Banque mondiale (février 1997), ne manque désormais pas une occasion pour critiquer la politique du FMI (Fonds monétaire international). Dans un de ses premiers discours quand il a été en charge des services économiques de la Banque, il a déclaré : « Selon le "consensus de Washington" [...] il suffisait que l'État se retire pour que les marchés privés allouent les ressources de manière efficace et engendrent une croissance solide [...]. Notre compréhension de ce qui est nécessaire pour que les marchés fonctionnent correctement s'est bien améliorée depuis » [*source 7*].

Les débats au sein du FMI portent en fait sur les mêmes sujets. Ainsi, dans sa lettre publique de démission (juin 1998) de la présidence du Comité intérimaire du Bureau des gouverneurs, le Belge Philippe Maystadt cachait à peine son exaspération face au laisser-faire conservateur de l'institution : « J'ai essayé à plusieurs reprises de revitaliser notre Comité [...] il est urgent que le FMI continue ses efforts pour s'adapter [...] le Comité devrait autoriser l'échange d'opinions sur des questions fondamentales » [*source 4*].

Le même clivage opposant libéralisme et interventionnisme explique en grande partie le conflit qui a marqué l'OMC (Organisation mondiale du commerce) pendant cinq mois à propos du choix du prochain président de l'organisation. Mike Moore, travailliste néo-zélandais converti (comme la majorité de son parti) aux idées ultra-libérales et insistant sur la devise « *free trade* » (liberté du commerce) s'est opposé au Thaïlandais Supachai, appuyé par le Japon, les pays asiatiques et... l'administration Clinton. Sur son site internet, Supachai reprenait à son compte le slogan bien connu « *fair trade* » (commerce équitable) que les syndicats américains opposent à « *free trade* ».

Le consensus de Washington

Jusqu'à la fin des années soixante-dix, les institutions internationales comme le FMI et la Banque mondiale ne se prononçaient pas sur le modèle économique et social choisi par les pays membres. Que ce soit à propos de l'industrie « autogérée » en Yougoslavie ou de l'agriculture collective en Tanzanie (le « modèle ujamaa »), le rôle de ces organisations se limitait à suggérer des améliorations au système économique et social que ces peuples étaient censés avoir choisi souverainement.

A la suite du raz-de-marée des idées néolibérales qui a porté au pouvoir des chefs d'État tels Ronald Reagan (1981-1989) aux États-Unis et Margaret Thatcher (1979-1990) au Royaume-Uni, cette situation ne perdura pas. Les unes après les autres, les institutions internationales ont commencé à prôner un modèle précis de société vers lequel tous les pays devaient converger par des privatisations, la libéralisation des mouvements des capitaux, la réduction de la taille et des fonctions de l'État, etc.

Cette orientation fortement idéologique, proposée comme seule voie vers le développement (et comme seul projet que ces institutions voulaient bien financer), a reçu l'appellation de « consensus de Washington ». Non pas parce qu'il fut appuyé par le gouvernement américain (qui, dès les années Bush (1989-1993), et encore plus sous Bill Clinton (1993-), avait pris quelques distances à son égard), mais parce que les institutions qui la véhiculaient (la Banque mondiale et le FMI notamment) ont leur siège dans la capitale américaine.

Bien sûr, le consensus ne fut jamais total. La Commission économique des Nations unies pour l'Europe (CEE), par exemple, avait courageusement continué à critiquer dans ses rapports annuels la politique de transition brutale vers l'économie de marché suivie (sur conseil du FMI) par nombre d'ex-pays socialistes. Et au sein même du FMI, de l'OCDE et de la Banque mondiale, il n'a jamais manqué d'experts pour rappeler le fait que des pays appliquant des politiques très différentes de celles prônées selon le « consensus de Washington » (la Chine, la Corée du Sud et Taïwan, par exemple) obtenaient des résultats souvent bien meilleurs que ceux dont pouvaient se vanter les meilleurs élèves de la classe FMI.

Crises dans les marchés et... dans les organisations internationales

La crise mexicaine (la « crise tequila » de décembre 1994) fut probablement le premier événement à ébranler les certitudes sur lesquelles reposait le « consensus de Washington ». Le Mexique appliquait depuis cinq ans une politique de libéralisation financière, de privatisations et d'orthodoxie budgétaire jugée exemplaire. Le solde du budget de l'État, par exemple, avait été drastiquement redressé, passant d'un déficit de – 14 % du PIB en 1987 à un excédent de + 3,3 % en 1993. Le Mexique était devenu (après le Chili) le deuxième « bon élève » de l'Amérique latine.

Mais, devant une croissance trop lente (et des problèmes sociaux qui s'aggravaient) le gouvernement mexicain ne put résister en 1994 (année d'élection présidentielle) à la tentation de faire une pause et d'adopter une politique légèrement expansionniste. C'était (dans le jargon du « consensus de Washington ») envoyer un message erroné aux marchés financiers ; les événements du Chiapas, l'assassinat d'un des candidats à la présidence de la République, et surtout (peut-être) les perspectives d'une aggravation du déficit du solde extérieur déclenchèrent une fuite massive des capitaux à court terme. La crise asiatique (octobre 1997), la crise russe (août 1998) puis la crise brésilienne (début 1999) sont à leur tour venues ranimer l'esprit critique au sein d'institutions internationales qu'on aurait pu croire irrémédiablement séduites par le néolibéralisme.

L'OCDE et la « stratégie pour l'emploi »

Le changement d'atmosphère a aussi été manifeste avec la volte-face de l'OCDE. En 1994 cette organisation avait lancé à grand renfort de publicité une « stratégie pour l'emploi ». Il s'agissait en quelque sorte de convaincre les pays européens d'imiter la politique que Margaret Thatcher avait appliquée au Royaume-Uni. L'OCDE a submergé les milieux journalistiques et universitaires de superbes brochures gratuites, en plusieurs langues, dans le cadre d'une véritable opération de communication.

Quatre années plus tard, l'organisation procédait à une réévaluation totale du marché du travail britannique. Dans sa très officielle publication biannuelle *Perspectives économiques de l'OCDE*, elle constatait en juin 1998 que « la contribution de la croissance de l'emploi au recul du chômage entre 1990 et 1997 a été [...] nulle au Royaume-Uni » (p. 197). Mais les chômeurs britanniques ? Où sont-ils passés ? L'OCDE nous l'apprend dans son *Étude économique de l'OCDE sur le Royaume-Uni* (juillet 1998). On les trouve désormais dans une catégorie appelée « non-emploi » qui serait composée de plusieurs groupes : « Le premier groupe – celui qui augmente le plus vite – est constitué des malades de longue durée et des handicapés... [Il] s'est accru de 1,5 millions de personnes au cours des vingt dernières années et représente 4 % de la population d'âge actif [...]. Le deuxième grand groupe est celui des parents isolés [...]. Le taux d'emploi des parents isolés est un des plus bas de la zone de l'OCDE. Le troisième groupe, qui compte actuellement un demi-million de personnes, est constitué de conjoints de chômeurs recensés ; [au total] près d'un cinquième des ménages d'âge actif sont sans emploi, soit près de trois fois plus qu'il y a vingt ans [...], l'un des taux les plus élevés de la zone de l'OCDE » [*ibidem*]. - **F.-V.** ■

Fin ou rebond du modèle asiatique ?

Plus de deux ans après la dévaluation du bath thaïlandais de juillet 1997, qui annonça le début de la crise asiatique, la confrontation entre le déroulement des faits et certaines interprétations alors en vogue est instructive.

Une des thèses les plus à la mode affirmait que c'en était fini du modèle de développement « asiatique » fondé sur un rôle actif de l'État dans l'économie. Ce modèle qui semblait avoir si bien réussi au Japon d'abord, à la Corée du Sud, à Taïwan et à Singapour ensuite, avait, disait-on, conduit à l'échec. Le système bancaire japonais (reposant sur l'entente avec le ministère des Finances plutôt que sur la concurrence), n'était-t-il pas en « faillite » ? Les *chaebols* (conglomérats) sud-coréens n'allaient-ils pas, sur proposition du nouveau gouvernement de Séoul lui-même, être « démantelés » ? Bref, les pays asiatiques semblaient enfin être disposés à suivre les conseils du Fonds monétaire international (FMI).

Deux années plus tard, la Banque des règlements internationaux (BRI) pouvait constater dans son *Rapport annuel* que « l'impression générale qui prévaut au printemps de 1999 est qu'en Asie les marchés financiers se sont stabilisés et que la profonde récession qui a frappé de nombreuses économies de la région touche à sa fin » [*source 3*]. Quant au système bancaire japonais qu'on disait en faillite, il a retrouvé la confiance des marchés financiers internationaux si l'on en croit l'OCDE (Organisation de coopération et de développement économiques) : « la "prime Japon" (l'écart entre les conditions demandées aux banques japonaises et aux banques d'autres pays pour des emprunts sur les marchés financiers mondiaux) a été largement éliminée depuis janvier 1999 » [*source 2*].

Que s'est-il passé ? Les mesures libérales préconisées par le FMI ont-elles donc réussi ? Pas du tout, puisqu'elles n'ont pas été appliquées. Dans les pays relevant traditionnellement du « modèle asiatique », la gestion de la crise a été conforme à ce qu'on pouvait attendre. Comme l'explique la BRI qui passe en revue les mesures prises, « la Banque du Japon a fortement intensifié ses achats de titres du secteur privé. Dans les différents marchés émergents, les autorités ont généralement réagi de manière similaire [...] Dans de nombreux pays d'Asie, la politique budgétaire [...] a été assouplie, malgré les préoccupations suscitées par l'accroissement de la dette publique [...]. En Chine, les dépenses publiques d'infrastructure ont nettement augmenté afin de soutenir la demande intérieure » [*source 3*].

Et n'est-il pas significatif que les champions mêmes du libéralisme se soient rapprochés des thèses « asiatiques ». Ainsi, la Banque mondiale s'est dotée, avec Joseph Stiglitz, d'un nouvel économiste en chef connu pour ses critiques du « consensus de Washington » [*voir l'encadré p. 74-75*]. Le Chili, vitrine modèle du libéralisme, est désormais cité par les Nations unies comme l'exemple à imiter en matière de gestion par l'État des mouvements des capitaux à court terme [*source 5*]. Quant à Hong Kong (la perfection du libéralisme, selon l'économiste ultralibéral américain Milton Friedman), son autorité monétaire a procédé au plus fort de la crise au rachat massif d'actions cotées en Bourse afin de « faire échec aux spéculateurs cherchant à déstabiliser le marché financier local » [*source 3*]. - **F.-V.** ■

Sur la durée de la reprise américaine

Il n'est rien de plus courant que de lire dans de nombreux médias que l'actuelle expansion américaine est la *plus longue* que les États-Unis aient connu depuis la Seconde Guerre mondiale. Une nouvelle économie, extrêmement dynamique, serait née aux États-Unis et les Européens seraient avisés d'imiter ce qu'ont fait les Américains (déréglementation, recul des dépenses de l'État, etc.). L'information est pourtant parfaitement fausse.

Comme on le sait, l'économie américaine est très cyclique. Les phases d'expansion ou de « reprise », pendant lesquelles le PIB (Produit intérieur brut) croit, sont régulièrement suivies de phases de récession, avec un taux de croissance négatif. Six phases d'expansion ont eu lieu entre 1960 et l'an 2000. L'intelligence ou l'habileté de la politique économique menée par le gouvernement est souvent jugée à l'aune de la *durée de la phase d'expansion* à laquelle il a présidé. Un gouvernement qui étoufferait une reprise naissante par une politique monétaire ou fiscale erronée serait sévèrement critiqué.

C'est dans ce contexte que l'administration Clinton aura pu se vanter du fait que, grâce à sa politique économique, les États-Unis ont connu ces dernières années (attention à la nuance !) la « plus longue phase d'expansion en temps de paix ». La phrase est exacte dans la mesure où une phase d'expansion encore plus longue, associée aux gouvernements Kennedy et Johnson (qui a duré presque neuf ans, soit 35 trimestres) a été entachée par la guerre du Vietnam. Plus longue que l'expansion actuelle (qui comptait déjà 32 trimestres en juin 1999) elle n'a pas été à proprement parler une expansion « en temps de paix ». Remarquons en passant que la longue reprise ayant eu lieu sous l'administration Reagan, et qui a duré 31 trimestres, a été à peu près du même ordre de grandeur.

On peut comprendre que les partisans du libéralisme américain se soient empressés de répéter une information aussi équivoque. Bien mieux informés sont les experts de la BRI (Banque des règlements internationaux), qui écrivent dans leur *Rapport annuel* du 7 juin 1999 que « le cycle américain est l'un des plus longs de l'après-guerre. - **F.-V.■**

(4,5 % de croissance annuelle entre 1982 et 1986 pour le PIB et 7,8 % pour l'investissement) et qu'un discours triomphaliste similaire avait débouché sur une désillusion générale lors de la récession de 1991. Ce courant insiste sur les aspects peu soutenables de cette croissance : la dépense des ménages (fondée sur l'illusion de richesse patrimoniale que créent les cours anormaux de la Bourse) risque de se contracter brusquement si les cours cessent d'augmenter et le déficit croissant du solde extérieur qui a atteint 2,8 % du PIB en 1998 risque de miner la confiance dans le dollar.

En Europe, les débats ont porté sur la lenteur de la phase de croissance en cours. Pendant la reprise des années quatre-vingt (qui a suivi le second « choc pétrolier »), l'Europe avait connu une période de forte expansion. Le taux de croissance avait atteint 3,4 % par an entre 1985 et 1989, à peine moins que les performances, tant vantées, des États-Unis à la fin des années quatre-vingt-dix. Pendant la reprise de cette fin des années quatre-vingt-dix, en revanche, le taux de croissance européen atteint à peine 2,3 %. Plusieurs catégories d'explications et de solutions ont été avancées.

Pour la famille « néolibérale », deux facteurs expliqueraient pour l'essentiel la faiblesse des performances. Seraient d'abord en cause le poids excessif de l'État, des prélève-

Tableau 1

Production mondiale par groupes de pays (Taux de croissance annuel)

	1960-73	1973-89	1989-99	1996	1997	1998
Monde	5,4	2,9	3,2	4,3	4,2	2,5
Pays industrialisés[a]	5,3	2,8	2,3	3,2	3,2	2,2
Pays en développement[b]	5,7	3,8	5,7	6,5	5,7	3,3
Pays en transition[c]	• •	• •	– 3,2	– 0,3	2,2	– 0,2

a. Pays industrialisés ; b. Pays en développement ; c. Ex-URSS, Bulgarie, ex-Tchécoslovaquie, ex-Yougoslavie, Roumanie, Pologne et Hongrie.
Source : FMI.

Tableau 2

Pays industrialisés (Taux de croissance annuel)

	1960-73	1973-89	1989-99	1996	1997	1998
États-Unis	4,2	2,8	2,2	3,4	3,9	3,9
Japon	9,2	3,6	1,8	5,0	1,4	– 2,8
Union européenne	4,7	2,3	2,0	1,8	2,7	2,8
Allemagne[a]	4,2	2,0	2,5	1,3	2,2	2,8
France	5,3	2,4	1,8	1,6	2,3	3,1
Italie	5,2	2,8	1,5	0,9	1,5	1,4
Royaume-Uni	3,1	2,0	1,7	2,6	3,5	2,1
Canada	5,3	3,4	1,9	1,2	3,8	3,0

a. *Länder* de l'Ouest seulement jusqu'en 1990.
Source : ONU, Commission économique pour l'Europe.

Tableau 3

Pays en transition (Taux de croissance annuel)

	1987-97	1994	1995	1996	1997	1998
Europe de l'Est	– 0,7	4,2	6,0	4,1	2,9	2,0
Bulgarie	– 3,9	1,8	2,8	– 10,2	– 7,0	3,0
Rép. tchèque	0,4	3,3	6,4	3,9	1,0	– 2,7
Hongrie	– 0,9	3,1	1,4	1,4	4,5	5,1
Pologne	1,5	5,1	7,1	6,0	6,9	4,8
Roumanie	– 2,6	3,9	7,1	4,0	– 6,9	– 7,3
Slovaquie	– 0,2	4,8	7,0	6,5	6,6	4,4
Slovénie	– 0,7	5,3	4,2	3,5	4,5	4,0
Pays baltes	– 3,3	– 5,1	2,3	4,2	7,6	4,2
CEI	– 5,0	– 14,2	– 5,4	– 3,5	1,3	– 2,8
Biélorussie	– 2,3	– 12,6	– 10,3	2,8	11,4	8,3
Russie	– 4,6	– 12,7	– 4,1	– 3,5	0,9	– 4,6
Ukraine	– 8,1	– 22,9	– 12,2	– 10,0	– 3,1	– 1,7
Total	– 3,5	– 8,1	– 1,2	– 0,5	2,0	– 0,6

Sources : ONU, Commission économique pour l'Europe.

Tableau 4
Pays en développement
(Taux de croissance annuel)

	1960-73	1973-89	1989-99	1996	1997	1998
Ensemble	5,7	3,8	5,7	6,6	5,7	3,3
Afrique[a]	4,2	2,6	2,9	5,5	3,4	3,4
Asie	4,7	6,3	7,5	8,3	6,6	3,8
Moyen-Orient[b]	• •	1,6	4,0	4,9	4,4	2,9
Amérique latine	5,9	2,9	3,4	3,5	5,2	2,3

a. Au sud du Sahara ; b. Y compris Afrique du Nord.
Sources : FMI et Banque mondiale.

Tableau 5
Inflation annuelle[a]

	1970	1975	1980	1985	1990	1998
Pays industrialisés	5,6	11,2	12,0	4,1	5,0	1,7
États-Unis	5,9	9,0	13,5	3,6	5,4	2,0
Japon	7,7	11,8	7,7	2,0	2,8	– 0,3
RFA	3,4	5,9	5,4	2,2	2,7	0,9
France	5,9	11,8	13,3	5,8	3,4	0,7
Royaume-Uni	6,4	24,2	18,0	6,1	8,1	2,7
Italie	5,1	17,1	21,0	9,2	6,5	1,8
Canada	3,4	10,8	10,2	4,0	4,8	1,0
Pays en développement[b]	8,5	23,1	27,8	35,5	62,5	10,4
Afrique	5,4	18,9	14,2	12,2	20,1	8,6
Asie	• •	1,7	12,3	6,0	6,6	8,0
Moyen-Orient	3,1	21,5	17,3	13,4	21,9	23,8
Amérique latine	12,3	37,2	55,2	127,5	438,6	10,5

a. Taux officiels de croissance annuels de l'indice des prix à la consommation ; b. Pays en développement.
Source : FMI.

Tableau 6
Exportations mondiales

	1970	1980	1985	1996	1997	1998
Total monde (milliards $) dont (en %)	292	1 897	1 819	5310	5536	5438
Pays industrialisés	76,2	66,7	70,5	67,8	66,9	68,3
Amérique du Nord[a]	20,4	15,5	17,0	15,6	16,5	16,7
Europe	47,1	42,9	42,2	43,3	41,5	43,5
Japon	6,6	6,9	9,7	7,7	7,7	7,2
Pays en développement[a]	23,8	33,3	29,5	32,2	33,1	31,7
Afrique	4,4	5,0	3,6	2,3	2,3	2,1
Asie	5,8	8,6	11,5	19,8	20,4	19,6
Amérique latine	5,6	5,5	5,4	4,8	5,1	5,1

a. Canada et États-Unis.
Source : FMI et OMC.

Tableau 7

Dette extérieure totale (Milliards de dollars)

	1970[a]	1980	1990	1997	1998[d]
Ensemble PED[c]	68	609	1473	2317	2465
Afrique[b]	7	61	177	219	226
Asie et Pacifique	19	132	416	809	862
Europe et ex-URSS	5	76	221	391	435
Amérique latine	33	257	475	704	736
Moyen-Orient et Afrique du Nord	5	84	183	193	206

a. Dette à long terme seulement ; b. Afrique du Nord non comprise ; c. Pays en développement, y compris ex-URSS ; d. Préliminaire.
Source : Banque mondiale.

Tableau 8

Produit intérieur brut par habitant[a] (États-Unis = 100)

	1977	1988	1998
États-Unis	100	100	100
Japon	62,8	75,2	79,3
Union européenne	64,5	67,8	69,7
RFA	66,2	70,1	75,2
France	76,3	76,0	72,4
Italie	63,9	71,4	71,0
Royaume-Uni	65,6	71,7	69,7

a. Les PIB sont calculés selon la méthode des taux de change à parité de pouvoir d'achat (PPA).
Source : OCDE.

Tableau 9

Production industrielle (1990 = 100)

	1970	1975	1980	1985	1990	1999[a]
Pays industrialisés	57,2	62,6	77,5	85,3	100,0	117,4
États-Unis	55,4	58,9	76,6	87,4	100,0	134,1
Japon	45,3	49,0	67,8	80,3	100,0	94,9
RFA[b]	70,7	71,5	84,1	85,4	100,0	103,8
France	66,1	76,0	89,2	87,6	100,0	108,0
Royaume-Uni	73,5	75,1	81,5	88,0	100,0	107,6
Italie	62,3	67,1	87,3	84,7	100,0	109,1
Canada	58,4	70,8	81,3	94,3	100,0	126,0

a. Premier trimestre ; b. Avant 1990, ex-RFA seulement.
Source : OCDE.

Tableau 10
Emploi (1990 = 100)

	1971	1975	1980	1985	1990	1998[a]
Pays industrialisés	71,9	74,6	85,4	90,3	100	105,5
UE	91,1	91,9	93,9	92,7	100	100,5
États-Unis	68,0	73,2	84,4	91,1	100	111,6
Japon	82,0	83,6	88,6	92,9	100	103,7
RFA	94,0	91,7	95,0	93,4	100	99,6
France	92,8	94,7	96,7	94,8	100	101,9
Italie	92,4	93,5	97,6	98,7	100	95,3
Royaume-Uni	91,1	93,0	94,0	91,1	100	102,1
Canada	61,9	70,7	84,2	89,2	100	110,0

a. Quatrième trimestre.
Source : OCDE

Tableau 11
Taux de chômage (% de la population active)[a]

	1976	1980	1985	1990	1993	1997	1999[c]
Pays industrialisés	5,4	5,8	7,8	6,1	8,0	7,3	7,0
UE	5,0	6,4	10,5	8,1	10,9	10,7	9,6
États-Unis	7,6	7,0	7,1	5,6	6,9	4,9	4,3
Japon	2,0	2,0	2,6	2,1	2,5	3,4	4,6
RFA[b]	3,7	2,9	7,1	4,8	7,9	10,0	9,0
France	4,4	6,2	10,2	8,9	11,7	12,4	11,4
Italie	6,6	7,5	9,6	10,3	10,2	12,1	12,1
Royaume-Uni	5,6	6,4	11,2	6,9	11,4	7,0	6,3

a. Taux standardisés ; b. Allemagne unifiée après 1990 ; c. Premier trimestre.
Source : OCDE

Tableau 12
Croissance en volume du commerce international de marchandises (en % annuel)

	Exportations				Importations			
	1990-95	1996	1997	1998	1990-95	1996	1997	1998
Monde	6,0	5,5	10,5	3,5	6,5	6,0	9,5	4,0
Amérique du Nord[a]	7,0	6,0	11,0	3,0	7,0	5,5	13,0	10,5
Amérique latine	8,0	11,0	11,0	6,5	12,0	8,5	22,0	9,5
Europe occidentale	5,5	5,5	9,5	4,5	4,5	5,5	7,5	7,5
dont Union européenne	5,5	5,5	9,5	5,0	4,5	5,0	7,0	7,5
Économies en transition	5,0	6,5	12,5	10,0	2,5	16,0	17,0	10,0
Asie	7,5	5,0	13,0	1,0	10,5	6,0	6,0	– 8,5
dont Japon	1,5	1,0	12,0	– 1,5	6,5	5,5	1,5	– 5,5
Six pays asiatiques[b]	11,5	7,5	11,5	2,0	12,0	4,5	6,5	– 16,0

a. États-Unis et Canada ; b. Taïwan, Hong Kong, Chine, Fédération de Malaisie, Corée du Sud, Singapour et Thaïlande.
Source : Source OMC, *World Trade Slower in 1998 after unusually strong growth in 1997*, 16 avril 1999.

Tableau 13

Évolution du commerce international de marchandises en valeur (en US $ et en % annuel)

	Exportations					Importations				
	1998	1990-95	1996	1997	1998	1998	1990-95	1996	1997	1998
	$	%	%	%	%	$	%	%	%	%
Monde	5 225	7,5	4,5	3,5	- 2,0	5 410	7,5	5,0	3,0	- 1,0
Amérique du Nord[a]	898	8,5	6,5	9,5	- 1,0	1 151	8,0	6,0	10,5	4,5
Amérique latine	274	9,0	12,5	10,0	- 2,0	339	14,5	9,5	19,0	5,0
Europe occidentale	2 338	6,0	3,5	- 0,5	2,5	2 359	5,5	3,5	- 1,5	5,0
dont Union européenne	2 171	6,5	3,5	- 0,5	3,0	2 163	5,5	3,0	- 2,0	5,5
Économies en transition	178	7,0	6,5	5,0	- 1,0	207	5,0	17,0	9,5	3,0
Afrique	106	0,5	16,5	2,0	- 16,0	129	5,5	- 1,0	6,0	- 1,5
Moyen-Orient	138	1,5	17,0	4,0	- 21,0	139	5,5	7,0	6,5	- 6,0
Asie	1 294	12,0	0,5	5,5	- 6,0	1 090	12,0	4,5	0,5	- 17,5
dont Japon	388	9,0	- 7,5	2,5	- 8,0	281	7,5	4,0	- 3,0	- 17,0
Chine	184	19,0	1,5	21,0	0,5	140	20,0	5,0	2,5	- 1,5
Six pays asiatiques[b]	504	14,0	3,0	2,5	- 7,5	438	15,0	3,0	0,5	- 25,0

a. États-Unis et Canada ; b. Taïwan, Hong Kong, Chine, Fédération de Malaisie, Corée du Sud, Singapour et Thaïlande.
Source : Source OMC, *World Trade Slower in 1998 after unusually strong growth in 1997*, 16 avril 1999.

ments obligatoires et de la dette publique. La trop faible flexibilité, notamment sur le marché du travail serait un second handicap. Pour une deuxième famille de pensée, la faiblesse de la croissance européenne s'expliquerait par le « dosage » malheureux d'une politique monétaire restrictive et d'une politique fiscale d'assainissement budgétaire (mauvais « *policy mix* », selon le jargon à la mode). Le secret de la croissance américaine résiderait au contraire dans un bon mélange des politiques monétaire et budgétaire. Pour une troisième sensibilité enfin, il ne suffit pas d'un « *policy mix* » accommodant pour assurer la croissance et la création d'emplois, il faudrait engager un vaste programme européen de travaux publics, un véritable sursaut en matière d'éducation publique, etc.

Les pays en développement

La croissance des mondes en développement s'est fortement ralentie, passant de 5,7 % en 1997 à 3,3 % en 1998. Tous les continents ont connu cette détérioration sauf l'Afrique. En 1999 la croissance devait se maintenir au même niveau, le retour à la croissance de plusieurs pays asiatiques compensant le ralentissement observé au Moyen-Orient et surtout en Amérique latine.

C'est en effet en Amérique latine que le ralentissement a été le plus fort, la production ne croissant que de 2,3 % en 1998 contre 5,2 % en 1997. On a beaucoup parlé de la crise brésilienne, mais tous les grands pays latino-américains ont été touchés. En 1999 la croissance de la région devait même être négative (– 0,5 %), le Brésil et l'Argentine connaissant le recul le plus fort (– 3 %).

La croissance de l'Asie en développement s'est considérablement ralentie, passant de 6,6 % en 1997 à 3,8 % en 1998. Malgré la crise qui a frappé durement plusieurs pays, cette zone demeure cependant la région en développement ayant le plus fort

Matrice des exportations

(1980 et 1997, tous produits en milliards de dollars)

Destination / Origine	Année	Pays développés				Pays en développement				Europe de l'Est et ex-URSS	Monde
		Total	Europe	Amérique du Nord[a]	Japon	Total	Afrique[b]	Amérique latine[e]	Asie[c]		
Pays développés	**1980**	891	650	166	40	316	65	76	165	42	1 259
	1997	2 569	1 708	638	135	897	66	211	598	126	3 631
Europe[d]	**1980**	615	540	50	8	149	50	25	67	31	802
	1997	1 730	1 455	185	46	340	47	55	220	115	2 222
Amérique du Nord[a]	**1980**	184	75	75	24	90	7	41	41	6	282
	1997	558	154	312	70	292	9	133	149	7	853
Japon	**1980**	62	21	34	–	65	6	9	50	4	130
	1997	206	69	1 241	–	212	3	20	188	2	421
Pays en développement	**1980**	401	186	123	82	155	15	45	92	23	587
	1997	856	301	370	155	650	27	88	528	30	1 590
Afrique[h]	**1980**	79	46	30	2	13	3	6	3	2	95
	1997	67	46	19	2	20	6	3	11	3	91
Amérique latine[e]	**1980**	69	26	38	5	30	2	23	4	7	108
	1997	179	43	125	9	77	3	55	18	3	261
Asie[c]	**1980**	248	110	55	75	111	9	16	85	10	373
	1997	1 034	341	404	241	971	28	53	885	34	2 092
Europe de l'Est et ex-URSS	**1980**	43	40	2	2	32	4	5	13	79	155
	1997	109	97	6	4	45	2	3	30	55	217
Monde	**1980**	1 336	876	291	124	504	84	126	270	144	2 001
	1997	3 529	2 101	1 015	295	1 584	95	302	1 155	209	5 423

a. États-Unis et Canada ; b. Égypte et Maghreb compris, hors Afrique du Sud ; c. Y compris Moyen-Orient ; d. Pays développés d'Europe ; e. Y compris Mexique et Caraïbes.
Source : ONU, *Bulletin mensuel statistique*, juin 1998.

Sources

1. **FMI,** *Perspectives de l'économie mondiale*, Washington, mai 1999 (disponible en anglais sur Internet, site FMI).

2. **OCDE,** *Perspectives économiques de l'OCDE*, Paris, juin 1999.

3. **BRI** Banque des règlements internationaux), *Rapport annuel*, Bâle, juin 1999.

4. **P. Maystadt**, « Lettre de démission », *FMI Bulletin*, Washington, 20 juil. 1998.

5. **Nations unies**, *Vers une nouvelle architecture financière internationale*, (sur Internet en anglais, site CEPAL).

6. **OMC**, *Le Commerce international se ralentit en 1998*, 16 avril 1999 (disponible en anglais sur Internet).

7. **J. Stiglitz**, « Moving Toward the Post-Washington Consensus », *The 1998 WIDER Annual Lecture*, 7 janv. 1998 sur Internet, site Banque mondiale).

taux d'expansion, avec un point de croissance de plus que l'Amérique latine ou le Moyen-Orient. Les pays les plus affectés par la crise ont été l'Indonésie (– 13,7 %), la Thaïlande (– 8 %), et la Fédération de Malaisie (– 6,8 %). Par ailleurs, plusieurs pays (dont les plus grands) ont à peu près maintenu leurs taux de croissance : celui de la Chine est passé de 8,8 % en 1997 à 7,8 % en 1998, celui de l'Inde a légèrement augmenté, de 5,5 % à 5,6 %. L'Asie considérée dans son ensemble (y compris les pays industrialisés comme le Japon, la Corée du Sud, Taïwan et Hong Kong), correspond à 23 % du PIB mondial selon les estimations du FMI (soit un peu plus que les États-Unis ou l'Europe). Le taux de croissance de cette région aura chuté fortement, passant de 4,8 % en 1997 à 1 % en 1998, mais en 1999, il s'est accéléré et devait atteindre 2,3 % grâce à la bonne reprise constatée en Corée du Sud et en Thaïlande et grâce à un recul moins prononcé du Japon et à la stabilisation de la production dans des pays comme l'Indonésie. Quant à l'Afrique, elle semble sortir de sa longue stagnation et a obtenu, pour la quatrième année consécutive, un taux de croissance de sa production supérieur à celui de sa population. Mais avec 3,4 % en 1998 et 3,2 % attendus en 1999, la progression demeure encore très décevante.

Les pays en transition

Les pays en transition, dont on aurait pu croire en 1997 qu'ils avaient retrouvé le chemin de la croissance, ont connu un fort ralentissement ; leur croissance est tombée de 2,2 % en 1997 à – 0,2 % en 1998. Cette mauvaise performance s'est manifestée partout dans la région : le taux de croissance moyen des pays de l'Europe centrale et orientale est passé de 3,1 % à 2,4 %; celui des pays baltes de 7,6 % à 4,2 %; celui de la Transcaucasie et des républiques de l'Asie centrale de 2,4 % à 2,0 %. Quant à la Russie qui, après sept années de contraction, était revenue à la croissance en 1997 avec un taux positif de 0,8 %, elle a connu en 1998 une violente crise financière et un nouveau recul de 4,8 %. Les organisations internationales qui suivent l'évolution de l'économie russe divergent fortement dans leurs estimations pour l'année 1999. Le FMI (Fonds monétaire international) [*source 1*] a annoncé une situation devant s'aggraver, prévoyant une diminution encore plus forte du PIB (– 7 %). L'OCDE (Organisation de coopération et de développement économiques) [*source 2*], en revanche, a vu des signes de reprise et estimé que le PIB ne diminuerait que de 1 %.

Certains anciens pays communistes sont devenus membres de l'OCDE mais leur situation est restée fort variable. La République tchèque est entrée en récession, le PIB diminuant de 2,7 % en 1998. Il devait de nouveau diminuer (de 0,5 %) en 1999. L'économie polonaise, qui entrait dans sa septième année de croissance consécutive, a subi un important ralentissement. Après avoir connu des taux de croissance de l'ordre de 6,5 % entre 1994 et 1997 (taux qui lui avaient permis de devenir le seul pays de l'Est à dépasser son niveau de PIB d'avant l'effondrement du communisme soviétique), la croissance n'aura été que de 4,8 % en 1998 et devait encore se ralentir en 1999 (3,5 %). La Hongrie, semblant sortir de sa longue stagnation, a connu pour la seconde année consécutive une croissance de l'ordre de 5 %. Ce pays, qui est souvent donné comme exemple réussi de transition vers l'économie de marché, n'est en réalité pas parvenu à retrouver le niveau de son PIB d'avant la transition.

Fort ralentissement du commerce international

Après avoir connu une expansion en volume de 10,5 % en 1997 (à prix constants), le commerce international n'a augmenté que de 3,5 % en 1998 [*voir tableau 12*]. Le taux de croissance des importations s'est maintenu à un niveau élevé aux États-Unis et en Europe occidentale tandis qu'il ralentissait considérablement en Amérique latine. A été enregistrée une importante contraction des importations des pays asiatiques (– 8,5 %), notamment des six pays les plus dynamiques (– 16 %). Cette contraction explique le rétablissement spectaculaire de la balance des transactions courantes en Thaïlande et en Corée du Sud, dont le solde positif a atteint, en 1998, l'équivalent de 10 % du PIB.

Sur le plan des exportations, les régions ont été affectées en fonction de l'évolution des importations de leurs clients les plus importants. Les moins touchés ont été les pays en transition : ayant comme clients principaux l'Europe occidentale et les États-Unis, le taux de croissance de leurs exportations s'est maintenu. Un des pays le plus affecté est apparu être le Japon, fortement touché par la contraction des marchés asiatiques. Il a vu ses exportations diminuer de 1,5 %.

Si en *volume* la croissance du commerce international a ralenti, en *valeur* (en dollars courants) la diminution a été de 2 %. Ce recul s'explique par une importante chute du prix des matières premières exportées. En moyenne annuelle, le prix du pétrole est tombé de 30 % en 1998 [*voir article et tableaux p. 96 et suiv.*], tandis que les autres matières premières prises dans leur ensemble ont chuté de 15 % [*voir articles et tableaux p. 86 et suiv.*]. Les recettes des différentes régions ont été amputées en fonction de la place occupée par les matières premières dans leurs exportations et de l'évolution de la demande provenant de leurs principaux partenaires [*voir tableau 13*]. Les régions les plus touchées ont été l'Afrique (– 16 % de recettes) et le Moyen-Orient (– 21 %). ■

Mines et métaux Conjoncture 1998-1999

Guy-André Kieffer
Journaliste, La Tribune

Certaines années sont à paver de pierres blanches, d'autres de pierres noires. La période allant de septembre 1997 à avril 1998 entre dans la seconde catégorie. Mois après mois, les professionnels des non-ferreux et du marché de l'acier ont guetté les signes d'une reprise qui ne s'est jamais manifestée. Par rapport aux pics du cycle de prix atteints dans le courant de l'été 1997, l'effondrement des cours donne une idée de l'ampleur de la crise survenue dans ce secteur. Les cours du nickel ont plongé de 46 %. Le zinc a enregistré une baisse à peu près de la même ampleur. Le cuivre, métal très lié aux dépenses d'infrastructures dans les pays en cours d'industrialisation, a vu son prix décliner de près de 40 %. L'aluminium et le plomb, deux métaux caractéristiques de la demande nord-américaine (automobiles et construction mécanique), ont enregistré un recul contenu à 20 %. Seul l'étain, métal du quotidien en Asie et en Amérique latine (fer-blanc), extrait et travaillé dans les monnaies locales, a échappé à la tourmente. L'acier, enfin, a rejoint le cuivre ou le zinc avec des prix en baisse d'environ 40 %, selon les spécialités.

Au-delà du simple constat de l'effondrement des cours, des explications sont nécessaires. Indéniablement, le reflux de la consommation en Asie (notamment dans les pays à la demande traditionnellement forte comme la Corée, l'Indonésie, la Thaïlande) entraîné par la crise financière de l'été-automne 1997 a trouvé un écho dans la chute des cours. Quels que soient les métaux considérés, l'Asie utilise entre le quart et le tiers de l'offre mondiale. En outre, les industriels qui avaient échappé à la crise financière ont été confrontés à une difficulté supplémentaire : l'impossibilité d'ouvrir des lettres de crédit pour acquérir les métaux nécessaires à leur activité en raison de l'effondrement d'une partie du système bancaire en Asie. De ce fait, la partie de la production mondiale de non-ferreux et d'acier destinée aux marchés asiatiques est venue se déverser sur les deux seuls marchés solvables, l'Europe et l'Amérique du Nord.

Ce surplus d'offre, déjà difficile à absorber, a engendré un effet de dominos imprévu. L'Europe et, dans une moindre mesure, l'Amérique du Nord avaient protégé leurs marchés respectifs en négociant avec Moscou des accords d'autolimitation pour les exportations russes. En contrepartie de quoi la Russie avait le champ libre pour commercialiser sa production en Asie. La crise financière russe n'a eu, en effet, pratiquement aucun impact sur une demande intérieure proche de son niveau d'étiage. Tout au plus a-t-elle accéléré le mouvement des exportations par des opérateurs en mal de liquidités. L'offre russe a donc été reroutée vers l'Europe et les États-Unis. Si ces derniers ont pu absorber une large part des tonnages supplémentaires en raison de la forte croissance américaine, une partie non négligeable des surplus est venue s'entasser dans les entrepôts du London Metal Exchange. Ces stocks ont considérablement pesé sur les prix.

Face à ce marasme, les réactions des producteurs ont été de plusieurs natures. Contre toute attente, alors que les inventaires s'envolaient, les mineurs et les affineurs ont réduit leurs productions de manière marginale. A cela deux raisons : d'une part, les industriels ont très considérablement réduit leurs coûts de production au

La situation minière en Afrique centrale

Dix-huit mois après la prise de pouvoir de Laurent-Désiré Kabila (printemps 1997) au Congo (-Kinshasa), tous les projets miniers annoncés lors de sa marche vers la capitale avaient été remisés. Les frères Boulle (Mauriciens très actifs dans la recherche de gisements miniers en Afrique centrale et australe), qui avaient ostensiblement pris parti pour le nouvel homme fort congolais, ont jeté l'éponge et mis en sommeil leurs projets miniers (cuivre et zinc) du Katanga. L'Anglo-American (Afrique du Sud), qui dans les premiers mois avait placé des conseillers miniers auprès du gouvernement congolais, a reconnu, en avril 1999, que l'« Afrique centrale ne [faisait] plus partie de ses priorités en termes de développement minier ». Le suisse Tenke, qui projetait d'exploiter une mine de cuivre d'une capacité de 240 000 tonnes à la frontière avec la Zambie, attendait des jours meilleurs.

De ce fait, la Gécamines, la société nationale congolaise, s'est retrouvée seule pour assurer l'avenir minier du Congo (-Kinshasa). Or, cette compagnie n'échappe pas à la déliquescence rongeant le pouvoir. Presque tous les *joint-ventures* signées par la Gécamines sont restées lettre morte. Seules les associations signées avec le Zimbabwé, dans le cadre de l'aide militaire fournie par Harare à Kinshasa, sont demeurées actives, sous le contrôle du Zimbabwéen Willy Ruttenbach, président de Ridgepoint, une compagnie *off-shore* basée dans la Caraïbe. En novembre 1998, celui-ci a également obtenu la direction de la Gécamines. Dans un premier temps, en dépit de déclarations d'intention sur une remise en ordre de la compagnie et l'annonce d'objectifs de production jugés irréalistes par l'ensemble des experts, sa seule action tangible a consisté à signer des contrats cédant la commercialisation en exclusivité du cobalt (dont le Congo [-Kinshasa] est le premier producteur mondial) à un franc-tireur du négoce, le britannique MRG. Ces contrats devraient permettre au gouvernement d'éviter les saisies-arrêts réclamées par les créanciers du Congo, en organisant des ventes sur une base FOB à partir d'entrepôts situés au Katanga.

La mise en sommeil de l'activité des compagnies minières en Afrique centrale ne se limite pas au seul Congo. Dans la Zambie voisine, la chute des cours du cuivre ainsi que les atermoiements des grands groupes miniers ont mené à l'impasse le processus de privatisation de la ZCCM (Zambia Copper Consolidated Mining). Officiellement, l'Anglo-American est attributaire des actifs miniers de la ZCCM mais, depuis septembre 1998, le deuxième conglomérat minier mondial ne parvient pas à trouver un partenaire industriel spécialiste du cuivre pour développer et réhabiliter le secteur minier zambien. La situation s'est encore compliquée avec l'arrivée de la maison de négoce britannique MRG. A partir de septembre 1998, ce négociant s'est vu attribuer dans des conditions peu orthodoxes tous les contrats de commercialisation du cobalt de Zambie (deuxième producteur mondial). Cet accord, qui a annulé les contrats de commercialisation passés avec d'autres partenaires, a entraîné une levée de boucliers chez les utilisateurs de métal bleu. Au Japon, les utilisateurs de cobalt africain se tournent désormais vers le métal en provenance d'Australie, de Russie ou du Canada. - **G.-A.K.** ■

cours des dernières années et n'avaient donc aucune raison de limiter l'offre. (Ce raisonnement s'applique à tous les métaux à l'exception de l'aluminium, du nickel et de l'acier.) D'autre part, la crainte de ne pas être présents lors de la reprise de la de-

Acier		
Pays	Millions tonnes	% du total
Chine	107,3	13,5
Japon	104,5	13,2
États-Unis	99,2	12,5
Russie	46,9	5,9
Allemagne	45,0	5,7
Total 5 pays	402,9	50,7
Total monde	794,5	100,0

Bauxite [c]		
Pays	Milliers tonnes	% du total
Australie	44 699,0	35,3
Guinée	19 250,0	15,2
Jamaïque	12 646,4	10,0
Brésil	11 704,7	9,2
Chine	9 000,0	7,1
Total 5 pays	97 300,1	76,8
Total monde	126 757,8	100,0

Aluminium [a]		
Pays	Milliers tonnes	% du total
États-unis	3 712,7	16,4
Russie	3 004,7	13,2
Chine	2 418,5	10,7
Canada	2 374,1	10,5
Australie	1 626,2	7,2
Total 5 pays	13 136,2	57,9
Total monde	22 705,6	100,0

Cadmium [d]		
Pays	Tonnes	% du total
Japon	2 342,3	12,2
Canada	2 312,9	12,0
Chine	1 982,0	10,3
Belgique	1 318,4	6,8
Kazakhstan	1 302,0	6,8
Total 5 pays	9 257,6	48,1
Total monde	19 262,8	100,0

Antimoine [b]		
Pays	Tonnes	% du total
Chine	60 000	64,9
Russie	12 800	13,8
Bolivie	4 735	5,1
Afrique du Sud	4 000	4,3
Tadjikistan	3 500	3,8
Total 5 pays	85 035	92,0
Total monde	92 458	100,0

Chrome [e]		
Pays	Milliers tonnes	% du total
Afrique du Sud	6 148,5	56,2
Kazakhstan	1 602,7	14,6
Inde	1 398,3	12,8
Zimbabwé	605,4	5,5
Turquie	240,0	2,2
Total 5 pays	9 994,9	91,3
Total monde	10 949,0	100,0

Argent [b]		
Pays	Tonnes	% du total
Mexique	2 672,3	16,4
États-Unis	2 038,0	12,5
Pérou	2 003,7	12,3
Australie	1 469,0	9,0
Chili	1 336,8	8,2
Total 5 pays	9 519,8	58,4
Total monde	16 292,4	100,0

Cobalt [f]		
Pays	Tonnes	% du total
Finlande	5 250	17,6
Zambie	5 041	16,9
Canada	4 380	14,7
Russie	4 000	13,4
Norvège	3 851	12,9
Total 5 pays	22 522	75,5
Total monde	29 820	100,0

a. Production d'aluminium primaire ; b. Métal contenu dans les minerais et concentrés ; c. Poids du minerai ; d. Métal produit ; e. Minerais et concentrés produits ; f. Métal produit et métal contenu dans les sels de cobalt.

Cuivre[a]		
Pays	Milliers tonnes	% du total
Chili	3 686,9	30,0
États-Unis	1 860,0	15,1
Indonésie	809,1	6,6
Canada	705,2	5,7
Australie	604,0	4,9
Total 5 pays	7 665,2	62,3
Total monde	12 306,1	100,0

Magnésium[d]		
Pays	Milliers tonnes	% du total
États-Unis	125,5	32,8
Chine	66,3	17,3
Canada	58,0	15,1
Russie	40,0	10,4
Norvège	35,4	9,2
Total 5 pays	325,2	84,9
Total monde	383,2	100,0

Diamants industriels naturels[b]		
Pays	Millions carats	% du total
Australie	23,0	37,1
Congo (-Kinshasa)	15,0	24,2
Russie	9,0	14,5
Afrique du Sud	5,5	8,9
Botswana	5,0	8,1
Total 5 pays	57,5	92,7
Total monde	62,0	100,0

Manganèse[a]		
Pays	Milliers tonnes	% du total
Chine	4 700,0	21,2
Ukraine	4 500,0	20,3
Afrique du Sud	3 050,8	13,8
Brésil	2 183,6	9,9
Gabon	1 983,0	9,0
Total 5 pays	16 417,4	74,2
Total monde	22 124,6	100,0

Étain[a]		
Pays	Milliers tonnes	% du total
Chine	78,0	33,9
Indonésie	55,9	24,3
Pérou	25,6	11,1
Brésil	20,4	8,9
Bolivie	11,3	4,9
Total 5 pays	191,2	83,2
Total monde	229,9	100,0

Mercure[e]		
Pays	Tonnes	% du total
Russie	1 100,0	21,7
Espagne	675,0	13,3
Kirghizstan	600,0	11,9
Algérie	347,4	6,9
Chine	225,0	4,4
Total 5 pays	2 947,4	58,2
Total monde	5 061,8	100,0

Fer[bc]		
Pays	Millions tonnes	% du total
Chine	250,0	23,8
Brésil	188,0	17,9
Australie	165,7	15,8
Russie	71,9	6,8
Inde	67,0	6,4
Total 5 pays	742,6	70,6
Total monde	1 051,4	100,0

Molybdène[a]		
Pays	Milliers tonnes	% du total
États-Unis	53,3	37,4
Chine	33,3	23,4
Chili	25,5	17,9
Canada	8,0	5,6
Mexique	5,9	4,1
Total 5 pays	126,0	88,5
Total monde	142,4	100,0

a. Métal contenu dans les minerais et concentrés ; b. 1997 ; c. Poids des minerais ; d. Magnésium primaire raffiné ; e. Métal produit.

Nickel[a]		
Pays	Milliers tonnes	% du total
Russie	270,0	24,6
Canada	208,2	18,9
Australie	136,3	12,4
Nlle-Calédonie	105,4	9,6
Indonésie	74,5	6,8
Total 5 pays	794,4	72,2
Total monde	1 099,6	100,0

Titane[b]		
Pays	Milliers tonnes	% du total
Australie	1 559,5	35,2
Canada	890,0	20,1
Afrique du Sud	850,0	19,2
Norvège	264,0	6,0
Inde	214,1	4,8
Total 5 pays	3 777,6	85,3
Total monde	4 428,0	100,0

Or[a]		
Pays	Tonnes	% du total
Afrique du Sud	473,8	20,5
États-Unis	362,6	15,7
Australie	310,9	13,4
Canada	165,8	7,2
Chine	158,2	6,8
Total 5 pays	1 471,3	63,6
Total monde	2 312,6	100,0

Tungstène[a]		
Pays	Tonnes	% du total
Chine	26 700,0	76,8
Russie	4 500,0	12,9
Ouzbékistan	1 000,0	2,9
Portugal	823,0	2,4
Bolivie	627,0	1,8
Total 5 pays	33 650,0	96,8
Total monde	34 755,0	100,0

Platine[a]		
Pays	Tonnes	% du total
Afrique du Sud	116,6	75,9
Russie	26,4	17,2
Canada	5,8	3,8
États-Unis	3,1	2,0
Zimbabwé	0,9	0,6
Total 5 pays	152,8	99,4
Total monde	153,7	100,0

Uranium[a]		
Pays	Tonnes	% du total
Canada	9 984	29,5
Australie	4 824	14,3
Niger	3 715	11,0
Namibie	3 278	9,7
États-Unis	2 170	6,4
Total 5 pays	23 971	70,9
Total monde	33 787	100,0

Plomb[a]		
Pays	Milliers tonnes	% du total
Chine	711,9	22,8
Australie	617,3	19,8
États-Unis	463,0	14,9
Pérou	257,7	8,3
Canada	189,3	6,1
Total 5 pays	2 239,2	71,9
Total monde	3 116,1	100,0

Zinc[a]		
Pays	Milliers tonnes	% du total
Chine	1 209,8	16,0
Canada	1 062,8	14,1
Australie	1 005,0	13,3
Pérou	863,5	11,4
États-Unis	701,6	9,3
Total 5 pays	4 842,7	64,1
Total monde	7 552,8	100,0

a. Métal contenu dans les minerais et concentrés ; b. Dioxyde de titane contenu dans les minerais et concentrés.

Sites Internet

Site du marché de référence pour les métaux de base
http ://www.lme.co.uk

Sites pour les statistiques mondiales de production :
(site généraliste payant)
http ://www.cru-int.com

Ressources naturelles Canada
http ://www.nrcan.gc.ca
(argent)
http ://www.silverinstitute.org
(platinoïde)
http ://www.matthey.com
(or)
http ://www.gold.org

Sites d'analyse du marché des métaux :
http ://www.billiton.co.uk
http ://www.rwolff.com

Sites d'information (payants) :
http ://www.amm.com
http ://www.mining-journal.com

mande, doublée d'une sourde lutte pour les parts de marché, a joué un rôle décisif.

Néanmoins, la crise a laissé de profondes marques. Les phénomènes de concentration dans l'industrie des non-ferreux se sont accélérés (grandes manœuvres dans le manganèse et les petits métaux destinés à la production d'inoxydable). Surtout, le négoce, qui avait vu son rôle se réduire au cours des dernières années, a mis à profit la crise pour se renforcer et accroître sa présence en amont, *via* le rachat des producteurs en mal de liquidités.

Pour nombre d'analystes, le point bas du cycle de crise a été atteint au printemps 1999. Pourtant, les opinions divergeaient fortement sur les dates de sortie de crise. Au mieux, la résorption des stocks pouvait intervenir d'ici à la fin 1999. Mais cela supposait que le ralentissement de la croissance européenne ne soit pas trop prononcé et que l'Asie renoue avec la croissance. Au début de l'été 1999, le scénario d'une reprise lente de la demande semblait s'imposer. Au pire, les cours des métaux allaient continuer à stagner jusqu'à la fin 2001. L'arrivée de nouvelles capacités de production, courant 1999 et début 2000, milite en faveur d'une réduction très progressive des inventaires de non-ferreux. En revanche, dans l'acier, des réductions drastiques de production en Asie et en Europe ont semblé pouvoir entraîner un assainissement rapide de l'offre et un infléchissement plus prononcé de la courbe des prix dès la fin de 1999. ■

Céréales Conjoncture 1998-1999

Patricio Mendez del Villar
Économiste, CIRAD

En 1998-1999, les récoltes céréalières ont connu un recul de 1,3 %. Seules les céréales secondaires (maïs, orge, sorgho) ont légèrement progressé (0,5 %). Les médiocres productions de blé et de riz ont été à l'origine de cette baisse. La production mondiale des céréales a atteint, d'après l'Organisation des Nations unies pour l'agriculture et l'alimentation (FAO), 2 064 millions de tonnes contre 2 095 millions lors de la campagne précédente. Ces résultats ont été dus aux effets du phénomène climatique El Niño dans de nombreux pays de l'hémisphère sud. Pour faire face aux besoins de consommation, les stocks mondiaux seront donc en baisse, se situant tout juste au niveau du « seuil minimum de sécurité ». Les perspectives pour la campagne 1999-2000 s'annonçaient toutefois plus favorables, avec une reprise de la production, notamment celle du riz, dans l'hémisphère sud.

En 1998-1999, la production mondiale de blé a été estimée par la FAO à 598 millions de tonnes (– 2,6 % par rapport à la campagne 1997-1998), cette baisse étant due principalement à la nette dégradation de la production dans les pays de la CEI (Communauté d'États indépendants). La Chine, l'Argentine et, dans une moindre mesure, l'Inde ont également subi un sérieux recul de leur production. En revanche, les pays de l'hémisphère nord, en particulier l'Union européenne et les États-Unis, ont connu une reprise. L'Afrique du Nord a également enregistré de meilleures récoltes, mais toujours inférieures à celles de 1996.

La production de céréales secondaires s'est élevée à 909 millions de tonnes en 1998 contre 904 millions un an plus tôt. Les récoltes plus abondantes en Asie, en Afrique et en Amérique du Nord ont à peine compensé le recul de la production en Europe et dans la CEI.

La production de riz a sensiblement baissé (– 3,5 %) en 1998, atteignant 557 millions de tonnes de paddy, soit l'équivalent de 373 millions de riz usiné. Les récoltes asiatiques (plus de 90 % de la production mondiale) ont été affectées par de graves inondations (phénomène climatique La Niña), notamment en Chine et en Inde.

Avec le recul de la production mondiale, la consommation céréalière en 1998 n'a augmenté que de 0,5 % (contre 1,2 % l'année précédente), s'élevant à 1 881 millions de tonnes. La part destinée à la consommation humaine directe (environ la moitié de la consommation totale) devrait s'établir à 955 millions de tonnes, contre 950 millions auparavant. Cette progression devrait à peine maintenir le niveau de consommation par tête de l'année précédente. L'utilisation pour l'alimentation animale semble avoir connu un ralentissement, en particulier en Asie à la suite de la crise financière qui a affecté la région à partir de l'été 1997.

Les prévisions en matière de stocks mondiaux de céréales, pour la campagne agricole se finissant en 1999, affichaient – 1 % par rapport au niveau d'ouverture (328 millions de tonnes, contre 331 millions en 1998). L'essentiel de cette baisse est à imputer à une nouvelle chute des stocks de riz, qui ont atteint leur plus bas niveau depuis 1989. Les stocks mondiaux représenteraient ainsi environ 17,2 % de la consommation générale, ce qui constitue le seuil minimum pour assurer la sécurité alimentaire, selon la FAO.

Les échanges mondiaux ont connu, en

Céréales (production)

Pays	Millions tonnes	% du total
Chine	448,9	21,8
États-Unis	349,4	17,0
Inde	221,7	10,8
France	67,7	3,3
Indonésie	55,5	2,7
Total 5 pays	1143,2	55,6
Russie	49,0	2,4
Canada	48,9	2,4
Allemagne	44,6	2,2
Brésil	41,8	2,0
Argentine	37,7	1,8
Australie	31,8	1,5
Turquie	31,8	1,5
Bangladesh	30,2	1,5
Vietnam	29,3	1,4
Mexique	27,2	1,3
Total monde	2 059	100,0

Céréales (exportations)[a]

Pays	Millions tonnes	% du total
États-Unis	79,1	30,9
France	29,6	11,6
Canada	24,7	9,6
Australie	24,6	9,6
Argentine	22,1	8,6
Chine	8,7	3,4
Allemagne	8,5	3,3
Royaume-Uni	6,4	2,5
Total monde	256,0	100,0

Céréales (importations)[a]

Pays	Millions tonnes	% du total
Japon	29,2	11,5
Corée du Sud	12,0	4,7
Chine	11,4	4,5
Égypte	10,1	4,0
Iran	9,1	3,6
Italie	8,6	3,4
Mexique	7,6	3,0
Brésil	7,6	3,0
Arabie Saoudite	7,1	2,8
États-Unis	6,9	2,7
Total monde	252,7	100,0

Riz (paddy)

Pays	Millions tonnes	% du total
Chine	199,0	35,0
Inde	124,5	21,9
Indonésie	46,3	8,2
Bangladesh	28,3	5,0
Vietnam	27,6	4,9
Thaïlande	21,0	3,7
Myanmar	16,6	2,9
Japon	12,5	2,2
Total monde	568,0	100,0

Blé

Pays	Millions tonnes	% du total
Chine	112,0	19,0
États-Unis	69,6	11,8
Inde	66,0	11,2
France	39,9	6,8
Russie	27,0	4,6
Canada	23,2	3,9
Australie	21,9	3,7
Turquie	21,0	3,6
Total monde	590,3	100,0

Millet et sorgho

Pays	Milliers tonnes	% du total
Inde	19 500	21,7
Nigéria	13 442	14,9
États-Unis	13 422	14,9
Chine	9 068	10,1
Mexique	6 161	6,8
Soudan	4 100	4,6
Total monde	89 962	100,0

Maïs

Pays	Millions tonnes	% du total
États-Unis	247,5	41,2
Chine	120,4	20,1
Brésil	30,0	5,0
Argentine	19,6	3,3
Mexique	16,4	2,7
France	14,4	2,4
Roumanie	12,1	2,0
Inde	10,0	1,7
Total monde	600,4	100,0

a. 1997.

Matrice des exportations de céréales (fob)
(1980 et 1996, tous produits, en milliards de dollars)

Origine / Destination	Année	Pays développés			Pays en développement				Europe de l'Est et ex-URSS	Total monde
		Total	Europe	Japon	Total	Afrique[a]	Amérique latine	Asie[b]		
Pays développés	1980	12,0	8,0	3,5	13,4	2,8	3,9	6,5	5,3	31,7
	1996	14,6	9,2	3,9	15,9	3,1	4,5	1,9	0,8	35,7
Europe[c]	1980	4,5	4,5	–	1,4	0,9	–	0,4	1,0	6,9
	1996	8,2	8,1	–	2,0	0,8	0,1	0,6	0,5	10,7
Canada	1980	0,9	0,5	0,4	1,5	0,2	0,6	0,7	1,4	3,8
	1996	1,2	0,2	0,3	2,4	0,4	0,5	0,4	–	3,6
États-Unis	1980	6,0	2,9	2,8	8,5	1,2	3,2	3,9	2,1	17,6
	1996	5,1	0,9	3,5	11,3	1,9	3,8	0,9	0,2	17,0
Australie/ Nlle-Zélande	1980	0,3	–	0,3	1,8	0,3	–	1,3	0,8	2,9
	1996	••	••	••	••	••	••	••	••	4,2
Pays en développement	1980	0,3	0,2	–	3,1	0,5	0,5	2,1	1,4	4,9
	1996	1,2	0,6	0,2	7,3	1,2	2,0	1,6	0,3	8,8
Amérique latine	1980	0,1	0,1	–	0,6	–	0,4	0,2	1,1	1,8
	1996	0,4	0,3	0,1	2,9	0,3	1,9	0,4	–	3,4
Monde	1980	12,4	8,3	3,6	16,9	3,3	4,6	8,8	7,0	37,2
	1996	15,9	9,8	4,1	23,5	4,4	6,5	3,6	1,2	45,1

a. Hors Afrique du Sud ; b. Y compris Moyen-Orient ; c. Pays développés seulement, à l'exclusion des pays de l'Est et de l'ex-URSS.
Source : ONU, *Annuaire statistique du commerce international*, 1996.

1998-1999, une diminution par rapport à l'année précédente (204 millions de tonnes, contre 211 millions).

Les échanges de blé ont reculé de 2,5 %. Leur niveau d'échanges a été l'un des plus faibles depuis des décennies. La première cause en a été la baisse des importations pakistanaises et indonésiennes, mais pour des raisons diverses. Le Pakistan a connu une reprise de sa production, tandis que l'Indonésie réduisait ses importations (sauf en matière de riz) du fait de sa crise financière. Par ailleurs, l'amélioration de la production en Afrique du Nord, notamment au Maroc et en Tunisie, a également permis une diminution des importations. En revanche, les importations de blé des pays de la CEI ont presque doublé après l'importante chute de la production régionale.

Du côté des exportations, la baisse des échanges mondiaux de blé a affecté la plupart des producteurs excédentaires, sauf les États-Unis et l'Union européenne qui ont vu leurs ventes progresser grâce à un accroissement de leur aide alimentaire. La Turquie aussi a connu une hausse de ses exportations en raison d'un bond de sa production conjugué à une politique commerciale plus agressive.

Les échanges de céréales secondaires sont demeurés à un très bas niveau avec 90 millions de tonnes, toutefois en augmentation par rapport à l'année précédente (89 millions). Une nouvelle fois, l'Amérique latine (en particulier le Brésil) et l'Afrique ont vu leurs importations augmenter en 1998 pour compenser les insuffisances de la production locale. En Afrique, les importations ont progressé surtout dans les pays de la zone australe, comme la Zambie et le Zimbabwé, en raison du déclin de la production due aux effets du phénomène climatique El Niño (sécheresse). En Asie, en revanche, la réduction des importations s'est poursuivie, liée en grande partie à la baisse de la consommation de viande héritée de la crise financière.

Du côté des exportations de céréales secondaires, on a assisté à une reprise chez les grands exportateurs, tels les États-Unis et l'Union européenne, grâce aux facilités de crédits accordées par ces derniers et au rôle croissant joué par l'aide alimentaire dans les échanges céréaliers mondiaux.

Le commerce mondial du riz a connu en 1998 l'une des plus fortes progressions jamais atteintes : 42 %. Le volume record des transactions, avec près de 27 millions de tonnes (contre 19 millions l'année précédente), a été possible grâce au bond spectaculaire de la demande des pays asiatiques, en particulier l'Indonésie, où la sécheresse, notamment, a fait des ravages. En 1999, les échanges rizicoles devraient retrouver un niveau normal (environ 22 millions de tonnes), avec des effets à la baisse prévisibles pour les tarifs mondiaux.

En 1998, les prix mondiaux des céréales ont été en recul, à la suite du déclin des échanges internationaux. Dans le cas du riz, la hausse de la demande d'importation asiatique n'a guère pesé sur les cours mondiaux grâce aux disponibilités abondantes des principaux pays exportateurs. Les cours du blé et du maïs ont connu une chute constante sur l'ensemble des marchés à l'exportation. Le blé États-Unis n° 2 « Hard Winter » est passé de 142 dollars la tonne Fob en 1997-1998 à environ 125 en 1998-1999. En Argentine, le prix du blé (« Trigo Pan ») a connu aussi un fléchissement sensible passant de 130 dollars la tonne à environ 115. Les prix du maïs ont également chuté. Le maïs États-Unis n° 2 (« Yellow ») est passé de 112 dollars la tonne Fob en 1997-1998 à environ 95 en 1997-1998. Pour le riz, la baisse a affecté essentiellement les riz de qualités supérieures. Le prix du riz thaï 100 % B est passé de 352 dollars la tonne Fob en 1997 à 315 en 1998. En revanche, la brisure thaïe « Al super » s'est raffermie, en raison de la forte demande des pays à faible revenu, passant de 210 dollars la tonne fob en 1997 à 215 en 1998.

Sites Internet

FAO (Organisation des Nations unies pour l'alimentation et l'agriculture)
http ://www.cirad.fr/giews/french/smiar.htm
http ://www.apps.fao.org/lim500/agri_db.pl

USDA (Secrétariat d'État américain à l'Agriculture)
http ://www.fas.usda.gov/
http ://www.fas.usda.gov/currwmt.html
http ://www.usda.mannlib.cornell.edu/
http ://www.usda.gov/agency/oce/waob.htm

Banque mondiale
http ://www.worldbank.org/html/ieccp/pink.html

Michigan State University
http ://www.aec.msu.edu/agecon/fs2/market_information.htm

CIRAD (Centre de coopération internationale en recherche agronomique pour le développement)
http ://www.cirad.fr/documents/FichesProduits/home.htm

En 1999-2000, la baisse des prix des céréales allait probablement se poursuivre en raison de la stagnation de la demande d'importation. Une relance des échanges mondiaux n'était cependant pas à écarter à cause du recul de la production céréalière mondiale en 1998, en particulier dans les pays développés. ■

Énergie et combustibles Conjoncture 1998-1999

Jean-Marie Martin
IEPE-Grenoble

Avec l'aide affichée du Mexique et celle en sous-main de la Norvège et de la Russie, l'OPEP (Organisation des pays exportateurs de pétrole) allait-elle retrouver une certaine crédibilité auprès des opérateurs du marché pétrolier international. Réunis à La Haye les 11 et 12 mars 1999, les représentants de l'Arabie saoudite, de l'Iran, du Vénézuela, de l'Algérie et du Mexique ont décidé une nouvelle réduction de production de 2 millions de barils par jour (b/j) à compter du 1er avril, après celle de 3 millions b/j décidée en 1998. Quelques jours plus tard, la conférence annuelle de l'organisation a unanimement approuvé la répartition entre pays de cet engagement. Hausse saisonnière des achats aidant, les prix du brut ont aussitôt décollé du plancher de 10 dollars le baril (le leur depuis un an) et ont repassé la barre des 15 dollars.

Sur quoi a reposé ce succès des pays producteurs de pétrole ? Certainement pas sur une explosion de la demande mondiale. Tombée à 0,5 % en 1998, sa croissance semblait pouvoir remonter à 1,2 % en 1999 sous la double influence d'un hiver moins

Électricité		
Pays	Milliards de kWh (TWh)	% du total
États-Unis	3 879,0	27,0
Chine	1 164,0	8,1
Japon	1 040,1	7,2
Russie	820,4	5,7
Canada	568,1	4,0
Total 5 pays	7 471,6	52,0
Allemagne	553,6	3,9
France	512,4	3,6
Inde	483,7	3,4
Royaume-Uni	359,3	2,5
Brésil	321,6	2,2
Italie	260,5	1,8
Corée du Sud	237,7	1,7
Afrique du Sud	209,1	1,5
Total monde	14 352,0	100,0

Énergie hydraulique		
Pays	TWh	% du total
Canada	333,5	12,5
États-Unis	327,6	12,3
Brésil	251,0	10,9
Chine	207,2	7,7
Russie	160,0	6,0
Total 5 pays	1 319,3	49,4
Norvège	116,2	4,3
Japon	105,6	4,0
Inde	97,2	3,6
Suède	74,1	2,8
France	66,8	2,5
Total monde	2 673,0	100,0

Énergie nucléaire		
Pays	TWh	% du total
États-Unis	714,1	29,2
France	387,9	15,9
Japon	328,9	13,4
Allemagne	161,0	6,6
Russie	103,5	4,3
Total 5 pays	1 695,4	69,4
Royaume-Uni	102,9	4,2
Corée du Sud	89,7	3,7
Ukraine	75,2	3,1
Suède	73,8	3,0
Canada	71,5	2,9
Total monde	2 446,0	100,0

Pétrole brut		
Pays	Millions de tonnes	% du total
Arabie saoudite	446,1	12,7
États-Unis	371,3	10,6
Russie	303,2	6,6
Iran	185,6	5,3
Mexique	170,8	4,9
Total 5 pays	1 477,0	40,1
Vénézuela	169,6	4,8
Chine	160,3	4,6
Norvège	149,7	4,3
Royaume-Uni	132,9	3,8
Canada	121,5	3,5
Irak	110,6	3,2
Nigéria	107,7	3,1
Total monde	3 506,0	100,0
dont OPEP	1 493,4	42,5

Gaz naturel		
Pays	Milliards de m³	% du total
Russie	589,5	24,9
États-Unis	543,7	23,0
Canada	172,4	7,3
Royaume-Uni	95,7	4,1
Pays-Bas	80,3	3,4
Total 5 pays	1 481,6	62,7
Algérie	74,0	3,1
Indonésie	67,9	2,9
Iran	50,0	2,1
Norvège	47,6	2,0
Arabie Saoudite	46,0	1,9
Total monde	2 365,0	100,0

Charbon et lignite		
Pays	Millions de tonnes	% du total
Chine	1 226,0	27,0
États-Unis	1 006,8	21,9
Inde	312,0	6,9
Australie	284,8	6,3
Russie	231,0	5,1
Total 5 pays	3 060,6	67,2
Allemagne	225,8	5,0
Afrique du Sud	223,2	4,9
Pologne	179,7	3,9
Canada	75,4	1,6
Rép. tchèque	67,2	1,5
Total monde	4 531,0	100,0

Source : ENERDATA.

Tableau 1

Consommation d'énergie primaire dans le monde[a] (1998, Mtep)

	Combustibles solides	Pétrole et prod. pétrol.	Gaz naturel	Électricité primaire	Total
Amérique du Nord	554,7	931,6	568,2	276,9	2 331,4
Europe[b]	247,1	672,1	321,4	281,9	1 552,6
Asie - Pacifique[b]	129,6	303,3	79,6	103,5	616,0
Europe de l'Est et ex-URSS	280,1	283,8	511,7	93	1 168,6
Amérique latine	27,8	312,3	108,8	58	506,9
Asie en développement	856,2	616,7	140,6	83,6	1 697,1
Afrique	94,2	103,5	40,8	9,5	248,0
Moyen-Orient	6,6	222,5	141,3	1,3	371,7
Total	2 196,3	3 445,8	1 912,4	907,7	8 462,3

a. Les usages traditionnels du bois de feu ne sont pas inclus dans ce bilan ; l'électricité primaire comprend l'hydraulique, le nucléaire, la géothermie et les énergies non renouvelables transformées en électricité ; l'équivalence de cette dernière en tep (tonnes équivalent pétrole) est obtenue sur la base des coefficients retenus par l'AIE (Agence internationale de l'énergie) ; b. Pays membres de l'OCDE.

clément dans l'hémisphère nord et d'un début de reprise économique en Asie. Mais la poursuite du marasme en Russie, la conjoncture inquiétante en Amérique latine et l'expansion économique modérée en Europe semblaient interdire un retour aux 2,5 % atteints en 1996 et 1997.

Du côté de l'offre, des stocks volumineux ont été reconstitués à la faveur des très bas prix de 1998, tandis que les capacités de production disponibles à court terme, OPEP et non-OPEP, excédaient toujours la demande de quelques millions b/j. Ni les difficultés techniques rencontrées début 1999 par l'Irak pour exporter dans le cadre de la formule de plafonnement « pétrole contre nourriture », ni la fermeture de puits marginaux aux États-Unis pour cause de prix trop bas à la même période n'ont modifié fondamentalement ce déséquilibre. En l'absence de toute nouvelle réduction volontaire de production, les prix du brut ne se seraient pas redressés en 1999 et auraient même pu tomber sous la barre des 10 dollars avant l'été.

Les nouveaux engagements devront être tenus avec suffisamment de fermeté pour que les prix se maintiennent durablement. Deux évolutions politiques nouvelles pourraient jouer dans ce sens : l'amorce de relations moins hostiles entre l'Iran et l'Arabie saoudite, et surtout, l'élection en décembre 1998 de Hugo Chavez à la tête d'un Vénézuela devenu au fil des ans de plus en plus rebelle à tout plafonnement de sa production. Avec une exportation représentant presque 60 % de celle de l'OPEP, les trois pays disposent d'un indéniable pouvoir de contrôle sur l'offre de brut. Rien ne permet cependant d'assurer qu'il sera suffisant. Au sein de chacun d'eux, les adversaires des limitations n'ont pas désarmé, soit au nom d'une politique d'ouverture de l'exploration aux compagnies étrangères (Vénézuela), soit dans la perspective d'éliminer par de bas prix la production de concurrents moins bien lotis (Arabie saoudite). Plus encore, la concurrence est devenue si féroce que le respect durable d'une discipline de production paraît relever de l'utopie tant que subsisteront des capacités excédentaires. A moyen terme, la conjonction d'un retour à une forte croissance de la demande mondiale (de l'ordre de 3 % par an) et d'une contraction des investissements d'explo-

Matrice des échanges de pétrole
(1998, en millions de tonnes)

Origine \ Destination	États-Unis	Canada	Amérique latine	Europe	Afrique	Asie Total	Asie (dont Japon)	Australie/Nlle-Zélande	Autres[a]	Total
États-Unis	–	9,4	21,3	9,4	0,4	6,7	1,3	0,7	0,8	48,7
Canada	77,9	–	0,5	0,5	–	0,1	–	0,2	–	79,2
Amérique latine	200,7	8,2	8,5	22,4	2,7	4,6	2,1	0,2	0,2	247,5
Europe	30,6	17,5	2,4	14,3	8,2	3,5	0,3	–	3,7	80,1
Moyen-Orient	104,4	4,2	29,1	229,5	32,8	516,7	209,6	8,3	1,8	926,8
Afrique du Nord[b]	14,4	3,7	2,3	102,9	4,3	2,9	0,9	–	3,2	133,7
Afrique de l'Ouest	70,3	1,2	14,2	38,5	1,6	28,2	1,0	–	–	154,0
Ex-URSS	1,1	–	2,2	128,4	0,8	5,8	0,3	–	37,3	175,6
Australie/Nlle-Zélande	2,8	–	–	–	–	9,3	3,4	–	3,0	15,1
Japon	0,1	–	0,1	–	–	4,3	–	0,1	0,2	4,8
Chine	2,1	–	0,2	0,1	–	14,9	7,6	0,3	–	17,6
Reste de l'Asie	6,6	0,2	–	2,5	–	62,5	62,5	17,4	–	89,2
Non identifié	2,4	2,6	–	11,2	–	4,2	–	1,6	–	22,0
Total	513,5	46,9	80,8	559,7	50,8	663,8	260,2	28,8	50,2	1994,4

a. Y Compris destinations « non identifiées » ; b. Dont Égypte.
Source : *BP Amoco statistical review of world energy*, juin 1999.

Sites Internet

IEPE (Institut d'économie et de politique de l'énergie)
(recherches en cours)
http ://www.upmf-grenoble.fr/iepe

ENERDATA (statistiques énergétiques)
http ://www.amitel.fr/enerdata

Agence internationale de l'énergie
(statistiques, politiques des États, rapports divers)
http ://www.iea.org

Agence d'information sur l'énergie (États-Unis)
http ://www.eia.doc.gov.

ration-production réduirait les capacités productives de brut, mais cette éventualité n'est pas la plus plausible.

Hors de sa consommation sous forme de carburants, portée par l'expansion du parc de véhicules routiers, le pétrole affronte de sérieux concurrents. Après sa mauvaise passe de 1997, le gaz naturel a retrouvé tout son pouvoir de séduction auprès des Européens dont la consommation a crû de plus de 4 % en 1998. Outre l'alimentation de la péninsule Ibérique par le nouveau gazoduc en provenance d'Algérie, la Grèce et la Turquie tirent parti de l'essor du gaz naturel liquéfié (GNL) exporté par Abu Dhabi et le Qatar. Plus au nord, la mise en service le 1er octobre 1998 d'Interconnector a fait de Zeebrugge la plaque tournante (*hub*) des approvisionnements gaziers. La vive concurrence qui s'y développe a déjà contribué à la baisse des prix.

Moins bien desservis en gaz naturel que les pays d'Europe, ceux d'Asie jouent plus fréquemment la carte du marché international du charbon. Le Japon, la Corée du Sud, Taïwan et même l'Inde, pourtant gros producteur, entendaient bénéficier d'une chute des prix que rien n'a arrêté à partir de juin 1995. De 45 dollars la tonne CIF à cette date, les prix spot sont tombés à 29 dollars en avril 1999. L'origine de cette évolution est encore à attribuer à une très vive concurrence entre producteurs, tant à l'intérieur d'un pays (les Australiens ont été mis au pied du mur par le front des sidérurgistes et des électriciens japonais) qu'entre les pays (les très bas salaires indonésiens ou colombiens tirent tous les prix vers le bas). Résultat, même les États-Unis renoncent à exporter et importent de Colombie ou du Vénézuela où leurs entreprises charbonnières investissent. ■

Marchés financiers Conjoncture 1998-1999

Jean-Luc Schilling
Gestionnaire de capitaux, Londres

A l'aube de l'an 2000, et au-delà d'un calendrier complice, le monde financier, en mutation, se cherche de nouveaux contours. Derrière des statistiques boursières qui ont été, en 1998 et au premier semestre 1999, généralement favorables aux investisseurs, des mentalités et des comportements bougent, les raisonnements bloquent ou hésitent, et les scenarii des prévisionnistes peinent à se construire sur le long terme. Aux États-Unis – et bientôt dans le reste du monde –, l'« ouragan Internet » redessine les stratégies et impose des mouvements boursiers versatiles, car assis sur un avenir incertain plutôt que sur un présent tangible. En Europe, surtout dans les onze pays qui ont adhéré à la Zone euro le 1er janvier 1999, « le capitalisme de papa, [c]'est terminé », pour reprendre l'expression du président de la BNP (Banque nationale de Paris), et le nouvel espace monétaire et financier autorise de nouvelles audaces entrepreneuriales. Au Japon, après dix ans d'atonie et d'hésitations, le gouvernement nippon encourage désormais l'arrivée des experts et des investisseurs étrangers, et s'attache – enfin – à renflouer un édifice bancaire obsolète. Le reste de l'Asie, la Corée du Sud en tête, comprend, quant à lui, que sa sortie – prometteuse – de la crise économique la plus sérieuse de l'après-guerre passe par un assouplissement de mentalités ancestrales au profit d'une plus grande orthodoxie comptable et financière.

Jamais les fusions et acquisitions d'entreprises à l'échelle mondiale n'ont été aussi nombreuses qu'en 1998 (près de 2 500 milliards de dollars de transactions cumulées, soit une hausse de 50 % par rapport à l'année précédente, déjà très active). Les rapprochements d'entreprises s'opèrent majoritairement sur le territoire américain, mais une nette accélération s'est dessinée en Europe (500 milliards de dollars). Tous les secteurs d'activité sont concernés et les opérations très importantes deviennent trop nombreuses pour être toutes citées : dans la banque, Travelers et Citicorp, mais surtout Deutsche Bank et Bankers Trust, qui est devenu le premier groupe bancaire mondial (avec un bilan total de près de 900 milliards de dollars) ; dans l'automobile, Daimler et Chrysler ; dans le pétrole, Exxon et Mobil, qui forment désormais la plus grosse entreprise du monde ; dans la pharmacie, après le suisse Novartis en 1997, Rhône-Poulenc et Hoechst ont constitué Aventis, au deuxième rang mondial pour les sciences de la vie. Sans oublier les opérations qui étaient en cours à l'été 1999, comme la prise de contrôle de British Oxygen par Air Liquide, mais aussi – fait nouveau mais très révélateur d'un clair changement d'état d'esprit en Europe – des tentatives hostiles de rapprochement (exemple de la BNP cherchant à mettre la main sur une fusion engagée entre la Société Générale et Paribas, ou encore Totalfina – produit récent d'un mariage franco-belge – forçant le verrou du pétrolier Elf).

Avec la naissance historique de l'euro et l'installation progressive d'une bourse européenne commune, l'Europe change de siècle et ambitionne d'imposer aux États-Unis et au Japon son autonomie économique, voire culturelle. Mais, marchés globaux obligent, l'alignement progressif de l'Europe sur les normes financières en usage dans le monde anglo-saxon se confirme, avec notamment l'adoption de la

Sites Internet

La Tribune
http ://www.latribune.fr/

Les Échos
http ://www.lesechos.fr/

L'Agefi
http ://www.agefi.fr/

L'Expansion
http ://www.expansion.tm.fr/

Financial Times
http ://www.ft.com/

The Economist
http ://www.economist.com/

Wall Street Journal
http ://www.wsj.com/

« création de valeur » (*shareholder value*), notion élevée au rang de slogan par tout chef d'entreprise européen qui cherche à séduire les très influents – car très présents dans le capital des grandes sociétés européennes – analystes financiers et investisseurs de la City de Londres ou des fonds de pension américains.

L'effet Internet sur la sphère boursière et financière est un autre point marquant de cette fin de siècle. Les valeurs dites « technologiques », mais plus généralement les sociétés qui intègrent avec résolution le phénomène Internet dans leur stratégie de développement, sont devenues les vedettes de Wall Street. Leur côté atypique par rapport à l'analyse financière traditionnelle retient l'attention : cotes boursières élevées pour des sociétés dont on anticipe un brillant avenir mais dont on ne peut, pour certaines comme Amazon ou E*Trade, constater aujourd'hui que les pertes ; et, pour les mêmes raisons (selon les jours et l'humeur des investisseurs), extrême volatilité des cours, qui donne le frisson à ceux qui oublient un instant qu'une révolution industrielle, commerciale et sociologique est en marche.

De façon plus générale, les performances des indices boursiers deviennent de plus en plus dépendantes d'un nombre restreint de valeurs, ce qui ne peut qu'accroître leur versatilité : la moitié de la progression du SP 500 américain en 1998 s'est faite avec seulement quinze sociétés (sur 500), alors que 75 % de celles qui composent l'indice ont évolué moins favorablement que celui-ci. Une tendance qui tend aussi à gagner en Europe et au Japon.

La volatilité accrue des cours boursiers est également amplifiée par une information instantanée et omniprésente qui accumule les nouvelles, mauvaises ou bonnes. Mais, sur la période (1998 et premier semestre 1999), les secondes l'ont emporté, grâce notamment à une meilleure coordination des économies internationales et aux initiatives d'Alan Greenspan, gouverneur de la Federal Reserve (Banque centrale américaine) pour influencer subtilement les marchés, ou à celles des Européens qui ont voulu et fait l'euro ; grâce aussi à un sentiment de confiance parti des États-Unis qui diffuse progressivement en Europe, et à beaucoup d'entreprises audacieuses et rentables. Les records boursiers de Wall Street (le Dow Jones a « cassé », en mars 1999, la barre des 10 000 points) ou du CAC 40 français (qui a dépassé 4 500 en juin 1999, après être tombé en dessous de 3 000 en octobre 1998) ont ainsi facilement fait oublier qu'à l'automne 1998, une tempête financière, née de la banqueroute économique de la Russie, avait affolé la planète des investisseurs. ■

Tous les pays du monde

États et ensembles géopolitiques

RÉDIGÉ PAR LES MEILLEURS SPÉCIALISTES, LE BILAN DE L'ANNÉE POUR TOUS LES ÉTATS SOUVERAINS DE LA PLANÈTE, AINSI QUE POUR LES PRINCIPAUX TERRITOIRES SOUS TUTELLE.
SOUS L'ANGLE POLITIQUE, ÉCONOMIQUE, SOCIAL ET DIPLOMATIQUE.
DES CARTES, DE NOMBREUX TABLEAUX STATISTIQUES, DES BIBLIOGRAPHIES SÉLECTIVES, DES FICHES SIGNALÉTIQUES...

Présentation par **Pierre-Marie Decoudras**
Géographe, université Bordeaux-III.

Par quelles clés d'entrée nuancer l'approche de l'Afrique, continent massif de 30 millions de km^2 ?

Selon les paysages ? La seule unité réside dans l'ancienneté du socle, témoin de la terre originelle de Gondwana. L'horizontalité domine dans les bassins sédimentaires (Niger, Tchad, haut Nil, Congo, Kalahari) et les étendues de plateaux peu élevés d'Afrique occidentale. A cela s'oppose l'Afrique des Hautes Terres : si le socle est soulevé de l'Éthiopie au Drakensberg, il s'est effondré dans la Rift Valley, noyée par les grands lacs, Tanganyika, Malawi, Kivu... Aux fractures sont associés les plus hauts volcans, Kilimandjaro, mont Kénya, Virunga, mais aussi mont Cameroun, Ahaggar, Tibesti. Au nord se dessine une montagne plus jeune, l'Atlas.

Selon le climat ? De la très grande humidité des zones équatoriales à l'aridité extrême des déserts du Sahara, du Kalahari, du Namib, de la Corne de l'Afrique, existent toutes les gammes de transition. L'opposition entre alizés continentaux et moussons océaniques, d'une part, et l'étagement selon l'altitude, d'autre part, commandent la distribution des pluies. Aux extrêmes, le Maghreb et la province du Cap s'individualisent par des caractères méditerranéens. Il en ressort une mosaïque de formations végétales, de la forêt dense humide au désert, se dégradant en forêts sèches, savanes et steppes.

Selon les modes de vie ? C'est à la diversité des ressources des milieux que l'on doit la répartition de la population. Le fort peuplement de quelques régions côtières (Afrique du Nord, Abidjan), du Nigéria, de la vallée du Nil, des Hautes Terres est une originalité dans un ensemble où dominent les faibles densités. Aux régions humides de production de tubercules s'opposent les terres plus sèches de culture des mils. Les sociétés d'agriculteurs sédentaires, dans les zones humides et les terroirs de montagne, contrastent avec les peuples de pasteurs sahéliens, contraints à la mobilité. Cette approche induit un repli ancestral sur l'ethnie qui entretient les images les plus irréductibles du continent : Masaï, Peuls, Touaregs, Pygmées, Bochimans, Dogons, Zoulous.

Selon le partage colonial ? La connaissance de l'Afrique resta longtemps fragmentaire. Les côtes et les îles furent intégrées aux espaces de commerce des civilisations de l'Antiquité, puis des Européens et des Chinois. Le Nil servit de voie de pénétration aux dynasties égyptiennes jusqu'en Nubie. La première conquête continentale fut celle du monde arabe en Afrique du Nord, diffusant l'islam par les routes commerciales du Sahara jusqu'au « pays des Noirs », au Ghana, au Mali, dans les cités haoussa, et jusqu'à Zanzibar. Les Hollandais s'installèrent ensuite en Afrique du Sud. Au XIXe siècle, les grands fleuves, Congo, Niger, Sénégal, Zambèze, permirent les découvertes missionnaires. Caillé, Barth, Nachtigal, Livingstone, Brazza, Stanley ouvrirent ainsi la voie à la conquête militaire. Le congrès de Berlin, en 1884, mit un terme à la compétition entre les Européens pour un partage colonial en zones d'influence.

Selon les États ? L'indépendance intervint à partir de

PAR QUELLES CLÉS D'ENTRÉE NUANCER L'APPROCHE DE L'AFRIQUE, CONTINENT MASSIF DE 30 MILLIONS DE KM^2 ?

1960. Les séparatismes régionaux triomphèrent sans mal du panafricanisme. La dépendance extérieure s'amplifia avec la guerre froide, et nombre de rébellions ne furent que des conflits par procuration entre l'URSS et les États-Unis. Certains tentèrent la solution marxiste ou socialiste révolutionnaire (Guinée, Tanzanie, Ghana, Égypte, Mali, Congo, Algérie), mais ces projets dérivèrent souvent en dictature, individuelle ou de parti unique. Dans la plupart des cas, le clientélisme vis-à-vis de l'ancienne puissance tutélaire demeura, et la situation actuelle du continent est largement tributaire de l'organisation mise en place à l'époque coloniale : frontières tracées dans des vides relatifs, prédominance de l'islam vers le nord à partir du Sahel, césure entre pays anglophones, francophones, lusophones, permanence de la Zone franc, persistance de la gestion rentière des économies nationales, importance des espaces côtiers et des villes au détriment de l'intérieur et des zones rurales.

Selon l'actualité ? A la croisée de l'apport des sociétés autochtones et du modèle importé coexistent de multiples réalités. Si la croissance démographique est encore forte (2,4 % par an), les prémices d'une transition sont perceptibles. L'explosion urbaine (plus de 600 % entre 1950 et 1980), alimentée par l'exode rural, marque la fin du millénaire. Les embryons de villes mis en place par la colonisation sont devenus de grandes métropoles (Johannesburg, Le Caire, Kinshasa, Lagos, Abidjan), centres de pouvoir, de concentration des équipements de santé et de formation. Les mal-gouvernés s'y débrouillent seuls, dans un secteur informel de plus en plus prégnant. La misère et l'opulence s'y côtoient, en même temps que se dessinent des solidarités nouvelles et la contestation contre les pouvoirs autoritaires et les clans prédateurs. Avec la crise des États, la violence a gagné du terrain, caractérisant à tort l'ensemble du continent. Mais il est vrai que nombre de coups d'État et de rébellions, en créant le chaos, ont réduit à l'humanitaire l'aide au développement et engendré la lassitude des bailleurs de fonds. Aux incertitudes quant au devenir de l'ex-Zaïre, au chaos du Congo-Brazzaville s'oppose néanmoins l'émergence de nouvelles polarités, autour du Nigéria, de l'Afrique du Sud, en Côte-d'Ivoire. Dans le même temps, l'Afrique du Nord, isolée du reste du continent par le Sahara, paraît s'inscrire dans l'orbite de la Communauté européenne.

Pion mineur sur l'échiquier économique mondial, l'Afrique reste sous contrôle pour l'essentiel, que son avenir dépende de l'application de programmes d'ajustement structurel, de recomposition d'influences, ou de l'émergence d'élites compétentes et responsables. ■

PION MINEUR SUR L'ÉCHIQUIER ÉCONOMIQUE MONDIAL, L'AFRIQUE RESTE SOUS CONTRÔLE POUR L'ESSENTIEL, QUE SON AVENIR DÉPENDE DE L'APPLICATION DE PROGRAMMES D'AJUSTEMENT STRUCTUREL, DE RECOMPOSITION D'INFLUENCES, OU DE L'ÉMERGENCE D'ÉLITES COMPÉTENTES ET RESPONSABLES.

Repères

Par **Stephen Smith**
Journaliste

EN AFRIQUE, LA GUERRE FROIDE A PRIS FIN UN AN AVANT LA CHUTE DU MUR DE BERLIN, AVEC LA SIGNATURE, EN DÉCEMBRE 1988 AU SIÈGE DE L'ONU, DES ACCORDS PERMETTANT L'ACCESSION À L'INDÉPENDANCE DE LA NAMIBIE EN ÉCHANGE DU RETRAIT DES TROUPES CUBAINES D'ANGOLA.

Depuis la création par le sociologue Frantz Fanon, en pleine guerre algérienne pour l'indépendance, d'un journal du même nom, la « révolution africaine » a suivi, pour le meilleur et pour le pire, le cours de l'histoire de l'Algérie : brève euphorie post-indépendance, prise de pouvoir militaire et instauration d'un parti unique, forte étatisation de l'économie, puis espoir de démocratisation, suivi d'une restauration autoritaire sur fond de crise identitaire et de violences. D'ici le tournant du siècle, la question est de savoir si le continent s'inspirera davantage du modèle sud-africain, non seulement géographiquement aux antipodes mais marqué par une réconciliation nationale entreprise à rebours de l'histoire coloniale et de quatre décennies de discrimination raciale institutionnalisée. Avec la « révolution » de Laurent-Désiré Kabila dans l'ex-Zaïre, redevenu République démocratique du Congo en mai 1997, un troisième pôle a émergé au printemps 1997 au cœur de l'Afrique, alliant le libéralisme économique sud-africain au déni des libertés qui caractérise le modèle algérien. Cependant, de mauvais augure pour le continent, cette zone de fusion des deux « modèles » s'est révélée, depuis, non seulement plus liberticide que libérale mais aussi le vaste champ de bataille d'une guerre régionale de coalitions. Pour les Hutu et les Tutsi de l'Afrique des Grands Lacs, cette guerre est sous-tendue d'une logique d'extermination.

En Afrique, la guerre froide a pris fin un an avant la chute du mur de Berlin, avec la signature, en décembre 1988 au siège de l'ONU, des accords permettant l'accession à l'indépendance de la Namibie en échange du retrait des troupes cubaines d'Angola. Depuis, à l'échelle du continent, le fait saillant de l'évolution africaine a été l'émergence de puissances régionales et, partant, de stratégies politiques locales comblant le vide laissé par le retrait des rivaux de la guerre froide et celui, plus progressif, de la France, principale puissance néocoloniale. Le slogan « l'Afrique aux Africains » s'inscrit dans les faits tout en servant, aussi, de discours d'adieu aux Occidentaux, désormais intéressés seulement par l'accès aux richesses du sous-sol, les minerais et le pétrole, ainsi que par les marchés d'infrastructures et de télécommunications. Proposant « *trade not aid* » – du commerce à la place de l'aide –, à l'instar des États-Unis, le monde extérieur fait du développement de l'Afrique un problème « indigène » qui, non sans paradoxe, trouverait sa solution dans la mondialisation.

Le niveau intermédiaire des relations bilatérales entre États souverains s'efface, d'autant que la constitution de grands ensembles à l'échelle mondiale contraint l'Afrique « balkanisée » à l'intégration régionale. Il en résulte, dans l'immédiat, une crise de l'État africain, opérateur économique affaibli et, sur le plan politique, de moins en moins pertinent.

Au printemps 1997, après un règne de trente et un ans, le maréchal Mobutu Sese

LA FRANCE A LONGTEMPS MIS EN AVANT LA « PARTICULARITÉ » DE L'AFRIQUE ET Y A JOUÉ LE RÔLE DU « GENDARME ».

Par **Stephen Smith**
Journaliste

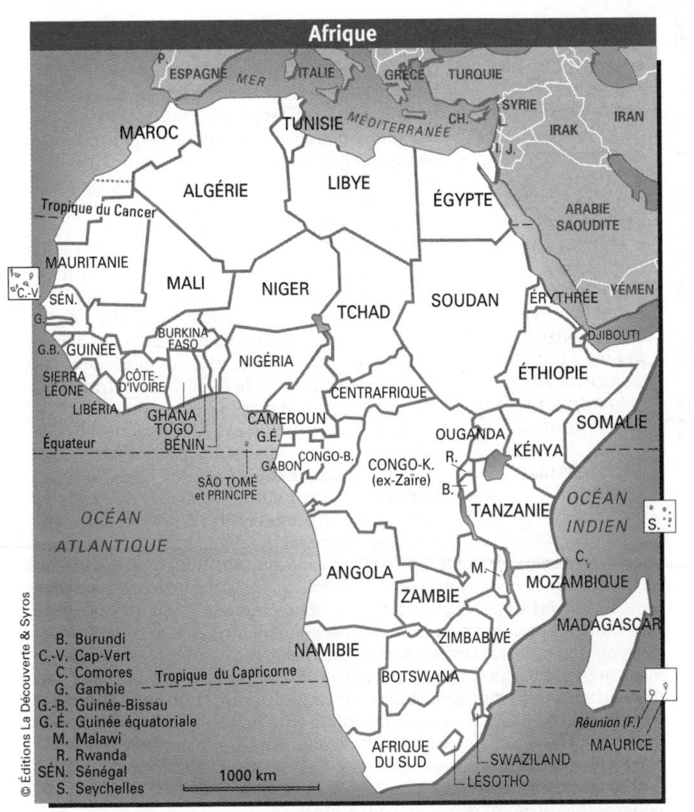

Seko a perdu le pouvoir au Zaïre, dans un contexte de rivalité franco-américaine. Sur le continent, celle-ci est ancienne et remonte, sinon à l'affaire de Fachoda (présence « anglo-saxonne » au Sud-Soudan, en 1898), du moins à la Charte de l'Atlantique qui, en 1941, sur l'insistance du président Franklin Roosevelt, proclama le droit à l'autodétermination de tous les peuples sous tutelle. Par-delà l'idéal d'égalité, la fin des empires coloniaux et autres « chasses gardées » correspond à une logique marchande d'intégration dans l'économie-monde. La France s'y est longtemps opposée en mettant en avant la « particularité » de l'Afrique et, grâce à la sous-traitance sécuritaire du continent pendant la guerre froide, y a joué le rôle du « gendarme ». Dans l'après-guerre froide, ses rentes de situation ont été remises en question. La compétition commerciale ne change cependant rien au fait que, globalement, les intérêts

Par **Stephen Smith**
Journaliste

Le désengagement français intervient alors que, sur le continent africain, des puissances régionales s'affirment : le Nigéria en Afrique de l'Ouest, l'Ouganda et ses alliés au cœur du continent, l'Afrique du Sud et l'Angola dans l'hémisphère austral.

communs du monde extérieur par rapport à l'Afrique – contrôle de l'émigration, du trafic de drogues, des épidémies, de l'environnement... – l'emportent sur les différends. En fin de compte, pour les États-Unis et pour la France, l'Afrique est davantage une source de nuisances qu'il convient de cogérer qu'un pactole à se ravir mutuellement. En 1998, la France a officialisé son désengagement de l'Afrique à travers une réforme institutionnelle de sa Coopération, la fermeture de ses bases militaires en République centrafricaine, et, fait sans précédent, par la mise en place d'une mission d'information parlementaire chargée de réexaminer sa politique controversée au Rwanda entre 1990 et 1994. Le désengagement français intervient alors que, sur le continent africain, des puissances régionales s'affirment : le Nigéria en Afrique de l'Ouest, l'Ouganda et ses alliés au cœur du continent, l'Afrique du Sud et l'Angola dans l'hémisphère austral. Le Nigéria, au terme d'une transition démocratique couronnée, le 29 mai 1999, par le transfert du pouvoir du général Abdulsalami Abubakar à un président élu, le général à la retraite Olusegun Obasanjo, arbitrera plus que jamais les conflits en Afrique de l'Ouest, au besoin en intervenant militairement comme en Sierra Léone. En Afrique centrale, le « *no party system* » du président ougandais Yoweri Museveni, une dictature éclairée mettant l'exécutif fort au service d'une « bonne gouvernance », est devenu un modèle d'exportation. Le pouvoir ougandais a parrainé les rebelles de la diaspora qui se sont installés *manu militari* à Kigali (Rwanda), en juillet 1994, puis à Kinshasa, en mai 1997. Cependant, le caractère génocidaire des relations entre Hutu et Tutsi a ajouté à ces alternances une dimension mortifère effrayante. Après le génocide de quelque 750 000 Tutsi au Rwanda, d'avril à juillet 1994, la persécution des réfugiés hutu au Zaïre, entre octobre 1996 et mai 1997, a provoqué quelque 200 000 morts et, depuis, les massacres de civils dans l'Est occupé par des « rebelles » a fait un nombre inconnu de victimes.

En Afrique australe, la prédominance de l'ex-pays de l'apartheid s'affirmera d'autant plus qu'en juin 1999 Thabo Mbeki, élu président, a succédé à Nelson Mandela. Longtemps exilé, le nouveau chef de l'État est un adepte convaincu de la « renaissance de l'Afrique » et de la projection de la puissance sud-africaine à l'intérieur du continent. Cette stratégie a le triple avantage de lui ouvrir un terrain connu et favorable, par rapport à ses rivaux de l'ancienne résistance intérieure, tout en offrant de nouveaux marchés aux grandes sociétés sud-africaines, telles que la De Beers ou l'Anglo-American, et en donnant aux habitants un nouveau rêve panafricain. La validité de cette « extraversion » sera jugée à l'aune de la stabilité politique et des performances de croissance qui, en Afrique du Sud comme ailleurs sur le continent, décideront, bien davantage que le respect des libertés fondamentales, de l'insertion de l'Afrique dans le monde. ■

Par **Jean-Michel Dolbeau**
Politologue, CEAN / IEP-Bordeaux

1998

5 juillet. Algérie. L'assassinat en juin du chanteur et militant berbère Lounes Matoub, s'ajoutant à une décision de généralisation de l'arabe comme langue d'usage, attise les émeutes en Kabylie.

26 juillet. Soudan. Appel à une aide internationale d'urgence face aux risques de famine dans les zones de combats du Sud. Le 28, le gouvernement dénoncera une attaque conjointe de forces de l'opposition et de l'Érythrée.

26 juillet. Sierra Léone. Le chef de la rébellion du RUF (Front révolutionnaire uni), Foday Sankoh, est arrêté au Nigéria et rapatrié à Freetown. Il sera condamné à mort en octobre pour le coup d'État de mai 1997.

1er août. Zimbabwé. L'opposition et les Églises chrétiennes dénoncent la décadence du régime de Robert G. Mugabe. En novembre, de violentes émeutes éclateront à Hararé pour protester contre une hausse de 67 % du prix des carburants.

2 août. Congo (-Kinshasa). Rébellion des soldats banyamulenge soutenus par le Rwanda et l'Ouganda contre Laurent-Désiré Kabila. Deux fronts s'organisent dans l'Est et dans l'Ouest. L.-D. Kabila reçoit le soutien militaire du Zimbabwé, de l'Angola et de la Namibie.

4 août. Somalie. Création par les trois principaux chefs de guerre d'une administration conjointe de gestion de la capitale Mogadiscio, privée de direction depuis 1990.

7 août. Afrique de l'Est. Attentats contre les ambassades américaines de Nairobi et Dar-es-Salam faisant 224 morts revendiqués par l'Armée islamique de libération des Lieux saints. En représailles, l'Afghanistan et le Soudan, accusés de complicité avec l'activiste islamiste Oussama Ben Laden, feront l'objet de frappes.

31 août. Angola. Suspension de l'UNITA (Union nationale pour l'indépendance totale de l'Angola) dans le gouvernement et au Parlement pour violations répétées du cessez-le-feu. Une partie du mouvement fait scission face à l'intransigeance de son chef, Jonas Savimbi.

2-4 septembre. Rwanda. Premières sentences rendues par le Tribunal pénal international à Arusha contre deux fonctionnaires accusés d'être impliqués dans le génocide de 1994.

8 septembre. Congo (-Kinshasa). Échec du sommet de Victoria Falls (Zimbabwé) réunissant les chefs d'État du Zimbabwé, du Congo-Kinshasa, de la Namibie, d'Angola, d'Ouganda, du Rwanda sous la présidence de la Zambie. La délégation de la rébellion rejette toute idée de cessez-le-feu.

11 septembre. Algérie. Annonce surprise par le président Liamine Zéroual de son retrait du pouvoir en février.

13 septembre. Congo (-Kinshasa). L.-D. Kabila reçoit les soutiens diplomatique du Gabon et militaire du Tchad. Une contre-offensive est lancée vers l'est du pays.

22 septembre. Lésotho. Intervention militaire brutale de l'Afrique du Sud et du Botswana contre l'insurrection d'une partie de l'armée et les agitations qui secouent le royaume depuis les élections législatives du 23 mai. L'opposition dénonce l'irrégularité du scrutin.

12 octobre. Maroc. Les autorités reconnaissent la disparition de 112 personnes arrêtées entre 1960 et 1980 et annoncent la libération de 28 prisonniers politiques.

29 octobre. Afrique du Sud. Remise à Nelson Mandela du rapport de la commission « Vérité et réconciliation » chargée d'instruire les crimes commis durant l'apartheid. La plupart des partis politiques tentent en vain d'interdire sa publication.

8 novembre. São Tomé et Principe. Élections législatives remportées par le parti du Premier ministre Raul Bragança Neto avec 31 des 55 sièges. En janvier, un nouveau gouvernement sera formé par Guilherme Posser da Costa.

15 novembre. Burkina Faso. Élections présidentielles remportées par le président sortant Blaise Compaoré. L'opposition dénonce des fraudes massives. La tension monte après l'assassinat d'un journaliste d'opposition.

6 décembre. Gabon. Élections présidentielles remportées par le président sortant Omar

Par **Jean-Michel Dolbeau**
Politologue, CEAN/IEP-Bordeaux

Bongo avec 66,88 % des suffrages. Contestation de l'opposition.

13 décembre. Centrafrique. Élections législatives remportées par une coalition d'opposition avec 55 sièges contre 47 au parti du président Ange-Félix Patassé. Les mois suivants, plusieurs parlementaires de l'opposition rejoignent la mouvance présidentielle, faisant basculer la majorité. L'opposition démissionnera du gouvernement.

14 décembre. Guinée. Élections présidentielles remportées par le président sortant Lansana Conté avec 56,12 % des voix. L'opposition conteste les résultats et organise des manifestations dans tout le pays. Le 21, l'un de ses dirigeants, Alpha Condé, sera arrêté pour atteinte à la sûreté de l'État.

15 décembre. Guinée-Bissau. Accord signé entre le président João Bernardo Vieira et les mutins du général Ansumane Mané sous égide régionale. Un gouvernement d'union nationale sera formé en janvier, dirigé par Fernando Fadul. Les troupes sénégalaises et guinéennes seront remplacées par un contingent togolais.

29 décembre. Somalie. Déploiement par l'administration conjointe d'une force de police de 2 000 hommes dans Mogadiscio. La reprise des combats en avril mettra fin à l'expérience.

1999

6 janvier. Sierra Léone. Offensive des trou-pes rebelles sur Freetown tuant au moins 4 000 personnes. Médiation régionale auprès du leader emprisonné Foday Sankoh.

7 janvier. Lésotho. Décès de l'ancien Premier ministre Ntsu Mokhehle, figure de l'indépendance.

29 janvier. Angola. Ouverture d'une « période exceptionnelle » face à l'extension des combats entre le gouvernement et l'UNITA, annulant le poste de Premier ministre et créant une commission permanente pour gérer la crise militaire et contrôler la presse.

5 février. Éthiopie/Érythrée. Début d'une offensive de masse lancée par Addis-Abéba pour contrôler le port d'Assab. Le 1er mars, l'Éthiopie remportera une victoire à Badmé, obligeant le président érythréen Issayas Afeworki à accepter le plan de paix de l'OUA (Organisation de l'unité africaine), mais les combats se poursuivent.

20-27 février. Nigéria. Élections législatives remportées par le PDP (Parti démocratique populaire) de l'ex-général Olusegun Obasanjo avec 185 des 360 sièges de la Chambre des représentants et 57 des 109 sièges du Sénat. Le 27, il est élu président avec 62,78 % des suffrages, mettant fin à seize années de régime militaire.

7 mars. Guinée équatoriale. Élections législatives remportées par le parti au pouvoir avec 75 des 80 sièges et une participation de 95 %. Tous les partis ont pris part au scrutin, mais sept d'entre eux déposent un recours en annulation pour fraudes.

21 mars. Togo. Élections législatives boycottées par l'opposition et remportées par le RPT (Rassemblement du peuple togolais) du président Étienne Gnassingbé Eyadéma avec 77 des 79 sièges et une participation de 66 %.

30 mars. Bénin. Élections législatives remportées par l'opposition dirigée par l'ancien président, Nicéphore Soglo, avec 42 sièges contre 41 pour la mouvance du président Mathieu Kérékou.

9 avril. Djibouti. Élection présidentielle remportée par Ismaël Guelleh Omar, dauphin du président Hassan Gouled Aptidon, avec 74 % des suffrages.

9 avril. Niger. Coup d'État du commandant Daouda Mallam Wanké et assassinat du général Ibrahim Baré Maïnassara arrivé au pouvoir par la force en janvier 1996. Un Conseil de réconciliation nationale et un gouvernement de consensus à majorité civile sont formés.

15 avril. Algérie. Élections présidentielles remportées par Abdelaziz Bouteflika avec officiellement 73,79 % des suffrages et une participation de 60,25 %. Ses six concurrents s'étaient désistés juste avant le scrutin, contestant sa loyauté.

30 avril. Comores. Coup d'État du chef d'État-

Par **Jean-Michel Dolbeau**
Politologue, CEAN/IEP-Bordeaux

Major, le colonel Assoumani Azzali. Des émeutes secouent le pays depuis le refus par Anjouan de signer un accord élargissant l'autonomie des trois îles.

7 mai. Guinée-Bissau. Coup d'État du général Mané, mettant fin à un an d'instabilité, renversant le président Vieira accusé de trafic d'armes vers le Sénégal.

11 mai. Congo (-Kinshasa). Bombardement de la ville rebelle de Goma alors que la rébellion se divise et démet son chef Ernest Wamba dia Wamba. Le 28, le Rwanda annoncera une cessation unilatérale des combats.

2 juin. Afrique du Sud. Deuxièmes élections générales multiraciales remportées par l'ANC (Congrès national africain) avec 66,3 % des suffrages, soit 266 des 400 sièges du Parlement. Le 14, Thabo Mbeki succédera à Nelson Mandela à la présidence.

15 juin. Malawi. Élections générales remportées par le président sortant Bakili Muluzi avec 51,37 % des suffrages. L'UDF (Front démocratique uni) au pouvoir remporte 93 des 192 sièges contre 66 à l'ancien parti unique, le MCP (Parti du Congrès du Malawi). ■

Afrique/Bibliographie sélective

J. F. Ade Ajayi, M. Crowder (sous la dir. de), *Atlas historique de l'Afrique,* Jaguar, Paris, 1988.

G. Balandier, *Afrique ambiguë,* Pocket, Paris, 1983.

J.-F. Bayart, *L'État en Afrique, la politique du ventre,* Fayard, Paris, 1989.

J.-F. Bayart, S. Ellis, B. Hibou, *Criminalisation de l'État en Afrique,* Complexe, coll. « Espace international », Bruxelles, 1997.

CEAN, *L'Afrique politique,* Karthala (annuel).

J. Copans, *La Longue Marche de la modernité africaine, savoirs intellectuels, démocratie,* Karthala, Paris, 1990.

C. Coquery-Vidrovitch, H. Moniot, *L'Afrique noire de 1800 à nos jours,* PUF, Paris, 1974.

C. Coulon, D.-C. Martin (sous la dir. de), *Les Afriques politiques,* La Découverte, Paris, 1991.

A. Dubresson, J.-Y. Marchal, J.-P. Raison, « Les Afriques au sud du Sahara », *in* R. Brunet (sous la dir. de), *Géographie universelle,* vol. VI, Belin/RECLUS, Paris/Montpellier, 1994.

M.-F. Durand, J. Lévy, D. Retaillé, « L'invention géographique de l'Afrique », *in* M.-F. Durand, J. Lévy, D. Retaillé, *Le Monde, espaces et systèmes,* Dalloz, Paris, 1993.

S. Ellis, *L'Afrique maintenant,* Karthala, Paris, 1995.

A. Glaser, S. Smith, *L'Afrique sans Africains. Le rêve blanc du continent noir,* Stock, Paris, 1994.

P. Hugon, *L'Économie de l'Afrique,* La Découverte, coll. « Repères », Paris, 1993.

J. Ki Zerbo, *Histoire de l'Afrique noire : d'hier à demain,* Hatier, Paris, 1972.

É. M'Bokolo, *L'Afrique au XXe siècle, le continent convoité,* Seuil, Paris, 1985.

J.-F. Médard, *États d'Afrique noire. Formations, mécanismes et crises,* Karthala, Paris, 1991.

P. Merlin, *Espoir pour l'Afrique noire,* Présence Africaine, Paris, 1997.

T. Perret, *Afrique, voyage en démocratie : les années cha-cha,* L'Harmattan, Paris, 1994.

Politique africaine (trimestriel), Karthala, Paris.

P. Vennetier, *Les Villes d'Afrique tropicale,* Masson, Paris, 1991.

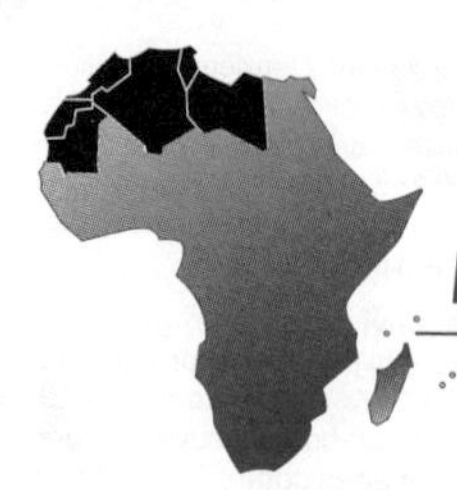

Maghreb

Algérie, Libye, Maroc, Mauritanie, Tunisie

Algérie

Présidentielle pluraliste pour candidat unique

Les Algériens, traumatisés par sept années de violences et désenchantés par la corruption et une crise économique aiguë qui frappe des pans entiers de la société, ont été une nouvelle fois appelés à se rendre aux urnes pour une présidentielle qui s'est transformée en vote pluraliste pour un candidat unique. Soutenu par les partis gouvernementaux et par la majorité des décideurs militaires, Abdelaziz Bouteflika (61 ans), ancien ministre des Affaires étrangères (1965-1978) de Houari Boumediène, est donc devenu, le 15 avril 1999, à l'issue d'un scrutin marqué par le retrait spectaculaire des six autres candidats en raison « des fraudes massives » lors des premiers votes au Sahara et dans les casernes et une participation électorale « réelle » plus que médiocre, le cinquième président élu post-indépendance après Ahmed Ben Bella, Houari Boumediène, Chadli Bendjedid et Liamine Zéroual.

Le 11 septembre 1998, à la surprise générale, ce dernier avait annoncé solennellement sa décision de quitter ses fonctions avant la fin d'un mandat qui devait s'achever normalement à la mi-novembre 2000. Dans la foulée, et sans plus expliquer sa décision que par un « souci d'alternance démocratique », L. Zéroual avait promis des élections « pluralistes, équitables, transparentes et ouvertes » pour le choix de son successeur. Ceci expliquant peut-être cela, le chef de l'État algérien avait été, auparavant, au travers de son plus proche conseiller le général Mohamed Betchine, la cible d'une campagne médiatique d'une extrême violence dénonçant officiellement la corruption mais dont, en fait, les véritables motifs puisaient racine dans l'aggravation des luttes au sein du sérail militaire.

Comment préparer une réconciliation nationale ?

La gestion très musclée de la lutte antiterroriste a porté ses fruits même si les attentats et actes de violence isolés ont perduré, ensanglantant les campagnes profondes. Le régime semblait donc avoir gagné la partie sur le plan militaire mais montrait des signes évidents d'usure sur le plan politique. Préparer et enclencher la réconciliation nationale, passage obligé pour tenter de juguler la crise économique, a en effet attisé les divergences entre les différents clans de l'armée. Par ailleurs, l'islamisme politique, s'il a perdu de sa pugnacité, est resté prégnant dans la masse des laissés-pour-compte, continuant à représenter l'un des enjeux d'un retour à la paix ardemment désiré par la majorité d'une population n'en pouvant plus des violences, de l'effondrement du pouvoir d'achat et de la détérioration des prestations des services publics.

Le 15 décembre 1998, le chef de l'État avait chargé un technocrate de 68 ans, bien au fait des affaires du sérail, Smaïl Hamdani,

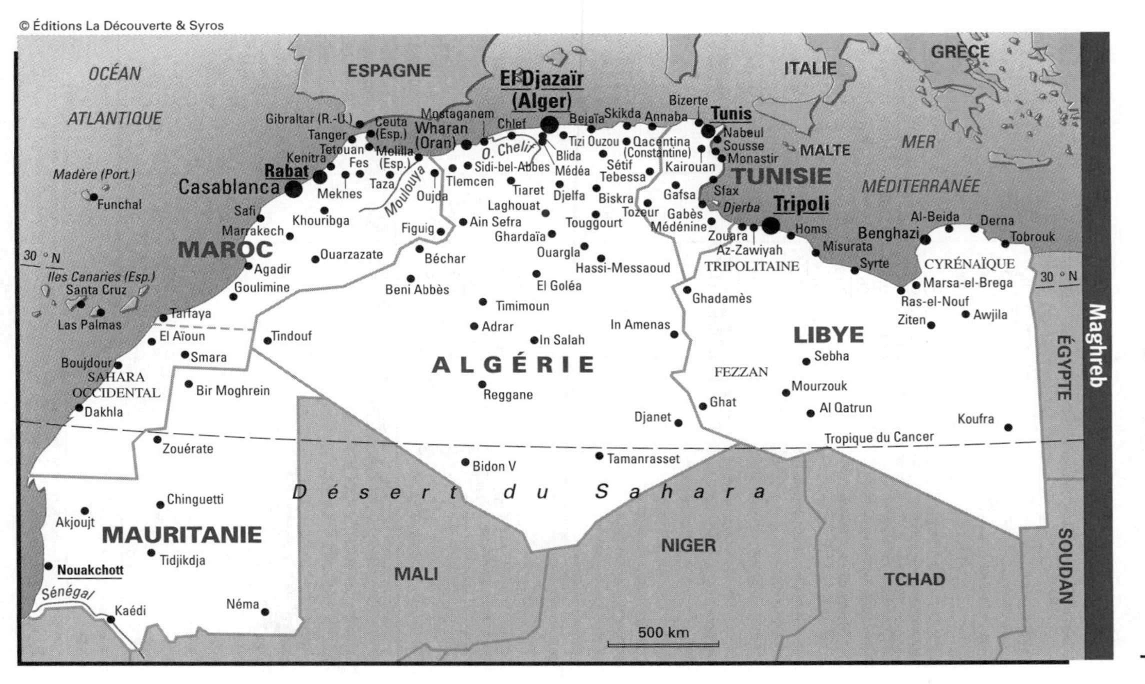
Maghreb
© Éditions La Découverte & Syros
OCÉAN
ATLANTIQUE
ESPAGNE
ITALIE
GRÈCE
MALTE
MER
MÉDITERRANÉE
Madère (Port.)
Funchal
Îles Canaries (Esp.)
Santa Cruz
Las Palmas
30 ° N
Gibraltar (R.-U.)
Ceuta (Esp.)
Melilla (Esp.)
Tanger
Tetouan
Kenitra
Rabat
Casablanca
Meknes
Fes
Taza
Moulouya
Oujda
Safi
Marrakech
Khouribga
MAROC
Ouarzazate
Agadir
Goulimine
Tarfaya
El Aïoun
Smara
Boujdour
SAHARA OCCIDENTAL
Dakhla
Bir Moghrein
Tindouf
Zouérate
Chinguetti
Akjoujt
MAURITANIE
Tidjikdja
Nouakchott
Sénégal
Kaédi
Néma
Mostaganem
Wharan (Oran)
Chlef
O. Chelif
Tlemcen
Sidi-bel-Abbes
El Djazaïr (Alger)
Blida
Médéa
Tizi Ouzou
Bejaïa
Skikda
Annaba
Qacentina (Constantine)
Sétif
Tebessa
Tiaret
Djelfa
Laghouat
Biskra
Ain Sefra
Figuig
Béchar
Ghardaïa
Touggourt
Ouargla
Hassi-Messaoud
Beni Abbès
El Goléa
Timimoun
Adrar
In Salah
ALGÉRIE
Reggane
In Amenas
Djanet
Tamanrasset
Bidon V
Désert du Sahara
Bizerte
Tunis
Nabeul
Sousse
Monastir
Kairouan
TUNISIE
Sfax
Gafsa
Tozeur
Gabès
Médénine
Djerba
Tripoli
Zouara
Az-Zawiyah
Homs
Misurata
TRIPOLITAINE
Syrte
Benghazi
Al-Beida
Derna
Tobrouk
CYRÉNAÏQUE
Marsa-el-Brega
Ras-el-Nouf
Ziten
Awjila
Ghadamès
LIBYE
Sebha
FEZZAN
Mourzouk
Ghat
Al Qatrun
Koufra
Tropique du Cancer
ÉGYPTE
SOUDAN
MALI
NIGER
TCHAD
500 km

INDICATEUR	UNITÉ	1975	1985	1997	1998
Démographie**					
Population	*million*	16,0	21,9	29,4	30,1
Densité	*hab./km²*	6,7	9,2	12,4	12,6
Croissance annuelle	%	3,1[a]	2,5[b]	2,3[c]	••
Indice de fécondité (ISF)		6,8[a]	4,6[b]	3,8[c]	••
Mortalité infantile	‰	100[a]	61[b]	44[c]	••
Espérance de vie	*année*	59,0[a]	66,1[b]	68,9[c]	••
Indicateurs socioculturels					
Nombre de médecins	*‰ hab.*	0,12[i]	0,43[k]	0,82[f]	••
Analphabétisme (hommes)	%	65,2[n]	31,8[o]	27,3	••
Analphabétisme (femmes)	%	75,7[n]	59,2[o]	52,3	••
Scolarisation 12-17 ans	%	37,4	57,4	59,3[g]	••
Scolarisation 3e degré	%	3,2	7,9	13,4[h]	••
Téléviseurs	‰	31,2	68,5	67,5[h]	••
Livres publiés	*titre*	275[n]	718[o]	670[h]	••
Économie					
PIB total (PPA)	*milliard $*	55,6[n]	86,6	130,7	••
Croissance annuelle	%	5,6[d]	1,7[e]	1,1	3,4
PIB par habitant (PPA)	$	2 980[n]	3 960	4 460	••
Investissement (FBCF)	*% PIB*	37,5	29,5	27,0	••
Taux d'inflation	%	9,0	10,5	6,8	6,2
Population active	*million*	4,16	5,85	9,38	••
Agriculture	% } 100 %	39,2	31,0	24,1[i]	••
Industrie	% } 100 %	24,1	27,3	27,6[i]	••
Services	% } 100 %	36,7	41,7	48,3[i]	••
Dépense publique Éducation	*% PIB*	6,7	8,5	5,1[h]	••
Dépense publique Défense	*% PIB*	4,1	1,7	4,6	••
Énergie (taux de couverture)	%	723,6	560,4	481,2[h]	••
Dette extérieure totale	*milliard $*	4,63	18,3	30,92	••
Service de la dette/Export.	%	8,9	35,6	29,5[m]	••
Échanges extérieurs		**1974**	**1986**	**1997**	**1998**
Importations de services	*milliard $*	0,7	2,02	••	••
Importations de biens	*milliard $*	3,7	7,90	8,13	••
Produits alimentaires	%	21,7[p]	22,0	31,3[h]	••
Produits manufacturés	%	63,6[p]	63,4	63,1[h]	••
dont machines	%	31,3[p]	25,8	23,6[h]	••
Exportations de services	*milliard $*	0,2	0,55	••	••
Exportations de biens	*milliard $*	4,9	8,07	13,82	••
Produits agricoles	%	4,1	0,3	1,3[h]	••
Produits énergétiques	%	92,5	97,5	92,1[h]	••
dont produits pétroliers	%	91,2	63,8	59,7[h]	••
Solde transactions courantes	*% du PIB*	– 7,2[q]	0,0[r]	7,0	– 2,0

* Définition des indicateurs, sigles et abréviations p. 31 et suivantes. Dernier recensement utilisable : a. 1975-85 ; b. 1985-95 ; c. 1995-2000 ; d. 1970-80 ; e. 1980-96 ; f. 1994 ; g. 1990 ; h. 1996 ; i. 1995 ; k. 1984 ; m. 1995-97 ; n. 1980 ; o. 1990 ; p. 1975 ; q. 1977-80 ; r. 1981-91.

de succéder au Premier ministre Ahmed Ouyahia pour préparer l'élection présidentielle, laquelle à bien des égards aura été édifiante. Bien que s'étant engagés à une neutralité absolue, les « décideurs » militaires – dont les divisions pouvaient être un gage d'élections véritablement pluralistes – n'ont finalement pas voulu ou pu mettre en application leurs assurances de vote démocratique et ont fait resurgir les vieux démons de l'ancien système du parti unique (le Front de libération nationale, FLN).

Sept candidats, pour la plupart anciens barons du FLN, avaient été retenus par le Conseil constitutionnel pour briguer les suffrages de 17,5 millions d'électeurs : Abdelaziz Bouteflika, Hocine Aït-Ahmed, leader du Front des forces socialistes (FFS), Ahmed Taleb-Ibrahimi, ancien ministre sous les présidences de Boumediène et de Chadli, Mouloud Hamrouche, ancien Premier ministre de Chadli au lendemain des émeutes d'octobre 1988 et artisan des réformes économiques et institutionnelles, Mokdad Sifi, ancien Premier ministre du président Zéroual, Abdallah Djaballah, fondateur du parti islamiste légal Ennahda, puis de son avatar le Mouvement de la réforme nationale, et enfin Youssef el-Khatib, ancien colonel de la guerre d'indépendance.

Fait nouveau, l'ex-Front islamique du salut (FIS) avait appelé à participer au scrutin « pour le candidat le plus à même de ramener la concorde nationale », avant d'indiquer finalement que son candidat était le Dr Taleb-Ibrahimi, fils d'un ancien dirigeant des Oulémas algériens (creuset de formation d'une partie des nationalistes algériens).

Un retour à la paix programmé

Crise économique et retour à la paix ont été les thèmes dominants d'une campagne électorale menée tambour battant dans les grandes villes du pays par les différents candidats qui n'ont cessé de donner des gages à l'électorat islamiste.

A la veille du vote, six des sept candidats en lice ont annoncé leur retrait, invoquant l'existence de fraudes massives dans les premières opérations de vote et le « favoritisme » gouvernemental au crédit d'A. Bouteflika. Ce coup de théâtre a plongé le pays dans une crise politique aussi brève qu'intense et – l'élection ayant été maintenue par Liamine Zéroual à l'échéance prévue – a privé ce dernier de la sortie « honorable »

République algérienne démocratique et populaire

Capitale : Alger.
Superficie : 2 381 741 km^2.
Population : 30 081 000.
Langues : arabe (off.), berbère, français.
Monnaie : dinar (au taux officiel, 100 dinars = 9,21 FF au 30.4.99).
Nature de l'État : république unitaire ; l'islam est religion d'État.
Nature du régime : présidentiel. L'armée jour un rôle prépondérant. Une Assemblée pluraliste de 380 membres a été élue le 5.6.97. Un Conseil de la Nation de 144 membres a parachevé, en déc. 1998, le nouvel édifice institutionnel.
Chef de l'État : Abdelaziz Bouteflika, président de la République, qui a succédé le 15.4.99 à Liamine Zéroual.
Premier ministre : Smaïl Hamdani. (depuis le 15.12.98, qui a succédé à Ahmed Ouyahia).
Ministre de l'Intérieur : Abdelmalek Sellal (depuis le 20.12.98).
Ministre des Affaires étrangères : Mohamed Attaf (reconduit le 25.6.97).
Principaux partis politiques : Rassemblement national démocratique (RND, fondé en févr. 1997 et soutenant le chef de l'État) ; Front de libération nationale (FLN, parti unique de 1962 à 1989) ; MSP (Mouvement de la société pour la paix, ex-Hamas, islamiste) ; Mouvement de la réforme nationale (islamiste) ; FFS (Front des forces socialistes) ; RCD (Rassemblement pour la culture et la démocratie) ; Parti des travailleurs (PT, extrême gauche). Le FIS (Front islamique du salut) a été dissous et interdit par le pouvoir le 4.3.92.

Algérie/Bibliographie

L. Addi, *L'Algérie et la Démocratie,* La Découverte, Paris, 1994.

L. Addi, *Les Mutations de la société algérienne. Famille et lien social dans l'Algérie contemporaine,* La Découverte, Paris, 1999.

Amnesty International, FIDH, Human Rights Watch, Reporters sans frontières, *Algérie. Le livre noir,* La Découverte, Paris, 1997.

M. Benrabah, A. Djellouli, N. Farès *et alii, Les Violences en Algérie,* Odile Jacob, coll. « Opus », Paris, 1998.

F. Burgat, *L'Islamisme en face,* La Découverte, Paris, 1996 (nouv. éd.).

S. Goumeziane, *Le Mal algérien : économie politique d'une transition inachevée, 1962-1994,* Fayard, Paris, 1994.

L. Hanoune, *Une autre voix pour l'Algérie. Entretiens avec G. Mouffok,* La Découverte, Paris, 1996.

G. Hidouci, *Algérie. La libération inachevée,* La Découverte, Paris, 1995.

R. Leveau (sous la dir. de), *L'Algérie dans la guerre,* Complexe, coll. « Espace international », Bruxelles, 1995.

D. Malti, *La Nouvelle Guerre d'Algérie,* La Découverte, coll. « Au vif », Paris, 1999.

L. Martinez, *La Guerre civile en Algérie,* Karthala, coll. « Recherches internationales », Paris, 1998.

L. Provost, *La Seconde Guerre d'Algérie. Le quiproquo franco-algérien,* Flammarion, Paris, 1996.

Reporters sans frontières. *Le Drame algérien. Un peuple en otage,* La Découverte, Paris, 1996 (nouv. éd. mise à jour).

B. Stora, *Histoire de l'Algérie depuis l'indépendance,* La Découverte, coll. « Repères », Paris, 1995 (nouv. éd. mise à jour).

B. Stora, *La Gangrène et l'Oubli. La mémoire de la guerre d'Algérie,* La Découverte, Paris, 1998.

Voir aussi la bibliographie « Maghreb », p. 124.

qu'il recherchait et son successeur, devenu malgré lui candidat unique, de la légitimité qu'il était en droit d'attendre d'un vote pluraliste et transparent.

Selon les chiffres officiels, Abdelaziz Bouteflika a remporté l'élection présidentielle dès le premier tour de scrutin avec 73,79 % des suffrages exprimés. La participation aurait été de 60,25 %, soit quelque 10,5 millions d'électeurs. Pour l'opposition, ces chiffres ont été manipulés.

Le nouveau président algérien allait avoir besoin de toute son habileté pour résoudre sans heurt la quadrature du cercle : ramener une paix effective en jetant les bases de la réconciliation nationale et atténuer autant que faire se peut les effets de la crise économique et sociale... Mais comme un scénario réglé d'avance, à peine deux mois après la présidentielle, une succession d'événements ont attesté d'un déblocage de la situation politique : le 6 juin, l'Armée islamique du salut (AIS), en trêve unilatérale depuis le 1er octobre 1997, décrétait qu'elle déposait les armes ; prenant acte de cette « reddition » et chassant sur les terres des partis d'opposition qui avaient soutenu en 1996 la plate-forme de Sant'Egidio, A. Bouteflika annonçait peu de temps après le dépôt d'une loi « sur la concorde civile » soumise à référendum après l'aval du Parlement, et une amnistie pour les militants islamistes « n'ayant pas participé à des crimes de sang ». Parallèlement, le nouveau chef de l'État multipliait les ouvertures tous azimuts vers l'extérieur pour bien montrer qu'une page sombre de l'histoire du pays était tournée. Le 35e sommet de l'OUA, tenu dans la capitale algérienne du 12 au 14 juillet 1999, en présence d'une quarantaine de chefs d'État, devait témoigner de cette volonté de reprise en main, également, du dossier diplomatique pour tenter de redonner un rôle international à l'Algérie. En ce qui concerne le volet économique, Abdelaziz Bouteflika, qui avait déjà fustigé « l'économie de bazar » caractérisant son pays, est resté dans les généralités. Il est vrai que le bilan est lourd. Quatorze millions d'Algériens vivent en dessous du seuil de pauvreté, soit près de la moitié de la population, estimée à quelque 30 millions d'habitants dont 11 millions d'analphabètes (selon l'UNESCO). Le chômage affecte 29 % de la population active. La privatisation de secteurs entiers de l'appareil économico-industriel a entraîné, en trois ans, le licenciement de près de 400 000 personnes.

La politique d'austérité appliquée par le gouvernement Ouyahia (janvier 1996-décembre 1998) avait permis de réduire officiellement l'inflation à 5 % contre 30 % en 1995, mais ces chiffres ont été contestés par les économistes, bien que le FMI se soit, à plusieurs reprises, félicité de la politique économique algérienne. Toutefois, l'effondrement des cours du pétrole, qui avait déjà fait perdre à l'Algérie trois milliards de dollars en 1998 (près d'un quart de ses recettes tirées des hydrocarbures), a mis à mal les tentatives du gouvernement pour restaurer la crédibilité financière du pays et attirer les investisseurs étrangers. Cette chute a laissé planer le doute quant à la capacité du pays à honorer les échéances sur sa dette extérieure de 30,9 milliards de dollars dont le remboursement absorbe 30 % de ses recettes d'exportation. Le pays allait ainsi devoir rembourser 33,5 milliards de dollars pour sa dette extérieure entre 1999 et 2005. Les investissements étrangers dont a bénéficié l'Algérie se sont orientés de façon écrasante vers les hydrocarbures au détriment d'autres secteurs sinistrés, accentuant d'autant la tendance à la paupérisation d'une large partie de la population. - **Ali Habib** ■

Libye

Les succès politiques du colonel Kadhafi

Quelques heures après leur arrivée aux Pays-Bas, le 5 avril 1999, les deux agents libyens, Lamine Fahima et Abdel Basset el-Megrahi, auteurs présumés de l'attentat de Lockerbie (localité écossaise) contre un avion civil américain en 1988, furent « extradés » par les autorités néerlandaises vers Zeist Camp, base militaire située aux environs de La Haye, concédée pour la durée

Jamahirya arabe libyenne populaire et socialiste

Capitale : Tripoli.
Superficie : 1 759 540 km².
Population : 5 339 000.
Langue : arabe.
Monnaie : dinar libyen (au cours officiel, 1 dinar = 13,19 FF au 30.4.99).
Nature de l'État : unitaire, officiellement « État des masses ».
Nature du régime : militaire.
Chef de l'État : de fait le colonel Mouammar Kadhafi, « guide de la Révolution » (depuis le 1.9.69).
Chef du gouvernement : Mohammed Ahmad al-Mangoush (depuis déc. 97).
Ministre de la Défense et chef des Armées : colonel Abou Bakr Younes Jaber.
Ministre des Affaires étrangères : Omar al-Mountasser.
Contestation territoriale : un arrêt de la Cour internationale de justice de La Haye, rendu le 3.2.94, a attribué définitivement au Tchad la bande d'Aozou, occupée par la Libye depuis vingt ans.

INDICATEUR	UNITÉ	ALGÉRIE	LIBYE
Démographie[a]			
Population	*(millier)*	30 081	5 339
Densité	*(hab./km²)*	12,6	3,0
Croissance annuelle (1995-2000)	*(%)*	2,3	2,4
Indice de fécondité (ISF) (1995-2000)		3,8	3,8
Mortalité infantile (1995-2000)	*(‰)*	44	28
Espérance de vie (1995-2000)	*(année)*	68,9	70,0
Population urbaine	*(%)*	57,9	86,7
Indicateurs socioculturels			
Développement humain (IDH)[c]		0,665	0,756
Nombre de médecins	*(‰ hab.)*	0,82[j]	1,08[m]
Analphabétisme (hommes)[c]	*(%)*	27,3	11,3
Analphabétisme (femmes)[c]	*(%)*	52,3	37,1
Scolarisation 12-17 ans	*(%)*	59,3[m]	79,1[l]
Scolarisation 3e degré	*(%)*	13,4[f]	20,0[f]
Adresses Internet[d]	*(‰ hab.)*	0,007	0,007
Livres publiés	*(titre)*	670[f]	26[i]
Armées (effectifs)			
Armée de terre	*(millier d'h.)*	105	35
Marine	*(millier d'h.)*	7	8
Aviation	*(millier d'h.)*	10	22
Économie			
PIB total (PPA)[c]	*(million $)*	130 735	63 172[g]
Croissance annuelle 1987-97	*(%)*	0,9	1,9
Croissance 1998	*(%)*	3,4	2,6
PIB par habitant (PPA)[c]	*($)*	4 460	11 832[g]
Investissement (FBCF)	*(% PIB)*	27,9[e]	11,0[k]
Taux d'inflation	*(%)*	6,2	5,0
Énergie (taux de couverture)[f]	*(%)*	481,2	521,4
Dépense publique Éducation	*(% PIB)*	5,1[f]	7,1[f]
Dépense publique Défense[c]	*(% PIB)*	4,6	4,7
Dette extérieure totale[c]	*(million $)*	30 921	3 700[f]
Service de la dette/Export.[e]	*(%)*	29,5	••
Échanges extérieurs			
Importations (douanes)	*(million $)*	9 080	5 100
Principaux fournisseurs[c]	*(%)*	UE 60,8	UE 62,7
	(%)	Fra 28,3	Ita 20,3
	(%)	PED 21,4	Asie[o] 14,7
Exportations (douanes)	*(million $)*	9 380	7 100
Principaux clients[c]	*(%)*	UE 61,9	Ita 41,3
	(%)	Fra 14,2	RFA 16,6
	(%)	E-U 17,3	PED 16,7
Solde transactions courantes	*(% PIB)*	••	••

Définition des indicateurs, sigles et abréviations p. 31 et suivantes. Chiffres 1998 sauf notes. a. Derniers recensements utilisables : Algérie, 1998 ; Libye, 1995 ; Maroc, 1994 ; Mauritanie, 1988 ; Tunisie, 1994. b. 1995 ; c. 1997 ; d. janv. 1999 ; e. 1995-97 ; f. 1996 ; g. 1998 ; h. 1996-98 ; i. 1994 ; j. 1993 ; k. 1992 ;

MAROC	MAURITANIE	TUNISIE
27 377	2 529	9 335
61,3	2,5	60,1
1,8	2,7	1,4
3,1	5,5	2,5
51	92	30
66,6	53,5	69,5
53,9	55,1	64,1
0,582	0,447	0,695
0,36[i]	0,14[b]	0,57[i]
40,7	50,6	21,9
67,3	72,2	44,2
38,2[k]	20,1[l]	65,8[l]
11,3[f]	3,9[f]	13,7[f]
0,20	0,06	0,07
918[f]	••	720[f]
175	15	27
7,8	0,5	4,5
13,5	0,15	3,5
90 313	4 265	48 857
3,1	3,1	4,1
6,3	4,1	5,1
3 310	1 730	5 300
20,6[h]	17,6[e]	24,0[e]
2,7	8,0	3,6
9,8	0,2[bn]	94,2
5,3[f]	5,1[b]	6,7[f]
4,2	2,2	1,8
19 321	2 453	11 323
29,0	23,6	16,5
10 262	488[c]	8 333
UE 64,1	UE 56,6	Fra 25,3
Fra 26,6	Fra 25,9	Ita 19,6
PED 25,8	Asie[o] 20,7	PED 19
7 219	425[c]	5 750
UE 69,3	UE 60,6	Fra 26,2
Fra 31,6	Jap 23,9	Ita 21
PED 19,4	Afr 10,9	PED 15,6
– 0,3[c]	2,07[b]	••

l. 1991 ; m. 1990 ; n. Chiffres des Nations Unies ;
o. Y compris Japon et Moyen-Orient.

du procès à la souveraineté britannique. Cet artifice juridique a permis à Tripoli de sauver la face, en remettant ses deux ressortissants à un pays tiers, satisfaisant ainsi aux exigences des États-Unis et du Royaume-Uni de voir le procès se dérouler en territoire britannique, selon les lois et devant des juges écossais.

Cette issue aura représenté un franc succès pour le régime du colonel Mouammar Kadhafi, dans un contexte international marqué par l'opération *Force Alliée* contre la Yougoslavie. Dès le 5 avril, les Nations unies annonçaient la suspension immédiate de l'embargo, infligé à la Libye depuis 1992, en attendant son abrogation pure et simple. Nombre de pays et de compagnies internationales s'engouffrèrent dans la brèche pour reprendre leurs affaires, qui n'avaient parfois jamais vraiment cessé, avec le pays de l'or noir.

Bien que les autorités de Tripoli aient évalué le coût de l'embargo à 24 milliards de dollars, ses effets ont été moins sévères que ceux endurés par l'Irak ou même par la Yougoslavie. Quant à l'industrie pétrolière, elle a fonctionné à un régime presque normal, atteignant, selon l'Agence internationale de l'énergie (AIE), le rythme de 1,39 million de barils par jour pour 1998. La Libye n'a donc pas perdu sa place sur le marché énergétique international, ayant su jouer de certains atouts : la qualité de son brut, sa proximité avec le marché européen et sa prise de distance vis-à-vis des compagnies anglo-saxonnes, au bénéfice des groupes italien ENI, espagnol Respol et autrichien OMV.

C'est donc sur le plan politique que le dénouement de la crise de Lockerbie est le plus significatif pour le régime de Tripoli, puisqu'il a mis fin à son isolement. Le colonel Kadhafi a en effet interprété cette crise comme une cabale anglo-américaine le visant personnellement, ainsi que son régime. Si tel était le cas, force est de constater que Tripoli aurait réussi à désamorcer cette menace, puisque l'une des clauses secrètes, négociées avec le secrétaire général de l'ONU Kofi Annan et avec les intermédiaires sud-africains et saoudiens, a semblé postuler que le procès de Zeist Camp ne devait pas mettre en cause le régime libyen en tant que tel.

Ainsi, ayant réussi à activer le soutien de certains pays influents (l'Afrique du Sud, l'Arabie saoudite, l'Égypte...) et celui des organisations régionales (la Ligue arabe, l'Organisation de l'unité africaine [OUA], l'Organisation de la conférence islamique [OCI]), le colonel Kadhafi serait parvenu à limiter les dommages de cette crise. Le chef de l'État libyen a même pu esquisser sa réinsertion dans la vie des nations, par le biais de l'Afrique, son terrain de prédilection : à la mi-avril 1999, il organisait, à Tripoli, une rencontre entre les protagonistes de la région des Grands Lacs et supervisait la signature d'un accord... approuvé par les grandes puissances ! - **Salah Bechir** ■

Maroc

Disparition de Hassan II

Pendant 38 ans son règne a été celui de l'arbitraire et du secret. Le multipartisme, les constitutions successives et même l'« alternance » au gouvernement n'ont été octroyés que de plus ou moins bonne grâce. Car Hassan II (décédé le 23 juillet 1999) a été le dernier monarque régnant de droit divin, absolu. Il a pu l'être pour des raisons historiques, mais aussi parce qu'il a su composer avec un siècle épris de laïcité et de démocratie. Son fils Mohammed VI lui succède, mais ne le remplacera pas.

En 1998-1999, le Maroc a vécu l'an I de l'« alternance » gouvernementale voulue par le roi Hassan II, qui a nommé le 4 février 1998 Premier ministre l'opposant socialiste de toujours Abderrahmane Youssoufi, sans rupture traumatisante, mais aussi sans réussite particulière, l'expérience servant à restructurer en douceur « un champ de forces évolutif qui maintient la monarchie comme acteur central du système politique » selon l'analyse du politologue français Rémy Leveau. Survenue au terme d'élections législatives entachées de fraudes en novembre 1997, qui n'avaient apporté au « bloc démocratique » que 32 % des suffrages, la formation d'un gouvernement autour de l'Union socialiste des forces populaires (USFP), exclue de la gestion du pays depuis 1960, a suscité beaucoup d'espoir. Cependant, au terme d'une année, aucune solution ne pointait encore pour résoudre les problèmes de fond que sont la forte injustice sociale, le chômage (frappant officiellement 19 % de la population active) et la déscolarisation en milieu rural. Cependant, leur prise en considération par un Premier ministre continuant de jouir de la confiance de l'opinion nationale et internationale les avait provisoirement « désamorcés ».

Des méthodes difficiles à réformer

A. Youssoufi, âgé de 75 ans, ne pouvait pas avoir les coudées franches. Dirigeant un cabinet de 40 ministres, dont seulement neuf appartenant à l'USFP et quatre – pour les « portefeuilles de souveraineté » (Intérieur, Affaires étrangères, Justice et Affaires islamiques) – relevant du choix exclusif du roi, lui-même en charge de la Défense, le chef du gouvernement devait négocier ses prérogatives pied à pied. Le premier anniversaire de sa nomination a été marqué par la mutation de 71 hauts fonctionnaires. Cette mesure, d'une portée avant tout symbolique, ne visait toutefois qu'à effacer l'avanie infligée au Premier ministre en septembre 1998, lors de la réaffectation des gouverneurs et préfets des trente-sept provinces et deux *wilayat* – régions administratives – (Rabat et Casablanca), opérée par le ministre de l'Intérieur, Driss Basri, inamovible à ce poste depuis 1983 par la grâce du roi. Homme fort du régime, D. Basri a fait réprimer, le 26 octobre 1998, une manifestation pacifique de diplômés au chômage, au prix d'une centaine de blessés. Début novembre, sans concertation avec les ministres concernés, il a en revanche embauché dans la fonction publique un demi-millier d'entre eux. Le 15 février 1999, embarrassant de nouveau le gouvernement, il a fait disperser par la police un cortège de chômeurs non voyants...

« La symbolique du changement, d'accord, mais pas au-delà des 32 % obtenus aux élections. Il faut composer avec les autres forces », s'expliquait D. Basri. En vertu de ce principe, les directeurs de la Radio-télévision marocaine (RTM) n'ont pas été remplacés en un an, malgré l'intention exprimée à plusieurs reprises par le ministre de la Communication, Larbi Messari (Istiqlal). Omniprésent, le ministre de l'Intérieur surveille la mouvance islamiste, dont la frange modérée siège au Parlement, le leader d'Al-Adl wa-l-Ishane (Justice et bienfaisance), Abdessalam Yassine, demeurant assigné à résidence depuis 1989. En prise directe avec le roi Hassan II, il a géré aussi le dossier du Sahara occidental, territoire disputé par le Front Polisario (mouvement indépendantiste sahraoui) qui doit être soumis à un référendum d'autodétermination. Prévue depuis 1992 et confirmée par les accords de Houston de septembre 1997, cette consultation, devant être organisée sous les auspices de l'ONU, a été maintes fois reportée. Elle paraît d'autant plus aléatoire que le nouveau président algérien, Abdelaziz Bouteflika, a déclaré son « soutien indéfectible » à l'« indépendance totale » du Sahara occidental (21 mai 1999).

En politique étrangère, sa visite en France, début octobre 1998, a permis à A. Youssoufi de tirer un avantage concret de sa bonne image de marque. Fort du « soutien sans faille » que lui exprimait son homologue français Lionel Jospin, il a obtenu des remises de dette, la conversion de créances en investissements et des crédits à des taux préférentiels pour un montant global de 4,2 milliards FF. De son côté, Rabat acceptait l'expulsion des « sans-papiers » marocains résidant illégalement en France (environ 8 000 personnes), en sachant que leur retour aggravera plus la pression sur le marché du travail, envahi chaque année par quelque 300 000 nouveaux demandeurs d'emploi.

Nécessité d'un plan de relance économique

Le budget national – dont 52 % est consacré au fonctionnement de l'État et 33 % au service de la dette extérieure – ne laissait guère de marge à un plan de relance. Si, au début de 1999, les pluies abondantes per-

Royaume du Maroc

Capitale : Rabat.
Superficie : 450 000 km², sans le Sahara occidental.
Population : 27 377 000.
Langues : arabe (off.) et berbère (trois dialectes différents), le français restant de pratique courante.
Monnaie : dirham (au taux officiel, 1 dirham = 0,62 FF au 30.4.99).
Nature de l'État : royaume.
Nature du régime : monarchie constitutionnelle de droit divin.
Chef de l'État : Mohammed VI Commandeur des croyants, qui a succédé à son père Hassan II (décédé le 23.7.99).
Premier ministre : Abderrahmane Youssoufi, qui a succédé le 4.2.98 à Abdellatif Filali.
Principaux partis politiques : *Gouvernement :* Union socialiste des forces populaires (USFP) ; Parti de l'Istiqlal (PI) ; Rassemblement national des indépendants (RNI) ; Mouvement national populaire (MNP). *Opposition :* Union constitutionnelle (UC) ; Mouvement populaire (MP) ; Parti national démocrate (PND) ; Mouvement démocrate social (MDS).
Échéances électorales : référendum d'autodétermination au Sahara occidental (repoussé plusieurs fois).
Territoire revendiqué : Sahara occidental (266 000 km²), ex-colonie espagnole (jusqu'en 1975), disputé par le Front Polisario (mouvement indépendantiste sahraoui).

Maroc/Bibliographie

B. Cubertafond, *Le Système politique marocain,* L'Harmattan, Paris, 1997.

J. Derogy, *Ils ont tué Ben Barka,* Fayard, Paris, 1999.

R. Leveau, « Réussir la transition économique au Maroc », *Le Monde diplomatique,* n° 536, Paris, nov. 1998.

F. Layadi, N. Rerhaye, *Maroc. Chronique d'une démocratie en devenir. Les 400 jours d'une transition annoncée,* EDDIF, Rabat, 1998.

M. Oufkir, *La Prisonnière,* Grasset, Paris, 1999.

S. Smith, *Oufkir, un destin marocain,* Calmann-Lévy, Paris, 1999.

M. Tozy, *Monarchie et Islam politique au Maroc,* Presses de Sciences-Po, Paris, 1998.

Voir aussi la bibliographie « Maghreb », p. 124.

mettaient de maintenir le cap économique, fondant l'espoir d'un taux de croissance proche des 6,3 % réalisés en 1998, les investissements étrangers ont en revanche chuté de moitié depuis 1997, où ils atteignaient près de 980 millions de dollars.

Dans l'attente de la forme que prendra la succession dynastique au roi Hassan II, l'« alternance » devait composer avec des contraintes fortes. Ainsi la publication en octobre 1998 d'une liste nominative de 70 « disparus », officiellement déclarés morts en détention, a-t-elle relancé plutôt qu'apaisé le débat sur la répression politique dans le passé. En 1998-1999, l'*Année du Maroc* a bien été célébrée, assombrie, toutefois, par le livre témoignage de Malika Oufkir, la fille aînée du « général félon », auteur d'une tentative de régicide en 1972, dont la veuve et les six enfants ont passé dix-neuf ans dans les oubliettes du royaume. Enfin, la garde royale a défilé, sur les Champs Élysées à Paris, le 14 juillet 1999. - **Stephen Smith** ■

Mauritanie

Crise dans l'opposition

Fin janvier 1999, la Mauritanie a été admise, par la Banque mondiale et le FMI, à l'Initiative des pays pauvres très endettés (PPTE). La dette multilatérale du pays, estimée à près de 760 millions de dollars, devrait ainsi baisser de 300 millions environ. Le pays a commencé le remboursement du plus gros de sa dette et devra, pour cela, trouver 150 millions de dollars par an, pour

République islamique de Mauritanie

Capitale : Nouakchott.
Superficie : 1 030 700 km^2.
Population : 2 529 000.
Langues : arabe, français (off.), hassaniya, pulaar, soninké, ouolof.
Monnaie : ouguiya (100 ouguiyas = 2,97 FF au 30.4.99).
Nature de l'État : république unitaire.
Nature du régime : officiellement civil depuis la dissolution du Comité militaire de salut national (CMSN) et l'organisation d'élections présidentielles (janv. 92 et déc. 97).
Chef de l'État : Colonel Maaouya ould Sid'Ahmed Taya (depuis le 12.12.84).
Chef du gouvernement : Cheikh el-Avia ould Mohamed Khouna, qui a remplacé Mohamed Lemine ould Guig (en nov. 98).
Ministre de la Défense : Kaba ould Elewa (depuis juill. 98).
Ministre des Affaires étrangères : Ahmed ould Sid'Ahmed (depuis nov. 98).
Échéances institutionnelles : élection présidentielle (2003).

un budget annuel de l'État de 250 millions. En contrepartie, le pays devrait privatiser avant juin 2001 l'Office des postes et télécommunications (OPT), Air Mauritanie et la Société nationale d'électricité (Sonélec).

En 1998, le taux de croissance a été de 4,1 %, pour une croissance démographique de 2,5 %. Mais près de 60 % de la population vivait toujours au-dessous du seuil de pauvreté. Un Commissariat à la lutte contre la pauvreté, aux droits de l'homme et à l'insertion a été créé en juillet 1998.

Sur le plan politique, l'Union des forces démocratiques (UFD, opposition) s'est scindée en deux : l'UFD-A et l'UFD-B, au terme d' un houleux congrès du parti tenu à Nouakchott (août 1998). En effet, le discours trop radical et le boycottage comme méthode de contestation ne faisaient plus l'unanimité.

Une partie de l'opposition a ainsi participé, sous les couleurs de l'UFD-B, aux élections municipales du 29 janvier 1999, largement remportées par le Parti républicain, démocratique et social (PRDS au pouvoir). Tirant le bilan de sa participation, l'UFD-B a tendu la main au président de la République Maaouya ould Sid'Ahmed Taya, qui a rencontré ses dirigeants le 16 février 1999.

De son côté, le leader de l'UFD-A, Ahmed ould Daddah, candidat malheureux à la présidentielle de 1992, a été inculpé, le 6 mars 1999, d'« incitation à l'intolérance et troubles à l'ordre public », mais a finalement été acquitté. Les faits remontent à décembre 1998, lorsqu'il avait réclamé, au cours d'un meeting, une double commission d'enquête : l'une sur l'enfouissement présumé de déchets toxiques israéliens en Mauritanie et l'autre sur la fortune du chef de l'État ; des propos lui avaient déjà valu un mois de prison.

S'il avait été condamné, le principal challenger du chef de l'État aurait pu être déclaré inéligible ; une précaution prise par le pouvoir en vue des présidentielles de 2003 ? Dans l'intervalle, celui-ci allait à l'évidence tenter de fragiliser l'opposition en maniant la carotte et le bâton. - **Diallo Bios** ■

Tunisie

Climat économique favorable sur fond d'autoritarisme politique

Trois faits majeurs auront marqué l'année 1999. Sur le plan économique, l'abondance des pluies a permis d'engranger une bonne récolte, de l'ordre de 20 millions de quintaux de céréales. Or, « quand l'agriculture va, tout va » dans ce pays où les ruraux représentent encore un tiers de la population. L'exaspération du problème kurde en Turquie et la crise ouverte dans les Balkans ont, par ailleurs, détourné les touristes de la Méditerranée orientale, et les quelque 200 000 lits hôteliers de Tunisie ont largement profité de ces changements de destination (en 1998 quelque 5 millions de touristes ont rapporté environ 2 milliards de dollars).

Le climat économique favorable a par ailleurs permis à l'État de poursuivre son ambitieuse politique sociale et sa couverture du pays en infrastructures. Près de 80 % des Tunisiens sont aujourd'hui propriétaires de leur logement et le PIB annuel par habitant a légèrement dépassé

République tunisienne

Capitale : Tunis.
Superficie : 163 610 km^2.
Population : 9 335 000.
Langue : arabe (off.).
Monnaie : dinar (1 dinar = 5,23 FF au 30.4.99).
Nature de l'État : république unitaire.
Nature du régime : à pouvoir présidentiel fort.
Chef de l'État : Zine el-Abidine Ben Ali (depuis le 7.11.87).
Premier ministre : Hamed Karoui (depuis le 27.9.89).
Ministre-directeur du cabinet présidentiel : Mohamed Jegham.
Ministre de l'Intérieur : Ali Chaouch.
Ministre des Affaires étrangères : Saïd Ben Mustapha.

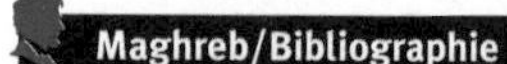

Maghreb/Bibliographie

Amnesty International, *Tunisie. Du discours à la réalité,* « Rapport pays », Paris, 1993.

Annuaire de l'Afrique du Nord, IREMAM/CNRS-Éditions, Aix-en-Provence, Paris.

O. M. Ba, *Noirs et Beydanes mauritaniens : l'école, creuset de la Nation ?,* L'Harmattan, Paris, 1993.

J. Bessis, *Maghreb, la traversée du siècle,* L'Harmattan, Paris, 1997.

N. Beau, J.-P. Tuquoi, *Notre ami Ben Ali,* La Découverte, Paris, 1999.

F. Burgat, A. Laronde, *La Libye,* PUF, coll. « Que sais-je ? », Paris, 1996.

M. Diaw, *La Politique étrangère de la Mauritanie,* L'Harmattan, Paris, 1998.

M. Djaziri, *État et société en Libye,* L'Harmattan, Paris, 1996.

C. et Y. Lacoste (sous la dir. de), *L'état du Maghreb,* La Découverte, coll. « L'état du monde », Paris, 1991. Éd. tunisienne : Cérès-Productions, Tunis, 1991 ; éd. marocaine : Éditions du Fennec, Casablanca, 1991.

C. et Y. Lacoste (sous la dir. de), *Maghreb. Peuples et civilisations,* La Découverte, coll. « Les Dossiers de L'état du monde », Paris, 1995.

R. Leveau, *Le Sabre et le Turban. L'avenir du Maghreb,* François Bourin, Paris, 1993.

A. Manaï, *Supplice tunisien. Le jardin secret du général Ben Ali,* La Découverte, Paris, 1995.

P. Marchesin, *Tribus, ethnies et pouvoir en Mauritanie,* Karthala, Paris, 1992.

K. Mohsen-Finan, *Sahara occidental. Les enjeux d'un conflit régional,* CNRS-Éditions, Paris, 1997.

Monde arabe/Maghreb-Machrek (trimestriel), La Documentation française.

G. Mutin, « Afrique du Nord, Moyen-Orient », *in* R. Brunet (sous la dir. de), *Géographie universelle,* vol. VIII, Belin/RECLUS, Paris/Montpellier, 1995.

REMMM (*Revue du monde musulman et de la Méditerranée,* semestrielle), Édisud, Aix-en-Provence.

F. Soudan, *Le Marabout et le Colonel : la Mauritanie de Ould Daddah à Ould Taya,* Jeune Afrique Livres, Paris, 1992.

M. Villa Sante-De Beauvais, *Parenté et politique en Mauritanie. Essai d'anthropologie historique,* L'Harmattan, Paris, 1998.

S. Yatera, (*La Mauritanie, immigration et développement dans la vallée du fleuve Sénégal,* L'Harmattan, Paris, 1997.

Voir aussi les bibliographies « Algérie » et « Maroc », p. 116 et 122.

2 000 dollars en 1998. Le revenu annuel par habitant a ainsi doublé en une décennie. Ce résultat a été facilité par une baisse continue du taux de croissance démographique qui se situe désormais au-dessous de 1,5 % par an, la Tunisie ayant pratiquement achevé sa transition démographique. Le taux de croissance du PIB a été évalué à 5,1 % et les exportations totales ont été de 5,7 milliards de dollars, ces résultats contribuant à asseoir la légitimité du régime auprès d'une majorité de la population.

C'est donc dans d'excellentes conditions que le président Zine el-Abidine Ben Ali, au pouvoir depuis 1987, s'apprêtait à se présenter pour la troisième fois aux élections présidentielles, fixées à octobre 1999. Dans la foulée de la politique de démocratisation formelle poursuivie avec persévérance et habileté depuis de nombreuses années, ces élections s'annonçaient comme inédites. En effet, pour la première fois dans l'histoire de la Tunisie indépendante, elles ont été « pluralistes », le chef de l'État affrontant théoriquement deux challengers. Cependant, la faiblesse de l'opposition légale, dans un pays où le pouvoir défend par tous les moyens le monopole qu'il détient sur la vie politique, ôtait par avance tout sens à un scrutin destiné, comme les précédents, à tourner au plébiscite du chef de l'État.

La perspective des élections n'a en tout cas pas empêché le pouvoir de poursuivre sa politique de harcèlement de ses opposants déclarés et de leurs familles. La presse est restée soumise à un contrôle étroit faisant d'elle la plus indigente des États du Maghreb, et toute dissidence a continué d'être traquée. Ainsi, le Conseil national des libertés, créé en décembre 1998 par une trentaine d'intellectuels et de militants des droits de l'homme, s'est vu refuser en mars 1999 l'agrément lui permettant une existence légale. A la fin de l'année 1998 et au mois de janvier 1999, la Tunisie a toutefois connu une importante agitation, dans les universités d'abord, dans les établissements d'enseignement secondaire ensuite. Soucieux de préserver une stabilité sociale qui représente son principal atout, le chef de l'État a procédé à un remaniement ministériel en nommant un nouveau ministre de l'Éducation en la personne d'Abderrahim Zouari (ancien directeur du Rassemblement constitutionnel démocratique, au pouvoir).

Le régime ne semble cependant pas s'inquiéter de ces soubresauts, continuant à tenir pour prioritaire le défi qui consiste à préparer l'appareil productif au désarmement des tarifs douaniers prévu en 2008 par l'accord de libre-échange signé avec l'Union européenne. Vaste tâche, qui est encore loin d'être terminée. - **Sophie Bessis** ■

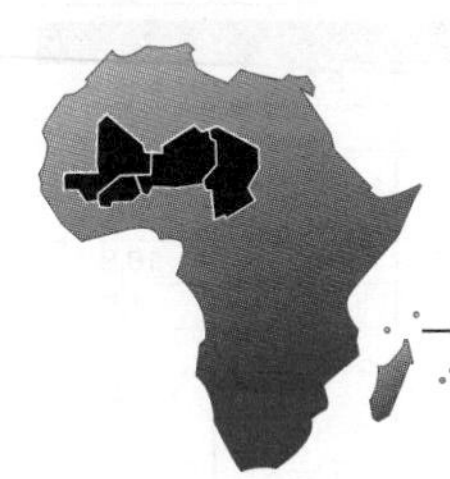

Afrique sahélienne

Burkina Faso, Mali, Niger, Tchad

Burkina Faso

Le pouvoir soupçonné de meurtre politique

Malgré la création d'une Commission électorale nationale indépendante (CENI) le 7 mai 1998 (en remplacement du précédent appareil d'organisation électorale, déconsidéré), les élections présidentielles du 15 novembre, remportées avec 87,5 % des voix par Blaise Compaoré, candidat du Congrès pour la démocratie et le progrès (CDP, au pouvoir), ont été contestées par une opposition qui les a boycottées. Le président élu, qui s'est succédé à lui-même, a prêté serment le 21 décembre, sur fond de manifestations de milliers de personnes et du deuil populaire du journaliste Norbert Zongo, directeur du journal *L'Indépendant*, mort le 14 décembre dans des conditions mystérieuses, après une investigation mettant en cause le frère du président. Un large front s'est constitué pour réclamer une enquête ; il réunissait notamment le Parti pour la démocratie et le progrès (PDP) de Joseph

INDICATEUR	BURKINA FASO	MALI	NIGER	TCHAD
Démographie[a]				
Population *(millier)*	11 305	10 694	10 078	7 270
Densité *(hab./km²)*	41,3	8,8	8,0	5,8
Croissance annuelle (1995-2000) *(%)*	2,7	2,4	3,2	2,6
Indice de fécondité (ISF) (1995-2000)	6,6	6,6	6,8	6,1
Mortalité infantile (1995-2000) *(‰)*	99	118	115	112
Espérance de vie (1995-2000) *(année)*	44,4	53,3	48,5	47,2
Population urbaine *(%)*	17,5	28,7	19,7	23,2
Indicateurs socioculturels				
Développement humain (IDH)[c]	0,304	0,375	0,298	0,393
Nombre de médecins *(‰ hab.)*	0,04[b]	0,06[h]	0,03[c]	0,03[h]
Analphabétisme (hommes)[c] *(%)*	69,5	56,9	78,3	37,9[b]
Analphabétisme (femmes)[c] *(%)*	88,9	71,8	92,7	65,3[b]
Scolarisation 12-17 ans *(%)*	12,7[i]	12,8[i]	13,2[j]	26,4[i]
Scolarisation 3e degré *(%)*	0,9[f]	0,8[f]	0,6[f]	0,6[f]
Adresses Internet[d] *(‰ hab.)*	0,15	0,001	0,02	0,00
Livres publiés *(titre)*	12[f]	14[b]	5[i]	• •
Armées (effectifs)				
Armée de terre *(millier d'h.)*	5,6	7,35	5,2	25
Marine *(millier d'h.)*	• •	0,05	0	• •
Aviation *(millier d'h.)*	0,2	0,4	0,1	0,35
Économie				
PIB total (PPA)[c] *(million $)*	10 543	7 637	8 292	6 918
Croissance annuelle 1987-97 *(%)*	3,4	3,6	1,7	3,8
Croissance 1998 *(%)*	6,3	4,6	8,4	7,0
PIB par habitant (PPA)[c] *($)*	1 010	740	850	970
Investissement (FBCF)[e] *(% PIB)*	26,3[g]	25,1[e]	9,0[e]	18,8[e]
Taux d'inflation *(%)*	2,5	4,2	4,5	4,5
Énergie (taux de couverture)[f] *(%)*	1,9[bk]	11,4[bk]	34,3[bk]	• •
Dépense publique Éducation *(% PIB)*	1,5[f]	2,2[b]	3,1[i]	2,4[h]
Dépense publique Défense[c] *(% PIB)*	2,2	1,7	1,4	4,1
Dette extérieure totale[c] *(million $)*	1 297	2 945	1 579	1 027
Service de la dette/Export.[e] *(%)*	11,5	13,9	17,5	9,5
Échanges extérieurs				
Importations (douanes) *(million $)*	629	818	324	327
Principaux fournisseurs[c] *(%)*	UE 49,6	UE 32,3	UE 30,5	UE 61,6
(%)	Fra 33	Fra 17	PED 23,5	Fra 41,3
(%)	Afr 36,1	Afr 51,4	PNS[l] 39	Afr 21,7
Exportations (douanes) *(million $)*	311	558	269[c]	247
Principaux clients[c] *(%)*	UE 34,9	UE 34,5	UE 46,1	UE 62,7
(%)	Afr 27,5	Asie[m] 8,3	PED 17,2	Por 29,9
(%)	Asie[m] 25,4	Afr 44,9	E-U 29,7	PED 34,3
Solde transactions courantes (% PIB)	0,8[h]	– 6,6	– 8,1[b]	– 3,2[h]

Définition des indicateurs, sigles et abréviations p. 31 et suivantes. Chiffres 1998 sauf notes. a. Derniers recensements utilisables : Burkina Faso, 1996 ; Mali, 1998 ; Niger, 1999 ; Tchad, 1993. b. 1995 ; c. 1997 ; d. janv. 1999 ; e. 1995-97 ; f. 1996 ; g. 1996-98 ; h. 1994 ; i. 1991 ; j. 1990 ; k. Chiffres des Nations unies ; l. Pays non spécifiés ; m. Y compris Japon et Moyen-Orient.

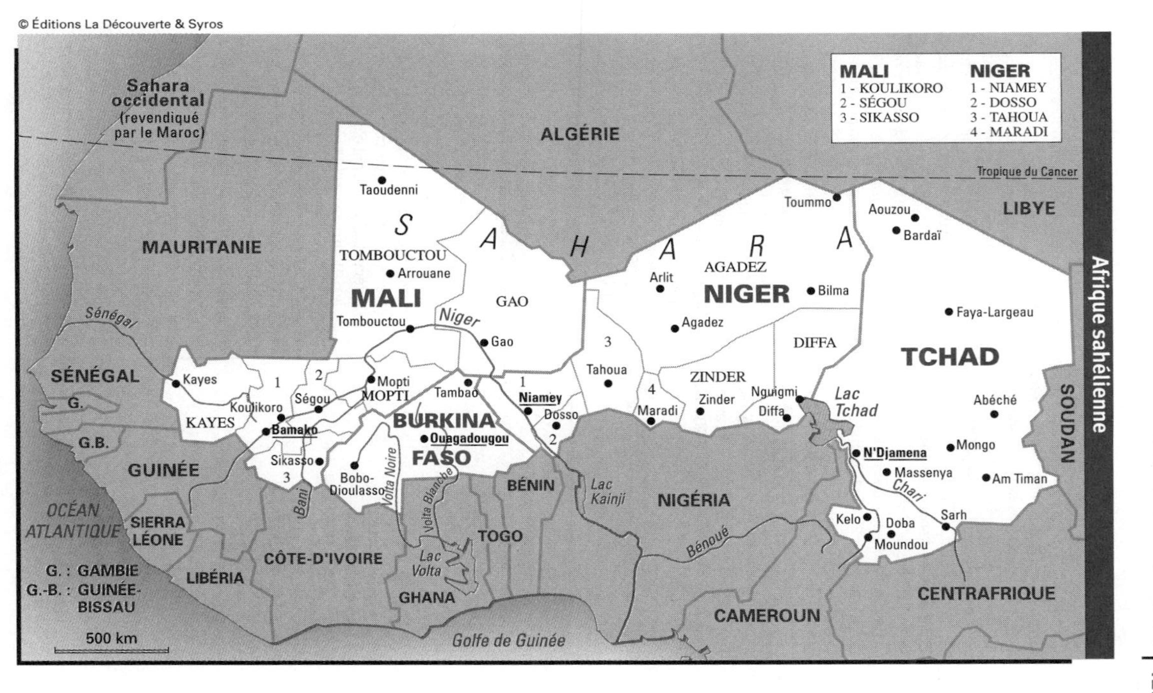
Afrique sahélienne
NIGER
1 - NIAMEY
2 - DOSSO
3 - TAHOUA
4 - MARADI
MALI
1 - KOULIKORO
2 - SÉGOU
3 - SIKASSO
Tropique du Cancer
LIBYE
SOUDAN
TCHAD
Faya-Largeau
Aouzou
Bardaï
Abéché
Mongo
Am Timan
Sarh
Massenya
N'Djamena
Chari
Doba
Moundou
Kelo
Lac Tchad
CENTRAFRIQUE
CAMEROUN
NIGÉRIA
Bénoué
Lac Kainji
S A H A R A
NIGER
AGADEZ
Agadez
Arlit
Bilma
Toummo
DIFFA
Diffa
Nguigmi
ZINDER
Zinder
Maradi
Tahoua
Dosso
Niamey
ALGÉRIE
MALI
GAO
Gao
Niger
TOMBOUCTOU
Tombouctou
Arrouane
Taoudenni
MOPTI
Mopti
Ségou
Bamako
Koulikoro
Sikasso
KAYES
Kayes
Bani
BURKINA FASO
Ouagadougou
Tambao
Bobo-Dioulasso
Volta Noire
Volta Blanche
Lac Volta
BÉNIN
TOGO
GHANA
CÔTE-D'IVOIRE
Golfe de Guinée
LIBÉRIA
SIERRA LÉONE
GUINÉE
G.B.
G.
SÉNÉGAL
Sénégal
MAURITANIE
Sahara occidental (revendiqué par le Maroc)
OCÉAN ATLANTIQUE
G. : GAMBIE
G.-B. : GUINÉE-BISSAU
500 km

Ki Zerbo, membre de l'Internationale socialiste, l'Alliance pour la démocratie et la fédération – Rassemblement démocratique africain (ADF-RDA) de Hermann Yaméogo, les milieux étudiants et universitaires en grève, le Mouvement burkinabé des droits de l'homme et du peuple (MBDHP). Le 11 janvier 1999, le Premier ministre Kadré Désiré Ouédraogo n'en a pas moins été reconduit dans ses fonctions.

Le Burkina Faso a été, du 8 au 10 juin 1998, l'hôte des 29 chefs d'État africains rassemblés pour le 34e sommet de l'Organisation de l'unité africaine (OUA), dont il a pris la présidence. B. Compaoré, qui a multiplié les visites internationales, a centré son action sur la prévention et la résolution des conflits régionaux, organisant, avec des résultats limités, en novembre 1998 un sommet sur le conflit Éthiopie-Érythrée et, en décembre, une rencontre internationale sur la crise en République démocratique du Congo.

Le pays a pu en 1998 se prévaloir d'une amélioration des recouvrements, d'une inflation limitée (2,5 %), quoique plus forte que prévu, et d'une croissance économique de 6,3 % (contre 5,5 % en 1997), due avant tout au « boom » de la production cotonnière qui a doublé en deux ans. Plaçant le Burkina au deuxième rang des pays producteurs africains, elle représentait 55 % des recettes en devises et 35 % du PIB. Mais les critiques portant sur le « tout coton » ont mis en évidence le déficit céréalier et alimentaire (160 000 tonnes) et l'importante proportion de Burkinabés vivant en dessous des seuils de pauvreté (45 % de la population) ou d'extrême pauvreté (28 %), malgré un secteur informel dynamique pesant à hauteur de 25 % environ dans le PIB réel. - **Pierre Boilley** ■

République du Burkina Faso

Capitale : Ouagadougou.
Superficie : 274 200 km².
Population : 11 305 000.
Langues : français (off.), moré, dioula, goumantché, foulfouldé.
Monnaie : franc CFA (1 FCFA = 0,01 FF).
Nature de l'État : république unitaire.
Nature du régime : présidentiel.
Chef de l'État : Blaise Compaoré (depuis le 15.10.87, réélu le 15.11.98).
Chef du gouvernement : Kadré Désiré Ouedraogo (depuis le 7.2.96, reconduit le 10.6.97 et le 11.1.99).
Président de l'Assemblée nationale : Maurice Melegué Traoré (depuis le 7.6.97).
Ministre d'État aux Affaires étrangères : Youssouf Ouédraogo.
Ministre d'État à l'Agriculture : Arsène Bognéssan Yé.
Ministre d'État à l'Environnement et à l'Eau : Salif Diallo.
Ministre de la Défense : Albert Milogo.
Ministre de l'Administration territoriale et de la Sécurité : Yéro Bolly.

Mali

Sortie de crise politique

Les élections communales partielles du 21 juin 1998, destinées à pourvoir dans un premier temps 19 des 701 communes nées de la décentralisation, ont été remportées par le parti au pouvoir, l'Alliance pour la démocratie au Mali (Adema, 16 communes). Elles se sont déroulées dans le calme mais sur fond de contestation politique d'une opposition radicale rassemblée dans le Collectif des partis politiques d'opposition (Coppo). Malgré une tentative de médiation, en avril 1998, de l'ancien président américain Jimmy Carter, l'opposition a boycotté en bloc l'ensemble du processus électoral, refusé d'en reconnaître les résultats et appelé à la désobéissance civile. Cependant, une série de faits a contribué à décrisper la situation.

République du Mali

Capitale : Bamako.
Superficie : 1 240 000 km².
Population : 10 694 000.
Langues : français (off.), bambara, sénoufo, sarakolé, dogon, peul, tamachaq (touareg), arabe.
Monnaie : franc CFA (1 FCFA = 0,01 FF).
Nature de l'État : république unitaire.
Nature du régime : présidentiel.
Chef de l'État : Alpha Oumar Konaré (depuis le 26.4.92, réélu le 11.5.97).
Chef du gouvernement : Ibrahima Boubacar Keita (depuis le 4.2.94, reconduit le 13.9.97).
Ministre des Affaires étrangères et des Maliens de l'extérieur : Modibo Sidibé (depuis le 16.9.97).
Ministre des Forces armées : Mohamed Salia Sokona (depuis le 16.9.97).
Ministre de l'Administration territoriale et de la Sécurité : colonel Sada Samaké (depuis le 16.9.97).
Ministre des Finances : Soumaila Cissé (depuis le 16.9.97).

Un Forum national sur les problèmes politiques et institutionnels du Mali, tenu en janvier 1999, a limité les attributions de la Commission électorale indépendante (CENI) – dont l'efficacité était contestée – à la supervision et aux contrôles des opérations électorales (l'organisation en étant confiée au ministère de l'Administration territoriale). Il s'est également prononcé sur le financement des partis politiques ainsi que sur le statut de l'opposition. L'effritement du Coppo, avec lequel certains partis membres ont pris des distances en reconnaissant la légitimité du président Alpha Oumar Konaré, et l'annonce par plusieurs formations de leur participation aux élections communales des 2 mai (pour les régions du Sud) et 6 juin 1999 (pour celles du Nord) ont créé les conditions d'une sortie de la crise politique. Ces élections se sont déroulées dans le calme et ont vu la victoire de l'Adema. L'ancien président du Mali renversé en mars 1991, le général Moussa Traoré, et son épouse Mariam ont par ailleurs été condamnés à mort par la cour d'assises de Bamako pour « crimes économiques » à l'issue d'un procès de plusieurs mois.

Le Mali n'a pas connu en 1998 une croissance aussi forte que l'année précédente (4,6 % au lieu de 6,7 %), et son inflation s'élevait à 4,2 %. Il a toutefois réussi à réduire son déficit extérieur d'un point (8,75 %), ainsi que son déficit budgétaire. La volonté de rééquilibrer les différentes régions du pays a été soutenue par les partenaires extérieurs : l'Union européenne a débloqué 56 milliards FCFA pour désenclaver les régions de Kayes, Mopti et Tombouctou, tandis que les relations étroites entretenues avec l'Algérie débouchaient sur la décision de construire ensemble une route transsaharienne. Bamako a envoyé, en février et mars 1999, des contingents rejoindre en Sierra Léone la force ouest-africaine d'interposition (Ecomog). Le président Konaré a visité de nombreux pays sur tous les continents, souhaitant contribuer à une véritable coopération Sud-Sud. - **Pierre Boilley** ■

Niger

L'assassinat du chef de l'État

Le pays a traversé une période d'importantes difficultés, tant politiques (contestation du pouvoir du général Ibrahim Baré Maïnassara, issu du coup d'État de janvier 1996, par une opposition qui s'est regroupée dès septembre suivant au sein du Front pour la restauration et la défense de la démocratie – FRDD –, rébellions touarègue et toubou), qu'économiques (déficits céréaliers, baisse du prix de l'uranium) et sociales (grèves récurrentes des fonctionnaires contestant le programme de privatisation et réclamant jusqu'à sept mois d'arriérés de salaire, colère des étudiants en attente de

Afrique sahélienne/Bibliographie

Amnesty International, *Niger : le harcèlement des opposants est devenu systématique,* EFAI, Paris, mai 1997.

Amnesty International, *Tchad, des espoirs déçus,* EFAI, Paris, mars 1997.

P. Boilley, « Aux origines des conflits dans les zones touarègues et maures », *Relations internationales et stratégiques,* n° 23, Paris, aut. 1996.

A. Bourgeot, *Les Sociétés touarègues. Nomadisme, identité, résistances,* Karthala, Paris, 1995.

« Burkina Faso », *Marchés tropicaux et méditerranéens,* n° 2685, Paris, avr. 1997.

CERDES, *Le Processus démocratique malien de 1960 à nos jours,* Édtions Donniya, Bamako, 1997.

H. Claudot-Hawad et Hawad, « Touaregs, voix solitaires sous l'horizon confisqué », *Ethnies,* Paris, 1996.

M. Dayak, *Touareg. La tragédie d'un peuple,* Lattès, Paris, 1992.

P.-M. Decoudras, S. Abba, *La Rébellion touarègue au Niger : actes des négociations avec le gouvernement,* Travaux et documents CEAN, Bordeaux, 1995.

F. Henry-Labordère, « Le Tchad, un État à réinventer ? », *Relations internationales et stratégiques,* n° 23, Paris, aut. 1996.

B. Issa Abdourhamane, *Crise institutionnelle et démocratisation au Niger,* CEAN, Bordeaux, 1996.

V. Kovana, *Précis des guerres et conflits au Tchad,* L'Harmattan, Paris, 1994.

B. Lanne, « Conflits et violences au Tchad », *Afrique contemporaine,* n° 180, La Documentation française, Paris, oct.-déc. 1996.

« Le Mali, la transition », *Politique africaine,* n° 47, Karthala, Paris, oct. 1992.

« Le Niger sous astreinte », *Marchés tropicaux et méditerranéens,* n° 2677, Paris, févr. 1997.

R. Otayek, F.M. Sawadogo, J. P. Guingane, *Le Burkina entre révolution et démocratie,* Karthala, Paris, 1996.

A. Salifou, *La Question tourarègue,* Karthala, Paris, 1993.

« Tchad », *Marchés tropicaux et méditerranéens,* n° 2714, Paris, nov. 1997.

J. Vernet (sous la dir. de), *Pays du Sahel, du Tchad au Sénégal, du Mali au Niger,* Autrement, Paris, 1994.

paiement de plus d'un an des bourses d'études, mutineries de soldats). Mais, à partir de l'été 1998, leur avait succédé une série d'embellies. Les rebelles touaregs et toubous de l'Union des forces de la résistance armée (UFRA) ont achevé leur désarmement en juin et le Front démocratique révolutionnaire (FDR, à composante essentiellement toubou) a signé, le 23 août, un cessez-le-feu qui avait permis le retour à la sécurité. En conséquence, plusieurs milliers de Touaregs nigériens réfugiés en Algérie sont rentrés au pays. Un accord, signé le 31 juillet 1998 entre le gouvernement et l'opposition, sous l'égide du médiateur français Guy Labertit, avait fourni une issue à la crise politique. En septembre, les partis de l'opposition ont accepté de siéger au sein de la Commission électorale nationale indépendante (CENI). Ils ont ensuite participé aux élections municipales, départementales et régionales rendues nécessaires par la décentralisation administrative du pays (7 février 1999), où ils ont obtenu la victoire.

République du Niger

Capitale : Niamey.
Superficie : 1 267 000 km^2.
Population : 10 078 000.
Langues : français (off.), haoussa, peul, zarma, kanuri, tamachaq (touareg).
Monnaie : franc CFA (1 FCFA = 0,01 FF).
Nature de l'État : en attente de clarification après le coup d'État du 9.4.99.
Nature du régime : présidentiel militaire.
Chef de l'État : Daouda Mallam Wanké, qui a renversé le général Ibrahim Baré Maïnassara (assassiné), le 9.4.99, par un coup d'État militaire.
Chef du gouvernement : Ibrahim Hassane Mayaki (depuis le 27.11.97).
Ministre de la Défense nationale : col. Moussa Moumouni Djermakoye (depuis le 16.4.99).
Ministre de l'Intérieur et de l'Aménagement du territoire : lieut.-col. Boureïma Moumouni (depuis le 16.4.99).
Ministre des Affaires étrangères et de la Coopération : Mme Aïchatou Mindaoudou (depuis le 16.4.99).
Ministre des Finances et des Réformes économiques : Idé Gnandou (depuis le 16.4.99).
Ministre du Tourisme : Rhissa Boula (depuis le 29.12.98).

Cette évolution avait été bien accueillie par les bailleurs de fonds, le Niger ayant obtenu un *satisfecit* pour le bilan positif des deux ans de la Facilité d'ajustement structurel renforcé (FASR) qui lui avait été accordée par le FMI et renouvelée pour une troisième année à partir de juin 1998. Les pluies catastrophiques de l'été 1998 ont fait plusieurs morts et des milliers de réfugiés, mais ont amené une récolte exceptionnelle. Enfin, les résultats des premières prospections ont autorisé des espoirs d'exploitation industrielle de l'or et du pétrole nigériens.

Ces débuts de retour à l'optimisme ont été cependant remis en cause par l'assassinat, le 9 avril 1999, du président Baré et la prise de pouvoir du chef de la garde présidentielle, Daouda Mallam Wanké, nommé chef de l'État par un Conseil de réconciliation nationale (CRN). Le nouvel homme fort du régime a reconduit dans ses fonctions le Premier ministre Ibrahim Hassane Mayaki et a annoncé qu'il rendrait le pouvoir aux civils dans les neuf mois. Le coup d'État a néanmoins suscité la désapprobation générale à l'étranger et la suspension de la coopération de nombreux pays. - **Pierre Boilley** ■

Tchad

Insécurité politique et militaire

En 1998-1999, le pouvoir du général Idriss Déby n'avait toujours pas su créer la réalité d'un État de droit ni empêcher la prolifération des mouvements politico-militaires rebelles. Ceux-ci ont renoué avec la pratique des enlèvements : quatre Français ont été pris en otage en février 1998 par le Dr Nahor de l'Union des forces démocratiques (UFD), et huit Européens ont été enlevés en mars 1999 dans le Tibesti par un groupe armé du Front national du Tchad rénové (FNTR). Un nouvel accord de paix a été signé en mai 1998 avec les Forces armées pour la république fédérale (FARF) de Laokein Bardé, puis ce mouvement a fusionné, en novembre, avec le Mouvement patriotique du salut (MPS, au pouvoir), mais un nouveau front s'est ouvert en décembre 1998 dans le Tibesti avec les affrontements de l'armée et du Mouvement pour la démocratie et la justice au Tchad (MDJT), de l'ancien ministre de la Défense Youssouf Togoïmi.

Cette nouvelle rébellion, à composante essentiellement toubou, a enregistré, en février et en mars 1999, des succès militaires salués par le FNTR et le Mouvement pour la démocratie et le développement (MDD,

République du Tchad

Capitale : N'Djamena.
Superficie : 1 284 200 km^2.
Population : 7 270 000.
Langues : français (off.), arabe (off.), sara, baguimi, boulala, etc.
Monnaie : franc CFA (1 FCFA = 0,01 FF).
Nature de l'État : république unitaire.
Nature du régime : présidentiel.
Chef de l'État : général Idriss Déby (depuis le 4.12.90, élu le 3.7.96), président du Mouvement patriotique du salut (MPS).
Chef du gouvernement : Nassour Ouaïdou (depuis le 16.5.97).
Président de l'Assemblée nationale : général Wadal Abdelkader Kamougué (depuis le 10.5.97).
Ministre d'État, ministre des Mines, de l'Énergie et du Pétrole : Abdoulaye Lamanaet (depuis le 11.5.98).
Ministre des Affaires étrangères : Mahamat Saleh Annadif (depuis le 20.5.97).
Ministre de l'Intérieur, de la Sécurité et de la Décentralisation : Oumarou Djibrillah (depuis le 14.7.98).
Contestation territoriale : un arrêt de la Cour internationale de justice de La Haye, rendu le 3.2.94, a attribué définitivement au Tchad la bande d'Aozou.

basé dans la région du lac Tchad). Certains des opposants en exil ont cependant été arrêtés, notamment en Libye et au Nigéria, par le fait d'une intense politique de rapprochement avec certains États voisins. Ainsi le réchauffement des relations avec la Libye a-t-il abouti, en avril 1998, à une « réconciliation définitive » et, en novembre, à l'ouverture officielle des frontières terrestres entre les deux pays. Le Tchad s'est largement engagé aux côtés de Laurent-Désiré Kabila dans le conflit au Congo-Kinshasa en envoyant un contingent de plusieurs centaines d'hommes combattre, avec des pertes importantes, la rébellion soutenue par l'Ouganda et le Rwanda.

Le FMI a versé en mai 1998 la troisième tranche annuelle de la Facilité d'ajustement structurel renforcé (FASR), qui s'est montée à 22 millions de dollars, en attendant que le Tchad atteigne les objectifs d'un déficit budgétaire inférieur à 9 % et de la privatisation de secteurs importants, notamment celui du coton (celui d'une croissance d'au moins 6 % était déjà atteint en 1998 avec un taux de 7 %). Les revenus issus de l'extraction pétrolière tardaient toutefois à arriver, les travaux de l'oléoduc Tchad-Cameroun, prévus depuis 1993, ne parvenant pas à démarrer devant les oppositions écologistes et les exigences sécuritaires des bailleurs de fonds. Le principal partenaire du Tchad reste la France, avec un décaissement de plus de 100 millions FF pour 1998 par l'Agence française de développement (AFD) et le maintien d'un important dispositif militaire. - **Pierre Boilley** ■

Afrique extrême-occidentale

Cap-Vert, Gambie, Guinée, Guinée-Bissau, Libéria, Sénégal, Sierra Léone

Cap-Vert

« Statu quo » politique

Dans cet archipel d'îles volcaniques, tout est importé, ou presque. Plutôt que vers l'Afrique, le Cap-Vert a commencé à se tourner vers d'autres continents : l'Europe, où se trouvent ses principaux partenaires commerciaux, et les États-Unis, où réside la majeure partie de sa diaspora. Converti au libéralisme depuis l'alternance politique de 1991, ce petit pays veut désormais être rattaché à l'espace monétaire européen. Démuni, il aura fort à faire pour remplir les conditions requises. En attendant, l'ancienne colonie lusophone a rattaché sa monnaie à l'escudo portugais. A l'approche des prochaines élections (municipales de 2000 et présidentielle en 2001), rien n'est venu troubler le *statu quo* politique. Un sixième parti est né, le 9 novembre 1998 : baptisé Parti du travail et de la solidarité (PTS), il a fait de la régionalisation son programme. Le Parti africain de l'indépendance du Cap-Vert (PAICV, ex-parti unique) restait le principal rival du Mouvement pour la démocratie (MPD, au pouvoir). - **Sabine Cessou** ■

République du Cap-Vert

Capitale : Praïa.
Superficie : 4 030 km².
Population : 408 000.
Langues : portugais (off.), créole.
Monnaie : escudo cap-verdien (100 escudos = 6,01 FF au 31.3.99).
Nature de l'État : république unitaire.
Nature du régime : parlementaire.
Chef de l'État : Antonio Mascarenhas Montero (depuis le 17.2.91, réélu le 18.2.96).
Chef du gouvernement : Carlos Veiga (depuis le 15.1.91, reconduite le 17.12.95).
Ministre des Affaires étrangères et des Communautés : Amilcar Spencer Lopes (depuis le 1.3.96).
Secrétaire d'État aux Affaires étrangères et à la Coopération : José Luis Jésus (depuis le 1.3.96).
Ministre de la Justice et de l'Administration interne : Simão Rodrigues (depuis le 1.3.96).
Échéances institutionnelles : élection présidentielle en 2001.

Gambie

Limogeages

La valse des ministres a continué. Jaloux de son pouvoir, l'ex-lieutenant Yaya Jammeh, parvenu au pouvoir après avoir renversé Dawda Jawara le 22 juillet 1994, a continué de gouverner de manière autoritaire. Hawa Sissay Sabally, ministre de la Justice, a été remplacée le 31 juillet 1998 par Fatou Bensouda, sans explication. Le chef de l'État a également limogé, le 22 janvier 1999, quatre secrétaires d'État. Au ministère de l'Intérieur, Ousman Badji a remplacé Ousman Bodjang (nommé en mars

République islamique de Gambie

Capitale : Banjul.
Superficie : 11 300 km².
Population : 1 229 000.
Langues : anglais (off.), ouolof, malinké, peul, etc.
Monnaie : dalasi (1 dalasi = 0,55 FF au 31.3.99).
Nature de l'État : république unitaire.
Nature du régime : parlementaire, une nouvelle Constitution a été adoptée par référendum le 8.8.96.
Chef de l'État : Yaya Jammeh (depuis le 22.7.94, élu le 26.9.96).
Secrétaire d'État chargé des Affaires présidentielles : Edward Singhateh (depuis le 7.3.97).
Secrétaire d'État à l'Intérieur : Ousman Badji (depuis le 27.1.99).

1997). Gendarme de formation, O. Badji avait été arrêté en janvier 1995 en même temps que Sana Sabally, compagnon de putsch de Y. Jammeh suspecté d'avoir voulu le renverser. Également dans le collimateur du président, le Parti démocratique uni (UDP, opposition), qui lui a reproché sa « mauvaise gestion de l'économie ». Privé d'assistance financière, le pays vit grâce à des prêts accordés par Taïwan et la Libye. Des journalistes du *Daily Observer* ont été arrêtés, en septembre 1998, pour avoir évoqué l'effondrement d'un mur de la Présidence, qui aurait révélé la présence de matériel militaire dans le bâtiment. - **Sabine Cessou** ■

Guinée

L'opposant Alpha Condé emprisonné

L'élection présidentielle du 14 décembre 1998 ne s'est guère déroulée dans la transparence. Réclamée par l'opposition, l'instauration d'un Haut Conseil électoral indépendant n'a été d'aucun secours, car il a été privé de tout moyen matériel de contrôle. Le Parti de l'unité et du progrès (PUP, au pouvoir) était tellement assuré de l'emporter que rien n'avait été organisé en vue d'un éventuel second tour. Marquée par de nombreuses échauffourées, la campagne électorale avait laissé présager le pire, mais le vote s'est déroulé dans le calme. Dès le 15 décembre, cependant, Alpha Condé, leader du Rassemblement du peuple de Guinée (RPG), a été arrêté et détenu dans un camp militaire. Il avait annoncé son intention de manifester en cas de nouvelles fraudes. Toujours emprisonné à la mi-1999, il a entamé une grève de la faim.

Le président sortant l'a emporté avec 56 % des voix, un score meilleur qu'en 1993 (51,7 %), lors du premier scrutin multipartite du pays. Au pouvoir depuis la mort de Sékou Touré, en 1984, le général Lansana Conté (64 ans) a été réélu avec l'aval d'observateurs étrangers, qui ont estimé que les irrégularités

République de Guinée

Capitale : Conakry.
Superficie : 245 860 km².
Population : 7 337 000.
Langues : français (off.), malinké, peul, soussou, etc.
Monnaie : franc guinéen (100 francs = 0,50 FF au 31.7.98).
Nature de l'État : république unitaire.
Nature du régime : présidentiel.
Chef de l'État et ministre de la Défense : Lansana Conté (depuis le 5.4.84, élu le 19.12.93, réélu le 14.12.98).
Chef du gouvernement : Lamine Siolimé, qui a succédé le 13.3.99 à Sidya Touré.
Ministre des Affaires étrangères : Zaïmoul Abbidine Sanoussi (depuis le 13.3.99).
Ministre de l'Administration territoriale et de la Décentralisation (Intérieur) : Moussa Solano (depuis le 13.3.99).
Échéances institutionnelles : élections législatives (2001), présidentielle (2003).

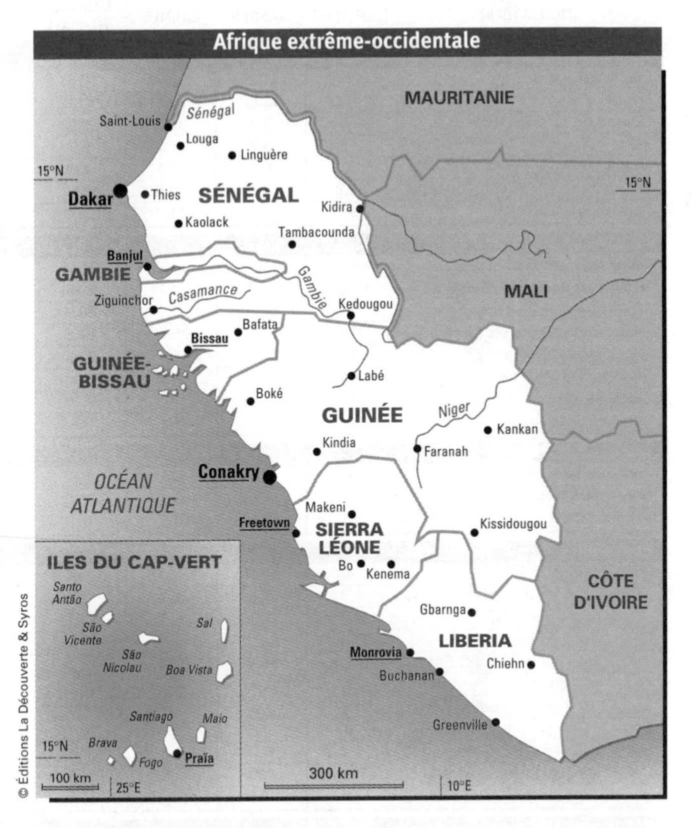

constatées n'empêchaient pas la validité des résultats. Mamadou Bâ, leader du Parti pour le renouveau et le progrès (PRP), est arrivé en deuxième position (24,6 %) devant A. Condé (16,5 %). Une fois de plus, ce scrutin a mis en évidence les clivages ethniques du pays, les Soussous (au sud, 15 % de la population) étant acquis à L. Conté ; les Peuls (au nord, 35 %) à M. Bâ ; et les Malinkés (au centre, 30 %) à A. Condé.

La détérioration du climat politique, dans ce pays voisin de la Sierra Léone et du Libéria, a entravé l'activité économique. Pourtant, l'assainissement financier prévu dans le cadre d'une Facilité d'ajustement structurel renforcée (FASR), signée le 13 janvier 1997 avec le FMI, a été rigoureusement respecté. Nouveau code de l'assurance, remplacement de la plupart des magistrats : l'environnement juridique guinéen, dont la réputation était plus que mauvaise, a lui aussi bénéficié d'un grand « coup de balai ». Le limogeage de Sydia Touré n'a pas contribué à restaurer la confiance. Premier mi-

INDICATEUR	CAP-VERT	GAMBIE	GUINÉE	GUINÉE-BISSAU
Démographie[a]				
Population *(millier)*	408	1 229	7 337	1 161
Densité *(hab./km²)*	101,2	122,9	29,9	41,3
Croissance annuelle (1995-2000) *(%)*	2,3	3,2	0,8	2,2
Indice de fécondité (ISF) (1995-2000)	3,6	5,2	5,5	5,7
Mortalité infantile (1995-2000) *(‰)*	56	122	124	130
Espérance de vie (1995-2000) *(année)*	68,9	47	46,5	45
Population urbaine *(%)*	59,1	31,1	31,4	22,9
Indicateurs socioculturels				
Développement humain (IDH)[c]	0,677	0,391	0,398	0,343
Nombre de médecins *(‰ hab.)*	0,18[f]	0,03[c]	0,14[b]	0,16[f]
Analphabétisme (hommes)[c] *(%)*	17,9	59,9	50,1[b]	50,3
Analphabétisme (femmes)[c] *(%)*	37,6	73,6	78,1[b]	81,8
Scolarisation 12-17 ans *(%)*	45,4[i]	40,9[h]	18,8[h]	25,5[i]
Scolarisation 3e degré *(%)*	••	1,9[c]	1,3[f]	••
Adresses Internet[d] *(‰ hab.)*	0,02	–	–	0,13
Livres publiés *(titre)*	10[i]	14[f]	••	••
Armées (effectifs)				
Armée de terre *(millier d'h.)*	1	••	8,5	6,8
Marine *(millier d'h.)*	0,05	••	0,4	0,35
Aviation *(millier d'h.)*	0,1	••	0,8	0,1
Économie				
PIB total (PPA)[c] *(million $)*	1 201	1 731	13 016	1 066[g]
Croissance annuelle 1987-97 *(%)*	1,9	3,1	4,3	3,5
Croissance 1998 *(%)*	4,8	7,8	4,6	– 21
PIB par habitant (PPA)[c] *($)*	2 990	1 470	1 880	918[g]
Investissement (FBCF)[e] *(% PIB)*	34,2	19,8	18,9	23,1
Taux d'inflation *(%)*	3	3,8	5,1	3,1
Énergie (taux de couverture)[f] *(%)*	••	••	31,5[bm]	••
Dépense publique Éducation *(% PIB)*	4,0[h]	6,0[b]	1,8[bn]	••
Dépense publique Défense[c] *(% PIB)*	1,7	3,7	1,6	2,6
Dette extérieure totale[c] *(million $)*	220	430	3 520	921
Service de la dette/Export.[e] *(%)*	3,8	12,9	20,4	40,5
Échanges extérieurs				
Importations (douanes) *(million $)*	204	251	616	75
Principaux fournisseurs[c] *(%)*	E-U 4	UE 37,7	E-U 11,2	Jap 5,9
(%)	UE 78,3	Afr 14,7	UE 47,5	UE 55,5
(%)	Por 49,8	Asie[p] 39,2	PED 37,9	PED 28,6
Exportations (douanes) *(million $)*	28	19	695	54[c]
Principaux clients[c] *(%)*	UE 75	Belg 77,9	E-U 12,3	Inde 59,2
(%)	Por 45	Jap 4,5	UE 39,3	Sing 12,7
(%)	Afr 10	PED 7,1	PED 44	UE 18,3
Solde transactions courantes *(% PIB)*	– 7,0	– 5,8	••	– 16,3

Définition des indicateurs, sigles et abréviations p. 31 et suivantes. Chiffres 1998 sauf notes. a. Dernier recensement utilisable : Cap-Vert, 1990 ; Gambie, 1993 ; Guinée, 1996 ; Guinée-Bissau, 1991 ; Libéria, 1984 ; Sénégal, 1988 ; Sierra Léone, 1985. b. 1995 ; c. 1997 ; d. janv.1999 ; e. 1995-97 ; f. 1996 ; g. 1998 ; h. 1991 ;

LIBÉRIA	SÉNÉGAL	SIERRA LÉONE
2 666	9 003	4 568
27,7	46,8	63,8
8,2	2,6	2,9
6,3	5,6	6,1
116	63	170
47,3	52,3	37,2
46,7	45,7	35,3
••	0,426	0,254
0,025[c]	0,08[b]	0,07[l]
35,1	55,5	56,4[b]
68,3	75,2	81,8[b]
27,6[k]	30[i]	26,6[i]
3,2[f]	3,2[f]	1,5[f]
0,004	0,21	0,03
••	42[l]	16[l]
[o]	10	••
[o]	0,6	••
[o]	0,4	••
2 911[g]	15 230	1 954
••	2,5	– 3,4
••	5,7	0,7
1 092[g]	1 730	410
••	17,1	3,3
••	1,5	37,4
12,7[bm]	60,5	••
••	3,5[f]	0,9[j]
3,9	1,6	6,9
2 012	3 671	1 149
••	16,2	42,8
4 015	1 386	95
UE 17,3	UE 53,4	E-U 7,1
Jap 13,2	Fra 30,7	UE 51,5
Cor 44,2	PED 36,8	PED 34,4
1 080	976	41
Belg 31,8	UE 16	E-U 7,9
Nor 19,8	Afr 36,5	UE 70,7
Ukr 17,1	Asie[p] 29	PED 5,1
••	4,2[f]	– 14,6[b]

i. 1990 ; j. 1989 ; k. 1986 ; l. 1984 ; m. Chiffres des Nations unies ; n. Dépenses courantes seulement ; o. Total 14000 ; p. Y compris Japon et Moyen-Orient.

nistre populaire et efficace (avec l'amorce d'une réforme de l'administration et une remise au travail générale), il a été remplacé, le 8 mars 1999, par Lamine Sidimé, ancien président de la Cour suprême, qui a conservé pour l'essentiel l'équipe gouvernementale en place. Bien qu'intéressés par le potentiel du pays, les investisseurs étrangers faisaient, plus que jamais, défaut à la Guinée. - **Sabine Cessou** ■

Guinée-Bissau

De la mutinerie au coup d'État

Le conflit déclenché par la mutinerie militaire du 7 juin 1998 s'est enlisé. Rallié par la majeure partie de l'armée, le général Ansu-

République de Guinée-Bissau

Capitale : Bissau.
Superficie : 36 120 km².
Population : 1 161 000.
Langues : portugais (off.), créole, mandé, etc.
Monnaie : franc CFA, qui a remplacé le peso guinéen le 2.5.97 (1 FCFA = 0,01 FF).
Nature de l'État : république unitaire.
Nature du régime : transitoire.
A la suite des accords d'Abuja, signés le 1.11.98 entre la rébellion militaire et le cabinet en place, un gouvernement d'union nationale a été investi le 20.2.99, en vue de l'organisation d'élections législatives et présidentielle avant la fin 1999 (maintenues à l'issue du coup d'État).
Chef de l'État : Malam Bacai Sanha, qui a remplacé le 14.5.99 João Bernardo Vieira (renversé le 7.5.99).
Chef du gouvernement :
Francisco Fadul, qui a remplacé le 3.12.98 Carlos Correia.
Ministre de l'Intérieur :
Caetano N'Tchama (depuis le 20.2.99).
Ministre de la Défense :
Francisco Benante (depuis le 20.2.99).
Ministre de l'Économie :
Abubacar Dahaba (depuis le 20.2.99).

mane Mané, chef d'État-Major limogé dans le cadre d'une affaire de trafic d'armes, a pris la direction d'une rébellion. Le président João Bernardo « Nino » Vieira (au pouvoir depuis 1975) avait organisé la riposte avec une frange « loyaliste » de l'armée et des contingents (3 000 hommes au total) envoyés par le Sénégal et la Guinée. Un accord de cessez-le-feu avait été signé le 25 août 1998, mais les combats avaient repris le 9 octobre, après l'échec de pourparlers organisés à Abidjan. Un accord de paix avait ensuite été signé, le 1er novembre 1998, à Abuja (Nigéria) et un gouvernement d'union nationale investi le 20 février 1999. Les troupes sénégalaises et guinéennes avaient été remplacées par un contingent léger de la force d'interposition ouest-africaine Ecomog.

Coup de théâtre : la junte militaire de A. Mané a renversé, le 7 mai, le président Nino Vieira. Impopulaire, de plus en plus isolé et confronté aux preuves de sa propre implication dans le trafic d'armes qui a déclenché le conflit, l'ancien chef de l'État a trouvé refuge au Portugal. Son honneur lavé, A. Mané a confirmé son intention de ne pas se présenter à l'élection présidentielle, maintenue pour le 28 novembre 1999. - **Sabine Cessou** ■

Libéria

Des comportements restés marqués par la guerre

Des affrontements ont opposé, à Monrovia, l'armée aux partisans d'une ancienne faction de la guerre civile libérienne (1989-1996), faisant 52 morts et 32 blessés. Les 18 et 19 septembre 1998, les forces de sécurité ont entrepris de « nettoyer » la rue du Camp Johnson, bastion de Roosevelt Johnson, l'ennemi juré du *warlord* devenu président Charles Taylor, qui venait d'être accusé d'avoir comploté pour le renverser. R. Johnson a été évacué par l'ambassade des États-Unis, où il avait trouvé refuge.

Un an après l'élection de C. Taylor, le 19 juillet 1997, la guerre ne s'était éteinte ni dans les habitudes ni dans les comportements. La refonte des Forces armées libériennes (AFL) devait être supervisée par la force d'interposition ouest-africaine (Ecomog). Elle a été unilatéralement menée par le pouvoir, laissant des hordes d'anciens combattants battre la campagne. Les civils se sont plaints d'arrestations illégales, de harcèlements, d'extorsions de fonds et de passages à tabac par les forces de sécurité. L'Unité spéciale de sécurité (SSU, unité d'élite chargée de la protection des hautes personnalités) était particulièrement redoutée pour ses exactions : des « disparitions » inexpliquées, ainsi que la décapitation, dont elle a été tenue pour responsable, de l'opposant Samuel Dokie et de sa famille.

A cette instabilité s'est ajoutée la mise en cause de C. Taylor, notamment par les États-Unis et le Royaume-Uni, pour le soutien qu'il apporterait à la rébellion sanglante du Front révolutionnaire unifié (RUF), en Sierra Léone.

Ces difficultés diplomatiques compromettaient le financement international de la reconstruction du pays (438 millions de dol-

République du Libéria

Capitale : Monrovia.
Superficie : 111 370 km².
Population : 2 666 000.
Langues : anglais (off.), bassa, kpellé, kru, etc.
Monnaie : dollar libérien (1 dollar = 6,19 FF au 30.4.99).
Nature de l'État : république unitaire.
Nature du régime : présidentiel.
Chef de l'État : Charles Taylor (élu président le 19.7.97).
Ministre des Affaires étrangères : Monie Captan.
Ministre de la Justice : Eddington Varmah.
Ministre de la Sécurité nationale : Philip Kammah.
Échéance électorale : présidentielle (2004).

lars). Des promesses ont été faites à hauteur de 220 millions de dollars, mais les crédits ont tardé à être débloqués. En attendant une hypothétique aide, le budget de l'État s'est limité, en 1998, à quelque 41 millions de dollars, alors que la dette extérieure s'élevait à 3 milliards de dollars.

La situation s'annonçait d'autant moins tenable, à moyen terme, que les réfugiés ont pris le chemin du retour. Quelque 200 000 personnes ont regagné le pays en 1998, sur les 480 000 réfugiés dénombrés dans les pays voisins à la fin de la guerre. Quant aux 150 000 personnes déplacées, qui ont afflué à Monrovia pendant le conflit, elles ont été sommées par les autorités de regagner leurs campagnes avant le 31 décembre 1998. - **Sabine Cessou** ■

Sénégal

Contestations de l'opposition

Après les législatives du 24 mai 1998, qui ont conféré une majorité absolue au Parti socialiste (PS, au pouvoir), le chef de l'État Abdou Diouf a formé un nouveau gouvernement. Le principal changement a été le départ de Habib Thiam, remplacé au poste de Premier ministre par l'ancien ministre de l'Économie et des Finances Mamadou Lamine Loum. L'opposition, qui a protesté contre la victoire électorale du PS, accusé de fraude, s'est cherché une stratégie. Il a fallu une révision de la Constitution, votée le 27 août 1998 par la majorité socialiste, pour remobiliser ses ténors, regroupés en deux alliances. La disposition qui limitait à deux le nombre de mandats présidentiels consécutifs (adoptée en 1992 sur un mode consensuel, après consultation de toute la classe politique) a été unilatéralement abolie. Ce retour en arrière donnait toute latitude à A. Diouf (65 ans), dauphin de Léopold Sédar Senghor en 1981, élu en 1988 et réélu en 1993, de briguer un troisième mandat, lors de la présidentielle de 2000. Les luttes de positionnement des uns et des autres s'en sont trouvées aussitôt anéanties. Tous les partis d'opposition ont manifesté, à Paris, le 21 octobre 1998, alors que A. Diouf était invité à s'exprimer devant l'Assemblée nationale française, avertissant des risques d'une explosion de violence au Sénégal.

Un conflit social, en août 1998, entre le Syndicat unique des travaillleurs de l'électricité (Sutulec) et la Société nationale d'électricité (Sénélec) a vu les autorités intervenir, pour ordonner l'arrestation et l'incarcération des meneurs de grève. Début mars 1999, des étudiants de l'université de Dakar manifestant contre le manque de débouchés se sont confrontés à la police antiémeutes, à deux reprises.

Soutenues par les bailleurs de fonds internationaux, les autorités se sont attachées à mettre en œuvre les grandes réformes liées aux programmes d'aides de la Banque mondiale et du FMI. Les privatisations ont été accélérées. En février 1999, un consor-

République du Sénégal

Capitale : Dakar.
Superficie : 196 200 km².
Population : 9 003 000.
Langues : français (off.), ouolof, peul, sérère, dioula, etc.
Monnaie : franc CFA (1 FCFA = 0,01 FF).
Nature de l'État : république unitaire.
Nature du régime : présidentiel, multipartite.
Chef de l'État : Abdou Diouf (depuis le 1.1.81, réélu le 21.2.93).
Chef du gouvernement : Mamadou Lamine Loum, qui a succédé le 4.7.98 à Habib Thiam.
Ministre d'État aux Affaires présidentielles : Ousmane Tanor Dieng (depuis le 2.6.93).
Ministre d'État aux Affaires étrangères : Jacques Baudin (depuis le 4.7.98).
Ministre de l'Intérieur : général Lamine Cissé.
Échéance institutionnelle : élection présidentielle en 2000.

Afrique extrême-occidentale/Bibliographie

Amnesty International, *Sénégal : la terreur en Casamance,* « Rapport pays », Paris, 1998.

D. C. Bach, A. Kirk-Greene (sous la dir. de), *États et sociétés en Afrique francophone,* Économica, Paris, 1993.

F. Barbier-Wiesser (sous la dir. de), *Comprendre la Casamance,* Karthala, Paris, 1994.

D. Cruise O'Brien, « Difficile transition en Afrique : au Sénégal, une démocratie sans alternance », *Le Monde diplomatique,* Paris, avr. 1993.

T. Cruvellier, « Sierra Léone, la guerre et le néant », *Le Monde diplomatique,* Paris, janv. 1996.

M. Devey, « La Guinée après la tentative de coup d'État, une passe difficile », *Marchés tropicaux et méditerranéens,* n° 2640, Paris, juin 1996.

M. C. Diop (sous la dir. de), *Sénégal, trajectoires d'un État,* Codestria, Dakar, 1992.

A. Enders, *Histoire de l'Afrique lusophone,* Chandeigne, Paris, 1994.

B. Lootvoet, « Guinée. Les tentations du passé : éléments d'analyse de la scène politique », *L'Afrique politique 1996,* Karthala, Paris, 1996.

T. Lubabu, « Freetown presque tombée entre les mains du RUF », *L'Autre Afrique,* n° 75, Paris, janv. 1999.

R. Otayek, « Démocratie, culture politique, sociétés plurales : une approche comparative à partir de situations africaines », *Revue française de science politique,* vol. 47, Paris, juin 1997.

P. Leymarie, « L'Ouest africain rongé par ses abcès régionaux », *Le Monde diplomatique,* Paris, janv. 1996.

tium franco-canadien, Hydro-Québec, a coiffé « au poteau » la compagnie française Électricité de France (EDF), pour le rachat de 34 % des parts de la Sénélec.

En Casamance frontalière avec la Guinée-Bissau, la paix n'avait toujours pas été trouvée. La solution armée, dans un conflit qui oppose depuis 1982 l'armée sénégalaise aux indépendantistes du Mouvement des forces démocratiques de Casamance (MFDC), n'a pas donné les résultats escomptés. Quelque 3 000 hommes ont été envoyés par Dakar à Bissau, pour combattre une rébellion réputée liée au MFDC. Ces contingents ont été rappelés par vagues successives, en mars 1999. A. Diouf a cependant accepté, pour la première fois, le principe d'une rencontre avec l'abbé Augustin Diamacoune Senghor, le secrétaire général du MFDC, astreint depuis 1995 à un régime de résidence surveillée. - **Sabine Cessou** ■

Sierra Léone

Les enjeux de la guerre

La restauration, le 15 mars 1998, de Ahmad Tejan Kabbah, président élu en 1996 puis renversé par un coup de force militaire en 1997, n'a rien résolu. Bien au contraire. L'intervention des 15 000 hommes de l'Ecomog, la force d'interposition de la Communauté économique des États d'Afrique de l'Ouest (CEDEAO), a rompu un relatif équilibre. Le régime militaire et la rébellion du Front révolutionnaire unifié (RUF) avaient en effet pactisé pour se livrer à leur principale activité, le pillage du pays. Avec la défaite des premiers, la guerre a été intensifiée par les seconds. Foday Sankoh, leader de la rébellion, a été arrêté en 1997 au Nigéria, puis extradé et condamné à mort, le 23 octobre 1998, en Sierra

Léone. Pour empêcher son exécution, le RUF a amplifié ses exactions, menées depuis 1991 à l'encontre de la population civile.

Afin de libérer leur leader, les rebelles sont entrés dans Freetown, la capitale, le 6 janvier 1999. Repoussés par l'Ecomog, ils ont incendié et mutilé avant de battre en retraite. La CEDEAO a alors tenté de promouvoir une solution négociée, mais A. T. Kabbah a refusé d'accéder à la demande de F. Sankoh, ce dernier ayant fait de sa libération un préalable à tout accord de cessez-le-feu. Le chef de l'État a par ailleurs fait état, le 5 février, de documents prouvant l'implication aux côtés du RUF de plusieurs pays membres de la CEDEAO (Libéria, Burkina et Côte-d'Ivoire).

L'enjeu de cette guerre, tout autant que détenir le pouvoir, est de faire main basse sur les richesses du pays (diamants). Le conflit se perpétuerait grâce à un système de troc. Des diamants seraient échangés, au Libéria voisin, notamment, contre du riz et des armes. L'épuisement des mines à ciel ouvert aurait pu signifier la fin de la guerre. Mais les autorités ont délivré, le 15 mars 1999, une licence à la compagnie britannique Branch Energy, pour une exploitation souterraine à Kono et Tongofield, deux des sites diamantifères les plus riches du monde, situés en plein fiefs rebelles. Un premier contrat de prospection, signé en 1995, avait permis à Branch Energy d'engager les mercenaires sud-africains d'Executive Outcomes, pour assurer la sécurité de ses opérations et aider le gouvernement d'alors à lutter contre le RUF.

L'avenir est apparu en partie suspendu à la politique extérieure du nouveau chef de l'État nigérian, Olusegun Obasanjo. Élu le 27 février 1999, cet ancien général a fait du retrait de l'Ecomog, force composée à 90 % de soldats nigérians, l'un des thèmes de sa campagne électorale. Il a cependant assuré, le 15 mars 1999, que cette force ne s'en irait qu'avec le retour de la paix. La nouvelle armée régulière sierra-léonaise, réformée et entraînée par l'Ecomog, compte un peu moins de 3 000 hommes, alors que la rébellion, qui en revendique 30 000, disposerait réellement de 8 000 combattants.
- **Sabine Cessou** ■

République de Sierra Léone

Capitale : Freetown.
Superficie : 71 740 km².
Population : 4 568 000.
Langues : anglais (off.), krio, mende, temne, etc.
Monnaie : leone (100 leones = 0,42 FF au 30.4.99).
Nature de l'État : république unitaire.
Nature du régime : démocratique.
Chef de l'État et ministre de la Défense : Ahmad Tejan Kabbah (élu le 17.3.96).
Ministre des Affaires étrangères : Dr Sama Banya.
Ministre de l'Intérieur : Charles Margai.

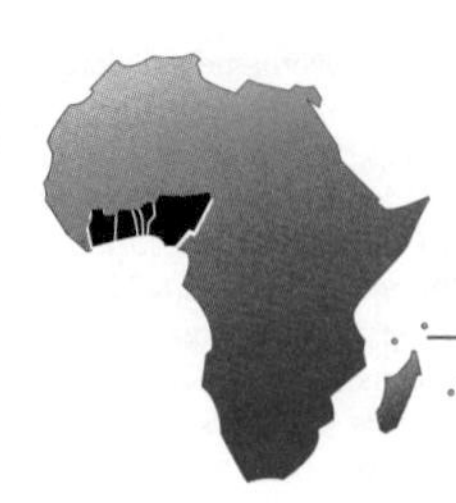

Golfe de Guinée

Bénin, Côte-d'Ivoire, Ghana, Nigéria, Togo

Bénin

Regroupement de partis

La Cour constitutionnelle a adopté le 13 janvier 1999 le code électoral et le 22 janvier la Commission électorale nationale autonome a été mise en place pour surveiller les législatives fixées au 28 mars 1999 pour le renouvellement de l'Assemblée nationale. A partir du 11 février, des petits partis se sont regroupés pour former diverses alliances : l'Alliance pour le progrès, l'Alliance Suru et le Mouvement pour l'engagement et le réveil du citoyen. Dans le même temps, le Parti communiste du Dahomey a été l'objet d'une scission, donnant naissance le 21 février au Parti communiste marxiste-léniniste du Bénin. Sur 83 sièges à pourvoir, l'opposition en a remporté 42, contre 40 à la mouvance présidentielle. La Renaissance du Bénin de l'ancien président Nicéphore Soglo, avec ses 27 députés, a été le grand vainqueur de ces législatives, prélude à la présidentielle de 2001. Pour soutenir sa politique, le président Mathieu Kérékou, l'un des perdants des législatives, a dû, dès lors, composer avec une majorité à géométrie variable comme précédemment.

Sur le plan économique, en 1998, le taux de croissance n'a atteint que 4,4 % (contre 5,8 % en 1997), tandis que l'inflation s'élevait à 5,8 % (contre 4,8 % l'année précédente). Le budget 1999, adopté par l'Assemblée le 8 janvier, s'est élevé à 235 milliards FCFA en recettes et 335,1 milliards en dépenses. Le pouvoir comptait sur les aides extérieures pour combler le déficit budgétaire et pour assurer 76 % du programme d'investissement. Le chef de l'État s'est déplacé à Bruxelles en janvier 1999 et à Washington en février pour solliciter des fonds complémentaires. La fraude et l'évasion fiscales avaient fait perdre au Trésor public 60 milliards FCFA, soit 25 % des ressources internes, selon les sources officielles. La campagne lancée par M. Kérékou, en juillet 1998, contre la corruption

République du Bénin

Capitale : Porto Novo.

Superficie : 112 622 km².

Population : 5 781 000.

Langues : français (off.), adja-fon, yorouba, pila-pila, goun, dendi, sonika.

Monnaie : franc CFA (1 FCFA = 0,01 FF).

Nature de l'État : république unitaire.

Nature du régime : présidentiel.

Chef de l'État et du gouvernement : général Mathieu Kérékou (élu en mars 96).

Premier ministre (coordonnant l'action gouvernementale) : Adrien Houngbédji (depuis le 9.4.96).

Ministre délégué à la Présidence chargé de la Défense : Pierre Osho (depuis le 14.5.98).

Ministre de l'Intérieur, de la Sécurité et de l'Administration territoriale : Daniel Tawéna (depuis le 14.5.98).

Ministre des Affaires étrangères et de la Coopération : Antoine Kolawolé (depuis le 14.5.98).

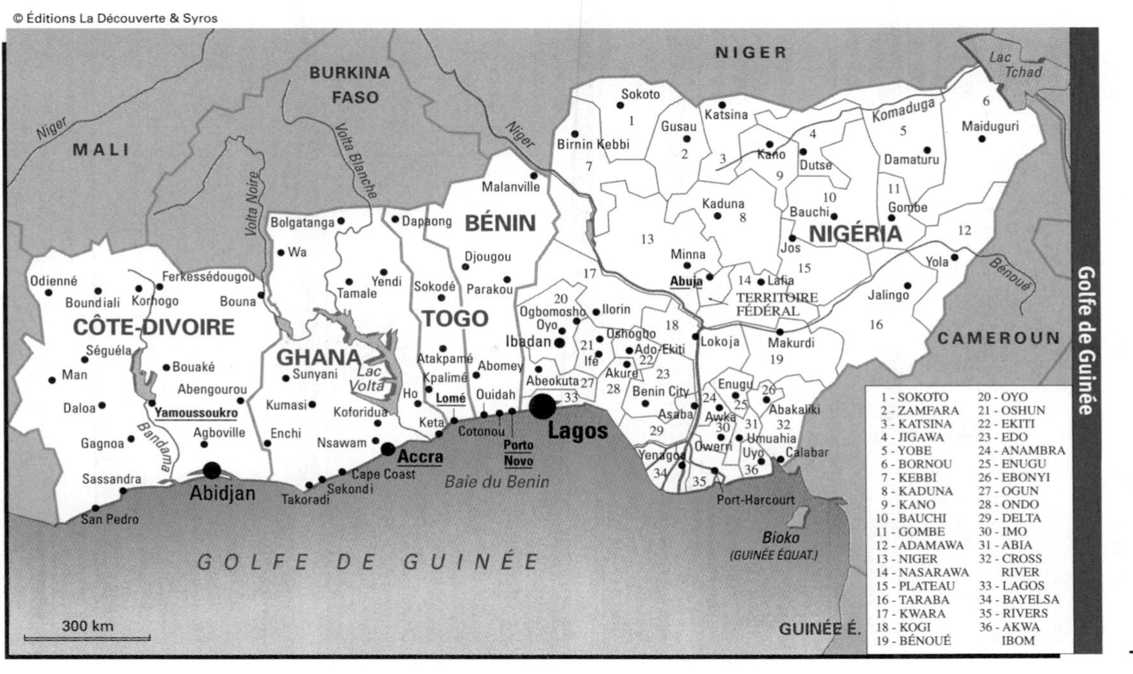
Golfe de Guinée
1 - SOKOTO
2 - ZAMFARA
3 - KATSINA
4 - JIGAWA
5 - YOBE
6 - BORNOU
7 - KEBBI
8 - KADUNA
9 - KANO
10 - BAUCHI
11 - GOMBE
12 - ADAMAWA
13 - NIGER
14 - NASARAWA
15 - PLATEAU
16 - TARABA
17 - KWARA
18 - KOGI
19 - BÉNOUÉ
20 - OYO
21 - OSHUN
22 - EKITI
23 - EDO
24 - ANAMBRA
25 - ENUGU
26 - EBONYI
27 - OGUN
28 - ONDO
29 - DELTA
30 - IMO
31 - ABIA
32 - CROSS RIVER
33 - LAGOS
34 - BAYELSA
35 - RIVERS
36 - AKWA IBOM
NIGER
MALI
BURKINA FASO
BÉNIN
TOGO
GHANA
CÔTE-DIVOIRE
NIGÉRIA
CAMEROUN
GUINÉE É.
Bioko
(GUINÉE ÉQUAT.)
Lac Tchad
Komaduga
Bénoué
Niger
Volta Noire
Volta Blanche
Lac Volta
Bandama
Baie du Benin
GOLFE DE GUINÉE
TERRITOIRE FÉDÉRAL
Sokoto
Katsina
Gusau
Birnin Kebbi
Kano
Dutse
Damaturu
Maiduguri
Kaduna
Bauchi
Gombe
Jos
Minna
Abuja
Lafia
Yola
Jalingo
Makurdi
Lokoja
Ilorin
Ogbomosho
Oyo
Ibadan
Oshogbo
Ado-Ekiti
Ife
Akure
Abeokuta
Lagos
Benin City
Asaba
Enugu
Awka
Abakaliki
Umuahia
Owerri
Uyo
Calabar
Yenagoa
Port-Harcourt
Malanville
Djougou
Parakou
Abomey
Ouidah
Cotonou
Porto Novo
Dapaong
Sokodé
Atakpamé
Kpalimé
Lomé
Ho
Keta
Accra
Bolgatanga
Wa
Yendi
Tamale
Sunyani
Kumasi
Koforidua
Nsawam
Enchi
Cape Coast
Sekondi
Takoradi
Odienné
Boundiali
Korhogo
Ferkessédougou
Bouna
Séguéla
Man
Bouaké
Abengourou
Daloa
Yamoussoukro
Agboville
Gagnoa
Abidjan
Sassandra
San Pedro
300 km
© Éditions La Découverte & Syros

INDICATEUR	UNITÉ	BÉNIN	CÔTE-D'IVOIRE
Démographie[a]			
Population	*(millier)*	5 781	14 292
Densité	*(hab./km²)*	52,3	44,9
Croissance annuelle (1995-2000)	*(%)*	2,7	1,8
Indice de fécondité (ISF) (1995-2000)		5,8	5,1
Mortalité infantile (1995-2000)	*(‰)*	88	87
Espérance de vie (1995-2000)	*(année)*	53,4	46,7
Population urbaine	*(%)*	40,8	45,3
Indicateurs socioculturels			
Développement humain (IDH)[c]		0,421	0,422
Nombre de médecins	*(‰ hab.)*	0,08[b]	0,10[f]
Analphabétisme (hommes)[c]	*(%)*	52,3	48,9
Analphabétisme (femmes)[c]	*(%)*	79,1	66,3
Scolarisation 12-17 ans	*(%)*	21,9[j]	45,7[j]
Scolarisation 3e degré	*(%)*	3,1[f]	4,6[f]
Adresses Internet[d]	*(‰ hab.)*	0,02	0,16
Livres publiés	*(titre)*	84[g]	••
Armées (effectifs)			
Armée de terre	*(millier d'h.)*	4,5	6,8
Marine	*(millier d'h.)*	0,15	0,9
Aviation	*(millier d'h.)*	0,15	0,7
Économie			
PIB total (PPA)[c]	*(million $)*	7 377	26 134
Croissance annuelle 1987-97	*(%)*	3,2	2,4
Croissance 1998	*(%)*	4,4	5,7
PIB par habitant (PPA)[c]	*($)*	1 270	1 840
Investissement (FBCF)[e]	*(% PIB)*	17,4	14,2
Taux d'inflation	*(%)*	5,8	4,5
Énergie (taux de couverture)[f]	*(%)*	101,6	89,8
Dépense publique Éducation	*(% PIB)*	3,2[b]	5,0[f]
Dépense publique Défense[c]	*(% PIB)*	1,2	0,9
Dette extérieure totale[c]	*(million $)*	1 624	15 609
Service de la dette/Export.[e]	*(%)*	8,2	25,8
Échanges extérieurs			
Importations (douanes)	*(million $)*	585	2 911
Principaux fournisseurs[c]	*(%)*	UE 36,6	UE 49,7
	(%)	Fra 19,5	Fra 28,2
	(%)	Asie[m] 30,4	Afr 23,6
Exportations (douanes)	*(million $)*	424	4 244
Principaux clients[c]	*(%)*	UE 21,3	E-U 6,7
	(%)	PED 75,4	UE 52,8
	(%)	E-U 2,6	PED 37,6
Solde transactions courantes	*(% PIB)*	2,4[g]	0,3[c]

Définition des indicateurs, sigles et abréviations p. 31 et suivantes. Chiffres 1998 sauf notes.
a. Derniers recensements utilisables : Bénin, 1992 ; Côte-d'Ivoire, 1998 ; Ghana, 1984 ; Nigéria, 1991 ; Togo, 1998. b. 1995 ; c. 1997 ; d. janv. 1999 ; e. 1995-97 ; f. 1996 ; g. 1994 ; h. 1993 ; i. 1992 ; j. 1991 ;

GHANA	NIGÉRIA	TOGO
19 162	106 409	4 397
84,2	116,8	80,8
2,7	2,4	2,6
5,1	5,1	6,0
66	81	84
60,0	50,1	48,8
37,4	42,2	32,3
0,544	0,456	0,469
0,06[f]	0,19[h]	0,08[b]
23,5	31,4	31,3
43,5	49,1	61,7
53,0[k]	32,0[j]	59,7[k]
1,4[f]	• •	3,6[f]
0,10	0,04	0,25
28[i]	1 314[b]	• •
5	62	6,5
1	5,5	0,2
1	9,5	0,25
29 494	107 959	6 463
4,5	4,8	2,7
4,5	2,3	– 1,0
1 640	920	1 490
21,6	14,7	14,3
17,7	10,2	1,0
84,2	206,2	0,3[bl]
3,3[k]	0,9[b]	4,7[f]
1,5	4,0	2,1
5 982	28 455	1 339
27,2	11,9	7,0
2 564	43 798	492
E-U 10,5	E-U 13,3	UE 29,3
UE 42,6	UE 48,6	Afr 34,9
Afr 23,4	Asie[m] 24,7	Asie[m] 30,4
1 885	37 029	415
UE 49,2	E-U 38,4	UE 14,9
Afr 17,2	UE 29,1	Afr 24
Asie[m] 13,8	PED 26,9	Asie[m] 29,3
– 7,9[c]	1,4[c]	– 6,4[g]

k. 1990 ; l. Chiffres des Nations Unies ; m. Y compris Japon et Moyen-Orient.

tardait à porter ses fruits dans un pays où elle est devenue courante. En outre, à peine sorti de la crise énergétique qui avait sévi de février à juin 1998, le pays devait faire face à une grave pénurie d'essence.

Les condamnations à de lourdes peines de journaux et de journalistes de la presse privée (*Le Progrès* et *Les Échos du jour* en décembre 1998) et le lancement, le 2 mars 1999, d'un treizième quotidien, *La Cloche*, de Vincent Métonnou ont été révélateurs de la fragilité sociale. - **Comi Toulabor** ■

Côte-d'Ivoire

Ethnicisation de la vie politique

Les grandes manœuvres en vue de l'élection présidentielle de l'an 2000 ont pris force et vigueur. Les députés de l'ancien parti unique, le Parti démocratique de Côte-d'Ivoire (PDCI, majoritaire à l'Assemblée nationale), ont adopté le 30 juin 1998 un projet de révision constitution-

République de Côte-d'Ivoire

Capitale : Yamoussoukro.
Superficie : 322 462 km².
Population : 14 292 000.
Langues : français (off.), baoulé, dioula, bété, sénoufo.
Monnaie : franc CFA (1 FCFA = 0,01 FF).
Nature de l'État : république unitaire.
Nature du régime : présidentiel.
Chef de l'État : Henri Konan Bédié (depuis le 7.12.93, élu le 22.10.95).
Premier ministre : Daniel Kablan Duncan (depuis le 15.2.93, reconduit le 26.1.96 et le 6.3.98).
Ministre de l'Intérieur et de l'Intégration nationale : Émile Constant Bombet.
Ministre de la Défense : Vincent Bandama N'Gatta.
Ministre des Affaires étrangères : Amara Essy.

Golfe de Guinée/Bibliographie

T. Apédo-Amah, « Togo : le ventre d'une démocratisation », *in* CEAN, *L'Afrique politique 1997,* Karthala, Paris, 1997.

D. Bailly, *La Réinstauration du multipartisme en Côte-d'Ivoire,* L'Harmattan, Paris, 1995.

R. Banégas, « Marchandisation du vote, citoyenneté et consolidation démocratique au Bénin », *Politique africaine,* n° 69, Karthala, Paris, mars 1998.

T. Bierschenk, P.-Y. Le Meur (sous la dir. de), *Trajectoires peules au Bénin, six études anthropologiques,* Karthala, Paris, 1997.

T. Bierschenk, J.-P. Olivier de Sardan (sous la dir. de), *Les Pouvoirs au village : le Bénin rural entre démocratisation et décentralisation,* Karthala, Paris, 1998.

C. Chavagneux, *Ghana, une révolution de bon sens,* Karthala, Paris, 1997.

C. Coquery-Vidrovitch (sous la dir. de), *L'Afrique occidentale au temps des Français,* La Découverte, Paris, 1992.

P. David, *Le Bénin,* Karthala, Paris, 1998.

S. Diarra, *Les Faux Complots d'Houphouët-Boigny,* Karthala, Paris, 1997.

E. Hutchuful, *The Institutional and Political Framework of Macro-economic Management in Ghana,* UNRISD, Genève, 1997.

J. O. Igue et B. G. Soule, *L'État entrepôt au Bénin,* Karthala, Paris, 1992.

F. Kandjhis-Offoumou, *Procès de la démocratie en Côte-d'Ivoire,* L'Harmattan, Paris, 1997.

« Le Bénin », *Politique africaine,* n° 59, Karthala, Paris, oct. 1995.

T. Paulais, *Le Développement urbain en Côte-d'Ivoire,* Karthala, Paris, 1995.

P. Puy Denis, *Le Ghana,* Karthala, Paris, 1994.

T. Tètè, *Démocratisation à la togolaise,* L'Harmattan, Paris, 1998.

C. Thiriot, « Ghana : les aléas d'un modèle », *in* CEAN, *L'Afrique politique 1997,* Karthala, Paris, 1997.

J. Ziegler, R. Ouédraogo (sous la dir. de), *Démocratie et nouvelle forme de légitimation en Afrique : les conférences nationales du Bénin et du Togo,* IUED, Genève, 1997.

Voir aussi la bibliographie « Nigéria », p. 150.

nelle, qui a abouti à un véritable changement de Constitution. Il confère au président Henri Konan Bédié des pouvoirs considérables. Son mandat est passé de cinq à sept ans, renouvelable indéfiniment jusqu'à l'âge de 75 ans révolus. Le Premier ministre n'est plus le chef du gouvernement, mais un simple coordinateur qui a perdu nombre de ses attributs au profit du chef de l'État. L'Assemblée nationale partage désormais ses compétences avec le Sénat dont un tiers est nommé par le président. L'article 10, contesté par l'opposition, lui a donné le pouvoir de décider de l'opportunité d'organiser ou non l'élection présidentielle et d'en proclamer les résultats.

De son côté, l'opposition s'est recomposée en opérant des regroupements. Après le remplacement par Henriette Diabaté de Djéni Kobina, son secrétaire général décédé en octobre 1998, le Rassemblement des républicains, avec son candidat déclaré, l'ancien Premier ministre Alassane Ouattara, s'est allié au Front populaire ivoirien (FPI) de Laurent Gbagbo pour créer le Front républicain. Par ailleurs, des petits partis sans représentation au Parlement comme l'Union des sociaux-démocrates de Bernard Zaourou, le Parti ivoirien des travailleurs de Francis Wodié, présents dans le gouvernement « de large ouverture » prôné par H. Konan Bédié, ainsi que la Renaissance de Ahoua Don Mello, ont posé le 24 janvier 1999 les premiers jalons d'une future fusion. Sur fond d'ethnicisation exacerbée de la vie politique, le pouvoir et les différentes sensibilités d'opposition ont engagé, en février 1999, une série de pourparlers en vue de définir le cadre général de ces élections.

Sur le front économique, l'année 1999 a été marquée par la libéralisation des filières du café et du cacao, les deux principales ressources du pays. Le 21 janvier 1999 a été signé le décret de dissolution de la Caisse de stabilisation et de soutien des prix des productions agricoles, remplacée par une nouvelle Caisse dont l'État détient le quart du capital. Quant aux finances publiques, elles sont restées fragiles : 5,7 % de taux de croissance, inflation contenue autour de 4,5 % et déficit public se situant à moins de 2 % du PIB (ces chiffres ont laissé de nombreux observateurs sceptiques). Le pays a continué à vivre au-dessus de ses moyens avec un endettement croissant, lié notamment à la chute des cours mondiaux du café et du cacao, à la baisse des recettes fiscales de plus de 75 milliards FCFA, en 1998, et aussi à la corruption devenue monnaie courante. Le budget 1999, jugé irréaliste par la Banque mondiale, a dû être amputé de 89,6 de milliards FCFA par ordonnance du chef de l'État, qui était menacé de suspension de leurs décaissements par les institutions de Bretton Woods. De son côté, le rapport critique du FMI rendu début 1999 a suscité une vive polémique avec le pouvoir en place. Mais le président Bédié a maintenu sa promesse d'augmentation des salaires grâce aux aides de la France, dont le ministre de la Coopération, Charles Josselin, est venu (décembre 1998) rassurer les autorités ivoiriennes inquiètes des conséquences du redéploiement de la présence militaire française en Afrique, engagé à partir de 1996. - **Comi Toulabor** ■

Ghana

Forte augmentation des dépenses publiques

Le budget 1999, présenté par le gouvernement le 5 février, a plus que doublé par rapport à celui de l'année précédente, passant de 1,8 milliard de dollars à 2,81 milliards. Cette augmentation provient des recettes tirées des exportations (notamment or et cacao) en hausse de 9,7 % par rapport à 1997. Trois ministères qui avaient souffert des plans d'ajustement structurel de l'économie en ont été les grands bénéficiaires : l'éducation (+ 11 %), les routes et les transports (+ 9 %) et la santé (+ 4 %). Selon les chiffres officiels, le taux de croissance a été de 5,5 % et le taux d'inflation de 9,5 % en 1998, des résultats contestés par l'opposition et les économistes indépendants.

Les effets néfastes de la crise énergétique de 1998 ont continué à se faire sentir (fermetures d'usines, licenciements, relèvement du prix du kWh), révélant la grande dépendance du pays par rapport au bar-

République du Ghana

Capitale : Accra.
Superficie : 238 537 km².
Population : 19 162 000.
Langues : anglais (off.), akan, ewe, mossi, mamprusi, dagomba, gonja.
Monnaie : cedi (100 cedis = 0,50 FF au 31.7.98).
Nature de l'État : république unitaire.
Nature du régime : présidentiel.
Chef de l'État et du gouvernement : Jerry Rawlings (depuis déc. 81, élu le 3.11.92, réélu le 7.12.96).
Vice-président : John Evans Atta-Mills (depuis le 7.12.96).
Ministre de la Défense : Enoch Donkoh (depuis le 4.2.99).
Ministre de l'Intérieur : Nii Okaidja Adamafio (depuis le 29.4.97).
Ministre des Affaires étrangères : James Victor Behoe.

INDICATEUR	UNITÉ	1975	1985	1997	1998
Démographie[a]					
Population	*million*	57,0	75,8	103,9	106,4
Densité	*hab./km²*	62,6	83,2	114,1	116,8
Croissance annuelle	*%*	2,9[t]	2,7[l]	2,4[c]	••
Indice de fécondité (ISF)		6,9[t]	6,0[l]	5,2[c]	••
Mortalité infantile	*‰*	105[t]	89[l]	81[c]	••
Espérance de vie	*année*	46,0[t]	48,9[l]	50,1[c]	••
Indicateurs socioculturels					
Nombre de médecins	*‰ hab.*	0,05	0,19	0,19[f]	••
Analphabétisme (hommes)	*%*	62,8	47,7	31,4	••
Analphabétisme (femmes)	*%*	84,9	70,2	49,1	••
Scolarisation 12-17 ans	*%*	23,5	39,9	32,0[g]	••
Scolarisation 3e degré	*%*	2,2[p]	3,3[o]	••	••
Téléviseurs	*‰ hab.*	1,6	6,5	60,9[b]	••
Livres publiés	*titre*	1 324	2 213	1 314[d]	••
Économie					
PIB total (PPA)	*milliard $*	25,3	45,3	108,0	••
Croissance annuelle	*%*	– 0,6[q]	4,8[h]	3,9	2,4
PIB par habitant (PPA)	*$*	410	550	920	••
Investissement (FBCF)	*% PIB*	19,8[r]	18,5[i]	15,3	••
Recherche et Développement	*% PIB*	••	••	••	••
Taux d'inflation	*%*	23,3	15,8	34,3	10,2
Population active	*million*	25,72	34,11	47,16	••
Agriculture	*%* } *100 %*	69,6	48,3	37,7[d]	33,3[v]
Industrie	*%* } *100 %*	11,1	7,6	7,5[d]	••
Services	*%* } *100 %*	19,4	44,1	54,8[d]	••
Énergie (taux de couverture)	*%*	305,5	207,6	206,2[b]	••
Dépense publique Éducation	*% PIB*	••	1,2	0,9[d]	••
Dépense publique Défense	*% PIB*	5,3	1,5	4,0	••
Dette extérieure totale	*milliard $*	1,69	18,64	28,46	••
Service de la dette/Export.	*%*	3,0	34,5[n]	11,9[m]	••
Échanges extérieurs		**1974**	**1986**	**1997**	**1998**
Importations de services	*milliard $*	1,85	1,11	4,71	••
Importations de biens	*milliard $*	2,48	3,14	9,50	••
Produits alimentaires	*%*	9,6	16,1	13,3[e]	••
Produits manufacturés	*%*	70,2	79,6	••	••
dont machines et mat. de transport	*%*	35,2	38,1	35,0[e]	••
Exportations de services	*milliard $*	0,19	0,25	0,79	••
Exportations de biens	*milliard $*	9,70	5,08	15,21	••
Produits énergétiques	*%*	93,0	93,1	96,5[e]	••
Produits agricoles	*%*	6,1	5,4	3,1[e]	••
Produits manufacturés	*%*	0,2	••	••	••
Solde des transactions courantes	*% du PIB*	– 4,9[s]	2,5[k]	1,4	••

Définition des indicateurs, sigles et abréviations p. 31 et suivantes. a. Dernier recensement utilisable : 1991 ; b. 1996 ; c. 1995-2000 ; d. 1995 ; e. 1994 ; f. 1993 ; g. 1991 ; h. 1987-97 ; i. 1987-96 ; j. 1986 ; k. 1985-96 ; l. 1985-95 ; m. 1995-97 ; n. 1984-86 ; o. 1984 ; p. 1979 ; q. 1977-87 ; r. 1977-86 ; s. 1977-84 ; t. 1975-85 ; u. 1974 ; v. An 2000, estimation FAO.

rage d'Akosombo. Pour diversifier ses sources d'énergie, l'État a lancé en octobre 1998 la construction de deux centrales thermiques près de Tema (financées par 12 millions FF prêtés par l'Agence française de développement – AFD), et en décembre 1998 la construction d'un barrage à Bui, près d'Accra.

Afin d'encourager le secteur privé, le gouvernement a attribué, le 29 décembre 1998, pour un montant de 1,59 million de dollars, la concession de la mine d'or auparavant exploitée par la sud-africaine Barnato Exploration à l'Union des mineurs du Ghana qui en a fait une nouvelle société : Prestea Gold Ressources Ltd. Cela n'a toutefois pas suffi pour contenir les mouvements de grève des infirmières en octobre 1998 ou des médecins hospitaliers en décembre 1998, sans parler des conflits intercommunautaires quasi endémiques dans le Nord du pays.

Dans la perspective de l'élection présidentielle de l'an 2000, les principaux partis ont élaboré leur stratégie. Le 25 octobre 1998, le Nouveau parti patriotique (opposition) a désigné son candidat en la personne de John Kufuor, challenger malheureux du président Jerry Rawlings en 1996. Du côté du pouvoir, le choix s'est porté, le 6 juin 1998, sur John Evans Atta Mills, vice-président de la République. Mais le quatrième congrès national du Congrès national démocratique (NDC), tenu le 11 décembre 1998, n'a pas entériné le choix qu'avait fait J. Rawlings. Le pays a continué à bénéficier de prêts ou de dons du Japon (93 millions de dollars en octobre 1998), de la Chine (6 millions de dollars en janvier 1999), etc. Le 29 septembre 1998 le président Rawlings s'est rendu en visite officielle à Cuba, le 24 février 1999 aux États-Unis et le 25 mars en France. Le ministre de la Coopération français, Charles Josselin, a déclaré qu'Accra était une escale prioritaire sur son agenda 1999. - **Comi Toulabor** ■

Nigéria

Remise en marche

La mort, en juin 1998, du général Sani Abacha, qui s'était emparé du pouvoir lors d'une « révolution de palais » en 1993, a amorcé un changement radical dans les fortunes politiques du Nigéria. Le nouveau chef de l'État, le général Abdulsalami Abubakar, a achevé le très discrédité programme de transition de son prédécesseur, dissout les partis politiques existants et publié un échéan-

République fédérale du Nigéria

Capitale : Abuja.
Superficie : 923 768 km^2.
Population : 106 409 000.
Langues : anglais (off., utilisée dans tous les documents administratifs) ; 200 langues dont le haoussa (Nord), l'ibo (Sud-Est), le yoruba (Sud-Ouest).
Monnaie : naira (au taux officiel, 1 naira = 0,07 FF au 31.3.99).
Nature de l'État : république fédérale (36 États).
Nature du régime : en transition vers la démocratie.
Chef de l'État : général Olusegun Obasanjo, président de la République, qui a succédé le 29.5.99 au général Abdulsalami Abubakar, lequel avait remplacé le 9.6.98 le général Sani Abacha (décédé).
Principaux partis politiques : Parti démocratique du peuple (PDP, majoritaire à la Chambre des représentants) ; Parti de tous les peuples (APP) ; Alliance pour la démocratie (AD).
Échéances institutionnelles : élections générales (2003).
Territoires contestés : la presqu'île de Bakassi (revendiquée par le Nigéria et le Cameroun, objet d'un litige devant la Cour internationale de justice de La Haye depuis 1994). Concernant les îlots sur le lac Tchad, le processus de démarcation est terminé, en attente de ratification par le Nigéria, le Tchad, le Niger et le Cameroun.

Nigéria/Bibliographie

D. C. Bach (sous la dir. de), *Régionalisation, mondialisation et fragmentation en Afrique subsaharienne,* Karthala, Paris, 1998.

P.A. Beckett, C. Young (sous la dir. de), *Dilemmas of Democracy in Nigeria,* Rochester Studies in African History and the Diaspora, University of Rochester Press, Boydell & Brewer, 1997.

A. Coomassie, *Democracy and Political Opportunism in Nigeria : a Documentary Source Book,* Sputnik Publication, Abuja, 1998.

S. Dyson (sous la dir. de), *Nigeria : The Birth of Africa's Greatest Country,* 2 vol., Spectrum Books, 1998.

A. Ekineh, *Nigeria : Foundations of Disintegration,* New Millennium, 1998.

T. Forrest, *Politics and Economic Development in Nigeria,* Westview Press, Oxford, 1995 (2e éd.).

J. O. Ihonvbere, T. M. Shaw (sous la dir. de), *Illusions of Power : Nigeria in Transition,* Africa World, 1998.

D. H. James, *Nigeria to 2000. After the generals ?,* The Economist Intelligence Unit, Londres, 1993.

O. Obasanjo, « Nigéria. Pour en finir avec la tyrannie », *Jeune Afrique,* Paris, 22 déc. 1998.

M.-A. Pérouse de Monclos, « Nigéria : le géant empêtré », *Politique internationale,* Paris, 1999.

W. Soyinka, *The Open Sore of a Continent : a Personal Narrative of the Nigerian Crisis,* Oxford University Press, Oxford, 1996.

Voir aussi la bibliographie « Golfe de Guinée », p. 146.

cier accéléré pour transférer le pouvoir à des autorités civiles élues. Tous les prisonniers politiques ont été libérés, même ceux impliqués dans des tentatives de renversement du régime ; les chefs de l'opposition en exil ont été encouragés à rentrer au pays, et, sur le plan économique, des initiatives ont été prises pour mettre en œuvre des politiques s'inscrivant dans la ligne recommandée par le FMI et la Banque mondiale.

Le 27 février 1999, le Nigéria avait fait l'avant-dernier pas vers la restauration d'un gouvernement démocratique, lorsque le général Olusegun Obasanjo a été déclaré vainqueur de l'élection présidentielle avec 63 % des suffrages.

Victoires électorales pour le Parti démocratique du peuple

Des douzaines de formations s'étaient précipitées pour participer à la nouvelle transition vers la démocratie, recrutant massivement dans la classe des vétérans politiques. Nombre d'entre eux avaient été associés à la Seconde République (régime civil sous la présidence de Shehu Shagari, 1979-1983) et avaient appartenu aux deux formations créées par les militaires lors du processus de transition avorté lancé par le général Ibrahim Babangida (1989-1993).

Neuf partis avaient été enregistrés en vue des élections locales de décembre 1998. Le Parti démocratique du peuple (PDP), coalition d'hommes politiques modérés largement hostiles au programme de transition du général Abacha, a émergé comme la force politique dominante, en remportant 46 % des voix et 60 % des conseils des collectivités locales. Le Parti de tous les peuples (APP), plus conservateur, a recueilli 35 % des suffrages (26 % des conseils). L'Alliance pour la démocratie (AD) est arrivée en troisième position avec 11 % des voix (14 % des conseils), obtenus majoritairement dans le sud-ouest du pays, où les Yoruba sont majoritaires. Les six autres partis se sont partagé 7 % des suffrages, sans obtenir de gouvernement local et n'ont pu, en conséquence, participer aux scrutins qui ont suivi.

Les élections destinées à choisir les gouverneurs et les représentants aux assemblées des 36 États de la Fédération se sont tenues début janvier 1999. Les résultats sont apparus dans la continuation de ceux des précédents scrutins, esquissant une carte électorale régionale et ethnique. Le PDP s'est assuré 21 sièges de gouverneurs, dans le Sud-Est (à dominante ibo) ainsi que dans le Nord (9 États, peuplés majoritairement d'Haoussa-Fulani) qu'il s'est partagé avec l'APP. L'AD a emporté les 6 États du Yorubaland (dont celui de Lagos), mais n'a fait que de médiocres scores ailleurs. Dans chaque État, les partis des gouverneurs élus ont également obtenu la majorité aux assemblées.

Les élections au Parlement fédéral se sont tenues fin février, marquées elles aussi par la victoire écrasante du PDP, qui a obtenu la majorité absolue (64 des 109 sièges du Sénat et 213 des 360 sièges de la Chambre des représentants). L'APP a obtenu 25 sièges au Sénat et 71 à l'Assemblée, et l'AD les sièges restants, soit respectivement 20 et 76. Le taux de participation a été légèrement plus élevé que lors des élections locales, mais est demeuré bas (50 %).

Face à la puissance du PDP et au terme de nombreuses discussions internes, l'APP et l'AD ont décidé de s'associer pour la course à la Présidence (27 février 1999). Le candidat choisi par l'Alliance a été le chef Olu Falae, ancien ministre des Finances sous la présidence d'I. Babangida, le candidat du PDP étant le général Obasango qui avait dirigé le pays de 1976 à 1979. Voulant ignorer l'importante marge d'avance obtenue par ce dernier, le chef Falae a contesté les résultats du scrutin, invoquant de nombreuses irrégularités. Sa demande a été rejetée, mais des observateurs étrangers ont confirmé des épisodes de fraudes et de violences.

Troubles sociaux dans les régions pétrolifères

En dépit de l'accalmie intervenue dans les tensions politiques nationales, les troubles persistants dans les zones pétrolifères de la côte et du delta du Niger ont continué à perturber l'activité des compagnies exploitant cette ressource. Des habitants frustrés ont saccagé des installations, pris en otage des employés et interrompu la production pour faire entendre leurs revendications d'une autonomie accrue et d'un partage plus équitable du revenu des richesses nationales. Dans l'État de Bayelsa, des jeunes Ijaws en colère sont descendus dans la rue après qu'a été connue l'ampleur du pillage des finances publiques perpétré sous le régime du président Abacha (entre 3 et 5 milliards de dollars, selon les sources), contraignant à retarder le calendrier électoral. Un incident tragique, survenu en octobre 1998, est venu illustrer la situation très difficile de certaines communautés. Plus de 700 villageois, qui tentaient de récupérer le fuel échappé d'un pipeline endommagé, près de Warri, sont morts dans l'explosion déclenchée par une étincelle.

Les contrats qui prévoyaient la maintenance et l'entretien des quatre raffineries de pétrole nigérianes n'avaient guère été suivis d'effet début 1999. Jusqu'à l'achèvement, en avril 1999, des travaux de réfection de la raffinerie de Kaduna, le pays dépendait des importations pour satisfaire la majorité de ses besoins ; ce site a cependant rencontré de nouveaux problèmes dans les mois qui ont suivi. De chroniques pénuries de fuel, essence, kérosène... ont engendré de longues files d'attente aux stations-service et, indirectement, permis au gouvernement d'augmenter les prix, lesquels avaient presque doublé fin décembre 1998. Le mécontentement de la population s'est ajouté aux protestations des fonctionnaires, dont la prime de 2 400 nairas décidée en septembre avait finalement été réduite de moitié à la fin de l'année, au nom de problèmes budgétaires. Les fonctionnaires d'État et fédéraux ont cessé le travail dans le cadre d'une série de manifestations, mais les menaces d'entrave du programme de transition n'ont pas été mises à exécution.

La production pétrolière a chuté à partir de la mi-1998, en partie à cause de perturbations dans la production, mais aussi en réponse aux appels de l'OPEP (Organisation des pays exportateurs de pétrole) à contrer l'effondrement des prix sur le marché mondial (moins de 10 dollars le baril fin 1998). Cela a entraîné un manque à gagner significatif dans les recettes publiques. Le budget 1998, qui reposait sur un prix de 17 dollars le baril, prévoyait un revenu de 9,8 milliards de dollars, qui n'a été que de 6,8, selon les estimations. Il s'en est suivi une réduction des sommes allouées aux opérations de *joint-venture* pétrolières, et les spéculations selon lesquelles le Nigéria déciderait d'élargir la participation des sociétés étrangères dans le secteur sont allées bon train. Parallèlement, le plus important projet industriel engagé en Afrique (1995) et reposant sur un partenariat entre le gouvernement du Nigéria, Shell, Elf et Agip, à savoir celui du gaz naturel liquéfié (GNL), s'élevant à 4 milliards de dollars, était près d'aboutir ; la production devait commencer fin 1999.

Le taux de croissance a atteint 2,3 % en 1998, soit moins qu'en 1997 (5,1 %) et légèrement moins que le taux de croissance de la population. De nombreux observateurs l'estimaient encore moindre, au vu de la chute des prix du brut, des perturbations dans la production dues aux troubles sociaux et du faible taux d'activité dans la production manufacturière (utilisation de seulement 27 % des capacités en 1998). Ces faibles performances économiques, auxquelles il faut ajouter l'absence d'investissements étrangers dans les secteurs autres que pétrolier, ont été accompagnées d'un regain d'inflation (15 % fin 1998) et d'une dépréciation de la monnaie. Après avoir été de 80 nairas pour 1 dollar tout au long de 1998, le rapport de change est passé à 95 nairas pour 1 dollar début avril 1999, trois mois après l'abandon par le gouvernement du système de change dual tant contesté. Cette mesure, inscrite dans l'adoption du budget 1999, a fait disparaître une importante source de difficultés en permettant de trouver un accord avec la communauté financière internationale sur un programme économique de moyen terme. Le Nigéria recherchait toujours désespérément l'approbation du FMI et de la Banque mondiale pour engager des discussions de réduction de sa dette extérieure, estimée à 34 milliards de dollars.

Réhabilitation sur la scène internationale

Les relations diplomatiques du pays se sont considérablement améliorées à partir de la mi-1998. La libération des prisonniers politiques et la mise en œuvre progressive du programme de transition démocratique, conformément au calendrier fixé, ont encouragé les partenaires commerciaux du Nigéria à alléger la majeure partie des sanctions qui lui avaient été infligées pour violations répétées des droits de l'homme. Les visites officielles du général Abubakar et d'autres autorités au Royaume-Uni, en France et aux États-Unis ont illustré la fin de l'isolement international du pays.

Le Nigéria est par ailleurs demeuré actif dans la recherche de solutions aux crises régionales, fournissant notamment le plus grand nombre de soldats aux troupes envoyées par l'Ecomog (Force ouest-africaine d'interposition) pour réprimer les rébellions en Sierra Léone (mars 1998) et en Guinée-Bissau (été 1998). L'implication dans ce dernier conflit n'a pas emporté l'approbation des Nigérians, de nombreuses voix s'élevant pour demander s'il était opportun de se battre à l'étranger alors même que le pays traversait une passe délicate. Les généraux Abubakar et Obasanjo ont déclaré clairement qu'ils rapatrieraient l'ensemble des troupes se trouvant hors frontières à la première occasion. - **Duncan H. James** ■

Togo

L'image extérieure du régime

Les résultats économiques du pays se sont affichés à la baisse en 1998. La croissance a été négative (– 1,0 %), alors que le FMI escomptait 5,2 %, et le taux d'inflation a été de 1 %. Le budget 1999 voté le 31 décembre 1998 atteignait 155,06 milliards FCFA avec un déficit prévisionnel de 11 milliards. Sur 140,95 milliards FCFA de recettes prévues, seulement 91,02 ont été réalisées, alors que les dépenses publiques s'élevaient à la fin septembre 1998 à près de 117 milliards ; la dette extérieure et interne (respectivement 808 milliards au 30 septembre 1998 et 174,7 au 30 mai 1998) a obéré lourdement les finances de l'État qui avait toujours des difficultés à verser les salaires de ses agents.

Le Togo est resté dans le collimateur de l'Union européenne ; celle-ci n'a pas relancé ses aides suspendues après la proclamation de la victoire contestée du général Étienne Gnassingbé Éyadéma à l'élection présidentielle du 21 juin 1998. Les différents dons et prêts, ou encore l'adhésion du Togo à la Banque islamique de développement en novembre 1998, n'ont pas compensé cette perte, malgré la mobilisation des chefs d'État d'Afrique-Caraïbes-Pacifique (ACP) et de l'Union économique et monétaire ouest-africaine (UEMOA), réunis en janvier 1999 à Lomé.

Le Premier ministre Kwassi Klutsé a été reconduit à la tête d'un nouveau gouvernement formé le 1er septembre 1998. Mais le régime du général Éyadéma apparaissait au pied du mur à la veille des législatives du 21 mars 1999. Celles-ci, boycottées par l'opposition, ont été remportées par le Rassemblement du peuple togolais (au pouvoir), avec 77 sièges sur les 79 à pourvoir. Le général Éyadéma a désigné le 21 mai un nouveau Premier ministre en la personne d'Eugène Adoboli. Les discussions engagées à partir du 20 novembre 1998 entre l'opposition et le courant présidentiel pour sortir de la crise politique ont fait l'objet d'une rencontre à Paris du 9 au 11 juin 1999 pour débattre de la question de la sécurité des participants à la réunion de Lomé en juillet suivant. A partir d'octobre 1998, le général Éyadéma, président de la Communauté économique des États d'Afrique de l'Ouest (CEDEAO), a fait de la résolution du conflit bissau-guinéen une affaire personnelle, sans parvenir à éviter qu'il y ait un coup d'État. Alors que l'année 1999 avait été proclamée « année des droits de l'homme », le rapport d'Amnesty International *Togo, état de terreur*, publié le 5 mai 1999, a dénoncé les pratiques du pouvoir au cours des quatre dernières années, l'accusant de centaines d'exécutions extrajudiciaires et suscitant de très vives réactions de la part des autorités togolaises. - **Comi Toulabor** ■

République du Togo

Capitale : Lomé.
Superficie : 56 000 km².
Population : 4 397 000.
Langues : français (off.), éwe, kotokoli, kabiyé, moba.
Monnaie : franc CFA (1 FCFA = 0,01 FF).
Nature de l'État : république unitaire.
Nature du régime : présidentiel.
Chef de l'État : général Étienne Gnassingbé Éyadéma (depuis le 13.1.67, élections contestées le 25.8.93 et le 21.6.98).
Chef du gouvernement : Eugène Adoboli, qui a succédé le 21.5.99 à Kwassi Klutsé.
Ministre de la Défense : général Assani Tidjani (depuis le 1.9.98).
Ministre de l'Intérieur et de la Sécurité : général Séyi Mémène (depuis le 20.8.96, reconduit le 20.8.98).
Ministre des Affaires étrangères et de la Coopération : Joseph Kokou Koffigoh (depuis le 20.8.98).

Afrique centrale

Cameroun, Centrafrique, Congo (-Brazza), Congo (-Kinshasa), Gabon, Guinée équatoriale, São Tomé et Principe

Cameroun

La corruption en accusation

L'économie camerounaise a poursuivi la dynamique de croissance engagée depuis 1994-1995 et consécutive à la dévaluation du franc CFA. La croissance serait néanmoins passée de 5,2 % à 4,9 % courant 1998-1999, selon le Comité monétaire national. Les pouvoirs publics ont continué les réformes d'ajustement soutenues par le FMI et la Banque mondiale. En septembre 1998, un prêt de 42 milliards de francs CFA a d'ailleurs été accordé dans le cadre de la Facilité d'ajustement structurel renforcé (FASR) conclue en août 1997.

La crise asiatique aurait provoqué, selon le ministre d'État chargé de l'Économie et des Finances, Édouard Akame Mfoumou, un manque à gagner de 47 milliards de francs CFA. La trésorerie de l'État a souffert d'une conjoncture internationale difficile, notamment dans le secteur pétrolier (chute du prix du baril de 20 à 10 dollars). L'objectif de 140 milliards de francs CFA de recettes pétrolières, inscrit au budget 1998-1999, semblait difficile à atteindre.

Le gouvernement a engagé de nouvelles privatisations d'entreprises publiques ou parapubliques (sucre, huile). Il est également tenu de réaliser d'autres critères d'ajustement (plein recouvrement de la TVA [Taxe sur la valeur ajoutée], assainissement budgétaire, accélération du recouvrement des recettes non pétrolières, plan de restructuration de la Sécurité sociale, lutte contre la pauvreté, révision de la loi relative à l'exportation des grumes). La conduite de ces réformes était déterminante dans l'évolution des relations avec le FMI et la Banque mondiale.

Sur le plan de la politique intérieure, le président Paul Biya a fait de son parti, le Rassemblement démocratique du peuple camerounais (RDPC), la pièce maîtresse de

République du Cameroun

Capitale : Yaoundé.
Superficie : 475 440 km².
Population : 14 305 000.
Langues : français et anglais (off.), bassa, douala, ewondo et boulou (Fang-Beti), feefée, medumba et ghomalu (Bamiléké), mungaka (Bali), foulbé et arabe (langues régionales et nationales).
Monnaie : franc CFA (1 FCFA = 0,01 FF).
Nature de l'État : république unitaire décentralisée.
Nature du régime : semi-présidentiel, multipartisme.
Chef de l'État : Paul Biya (depuis le 6.11.82).
Chef du gouvernement : Peter Mafany Musonge, Premier ministre (depuis le 19.9.96).
Ministre d'État chargé des Relations extérieures : Augustin Kontchou Kouomegni.
Ministre d'État délégué à la Présidence chargé de la Défense : Amadou Ali.
Ministre de l'Administration territoriale (Intérieur) : Samson Ename Ename.

sa stratégie de « démocratie apaisée ». En position de force, le président pouvait définir les conditions du dialogue politique avec les principales formations d'opposition, minées par des luttes de leadership. Le Front social-démocrate (SDF) de John Fru Ndi a été confronté à la dissidence de son vice-président Souleymane Mahamat en octobre 1998. L'Union nationale pour la démocratie et le progrès (UNDP) a été, pour sa part, secouée par des critiques portant sur l'accord de gouvernement conclu avec le RDPC entre le président, Bello Bouba, et le vice-président, Célestin Bedzigui.

La situation politique a été perturbée par des conflits de factions et des luttes de cabinet au sein du régime, alimentés par l'« affaire des tracts » d'Akame Mfoumou (campagne clandestine d'affichage annonçant sa candidature à une éventuelle succession du président Biya en 1999) et par la crise entre le Premier ministre, Peter Mafany Musonge, et le ministre de la Jeunesse et des Sports, Joseph Owona (en désaccord sur la solution du conflit entre la Fédération internationale du football association [FIFA], la Fédération camerounaise de football [Fecafoot] et les pouvoirs publics à propos de la gestion du football camerounais).

Sur le plan international, le Cameroun et son régime ont reçu un véritable coup de semonce avec la publication d'un rapport de l'organisation non gouvernementale Transparency International qualifiant le Cameroun de pays réputé le plus corrompu du monde. En revanche, l'organisation de deux importants sommets sous-régionaux, relatifs aux questions de sécurité et de gestion ou de conservation durables des forêts en Afrique centrale, a contribué au rayonnement diplomatique du pays. Le président P. Biya en a tiré parti, comme lorsqu'il a accédé à la vice-présidence du sommet des non-alignés organisé à Durban (Afrique du Sud), en septembre 1998, ou quand il a reçu le prix international du Centre d'études politiques de société de Paris (CEPS), en février 1999.

Les tensions géostratégiques liées au contentieux frontalier avec le Nigéria concernant la péninsule de Bakassi ont persisté, même si le gouvernement de Yaoundé misait toujours sur une issue favorable de la procédure juridictionnelle de règlement du conflit auprès de la Cour internationale de justice (CIJ). - **Mathias Éric Owona Nguini** ■

Centrafrique

Blocage politique

Après deux ans d'instabilité politique et sociale, et renouant avec une paix encore précaire, le pays a opéré un redressement de ses finances publiques au cours du premier semestre 1998. Le gouvernement a ainsi pu signer avec le FMI, le 21 juillet 1998, une Facilité d'ajustement structurel renforcée (FASR), première aide financière depuis 1996. Dans ce cadre, il s'est engagé

République centrafricaine

Capitale : Bangui.
Superficie : 622 980 km².
Population : 3 485 000.
Langues : français, sango.
Monnaie : franc CFA (1 FCFA = 0,01 FF).
Nature de l'État : république unitaire.
Nature du régime : présidentiel, multipartisme autorisé à partir d'août 91.
Chef de l'État : Ange-Félix Patassé (depuis le 20.10.93).
Premier ministre : Anicé George Dolognélé, qui a succédé le 4.1.99 à Michel Gbezera-Bria.
Ministre de l'Administration du territoire et de la Sécurité publique : Théodore Biko (depuis le 15.1.99).
Ministre de la Défense : Pascal Kado (depuis le 18.2.97).
Ministre des Affaires étrangères : Marcel Metefara (depuis le 15.1.99).
Ministre de la Justice, garde des Sceaux : Laurent Gomina Pampali (depuis le 15.1.99).
Échéances institutionnelles : élection présidentielle (août-septembre 99).

à réactiver le processus de privatisation des entreprises publiques, notamment en adoptant, le 18 septembre 1998, le projet de loi sur la libéralisation du secteur pétrolier. La dette extérieure, principal fardeau financier de l'État centrafricain, a été rééchelonnée avec l'annulation des échéances à hauteur de 67 % envers les créanciers publics bilatéraux membres du Club de Paris.

Cette embellie est toutefois tempérée par la persistance des arriérés de salaires (dix mois pour les fonctionnaires et trois mois pour les militaires à la fin de l'année 1998) et par l'accroissement de l'insécurité et du banditisme tant à Bangui que dans le reste du pays. Le problème de la dissémination incontrôlée des armes, à la suite des mutineries de 1996-1997, trouve un écho préoccupant avec la proximité des conflits qui ont prévalu en 1998-1999 en République démocratique du Congo (RDC, ex-Zaïre) et au Congo-Brazzaville. Sur le plan économique, ces deux conflits ont fortement perturbé deux axes majeurs des échanges extérieurs centrafricains, les fleuves Congo et Oubangui, et la ligne de chemin de fer entre Brazzaville et Pointe-Noire.

Malgré ce contexte déstabilisant, le pays a connu une échéance politique importante avec la tenue des élections législatives en novembre et décembre 1998. Alors que la sécurité et le bon déroulement du scrutin étaient assurés par la Minurca (Mission des Nations unies en République centrafricaine), ces élections ont conduit à un nouveau blocage politique. En effet, le président Ange-Félix Patassé n'a conservé la majorité au Parlement que grâce au ralliement de trois députés issus de l'opposition. En signe de protestation, l'opposition a boycotté l'élection du président de l'Assemblée nationale, et les membres de l'opposition présents dans le gouvernement ont démissionné. Face à ce durcissement politique, et dans l'attente de l'élection présidentielle prévue en août-septembre 1999, le Conseil de sécurité de l'ONU a décidé de prolonger jusqu'au 15 novembre 1999 le mandat de la Minurca. - **Éric Gauvrit** ■

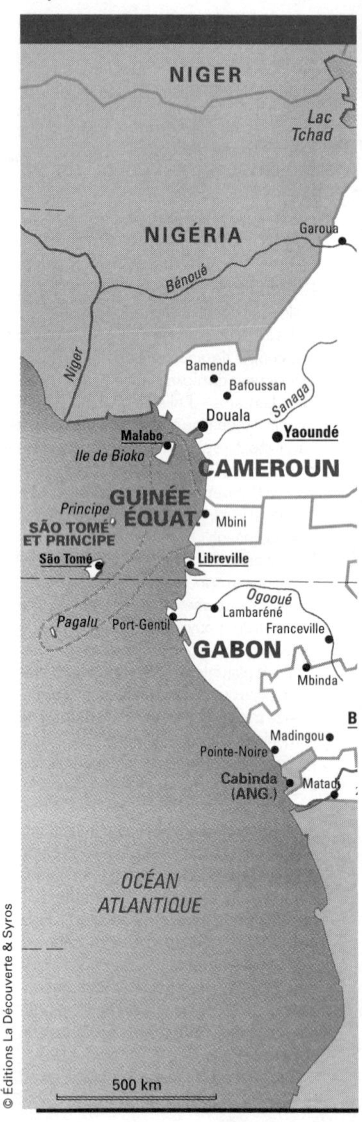

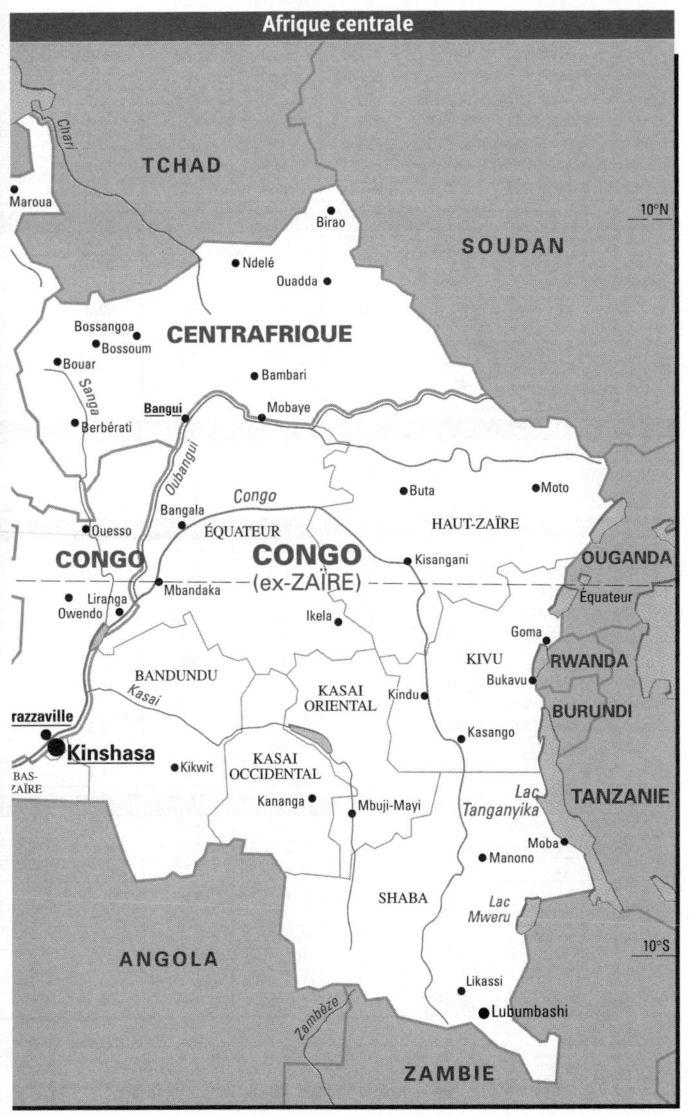
Afrique centrale
Chari
TCHAD
Maroua
Birao
10°N
SOUDAN
Ndelé
Ouadda
Bossangoa
Bossoum
CENTRAFRIQUE
Bouar
Bambari
Sanga
Bangui
Mobaye
Berbérati
Oubangui
Buta
Moto
Congo
Bangala
HAUT-ZAÏRE
Ouesso
ÉQUATEUR
CONGO
CONGO
(ex-ZAÏRE)
Kisangani
OUGANDA
Mbandaka
Équateur
Liranga
Owendo
Ikela
Goma
KIVU
RWANDA
BANDUNDU
Bukavu
Kasai
KASAI
ORIENTAL
Kindu
razzaville
BURUNDI
Kasango
Kinshasa
Kikwit
KASAI
OCCIDENTAL
BAS-
ZAÏRE
Lac
Tanganyika
TANZANIE
Kananga
Mbuji-Mayi
Moba
Manono
SHABA
Lac
Mweru
10°S
ANGOLA
Likassi
Lubumbashi
Zambèze
ZAMBIE

INDICATEUR	CAMEROUN	CENTR-AFRIQUE	CONGO-Brazza	CONGO - Kinsh.
Démographie[a]				
Population *(millier)*	14 305	3 485	2 785	49 139
Densité *(hab./km²)*	30,7	5,6	8,2	21,7
Croissance annuelle (1995-2000) *(%)*	2,7	1,9	2,8	2,6
Indice de fécondité (ISF) (1995-2000)	5,3	4,9	6,1	6,4
Mortalité infantile (1995-2000) *(‰)*	74	98	90	90
Espérance de vie (1995-2000) *(année)*	54,7	44,9	48,6	50,8
Population urbaine *(%)*	47,2	40,4	60,9	29,7
Indicateurs socioculturels				
Développement humain (IDH)[c]	0,536	0,378	0,533	0,479
Nombre de médecins *(‰ hab.)*	0,07[f]	0,04[b]	0,26[b]	0,07[f]
Analphabétisme (hommes)[c] *(%)*	21,0	44,0	15,4	13,4[b]
Analphabétisme (femmes)[c] *(%)*	35,4	69,9	30,3	32,3[b]
Scolarisation 12-17 ans *(%)*	53,0[m]	25,0[m]	• •	37,9[m]
Scolarisation 3e degré *(%)*	3,9[f]	1,4[f]	8,3[f]	2,3[f]
Adresses Internet[d] *(‰ hab.)*	0,002	0,00	0,004	0,002
Livres publiés *(titre)*	22[o]	• •	• •	64[k]
Armées (effectifs)				
Armée de terre *(millier d'h.)*	11,5	2,5	8	50
Marine *(millier d'h.)*	1,3	• •	0,8	0,09
Aviation *(millier d'h.)*	0,3	0,15	1,2	0
Économie				
PIB total (PPA)[c] *(million $)*	26 406	4 546	4 397	40 882
Croissance annuelle 1987-97 *(%)*	– 1,6	0,7	1,2	– 4,9
Croissance 1998 *(%)*	5,0	3,0	4,1	– 5,7
PIB par habitant (PPA)[c] *($)*	1 890	1 330	1 620	880
Investissement (FBCF) *(% PIB)*	15,3[e]	8,5[e]	37,5[h]	8,0[e]
Taux d'inflation *(%)*	2,8	1,8	4,8	25,0
Énergie (taux de couverture)[f] *(%)*	200,3	8,1	954,0	99,2
Dépense publique Éducation *(% PIB)*	2,9[i]	2,3[l]	6,2[b]	[f]
Dépense publique Défense[c] *(% PIB)*	2,9	4,0	2,5	5,3
Dette extérieure totale[c] *(million $)*	9 293	885	5 071	12 330
Service de la dette/Export.[e] *(%)*	21,1	6,5	13,7	1,7
Échanges extérieurs				
Importations (douanes) *(million $)*	1 511	170	883[c]	1 031[c]
Principaux fournisseurs[c] *(%)*	UE 63,4	UE 41,9	E-U 9,2	Afr 43,3
(%)	Fra 34,8	Fra 30,5	UE 57,7	UE 33,9
(%)	PED 17,5	Afr 34,1	PED 21,6	Asie[r] 14,4
Exportations (douanes) *(million $)*	1 867	182	1 744[c]	1 241[c]
Principaux clients[c] *(%)*	UE 68,8	Belg 36,2	E-U 23,6	E-U 22,3
(%)	Afr 4,9	PED 19,9	UE 36,9	UE 57,9
(%)	Asie[r] 11,1	PNS[q] 31,4	Asie[r] 29,6	Asie[r] 7,6
Solde transactions courantes *(% PIB)*	1,1[b]	– 2,9[i]	0,0	– 4,1[c]

Définition des indicateurs, sigles et abréviations p. 31 et suivantes. Chiffres 1998 sauf notes.
a. Derniers recensements utilisables : Cameroun, 1987 ; Centrafrique, 1998 ; Congo (-Brazza), 1984 ; Congo (-Kinshasa), 1984 ; Gabon, 1993 ; Guinée équatoriale, 1994 ; São Tomé et Principe, 1991. b. 1995 ; c. 1997 ; d. janv. 1999 ; e. 1995-97 ; f. 1996 ; g. 1998 ; h. 1996-98 ; i. 1994 ; j. 1993 ; k. 1992 ; l. 1991 ;

GABON	GUINÉE EQU.	SÃO TOMÉ ET PRINC.
1 167	431	141
4,5	15,4	146,9
2,6	2,5	2,0
5,4	5,6	4,6
87	108	50
52,4	50,0	64,0
53,2	45,8	45,2
0,607	0,549	0,609
0,46[f]	0,25[f]	0,47[f]
26,3[b]	9,5	••
46,7[b]	29,9	••
••	••	••
••	••	••
0,00	0,00	8,07
••	17[n]	••
3,2	1,1	••
0,5	0,12	••
1	0,1	••
8 704	1 271[g]	82[g]
4,7	15,6	1,3
2	93,6	2,6
7 550	2 949[g]	851[g]
23,8[e]	100,1[e]	52,7[e]
2,0	3,0	42,2
1 248,8	595,0[bp]	1 704,0[bp]
2,8[b]	1,8[j]	••
1,9	1,3	••
4 285	283	261
13,4	2,1	35,1
890	495	21[c]
UE 64,8	E-U 28,1	UE 47,8
Fra 39,1	UE 57,8	Por 29,8
PED 21,7	Afr 9,2	E-U 24,6
2 300	600	6
E-U 68,2	E-U 11,4	UE 87,5
UE 12,4	UE 42,4	Esp 25
Asie[r] 14,5	Asie[r] 45,9	PED 12,5
2,0[b]	– 70,7[c]	0,0

m. 1990; n. 1983; o. 1979; p. chiffres des Nations Unies; q. Pays non spécifiés; r. Y compris Japon et Moyen-Orient.

Congo (-Brazza)

Retour de la guerre civile

Alors qu'un accord avait été conclu, le 17 juillet 1998, entre le FMI et le gouvernement pour l'obtention d'une assistance d'urgence post-conflit, visant à soutenir le programme de reconstruction du pays, le Congo-Brazzaville a été une nouvelle fois confronté au spectre de la guerre civile. Des affrontements meurtriers ont repris dès octobre 1998 dans la région du Pool, limitrophe

République du Congo

Capitale : Brazzaville.

Superficie : 342 000 km².

Population : 2 785 000.

Langues : français (off.), lingala et kikongo (nationales), autres langues du groupe bantou.

Monnaie : franc CFA (1 FCFA = 0,01 FF).

Nature de l'État : république unitaire.

Nature du régime : présidentiel, multipartisme.

Chef de l'État : Denis Sassou Nguesso, qui a succédé à Pascal Lissouba en oct. 1997, au terme d'un conflit civil.

Ministre à la Présidence, chargé du cabinet du chef de l'État (équivalent du gouvernement) et du contrôle d'État : Gérard Bitsindou (depuis le 12.1.99).

Ministre à la Présidence, chargé de la Défense nationale : Itihi Ossetoumba Lekoundzou (depuis le 12.1.99).

Ministre de la Justice, garde des Sceaux : Jean-Martin Mbemba (depuis le 12.1.99).

Ministre des Affaires étrangères, de la Coopération et de la Francophonie : Rodolphe Adada (depuis le 2.11.97).

Ministre de l'Intérieur, de la Sécurité et de l'Administration du territoire : gén. de brigade Pierre Oba (depuis le 2.11.97).

Échéances institutionnelles : période de transition avec référendum constitutionnel en 2001.

Afrique centrale/Bibliographie

Abwa, *Commissaires et Hauts Commissaires de la France au Cameroun (1916-1960),* L'Harmattan/Presses de l'Université catholique d'Afrique centrale, Paris/Yaoundé, 1999.

J. Baillif, *Congo,* Karthala, Paris, 1993.

R. Bazenguissa-Ganga, *Les Voies du politique au Congo. Essai de sociologie historique,* Karthala, Paris, 1997.

R. Bazenguissa-Ganga, « Milices politiques et bandes armées à Brazzaville. Enquête sur la violence politique et sociale des jeunes déclassés », *Les Études du CERI,* n° 13, FNSP, Paris, avr. 1996.

E. Boulaga, *Lignes de résistance,* Éditions Clé, Yaoundé, 1999.

J.E. Clark, D.E. Gardinier (sous la dir. de), *Political Reform in Francophone Africa,* Westview Press, Boulder, 1997. Voir notamment l'article de J. Takougang, « Cameroon : Biya and Incremen Reform ».

F. Eboussi Boulaga, *Cameroun : la démocratie en transit,* L'Harmattan, Paris, 1998.

R. Fegley, *Equatorial Guinea : an African Tragedy,* Peter Lang Verlag, Berne, 1990.

J. M. Gankou, *Cameroun : le pari de la croissance et du développement,* Édi'action, 1999.

M. Liniger-Goumaz, *Who's who de la dictature de Guinée équatoriale. Les Nguemistes,* Éd. du Temps, Genève, 1993.

N. Mouelle, *La Politique étrangère du Cameroun,* L'Harmattan, Paris, 1996.

J. P. Ngoupande, *Chronique de la crise centrafricaine de 1996-1997. Le syndrome Barracuda,* L'Harmattan, Paris, 1997.

A. D. Olinga, « Politique et droit électoral au Cameroun : analyse juridique de la politique électorale », *Polis,* vol. 6, n° 2, GRAP, Yaoundé, 1998.

M. É. Owona Nguini, « Juristes-savants, droit de l'État et État de droit au Cameroun », *Polis,* vol. 6, n° 2, GRAP, Yaoundé, 1998.

M. É. Owona Nguini, « L'État et les milieux d'affaires au Cameroun. Autoritarisme, ajustement au marché et démocratie (1986-1996) », *Polis,* vol. 2, n° 2, GRAP, Yaoundé, 1996.

R. Pourtier, *Le Gabon,* 2 vol., L'Harmattan, Paris, 1989.

« Spécial São Tomé et Principe », *Marchés tropicaux et méditerranéens,* n° 2477, Paris, avr. 1993.

I. Verdier, *Cameroun. Cent hommes de pouvoir,* Indigo Publications, Paris, 1998.

I. Verdier, *Gabon. Cent hommes de pouvoir,* Indigo Publications, Paris, 1996.

F. Weissman, *L'Élection présidentielle de 1992 au Congo : entreprise politique et mobilisation électorale,* CEAN, Bordeaux, 1994.

D. A. Yates, « Central Africa : Oil and the Franco-American Rivalry », *in* CEAN, *L'Afrique politique 1998,* Karthala, Paris, 1998.

O. Yaya, *L'Ordre public, mission principale de la Gendarmerie nationale,* Karthala, Paris, 1998.

Voir aussi la bibliographie « Congo (-Kinshasa) », p. 162.

de la capitale. Ces accrochages entre, d'une part, l'armée congolaise, assistée par l'armée angolaise et les miliciens Cobras proches du président Denis Sassou Nguesso, et, d'autre part, les miliciens Ninjas, proches de Bernard Kolélas, le dernier Premier ministre de l'ancien président Pascal Lissouba, se sont intensifiés jusqu'aux combats à l'arme lourde dans Brazzaville en décembre 1998. L'armée congolaise a alors procédé à trois jours de bombardements puis à une « opération de nettoyage » contre les Ninjas « infiltrés » dans les quartiers sud. Les combats se sont poursuivis ensuite dans les autres régions du Sud. Dans un contexte d'insécurité endémique et de pillage massif, en particulier dans les quartiers sud de Bacongo et Makélékélé à Brazzaville, les populations ont essayé de trouver refuge soit dans les quartiers épargnés de la capitale, soit dans les forêts environnantes, ou bien encore à Pointe-Noire, au Gabon ou en République démocratique du Congo (RDC, ex-Zaïre), occasionnant le déplacement de plusieurs centaines de milliers de personnes.

Le Congo et la RDC ont alors signé le 29 décembre 1998 un « pacte de non-agression » pour mettre fin aux accusations mutuelles de soutien aux « bandes armées ». Ce pacte est venu renforcer, pour le gouvernement congolais, l'accord de coopération militaire signé préalablement avec l'Angola en août 1998.

Nouvelle illustration des conséquences de la prolifération des milices partisanes depuis le début des années quatre-vingt-dix au Congo, les affrontements, qui auraient fait au moins 1 000 morts depuis décembre 1998, ont encore davantage fragilisé une économie durement éprouvée par les séquelles de la guerre civile de 1997, dont le coût global a été évalué par le gouvernement à 500 milliards FCFA. A cela est venue s'ajouter, jusqu'en avril 1999, l'importante chute du prix du pétrole, première source de revenus de l'État, entraînant de nouveaux arriérés de salaires pour les fonctionnaires. - **Éric Gauvrit** ■

Congo (-Kinshasa)

Une « guerre » qui dure

L'évolution politique en République démocratique du Congo (RDC) continue d'être marquée par une situation de « guerre », même si, au premier semestre 1999, le front s'est stabilisé autour d'une ligne partant de l'agglomération de Zongo, à l'extrême nord-ouest du pays, et aboutissant près de Kalemie au Nord-Katanga, en passant par la partie septentrionale du Kasaï-Oriental. Selon des experts militaires, cette stabilisation serait attribuable à la saison des pluies gênant les déplacements de troupes. Mais il semble qu'il faille tenir également compte de la faible qualité opérationnelle des armées et/ou des bandes qui opèrent de part et d'autre des lignes de front. Le conflit évoluerait ainsi vers une sorte de guerre des tranchées ou un *statu quo* militaire, créant une division de fait entre l'est et l'ouest du pays. Ni l'Angola ni le Zimbabwé ni la Namibie, alliés du pouvoir en place en RDC, ne paraissaient se donner les moyens de regagner le terrain perdu au profit du RCD (Rassemblement pour le Congo démocratique) et de ses alliés, le Rwanda et l'Ouganda.

République démocratique du Congo

La **République du Zaïre** a été rebaptisée le 17.5.97 **République démocratique du Congo** par Laurent-Désiré Kabila après la chute du régime de Mobutu Sese Seko (décédé le 7.9.97).

Capitale : Kinshasa.

Superficie : 2 345 409 km².

Population : 49 139 000.

Langues : français (off.), lingala, swahili (véhiculaires), diverses langues locales.

Monnaie : franc congolais (1 franc congolais = 3,97 FF au 24.8.98).

Nature de l'État : république unitaire.

Nature du régime : L.-D. Kabila s'est arrogé les « pleins pouvoirs jusqu'à l'adoption d'une Constitution », lors de sa prestation de serment, le 29.5.97. Des élections ont été annoncées pour juillet 1999. A l'été 1998 a éclaté une rébellion militairement soutenue par le Rwanda et l'Ouganda (qui a ensuite esquissé un retrait) et militairement combattue par l'Angola, le Zimbabwé et la Namibie.

Chef de l'État et du gouvernement : Laurent-Désiré Kabila (autoproclamé le 24.5.97).

Congo (-Kinshasa)/Bibliographie

C. Braeckman, M.-F. Gros, G. de Viller *et alii, Kabila prend le pouvoir,* Complexe/Éd. du GRIP, Bruxelles, 1998.

E. Kennes, « Du Zaïre à la République démocratique du Congo : une analyse de la guerre de l'Est », *in* CEAN, *L'Afrique politique 1998,* Karthala, Paris, 1998.

I. Ndaywel é Nziem, *Histoire du Zaïre. De l'héritage ancien à l'âge contemporain,* Duculot, Louvain-la-Neuve, 1997.

H. Nicolaï, P. Gourou, Mashini Dhi Mbita Mulengha, *L'Espace zaïrois. Hommes et milieu,* CEDAF/L'Harmattan, Bruxelles/Paris, 1996.

Table ronde de concertation sur les droits humains, *Zaïre 1992-1996. Chronique d'une transition inachevée,* L'Harmattan, Paris, 1996.

G. de Villers, *De Mobutu à Mobutu. Trente ans de relations Belgique-Zaïre,* Boeck-Westmael, Bruxelles, 1995.

G. de Villers, J. Omasombo Tshonda, « Zaïre. La transition manquée. 1990-1997 », *Cahiers africains,* coll. « Zaïre, années 90 », vol. 7, n° 27-28-29, L'Harmattan/Institut africain, Paris/Bruxelles, 1997.

G. de Villers, J.-C. Willame, « La République démocratique du Congo. Chroniques politiques, 1996-1998 », *Les Cahiers africains,* n°s 34-35, Institut africain/CEDAF/L'Harmattan, Bruxelles/Paris, 1998.

J.-C. Willame, « Banyarwanda et Banyamulenge. Violences ethniques et gestion de l'identitaire au Kivu », *Cahiers africains,* coll. « Zaïre, années 90 », vol. 6, n° 25, L'Harmattan/Institut africain, Paris/Bruxelles, 1997.

J.-C. Willame, *L'Odyssée Kabila. Trajectoire pour un Congo nouveau ?,* Karthala, Paris, 1999.

B.C. Wilungula, « Fizi 1967-1986. Le maquis Kabila », *Cahiers africains,* n° 26, L'Harmattan/Institut africain, Paris/Bruxelles, 1997.

Voir aussi la bibliographie « Afrique centrale », p. 160 .

Un peu plus d'un an après la « rébellion » déclenchée, en mai 1997, par Laurent-Désiré Kabila pour renverser le régime du président Mobutu (mis en place en 1965) et qui l'a conduit à la tête du pays (rebaptisé « RDC »), la seconde « rébellion », lancée par le Rassemblement pour un Congo démocratique à partir du Kivu en août 1998, a connu des fortunes diverses. D'une part, elle comporte désormais un nouveau front ouvert par Jean-Pierre Mbemba, le fils du millionnaire congolais Mbemba Saolona, qui peut se prévaloir, selon ses dires, de ne recevoir – ou plutôt de ne souhaiter recevoir – aucun soutien des « pays ennemis » du Congo, selon l'expression du pouvoir en place. D'autre part, le RCD est traversé par des courants antagoniques internes, qui ont provoqué le départ, en février 1999, d'un de ses fondateurs, Arthur Zahidi Ngoma, lequel accuse aujourd'hui les rebelles d'être complètement à la solde de Kigali et de Kampala et de n'avoir pour objectif que le pillage du pays. En outre, même si le RCD s'est formellement consolidé en organisant des assemblées régionales, en nommant de nouvelles autorités locales et en prélevant tant bien que mal taxes et impôts de guerre, même si, contrairement à la stratégie de « fuite en avant » pratiquée en son temps par l'AFDL (Alliance des forces démocratiques de libération du Congo, qui a mené L.-D. Kabila au pouvoir), il bénéficiait (en théorie) de temps pour s'implanter de manière durable, il n'occupe pas réellement les territoires prétendument conquis, ne parvient pas à trouver les ressources suffisantes pour payer son administration et ses troupes, enfin, contrôle imparfaitement ses zones d'influence (montée en puissance de milices et de bandes armées échappant à toute autorité).

L'appui des alliés du RCD n'est pas non plus univoque. Si le Rwanda est apparu très réticent à retirer ses contingents du Kivu, prétextant que sa sécurité restait menacée, l'Ouganda a choisi d'« envisager » un retrait, à la fin avril 1999, avant de retirer tout son armement lourd de Goma, au début du mois de juin. Ce retrait entre dans le cadre de l'accord de paix signé en mai 1999 en Libye entre les présidents congolais, ougandais, érythréen et soudanais.

Un gouvernement en perte globale de crédibilité

Du côté du gouvernement en place, la popularité qu'a pu connaître L.-D. Kabila à la suite de la participation évidente et reconnue des troupes rwandaises et ougandaises dans la « rébellion » s'est considérablement érodée. Sur le plan interne, de nombreuses bavures ont été commises par les services de sécurité et la police. Les arrestations arbitraires, les disparitions et les règlements de comptes se sont multipliés, sans compter les persécutions ethniques à l'encontre des personnes d'origine tutsi, tandis que l'autocratie et la solitude du pouvoir en place se renforçaient. Depuis le début de l'année 1999, les décisions et les décrets-lois pris par L.-D. Kabila ont constitué autant de pas en arrière par rapport à la libéralisation politique annoncée. En outre, la nouvelle loi sur la nationalité congolaise, adoptée en janvier 1999 et qui opère un revirement spectaculaire par rapport au projet de Constitution de la fin 1998, a posé les bases de futurs affrontements ethniques dans le pays.

Sur le plan international, la crédibilité du régime Kabila a été fortement entamée. Sa visite en Belgique, à l'époque du sommet annuel des chefs d'État africains à Paris, a donné lieu à des entretiens politiques au cours desquels le chef d'État congolais n'a pas amélioré son crédit. Son passage à Paris et à Rome n'a pas davantage convaincu. Les relations avec Washington, qui n'étaient plus au beau fixe depuis mars 1998, en particulier depuis le passage à Kinshasa de l'émissaire spécial du président Clinton, le pasteur Jesse Jackson, que L.-D. Kabila avait refusé de recevoir, se sont encore détériorées. La condamnation par le Département d'État des arrestations et du massacre de civils tutsi pendant la phase de prise de pouvoir de L.-D. Kabila, de la propagation de la haine ethnique à la radio et de la possibilité d'un nouveau « génocide » ont été au centre des déclarations américaines depuis le début de la seconde « rébellion ».

Alors que ni celle-ci ni le pouvoir en place à Kinshasa ne parvenaient à renforcer leur légitimité, on a assisté à la confirmation d'une tendance lourde sur le plan des évolutions sociopolitiques, à savoir la volonté émanant de la « société civile » de se constituer comme un acteur reconnu sur le plan de l'instauration de la paix et de la démocratisation. A partir du début de l'année 1999, cette société civile a entrepris une vaste campagne internationale d'explicitation de ses « plans de paix ». Ces initiatives laissent à penser qu'une éventuelle nouvelle donne politique se dessinerait confusément, où certaines forces rechercheraient, *via* une nouvelle conférence nationale par exemple, une issue au blocage de la situation créée par les acteurs de la classe politique, actuelle et ancienne, qui se seraient tous décrédibilisés.

Économie : retour aux méthodes mobutistes

La situation économique apparaissait à la mesure de la dégradation politique. D'une part, on a assisté, depuis l'intervention des « pays amis » venus à la rescousse de L.-D. Kabila, à une multiplication de contrats et de conventions octroyés à des sociétés, groupes voire individus originaires de ces États : Angola, pour la commercialisation des hydrocarbures, Zimbabwé pour la reprise de certaines installations de la Gécamines (compagnie minière), en faillite virtuelle, Namibie dans le domaine de l'exploitation du diamant au Kasaï... Tout cela donnait à penser que le Congo-Kinshasa était devenu une proie facile pour des opérations de prédation, voire de simple rapine donnant lieu à des bénéfices immédiats. D'autre part, du fait de la guerre, le pays a perdu les bénéfices d'une réforme monétaire qui s'annonçait pourtant positive. Dès le début de la seconde « rébellion », la monnaie a recommencé à se déprécier (70 % en décembre 1998 contre 4,6 % « seulement » en juillet), l'inflation a repris (de 3,7 % à 78 % entre juin et août 1998) sans toutefois atteindre les sommets des années 1990-1996, les découverts s'accumulent (75 millions de dollars en août et en septembre), les recettes fiscales et douanières sont en chute libre (12 millions de dollars en août 1998 contre 35 par mois auparavant). Par ailleurs, dans sa course pour engranger des devises de plus en plus rares, le gouvernement Kabila a renoué avec des pratiques antérieures, tout en les mettant sur le compte d'un « nationalisme économique » : obligation d'utiliser la monnaie nationale dans toutes les transactions, ce qui a mis en difficulté l'une des plus grandes sociétés privées importatrices de denrées alimentaires de base ; création d'une Bourse congolaise des matières précieuses (BCMP) confiée à une personne qui se voit conférer un monopole d'achat sur tout le secteur ; obligation faite à 56 sociétés d'État de verser une « contribution spéciale pour l'effort de guerre » évaluée à plus de 7 millions de dollars par mois, etc. - **Jean-Claude Willame** ■

Gabon

Chute des recettes publiques

Le 6 décembre 1998, la victoire du président sortant a provoqué de légers incidents. Omar Bongo, au pouvoir depuis 31 ans, a été réélu, pour sept ans dès le premier tour, avec 66,88 % des voix. Ces résultats ont été contestés par l'opposition qui a demandé l'annulation du scrutin. Les responsables de l'opposition ont par la suite refusé de participer au gouvernement formé le 26 janvier 1999.

Ce dernier a d'emblée été confronté à une dégradation du climat social. Les négociations avec les syndicats de la fonction publique ont été bloquées pendant trois mois, alors qu'en janvier 1999 l'université et les établissements scolaires étaient fermés après de violentes manifestations. Le gouvernement a aussi affronté un tarissement des revenus publics issus des secteurs pétrolier et forestier. Le secteur du bois, deuxième employeur après l'État, est entré en crise avec l'effondrement de la demande asiatique. L'okoumé, l'une des deux essences reines, a connu une baisse de 48 % de ses exportations en 1998. La forte

République gabonaise

Capitale : Libreville.
Superficie : 267 670 km².
Population : 1 167 000.
Langues : français (off.), langues du groupe bantou.
Monnaie : franc CFA (1 FCFA = 0,01 FF).
Nature de l'État : république unitaire.
Nature du régime : présidentiel, multipartisme.
Chef de l'État : Omar Bongo (depuis le 28.11.67).
Premier ministre : Jean-François Ntoutoume-Émane, qui a succédé le 26.1.99 à Paulin Obame Nguema.
Vice premier-ministre, ministre de la Justice, garde des Sceaux : Emmanuel Ondo-Metogho (depuis le 26.1.99).
Ministre des Affaires étrangères, de la Coopération et de la Francophonie : Jean Ping (depuis le 26.1.99).
Ministre de l'Intérieur, de la Sécurité publique et de la Décentralisation : Antoine Mboumbou Miyakou (depuis le 29.1.97).
Ministre de la Défense nationale : Ali Bongo.

baisse des marchés pétroliers a été une source majeure de préoccupation, le pétrole représentant 60 % des recettes de l'État en 1997. Aussi l'État a-t-il tenté de diversifier son économie, notamment vers des secteurs à potentiel comme les mines, l'agriculture, la pêche, le tourisme, et de développer l'industrialisation de sa filière bois.

Cette vulnérabilité économique s'est traduite depuis octobre 1998 par le non-remboursement de la dette de l'État, dont ce dernier réclame l'allégement massif – sinon l'effacement – auprès des bailleurs de fonds. - **Éric Gauvrit** ■

Guinée équatoriale

Le régime conforté dans ses positions

Conforté dans son statut de nouvel eldorado pétrolier du golfe de Guinée, avec une production de 90 000 barils par jour en 1998 qui pourrait décupler d'ici 2020, la Guinée équatoriale a procédé aux premières élections législatives avec participation de l'opposition. Malgré la légalisation de treize partis, dont six de l'opposition, avec 75 sièges sur 80, le Parti démocratique de Guinée équatoriale (PDGE) a retrouvé son niveau de parti unique de fait. L'opposition a contesté la régularité du scrutin et refusé de siéger dans la nouvelle Assemblée. - **Éric Gauvrit** ■

République de Guinée équatoriale

Capitale : Malabo.
Superficie : 28 050 km^2.
Population : 431 000.
Langues : espagnol, français (off.), langues du groupe bantou, créole.
Monnaie : franc CFA (1 FCFA = 0,01 FF).
Nature de l'État : république unitaire.
Nature du régime : présidentiel, s'appuyant sur le Parti démocratique de Guinée équatoriale (PDGE, parti unique).
Chef de l'État : Teodoro Obiang Nguema Mbasogo (depuis le 3.8.79).
Premier ministre : Angel Serafin Seriche Dugan (depuis le 29.3.96, reconduit le 17.1.98).
Vice premier-ministre, ministre des Affaires étrangères : Miguel Oyono Ndong Mifumu (depuis le 22.12.93).
Vice-premier ministre, ministre de l'Intérieur : Demetrio Elo Ndong (depuis le 23.1.98).
Échéances institutionnelles : élections législatives (2003).

São Tomé et Principe

Le handicap de la cohabitation

La cohabitation conflictuelle entre le président Miguel Trovoada et le principal parti

République démocratique de São Tomé et Principe

Capitale : São Tomé.
Superficie : 960 km^2.
Population : 141 000.
Langues : portugais (off.), créole, ngola.
Monnaie : dobra (100 dobras = 0,089 FF au 30.4.99).
Nature de l'État : république unitaire.
Nature du régime : parlementaire, multipartisme.
Chef de l'État : Miguel Trovoada (élu le 3.3.91, réélu le 21.7.96).
Premier ministre : Guilherme Posser da Costa, qui a succédé le 30.12.98 à Raul Bragança Neto.
Ministre de la Justice et des Affaires parlementaires : Paulo Jorge Rodrigues do Espirito Santo (depuis le 6.1.99).
Ministre des Affaires étrangères : Alberto Paulino (depuis le 6.1.99).
Ministre de la Défense et de l'Intérieur : colonel João Quaresma Viegas Bexigas (depuis le 28.11.96).
Échéances institutionnelles : élection présidentielle (2001).

au pouvoir, le Mouvement de libération de São Tomé et Principe/Parti social-démocrate (MLSTP/PSD), dirigé par l'ancien président Manuel Pinto da Costa, s'est poursuivie avec la victoire du MLSTP-PSD, aux élections législatives du 8 novembre 1998, sur le parti présidentiel, l'Alliance démocratique indépendante (ADI). Cet état de faits continuait de paralyser un pays confronté à une dette extérieure équivalente à plus de 600 % de son PNB, soit le taux le plus élevé d'Afrique. - **Éric Gauvrit** ■

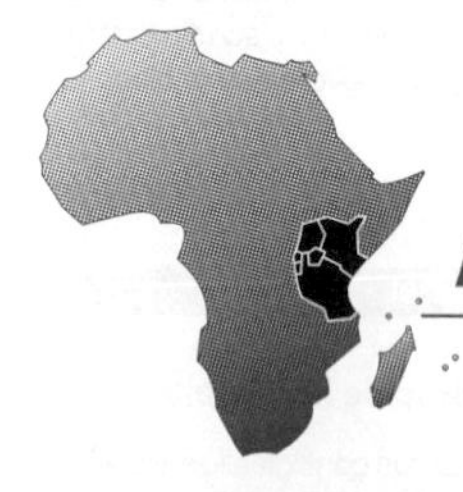

Afrique de l'Est

Burundi, Kénya, Ouganda, Rwanda, Tanzanie

Burundi

Vers une issue politique ?

Déchiré par la guerre civile depuis l'assassinat par des militaires, en octobre 1993, de Melchior Ndadaye, premier président élu démocratiquement trois mois plus tôt, le Burundi a enfin semblé entrevoir des issues politiques durables, malgré un contexte régional très dégradé.

Revenu au pouvoir en juillet 1996 par un coup d'État militaire, le major Pierre Buyoya a progressivement rétabli une administration opérationnelle sur l'ensemble du territoire et relancé un processus d'ouverture politique exigé à la fois par les partis majoritaires évincés du pouvoir et par les pays de la sous-région qui soumettaient le territoire à un embargo contraignant depuis août 1996.

Si la guérilla est restée active dans quelques provinces, pouvant prendre appui sur des bases arrière installées en Tanzanie (hébergeant encore plus de 200 000 réfugiés) ou engagées au Kivu (Congo-Kinshasa, à nouveau en proie à la guerre depuis août 1998) contre la coalition des forces armées d'occupation ougandaises, rwandaises et burundaises, les enjeux politiques étaient polarisés autour du processus de Partenariat politique interne et l'avancée parallèle des négociations d'Arusha (ouvertes le 6 juin 1998 et portant sur un retour à une paix durable et à la démocratie).

Les progrès observés dans le recentrage autour des forces politiques de l'intérieur les plus représentatives et les plus engagées dans le Partenariat ont abouti à la levée de l'embargo régional le 23 janvier 1999.

Le régime de transition mis en place en juin 1998 (gouvernement et Assemblée nationale) associant les forces politiques putschistes liées à l'Uprona (Unité pour le progrès national, ex-parti unique à dominante tutsi) et celles de l'ex-majorité Frodébu (Front pour la démocratie au Burundi, à dominante hutu) n'avait toutefois pas levé les réserves des opposants réintégrés dans le jeu politique ni, surtout, aboli l'impression de peur diffuse qui continuait à régner parmi la population hutu, craignant les exactions des militaires tutsi, ou parmi la population

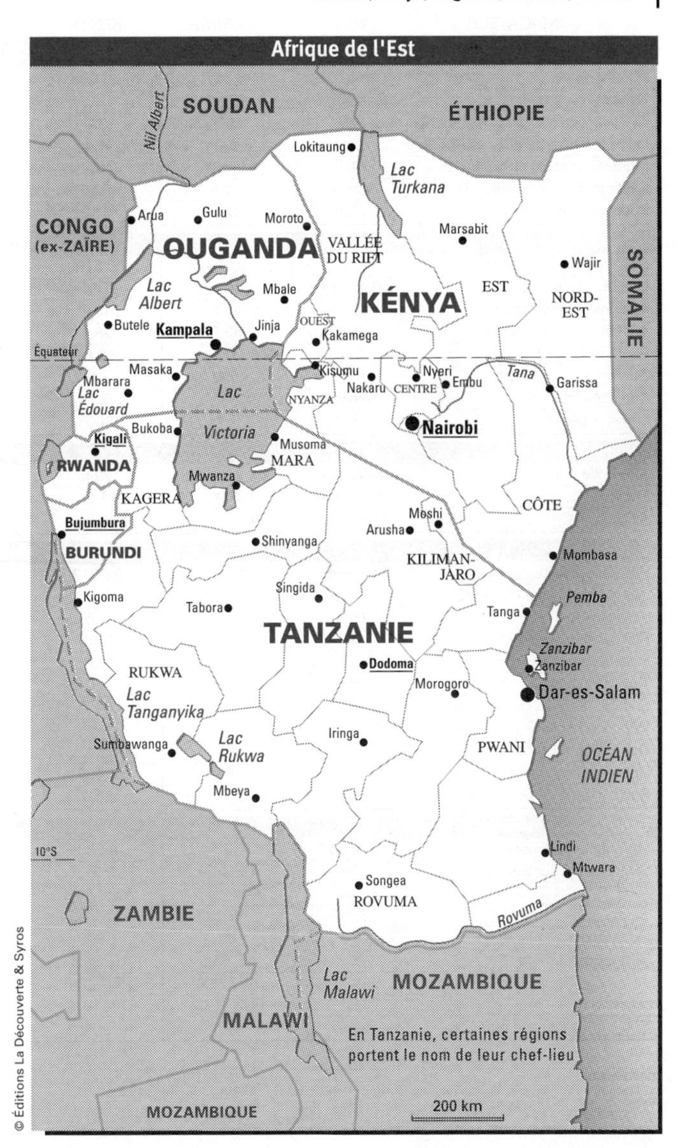
Afrique de l'Est
SOUDAN
ÉTHIOPIE
Nil Albert
Lokitaung
Lac Turkana
CONGO (ex-ZAÏRE)
Arua
Gulu
Moroto
Marsabit
OUGANDA
VALLÉE DU RIFT
Wajir
SOMALIE
Lac Albert
Mbale
KÉNYA
EST
NORD-EST
Butele
Kampala
Jinja
OUEST
Kakamega
Équateur
Masaka
Kisumu
Nyeri
Embu
Tana
Garissa
Mbarara
Lac Édouard
Lac Victoria
Nakaru
CENTRE
NYANZA
Nairobi
Bukoba
Kigali
Musoma
MARA
RWANDA
Mwanza
KAGERA
CÔTE
Moshi
Bujumbura
Arusha
Shinyanga
BURUNDI
KILIMANJARO
Mombasa
Singida
Kigoma
Tabora
Tanga
Pemba
TANZANIE
Zanzibar
Dodoma
Zanzibar
RUKWA
Morogoro
Dar-es-Salam
Lac Tanganyika
Iringa
PWANI
Sumbawanga
Lac Rukwa
OCÉAN INDIEN
Mbeya
10°S
Lindi
Mtwara
Songea
ROVUMA
ZAMBIE
Rovuma
Lac Malawi
MOZAMBIQUE
MALAWI
En Tanzanie, certaines régions portent le nom de leur chef-lieu
MOZAMBIQUE
200 km

INDICATEUR	UNITÉ	BURUNDI	KÉNYA
Démographie[a]			
Population	*(millier)*	6 457	29 008
Densité	*(hab./km²)*	251,4	51,0
Croissance annuelle (1995-2000)	*(%)*	1,7	2,0
Indice de fécondité (ISF) (1995-2000)		6,3	4,4
Mortalité infantile (1995-2000)	*(‰)*	119	66
Espérance de vie (1995-2000)	*(année)*	42,4	52,0
Population urbaine	*(%)*	8,4	31,3
Indicateurs socioculturels			
Développement humain (IDH)[c]		0,324	0,519
Nombre de médecins	*(‰ hab.)*	0,06[j]	0,14[f]
Analphabétisme (hommes)[c]	*(%)*	46,2	13,1
Analphabétisme (femmes)[c]	*(%)*	63,9	28,1
Scolarisation 12-17 ans	*(%)*	29,1[j]	62,6[k]
Scolarisation 3e degré	*(%)*	0,9[f]	1,5[f]
Adresses Internet[d]	*(‰ hab.)*	0	0,23
Livres publiés	*(titre)*	• •	300[h]
Armées (effectifs)			
Armée de terre	*millier d'h.*	37[o] (Armée de terre, Marine, Aviation)	20,5
Marine	*millier d'h.*		1,2
Aviation	*millier d'h.*		2,5
Économie			
PIB total (PPA)[c]	*(million $)*	4 040	33 917
Croissance annuelle 1987-97	*(%)*	– 1,0	3,0
Croissance 1998	*(%)*	4,5	1,5
PIB par habitant (PPA)[c]	*($)*	630	1190
Investissement (FBCF)	*(% PIB)*	7,8[e]	19,8[e]
Taux d'inflation	*(%)*	17,0	6,6
Énergie (taux de couverture)[f]	*(%)*	16,9[bn]	84,7
Dépense publique Éducation	*(% PIB)*	3,1[f]	6,6[f]
Dépense publique Défense[c]	*(% PIB)*	5,7	2,4
Dette extérieure totale[c]	*(million $)*	1 066	6 486
Service de la dette/Export.[e]	*(%)*	36,7	26,4
Échanges extérieurs			
Importations (douanes)	*(million $)*	158	3 280
Principaux fournisseurs[c]	*(%)*	UE 46,3	UE 27,7
	(%)	Asie[s] 27,7	Asie[s] 50,1
	(%)	Afr 22	Afr 11,5
Exportations (douanes)	*(million $)*	65	1 993
Principaux clients[c]	*(%)*	UE 65,5	UE 39,1
	(%)	R-U 27,6	PED 49,8
	(%)	PNS[q] 17,2	Afr 33,6
Solde transactions courantes	*(% PIB)*	0,4[c]	– 4,4[c]

Définition des indicateurs, sigles et abréviations p. 31 et suivantes. Chiffres 1998 sauf notes. a. Derniers recensements utilisables : Burundi, 1990 ; Kénya, 1989 ; Ouganda, 1991 ; Rwanda, 1991 ; Tanzanie, 1988. b. 1995 ; c. 1997 ; d. janv. 1999 ; e. 1995-97 ; f. 1996 ; g. 1996-98 ; h. 1994 ; i. 1993 ; j. 1991 ; k. 1990 ; l. 1989 ; m. 1987 ; n. Chiffres des

OUGANDA	RWANDA	TANZANIE
20 554	6 604	32 102
103,0	267,7	36,3
2,8	7,7	2,3
7,1	6,2	3,4
107	124	81
39,6	40,5	47,9
13,5	6,0	26,4
0,404	0,379	0,421
0,04[l]	0,03[i]	0,04[b]
24,7	29,3	18,3
46,9	44,4	38,1
45,5[k]	36,4[k]	52,7[j]
1,8[f]	0,6[f]	0,5[f]
0,05	0	0,04
288[f]	207[m]	172[k]
} 35	} 38,5[p]	30
		1
		3,6
23 622	5 172	18 091
6,2	– 2,7	3,4
5,5	8,9	3,3
1160	660	580
15,9[e]	12,3[g]	21,4[e]
5,8	6,8	12,6
17,4[bn]	7,9[bn]	94,7
2,6[b]	3,7[l]	3,4[k]
2,4	5,5	3,4
3 708	1 111	7 177
20,7	17,8	16,6
1 409	286	1 454
UE 31	E-U 11,1	UE 25,9
Asie[s] 20,7	UE 28,2	Afr 27,3
Afr 39,6	Afr 33,6	Asie[s] 34,8
512	60	674
UE 67,9	UE 68	UE 31,8
E-U 6,8	PED 18,6	Afr 17,2
Asie[s] 5,7	PNS[q] 10,3	Asie[s] 38,2
– 5,9[c]	– 4,9[c]	– 10,2[c]

Nations unies ; o. Gendarmerie ; p. Paramilitares ; q. Pays non spécifiés ; r. Total 35000 ; s. Y compris Japon et Moyen-Orient.

tutsi, menacée par les attaques de la rébellion hutu. En février 1999, le Burundi comptait encore 548 000 personnes déplacées.

Au niveau international, le PNUD (Programme des Nations unies pour le développement) a réussi à organiser une réunion des bailleurs de fonds à New York en janvier 1999, avec pour résultat des annonces de soutien au processus d'Arusha plus qu'à l'effort de reconstruction (divergences justifiées par l'ingérence de l'armée burun-

République du Burundi

Capitale : Bujumbura.
Superficie : 27 830 km².
Population : 6 457 000.
Langues : kirundi, français, swahili.
Monnaie : franc burundais (100 francs = 1,14 FF au 30.4.99).
Nature de l'État : république unitaire.
Nature du régime : présidentiel. Parti unique jusqu'en mai 92. Multipartisme reconnu ensuite. Suspendue le 25.7.96, l'existence des partis a été à nouveau formellement reconnue à partir du 12.9.96.
Chef de l'État : major Pierre Buyoya, président de fait depuis le putsch du 25.7.96, confirmé dans ses fonctions le 11.6.98, par la promulgation d'un « acte constitutionnel de transition ».
Premier vice-président, chargé des Questions politiques et administratives : Frédéric Bamvuginyumvira (Frodébu).
Second vice-président, chargé des Questions économiques et sociales : Mathias Sinamenye (Uprona).
Ministre de l'Intérieur et de la Sécurité publique : colonel Ascension Twagiramungu.
Ministre de la Défense nationale : lieut.-col. Alfred Nkurunziza.
Ministre des Relations extérieures et de la Coopération : Séverin Ntahomvukiye (Frodébu).
Échéances institutionnelles : un « acte constitutionnel de transition », promulgué le 6.6.98, en même temps qu'était signé un accord de partenariat politique, a défini diverses innovations à apporter à l'organisation des pouvoirs.

daise au Congo-Kinshasa). Cette attitude, contrastant avec le financement direct des engagements militaires rwandais et ougandais au Congo par les États-Unis et le Royaume-Uni, pouvait toutefois surprendre alors même que l'intervention extérieure de l'armée burundaise visait plus à contenir l'expansion rwandaise le long de ses frontières du lac Tanganyika qu'à conquérir des territoires congolais. - **André Guichaoua** ■

Kénya

Une stabilisation fragile

L'alliance politique conclue entre l'Union nationale du Kénya (KANU), le parti dirigeant, et le Parti démocratique national (NDP) a grandement renforcé la stabilité du gouvernement à la fin de l'année 1998, en lui donnant une marge de manœuvre confortable au Parlement. Après avoir résisté sans rien concéder à deux puissants mouvements de grèves (employés de banque en août et enseignants en octobre 1998), l'équipe au pouvoir a ainsi facilement résisté à la motion de censure déposée par le député d'opposition James Orengo à la rentrée parlementaire d'automne. De plus, la rigueur budgétaire et la politique monétaire d'austérité qu'a maintenues le ministre des Finances Simeon Nyachae ont facilité la réconciliation du gouvernement avec le FMI et la Banque mondiale.

Les efforts pour mettre un frein à la corruption et replacer le pays sur le chemin de la croissance économique ont été appréciés par la communauté internationale, également sensible à la mise en place d'une commission d'enquête sur les violences ethniques des années 1991-1998, présidée par le très respecté juge d'origine ghanéenne, Akilano Akiwumi. L'arrestation du leader séparatiste kurde Abdullah Öcalan à Nairobi, en mars 1999, illustrait de même l'étroitesse des liens renoués par le gouvernement avec ses partenaires israéliens et américains, après l'attentat à la bombe contre l'ambassade des États-Unis à Nairobi du 27 août 1998. Le Kénya s'affichait ainsi comme un autre rempart contre la progression des réseaux terroristes et islamistes en Afrique orientale.

Plusieurs événements sont toutefois venus fragiliser cette réhabilitation internationale. En janvier 1999, des révélations sur l'attribution frauduleuse de plusieurs centaines d'acres de la forêt de Karura à des proches du régime ont provoqué plusieurs jours de manifestations violentes des étudiants de l'université de Nairobi. Par ailleurs, la mise en liquidation judiciaire de cinq banques proches du pouvoir et les révélations sur les prêts sans garanties accordés à des hommes politiques (300 millions de dollars) menaçant la Banque nationale du Kénya – quatrième institution financière du pays – ont également reflété la fragilité du redressement économique et de la lutte

République du Kénya

Capitale : Nairobi.
Superficie : 582 640 km^2.
Population : 29 008 000.
Langues : anglais (off.), swahilé (nat.), kikuyu, luo, luhya, kamba.
Monnaie : shilling kényan (100 shilings = 9,94 FF au 31.3.99).
Nature de l'État : république.
Nature du régime : présidentiel. Revenu au multipartisme en déc. 91.
Chef de l'État et du gouvernement : Daniel Arap Moi, président de la République, commandeur en chef des Forces armées (depuis le 22.8.78).
Vice-président : George Muthengi Saitoti (nommé à nouveau le 2.4.99 après quatorze mois de vacance du poste).
Ministre des Affaires étrangères : Boyana Adhi Godana (depuis le 9.1.98).
Ministre des Finances : Francis Yekoyoda Masakhalia (depuis le 16.2.98).
Échéances électorales : législatives et présidentielle (2002).

contre la corruption. La démission de S. Nyachae en février 1999, après qu'un remaniement ministériel lui avait fait perdre le portefeuille des Finances, en a été une confirmation supplémentaire. L'aile dure du régime, dirigée par Nicholas Biwott, contrôle sans partage le gouvernement. Son candidat à la succession du président Moi, le ministre de la Planification George Saitoti, a été renommé à la vice-présidence début avril 1999 après quatorze mois de vacance.

En janvier 1999 a débuté le processus de réforme constitutionnelle promis à la veille du scrutin présidentiel de 1997. L'intransigeance de la KANU et la désorganisation des représentants de la société civile l'ont cependant rapidement plongé dans l'impasse. Bien plus inquiétante, la violence récurrente qui touche les districts Nord (300 morts et 15 000 têtes de bétail capturées lors d'un raid de guerriers borana sur une communauté somali du district de Wajir en octobre 1998 ; raids quasi hebdomadaires au premier trimestre 1999 entre groupes pokot et turkana dans la vallée du Rift) et l'armement généralisé des communautés pastorales qui les habitent ont provoqué une progression rapide du grand banditisme vers le sud et les hautes terres du pays, où les armes légères circulent désormais en toute impunité. Le Kénya n'est ainsi toujours pas parvenu à restaurer son image de stabilité et de prospérité, si nécessaire à la reprise de son industrie touristique. - **François Grignon** ■

Ouganda

L'image écornée du « Bismark des Grands Lacs »

En 1998-1999, le régime du président Yoweri Museveni est entré dans une phase critique, liée à l'aggravation de la situation économique, à la multiplication des scandales politiques et aux aléas de l'aventurisme militaire extérieur.

Un an après avoir permis la victoire de Laurent-Désiré Kabila, l'armée ougandaise (Forces de défense du peuple de l'Ouganda, UPDF) s'est lancée en août 1998 dans une seconde « guerre de libération » au Congo (-Kinshasa), en soutenant avec le Rwanda l'avancée d'un mouvement anti-Kabila. Il semble que la décision d'engager des troupes ait été en partie imposée par des officiers affairistes soucieux de consolider les réseaux de contrebande établis à la faveur du premier conflit congolais (qui avait permis la prise de pouvoir de L.-D. Kabila en mai 1997, avec l'appui de l'Ouganda et du Rwanda). De fait, l'économie de pillage et de réexportation des ressources de l'Est congolais a tendu à se renforcer au profit de l'Ouganda et du Rwanda. Malgré la création d'un État-Major commun en novembre 1998, l'exploitation de cette manne a suscité des tensions croissantes entre les deux pays.

La nouvelle offensive de l'Ouganda au Congo(-Kinshasa) a certes permis à Y. Mu-

République de l'Ouganda

Capitale : Kampala.
Superficie : 236 040 km^2.
Population : 20 554 000.
Langues : anglais (off.), kiganda, kiswahili.
Monnaie : shilling ougandais (100 shillings = 0,44 FF au 28.2.99).
Nature de l'État : unitaire décentralisé, reconnaissant l'existence des ex-royaumes restaurés (Constitution de 1995). Revendications fédéralistes.
Nature du régime : présidentiel de type populiste, s'apparentant à une « démocratie à la base » sans partis.
Chef de l'État également en charge de la Défense : Yoweri Museveni (depuis le 29.1.86, élu en 96).
Chef du gouvernement : Apollo Nsibambi, qui a succédé le 5.4.99 à Kintu Musoke.
Premier vice-premier ministre et ministre des Affaires étrangères : Eriya Kategaya.
Échéances électorales : référendum sur le multipartisme en l'an 2000.

Afrique de l'Est/Bibliographie

C. Braeckman, *Terreur africaine, Burundi, Rwanda, Zaïre. Les racines de la violence,* Fayard, Paris, 1996.

Centre d'étude de la région des Grands Lacs d'Afrique (Université d'Anvers), *L'Afrique des Grands Lacs. Annuaire 1996-97,* L'Harmattan, Paris, 1997.

J.-P. Chrétien, *Le Défi de l'ethnisme,* Karthala, Paris, 1997.

F. Constantin, C. Barouin (sous la dir. de), *La Tanzanie contemporaine,* IFRA/Karthala, Paris, 1998.

F. Constantin, C. Coulon (sous la dir. de), *Religion et transition démocratique en Afrique,* Karthala, Paris, 1997.

« Géopolitique d'une Afrique médiane », *Hérodote,* n° 86-87, La Découverte, Paris, 3e-4e trim. 1997.

F. Grignon, G. Prunier (sous la dir. de), *Le Kénya contemporain,* Karthala, Paris, 1998.

A. Guichaoua (sous la dir. de), *Les Crises politiques au Burundi et au Rwanda 1996-1994,* Université de Lille/Karthala, Lille/Paris, 1995, 2e éd.

H.B. Hansen, M. Twaddle (sous la dir. de), *From Chaos to Order : the Politics of Constitution-making in Uganda,* James Currey, Londres, 1994.

J. Lafargue. *Contestations démocratiques en Afrique. Sociologie de la protestation au Kénya et en Zambie,* Karthala, Paris, 1996.

C. Le Cour Grandmaison, A. Crozon (sous la dir. de), *Zanzibar aujourd'hui,* IFRA/Karthala, Paris, 1998.

F. Le Guennec-Coppens, D. Parkin (sous la dir. de), *Autorité et pouvoir chez les Swahili,* IFRA/Karthala, Paris, 1998.

R. Lemarchand, *Burundi, Ethnic Conflict and Genocide,* Woodrow Wilson Center Press/Cambridge University Press, 1996 (rééd.).

D. C. Martin (sous la dir. de), *Nouveaux langages du politique en Afrique orientale,* IFRA/Karthala, Paris, 1998 (voir notamment A. Crozon, « Dire pour séduire : langage et politique en Tanzanie » ; F. Grignon, « La démocratisation au risque du débat ? Territoires de la critique et imaginaires politiques au Kénya (1990-1995) » ; R. Banégas, « Entre guerre et démocratie, l'évolution des imaginaires politiques en Ouganda »).

H. Maupeu, F. Grignon (sous la dir. de), « Kénya : un contrat social à l'abandon », *Politique africaine,* n° 70, Karthala, Paris, juin 1998.

« Les politiques internationales dans la région des Grands Lacs », *Politique africaine,* n° 68, Karthala, Paris, déc. 1997.

G. Prunier, B. Calas (sous la dir. de), *L'Ouganda contemporain,* Karthala, Paris, 1994.

Réseau documentaire international sur la région des Grands Lacs, CD-Rom n° 5, mai 1998 (semestr. [CP 136, 1211 Genève 21, Suisse]).

« Rwanda-Burundi 1994-1995. Les politiques de la haine », *Les Temps modernes,* n° 583, juill.-août 1995.

G. Sebudandi, P.-O. Richard, *Le Drame burundais. Hantise du pouvoir ou tentation suicidaire,* Karthala, Paris, 1996.

D. Throup, C. Hornsby, *Multi-party Politics in Kenya : The Kenyatta and Moi Regimes and the Triumph of the System,* James Currey, Oxford, 1998.

Voir aussi la bibliographie « Rwanda », p. 174.

seveni d'affermir sa sphère d'influence régionale, mais elle a aussi considérablement érodé son image internationale de « Bismarck des Grands Lacs ». Isolé sur le plan extérieur, celui-ci a dû affronter une contestation interne croissante.

La crise politique interne s'est également manifestée par des accusations récurrentes de corruption et par une intensification des luttes factionnelles. Des enquêtes parlementaires ont été mises sur pied, notamment sur la gestion des programmes de privatisation, qui ont conduit à la censure de plusieurs ministres proches de Y. Museveni, dont Sam Kuteesa et Matthew Rukikaire, en charge des Finances, Richard Kaijuka, ministre de l'Énergie et des Mines, et Specioza Kazibwe, vice-présidente de la République. Le chef de l'État a été contraint de révoquer son propre frère, le général Salim Saleh, puissant conseiller à la Défense, et de nommer, début avril 1999, un nouveau gouvernement dirigé par une figure morale du Buganda, le professeur Apollo Nsibambi. A l'approche du référendum de l'an 2000 sur le multipartisme, les problèmes de corruption se sont ainsi imposés à l'agenda politique, nourrissant les critiques de l'opposition, mais aussi les divisions au sein du régime.

Enfin, l'Ouganda a connu une recrudescence de l'insécurité liée, d'une part, à la rémanence des mouvements de rébellion (Forces démocratiques armées [ADF] dans l'Ouest, Armée de résistance du Seigneur [LRA] dans le Nord), et, d'autre part, à un développement spectaculaire du terrorisme. Des attaques de prisons ont à nouveau été perpétrées fin 1998, revendiquées par une mystérieuse Uganda Salvage Front Army et les attentats à la bombe ont repris à Kampala, faisant des dizaines de victimes. De plus, l'assassinat, en mars 1999, de huit touristes anglo-saxons, revendiqué par des rebelles hutu rwandais, a laissé craindre l'émergence d'une nouvelle forme de terrorisme rural et transnational, traduisant une coordination croissante entre les mouvements rebelles. - **Richard Banégas** ■

Rwanda

L'intervention au Kivu

Évincées de Kinshasa en juillet 1998 par le président du Congo-Kinshasa Laurent-Désiré Kabila, qu'elles avaient porté au pouvoir un an plus tôt, puis défaites par l'armée

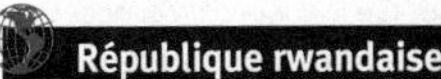

République rwandaise

Capitale : Kigali.
Superficie : 26 340 km^2.
Population : 6 604 000.
Langues : kinyarwanda, français, anglais, swahili.
Monnaie : franc rwandais (au taux officiel, 100 francs = 1,75 FF au 31.3.99).
Nature de l'État : république unitaire.
Nature du régime : présidentiel (avec une forte composante militaire). Parti unique jusqu'en juin 1991. Multipartisme reconnu ensuite. Tolérées après la prise de pouvoir du Front patriotique rwandais (FPR), en juil. 94, les activités publiques des partis ne sont plus autorisées depuis févr. 95.
Chef de l'État : Pasteur Bizimungu, désigné président en juil. 1994.
Vice-président et ministre de la Défense : général-major Paul Kagame.
Premier ministre : Pierre-Célestin Rwigema (nommé Premier ministre le 30.5.95, reconduit le 28.3.97 et le 8.2.99.
Ministre de l'Intérieur : Sheikh Abdulkarim Harelimana.
Ministre des Affaires étrangères et de la Coopération : Amri Sued.
Échéances institutionnelles : le cadre institutionnel de transition défini par la Constitution du 10.6.91 et les accords d'Arusha du 4.8.93 couvrait une période de cinq ans. Mis en place avec les seules composantes associées à la victoire militaire du FPR (juil. 94), les équilibres, qu'il instaurait ont rapidement été considérés comme dépassés. Le 11.6.99, les partis politiques siégeant au Parlement et le gouvernement prolongeaient la période de transition de quatre ans.

Rwanda/Bibliographie

Assemblée nationale, *Enquête sur la tragédie rwandaise (1990-1994)*, Kiosque de l'Assemblée nationale, Paris, déc. 1998 (http ://www.assemblee-nationale.fr/2/dossiers/rwanda/sommaire/htm).

D. De Lame, *Une colline entre mille, ou le calme avant la tempête. Transformations et blocages du Rwanda rural*, Musée royal d'Afrique centrale, Tervuren, 1996.

J.-F. Dupaquier *et alii*, *La Justice internationale face au drame rwandais*, Karthala, Paris, 1996.

D. Franche, *Généalogie d'un génocide*, Mille et une nuits, Paris, 1997.

A. Guichaoua (sous la dir. de), *Les Crises politiques au Burundi et au Rwanda 1993-1994*, Université de Lille/Karthala, Lille/Paris, 1995, 2 éd.

Human Rights Watch/FIDH, *Aucun témoin ne doit survivre. Le génocide au Rwanda*, Karthala, Paris, 1999.

R. Omaar, A. de Waal (sous la dir. de), *Rwanda, Death, Despair and Defiance*, African Rights, Londres, 1995 (rééd.).

G. Prunier, *Rwanda 1959-1996, Histoire d'un génocide*, Dagomo, Paris, 1997.

« Rwanda-Burundi 1994-1995. Les politiques de la haine », *Les Temps modernes*, n° 583, Paris, juill.-août 1995.

J.-C. Willame, *Les Belges au Rwanda, le parcours de la honte. Commission Rwanda, quels enseignements ?*, GRIP/Complexe, Bruxelles, 1997.

Voir aussi bibliographie « Afrique de l'Est », p. 172.

angolaise lors de la « deuxième libération du Congo » entamée en août 1998 avec l'appui de l'armée ougandaise, les forces rwandaises et banyamulenge (ressortissants tutsi rwandophones du Sud-Kivu) ont consolidé leur emprise sur l'ensemble du Kivu sous les ordres de James Kabare, ex-chef d'État-Major des Forces armées congolaises. Dans la coalition régionale anti-Kabila, le Rwanda, bénéficiant d'un actif soutien militaire américain, est apparu comme le pays le plus engagé et celui où les incidences de la guerre étaient les plus fortes (population, économie). Non seulement les programmes de démobilisation ont été pour l'essentiel suspendus, mais la plupart des 17 000 membres démobilisés des ex-Forces armées rwandaises (FAR), ont été rappelés pour aller combattre au Congo. Par ailleurs, les ressources minières de ce pays financent l'effort de guerre sur le terrain et dopent l'activité économique de Kigali (traitement de la colombo-tantalite du Kivu, comptoirs d'or et de diamant du Congo, etc.). La capitale rwandaise a ainsi pris l'allure d'un « vaste entrepôt », qui en outre était devenu le point de transit obligé pour atteindre le Burundi, sous embargo jusqu'en janvier 1999.

Les résultats économiques (13 % de croissance en 1997 et 8,9 % en 1998) étaient donc essentiellement imputables au dynamisme de l'activité urbaine. En milieu rural, le rapport des services humanitaires des Nations unies de février 1999 recensait 673 858 personnes déplacées et 309 814 personnes « vulnérables » (catégorie regroupant les détenus et les personnes subissant des pénuries alimentaires). Les activités de la guérilla dans les préfectures rurales de l'intérieur semblaient avoir sensiblement régressé, mais elles se sont déplacées sur le territoire congolais où l'armée rwandaise et la « rébellion » congolaise soutenue par elle ne contrôlaient vraiment que les villes.

Sur le plan politique interne, les divisions au sein des différents partis présents dans le gouvernement et à l'Assemblée nationale marquaient toujours l'actualité. Le président du FPR (Front patriotique rwandais) et ministre de la Défense, Paul Kagame, a lancé une campagne contre la corruption au sein de l'armée et de l'État à la fin 1998 et le MDR (Mouvement démocratique républicain), principal parti de l'ex-opposition au président Juvénal Habyarimana (assassiné en 1994), a continué à se déchirer. Un remaniement ministériel est intervenu le 8 février 1999. S'il a fait sortir du gouvernement les personnalités les plus contestées, rien n'indiquait qu'il ait affaibli les groupes dont ces personnalités émanent. De même, la volonté affichée de remplacer les « Hutu de service », selon le terme fréquemment utilisé dans la presse rwandaise, par des personnalités plus représentatives, n'a pas abouti, puisque à peine reconduit dans ses fonctions le Premier ministre Pierre-Célestin Rwigema se voyait à nouveau menacé d'inculpation pour « participation au génocide »...

Après l'assassinat à Nairobi, en mai 1998, de son principal animateur, Seth Sendashonga, ex-personnalité du FPR, l'opposition à l'étranger a tenté une recomposition au sein du Congrès démocratique africain, créé en janvier 1999 à Bruxelles, demeurant cependant sans prise sur les événements nationaux et régionaux.

Les autorités sont apparues peiner à dégager des issues politiques viables : la plupart des dossiers politiques délicats semblent échapper aux acteurs institutionnels et incomber aux forces militaires ou à des groupes extrémistes (« villagisation », libération des prisonniers sans dossiers, enrôlements forcés dans l'armée, relance de l'offensive militaire au Congo-Kinshasa en mai-juin 1999 malgré le désaveu de l'allié ougandais et des dirigeants civils de la « rébellion »...).

Le Tribunal pénal international (TPI) d'Arusha a rendu ses deux premières condamnations en septembre 1998, dont celle à perpétuité du Premier ministre du gouvernement intérimaire responsable du génocide de 1994, Jean Kambanda. - **André Guichaoua** ■

Tanzanie

Baisse de tension à Zanzibar et avec le Burundi

Deux dossiers menaçant le président Benjamin Mkapa se sont débloqués en 1998. A Zanzibar (entité qui forme avec le Tanganyika la République unie de Tanzanie), Moses Anafu, un envoyé spécial du Commonwealth, a obtenu des concessions majeures de la part du président de l'archipel, Salmin Amour, pour mettre fin au conflit violent opposant le Parti de la révolution (Chama Cha Mapinduzi, CCM, à la tête du

République unie de Tanzanie

Capitale : Dodoma.
Superficie : 945 090 km².
Population : 32 102 000.
Langues officielles : swahili (nat.), anglais.
Monnaie : shilling tanzanien (au taux officiel, 100 shillings = 0,87 FF au 30.4.99).
Nature de l'État : république, union de Zanzibar et du Tanganyika.
Nature du régime : présidentiel, retour au multipartisme le 19.2.92.
Chef de l'État : Benjamin Mkapa, président de la République (depuis nov. 95).
Vice-président : Omar Ali Juma (depuis nov. 95).
Premier ministre : Frederick Sumaye (depuis nov. 95).
Ministre des Affaires étrangères : Jakaya Kikwete.
Ministre des Finances et de la Planification : Daniel Yona.
Ministre de la Défense : Edgar Majogo.
Échances institutionnelles : élections législatives et présidentielle (2000).

gouvernement) au Front civique uni (CUF), depuis les élections controversées de 1995. Fin juin 1998, le président Amour a ainsi accepté la révision des lois électorales, la refonte du système judiciaire, et a promis une amélioration rapide de la situation des droits de l'homme dans l'archipel. De son côté, le CUF a reconnu les résultats de 1995 et l'élection de S. Amour. Seule la détention prolongée pour haute trahison de dix-huit membres du CUF laissait encore planer le doute sur la résolution progressive de la « question zanzibari », d'autant que le président Amour ne cachait pas son intention de se présenter pour un troisième mandat lors du scrutin présidentiel de l'an 2000.

Sur le front ouest, la levée de l'embargo international contre le Burundi, fin janvier 1999, a considérablement détendu les relations entre les deux pays. Le gouvernement burundais a réouvert son ambassade à Dar-es-Salam, courtisant même le président Mkapa pour qu'il soutienne son entrée dans la Coopération est-africaine. La reprise de la guerre en République démocratique du Congo (RDC) était cependant devenue un important objet d'inquiétude. Au début du mois d'octobre 1998, 10 000 à 11 000 réfugiés burundais traversaient le lac Tanganyika pour fuir les combats et s'installer dans le nord-est du pays. Le camp de Nyarugusu accueillait, en janvier 1999, près de 46 000 réfugiés congolais ; plusieurs centaines d'entre eux, après avoir franchi clandestinement la frontière, s'étaient arrêtés sur la rive est du lac Tanganyika.

L'indulgence du FMI à l'égard de la Tanzanie s'est concrétisée en juin 1998 par le décaissement de la deuxième tranche du prêt d'accompagnement à l'ajustement structurel de l'économie, et ce malgré l'incapacité du gouvernement à atteindre les grands équilibres macroéconomiques requis. La refonte prévue du système fiscal s'est néanmoins poursuivie avec l'introduction d'une TVA généralisée de 20 % le 1er juillet 1998 (1er janvier 1999 à Zanzibar). La destruction partielle des récoltes de maïs fin 1998, après la prolifération dramatique d'un champignon parasite venu d'Afrique australe, a cependant remis en cause tout optimisme économique. 300 000 Tanzaniens du centre du pays se trouvaient ainsi menacés de famine.

Dans ce contexte de pénuries, où la gestion gouvernementale des réserves céréalières fait l'objet des critiques parlementaires, le CCM et les partis d'opposition se sont également affrontés à propos des réformes constitutionnelles. Ce dossier, ignoré depuis le scrutin de 1995, est revenu en force dans le calendrier politique, la Convention nationale pour la construction et les réformes (NCCR-Mageuzi) et le CUF demandant une réduction des pouvoirs présidentiels alors que le président Mkapa cherchait à les accroître. De plus, le gouvernement voulait impérativement garder la main sur les nominations à la commission électorale. Le mini-remaniement ministériel de septembre 1998 indiquait parallèlement la mise en place d'une stratégie clientéliste en vue de l'élection présidentielle de novembre 2000, peut-être plus mouvementée que prévu pour le CCM, au pouvoir depuis l'indépendance (1961). - **François Grignon** ■

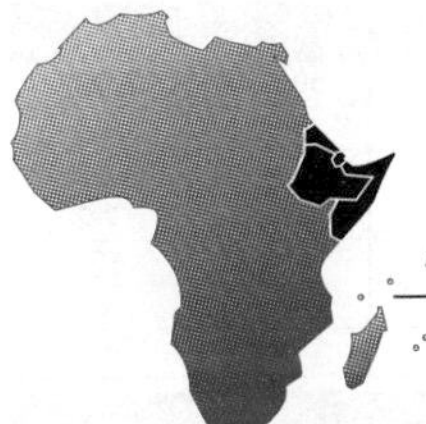

Afrique du Nord-Est

Djibouti, Érythrée, Éthiopie, Somalie

Djibouti

La victoire trop facile d'Ismaël Omar Guelleh

Ismaël Omar Guelleh, neveu du président Hassan Gouled Aptidon, a été élu sans surprise le 9 avril 1999 à la présidence de la République. Il a su diviser l'opposition et marginaliser tous ses concurrents potentiels comme Moumin Badhon Farah, privé de ses droits politiques à quelques mois des élections. Mais cette victoire trop facile n'a pas mis fin à un mécontentement diffus au sein de la population. La situation des droits de l'homme est restée préoccupante et les mesures d'ajustement structurel ont un coût social mal accepté, d'autant que les affidés du pouvoir ont continué à bénéficier de ses largesses. La guérilla menée par les Afars partisans d'Ahmed Dini pourrait prendre de l'ampleur avec une aide érythréenne rendue possible depuis le rappel des ambassadeurs en novembre 1998.

Le conflit érythréo-éthiopien a certes donné un second souffle à l'économie djiboutienne, puisque le port fonctionne à plein pour les importations et les exportations éthiopiennes. Cependant, les gains sont très sectoriels et ne remplacent pas les bénéfices de la présence française avant sa réduction et son changement de forme.
- **Roland Marchal** ■

République de Djibouti

Capitale : Djibouti.
Superficie : 23 200 km².
Population : 623 000.
Langues : arabe, français, afar et issa.
Monnaie : franc Djibouti (rattaché au dollar, 100 francs = 3,48 FF au 30.4.99).
Nature de l'État : république unitaire.
Nature du régime : présidentiel autoritaire.
Chef de l'État : Ismaël Omar Guelleh, président de la République, qui a succédé le 7.5.99 à Hassan Gouled Aptidon.
Premier ministre : Barkat Gourad Hamadou (depuis le 21.9.78).
Ministre des Affaires étrangères et de la Coopération internationale, chargé des Relations avec le Parlement : Ali Abdi Farah (depuis mai 99).
Ministre de l'Intérieur : Abdallah Abdillahi Miguil (depuis mai 99).
Ministre de la Défense nationale : Ougoureh Kifleh Ahmed (depuis mai 99).

Érythrée

Un positionnement régional modifié par la guerre

Le conflit frontalier avec l'Éthiopie, gelé à partir de l'été 1998, a repris sur une grande échelle en février 1999. Ses conséquences économiques, sociales et politiques ont été dramatiques pour un pays aussi pauvre.

INDICATEUR	DJIBOUTI	ÉRYTHRÉE	ÉTHIOPIE	SOMALIE[1]
Démographie[a]				
Population *(millier)*	623	3 577	59 649	9 237
Densité *(hab./km²)*	26,9	35,4	59,6	14,7
Croissance annuelle (1995-2000) *(%)*	1,2	3,8	2,4	4,2
Indice de fécondité (ISF) (1995-2000)	5,3	5,7	6,3	7,2
Mortalité infantile (1995-2000) *(‰)*	106	91	115	122
Espérance de vie (1995-2000) *(année)*	50,4	50,8	43,3	47
Population urbaine *(%)*	82,8	18,1	16,7	26,7
Indicateurs socioculturels				
Développement humain (IDH)[c]	0,412	0,346	0,298	••
Nombre de médecins *(‰ hab.)*	0,16[n]	0,03[f]	0,03[i]	0,07[p]
Analphabétisme (hommes)[c] *(%)*	39,7[b]	••	58,5	••
Analphabétisme (femmes)[c] *(%)*	67,3[b]	••	70,8	••
Scolarisation 12-17 ans *(%)*	23,2[l]	••	21,1[n]	10,3[o]
Scolarisation 3e degré *(%)*	0,3[f]	1,0[f]	[f]	2,3[f]
Adresses Internet[d] *(‰ hab.)*	–	–	0,01	–
Livres publiés *(titre)*	••	••	240[m]	••
Armées (effectifs)				
Armée de terre *(millier d'h.)*	8	46		••
Marine *(millier d'h.)*	0,2	1,1	120	••
Aviation *(millier d'h.)*	0,2	0		••
Économie				
PIB total (PPA)[c] *(million $)*	656[g]	3 097	30 194	10 863[g]
Croissance annuelle 1987-97 *(%)*	– 1,6	4,9[k]	3,2	••
Croissance 1998 *(%)*	1,7	3	0,5	••
PIB par habitant (PPA)[c] *($)*	1 053[g]	820	510	1 176[g]
Investissement (FBCF) *(% PIB)*	9,1[e]	29,8[e]	19,5[h]	14,9[n]
Taux d'inflation *(%)*	2,0	8,3	2,5	••
Énergie (taux de couverture)[f] *(%)*	••	••	93,8	••
Dépense publique Éducation *(% PIB)*	3,8[m]	1,8[f]	4,0[f]	0,5[o]
Dépense publique Défense[c] *(% PIB)*	5,0	8,3	2,1	4,8
Dette extérieure totale[c] *(million $)*	284	76	10 079	2 561
Service de la dette/Export.[e] *(%)*	4,7	0,1	23,6	••
Échanges extérieurs				
Importations (douanes) *(million $)*	382[c]	514[f]	1 430	369[c]
Principaux fournisseurs[c] *(%)*	UE 41,3	ArS 31,4[j]	E-U 9,3	Afr 41,2
(%)	Asie[r] 36,7	Ita 15,2[j]	UE 39,8	Asie[r] 24,2
(%)	Afr 14	EAU 10,7[j]	Asie[r] 33,2	UE 4,9
Exportations (douanes) *(million $)*	143[c]	95[f]	550	176[c]
Principaux clients[c] *(%)*	Eth 34,3	Eth 44,9[j]	UE 51,7	Ita 12,5
(%)	Som 40,6	ArS 26,5[j]	E-U 12,2	ArS 58
(%)	Yem 16,1	Sou 13,2[j]	Asie[r] 23,5	EAU 15,3
Solde transactions courantes *(% PIB)*	••	••	– 0,6[c]	••

1. Une situation confuse de guerre civile et de la sécession territoriale s'est instaurée en Somalie à compter de 1991, ce qui explique l'absence de certaines données. Définition des indicateurs, sigles et abréviations p. 31 et suivantes. Chiffres 1998 sauf notes. a. Derniers recensements utilisables : Djibouti, 1960 ; Érythrée, 1984 ; Éthiopie, 1994 ; Somalie, 1987. b. 1995 ; c. 1997 ; d. janv. 1999 ; e. 1995-97 ; f. 1996 ; g. 1998 ; h. 1996-98 ; i. 1994 ; j. 1993 ; k. 1992-97 ; l. 1992 ; m. 1991 ; n. 1990 ; o. 1985 ; p. 1984 ; q. Total 120 000 ; r. Y compris Japon et Moyen-Orient.

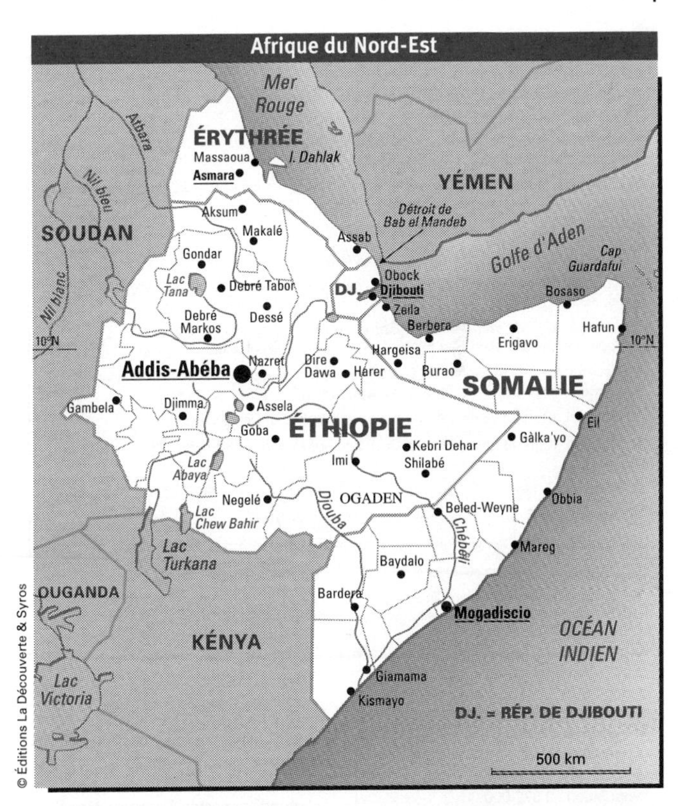

L'acquisition d'avions de combat et d'autres équipements militaires coûteux, l'emploi de mercenaires, la mobilisation de la population mais aussi l'expulsion d'Éthiopie de près de 53 000 Érythréens, dans des conditions scandaleuses, auront un coût colossal pour l'Érythrée. Il n'est pas sûr que la diaspora soutienne, comme elle l'a fait durant la guerre de libération, le nationalisme intransigeant du régime. En hiver, il s'est d'ailleurs appliqué à apparaître comme l'agressé et non l'agresseur, tirant les leçons de la première phase du conflit.

Politiquement, cette guerre a inauguré de grands changements dans le positionnement régional et international de l'Érythrée. Les États-Unis et Israël n'allaient plus être des alliés aussi conciliants que dans la période antérieure ; la Libye est devenue un pays fréquentable, très visité. L'Érythrée a demandé son adhésion à la Ligue arabe, faisant fi d'un interdit géopolitique important à Washington comme à Jérusalem : la transformation de la mer Rouge en lac arabe. Surtout, le conflit a incité le gouvernement érythréen à soutenir toutes les oppositions à Addis-Abéba et

Afrique du Nord-Est/Bibliographie

A. Abbay, *Identity Jilted. The Divergent Paths of the Eritrean and Tigrayan Nationalist Struggles,* Red Sea Press, Lawrenceville (NJ), 1998.

P. Baxter, J. Hultin, A. Triulzi, *Being and Becoming Oromo. Historical and Anthropological Enquiries,* Red Sea Press, Lawrenceville/Asmara, 1996.

W. Clarke, J. Herbst, *Learning from Somalia : the Lessons of Armed Humanitarian Intervention,* Westview Press, Boulder, 1997.

D. Connel, *Against all odds,* Trenton, 1997.

« Corne de l'Afrique », *Cahiers d'études africaines,* Paris, juin 1997.

A. Coubba, *Le Mal djiboutien. Enjeux ethniques et enjeux politiques,* L'Harmattan, Paris, 1995.

J. Hammond, *Fires from Ashes : a Chronicle of the Revolution in Tigray, Ethiopia 1975-1995,* Red Sea Press, Lawrenceville (NJ), 1998.

M. Lavergne, « Les relations yéméno-érythréennes à l'épreuve du conflit des Hanish », *Maghreb-Machrek,* n° 155, Paris, janv.-avr. 1997.

R. Marchal, *Commerce et guerre en Somalie,* Karthala, Paris, 1997.

R. Marchal, K. Menkhaus, *Human Development Report on Somalia,* UNDP, Nairobi, 1998.

R. Marchal, C. Messiant, *Les Chemins de la guerre et de la paix,* Karthala, Paris, 1997.

M. Maren, *The Road to Hell,* Free Press, New York, 1997.

I. Neggash, *Eritrea and Ethiopia : the Federal Experience,* Transaction Publishers, 1997.

A. Simmons, *Networks of Dissolution,* Westview Press, Boulder, 1996.

J. Young, *Peasant Revolution in Ethiopia. The Tigray People's Liberation Front, 1975-1991,* Cambridge University Press, Cambridge, 1997.

État d'Érythrée

Capitale : Asmara.
Superficie : 121 144 km^2.
Population : 3 577 000.
Langues : tigrinya (off.), arabe (off.), tigré, afar, bilein, etc.
Monnaie : nakfa, monnaie introduite en juill. 97 (taux officiel, 1 nakfa = 0,82 FF au 7.6.99).
Nature de l'État : unitaire (attente de l'élaboration d'une Constitution).
Nature du régime : présidentiel à parti unique.
Chef de l'État et du gouvernement : Issayas Afeworki (depuis le 24.5.93).
Ministre de la Défense : Sebhat Ephraïm (depuis 94).
Ministre des Affaires étrangères : Haile Woldensae (depuis févr. 97).

à les réarmer, du Front de libération oromo aux factions somaliennes, quitte à accroître encore la circulation des armes dans la Corne et à rendre encore plus difficile une normalisation indispensable. Les premières élections générales, prévues pour 1999, ont été reportées... - **Roland Marchal** ■

Éthiopie

La guerre comme ressource politique

La guerre est sans doute redevenue l'une des ressources politiques les plus efficaces en Éthiopie. Lorsque le conflit avec l'Érythrée avait commencé en mai 1998, à la suite d'une escarmouche entre gardes-frontières, Addis-Abéba avait fait figure d'agressé et avait immédiatement accepté le plan des médiations américano-rwandaise puis de l'OUA (Organisation de l'unité africaine). Néanmoins, cette attitude était contradictoire avec d'autres comportements qui n'ont cessé de se multiplier durant l'été et l'automne, malgré le calme régnant sur la ligne de front. D'une part, des dizaines de milliers d'Érythréens, travaillant le plus souvent dans l'administration et les services, ont été expulsés dans des conditions iniques et leurs biens ont été confisqués ou même vendus pour payer l'effort de guerre, si l'on en croit la rumeur érythréenne. D'autre part, une rhétorique de guerre a servi à mobiliser, tant à l'intérieur que dans la diaspora, des secteurs de la population qui n'avaient que peu de sympathie pour un régime dominé par les Tigréens, suspecté de gérer le pays au profit d'une minorité. Des collectes ont été organisées après des discours haineux, comme si l'unique point de convergence ne pouvait qu'être l'hostilité aux Érythréens. Enfin, le réarmement a été massif.

La reprise des hostilités sur une grande échelle, le 4 février 1999, n'était pas une surprise après l'échec des tentatives américaines (quatre voyages d'Anthony Lake, l'ancien conseiller pour la Sécurité nationale de Bill Clinton), d'une médiation de l'OUA et d'une ultime tentative de Mohamed Sahnoun, représentant personnel du secrétaire général des Nations unies. La reprise de la zone de Badmé, à l'origine du conflit, le 25 février 1999 a conduit les Érythréens à accepter formellement le plan de l'OUA le 27 février, sans qu'ils se retirent pour autant des autres portions de territoire éthiopien qu'ils avaient occupées, à l'instar d'Addis-Abéba qui a crié victoire et voulu humilier davantage Asmara. Le résultat a été la reprise des combats de façon intermittente.

Ce conflit aura eu un coup humain hors de proportions. Outre les déportations en grand nombre effectuées de part et d'autre, les déplacés se sont comptés par centaines de milliers, et plusieurs dizaines de milliers de soldats sont morts. Surtout, la haine entre les deux régimes a atteint un tel niveau qu'il est difficile d'imaginer comment ils pourront coexister dans deux pays qui ont la particularité d'être voisins.

Chaque belligérant a offert des facilités aux oppositions de son adversaire. Le Front de libération oromo, exclu ou auto-exclu du processus politique en Éthiopie depuis 1992, a refait surface militairement dans le sud du pays. Des armes ont été livrées au Somalien Hussein Mohamed Aydiid par les Érythréens. Ces derniers comptaient ainsi fragiliser les factions proches des Éthiopiens dans un règlement de la crise somalienne et doter leurs alliés oromos de sanctuaires en Somalie. Pour leur part, les Éthiopiens ont multiplié les signes d'ouverture vers le Soudan avec lequel les relations étaient très tendues depuis la tentative d'assassinat du chef de l'État égyptien Hosni Moubarak en juin 1995, tout en ménageant Washington.

République démocratique fédérale d'Éthiopie

Capitale : Addis-Abéba.
Superficie : 1 097 900 km^2.
Population : 59 649 000.
Langues : amharique, oromo, tigrinya, guragé, afar, somali, wälayta, etc.
Monnaie : berr (au taux officiel, 1 berr = 0,80 FF au 31.1.99).
Nature de l'État : république fédérale.
Nature du régime : autoritaire.
Chef de l'État : Negaso Gidada (depuis le 22.8.95).
Premier ministre : Méles Zenawi (depuis le 23.8.95). Il détient l'essentiel des pouvoirs.
Ministre de la Défense : Teffera Walwa (depuis le 24.10.96).
Ministre des Affaires étrangères : Mesfin Seyoum.

A l'intérieur, le régime a multiplié les signes d'ouverture vers son opposition. Ainsi, Asrat Woleyes, dirigeant d'une organisation amhara, emprisonné depuis 1994, a été libéré et envoyé aux États-Unis pour un opportun traitement médical. Mais la presse est restée plus que jamais contrôlée, les journalistes étant emprisonnés à la moindre incartade.

Le plus surprenant est que la communauté internationale a continué à agir comme si de rien n'était : des séminaires sur les droits de l'homme ou sur la construction de l'État de droit ont été financés par la Commission européenne et les autres donateurs. Dans le budget de l'année fiscale 1998-1999, l'aide internationale représente, sous forme de prêts, 37,1 % et, sous forme de dons, 22,1 %. Certes, l'essentiel va aux cinq priorités définies en accord avec la Banque mondiale (construction de routes, transport et télécommunications, développement agricole, éducation et énergie). Le FMI, qui avait gelé son programme d'aide à l'ajustement structurel en octobre 1997, l'a repris un an plus tard après que le gouvernement eut donné des gages de nouvelles libéralisations, notamment dans les secteurs des télécommunications, de l'énergie et dans la gestion des devises fortes. Avec 700 millions de dollars d'engagement, l'Éthiopie est devenue en 1998 le principal client du FMI en Afrique subsaharienne.

Au printemps 1999, l'économie ne ressentait pas encore les effets de la guerre, d'autant que celle-ci se déroulait dans l'une des régions les plus déshéritées du pays. Une croissance de 8 % à 10 % était attendue pour 1999, avec une inflation maîtrisée à hauteur de 3 %. Pourtant, tandis que de janvier 1992 à avril 1998 4 237 projets ont été adoptés, représentant plus de 5 milliards de dollars d'investissement, seuls 588 (13 %) étaient opérationnels, ne représentant que 670 millions de dollars... - **Roland Marchal** ■

Somalie

Le champ clos des rivalités régionales

La situation humanitaire s'est encore détériorée en Somalie à cause des conséquences du phénomène climatique El Niño et d'une insécurité grandissante dans le Sud. Au niveau politique, on pouvait croire à une amélioration, puisqu'un gouvernement régional a été mis en place dans le Nord-Est, sous la direction d'Abdullali Yussuf Ahmed en juillet 1998, sans demander la sécession, qu'une administration de la capitale (région de Benadir) a été nommée, après de fortes incitations arabes, un mois plus tard, et que deux autres régions, Hiran (à la frontière avec l'Éthiopie) et Jubaland (à la frontière avec le Kénya), ont émis le même

Somalie

L'État s'est effondré en janv. 91. Le pays a ensuite été partagé entre différentes régions contrôlées avec plus ou moins d'efficacité par des factions militaires. L'ancienne colonie britannique (Nord-Ouest) a fait sécession et a repris son nom d'avant l'indépendance, le Somaliland.

Capitale : Mogadiscio.

Superficie : 637 660 km^2.

Population : 9 237 000.

Langue : somali.

Monnaie : shilling somalien (1 000 shillings = 0,73 FF au 7.6.99).

Principaux chefs politiques : Mohamed Ibrahim Egal, « président du Somaliland » depuis mai 1993 (réélu le 23.2.97) ; Hussein Mohamed Aydid élu « président de la Somalie » par ses partisans le 7.8.96, en sucession de son père qui est mort (contrôle d'une large partie du centre et du sud de la Somalie) ; Ali Mahdi Mohamed, élu président au terme de la conférence de Djibouti (19.8.91) ; général Morgan, leader de la région de Kismayo ; Omar Haji Massale (chef de la faction de l'extrême sud) ; Abdulali Yussuf Ahmed (président du Puntland).

vœu. Il y a cependant loin des déclarations des chefs de guerre à la réalité sur le terrain.

L'État du Puntland, qui revendique le Nord-Est et deux régions frontalières rattachées au Somaliland, Sol et Sanag, a pris Garowe pour capitale politique. Mais la situation n'a guère changé. Au nom de la décentralisation régionale, tous les programmes d'aide doivent être approuvés non par les communautés locales, mais par le bureau du président ! Celui-ci, soutenu par l'Éthiopie, essaie d'imprimer de nouveaux billets de banque, sans doute pour ne pas laisser ce « privilège » à l'un de ses rivaux de Mogadiscio, Hussein Mohamed Aydiid, aidé par la Malaisie. Grâce aux armes octroyées par Addis-Abéba, la nouvelle force de police a occupé Las Anod, jusqu'alors sous le contrôle nominal du Somaliland, au risque de nouveaux combats, dans une zone déjà durement frappée par la récession économique – l'Arabie saoudite a interdit les importations d'ovins en février 1998.

A Mogadiscio, les divisions au sein des factions, notamment celle d'Ali Mahdi Mohamed, se sont encore aggravées à cause des multiples interventions égyptiennes et éthiopiennes et du manque de discernement de l'Italie, seule puissance occidentale encore impliquée. La Somalie est ainsi devenue le champ clos des rivalités régionales. Aucune organisation internationale ne s'émeut plus du réarmement général patronné par l'Érythrée, l'Éthiopie et la Libye, malgré un embargo décidé en 1992 par les Nations unies, ni des incursions de l'armée éthiopienne. Dans les régions de Gédo, Bay, Bakol et Bas-Jubba, toute présence humanitaire est très risquée et l'aide aux populations est devenue très limitée, malgré des besoins immenses.

Le Somaliland fait donc figure d'un havre de paix, à condition de ne considérer que sa partie « utile » (le triangle Borama-Hargeysa-Berbera) et de ne pas voir la corruption croissante d'une administration semblable à celle des dernières années de Siyad Barre, le dernier chef d'État de la Somalie avant que le pays ne sombre dans les partitions... - **Roland Marchal** ■

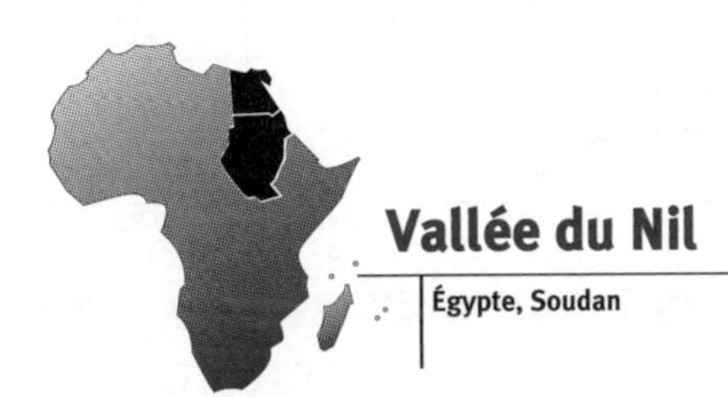

Vallée du Nil

Égypte, Soudan

Égypte

Libéralisme économique et contrôle politique

Aucune des crises qui ont marqué l'année 1998-1999 n'a affecté les orientations politiques prévalant en Égypte depuis l'arrivée au pouvoir du président Hosni Moubarak en 1981. Libéralisme économique et pluralisme politique contrôlé produisent des effets tout aussi contrôlés. A commencer par les conflits qui ont opposé une partie de l'opinion au pouvoir. L'Organisation égyptienne des droits de l'homme (OEDH) a annoncé le gel de ses activités à la suite de l'ar-

INDICATEUR	UNITÉ	ÉGYPTE	SOUDAN
Démographie[a]			
Population	*(millier)*	65 978	28 292
Densité	*(hab./km²)*	66,3	11,9
Croissance annuelle (1995-2000)	*(%)*	1,9	2,0
Indice de fécondité (ISF) (1995-2000)		3,4	4,6
Mortalité infantile (1995-2000)	*(‰)*	51	71
Espérance de vie (1995-2000)	*(année)*	66,3	55,0
Population urbaine	*(%)*	45,4	34,2
Indicateurs socioculturels			
Développement humain (IDH)[c]		0,616	0,475
Nombre de médecins	*(‰ hab.)*	1,83[h]	0,09[k]
Analphabétisme (hommes)[c]	*(%)*	35,3	34,6
Analphabétisme (femmes)[c]	*(%)*	59,5	58,7
Scolarisation 12-17 ans	*(%)*	60,9[i]	28,3[j]
Scolarisation 3e degré	*(%)*	22,6[f]	3,9[f]
Adresses Internet[d]	*(‰ hab.)*	0,29	–
Livres publiés	*(titre)*	2 215[b]	138[l]
Armées (effectifs)			
Armée de terre	*(millier d'h.)*	320	90
Marine	*(millier d'h.)*	20	1,7
Aviation	*(millier d'h.)*	30	3
Économie			
PIB total (PPA)[c]	*(million $)*	184 009	43 389
Croissance annuelle 1987-97	*(%)*	3,1	3,8
Croissance 1998	*(%)*	5,3	5,2
PIB par habitant (PPA)[c]	*($)*	3 050	1 560
Investissement (FBCF)[e]	*(% PIB)*	18,3[g]	• •
Taux d'inflation	*(%)*	3,8	17,0
Énergie (taux de couverture)[f]	*(%)*	158,1	87,9
Dépense publique Éducation	*(% PIB)*	4,8[b]	0,6[i]
Dépense publique Défense[c]	*(% PIB)*	4,3	5,6
Dette extérieure totale[c]	*(million $)*	29 849	16 326
Service de la dette/Export.[e]	*(%)*	10,9	5,4
Échanges extérieurs			
Importations (douanes)	*(million $)*	13 600	1 915
Principaux fournisseurs[c]	*(%)*	E-U 13,1	UE 29,1
	(%)	UE 38,2	PED 62,5
	(%)	Asie[m] 19,3	M-O 34,6
Exportations (douanes)	*(million $)*	3 908[c]	596
Principaux clients[c]	*(%)*	E-U 11,4	UE 35,5
	(%)	UE 41,5	Asie[m] 54,5
	(%)	Asie[m] 31,4	ArS 21,3
Solde transactions courantes	*(% PIB)*	– 0,9[c]	– 8,8

Définition des indicateurs, sigles et abréviations p. 31 et suivantes. Chiffres 1998 sauf notes. a. Derniers recensements utilisables : Égypte, 1996 ; Soudan, 1993. b. 1995 ; c. 1997 ; d. janv. 1999 ; e. 1995-97 ; f. 1996 ; g. 1996-98 ; h. 1994 ; i. 1991 ; j. 1990 ; k. 1986 ; l. 1980 ; m. Y compris Japon et Moyen-Orient.

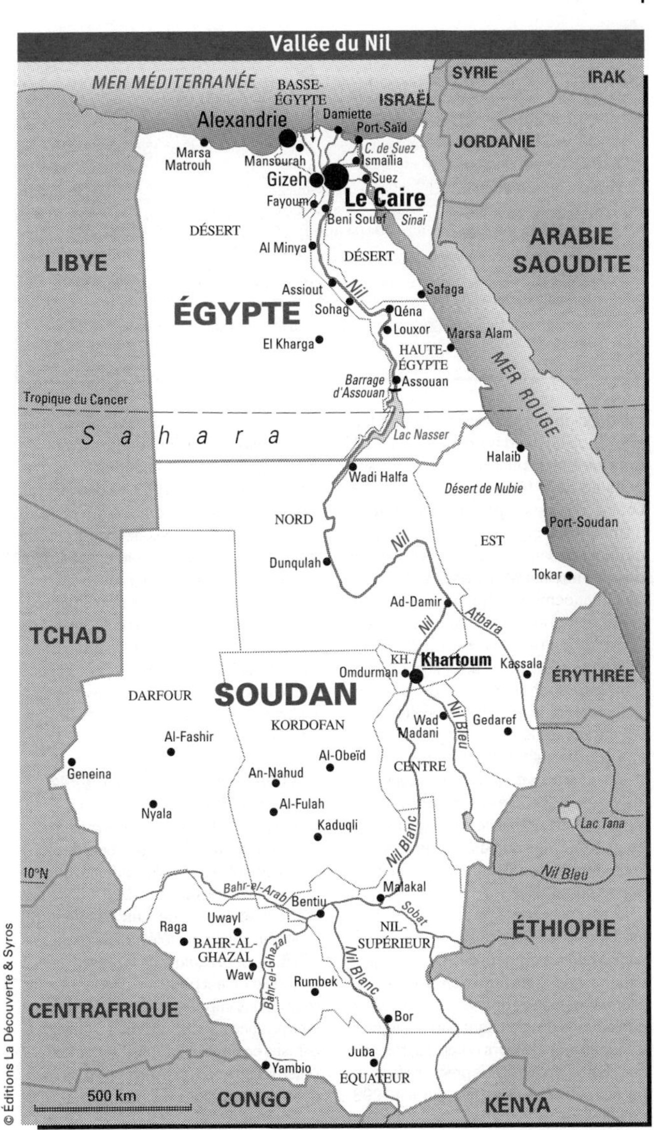
Vallée du Nil
MER MÉDITERRANÉE
BASSE-ÉGYPTE
ISRAËL
SYRIE
IRAK
JORDANIE
Alexandrie
Damiette
Port-Saïd
C. de Suez
Marsa Matrouh
Mansourah
Ismaïlia
Gizeh
Suez
Le Caire
Fayoum
Beni Souef
Sinaï
DÉSERT
ARABIE SAOUDITE
LIBYE
Al Minya
DÉSERT
Nil
Assiout
Safaga
ÉGYPTE
Sohag
Qéna
Louxor
El Kharga
Marsa Alam
HAUTE-ÉGYPTE
MER ROUGE
Barrage d'Assouan
Assouan
Tropique du Cancer
Sahara
Lac Nasser
Halaib
Wadi Halfa
Désert de Nubie
NORD
Port-Soudan
Nil
EST
Dunqulah
Tokar
Ad-Damir
Atbara
Nil
TCHAD
KH.
Khartoum
Kassala
Omdurman
ÉRYTHRÉE
DARFOUR
SOUDAN
Nil Bleu
Wad Madani
Gedaref
KORDOFAN
Al-Fashir
Al-Obeïd
CENTRE
Geneina
An-Nahud
Al-Fulah
Nyala
Kaduqli
Lac Tana
Nil Blanc
10°N
Nil Bleu
Malakal
Bahr-el-Arab
Bentiu
Sobat
Uwayl
ÉTHIOPIE
Raga
NIL-SUPÉRIEUR
BAHR-AL-GHAZAL
Bahr-el-Ghazal
Waw
Nil Blanc
Rumbek
CENTRAFRIQUE
Bor
Juba
Yambio
ÉQUATEUR
500 km
CONGO
KÉNYA

Égypte/Bibliographie

« Age libéral et néolibéralisme », *Dossiers du CEDEJ*, Le Caire, 1996.

« Al-Ahram Center », *Arab Strategic Report 1995*, Le Caire, 1996.

« Égypte : les paradoxes de la réislamisation », *Maghreb-Machrek*, n° 151, La Documentation française, Paris, janv.-mars 1996.

Égypte-Monde arabe, CEDEJ, Le Caire (trimestriel).

S. Gamblin (sous la dir. de), *Contours et détours du politique en Égypte. Les élections législatives de 1995*, L'Harmattan/CEDEJ, Paris/Le Caire, 1997.

« Nasser, 25 ans », *Peuples méditerranéens*, n° 74-75, Paris, 1996.

A. Roussillon, « Égypte. Plus d'un demi-siècle d'activisme islamique », *in L'Islamisme*, La Découverte, coll. « Les Dossiers de l'état du monde », Paris, 1994.

A. Roussillon, « L'Égypte et l'Algérie au péril de la libéralisation », *Dossiers du CEDEJ*, Le Caire, 1996.

restation de son secrétaire général Hafiz abu-Si'da en décembre 1998. L'OEDH avait fait état de punitions collectives infligées en août 1998 par la police à des coptes, dans le village d'al-Kocheh, après un meurtre. L'organisation a été accusée de divulguer des informations mensongères, de nuire aux intérêts du pays en échange des financements étrangers et de faire le jeu des pressions étrangères contre l'Égypte. Face à celles-ci et aux allégations de la presse étrangère – notamment du *Sunday Telegrah* en octobre 1998 –, des intellectuels et hommes d'affaires coptes ont réaffirmé leur refus de toute ingérence dans une question strictement interne. Quatre des hauts gradés de la police impliqués dans les violences ont été mutés en novembre, tandis qu'un collectif de huit organisations actives dans les domaines des droits de l'homme accusait le pouvoir de mener une guerre contre elles.

S'est ensuivi un large débat sur le statut juridique de ces organisations, sur les financements étrangers des ONG (organisations non gouvernementales) et les alternatives locales de financement. Les organisations ont pour leur part souligné la transparence de leurs comptes, relevant que l'État égyptien était le premier à faire appel aux subsides étrangers. En juin 1998, une procédure administrative du ministère des Affaires sociales, dont relèvent les ONG, a mis fin au Front des oulémas d'al-Azhar. Constitué en 1946, ce dernier avait pris des positions favorables à la censure des ouvrages présumés laïcistes et critiqué les réformes éducatives entreprises au sein d'al-Azhar. Tandis que le Front a été remplacé par une association strictement caritative, ses grandes figures ont continué de s'exprimer dans la presse islamiste. Enfin, en mai 1999, une loi (153), rejetée par une partie des associations, a imposé de nouvelles règles au fonctionnement de l'ensemble du secteur associatif.

Confrontation entre le régime et la presse

Dans un autre registre, le syndicat des avocats (190 000 inscrits) a tenté de réunir son assemblée générale dans une rue principale du Caire en mars 1999. L'initiative s'attachait à relancer les élections du Conseil, sous contrôle judiciaire depuis 1995. Le débat autour de la presse dite « à scandale » s'est poursuivi. Portant sur les restrictions imposées aux journaux imprimés en zone franche ou édités à Chypre et diffusés en Égypte, il a aussi été marqué par l'interdiction à son premier numéro de l'hebdomadaire artistique *Alflayla*, en août 1998.

Après sa campagne contre l'ancien ministre de l'Intérieur Hasan al-Alfi (1997), le journal *al-Sha'b*, organe du Parti islamique du travail, a entamé une campagne contre Youssef Wali, homme fort du régime et ministre de l'Agriculture, l'accusant notamment d'ouvrir le pays aux intérêts israéliens. De son côté, le journal *al-Wafd*, organe du parti libéral du même nom, a mené une campagne contre le projet Toshka (nouvelle vallée), qui figure en tête des priorités du pouvoir. La critique a été considérée comme une remise en cause des grandes orientations nationales consensuelles.

Régulières depuis 1995, les arrestations parmi la confrérie islamiste des Frères musulmans, pour reconstitution d'organisation illégale œuvrant à la chute du régime, se sont poursuivies. Selon les Frères, près de 110 membres présumés auraient été arrêtés en 1998-1999. Entre le régime et les islamistes radicaux a régné une relative accalmie après l'attentat de Louxor du 17 novembre 1997 qui avait fait 62 morts, dont 58 touristes. Des confrontations en août et en novembre 1998 ont cependant porté à près de 1 370 le nombre des victimes des violences déclenchées depuis 1992. L'accalmie constatée a résulté du rejet sans conditions de la violence par les leaders islamistes en prison, ou encore du démantèlement de leurs réseaux.

Internationalisation de la lutte contre les islamistes

A cet égard, la dimension internationale de la confrontation avec les islamistes s'est renforcée. L'Égypte a en effet obtenu l'extradition de personnes recherchées auprès de divers pays, dont la Libye, le Soudan, les pays du Golfe ou le Yémen. Selon le ministre de l'Intérieur Habib'al-Adli, Le Caire aurait ainsi fait extrader 18 des principaux leaders recherchés. L'Égypte a maintenu une position de réserve face aux raids américains contre le Soudan et le Pakistan, au prétexte qu'ils n'avaient pas obtenu l'accord de l'ONU. Selon certains observateurs, les attaques contre les fiefs présumés des « afghans égyptiens » (des islamistes ayant combattu en Afghanistan) justifieraient la position du Caire et ses critiques à l'égard des capitales européennes, accusées d'abriter des éléments « terroristes ». 760 « islamistes repentis » ont été relâchés en décembre 1998, portant à près de 5 000 le nombre de repentis depuis la nomination du ministre

République arabe d'Égypte

Capitale : Le Caire.
Superficie : 1 001 449 km^2.
Population : 65 978 000.
Langue : arabe.
Monnaie : livre (au taux officiel, 1 livre = 1,82 FF au 30.4.99).
Nature de l'État : république unitaire.
Nature du régime : présidentiel.
Chef de l'État : Hosni Moubarak, président de la République (depuis le 6.10.81).
Premier ministre : Kamal al-Ganzuri (depuis le 3.1.96).
Ministre des Affaires étrangères : Amr Moussa (depuis mai 91).
Ministre de l'Intérieur : Habib al-Adi (depuis nov. 97).
Ministre de la Défense : Muhammad Hussein Tantawi (depuis mai 91).
Principaux partis politiques : *Gouvernement :* Parti national démocratique. *Opposition légale :* Néo-Wafd (libéral) ; Parti socialiste du travail (populiste) ; Rassemblement progressiste unioniste (marxistes et nassériens de gauche ; Parti des verts égyptiens ; Parti de la Jeune Égypte ; Parti démocratique unioniste ; Parti nassérien. *Illégaux :* les Frères musulmans – non autorisés à constituer un parti politique ni à se reconstituer comme association – ont participé à la vie politique formelle sous le couvert du Parti du travail ; néanmoins, à partir de 1994, certains de leurs dirigeants ont fait l'objet de poursuites judiciaires et ont été accusés de complicité avec les groupes islamistes clandestins ; Parti communiste égyptien ; al-Jihad ; al-Jama'a al-islamya (islamistes).
Échéances électorales : présidentielle (oct. 1999).

de l'Intérieur en novembre 1997. Près de 16 700 islamistes étaient en prison au début de 1999 selon l'OEDH. Dans les procès engagés, la tendance était au durcissement des peines réclamées. Dans le conflit israélo-arabe, l'Égypte a soutenu les initiatives de paix américaines, mais regretté les frappes contre l'Irak en décembre 1998. L'alliance durable entre Le Caire et Washington n'en a pas pour autant été affectée.

Sur le plan économique, la conclusion, en septembre 1998, de l'accord avec le FMI, couronné de succès selon les responsables, a justifié la poursuite des politiques de réforme structurelle. Fin 1998, selon les déclarations officielles, le taux de croissance était de 5,3 %, le déficit budgétaire stabilisé à un 1 % du PIB et le revenu par habitant de 1 410 dollars. De son côté, un rapport du très officiel Conseil consultatif estimait à 45 % le pourcentage d'Égyptiens vivant en dessous du seuil de pauvreté. Enfin, la majorité parlementaire a affirmé son soutien à la candidature du président Hosni Moubarak à un quatrième mandat de six ans à partir d'octobre 1999. - **Iman Farag** ■

Soudan

Débat sur l'esclavage

La vie politique soudanaise a continué d'être rythmée par la guerre au Sud (4,5 millions de personnes déplacées et plus de 1 million de morts depuis 1983). A la suite de la terrible famine de l'été 1998 dans la région du Bahr-el-Ghazal, la communauté internationale s'est mobilisée sans proposer de nouvelle approche pour arrêter ce conflit. Un cessez-le-feu précaire a été conclu en juin puis reconduit tous les trois mois, mais il est resté limité à la seule région du Sud. L'indignation suscitée par la confiscation de l'aide alimentaire par les belligérants a permis une amélioration superficielle des conditions de travail des organisations caritatives. Des corridors humanitaires ont été acceptés par les deux parties en novembre 1998. Cependant, la guerre s'est poursuivie dans les autres régions, notamment l'Équatoria, les Monts Nouba, la Région du Nil Bleu et l'Est soudanais, à proximité de la frontière érythréenne. Les conditions d'intervention humanitaire sont restées précaires, comme l'a illustré la mort de quatre employés locaux du Comité international de la Croix-Rouge (CICR) au début avril 1999. La récurrence de pandémies souligne la dynamique d'effondrement social qui menace.

La question de l'esclavage a surgi dans le débat public national et international. Certaines milices enlèvent des enfants et des femmes, ensuite utilisés comme main-

République du Soudan

Capitale : Khartoum.
Superficie : 2 505 810 km².
Population : 28 292 000.
Langues : arabe (off.), anglais, dinka, nuer, shilluck, etc.
Monnaie : livre soudanaise (100 livres = 0,24 FF au 30.4.99). Le dinar vaut 10 livres soudanaises.
Nature de l'État : le Soudan est doté d'un système fédéral, dont la réalité est contestée.
Nature du régime : dictature, menant une guerre civile sanglante, notamment dans le Sud, et interdisant toute activité politique en dehors de ses propres institutions.
Chef de l'État et du gouvernement : général Omar Hassan Ahmed al-Bechir (depuis le 30.6.89, élu en mars 96).
Président du Parlement : Hassan al-Tourabi (depuis mars 95).
Ministre de l'Intérieur : général Abdel Rahim Mohamed Husein (depuis le 9.3.98).
Ministre de la Défense : général Ibrahim Suleiman (depuis le 9.3.98).
Ministre des Affaires étrangères : Mustapha Osman Ismaël (depuis le 9.3.98).

Soudan/Bibliographie

Amnesty International, *Soudan : quel avenir pour les droits de l'homme ?,* « Rapport pays », Paris, 1995.

J. M. Burr, R. O. Collins, *Requiem for the Sudan, War, Drought and Disaster Relief on the Nile,* Westview Press, Boulder (CO), 1995.

Human Rights Watch, *The 1998 Famine in Sudan. The Human Rights Causes,* Human Rights Watch, New York, 1998.

Human Rights Watch, *Behind the Red Line. Political Repression in the Sudan,* Human Rights Watch, New York, 1996.

S. Hutchinson, *Nuer Dilemmas : Coping with Money, War and the State,* University of California Press, Los Angeles, 1996.

« Le Soudan : échec d'une expérience islamiste ? » (dossier), *Politique africaine,* n° 66, Karthala, Paris, juin 1997.

R. Marchal, « Des contresens possibles de la globalisation : une comparaison de l'évergétisme au Soudan et au Somaliland », *Politique africaine,* n° 73, Karthala, Paris, mars 1999.

R. Marchal, « Éléments d'une sociologie du Front national islamique », *Les Études du CERI,* n° 5, FNSP, Paris, sept. 1995.

R. Marchal, « Vers une recomposition du champ politique soudanais », *REMMM (Revue du monde musulman et de la Méditerranée),* Édisud, Aix-en-Provence, juin 1997.

P. A. Nyaba, *The Politics of Liberation in South Sudan,* Fountain Publishers, Kampala, 1997.

G. Prunier, « Une nouvelle diplomatie révolutionnaire : les Frères musulmans au Soudan », *Islam et sociétés au sud du Sahara,* n° 6, Paris, 1992.

A. S. Sidahmed, *Politics and Islam in Contemporary Sudan,* St. Martin's Press, Londres, 1996.

d'œuvre servile. Une ONG (organisation non gouvernementale) chrétienne traditionaliste suisse a lancé une grande campagne en faisant du rachat de ces captifs l'axe d'une dénonciation du régime. L'attitude des ONG, de l'UNICEF (Fonds des Nations unies pour l'enfance) et du rapporteur des Nations unies sur les droits de l'homme au Soudan a été autrement plus mesurée. A leurs yeux, cette pratique est relativement délimitée dans le pays et bénéficie de la passivité des autorités qui n'entendent pas se priver du soutien de forces armées appréciables. Comme la conscription forcée d'enfants et le mépris des populations civiles, l'esclavage manifeste l'absence de tout respect des droits élémentaires par les belligérants.

L'IGAD (Autorité intergouvernementale pour le développement) a officiellement poursuivi sa tentative de médiation dans le conflit, soutenue par le Forum des partenaires et l'ONU, sans résultat concret compte tenu du conflit érythréo-éthiopien ouvert en 1998 et des relations exécrables de Khartoum avec l'Érythrée et l'Ouganda, qui ont rompu leurs relations diplomatiques respectivement en 1994 et 1995.

Le Soudan fait flèche de tout bois pour rompre son isolement, soutenant militairement le gouvernement de Laurent-Désiré Kabila contre ses opposants encadrés par le Rwanda et l'Ouganda, et capitalisant les contradictions très vives entre Addis-Abéba et Asmara. Après trois ans d'interruption à la suite de la tentative d'assassinat du président égyptien Hosni Moubarak dans la capitale éthiopienne en juin 1995, les vols Addis-Abéba-Khartoum ont repris le 30 octobre 1998, ainsi que les contacts politiques. Des opposants éthiopiens ont été emprisonnés à Khartoum, pendant que l'opposition érythréenne en déshérence bénéficiait d'un appui logistique. Le régime soudanais compte sur un affaiblissement politique de l'opposition regroupée dans l'Alliance nationale démocratique (AND), soutenue par l'Étyrhrée. L'AND est aussi apparue plus que jamais fragilisée par l'impasse de sa stratégie militaire et ses dissensions internes, comme cela s'est illustré après le bombardement américain de l'usine pharmaceutique Al-Shiffa (en représailles contre les attentats perpétrés contre les ambassades américaines de Nairobi et Dar-es-Salam, le 7 août 1998) et par les rumeurs récurrentes, mais toujours démenties, d'un rapprochement entre l'ancien Premier ministre, Sadeq al-Mahdi, et Hassan al-Tourabi, président du Parlement et secrétaire général du Congrès national.

Le régime soudanais fait valoir les résultats de l'orthodoxie de sa politique économique, célébrée par le FMI. Une Constitution a été adoptée en juillet 1998, après un référendum en mars. Elle autorise les partis politiques dès lors qu'ils adhèrent à la *charia* (législation islamique)... L'AND jusqu'alors avait refusé une ouverture qu'elle estimait en trompe l'œil. Sept partis ont néanmoins été enregistrés dès l'application de la Constitution en janvier 1999, le seul significatif étant l'ancien parti unique, le Congrès national. Cette modification constitutionnelle a mis au jour les grandes tensions régnant parmi les islamistes et leurs alliés sudistes. Une fois de plus, un clivage est apparu entre les partisans d'une consolidation de l'État, conduits par le président Omar al-Bechir, et ceux qui soutiennent la primauté du parti, avec Hassan al-Tourabi. - **Roland Marchal** ■

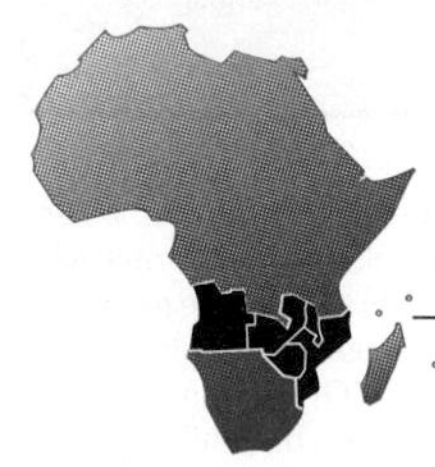

Afrique sud-tropicale

Angola, Malawi, Mozambique, Zambie, Zimbabwé

Angola

A nouveau la guerre

Au printemps 1998, l'impasse du processus de paix était manifeste : ledit « Gouvernement d'unité et de réconciliation nationale » (GURN), comprenant des ministres de l'UNITA (Union nationale pour l'indépendance totale de l'Angola, en conflit armé contre le régime depuis l'indépendance) mais dominé par le MPLA (Mouvement populaire de libération de l'Angola, ex-parti unique), loin d'œuvrer à la réconciliation et à la démocratisation et incapable d'enrayer une crise sociale majeure due à une corruption effrénée et à l'entretien d'un appareil sécuritaire renforcé, tendait à occuper tout l'espace politique et économique. L'extension de l'administration de l'État aux zones détenues par l'UNITA, que celle-ci ne cédait que sous d'extrêmes pressions

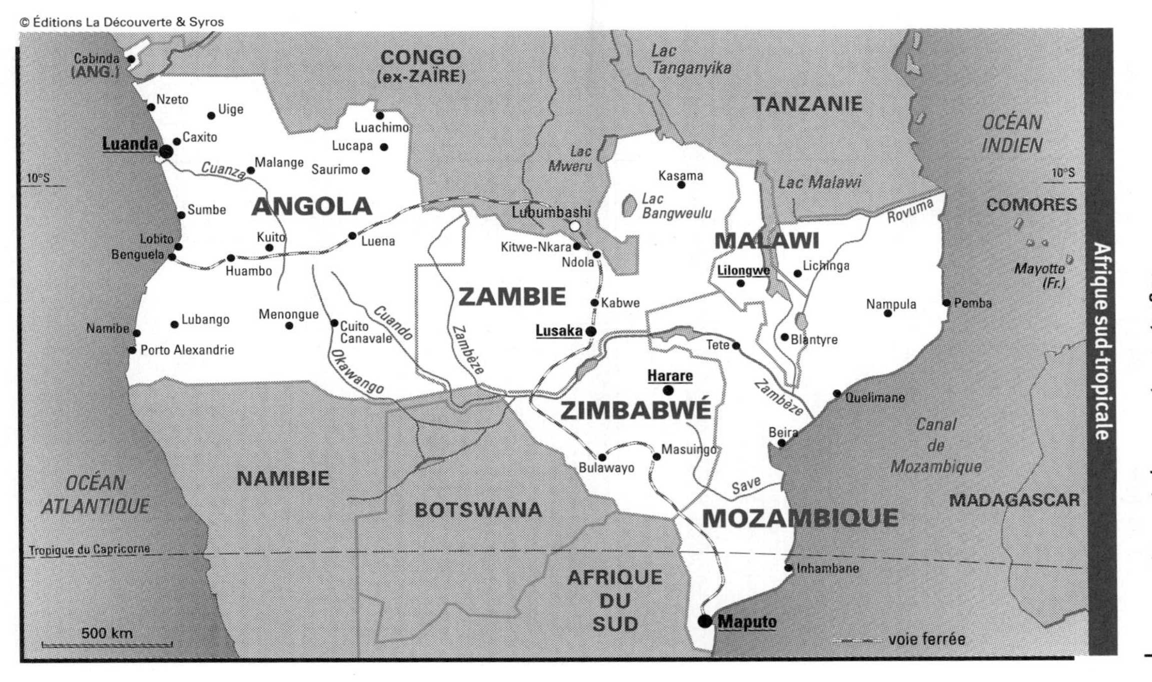
Afrique sud-tropicale
CONGO (ex-ZAÏRE)
Lac Tanganyika
TANZANIE
OCÉAN INDIEN
Cabinda (ANG.)
Nzeto
Uige
Luachimo
Caxito
Luanda
Lucapa
Malange
Saurimo
Cuanza
Lac Mweru
Kasama
Lac Malawi
10°S
COMORES
ANGOLA
Sumbe
Lubumbashi
Lac Bangweulu
Rovuma
Lobito
Benguela
Kuito
Luena
Huambo
Kitwe-Nkara
Ndola
MALAWI
Lilongwe
Lichinga
Mayotte (Fr.)
ZAMBIE
Kabwe
Nampula
Pemba
Namibe
Lubango
Menongue
Cuito Canavale
Cuando
Lusaka
Porto Alexandrie
Zambèze
Okawango
Tete
Blantyre
Harare
Quelimane
ZIMBABWÉ
Beira
Canal de Mozambique
Masuingo
Bulawayo
Save
OCÉAN ATLANTIQUE
NAMIBIE
BOTSWANA
MOZAMBIQUE
MADAGASCAR
Tropique du Capricorne
Inhambane
AFRIQUE DU SUD
Maputo
500 km
voie ferrée

INDICATEUR	UNITÉ	ANGOLA	MALAWI
Démographie[a]			
Population	*(millier)*	12 092	10 346
Densité	*(hab./km²)*	9,7	110
Croissance annuelle (1995-2000)	*(%)*	3,20	2,44
Indice de fécondité (ISF) (1995-2000)		6,8	6,7
Mortalité infantile (1995-2000)	*(‰)*	125	138
Espérance de vie (1995-2000)	*(année)*	46,5	39,3
Population urbaine	*(%)*	32,9	14,6
Indicateurs socioculturels			
Développement humain (IDH)[c]		0,398	0,399
Nombre de médecins	*(‰ hab.)*	0,08[c]	0,02[j]
Analphabétisme (hommes)[c]	*(%)*	• •	27,2
Analphabétisme (femmes)[c]	*(%)*	• •	56,6
Scolarisation 12-17 ans	*(%)*	38,6[j]	51,8[j]
Scolarisation 3e degré	*(%)*	0,6[f]	0,6[f]
Adresses Internet[d]	*(‰ hab.)*	–	–
Livres publiés	*(titre)*	22[b]	120[f]
Armées (effectifs)			
Armée de terre	*(millier d'h.)*	106	5
Marine	*(millier d'h.)*	1,75	• •
Aviation	*(millier d'h.)*	6	• •
Économie			
PIB total (PPA)[c]	*(million $)*	16 704	7 278
Croissance annuelle 1987-97	*(%)*	0,3	3,9
Croissance 1998	*(%)*	0,4	3,6
PIB par habitant (PPA)[c]	*($)*	1 430	710
Investissement (FBCF)	*(% PIB)*	16,8[e]	10,3[g]
Taux d'inflation	*(%)*	77,7	27,4
Énergie (taux de couverture)[f]	*(%)*	672,9	23,6[bl]
Dépense publique Éducation	*(% PIB)*	4,9[j]	5,5[b]
Dépense publique Défense[c]	*(% PIB)*	8,8	1,1
Dette extérieure totale[c]	*(million $)*	10 160	2 206
Service de la dette/Export.[e]	*(%)*	14,4	19
Échanges extérieurs			
Importations (douanes)	*(million $)*	2 382	598
Principaux fournisseurs[c]	*(%)*	E-U 13,6	AfS 33,8
	(%)	UE 57,5	Zbw 17,1
	(%)	PED 25	Asie[m] 15,3
Exportations (douanes)	*(million $)*	3 428	472
Principaux clients[c]	*(%)*	E-U 65	E-U 11,7
	(%)	UE 14,7	UE 29,2
	(%)	Chi 13,2	Afr 24,6
Solde transactions courantes	*(% PIB)*	• •	– 38,3[h]

Définition des indicateurs, sigles et abréviations p. 31 et suivantes. Chiffres 1998 sauf notes. a. Derniers recensements utilisables : Angola, 1970 ; Malawi, 1998 ; Mozambique, 1997 ; Zambie, 1990 ; Zimbabwé, 1992. b. 1995 ; c. 1997 ; d. janv. 1999 ; e. 1995-97 ; f. 1996 ; g. 1996-98 ; h. 1994 ; i. 1992 ; j. 1990 ;

MOZAMBIQUE	ZAMBIE	ZIMBABWÉ
18 880	8 781	11 377
24,1	11,8	29,4
2,48	2,25	1,42
6,2	5,5	3,8
114	82	69
45,2	40,1	44,1
37,7	43,9	33,9
0,341	0,431	0,56
0,03[k]	0,07[b]	0,15[b]
43,3	16,7	5,7
75	32,5	12,4
28,3[i]	60,7[j]	94,9[i]
0,5[f]	2,6[f]	6,5[f]
0,07	0,34	0,9
••	••	232[i]
4,5	20	35
0,1	••	••
1	1,6	4
12 324	9 087	26 931
5,0	0,6	3,3
11,6	– 1,9	1,6
740	960	2 350
31,9[e]	14,2[e]	22,1[e]
0,6	24,5	31,5
92,8	92,5	83,5
6,0[j]	2,2[b]	8,3[f]
3,9	1,7	4,7
5 991	6 758	4 961
26,4	76,1	22,1
1 026	1 175	2 365
UE 14,5	UE 17	UE 18,3
Afr 60,2	AfS 48,3	AfS 46,6
Asie[m] 16,3	Asie [m] 16,6	Asie[m] 11,3
248	905	1 850
UE 42,4	UE 21,4	UE 33,1
Afr 21,6	Afr 21,3	Afr 36,7
Asie[m] 18,2	Asie[m] 50,5	Asie[m] 16,3
– 15,6[f]	••	– 6,2[h]

k. 1989 ; l. Chiffres des Nations Unies ; m. Y compris Japon et Moyen-Orient.

de l'ONU, donnait lieu à des affrontements et des représailles... La communauté internationale, impuissante à faire appliquer les sanctions votées contre l'UNITA, l'était aussi à contrôler les polices et à inciter le gouvernement à désarmer la population civile. Les pays impliqués dans le processus de paix (troïka États-Unis/Portugal/Russie) – mais aussi d'autres comme la France –, en concurrence pour de considérables découvertes pétrolières, avaient, sans réagir, laissé l'armée angolaise intervenir deux fois hors frontière (pour appuyer la « rébellion » de Laurent-Désiré Kabila au Zaïre en 1997, puis en soutien à Denis Sassou Nguesso dans sa prise du pouvoir au Congo-Brazza, en octobre 1997).

Ces interventions, destinées surtout à couper les approvisionnements de l'UNITA (et ceux des organisations armées de libération du Cabinda, enclave angolaise située au Congo-Kinshasa), une spirale de méfiance et de militarisation, avaient contribué, avec la politique de blocage de l'UNITA, à renforcer le pouvoir puisant sans contrôle l'argent du pétrole, l'UNITA se réarmant massivement grâce à son contrôle de zones de diamants, vendus *via* des réseaux de trafiquants africains et internationaux. Au début de l'été 1998, les deux camps étaient engagés dans une dynamique de reprise des hostilités, et commençaient à rafler des jeunes pour leurs armées. En août, alors qu'une seconde « rébellion » éclatait au Congo-Kinshasa contre L.-D. Kabila, bénéficiant du soutien du Rwanda et de l'Ouganda, l'Angola décidait finalement d'intervenir, avec deux autres États (Zimbabwé et Namibie) d'une SADC (Communauté de développement de l'Afrique australe) divisée, et sauvait la mise au régime de L.-D. Kabila.

Pensant pouvoir compter, grâce à ses liens pétroliers et dans la configuration régionale liée à la guerre au Congo-Kinshasa, sur un assentiment de la communauté internationale, le gouvernement engagea ce qu'il voulait être l'opération finale contre l'UNITA : en septembre, il suscita la formation à Luanda d'une UNITA dite « rénovée » qui destituait Jonas Savimbi de la Présidence, rompit lui-même tout contact avec celui-ci, prétendant « poursuivre le processus de paix » avec ce groupe – lequel était sans autorité sur les troupes, très minoritaire parmi les députés de l'UNITA, et privé de crédibilité par son inféodation flagrante au MPLA. La SADC, puis quelques pays amis reconnurent ce groupe comme interlocuteur valable et déclarèrent, à l'instar du gouvernement, J. Savimbi criminel de guerre. Le but déclaré étant son « anéantissement militaire et politique », des pressions furent faites sur les pays ayant des intérêts en Angola en vue d'un isolement diplomatique. Des affrontements étant déjà engagés, l'annonce de l'assaut aux bastions de l'UNITA fut faite début décembre 1998 par le président de la République José Eduardo Dos Santos lui-même au congrès du MPLA – qui consacrait aussi le renforcement de son pouvoir personnel, concrétisé ensuite par la suppression du poste de Premier ministre, la nomination d'un nouveau gouvernement, la prise en main du commandement de l'armée.

L'offensive fut cependant un échec, l'UNITA ayant acquis des armements puissants, et l'armée gouvernementale se trouvant handicapée à la fois par ses engagements extérieurs, par le niveau de corruption de sa direction, par les détournements et par la démoralisation des soldats. Cet échec, dès lors qu'aucun retour en arrière n'était envisageable pour le pouvoir, se traduisit par une surenchère dans la diabolisation de J. Savimbi. Invoquant un complot international contre l'Angola, Luanda somma la mission de l'ONU de quitter l'Angola, ce qui fut décidé en février 1999. Une guerre dévastatrice se déploya de nouveau : siège de capitales provinciales par l'UNITA, qui au printemps contrôlait la frontière avec le Congo, abandon brutal de l'intérieur du pays pour gagner les villes et la côte protégée, crise sociale et humanitaire catastrophique, banditisme et pillages. Des deux côtés, l'heure était à l'enrôlement massif d'une population exténuée, le gouvernement sollicitant l'aide internationale mais refusant l'ouverture de corridors humanitaires.

A la mi-1999, les deux camps étaient engagés dans une course au réarmement, l'UNITA disposant désormais de moyens importants et le gouvernement préparant une nouvelle offensive et comptant pour l'emporter sur sa plus grande capacité à rééquiper ses forces. Le président s'étant personnellement engagé dans le refus de négocier avec l'UNITA, le recours à l'aide d'armées amies était envisagé. Face à l'im-

République d'Angola

Capitale : Luanda.
Superficie : 1 246 700 km².
Population : 12 092 000.
Langues : portugais (off.), langues du groupe bantou : umbundu, kimbundu, kikongo, quioco, ganguela (« nationales »).
Monnaie : kwanza réajusté (1 000 kwanzas = 0,0024 FF au 19.7.99).
Nature de l'État : république unitaire.
Nature du régime : semi-présidentiel.
Chef de l'État et du gouvernement : José Eduardo dos Santos (depuis le 20.9.79).
Premier ministre : poste supprimé en janv. 99.
Ministre de la Défense : Kundi Paihama (depuis janv. 99).
Ministre de l'Intérieur : Fernando « Nandô » da Piedade Diaz Dos Santos (depuis janv. 99).
Ministre des Affaires étrangères : João Miranda (depuis janv. 99).
Échéances électorales : reportées *sine die.*
Souveraineté contestée : dans le Cabinda, divers mouvements indépendantistes, dont plusieurs armés : FLEC (Front de libération de l'enclave de Cabinda)-FAC, FLEC renovada.

puissance d'une communauté internationale inerte puis écartée, la destruction du pays et la décomposition sociale s'approfondissaient, le sort de la guerre angolaise dépendant d'équilibres régionaux militaires et stratégiques complexes. - **Christine Messiant** ■

Malawi

Difficultés économiques et sociales

Du fait de l'instabilité des cours du rand sud-africain et du dollar zimbabwéen, monnaies de deux partenaires majeurs du pays, le kwacha a été dévalué, en septembre 1998, de 40 %. Les prix à la consommation des produits de base ont augmenté, suscitant la « grogne » d'une population déjà éprouvée économiquement.

En effet, les exportations de tabac, dont proviennent habituellement 70 % des ressources du pays, se sont effondrées, provoquant une perte d'environ 80 millions de dollars. L'arrivée de la Chine sur le marché, comme nouveau producteur, et l'effet des campagnes anti-tabac aux États-Unis, gros importateur, ont déstabilisé les cours à la baisse. Pressentant le risque d'un phénomène à long terme, les autorités ont donc encouragé la diversification vers des produits à forte rentabilité (les fleurs coupées ou le paprika). Seule source de satisfaction, la production de thé a bénéficié de la hausse des cours mondiaux.

Dans ce contexte, nombreuses ont été les critiques fustigeant le gouvernement en place et surtout le président Bakili Muluzi. Le principal grief portait sur la lenteur de la mise en œuvre du volet des réformes visant à relever le niveau de vie, et ce en dépit d'efforts réels (santé, éducation). L'impatience s'est aussi accrue sur la question du rétablissement des droits humains, engagé en 1994 dans le cadre du processus de démocratisation qui a suivi la fin du régime autoritaire de Kamuzu Banda (1966-1994). S'il n'y a pas eu depuis cette date d'emprisonnement politique, la législation sur le sujet n'avait toujours pas été abolie et, de manière révélatrice, la Commission des droits de l'homme instituée par le gouvernement ne fonctionnait toujours pas, faute de financement.

Au terme des élections législatives et présidentielle de mai 1999, B. Muluzi a été élu pour un deuxième mandat. En effet, malgré ses critiques, l'opposition (Alliance pour la démocraeie et Parti du Congrès du Malawi) restait faible et surtout divisée.

La réforme intervenue début 1999 concernant le nombre de sièges de députés par région a renforcé la position du parti du président, le Front démocratique uni (UDF). La région Nord est passée ainsi de 33 à 46 sièges, le Centre de 17 à 85 et le Sud, bastion de l'UDF, de 42 à 118.

Enfin, les derniers chiffres disponibles établissaient qu'un cinquième de la population était porteur du virus du sida en 1999. - **Philippe L'Hoiry** ■

République du Malawi

Capitale : Lilongwé.
Superficie : 118 480 km^2.
Population : 10 346 000.
Langues : anglais, chichewa.
Monnaie : kwacha (au taux officiel, 1 kwacha = 0,14 FF au 30.4.99).
Nature de l'État : république unitaire.
Nature du régime : présidentiel parlementaire.
Chef de l'État et du gouvernement : Bakili Muluzi (depuis le 17.5.94, réélu le 15.6.99).
Ministre de l'Agriculture (au 15.6.99) : Aleke Banda (depuis le 24.7.97).
Ministre des Affaires étrangères (au 15.6.99) : Mapopa Chipeta (depuis le 24.7.97).
Ministre de la Défense (au 15.6.99) : Joseph Kubalo (depuis le 24.7.97).
Ministre de l'Intérieur (au 15.6.99) : Mguin Moyo (depuis le 24.7.97).

Mozambique

Un pays attirant pour les investisseurs

Après de multiples reports, les élections municipales ont finalement eu lieu à la fin du mois de juin 1998, mais dans 33 villes seulement et ne mobilisant qu'un peu plus de 10 % de la population. Le principal parti d'opposition, la Renamo (Résistance nationale du Mozambique, ancien mouvement rebelle), a boycotté le scrutin en raison du refus du parti au pouvoir, le Frelimo (Front de libération du Mozambique), d'accepter sa présence au sein du secrétariat des élections. Plusieurs autres partis, comme le Monamo (Mouvement nationaliste mozambicain) ou le Pademo (Parti démocratique du Mozambique), ont soutenu la Renamo dans sa campagne de désaveu des élections. Les résultats sont apparus sans grande signification, car seuls 14,5 % des inscrits s'étaient rendus aux urnes. Les candidats du Frelimo, la plupart du temps sans concurrents (ce qui a conduit l'opposition à formuler des recours pour annulation dans certaines municipalités), ont remporté tous les postes importants, notamment dans les capitales provinciales comme Maputo, Beira et Nampula.

D'autres événements, comme le rétablissement du service militaire obligatoire ou le rejet parlementaire d'une loi anti-corruption, ont motivé la colère de l'opposition. Cette dernière a voulu poser des conditions à sa participation aux élections générales fixées à octobre 1999. Afonso Dhlakama, leader de la Renamo, a ainsi réclamé la refonte de tous les groupes chargés d'assurer leur organisation. Mais, loin de disposer de la majorité à l'Assemblée, il a semblé s'orienter vers la voie de la concertation.

Le gouvernement a cependant présenté des résultats plutôt positifs : les salariés de la fonction publique ont été augmentés, le crime organisé a, semble-t-il, été plus efficacement combattu, tandis que les objectifs économiques fixés pour la fin 1997 étaient atteints (baisse de l'inflation jusqu'à un taux de 5,6 %, progression du secteur agricole). Ces avancées ont justifié la présentation d'un budget 1998 ambitieux et la mise en œuvre de nombreux projets économiques importants (construction d'usines d'aluminium, de centrales hydroélectriques ou de pipelines, développement de l'industrie touristique ou agroforestière).

Le Mozambique est devenu attractif pour de nombreux investisseurs, notamment dans le secteur hydroélectrique, courtisé par de grandes entreprises françaises, allemandes ou suédoises, ou dans le secteur minier investi par des compagnies sud-africaines, britanniques ou australiennes. L'Union européenne s'est déclarée prête à donner son accord pour un programme d'aide de 60 millions d'euros, soutenir la balance des paiements, réformer le service public et restructurer les finances publiques.

Tout cela a placé le président sortant, Joaquim Chissano, en position de force quant à une éventuelle participation à la présidentielle. Néanmoins, un courant interne

République du Mozambique

Capitale : Maputo.
Superficie : 783 080 km².
Population : 18 880 000.
Langues : portugais (off.), macualomué, maconde, chona, tonga, chicheua...
Monnaie : metical (au taux officiel, 1 000 meticals = 0,49 FF au 30.4.99).
Nature de l'État : république unitaire.
Nature du régime : présidentiel pluraliste depuis déc. 90.
Chef de l'État : Joaquim Alberto Chissano (depuis le 4.1.87, élu le 29.10.94).
Premier ministre : Pascoal Mocumbi (depuis le 16.12.94).
Ministre de la Défense et de l'Intérieur : Almerinho Manhenje.
Ministre des Affaires étrangères : Leonardo Simão.
Échéances institutionnelles : élections présidentielle et législatives (99).

au Frelimo contestait fortement cette possibilité en raison des accusations de corruption dont a fait l'objet l'appareil d'État. L'arrestation, dans une affaire de trafic de drogue, d'un proche du président, au début de l'année 1999, ne pouvait que renforcer cette contestation. - **Jérôme Lafargue** ■

Zambie

Inquiétante augmentation de la pauvreté

Le début de l'année 1998 a été marqué par les poursuites engagées à l'encontre des commanditaires supposés de la tentative de coup d'État d'octobre 1997. Les chefs des principaux partis d'opposition, Kenneth Kaunda, de l'UNIP (Parti de l'indépendance nationale uni), Dean Mung'omba, du ZDC (Congrès démocratique zambien), et Roger Chongwe, du LPF (Front progressiste libéral), faisaient tous partie des suspects et certains ont été emprisonnés. Des membres du parti au pouvoir, le MMD (Mouvement pour la démocratie multipartite), ont même été inquiétés. Mais, une fois de plus, c'est surtout l'ancien président écarté du pouvoir en 1991, K. Kaunda, qui a fait les frais de l'acharnement du gouvernement. En dépit des mises en garde de la Commission zambienne des droits de l'homme et de plusieurs donateurs, il a été accusé de haute trahison en février 1998 puis emprisonné jusqu'au mois de juin, tandis que l'état d'urgence, décrété à la suite de la tentative de coup d'État, était prolongé jusqu'en mars. Après sa libération, K. Kaunda s'est engagé à rebâtir l'UNIP avant de quitter définitivement la scène politique.

Le président Frederik Chiluba a lancé une politique d'austérité, guère favorable à sa popularité ni à celle de son gouvernement. Le gel des salaires de la fonction publique l'a opposé au ZCTU (Conseil zambien des syndicats). Le ministre des Finances, Ronald Penza, a été écarté du gouvernement fin mars 1998, en raison de l'échec des négociations visant à la privatisation des mines de cuivre. Sa remplaçante, Edith Nawakwi, auparavant ministre de l'Agriculture, s'est trouvée d'emblée sous le feu des projecteurs. Le recours à la bonne volonté des donateurs est en effet devenu de plus en plus pressant, notamment en raison de la dépréciation continue du kwacha, la monnaie nationale, et de l'augmentation inquiétante de la pauvreté parmi la population. Selon un rapport des Nations unies d'avril 1998, plus de deux tiers des Zambiens sont proches de l'état de misère. E. Nawakwi n'a pas ménagé ses efforts, se rendant notamment à Tokyo en octobre pour quémander l'assistance internationale. Elle a également été au centre d'une polémique

République de Zambie

Capitale : Lusaka.
Superficie : 752 610 km².
Population : 8 781 000.
Langues : anglais (off.), langues du groupe bantou.
Monnaie : kwacha (au taux officiel, 100 kwachas = 0,29 FF au 28.2.99).
Nature de l'État : république.
Nature du régime : présidentiel, multipartisme autorisé depuis sept. 90.
Chef de l'État : Frederik Titus Chiluba (depuis le 1.11.91, réélu le 18.11.96).
Chef du gouvernement : Christen Tembo (depuis déc. 97).
Ministre de l'Intérieur : Peter Machungwa.
Ministre de la Défense : Chitalu Sampa.
Ministre des Affaires étrangères : Keli Walubita.
Échéances institutionnelles : élections présidentielle et législatives (2001).
Territoires contestés : Province de l'Ouest, ancien protectorat britannique (Barotseland), peuplé par des Lozi réclamant l'application de l'accord de 1964 (reconnaissance de droits de représentation politique en échange de l'annexion).

Afrique sud-tropicale/Bibliographie

M. Anstee, *Orphan of the Cold War : The Inside Story of the Collapse of the Angolan Peace Process 1992-1993,* St Martin's Press New York, 1996.

J.-L. Balans, M. Lafon (sous la dir. de), *Le Zimbabwé contemporain,* Karthala/IFRA, Paris, 1995.

Country Report 1996, Malawi, Economic Intelligence Unit Agency, Londres, 1996.

J.-P. Dalloz, J. D. Chileshe (sous la dir. de), *La Zambie contemporaine,* Karthala, Paris, 1996.

J. Lafargue, *Contestations démocratiques en Afrique. Sociologie de la protestation au Kénya et en Zambie,* Karthala, Paris, 1996.

J. M. Mabeko Tali, « L'interminable transition angolaise et les multiples dangers de l'incertitude politique », *Lusotopie,* vol. 1997, Karthala, Paris, 1997.

K. Maier, *Angola Promises and Lies,* SERIF, Londres, 1996.

R. Marchal, C. Messiant, *Les Chemins de la guerre et de la paix - Fins de conflit en Afrique orientale et australe,* Karthala, Paris, 1997.

C. Messiant, « Angola : Deconstructing a Nation ? », *in* D. Birmingham, P. Martin (sous la dir. de), *History of Central Africa,* vol. III, Longman, Londres, 1997.

C. Messiant, « Angola, the Challenge of Statehood », *in* D. Birmingham, P. Martin (sous la dir. de), *History of Central Africa,* vol. III : *The Contemporary Years,* Longman, Londres, 1997.

C. Messiant, « La Fondation Eduardo dos Santos (FESA) : à propos de l'"investissement" de la société civile par le pouvoir angolais », *Politique africaine,* Karthala, Paris, mars 1999.

P. Nordlung, *Organising Democracy. Politics and Power in Zambia,* University of Uppsala, Uppsala, 1995.

J. Vialatte, « Mozambique : l'État en quête d'une nouvelle symbolique », *in* CEAN, *L'Afrique politique. Revendications populaires et recompositions politiques,* Karthala, Paris, 1997.

l'opposant au ministre de l'Industrie et du Commerce, Enoch Kavindele. Ce dernier souhaitant favoriser financièrement (réduction des taxes d'importation) l'entreprise américaine Coca-Cola, ce qui lui a coûté son portefeuille. Le refus du président et d'E. Nawakwi d'accorder ce régime de faveur a conduit Coca-Cola à suspendre son programme d'investissement.

L'attention s'est de plus en plus concentrée sur la succession de F. Chiluba en 2001, lequel, en vertu de la Constitution, ne peut se représenter une troisième fois. Ben Mwila et Michael Sata, ministres respectivement de l'Énergie et sans portefeuille, n'ont jamais caché leur ambition, mais la crainte d'être exclu du gouvernement a tempéré leurs ardeurs. - **Jérôme Lafargue** ■

Zimbabwé

Contestations de l'engagement militaire au Congo

Le lent effritement du *statu quo* social (relations entre les différentes composantes d'une société très inégalitaire) s'est perpétué dans les difficultés économiques, le malaise de la population et les tiraillements d'une démocratie de façade. Dans ce climat, l'engagement dans le conflit au Congo-Kinshasa a constitué un tournant, ayant déjà pour effet d'amplifier les tensions internes.

L'inflation s'est maintenue au-dessus de 30 % tandis que les taux d'intérêt et les impôts continuaient d'augmenter et la monnaie de se déprécier. Les résultats du secteur industriel (où le taux de chômage dépasse les 40 %) ont été inférieurs à ceux de 1997, amenant le gouvernement à envisager des restrictions aux importations. Pareille mesure marquerait le retour à une politique s'attaquant plus au symptôme qu'aux causes du mal et remettrait en cause l'ajustement structurel de l'économie si laborieusement négocié.

Les protestations de la population face à la dégradation de ses conditions de vie se sont amplifiées aussi bien en ville que dans les zones rurales qui jusqu'alors conservaient une attitude de retrait. L'augmentation de 67 % des prix du carburant et du pétrole domestique a entraîné des émeutes en novembre 1998. Le lancement d'un parti par Morgan Tsvangirai, le leader de la confédération des syndicats connu auparavant pour ses positions « apartisanes », a constitué le meilleur indice de la radicalisation des luttes sociales. Bien plus en tout cas que la énième manœuvre de regroupement de l'opposition, récemment ralliée à la bannière de Margaret Dongo, énergique dissidente du parti dominant.

Le principal sujet de contestation vis-à-vis de la politique gouvernementale a toutefois été l'implication dans la guerre au Congo. Le président Robert Mugabe y a engagé son pays dès le déclenchement du conflit opposant Laurent-Désiré Kabila aux « rebelles » soutenus par l'Ouganda et le Rwanda, en août 1998. Il a utilisé sa position à la tête de la commission chargée des questions de sécurité au sein de la Communauté de développement de l'Afrique australe (SADC) pour justifier son action. S'il ne manquait pas de produire des déclarations enflammées sur la solidarité panafricaine, les raisons de son choix n'étaient pas aussi limpides. Il cherchait vraisemblablement à prendre une revanche sur Nelson Mandela et l'Afrique du Sud, qui l'ont éclipsé tant en prestige diplomatique que dans la concurrence pour les marchés régionaux (en particulier au Mozambique où l'armée zimbabwéenne avait accompli une mission de maintien de la paix). La recherche de profits à court terme au Congo par le biais de proches ou de clients du président avait d'autre part déjà été prouvée : en particulier avec la nomination par Kinshasa d'un Zimbabwéen à la tête de la Compagnie minière Gécamines. Enfin, cette guerre a détourné l'attention de l'opinion publique, un peu comme la menace de confiscation des terres des fermiers blancs, et permettait d'occuper l'armée à l'extérieur, alors que commençaient à poindre des rumeurs de coup d'État, chose jusque-là impensable au Zimbabwé. - **Patrick Quantin** ■

République du Zimbabwé

Capitale : Hararé.
Superficie : 390 580 km^2.
Population : 11 377 000.
Langues : anglais, shona, ndebele.
Monnaie : dollar Zimbabwé (au taux officiel, 1 dollar = 0,16 FF au 30.4.99).
Nature de l'État : république unitaire.
Nature du régime : présidentiel.
Chef de l'État et du gouvernement : Robert G. Mugabe (Premier ministre depuis 80 et président depuis le 31.12.87).
Échéances électorales : législatives (avr. 2000) et présidentielle (mars 2002).

Afrique australe

Afrique du Sud, Botswana, Lésotho, Namibie, Swaziland

Afrique du Sud

Tourner la page du passé

On pouvait se demander si le processus de réconciliation nationale avait réellement abouti avec la publication, le 30 octobre 1998, du rapport final de la Commission vérité et réconciliation (« Truth and Reconciliation Commission »,TRC), tant les divergences sur ses conclusions et son fonctionnement sont nombreuses. Lors des auditions, closes le 31 juillet 1998, 21 000 victimes ont été entendues et 7 000 demandes d'amnisties politiques déposées sans que certains personnages clés de l'apartheid, comme Pieter W. Botha (Premier ministre de 1978 à 1984, puis président de 1984 à 1989), qui avaient été convoqués, ne se soient présentés.

Les travaux du comité d'amnistie, non encore terminés, ont été vivement critiqués par l'ensemble de la classe politique. Des accusations de partialité raciale, portant notamment sur le déroulement des auditions, ont été relayées par le Nouveau parti national (ex-Parti national, au pouvoir durant l'apartheid), le Front de la liberté (FF, parti afrikaner) et le Parti démocratique (DP). Des attaques sont également venues du Congrès national africain (ANC), reprochant à la Commission et à son président, Mgr Desmond Tutu, de dénigrer la lutte anti-apartheid. En effet, le rapport met en cause des leaders de l'ANC, parmi lesquels Thabo Mbeki, alors vice-président, et Joe Modise, ministre de la Défense au moment de la publication du document, dans des cas de violations graves des droits de l'homme perpétrées au nom de cette lutte, tant en Afrique du Sud que dans les pays où l'ANC était en exil. Le soutien inconditionnel du président Nelson Mandela (lui-même issu de l'ANC) à la Commission a clos les multiples demandes d'annulation ou de révision du rapport final. Enfin, la Commission a rejeté la possibilité d'une amnistie globale, alors même que chacun tentait de justifier les actes passés par les impératifs politiques et collectifs du moment.

Les deuxièmes élections générales et multiraciales du 2 juin 1999 ont mis en lumière certaines caractéristiques actuelles du champ politique sud-africain. Tout d'abord, l'heure n'est pas à l'alternance : l'ANC et son président T. Mbeki l'ont emporté haut la main (266 sièges sur 400 au Parlement, manquant d'un siège la majorité des deux tiers, mais obtenant la majorité absolue dans sept provinces sur neuf). Le Congrès national africain a bénéficié, dès le lancement de la campagne électorale – comme en 1994 –, tant du soutien de la gauche ouvrière communiste et syndicale que de la fragmentation de l'opposition. Le bloc que pouvait constituer le NNP (NP) en 1994 s'est, en effet, désagrégé au profit d'une multitude de formations, comme l'Alliance fédérale, créée en septembre 1998 par l'ancien dirigeant de la fédération de rugby, Louis Luyt. La constitution du Front démocratique (UDM), dirigé depuis le

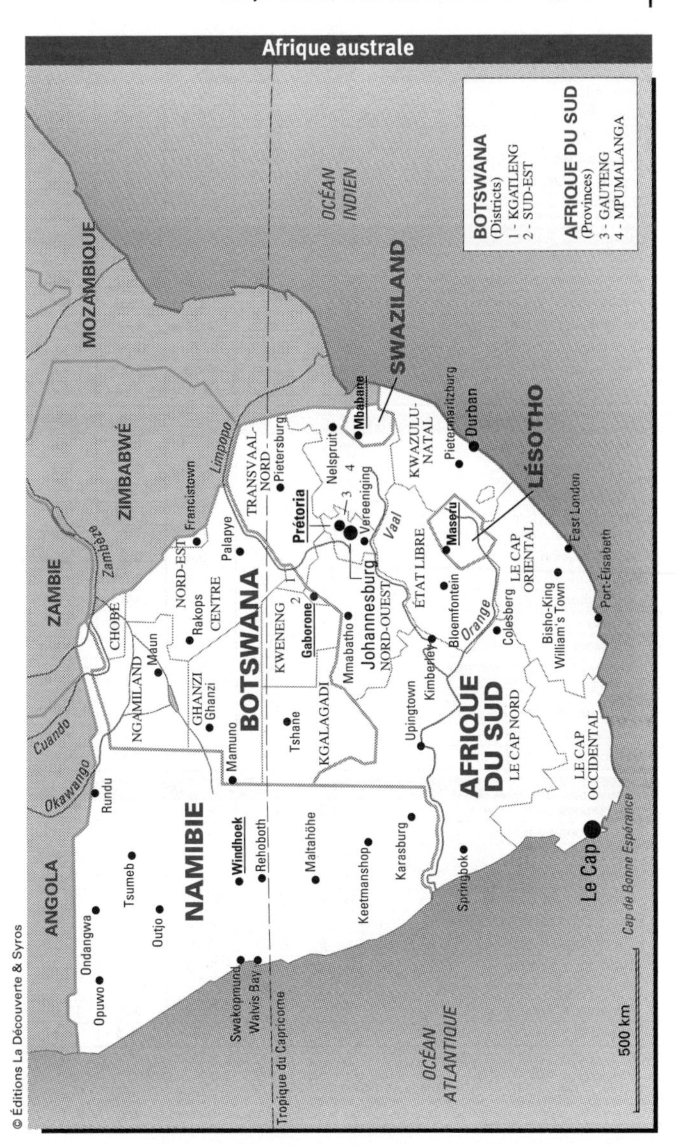
Afrique australe
BOTSWANA
(Districts)
1 - KGATLENG
2 - SUD-EST
AFRIQUE DU SUD
(Provinces)
3 - GAUTENG
4 - MPUMALANGA
OCÉAN INDIEN
OCÉAN ATLANTIQUE
MOZAMBIQUE
ZIMBABWÉ
ZAMBIE
ANGOLA
NAMIBIE
BOTSWANA
AFRIQUE DU SUD
SWAZILAND
LÉSOTHO
Zambèze
Limpopo
Cuando
Okawango
Vaal
Orange
Tropique du Capricorne
CHOBE
NGAMILAND
GHANZI
NORD-EST
CENTRE
KWENENG
KGALAGADI
TRANSVAAL-NORD
NORD-OUEST
ÉTAT LIBRE
KWAZULU-NATAL
LE CAP NORD
LE CAP ORIENTAL
LE CAP OCCIDENTAL
Opuwo
Ondangwa
Outjo
Tsumeb
Rundu
Windhoek
Rehoboth
Swakopmund
Walvis Bay
Maltahöhe
Keetmanshop
Karasburg
Mamuno
Ghanzi
Maun
Rakops
Francistown
Palapye
Gaborone
Tshane
Mmabatho
Johannesburg
Prétoria
Pietersburg
Nelspruit
Vereeniging
Mbabane
Pietermaritzburg
Durban
Maseru
Bloemfontein
Kimberley
Upingtown
Colesberg
Springbok
Bisho-King William's Town
East London
Port-Élisabeth
Le Cap
Cap de Bonne Espérance
500 km

INDICATEUR	UNITÉ	1975	1985	1997	1998
Démographie[a]					
Population	*million*	24,7	30,7	38,8	39,4
Densité	*hab./km²*	20,3	25,2	31,7	32,2
Croissance annuelle	%	2,2[r]	2,0[k]	1,5[c]	••
Indice de fécondité (ISF)		4,3[r]	3,7[k]	3,3[c]	••
Mortalité infantile	‰	70[r]	60[k]	59[c]	••
Espérance de vie	*année*	55,8[r]	58,5[k]	54,7[c]	••
Indicateurs socioculturels					
Nombre de médecins	*‰ hab.*	0,54	0,61[h]	0,6[b]	••
Analphabétisme (hommes)	%	24,9	19,8	15,2	••
Analphabétisme (femmes)	%	28	22,1	16,8	••
Scolarisation 2e degré	%	20[x]	55[s]	84[d]	••
Scolarisation 3e degré	%	5,1[n]	7,6	18,8[b]	••
Téléviseurs	*‰ hab.*	3,9	89,3	124,7	••
Livres publiés	*titre*	3 849[s]	••	5 414[d]	••
Économie					
PIB total (PPA)	*milliard $*	83,5	171,1	299,6	••
Croissance annuelle	%	2,2[o]	1,5[f]	1,7	0,1
PIB par habitant (PPA)	*$*	3 380	5 470	7 380	••
Investissement (FBCF)	*% PIB*	25,7[p]	17,9[g]	17,4	18,1
Recherche et Développement	*% PIB*	••	••	0,7[e]	••
Taux d'inflation	%	12,0	15,4	8,2	7,0
Population active	*million*	9,15	11,90	15,84	••
Agriculture	% } *100 %*	24,7	15,4	11,4[d]	9,6[u]
Industrie	% } *100 %*	32,2	33,3	32,8[d]	••
Services	% } *100 %*	43,1	51,3	55,8[d]	••
Énergie (taux de couverture)	%	84,1	126,0	129,0[b]	••
Dépense publique Éducation	*% PIB*	••	7,0[e]	7,9[b]	••
Dépense publique Défense	*% PIB*	3,5	3,8	1,9	••
Dette extérieure totale	*milliard $*	••	••	25,22	••
Service de la dette/Export.	%	••	••	11,5[l]	••
Échanges extérieurs		**1974**	**1986**	**1997**	**1998**
Importations de services	*milliard $*	1,5	2,9[m]	6,24	5,55
Importations de biens	*milliard $*	8,5	11,13[i]	28,38	26,89
Produits agricoles	%	9,8	10,1[m]	8,7[d]	8,4[b]
Produits énergétiques	%	0,3[t]	0,7[mt]	10,2[dv]	9,6[b]
Produits manufacturés	%	79,5	86,2[m]	76,0[d]	72,3[b]
Exportations de services	*milliard $*	0,90	2,05	5,07	4,34
Exportations de biens	*milliard $*	8,40	18,33	30,37	28,25
Produits agricoles	%	38,0	20,9	11,8[d]	14,7[b]
Produits énergétiques	%	0,8	14,8	8,1[d]	10,9[b]
Minerais et métaux	%	26,3	25,6	10,3[d]	11,6[b]
Solde des transactions courantes	*% du PIB*	− 0,2[q]	1,6[j]	− 1,5	••

Définition des indicateurs, sigles et abréviations p. 31 et suivantes. a. Dernier recensement utilisable : 1996 ; b. 1996 ; c. 1995-2000 ; d. 1995 ; e. 1993 ; f. 1987-97 ; g. 1987-96 ; h. 1987 ; i. 1986 ; j. 1985-96 ; k. 1985-95 ; l. 1995-97 ; m. 1985 ; n. 1980 ; o. 1977-87 ; p. 1977-86 ; q. 1976-84 ; r. 1975-85 ; s. 1974 ; t. A l'époque de l'apartheid, les données sur l'énergie n'étaient pas publiés ; u. An 2000, estimation FAO ; v. Avec la fin des sanctions liées à l'apartheid, les importations de pétrole « déclarées » ont été multipliées par 36 ; w. Taux bruts ; x. 1972.

congrès de juin 1998 par un dissident de l'ANC, Bantu Holomisa, et regroupant des anciens membres du NP comme Roelf Meyer, a encore compliqué le jeu des alliances. Les quarante partis d'opposition sont restés divisés quant aux objectifs, l'unique point d'entente étant la dénonciation de la corruption au sein du gouvernement et son incapacité à enrayer la criminalité et le chômage au niveau national. La formation nationaliste zoulou, Inkatha Freedom Party (IFP), ne semblait plus en position d'arbitrage, même à un niveau strictement régional, comme c'était le cas en 1994. Elle tendait de plus en plus à s'aligner sur l'ANC au niveau national, négociant localement avec l'UDM, fortement implanté dans le sud du Kwazulu-Natal.

Lors des élections, le DP a ainsi obtenu 38 sièges, l'Inkatha 34, le NNP 28 et l'UDM 13. T. Mbeki a officiellement succédé à N. Mandela à la présidence du pays le 16 juin 1999.

Une troisième donnée importante est le décalage grandissant entre les élites dirigeantes et la base. La perte de confiance croissante de la population envers les « politiques » ne facilite pas le développement d'une culture démocratique, nécessaire pour pérenniser le fonctionnement des institutions mises en place à partir de 1994. De plus, le processus d'enregistrement des électeurs, qui s'est déroulé entre novembre 1998 et mars 1999, a montré d'importantes lacunes. L'absence de moyens financiers et humains suffisants et la complexité de la procédure elle-même, obligeant les individus à présenter une pièce d'identité munie d'un code-barre (que 20 % des personnes en âge de voter ne possèdent pas), n'ont pas permis à la Commission électorale indépendante d'enregistrer plus de 70 % environ des votants potentiels.

La déception est apparue forte au sein des classes les plus pauvres qui avaient massivement soutenu l'ANC en 1994. De plus, le nouveau président devra gérer l'« après-Mandela » tant au sein de l'ANC qu'à la tête du pays, ne bénéficiant pas de la même légitimité historique ni du même consensus.

Un contexte socio-économique à stabiliser

Le principal défi national est resté la gestion d'une économie en stagnation, peu créatrice d'emplois et ne comblant pas les écarts entre les revenus (ceux de la tranche supérieure demeurent parmi les plus élevés au monde), tout en appliquant une politique d'*«affirmative action»* (accès préférentiel des gens de couleur à l'emploi) de

République d'Afrique du Sud

Capitale : Prétoria.
Superficie : 1 221 037 km².
Population : 39 357 000.
Langues : afrikaans, anglais, xhosa, zoulou, sotho, etc.
Monnaie : rand (1 rand = 1,01 FF au 30.4.99).
Nature de l'État : république unitaire composée de 9 provinces dotées de constitutions.
Nature du régime : mixte présidentiel-parlementaire.
Chef de l'État : Thabo Mbeki, président de la République, qui a succédé le 16.6.99 à Nelson Mandela.
Vice-président : Jacob Zuma (depuis le 17.6.99).
Ministre de la Défense : Patrick Lekota (depuis le 17.6.99).
Ministre des Affaires étrangères : Mme Nkosazana Zuma (depuis le 17.6.99).
Ministre de l'Intérieur : Mangusuthu Buthelezi.
Ministre des Finances : Trevor Manuel.
Principaux partis politiques : Congrès national africain (ANC, au pouvoir) ; Parti démocratique (DP, libéral) ; Inkatha Freedom Party (IFP, zoulou) ; Nouveau parti national (NNP, ex-Parti national – au pouvoir pendant l'apartheid) ; Front démocratique (UDM) ; Front de la liberté (FF) ; Congrès panafricaniste (PAC) ; Parti communiste sud-africain (SACP).

Afrique du Sud/Bibliographie

H. Adam, K. Moodley, *The Negociated Revolution,* Jonathan Ball Publishers, Johannesburg, 1993.

A. Bosch, *Nelson Mandela : le dernier titan,* L'Harmattan, Paris, 1996.

D. Darbon (sous la dir. de), *Ethnicité et nation en Afrique du Sud,* Karthala, Paris, 1995.

D. Darbon (sous la dir. de), *La République sud-africaine, état des lieux,* Karthala, Paris, 1993.

S. Friedman (sous la dir. de), *The Long Journey, South Africa's Quest for a Negociated Settlement,* Ravan Press, Johannesburg, 1993.

H. Giliomee, L. Schlemmer, S. Hauptfleisch (sous la dir. de), *The Bold Experiment : South Africa's New Democracy,* Southern Books, Le Cap, 1994.

G. Lory, *L'Afrique du Sud,* Karthala, Paris, 1998.

N. Mandela, *Un long chemin vers la liberté, autobiographie,* Fayard, Paris, 1995.

« La Nouvelle Afrique du Sud », *Hérodote,* n° 82-83, La Découverte, Paris, 3e-4e trim. 1996.

R. Porteilla, *Le Nouvel État sud-africain, des Bantoustans aux provinces 1848-1997,* L'Harmattan, Paris, 1998.

Voir aussi la bibliographie « Afrique australe », p. 208.

plus en plus critiquée, tant par les employeurs que par les investisseurs étrangers.

La politique économique conduite par le gouvernement se heurte à un dilemme : comment insérer ce pays à l'économie libérale au niveau international, tout en gérant les impératifs de reconstruction sociale ? Le projet de budget présenté en février 1999 en a encore témoigné. Il a annoncé une baisse des impôts directs et une augmentation des dépenses sociales dans un contexte de déclin de la croissance économique, de fuite des capitaux étrangers, de dépréciation de la monnaie et d'augmentation des taux d'intérêt. De plus, la mise en œuvre du GEAR (projet « Croissance, emploi et redistribution ») se révèle coûteuse et accroît le poids de la dette publique. Si l'annonce de la nomination à la tête de la banque centrale à l'échéance d'août 1999 du ministre du Travail, Tito Mboweni, a pu de manière conjoncturelle expliquer la crise monétaire et la baisse de confiance des investisseurs étrangers, le climat de violence sociale en est un autre facteur.

Outre la persistance d'un fort taux de criminalité, la résurgence de conflits entre membres des principales forces politiques dans les provinces du Kwazulu-Natal et du Cap oriental est venue rappeler l'instabilité de certaines zones à l'approche des élections. Par ailleurs, l'Afrique du Sud est confrontée à de nouvelles formes de violence. La première concerne les zones rurales et les attaques répétées que subissent les exploitations agricoles. En octobre 1998, un sommet réclamé par N. Mandela et rassemblant les représentants des fermiers blancs a décidé d'un plan de protection rurale, auquel les fermiers prendront une part active, et d'une augmentation des dépenses de sécurité. Une autre forme de violence concerne l'activisme islamiste dans la ville du Cap qui a connu, à partir d'août 1998, deux attentats meurtriers et une vague de manifestations violentes au moment des raids aériens américano-britanniques sur l'Irak. La transformation de groupes de défense civile en groupes paramilitaires liés à des réseaux islamistes est un nouveau défi pour le pays.

Une politique étrangère sujette à critiques

Le difficile ancrage de l'Afrique du Sud au niveau international se manifeste également dans le manque de clarté de sa politique étrangère et notamment régionale. La doctrine de non-intervention militaire a été rappelée dans le cas du conflit au Congo-Kinshasa, dans lequel Prétoria, prenant ses distances avec le gouvernement de Laurent-Désiré Kabila, a laissé l'initiative diplomatique et militaire au Zimbabwé et à son président Robert Mugabe. L'Afrique du Sud a cependant envoyé des troupes au Lésotho, le 22 septembre 1998, afin de réprimer l'insurrection survenue au sein de l'armée après les législatives du 23 mai. Outre une certaine confusion dans le discours, cette intervention a mis en évidence les carences des forces armées sud-africaines en termes de préparation, d'équipement, de choix stratégiques et de discipline interne (importantes destructions subies par la capitale Maseru et exactions commises par certains soldats). Par ailleurs, N. Mandela a rappelé lors du Sommet des non-alignés (Durban, août 1998) que l'Afrique du Sud entendait entretenir des relations avec tous les États, y compris ceux mis au ban des nations par les États-Unis (Irak, Corée du Nord, Cuba, Libye). - **Jean-Michel Dolbeau** ■

Botswana

Afflux de réfugiés namibiens

Le gouvernement du président Festus Mogae a dû faire face, à partir de novembre 1998, à un afflux de réfugiés namibiens, en même temps qu'il s'attachait à gérer la détérioration de la situation économique.

Plusieurs milliers de Namibiens, dont deux leaders de l'opposition, fuyant la répression à l'encontre des indépendantistes de la bande de Caprivi, ont demandé l'asile politique à Gaborone. Cette situation n'a guère amélioré les relations entre les deux pays, souffrant déjà de divers différends frontaliers. D'importants stocks d'armes ont été saisis parmi les réfugiés.

Par ailleurs, l'importante dépréciation de la monnaie, le pula, qui est indexée sur le rand sud-africain et qui a subi les effets de la crise financière asiatique, ainsi que la baisse des cours mondiaux du diamant, principale ressource nationale, ont fait chuter les réserves en devises. Pour la première fois depuis 1983 s'est profilé le risque de déficit budgétaire. Cette situation a de nouveau mis en évidence la nécessité de diversifier les activités économiques. Aussi le président Mogae a-t-il présenté en septembre 1998 un plan de développement économique, « Vision 2016 », prévoyant de pousser les industries manufacturières, misant sur un taux de croissance annuel de 9 % et envisageant à l'horizon 2016 un triplement du revenu annuel par habitant. Ce plan table sur une reprise du marché du diamant ainsi que des exportations. Il comporte

République du Botswana

Capitale : Gaborone.
Superficie : 600 372 km².
Population : 1 570 000.
Langues : setswana, anglais.
Monnaie : pula (au taux officiel, 1 pula = 1,34 FF au 30.4.99).
Nature de l'État : république avec une Assemblée nationale et une Chambre des chefs (des 8 principales ethnies).
Nature du régime : présidentiel, multipartisme partiel
Chef de l'État et du gouvernement : Festus Mogae, qui a remplacé, le 1.4.98, le Dr Quett Keturmile Joni Masire (retiré du pouvoir).
Vice-premier ministre : S.K. Ian Kham (depuis le 1.4.98).
Ministre des Finances : Ponatshego Kedikilwe.
Ministre de l'Intérieur : Bahiti Temane.
Ministre des Affaires étrangères : lieut-gén. Mompati Merafhe.
Échéances institutionnelles : élections présidentielle et législatives (1999).

INDICATEUR	UNITÉ	AFRIQUE DU SUD	BOTSWANA
Démographie[a]			
Population	*(millier)*	39 357	1 570
Densité	*(hab./km²)*	32,2	2,8
Croissance annuelle (1995-2000)	*(%)*	1,5	1,9
Indice de fécondité (ISF) (1995-2000)		3,2	4,3
Mortalité infantile (1995-2000)	*(‰)*	59	58
Espérance de vie (1995-2000)	*(année)*	54,7	47,4
Population urbaine	*(%)*	50,0	68,3
Indicateurs socioculturels			
Développement humain (IDH)[c]		0,695	0,609
Nombre de médecins	*(‰ hab.)*	0,60[f]	0,26[h]
Analphabétisme (hommes)[c]	*(%)*	15,2	28,2
Analphabétisme (femmes)[c]	*(%)*	16,8	23,1
Scolarisation 12-17 ans	*(%)*	• •	89,8[i]
Scolarisation 3e degré	*(%)*	18,8[f]	6,3[c]
Adresses Internet[d]	*(‰ hab.)*	36,43	4,15
Livres publiés	*(titre)*	5 414[b]	158[j]
Armées (effectifs)			
Armée de terre	*(millier d'h.)*	58,6	8,5
Marine	*(millier d'h.)*	5,5	• •
Aviation	*(millier d'h.)*	10,9	0,5
Économie			
PIB total (PPA)[c]	*(million $)*	299 577	11 796
Croissance annuelle 1987-97	*(%)*	1,5	7,3
Croissance 1998	*(%)*	0,1	4,0
PIB par habitant (PPA)[c]	*($)*	7 380	7 690
Investissement (FBCF)	*(% PIB)*	11,6[g]	23,9[g]
Taux d'inflation	*(%)*	7	6,5
Énergie (taux de couverture)[f]	*(%)*	129,0	• •
Dépense publique Éducation	*(% PIB)*	7,9[f]	10,4[f]
Dépense publique Défense[c]	*(% PIB)*	1,9	6,5
Dette extérieure totale[c]	*(million $)*	25 222	562
Service de la dette/Export.[e]	*(%)*	11,5	2,8
Échanges extérieurs			
Importations (douanes)	*(million $)*	29 268	1 120
Principaux fournisseurs[c]	*(%)*	E-U 12,4	AfS 78[f]
	(%)	UE 42,1	Eur 8[f]
	(%)	Asie[l] 31,4	Zbw 6[f]
Exportations (douanes)	*(million $)*	26 322	1 122
Principaux clients[c]	*(%)*	UE 38	AfS 21[f]
	(%)	Afr 18,3	Eur 74[f]
	(%)	Asie[l] 25,6	Zbw 3[f]
Solde transactions courantes	*(% PIB)*	– 1,5[c]	14,2[c]

Définition des indicateurs, sigles et abréviations p. 31 et suivantes. Chiffres 1998 sauf notes.
a. Derniers recensements utilisables : Afrique du Sud, 1996 ;Botswana, 1991 ;Lésotho, 1996 ;Namibie, 1991 ;Swaziland, 1996. b. 1995 ; c. 1997 ; d. janv. 1999 ; e. 1995-97 ; f. 1996 ;

LÉSOTHO	NAMIBIE	SWAZILAND
2 062	1 660	952
67,9	2,0	55,3
2,2	2,2	2,9
4,7	4,9	4,7
93	65	65
56	52,4	60,2
26,4	39,0	33,9
0,582	0,638	0,644
0,06[b]	0,29[c]	0,14[f]
28,6	18,8	21,1
7,5	21,5	23,7
73,8[j]	83,4[k]	73,7[j]
2,4[f]	9[f]	6[f]
0,09	15,81	2,88
••	193[j]	••
2	9	••
••	0,1	••
••	••	••
3 751	8 137	3 208
6,5	3,0	4,5
– 5,8	1,7	2
1 860	5 010	3 350
86,0[e]	21,9[e]	31,8[e]
7,3	7,4	8
••	••	••
7[h]	9,1[f]	7,3[f]
4,6	3,5	2,6[b]
660	307[f]	368
6,2	••	2,4
1 067	1 617	1 454
AfS 91,7	AfS 86,8	AfS 96,7[b]
Asie[l] 5,3	RFA 1,8	Jap 0,7[b]
UE 1,2	R-U 1,5	R-U 0,7[b]
235	1 420	914
AfS 69,3	R-U 37[h]	AfS 58,3[b]
UE 5,4	AfS 25[h]	UE 16,8[b]
AmN 24,4	Esp 10[h]	CorN 3,4[b]
14,2[h]	5,9[c]	– 3,7[c]

g. 1996-98 ; h. 1994 ; i. 1992 ; j. 1991 ; k. 1990 ; l. Y compris Japon et Moyen-Orient.

aussi des volets relatifs à l'éducation (douze années de scolarité gratuite pour chaque enfant) et à la santé (l'objectif est d'enrayer l'épidémie de sida : selon l'Organisation mondiale de la santé – OMS –, 20 % à 26 % des adultes seraient séropositifs). - **Jean-Michel Dolbeau** ■

Lésotho

Chaos et intervention sud-africaine

Une grave crise politique s'est ouverte après la proclamation des résultats des élections législatives du 23 mai 1998, officiellement remportées par le Congrès du Lésotho pour la démocratie (LCD, au pouvoir). L'opposition a déposé un recours en annulation devant la Haute Cour. La tension s'est accrue avec des affrontements entre forces de l'ordre et opposants, qui réclamaient au-

Royaume du Lésotho

Capitale : Maseru.
Superficie : 30 350 km².
Population : 2 062 000.
Langues : sesotho, anglais.
Monnaie : loti (au taux officiel, 1 loti = 1 rand sud-africain = 1,01 FF au 30.4.99).
Nature de l'État : monarchie.
Nature du régime : parlementaire, multipartisme intégral (depuis 93).
Chef de l'État : roi Letsie III (depuis le 7.2.96).
Chef du gouvernement : Pakalitha Mosisili, Premier ministre et ministre de l'Intérieur, qui a remplacé le 23.5.98 Ntsu Mokhehle (décédé le 7.1.99).
Autorité politique intérimaire : elle est chargée d'organiser les élections législatives en collaboration avec le gouvernement ; deux coprésidents : Khauhelo Ralitatopole et Lekheto Rakuane.
Échéances électorales : législatives dans les dix-huit mois à compter de nov. 98.

Afrique australe/Bibliographie

C. Bader, *La Namibie*, Karthala, Paris, 1997.

A. de Coquereaumont-Gruget, *Le Royaume de Swaziland*, L'Harmattan, Paris, 1992.

J.-C. Fritz, *La Namibie indépendante. Les coûts d'une décolonisation retardée*, L'Harmattan, Paris, 1991.

M. Lory, *Le Botswana*, Karthala, Paris, 1995.

B. Radibati, « Swaziland Today : Law and Politics Under King Mswati III », *in* CEAN/CREPAO, *L'Année africaine 1992-1993*, Bordeaux, 1993.

R. Southall, T. Petlane (sous la dir. de), *Democratization and Demilitarization in Lesotho : the General Elections of 1993 and its Aftermath*, Africa Institute of South Africa, Pretoria, 1995.

S. J. Stephen, *A Short History of Lesotho : from the Late Stone Age until the 1993 Elections*, Morija Museum and Archives, Morija, 1993.

Voir aussi la bibliographie « Afrique du Sud », p. 204.

près du roi Letsie III la dissolution du Parlement. L'Afrique du Sud, le Zimbabwé et le Botswana ont proposé l'aide d'un comité régional d'experts afin d'organiser un nouveau décompte du scrutin face aux carences constatées au sein de la Commission électorale indépendante. Début septembre, la faillite de la principale banque du pays et l'évincement du Haut Commandement des forces armées par de jeunes officiers ont aggravé la crise. Les tensions au sein de l'armée sont, en effet, un facteur d'instabilité récurrent depuis l'indépendance. La médiation sud-africaine s'est heurtée à un blocage au sein de l'armée ; seul en est résulté un mécontentement croissant face à cette ingérence étrangère dans les affaires du royaume.

Des rumeurs de coup d'État ont dès lors provoqué une intervention brutale de troupes sud-africaines et botswanaises, le 22 septembre, afin de rétablir l'ordre et mettre fin à la situation insurrectionnelle au sein de l'armée. En octobre, un mémorandum était signé par le gouvernement et l'opposition sous contrôle régional, prévoyant : la tenue d'élections dans les dix-huit mois, un accord pour une réforme du mode de scrutin et de la Commission électorale, ainsi que le maintien des troupes régionales.

La mort, le 7 janvier 1999, de l'ancien Premier ministre Ntsu Mokhehle, figure historique de l'indépendance et fondateur du LCD, est passée presque inaperçue. Au lendemain des élections controversées, et alors qu'il était déjà malade, il avait cédé aux pressions de son entourage et abandonné le pouvoir à Pakhalita Mosisili, alors vice-premier ministre. - **Jean-Michel Dolbeau** ■

Namibie

Renforcement de l'hégémonie de la SWAPO

En juillet 1998, le congrès de l'Organisation du peuple du Sud-Ouest africain (SWAPO), au pouvoir depuis l'indépendance), décidait de présenter le chef de l'État Samuel Nujoma comme candidat à l'élection présidentielle de la fin 1999, malgré la limite constitutionnelle de deux mandats de cinq ans. Un amendement à la Constitution en ce sens a été adopté le 19 novembre suivant. Les protestations du principal parti d'opposition, la Democratic Turnhalle Alliance (DTA), ont été d'autant plus vives que l'attribution d'un troisième mandat ne peut concerner que le président en poste et non ses successeurs.

L'hégémonie de la SWAPO s'est également renforcée à la suite des élections régionales de décembre 1998, qui ont vu le parti au pouvoir remporter 10 des 13 régions, dont la bande de Caprivi (située entre le Botswana, l'Angola et la Zambie) traditionnellement tenue par l'opposition. Le scrutin a été marqué par une faible participation : 35 % contre 81 % lors des élections de 1992.

Dans la bande de Caprivi, en proie à de sérieux troubles entre l'opposition indépendantiste et les forces de sécurité déployées dans la région, la répression a poussé une partie de la population à fuir le pays pour demander l'asile politique au Botswana.

L'envoi en septembre 1998 de troupes namibiennes – à la demande du président zimbabwéen Robert Mugabe – pour soutenir le président Laurent-Désiré Kabila en République démocratique du Congo a été fortement critiquée en termes d'intérêts et de coûts financiers. L'implication de la Namibie au Congo s'est officiellement interrompue en février 1999.

La situation économique défavorable (1,7 % de croissance en 1998, contre 4 % escomptés ; 34 % de chômage, contre 32 % l'année précédente) a certainement été un facteur essentiel dans ce revirement. La crise du secteur minier, du fait de la chute des cours du diamant, a entraîné une hausse de l'inflation et une dépréciation de la monnaie. Elle a accru la pression fiscale et renforcé la dette publique. - **Jean-Michel Dolbeau** ■

République de Namibie

Capitale : Windhoek.
Superficie : 824 790 km².
Population : 1 660 000.
Langues : ovambo, afrikaans, anglais, khoi.
Monnaie : dollar namibien (au taux officiel, 1 dollar = 1 rand sud-africain = 1,01 FF au 30.4.99).
Nature de l'État : république unitaire.
Nature du régime : parlementaire, multipartisme avec un parti dominant, la SWAPO (Organisation du peuple du Sud-Ouest africain, représentée par deux tiers des élus).
Chef de l'État : Samuel Nujoma, président (depuis le 21.3.90, réélu le 8.10.94).
Chef du gouvernement : Hage Geingob, Premier ministre (depuis le 21.3.90).
Vice-premier ministre : Hendrick Witboi.
Ministre de la Défense : Erikki Nghimtina (depuis le 11.12.97).
Ministre des Affaires étrangères : Theo-Ben Gurirab.
Échéances institutionnelles : élections présidentielle et législatives (fin 1999).

Swaziland

Dégradation de la situation économique

Le report des élections primaires, devant en partie désigner les candidats à la

Royaume du Swaziland (Ngwane)

Capitale : Mbabane.
Superficie : 17 360 km².
Population : 952 000.
Langues : swazi, anglais.
Monnaie : lilangeni (au taux officiel, 1 lilangeni = 1 rand sud-africain = 1,01 FF au 30.4.99).
Nature de l'État : monarchie.
Nature du régime : parlementaire, absence de multipartisme (depuis 1973).
Chef de l'État : roi Mswati III, depuis avr. 86 (également ministre de la Défense depuis avr. 87).
Chef du gouvernement : prince Sibusiso Dlamini, Premier ministre (depuis juill. 96).
Vice-premier ministre : Arthur Khoza.
Ministre de l'Intérieur : prince Sobandla (depuis le 20.11.98).
Ministre des Affaires étrangères et du Commerce : Albert Shabangu (depuis le 20.11.98).

législation (certains députés sont désignés par le roi) et qui ont finalement eu lieu le 24 octobre 1998, a semblé être à l'origine de l'attentat perpétré en novembre 1998 contre le bureau du vice-premier ministre Arthur Khoza, personnage clé du royaume depuis trente ans. Cet acte terroriste, qui a fait un mort et neuf blessés et a été revendiqué par un groupe connu depuis peu, les Tigres noirs, était sans précédent dans le pays. Le gouvernement est resté intransigeant quant à l'interdiction du multipartisme, et ce malgré l'intensification des grèves et des violences. En janvier 1999, il a été interdit aux fonctionnaires et aux enseignants de s'affilier politiquement, sous peine de renvoi.

La situation économique s'est dégradée avec une hausse de l'inflation et de la dette extérieure consécutive à la baisse des revenus miniers et agricoles. - **Jean-Michel Dolbeau** ■

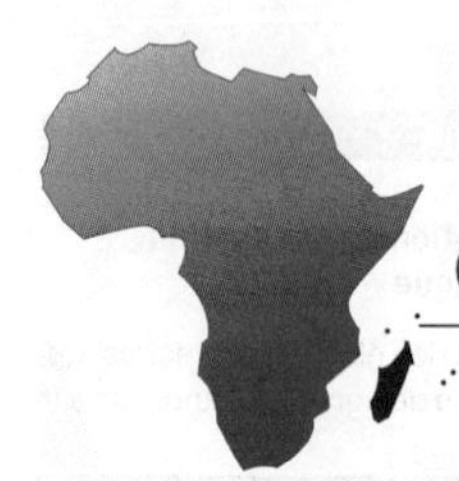

Océan Indien

Comores, Madagascar, Maurice, Réunion, Seychelles

Comores

La succession de Mohammed Taki

L'implication d'un Comorien dans le réseau terroriste islamiste responsable des attentats à l'explosif contre les ambassades des États-Unis à Dar-es-Salam (Tanzanie) et Nairobi (Kénya), le 7 août 1998, a brièvement projeté les Comores sur la scène internationale. Le FBI (Federal Bureau of Investigation) américain a envoyé des dizaines d'enquêteurs à Moroni pour tenter, mais en vain, de retrouver la trace de ce suspect dont il a mis la tête à prix. Au plan intérieur, le président Mohamed Taki Abdulkarim, brutalement décédé le 6 novembre 1998, a été remplacé de manière intérimaire par le président du Haut Conseil de la République, Tadjiddine ben Said Massounde. Celui-ci a choisi un opposant au précédent régime, Abbas Djoussouf, comme Premier ministre, lequel a nommé un gouvernement, le 24 novembre 1998, composé des membres de son parti, le Forum pour le redressement national (FRN), et d'une faction du parti du défunt président Taki, le Rassemblement national pour le développement (RND). Les principaux dignitaires de l'ancien régime sont passés dans l'opposition.

Le nouveau gouvernement a vite été en butte à l'obstruction systématique de ses adversaires, lesquels ont attisé les sentiments anti-anjouanais des originaires de Grande Comore. Cette hostilité répondait au séparatisme de l'île d'Anjouan, qui a fait sécession en juillet 1997 et s'est dotée d'un président et d'un gouvernement, lesquels se sont ensuite entre-déchirés. Dans ce climat délétère, l'OUA (Organisation de l'unité africaine) a proposé la tenue d'une conférence de réconciliation comorienne inter-îles, du 19 au 23 avril 1999 à Antananarivo (Madagascar).

Une semaine plus tard, le chef d'État-Major de l'armée, le colonel Assoumani Azzali, prenait le pouvoir à Moroni, au terme d'un coup d'État sans victimes. S'autoproclamant président, il a décrété une nouvelle Constitution, le 6 mai, et installé une équipe gouvernementale que la France, l'OUA et l'Union européenne se sont refusées à reconnaître. Inquiets de ces événements, les touristes sud-africains ont boudé les Comores, plongeant l'archipel encore un peu plus dans le marasme économique.
- **Francis Soler** ■

République fédérale islamique des Comores

Capitale : Moroni.
Superficie : 2 170 km².
Population : 658 000.
Langues : comorien (voisin du swahili), français.
Monnaie : franc comorien (1 franc = 0,01 FF au 30.4.99).
Nature de l'État : république fédérale.
Nature du régime : présidentiel.
Chef de l'État : colonel Assoumani Azzali (également en charge de la Défense), qui a renversé lors d'un coup d'État, fin avr. 99, Tadjiddine ben Saïd Massounde, lequel avait remplacé par intérim Mohamed Taki Abdulkarim (décédé le 6.11.98).
Commissaire d'État aux Finances : Assoumani Abdou (depuis le 6.5.99).
Commissaire d'État aux Affaires étrangères et à la Coopération : Mohamed Elyamine Soefou (depuis le 6.5.99).
Souveraineté contestée : un mouvement séparatiste réclame le rattachement de l'île d'Anjouan à la France (ancienne tutelle coloniale). Des émeutes ont eu lieu en 97 et l'île a autoproclamé son indépendance le 14.7.97. Le mouvement séparatiste s'est ensuite scindé en milices rivales.

Madagascar

Premières réformes structurelles

Les élections législatives du 17 mai 1998 ont accordé au parti du président Didier Ratsiraka, l'Arema (Alliance pour la rénovation de Madagascar), la majorité à l'Assemblée nationale, bien que la capitale Antananarivo (à majorité Merina) ait voté en faveur de l'opposition modérée de l'ex-Premier ministre Norbert Ratsirahonana. Fait notable, les dirigeants des principaux partis de l'île ont retrouvé leur siège au Parlement, sauf le président de l'Assemblée nationale sortante, le pasteur Richard Andriamanjato, leader d'AKFM-Renouveau (Parti du congrès de l'indépendance de Madagascar), qui a été battu dans la capitale pour la première fois depuis des décennies. La démission collective du gouvernement le 6 juillet 1998, à l'instigation des ministres venant d'être élus députés, a amené le président Ratsiraka à remercier son Premier ministre Pascal Rakotomavo, remplacé par Tantely Andrianarivo le 23 juillet suivant, le nouveau gouver-

République démocratique de Madagascar

Capitale : Antananarivo.
Superficie : 587 040 km².
Population : 15 057 000.
Langues : malgache, français.
Monnaie : franc malgache (100 FMG = 0,10 FF au 31.1.99).
Nature de l'État : république unitaire.
Nature du régime : présidentiel.
Chef de l'État : Didier Ratsiraka (depuis le 10.2.97).
Chef du gouvernement : Tantely Andrianarivo (depuis le 23.7.98).
Ministre des Affaires étrangères : Mme Lila Ratsifandriamanane (depuis le 31.7.98).
Ministre de l'Intérieur : général Jean-Jacques Rasolondraibe (depuis le 31.7.98).
Ministre des Forces armées : général Marcel Ranjeva.

nement (formé le 31) étant très largement dominé par l'Arema (24 postes sur 31). Le mois précédent, c'est un député de l'Arema, l'ancien ministre Ange Andrianarisoa, qui avait accédé à la présidence de l'Assemblée nationale.

La majorité parlementaire a toutefois commencé à se craqueler en 1999. Les partisans du Leader-Fanilo de l'ancien ministre Herizo Razafimahaleo, bien que représentés au gouvernement, ont pris leurs distances par rapport au régime, en vue des élections provinciales fixées à fin 1999. La perspective de ce scrutin devant déboucher sur l'élection des gouverneurs de province a suscité des ambitions contradictoires au sein de l'Arema. L'opposition a durci le ton et s'est regroupée, malgré ses divergences persistantes, au sein d'un Rassemblement pour la défense des valeurs républicaines (RDVR) pour lancer, en mars 1999, une campagne de mobilisation visant à obtenir la destitution du président Ratsiraka. Une répétition du soulèvement populaire de 1991 ayant déjà conduit au départ de D. Ratsiraka semblait cependant peu probable, du moins à court terme.

Au plan économique, Madagascar tardant à appliquer les mesures préconisées pour pouvoir bénéficier de la Facilité d'ajustement structurel renforcée (FASR) signée avec le FMI en 1996, celle-ci n'avait toujours pas été débloquée en mai 1999 ; un accord avait cependant été trouvé avec la Banque mondiale. Sous la pression de leurs bailleurs de fonds, les autorités ont lancé un programme d'assainissement fiscal. Cette mesure s'est assortie d'un renforcement des contrôles douaniers et de la notification de redressements fiscaux ou d'amendes à plusieurs sociétés malgaches.

Parallèlement, les premières réformes structurelles ont été engagées. Les deux banques étatiques ont été privatisées (la Société générale a pris la suite de la BFV – Banque nationale pour le développement du commerce –, tandis que la Bank of Africa était retenue pour négocier la reprise de la BTM – Banque nationale pour le développement de l'agriculture). Des appels d'offres ont été lancés pour la privatisation de la Solima (produits pétroliers) et d'autres devaient suivre, courant 1999, concernant Telecom Malagasy et Air Madagascar. Des projets de lois ont également été élaborés pour mettre fin au monopole de la Jirama (eau et électricité).

Au plan diplomatique, Madagascar a souhaité adhérer à la Communauté de développement de l'Afrique australe (SADC), projet appuyé par la France qui y a vu une opportunité pour ses entreprises installées sur la Grande Ile. Le gouvernement malgache a aussi accueilli la conférence de réconciliation comorienne du 19 au 23 avril 1999, tandis que le président français Jacques Chirac envisageait un voyage officiel pour début 2000. - **Francis Soler** ■

Maurice

Le malaise de la minorité créole

Après avoir été limogé du gouvernement de Navin Ramgoolam, le 20 juin 1997, le vice-premier ministre et ministre des Affaires étrangères Paul Bérenger est devenu le leader de l'opposition au Parlement. Il a fait alliance, en décembre 1998, avec l'ancien Premier ministre Aneerood Jugnauth. En vue des élections générales prévues pour 2001, leurs deux partis se sont accordés sur le principe d'une liste électorale commune et d'une répartition des responsabilités gouvernementales en cas de victoire. A Jugnauth serait de nouveau Premier ministre et P. Bérenger « numéro deux » du gouvernement.

Les rebondissements incessants de la vie politique mauricienne n'empêchent cependant pas les principaux chefs de parti de faire cause commune dès lors qu'il s'agit de promouvoir les intérêts de leur pays à l'étranger. Après une percée au Mozam-

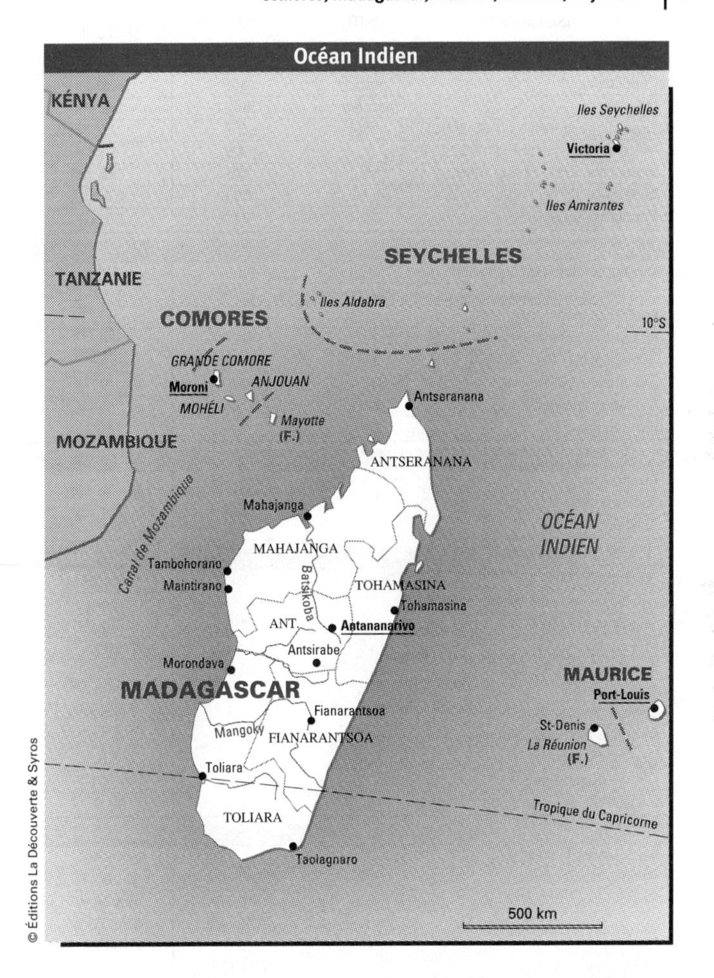

bique, plusieurs groupes mauriciens se montraient très intéressés, début 1999, par les privatisations engagées à Madagascar.

Les bons résultats économiques de l'île (croissance moyenne de 5,1 % entre 1990 et 1997 ; troisième pays d'Afrique en terme de PIB par habitant) n'ont pas effacé les problèmes sociaux, comme en ont témoigné les trois journées d'émeutes de février 1999. A la suite du décès en prison, dans des circonstances non élucidées, d'un chanteur créole, des centaines de jeunes sont des-

INDICATEUR	UNITÉ	COMORES	MADA-GASCAR
Démographie[a]			
Population	*(millier)*	658	15 057
Densité	*(hab./km²)*	295,1	25,9
Croissance annuelle (1995-2000)	*(%)*	2,7	3,0
Indice de fécondité (ISF) (1995-2000)		4,8	5,4
Mortalité infantile (1995-2000)	*(‰)*	76	82
Espérance de vie (1995-2000)	*(année)*	58,8	57,5
Population urbaine	*(%)*	32,1	28,3
Indicateurs socioculturels			
Développement humain (IDH)[c]		0,506	0,453
Nombre de médecins	*(‰ hab.)*	0,10[c]	0,12[f]
Analphabétisme (hommes)[c]	*(%)*	37,1	• •
Analphabétisme (femmes)[c]	*(%)*	51,8	• •
Scolarisation 12-17 ans	*(%)*	41,3[k]	34,4[k]
Scolarisation 3e degré	*(%)*	0,6[b]	1,9[f]
Adresses Internet[d]	*(‰ hab.)*	0,13	0,04
Livres publiés	*(titre)*	• •	119[f]
Armées (effectifs)			
Armée de terre	*(millier d'h.)*	• •	20
Marine	*(millier d'h.)*	• •	0,5
Aviation	*(millier d'h.)*	• •	0,5
Économie			
PIB total (PPA)[c]	*(million $)*	791,4	13 109
Croissance annuelle 1987-97	*(%)*	0,01	1,5
Croissance 1998	*(%)*	1,0	3,9
PIB par habitant (PPA)[c]	*($)*	1 530	930
Investissement (FBCF)	*(% PIB)*	19,0[e]	11,4[e]
Taux d'inflation	*(%)*	1,0	6,2
Énergie (taux de couverture)[f]	*(%)*	• •	7,4[bo]
Dépense publique Éducation	*(% PIB)*	3,9[bp]	1,9[i]
Dépense publique Défense[c]	*(% PIB)*	• •	0,8
Dette extérieure totale[c]	*(million $)*	197	4 105
Service de la dette/Export.[e]	*(%)*	2,6	14,9
Échanges extérieurs			
Importations (douanes)	*(million $)*	83	1 409
Principaux fournisseurs[c]	*(%)*	Fra 60,4	UE 53,1
	(%)	Afr 28	Fra 36,3
	(%)	Asie[r] 4,8	Asie[r] 23,6
Exportations (douanes)	*(million $)*	51	549
Principaux clients[c]	*(%)*	E-U 18,2	UE 69
	(%)	Fra 45,5	Fra 40,1
	(%)	RFA 18,2	PED 14,5
Solde transactions courantes	*(% PIB)*	– 8,8[b]	– 7,3[f]

Définition des indicateurs, sigles et abréviations p. 31 et suivantes. Chiffres 1998 sauf notes.
a. Derniers recensements utilisables : Comores, 1991 ; Madagascar, 1993 ; Maurice (île), 1990 ; Réunion (île de la), 1990 ; Seychelles, 1987. b. 1995 ; c. 1997 ; d. janv. 1999 ; e. 1995-97 ; f. 1996 ; g. 1996-98 ; h. 1994 ; i. 1993 ; j. 1992 ; k. 1990 ; l. 1988-95 ; m. 1983 ; n. Au taux de change courants ;

MAURICE	RÉUNION	SEY-CHELLES
1 141	682	76
562,1	272,8	168,9
0,8	1,3	1,1
1,9	2,1	2,7[j]
15	9	15
71,4	75,4	71,4
41,0	69,6	56,9
0,764	• •	0,755
0,86[b]	0,69[m]	1,28[f]
13,1	16,6	• •
20,8	12,2	• •
57,9[k]	• •	• •
6,5[f]	• •	• •
5,02	0,01	0,92
80[f]	69[j]	• •
• •	• •	0,2
• •	• •	0,2
• •	• •	0,02
10 689	6 717[fn]	533
5,5	2,3[l]	4,6
5,6	• •	4,1
9 310	9 978[fn]	7 012
25,5[g]	• •	39,0[e]
5,3	• •	1,0
2,4[bo]	7,7[bo]	• •
4,3[h]	14,8[i]	7,6[b]
2,1	• •	2,9
2 472	• •	149
9,1	• •	5,7
2 183	2 700	373
UE 34,8	UE 82,4[f]	UE 41,6
Fra 16,4	Fra 69,5[f]	Afr 19,6
Asie[r] 37,8	PED 15,1[f]	Asie[r] 29,4
1 735	179[f]	115
Fra 19,4	Fra 76[f]	UE 57,7
R-U 14	Afr 9,5	Fra 18,7
E-U 33,6	Asie[r] 6,7[f]	PNS[q] 24,4
– 2,6[c]	• •	– 11,7[c]

o. Chiffres des Nations Unies; p. Dépenses courantes seulement; q. Pays non spécifiés; r. Y compris Japon et Moyen-Orient.

Maurice

Capitale : Port-Louis.
Superficie : 2 045 km².
Population : 1 141 000.
Langues : anglais, créole, français, langues indiennes.
Monnaie : roupie mauricienne (au taux officiel, 1 roupie = 0,24 FF au 30.4.99).
Nature de l'État : république unitaire.
Nature du régime : démocratie parlementaire.
Chef de l'État : Cassam Uteem (depuis le 30.6.92).
Chef du gouvernement : Navin Ramgoolam (depuis le 31.12.95).
Vice-premier ministre chargé des Affaires étrangères et de la Coopération internationale et régionale : Kailash Purryag (depuis le 2.7.97).

cendus dans la rue pour protester. La réaction violente de la police a provoqué une flambée de colère dans les cités défavorisées de l'île à majorité créole, révélant au grand jour le malaise de cette communauté minoritaire qui se considère exclue du « miracle économique » profitant à la majorité hindoue.

Le secteur privé et les autorités ont exprimé la nécessité de lancer des programmes sociaux dans les quartiers les plus défavorisés. - **Francis Soler** ■

Réunion

Amélioration du climat économique

Après le succès de sa liste aux élections régionales du 15 mars 1998, le sénateur du Parti communiste réunionnais (PCR) Paul Vergès a été élu président du conseil régional de ce département d'outre-mer (DOM) français, le 23 mars suivant. La droite a, en revanche, obtenu la majorité au conseil général. En novembre 1998, les trois députés

Océan Indien/Bibliographie sélective

Annuaire des pays de l'océan Indien XII, 1990-1991, Presses du CNRS, Paris, 1992.

G. Belorgey, G. Bertrand, *Les DOM-TOM*, La Découverte, coll.« Repères », Paris, 1994.

J.-L. Guebourg, *La Grande Comore*, L'Harmattan, Paris, 1994.

La Lettre de l'océan Indien (hebdomadaire), Indigo Publications, Paris.

J.-C. Lau Thi Keng, *Interethnicité et politique à l'île Maurice*, L'Harmattan, Paris, 1991.

« Madagascar », *Politique africaine*, n° 52, Éd. Ambozontany/Karthala, Paris, déc. 1993.

P. Perri, *Comores : les nouveaux mercenaires*, L'Harmattan, Paris, 1994.

J. Ravaloson, *Transition démocratique à Madagascar*, L'Harmattan, Paris, 1994.

Y. Salesse, *Mayotte, l'illusion de la France. Propositions pour une décolonisation*, L'Harmattan, Paris, 1995.

« Tableau économique de la Réunion 1996-1997 », supplément de *L'Économie de la Réunion*, Saint-Denis de la Réunion, oct. 1996.

P. Vérin, *Les Comores*, Karthala, Paris, 1994.

du PCR ont déposé une proposition de loi réclamant la création de deux départements dans l'île (au lieu d'un seul), qui entraînerait la formation de deux conseils généraux, dont l'un pourrait être gagné par la gauche.

Sur le plan économique, le climat s'est amélioré en 1998 et les demandes d'emplois ont diminué de 4,3 % par rapport à 1997, année qui avait toutefois connu une hausse de 6,4 %. Ce léger recul du chômage n'était toutefois pas imputable à un redressement des distorsions de l'économie locale. En effet, le commerce extérieur de l'île s'est dégradé en 1998, enregistrant à la fois une hausse des importations (de 4,7 % en valeur et 15,2 % en volume) et une baisse des exportations (– 3,2 % en valeur et – 13,3 % en volume). - **Francis Soler** ■

Seychelles

Le poids de la dette

Début 1999, les arriérés de paiement de la dette extérieure équivalaient à une année de recette d'exportations (115 millions de dollars). Le président France-Albert René n'en persistait pas moins dans son refus d'appliquer toutes les réformes recommandées par le FMI. Lors de ses fréquents voyages privés en Asie, il a laissé le vice-président et ministre des Finances, James Michel, assurer son intérim, faisant de lui le principal candidat à sa succession. Enfin, les Seychelles ont adhéré en 1998 à la Communauté de développement de l'Afrique australe (SADC). - **Francis Soler** ■

République des Seychelles

Capitale : Victoria.
Superficie : 280 km².
Population : 76 000.
Langues : créole, anglais, français.
Monnaie : roupie seychelloise (au taux officiel, 1 roupie = 1,16 FF au 30.4.99).
Nature de l'État : république unitaire.
Nature du régime : présidentiel.
Chef de l'État et du gouvernement : France-Albert René (depuis le 5.6.77, réélu en 93 et le 22.3.98).
Vice-président et ministre des Finances et des Transports : James Michel.
Ministre des Affaires étrangères, du Plan et de la Coopération : Jérémie Bonnelame (depuis juill. 97).

Présentation par **André Bourgey**
Géographe, président de l'INALCO

Jusqu'au XIXe siècle, on parlait de l'« Orient » pour désigner les territoires sous domination ottomane. La pénétration européenne en Chine, à la fin du XIXe siècle, conduisit à inventer la notion d'« Extrême-Orient », ce qui aboutit par réaction à faire naître l'expression « Proche-Orient ». Les Anglo-Saxons introduisirent au début du XXe siècle la notion de « Moyen-Orient », pour qualifier les régions allant de la mer Rouge à l'empire britannique des Indes. Après la chute de l'Empire ottoman, ils étendirent cette notion de Moyen-Orient à l'ensemble des pays arabes, évacuant ainsi le terme de Proche-Orient.

Dans la terminologie française, on emploie en général indistinctement les notions de Proche et de Moyen-Orient, mais l'Afrique du Nord (ou Maghreb) en est toujours exclue. Le Proche et Moyen-Orient comprend l'Orient arabe (ou Machrek), le monde turco-iranien (Turquie, Iran, Afghanistan) et Israël. L'Orient arabe englobe la péninsule Arabique (Arabie saoudite, Yémen, Oman, Émirats arabes unis, Qatar, Bahreïn et Koweït), les pays du Croissant fertile (Liban, Syrie, Jordanie, Irak, et l'ancienne Palestine [Israël et les Territoires palestiniens autonomes et occupés]), mais aussi les pays arabes de la vallée du Nil (Égypte et Soudan).

Certains classent plutôt l'Égypte et le Soudan avec l'Afrique et rattachent la Turquie à l'Europe méditerranéenne. C'est l'option adoptée ici. Le rattachement du Pakistan au Moyen-Orient est contesté par certains, car il faisait partie de l'ancien « empire des Indes » des Britanniques. Cependant, son rattachement au Moyen-Orient se justifie également : les mêmes groupes ethno-linguistiques (Pachtou, Baloutches) se retrouvent de part et d'autre de la frontière pakistano-afghane imposée par les Anglais au XIXe siècle.

Le Proche et Moyen-Orient, dans le cadre des limites adoptées dans cet ouvrage, regroupe donc quinze États, situés en Asie occidentale, mais au carrefour de trois continents (Europe, Afrique, Asie). Le pétrole donne aux pays du Golfe (Iran, Irak, Arabie saoudite, Koweït, Bahreïn, Qatar, Émirats arabes unis et Oman) une valeur géopolitique sans rapport avec la faible population de la plupart d'entre eux. Ils ont assuré en 1997 29 % de la production mondiale de pétrole (dont 450 millions de tonnes pour l'Arabie saoudite, premier rang mondial). En 1998, 26 % des réserves mondiales prouvées se trouvaient en Arabie saoudite, et l'Irak, les EAU, le Koweït et l'Iran en détenaient chacun environ 10 %.

La diversité humaine du Proche et Moyen-Orient est d'abord confessionnelle. La région a été le berceau des trois grandes religions monothéistes : judaïsme, christianisme et islam. L'islam sunnite est le plus répandu, mais les chiites ont une importance grandissante. Ils sont majoritaires en Iran, en Irak, à Bahreïn. Au Liban, ils

LA PERMANENCE DES TENSIONS INTERNES ET LE DÉVELOPPEMENT DES CONFLITS ARMÉS FONT QUE LE PROCHE ET MOYEN-ORIENT EST LA RÉGION DU MONDE QUI DÉPENSE LE PLUS D'ARGENT POUR SON ARMEMENT.

LE TRACÉ DES FRONTIÈRES, LORS DU DÉPEÇAGE DE L'EMPIRE OTTOMAN, APRÈS LA PREMIÈRE GUERRE MONDIALE, A ÉTÉ ESSENTIELLEMENT CONÇU SELON LES INTÉRÊTS DES PUISSANCES EUROPÉENNES, ET SE TROUVE À L'ORIGINE DE NOMBRE DE LITIGES RÉGIONAUX DES DERNIÈRES DÉCENNIES.

constituent la première communauté, et forment d'actives minorités au Koweït, en Arabie saoudite, en Afghanistan, etc. Sont issus du chiisme les ismaéliens (Syrie et Yémen), les druzes (Liban et Syrie), les alaouites au pouvoir en Syrie, ou encore les zaïdites, majoritaires au Yémen. Les chrétiens ont un rôle majeur au Liban (maronites), non négligeable en Égypte (coptes), en Syrie (grecs-orthodoxes), en Irak (chaldéens) et parmi les Palestiniens. Enfin, la religion juive est aujourd'hui essentiellement pratiquée en Israël.
Il existe aussi des minorités ethno-linguistiques. En Afghanistan s'opposent persanophones (Pachtou, Tadjiks, Hazaras) et turcophones (Ouzbeks, Turkmènes), mais aussi des groupes particuliers (Nouristanis, Pachaïs). Les bouleversements politiques du XXe siècle ont fait de ces minorités des « peuples sans État ». Ainsi les 23 millions de Kurdes : 12 millions en Turquie (20 % de la population turque), 6 millions en Iran (12 % de la population), 4,5 millions en Irak (25 % de la population), 1 million en Syrie (9 % de la population)... Il existe aussi une diaspora arménienne au Liban et en Syrie. Enfin, les Palestiniens sont dispersés depuis le partage de la Palestine et la création de l'État d'Israël en 1948. Ils étaient 5 millions en 1994, répartis entre Israël (700 000, dont 155 000 à Jérusalem-Est [1993], la Cisjordanie (1 330 000 en 1995), la bande de Gaza (930 000), la Jordanie (2 500 000), le Liban (400 000), la Syrie (250 000), le Koweït (50 000 en 1994). La création de l'Autorité palestinienne dans la bande de Gaza et sur des portions de la Cisjordanie [*voir encadré p. 224-225*] apparaît cependant comme un embryon d'État [*voir encadré p. 223*].
Les travailleurs étrangers dans les pays arabes du Golfe riches en pétrole forment aussi des minorités : ils étaient 5 millions en Arabie saoudite, 2,4 millions dans les émirats, et 1,5 million en Irak avant les bouleversements consécutifs à l'invasion du Koweït par l'Irak en août 1990. Ces travailleurs étrangers sont, pour une part croissante, originaires de pays asiatiques non arabes (Pakistanais, Indiens, Thaïlandais, Sri Lankais, Philippins, Sud-Coréens, etc.). Ces Asiatiques sont même majoritaires dans certains émirats.
Le tracé des frontières, lors du dépeçage de l'Empire ottoman, après la Première Guerre mondiale, a été essentiellement conçu selon les intérêts des puissances européennes, et se trouve à l'origine de nombre de litiges régionaux des dernières décennies.
La permanence des tensions internes et le développement des conflits armés – conflit israélo-palestinien et guerres israélo-arabes (1948, 1956, 1967, 1973, 1982), guerres libanaises à partir de 1975, guerre Iran-Irak (1980-1988), guerre d'Afghanistan à partir de 1979, second conflit du Golfe en 1990-1991 consécutivement à l'invasion du Koweït par l'Irak – font que le Proche et Moyen-Orient est la région du monde qui dépense le plus d'argent pour son armement. ■

Croissant fertile 223
Péninsule Arabique 242
Moyen-Orient 252

Par **Bernard Botiveau**
CERMOC et Université de Birzeit

Précarité politique et sociale des sociétés arabes, avatars du processus de paix, rivalités géopolitiques parmi les voisins asiatiques ont marqué, au Proche et Moyen-Orient, les années postérieures à la deuxième guerre du Golfe (1990-1991).

L'apparente stabilité des régimes arabes de la région ne peut faire oublier que l'ouverture économique des deux dernières décennies a modifié les équilibres sociaux sans produire d'ouverture politique réelle. Une contestation latente témoigne des frustrations nées de l'absence d'alternance politique, de l'inégalité des chances sociales et culturelles et d'une paupérisation des classes touchées par un libéralisme économique qu'elles évaluent en termes d'inflation, d'urbanisation non maîtrisée, de chômage chronique et de pression démographique et qu'elles relient à la critique de systèmes clientélaires servant une minorité de privilégiés et à la dénonciation de pratiques de corruption.

Les États tentent de contenir cette mobilisation par des politiques sécuritaires qu'ils justifient par la permanence de la « menace israélienne » et de la « subversion islamiste » : état d'urgence régulièrement reconduit en Égypte ou réduction des libertés constitutionnelles au Liban, renforcement de la censure (en Jordanie et au Koweït notamment), élections sur mesure ou surveillance des syndicats et associations, lieux d'expression de la société civile. De timides réformes sociales n'ont pas fait oublier des mesures d'austérité souvent imposées de l'extérieur (Fonds monétaire international – FMI), ni empêché des explosions sociales.

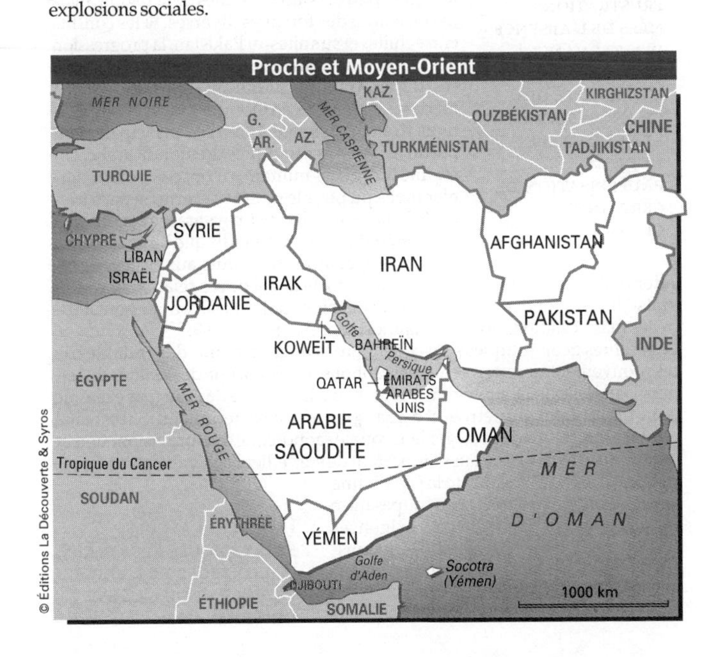

Par **Bernard Botiveau**
CERMOC et Université de Birzeit

L'APPARENTE STABILITÉ DES RÉGIMES ARABES DE LA RÉGION NE PEUT FAIRE OUBLIER QUE L'OUVERTURE ÉCONOMIQUE DES DEUX DERNIÈRES DÉCENNIES A MODIFIÉ LES ÉQUILIBRES SOCIAUX SANS PRODUIRE D'OUVERTURE POLITIQUE RÉELLE. UNE CONTESTATION LATENTE TÉMOIGNE DES FRUSTRATIONS NÉES DE L'ABSENCE D'ALTERNANCE POLITIQUE, DE L'INÉGALITÉ DES CHANCES SOCIALES ET CULTURELLES ET DE LA PAUPÉRISATION DE CERTAINES CLASSES.

Malgré la réaffirmation de leur puissance militaire et économique dans la région depuis 1991, les États-Unis ont dû affronter, en 1997-1998, deux crises majeures. Le processus de paix entre Israël et la Palestine tout d'abord, quasiment au point mort depuis le durcissement de l'occupation militaire d'une large partie de la Cisjordanie et de Gaza. Leur volonté ensuite de lancer, avec le Royaume-Uni, une opération militaire contre le régime de Saddam Hussein, aux conséquences qui pouvaient être dévastatrices pour la population irakienne et les sociétés arabes du Proche-Orient. Ce projet a pu être contrecarré de justesse, fin février 1998, sous la pression d'alliés inquiets, mais pas en décembre 1998 où furent menés des raids intensifs de l'aviation. L'application de l'accord que Benyamin Netanyahou avait dû accepter de signer contre son gré à Wye River, le 23 octobre précédent aura été bloquée tant que le Premier ministre israélien est resté en place. Les mouvements se réclamant de l'islam politique ont continué de peser sur les mobilisations internes dirigées contre certains régimes de la région, mais ils ont connu des fortunes diverses. Si les conflits entre chiites et sunnites au Pakistan, la progression des taliban en Afghanistan ou la bataille de la succession en Arabie saoudite ont continué de susciter des inquiétudes en Occident, des recompositions stratégiques sont à l'œuvre, principalement parmi les voisins asiatiques du monde arabe. Un régime turc où les militaires n'ont pas dit leur dernier mot a pu pour le moment écarter le parti islamiste Refah et inquiéter les pays arabes par son rapprochement avec Israël, tandis que l'Iran a pu, à la faveur des recompositions dues aux élections présidentielles de mai 1997, envisager à terme le dégel de ses relations avec les États-Unis sur fond d'exacerbation des tensions politiques, comme l'ont illustré les manifestations et contremanifestations en juillet 1999.

Les réalités géopolitiques sont cependant beaucoup moins dépendantes de ces mouvements internes et des perceptions de l'Islam que des réalités du terrain. Dans les calculs stratégiques régionaux, le contrôle de l'eau (par exemple pour l'Euphrate), du pétrole et du gaz joue un rôle déterminant. S'il est vital pour les États-Unis de protéger leur source saoudienne d'approvisionnement en pétrole, il leur est tout aussi important de surveiller l'acheminement du pétrole caucasien et du gaz de la Caspienne vers les ports environnants, en soupesant le poids de plusieurs facteurs : exigences russes, possibilités offertes par l'Afghanistan et le Pakistan, ou coûts moindres de l'utilisation du territoire iranien. ■

DANS LES CALCULS STRATÉGIQUES RÉGIONAUX, LE CONTRÔLE DE L'EAU, DU PÉTROLE ET DU GAZ EST DÉTERMINANT.

Par **Ignace Leverrier**
Chercheur et consultant

1998

20 août. Afghanistan. Les États-Unis bombardent les camps de l'islamiste saoudien Oussama ben Laden, après les attentats du 7 août contre leurs ambassades américaines de Nairobi et de Dar-es-Salam, dont ils lui attribuent la responsabilité.

15 septembre. Liban. Avec l'accord de la Syrie, les députés libanais élisent à la présidence le général Émile Lahoud, qui charge Sélim Hoss de composer un « gouvernement de salut public et de changement ».

23 octobre. Palestine. Après dix-huit mois de stagnation du processus de paix, Yasser Arafat et Benyamin Netanyahou signent à Washington l'accord de Wye River, qui prévoit un retrait limité de l'armée israélienne de Cisjordanie, en échange de mesures de sécurité antiterroristes et d'un amendement de la charte de l'OLP (Organisation de libération de la Palestine).

31 octobre. Irak. Pour la seconde fois en deux mois, Bagdad interrompt sa coopération avec l'Unscom, la commission spéciale chargée de son désarmement, qu'elle accuse d'être « aux mains des Américains ».

22 novembre. Iran. L'assassinat du couple Foruhar, à Téhéran, inaugure une vague de meurtres et d'exactions aux dépens d'intellectuels et d'écrivains, qui s'inscrit dans le cadre des menées des conservateurs contre l'orientation libérale du régime du président Mohammad Khatami.

7 décembre. Émirats arabes unis. Abu Dhabi accueille le 19e sommet du Conseil de coopération des États arabes du Golfe (CCG), qui appuie la revendication émiratie sur les îles Tomb et Abu Moussa, occupées par l'Iran.

14 décembre. Palestine. Bill Clinton est le premier président américain en visite à Gaza. Ce déplacement apparaît comme une reconnaissance avant l'heure de l'existence d'un État palestinien indépendant.

16 décembre. Irak. Après une nouvelle interdiction d'accès à un « site sensible », les États-Unis et le Royaume-Uni lancent une série de raids intensifs contre l'Irak, destinés à annihiler ses moyens de défense et à préparer les conditions d'un renversement du régime de Saddam Hussein.

1999

7 février. Jordanie. Le roi Hussein meurt après 46 ans de règne. Deux semaines plus tôt, il avait écarté de la succession son frère, le prince Hassan, au profit de son fils aîné Abdallah. Abdelrauf al-Rawabdeh sera chargé de constituer un nouveau gouvernement.

10 février. Syrie. Après référendum, Hafez el-Assad est reconduit à la tête de l'État pour un mandat de sept ans. Ses principaux objectifs semblent être la reprise du processus de paix et la préparation au pouvoir de son fils Bachar.

26 février. Iran. Lors des élections municipales, les partisans du président Mohammad Khatami se répartissent les deux tiers des voix et s'emparent des principales villes.

6 mars. Bahreïn. Cheikh Ahmed ben Issa al-Khalifa succède à la tête de l'émirat à son père, Issa ben Salman, décédé après 38 ans de règne. Il amnistiera (6 juin 1999) plusieurs centaines de détenus sunnites et chiites détenus depuis 1994.

8 mars. Qatar. Appelés aux urnes pour la première fois, les Qataris élisent un Conseil municipal consultatif, préliminaire à l'élection au scrutin universel d'une Chambre des députés.

9 mars. Iran. La visite en Italie et au Vatican du président Mohammad Khatami, premier déplacement officiel en Occident d'un chef d'État iranien depuis la révolution de 1979, concrétise le début de réinsertion de l'Iran sur la scène internationale.

29 avril. Palestine. Sous la pression de la communauté internationale et dans l'attente des législatives israéliennes anticipées, l'OLP ajourne la proclamation de l'État palestinien, une semaine avant la fin de la période intérimaire fixée par les accords d'Oslo.

4 mai. Koweït. Le chef de l'État, Cheikh Jaber al-Ahmed al-Jaber al-Sabah, dissout le Parlement et donne un tour imprévu à la campagne en proposant d'octroyer aux femmes droit de vote et éligibilité.

15 mai. Arabie saoudite/Iran. Le président iranien Mohammad Khatami entame une visite dans le royaume. Cela marque l'amélioration des relations entre les deux pays, en

Par **Ignace Leverrier**
Chercheur et consultant

froid depuis la révolution de 1979 et les tentatives iraniennes de « politisation du pèlerinage ». Les EAU estiment être « lâchés » par Riyad sur la « question des îles ».

17 mai. Israël. La défaite du Likoud aux législatives anticipées et l'élection d'Ehud Barak comme Premier ministre laissent espérer une reprise et un aboutissement du processus de paix, suspendu depuis 1996.

Il constitue, début juillet, un gouvernement de coalition, ne présentant pas de forte rupture avec le passé puisque sept membres du cabinet sortant s'y retrouvent.

24 juin. Israël/Liban. Pour répliquer à des tirs de roquettes du Hezbollah sur le nord d'Israël, qui font suite à des bombardements israéliens de villages libanais hors de la zone de sécurité, l'armée israélienne détruit des infrastructures civiles et des positions du Hezbollah au Liban.

3 juillet. Koweït. Le succès de l'opposition libérale (16 sièges sur 50, contre 4 en 1992) et le maintien de l'opposition islamiste sunnite (14 sièges, contre 16) aux législatives anticipées laissent présager des affrontements avec le nouveau gouvernement koweïtien, en formation. ■

Proche et Moyen-Orient/Bibliographie sélective

P. Bocco, M.-R. Djalili (sous la dir. de), *Moyen-Orient : migrations, démocratisation, médiations,* PUF, Paris, 1994.

B. Botiveau, J. Césari, *Géopolitique des islams,* Économica, Paris, 1997.

K. A. Chaudry, *The Price of Wealth. Economies and Institutions in the Middle East,* Cornell University Press, Ithaca (État de NY, É-U), 1997.

Collectif, *Crise du Golfe et ordre politique au Moyen-Orient,* CNRS-Éditions, Paris, 1994.

G. Corm, *Le Proche-Orient éclaté,* La Découverte, Paris, 1986.

G. Corm, *Le Proche-Orient éclaté - II. Mirages de paix et blocages identitaires,* La Découverte, Paris, 1997.

G. Corm, *L'Europe et l'Orient,* La Découverte, Paris, 1989.

B. Ghalioun, *Islam et politique. La modernité trahie,* La Découverte, Paris, 1997.

B. Ghalioun, *Le Malaise arabe. L'État contre la nation,* La Découverte/ENAG, Paris/Alger, 1991.

A. Gresh, D. Vidal, *Les 100 portes du Proche-Orient,* Éd. de l'Atelier, Paris, 1996.

Les Cahiers de l'Orient (trim.), Paris.

« Les partis politiques dans les pays arabes. 1. Le Machrek », *REMMM (Revue du monde musulman et de la Méditerranée),* n° 81-82, Édisud, Aix-en-Provence, 1997.

Monde arabe/Maghreb-Machrek Machrek (trim.), La Documentation française, Paris.

G. Mutin, « Afrique du Nord, Moyen-Orient », *in* R. Brunet (sous la dir. de), *Géographie universelle,* vol. VIII, Belin/RECLUS, Paris/Montpellier, 1995.

Revue d'études palestiniennes (trim.), diff. Éd. de Minuit, Paris.

J. Roberts, *Visions and Mirages. Middle East in a New Era,* London Mainstream Publishing, Édimbourg, 1995.

G. Salamé (sous la dir. de), *Démocraties sans démocrates. Politiques d'ouverture dans le monde arabe et islamique,* Fayard, Paris, 1994.

J. et A. Sellier, *L'Atlas des peuples d'Orient. Moyen-Orient, Caucase, Asie centrale,* La Découverte, Paris, 1993.

S. Yérasimos, *Questins d'Orient. Frontières et minorités des Balkans au Caucase,* La Découverte/« Livres Hérodote », Paris, 1993.

Voir aussi les bibliographies « Égypte » et « Turquie », p. 186 et 546.

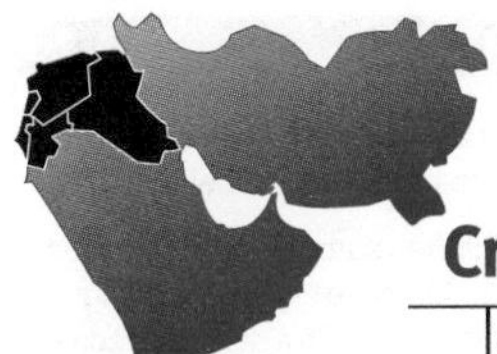

Croissant fertile

Autonomie palestinienne, Irak, Israël, Jordanie, Liban, Syrie

Autonomie palestinienne

Vers une reprise du dialogue

La période intérimaire d'autogouvernement prévue par les accords israélo-palestiniens d'Oslo (1993) [*voir encadré p. 225*] étant arrivée à son terme le 4 mai 1999, l'absence de progrès dans les négociations laissait présager une explosion de violence. En effet, aucune décision n'ayant été négociée sur le statut final des territoires occupés en 1967, Yasser Arafat, président du Comité exécutif de l'OLP et président de l'Autorité palestinienne (AP) d'autonomie, a consacré les premiers mois de 1999 à une tournée internationale en quête de soutien à une proclamation unilatérale d'un État palestinien qu'il affirmait être l'objectif implicite du processus d'Oslo. Le Premier ministre israélien, Benyamin Netanyahou avait annoncé qu'une telle hypothèse conduirait son gouvernement à proclamer une annexion immédiate des territoires palestiniens demeu-

Les institutions de l'Autonomie palestinienne et leurs compétences

Selon la « déclaration de principes » du 13 septembre 1993 et l'accord de Washington du 28 septembre 1995, l'organe suprême de l'Autonomie palestinienne est un Conseil d'autonomie de 88 membres élus au suffrage universel direct par la population palestinienne des Territoires autonomes et occupés, ainsi que de Jérusalem-Est.

Le président de l'autorité exécutive est lui aussi élu au suffrage universel direct, en même temps que les membres du Conseil. Les membres de l'Autorité exécutive, dont 80 % doivent être membres du Conseil, sont, quant à eux, choisis par le président et approuvés par le Conseil.

Les compétences territoriales du Conseil s'étendent aux seules zones A et B [*voir p. 224*] mais ne sauraient concerner les Israéliens de passage dans ces zones. Déléguées par Israël, ces compétences comprennent la plupart des domaines civils, à l'exception de ce qui ressortit au statut final et qui reste à négocier (Jérusalem, colonies, frontières, réfugiés) et de toute autre matière expressément réservée (eau). Le Conseil n'a, par ailleurs, aucune compétence en matière de défense, pas plus que de politique étrangère. Seule l'Organisation de libération de la Palestine (OLP) se voit habilitée à conduire des négociations et à signer des accords pour le compte du Conseil dans les seuls domaines économiques, culturels et scientifiques, Yasser Arafat étant à la fois président de son Comité exécutif et président de l'autorité exécutive, tandis que les 88 membres du Conseil sont membres de droit du Conseil national palestinien (CNP). - **J.-F. L.** ■

Les Territoires autonomes et occupés

À partir de la fin de la guerre des Six Jours (juin 1967), l'État hébreu a exercé *de facto* sa souveraineté sur la totalité de la Palestine mandataire. Israël s'est ainsi approprié l'ensemble des terres destinées, par le plan de partage de l'ONU de 1947, à constituer un État arabe palestinien : bande de Gaza sous administration militaire égyptienne depuis 1949 (un million de Palestiniens environ en 1997 et de 5 000 à 6 000 colons répartis dans 16 implantations) et Cisjordanie annexée par le royaume hachémite de Jordanie en 1950 (1,8 million de Palestiniens et plus de 360 000 Israéliens dans quelque 175 colonies, Jérusalem-Est comprise). Israël a également conquis le Golan syrien (annexé le 14 décembre 1981 ; 16 000 Syriens, druzes pour la plupart ; 14 000 colons environ répartis dans 36 implantations) et la péninsule du Sinaï (restituée à l'Égypte dans le cadre du traité de paix du 26 mars 1979, consécutif aux accords de Camp David).

♦ **Jérusalem-Est annexée.** Dès le 27 juin 1967, le gouvernement israélien a étendu les limites municipales occupées de 607 ha à 7 285 ha et déclaré que « la loi, la juridiction et l'administration de l'État [d'Israël] » s'y exerçaient. La « Loi fondamentale » du 30 juillet 1980 a fait de Jérusalem, « entière et réunifiée », la « capitale d'Israël ». La plupart des quelque 210 000 Palestiniens y ont néanmoins conservé leur nationalité et leur passeport jordaniens. À partir du printemps 1993, l'accès à la ville comme à Israël a été interdit à tout Palestinien des Territoires occupés ou autonomes non détenteur d'un permis spécial. Le 26 décembre 1994, la Knesset a adopté une loi interdisant à l'Autorité palestinienne d'y exercer des activités officielles.

♦ **Territoires autonomes et occupés.** L'accord intérimaire signé à Washington le 28 septembre 1995 a défini trois zones distinctes :

– une zone A représentant quelque 4 % de la superficie de la Cisjordanie et 20 % de sa population, qui comprend les sept grandes cités palestiniennes (Jénine, Qalqilya, Tulkarm, Naplouse, Ramallah, Bethléem et Hébron), Jérusalem-Est annexée étant exclue ainsi qu'une importante partie d'Hébron. Le retrait israélien de ces villes s'est effectué fin 1995, à l'exception d'Hébron, dont l'évacuation partielle n'a eu lieu que le 17 janvier 1997. Ces villes, auxquelles s'ajoute le village de Qabatiyya (évacué en novembre 1998), relèvent dorénavant d'un statut comparable à celui des zones autonomes de la bande de Gaza et de Jéricho, objets d'un premier redéploiement en mai 1994. L'Autorité palestinienne s'y trouve chargée de l'ensemble des pouvoirs civils et de police ;

– une zone B qui comprend la quasi-totalité des 450 villages palestiniens de Cisjordanie, soit environ 23 % de sa superficie. L'Autorité palestinienne n'y est dotée que des pouvoirs civils et d'une partie des pouvoirs de police, l'armée israélienne y conservant la responsabilité de la sécurité et un droit permanent et unilatéral d'intervention ;

– une zone C, enfin, soit quelque 73 % de la superficie de la Cisjordanie (au statut comparable à celui de 30 % à 40 % non évacués de la bande de Gaza), qui comprend les zones non peuplées, les zones dites « stratégiques » et les colonies. Elle demeure sous le contrôle exclusif d'Israël. - **J.-F. L.** ■

Le calendrier des accords

♦ **9 septembre 1993.** L'OLP reconnaît Israël et son droit à l'existence ; le 10, Israël reconnaît l'OLP comme le « représentant du peuple palestinien ».

♦ **13 septembre 1993.** Négociée à Oslo depuis plusieurs mois en secret, la « déclaration de principes sur les arrangements intérimaires d'autonomie » est signée à Washington par Israël et l'OLP, sous le parrainage des États-Unis et de la Russie. Le texte, qui entre en vigueur le 13 octobre, définit les grandes lignes d'une autonomie appelée à s'exercer durant les cinq années à venir dans l'attente d'un règlement final.

♦ **29 avril 1994.** Le « protocole sur les relations économiques » entre Israël et l'OLP est signé à Paris. Il prévoit une intégration des deux économies.

♦ **4 mai 1994.** Le premier accord (dit « Gaza-Jéricho d'abord » ou « Oslo I ») sur les modalités de l'autonomie palestinienne, qui était censée entrer en vigueur au plus tard le 13 décembre 1993, est signé au Caire. Il est quasi immédiatement suivi du redéploiement de l'armée israélienne dans la bande de Gaza et hors de Jéricho. Israël transfère alors une partie de ses pouvoirs civils, deux accords complémentaires étant signés les 29 août 1994 et 27 août 1995.

♦ **28 septembre 1995.** Un nouvel accord intérimaire (dit « de Taba » ou « Oslo II ») portant sur l'ensemble des modalités de la mise en œuvre de l'autonomie et son extension géographique à la Cisjordanie est signé à Washington.

♦ **20 janvier 1996.** Élections du président de l'Autorité et du Conseil d'autonomie qui, initialement, auraient dû se dérouler avant le 13 juillet 1994

♦ **5 mai 1996.** A Taba (Égypte), ouverture officielle des négociations sur le statut définitif des Territoires autonomes, censé entrer en vigueur le 4 mai 1999 au plus tard. Ces négociations, immédiatement gelées et reportées au-delà des élections législatives israéliennes, ne connaîtront qu'une brève réactivation protocolaire le 18 novembre 1998.

♦ **15 janvier 1997.** Signature à Erez (entre Gaza et Israël) de l'« accord d'Hébron ». 80 % de la ville passe en zone A. Aucune des trois phases du redéploiement israélien dans les zones rurales de Cisjordanie, prévu par l'accord de Taba et réaffirmé sur un nouveau calendrier, ne sont appliquées.

♦ **23 octobre 1998.** Signature à Wye Plantation (États-Unis) d'un mémorandum établissant un nouveau calendrier de redéploiements. Le processus est gelé dès janvier 1999. - **J.-F. L.** ■

Palestine/Bibliographie sélective

B. Botiveau, *L'État palestinien,* Presses de Sciences-Po, Paris, 1998.

L. Bucaille, *Gaza. La violence de la paix,* Presses de Sciences-Po, Paris, 1998.

A. Dieckhoff, *Israéliens et Palestiniens, l'épreuve de la paix,* Aubier, Paris, 1996.

B. Kodmani-Darwish, *La Diaspora palestinienne,* PUF, Paris, 1997.

H. Laurens, *La Question de Palestine,* t. 1 : *1799-1922. L'invention de la Terre sainte,* Fayard, Paris, 1999.

J.-F. Legrain, « Autonomie palestinienne : la politique des néo-notables », *REMMM (Revue du monde musulman et de la Méditerranée),* n°s 81-82, Édisud, Aix-en-Provence, 1997.

J.-F. Legrain, « La Palestine : de la terre perdue à la reconquête du territoire », *Cultures et conflits,* L'Harmattan, Paris, juin 1996.

J.-F. Legrain, *Les Palestines du quotidien,* CERMOC, Beyrouth, 1999.

Ligue internationale pour le droit et la libération des peuples, *Le Dossier Palestine. La question palestinienne et le droit international,* La Découverte, Paris, 1991.

Voir aussi les bibliographies « Proche et Moyen-Orient », « Croissant fertile » et « Israël », p. 222, 240 et 235.

rés sous le contrôle exclusif d'Israël (quelque 70 % de la Cisjordanie et 35 % de la bande de Gaza), certains évoquant même une réoccupation des zones autonomes.

Afin d'éviter qu'un tel terme soit apporté au processus de négociation que les États-Unis avaient lancé et constamment accompagné, Bill Clinton a réuni à Wye Plantation (Maryland), du 15 au 23 octobre 1998, Y. Arafat et B. Netanyahou. Ce sommet n'avait débouché que sur un modeste « mémorandum ».

En dépit d'une nouvelle convocation à Gaza du Conseil national palestinien, invité le 14 décembre 1998 à réaffirmer l'abrogation des articles de la Charte nationale appelant à la destruction d'Israël, et malgré une coopération accrue dans la lutte contre le « terrorisme » avec la CIA, B. Netanyahou a dénoncé le manque d'empressement de l'AP à réduire les effectifs de ses forces de police et à confisquer les armes illégalement détenues. Prenant prétexte d'attentats aux commanditaires incertains, il gelait le processus (à peine entamé) de retrait qui aurait dû conduire à redéployer l'armée israélienne sur 13,1 % de la Cisjordanie (1 % transféré en zone A, 12 % en zone B, dont 3 % déclarés « réserve naturelle », sur lesquels l'AP ne serait dotée que de pouvoirs restreints). L'aéroport de Gaza, achevé depuis deux ans, pouvait enfin fonctionner mais sous contrôle israélien stipulé par les accords d'Oslo et réitéré par le mémorandum. L'ouverture d'un passage « sécurisé » entre la Cisjordanie et Gaza avait à nouveau été ajournée. Par ailleurs, le Premier ministre israélien a poursuivi sa politique d'intensification de la colonisation à Jérusalem et sur l'ensemble de la Cisjordanie (le nombre des colons aura augmenté de 20 % entre 1996 et 1999). Sous la pression internationale, l'AP et l'OLP décidaient néanmoins de surseoir à la proclamation de l'État de Palestine. L'engagement pris par Ehud Barak de se soumettre aux exigences de l'accord de Wye laissait entrevoir une reprise du dialogue, en dépit du refus affiché par le nouveau Premier ministre israélien d'envisager une négociation sur Jérusalem ou même un éventuel démantèlement de colonies.

Avec l'intervention directe de la CIA, AP et Israël ont éliminé les principaux responsables de l'aile militaire du Mouvement de la résistance islamique Hamas (septembre 1998). En l'absence d'opérations armées comparables à celles des années précédentes et malgré les tensions existant au sein de sa direction, Hamas a vu sa popularité augmenter. - **Jean-François Legrain** ■

Irak

Nouvelle stratégie de Washington ?

Deux événements ont marqué cette huitième année d'embargo international sur l'Irak : une énième crise à propos du contrôle du désarmement irakien et un changement apparent de la politique américaine envers Bagdad.

Durant l'année 1998, Bagdad était devenu de plus en plus rétif à accepter le travail des inspecteurs de l'Unscom, la commission de l'ONU chargée du contrôle du désarmement de l'Irak, alors qu'aucune perspective de levée des sanctions ne se dessinait. Bagdad mettait notamment en cause le rôle de certains inspecteurs de l'Unscom accusés d'être partiaux dans leurs rapports systématiquement défavorables à l'Irak. La démission, le 27 août, de l'Américain Scott Ritter, l'inspecteur le plus contesté, n'avait pas résolu la crise. Dès le 5 août, l'Irak avait refusé les contrôles surprises. Officiellement, il s'agissait toujours de s'assurer de la destruction des stocks d'armes chimiques et biologiques. L'escalade des tensions avait mené, le 14 novembre, à la préparation de bombardiers américains devant attaquer l'Irak, lorsque Bagdad annonçait la reprise d'une coopération inconditionnelle avec l'Unscom. L'intervention de Kofi Annan, secrétaire général de l'ONU, qui avait permis de suspendre *in extremis* les frappes américaines, suscita des critiques aux États-Unis.

Des attaques décidées sans consulter l'ONU

La crise rebondit en décembre, aboutissant au déclenchement de l'opération *Renard du désert*. Le Conseil de sécurité de l'ONU fut placé devant le fait accompli. Plusieurs vagues d'attaques aériennes améri-

République irakienne

Capitale : Bagdad.
Superficie : 434 924 km².
Population : 21 800 000.
Langues : arabe, kurde, syriaque (off.), turkmène, persan, sabéen.
Monnaie : dinar (au taux officiel, 1 dinar = 19,91 FF au 30.4.99). Le taux officiel est celui imposé pour les transactions autorisées par l'ONU ; il n'a aucun autre usage.
Nature de l'État : « État arabe », avec statut d'autonomie pour une partie du Kurdistan accordée en 1974. La zone au nord des anciennes lignes de front de 1991 vit une situation de quasi-indépendance, depuis la création d'une « zone de protection » pour les Kurdes (résolution 688 du Conseil de sécurité de l'ONU, 5 avril 1991). Le 4.10.92, les partis kurdes ont proclamé l'État fédéral.
Nature du régime : autoritaire, dominé par le parti Baas et le clan des Takriti.
Chef de l'État : Saddam Hussein, président de la République (depuis le 16.7.79), Premier ministre (depuis le 29.5.94), maréchal, chef suprême des forces armées, président du Conseil de commandement de la Révolution, secrétaire général du parti Baas.
Chef du gouvernement : Saddam Hussein. Ses deux fils Oudaï et Qusay jouent un rôle important, bien que sans fonction officielle.
Ministre des Affaires étrangères : Muhammad Saïd as-Sahhaf (depuis 1991).
Principaux partis politiques : Baas (seul parti légal, nationaliste arabe), parti Da'wa et Assemblée supérieure de la Révolution islamique en Irak (islamistes chiites), Parti communiste, Parti démocratique du Kurdistan (PDK, de Massoud Barzani), Union patriotique du Kurdistan (UPK, de Jalal Talabani), Congrès national irakien.
Territoires contestés : la nouvelle frontière entre le Koweït et l'Irak n'a été acceptée par Bagdad que le 10.11.94, une partie de l'opposition continuant à la refuser.

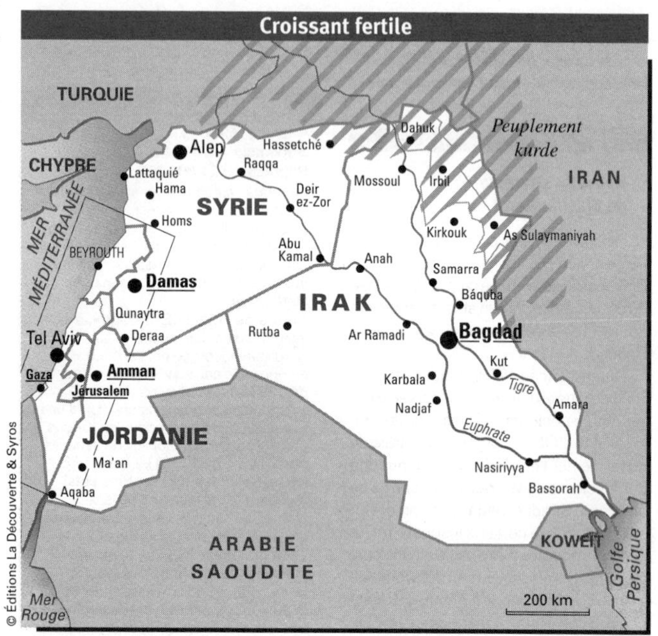

cano-britanniques sur l'Irak durant quatre jours (du 16 au 19 décembre) s'accompagnèrent du tir de plusieurs centaines de missiles de croisière, presque deux fois plus que durant toute la guerre du Golfe en 1991. Entre 600 et 1 600 Irakiens furent tués, notamment des soldats de la Garde républicaine. Punition ou diversion ? La mise en accusation du président américain (procédure d'*impeachment)* dans l'affaire « Monica Lewinsky » fut reportée.

Rapidement, les révélations se multiplièrent sur l'utilisation de l'Unscom par Washington pour espionner l'Irak. Jugeant l'Unscom déconsidérée, la Russie, la France et la Chine demandèrent le remplacement de son chef, l'Australien Richard Butler.

Malgré de nouvelles propositions du Conseil de sécurité de l'ONU, le 30 janvier 1999, aucune solution concrète n'a été trouvée sur les modalités du contrôle de l'armement irakien. Bagdad ne voulant plus de l'Unscom, ce contrôle n'a plus été effectué de fait à partir du début décembre 1998.

Les États-Unis semblent avoir abandonné leur politique d'« endiguement » de l'Irak, pour une politique visant officiellement à renverser le régime de Saddam Hussein : vote par le Congrès d'une aide militaire à l'opposition irakienne de 100 millions de dollars, puis de *l'Iraq Liberation Act* (ratifié par le président Clinton le 31 octobre), établissement d'une liste de sept formations de l'opposition pouvant bénéficier d'un soutien financier. Pour la première fois, une partie de l'opposition islamiste chiite basée à Téhéran figurait parmi celles-ci. Toutefois, l'ayatollah Muhammad Baqer al-Hakim a rejeté ce geste, le 12 février 1999, affirmant que seul le peuple irakien pourrait amener un changement de régime. Par ailleurs, Washington a orchestré la réconciliation du Parti démocratique du Kurdistan (PDK) et de l'Union patriotique du Kurdistan (UPK). Les deux partis kurdes rivaux ont signé, le 17 septembre 1998, un accord prévoyant l'élection d'une assemblée régionale du Kurdistan autonome et stipulant que le Parti des travailleurs du Kurdistan (PKK, mouvement insurgé contre l'État turc) ne pourrait plus utiliser le Kurdistan d'Irak comme base arrière.

Dès décembre 1998, Bagdad a annoncé son intention de se réapproprier son espace aérien, refusant d'admettre la légitimité des zones d'exclusion. Celles-ci ont été instituées sans l'aval de l'ONU, au nord du 36e parallèle dans le cadre de l'opération *Provide Comfort* (avril 1991) et au sud du 32e parallèle (août 1992), une zone étendue en 1996 au 33e parallèle. Après la fin de l'opération *Renard du désert*, les accrochages entre la défense anti-aérienne irakienne et les avions américains et britanniques surveillant les zones d'exclusion sont devenus presque quotidiens. Un premier engagement aérien entre l'Irak et les États-Unis a eu lieu le 6 janvier 1999. Par ailleurs, Américains et Britanniques se sont mis à bombarder presque quotidiennement ces zones dans le but de « grignoter » le potentiel militaro-industriel de l'Irak. Le 25 janvier 1999, la chute d'un missile américain sur un quartier résidentiel de Bassorah faisait onze morts civils et 59 blessés selon Bagdad.

Nouveaux affrontements avec les chiites

Aux yeux de la France, qui a critiqué les raids contre l'Irak, l'embargo ne servait plus à rien. Le 14 janvier 1999, les États-Unis ont à leur tour proposé de supprimer le plafond de ventes de pétrole irakien dans le cadre de la formule « pétrole contre nourriture », qui permet à l'Irak d'exporter 5,2 milliards de dollars par semestre. Bagdad a finalement accepté, en juin 1999, la reconduction de cette formule.

Sur le plan intérieur, les vagues d'exécutions d'officiers supérieurs se sont succédé (début décembre et début mars 1999). L'assassinat de l'ayatollah Muhammad Sadeq as-Sadr, un religieux chiite à l'audience

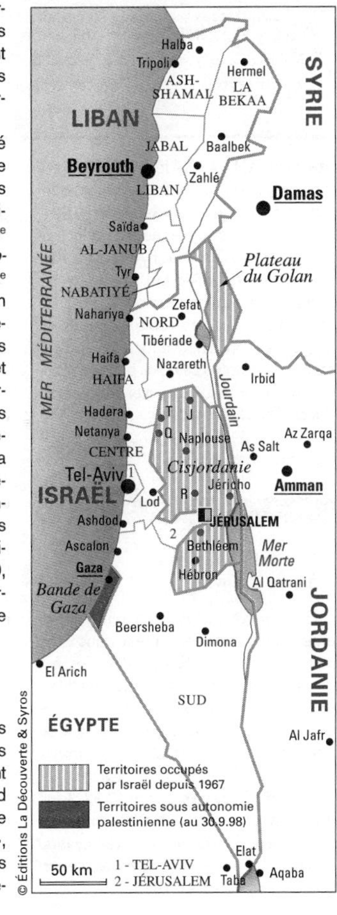

Irak/Bibliographie

P.-M. Gallois, *Le Sang du pétrole. Irak, essai de géopolitique,* L'Age d'homme, Lausanne, 1996.

C. Kutschera, *Le Défi kurde ou le rêve fou de l'indépendance,* Bayard Éditions, Paris, 1997.

P.-J. Luizard, « Il y avait un pays qui s'appelait l'Irak... », *REMMM (Revue du monde musulman et de la Méditerranée),* nos 81-82, t. 1, Édisud, Aix-en-Provence, 1997.

P.-J. Luizard (sous la dir. de), « Mémoires d'Irakiens. A la découverte d'une société vaincue », *Maghreb-Machrek,* n° 163, La Documentation française, janv.-mars 1999.

K. Makiya, *Cruelty and Silence,* Penguin Books, Londres, 1994.

Voir aussi les bibliographies « Proche et Moyen-Orient » et « Croissant fertile », p. 222 et 240.

croissante, à Najaf le 19 février 1999, a provoqué le plus important mouvement d'insurrection depuis l'*intifada* de mars 1991. Les jours suivants, les émeutes se sont propagées dans le Sud (Nasiriyya, Koufa, Kut, Amara), ainsi qu'à Bagdad.

Sur le plan du monde arabe, les relations de Bagdad avec l'Arabie saoudite et l'Égypte se sont à nouveau tendues. Toutefois, Washington semblait peiner à rallier les pays du Golfe à ses nouvelles positions. - **Pierre-Jean Luizard** ■

Israël

Le « petit Napoléon » à pied d'œuvre

Benyamin Netanyahou n'aura-t-il finalement été qu'une parenthèse dans la vie politique israélienne ? La question s'est posée après la défaite cuisante du chef du Likoud (droite nationaliste) aux élections générales anticipées du 17 mai 1999, face au dirigeant du Parti travailliste, le général à la retraite Ehud Barak. Le score était sans appel : 56,08 % des voix, contre 43,92 %, un écart bien supérieur aux 26 000 voix (moins de 1 %) grâce auxquelles B. Netanyahou avait battu le Premier ministre travailliste sortant, Shimon Pérès, en 1996.

Cette lourde défaite du chef du Likoud, qu'il a aussitôt reconnue en démissionnant de la présidence de son parti et en annonçant son intention de se retirer, au moins un temps, de la vie politique, a mis fin à trois années tumultueuses en Israël. Durant cette période, le processus de paix s'est enfoncé dans une impasse dangereuse et la société israélienne a connu des tensions croissantes entre religieux et laïcs, et entre ses différentes communautés. C'est sur ce double terrain, celui de la paix avec les voisins et celui de l'apaisement interne, qu'était attendu le nouveau Premier ministre, après une campagne électorale plus largement fondée sur le rejet du bilan de son adversaire que sur un programme précis. Les premiers pas d'E. Barak sont allés, en tout cas, dans le sens de la relance du processus de paix, y compris avec la Syrie, malgré un bombardement massif du Liban décidé fin juin par B. Netanyahou, quelques jours avant de quitter le pouvoir et sans consultation d'E. Barak.

Un environnement politique morcelé

Malgré sa forte légitimité personnelle, grâce à l'élection directe du Premier ministre, E. Barak a hérité d'un environnement politique morcelé et complexe. Jamais auparavant autant de partis n'avaient fait leur entrée à la Knesset (parlement) : pas moins de quinze formations, dont les deux tiers allaient défendre des intérêts communautaires, ethniques ou religieux. Cet émiettement a été la conséquence directe du changement de mode de scrutin mis en œuvre pour la deuxième fois, qui fait voter les Israéliens une fois pour le Premier ministre et une autre pour une liste à la Knesset. Le vote politique va plutôt au choix du Premier ministre, permettant une expression plus communautariste pour la Knesset.

Les deux grands partis historiques du pays en sont les principales victimes. Si le Likoud a accompagné son chef dans sa chute – 19 sièges contre 32 en 1996 –, le Parti travailliste a également subi une érosion malgré la victoire de son leader : 26 sièges pour sa liste « Israël uni », constituée avec de plus petites formations (les religieux progressistes du Meimad et le Guesher de David Lévy), contre 34 élus sous son seul nom en 1996. Les grands vainqueurs ont été, d'une part, le Shass (parti orthodoxe séfarade), devenu le troisième parti d'Israël avec 17 sièges contre 10 dans la Knesset sortante – succès obtenu malgré la condamnation très médiatisée de son chef de file, Arieh Deri, à quatre ans de prison pour corruption peu avant le scrutin –, et, d'autre part, la liste centriste farouchement laïque et antireligieuse Shinoui du journaliste Yosef Lapid, qui a remporté six sièges en partant de zéro. Enfin, le nombre de sièges « russes » est passé de 7 à 11.

Désireux de ne pas renouveler l'expérience de Itzhak Rabin et Shimon Pérès entre 1992 et 1996, qui ont conduit le processus de paix avec une très courte majorité, le nouveau Premier ministre a tenté d'élargir sa majorité. Il a ainsi formé un gouvernement de coalition reprenant sept membres du gouvernement sortant, dont les représentants des partis religieux. Les acteurs de l'ère Rabin-Pérès-Yossi Beilin étaient présents, mais sans grande influence. E. Barak s'est gardé le portefeuille de la Défense.

E. Barak allait en tout cas avoir les mains plus libres que tous ses prédécesseurs,

État d'Israël

Capitale : Jérusalem (état de fait, contesté au plan international).
Superficie : 20 325 km²; Territoires occupés : Golan (1 150 km², annexé en 1981), Cisjordanie (5 879 km², dont l'enclave autonome de Jéricho et la zone A autonome depuis 1995 [*voir p. 224*]), Gaza (378 km², dont 336 km² pour la zone autonome palestinienne et 42 km² pour les colonies juives). Jérusalem-Est (70 km²) a été annexée en 1967.
Population : 5 984 000.
Langues : hébreu et arabe (off.) ; anglais, français, russe.
Monnaie : nouveau shekel (1 nouveau shekel = 1,48 FF au 30.4.99).
Nature de l'État : le pays est divisé en six districts administratifs.
Nature du régime : démocratie parlementaire combinée à une administration militaire dans les Territoires occupés.
Chef de l'État : Ezer Weizmann (président depuis le 13.5.93).
Premier ministre : Ehud Barak (travailliste), également ministre de la Défense, qui a succédé le 6.7.99 à Benyamin Netanyahou.
Ministre des Affaires étrangères : David Lévy (liste « Israël uni » de E. Barak).
Ministre de l'Intérieur : Natan Chtcharansky (Yisrael Be Aliya).
Ministre des Finances : Avraham Shohat (travailliste).
Principaux partis politiques : *Gouvernement :* liste « Israël uni » (regroupant le Parti travailliste, le parti centriste Guesher, et le parti religieux de gauche Meimad) ; Meretz (bloc parlementaire comprenant trois partis sionistes de gauche laïques : le Mouvement pour les droits civiques, le Mapam, Shinoui) ; Yisrael Be Aliya (immigrants russes) ; Parti national religieux (droite sioniste) ; Shass (orthodoxe séfarade) ; Parti du Centre. *Majorité sans participation au gouvernement :* Parti unifié de la Thora (orthodoxe ashkénaze) ; Un seul peuple (syndicalistes). *Opposition :* Likoud (droite nationaliste) ; Union nationale (ultranationaliste) ; Shinoui ; liste de l'Unité arabe (nationaliste arabe), Hadash (communiste), Balad (proche de l'OLP).
Carte : p. 229 et 236-237.

INDICATEUR	UNITÉ	CISJORDANIE	CISJORDANIE ET GAZA	GAZA
Démographie[a]				
Population	*(millier)*	1 557	2 593	1 036
Densité	*(hab./km²)*	276,1	430,9	2 740,7
Croissance annuelle (1995-2000)	*(%)*	4,3	4,2	4,3
Indice de fécondité (ISF) (1995-2000)		4,9	6,0	7,3
Mortalité infantile (1995-2000)	*(‰)*	26,4	••	24
Espérance de vie (1995-2000)	*(année)*	72,5	••	71,3
Population urbaine	*(%)*	••	••	94,5[b]
Indicateurs socioculturels				
Développement humain (IDH)[c]		••	••	••
Nombre de médecins	*(‰ hab.)*	••	••	••
Analphabétisme (hommes)[c]	*(%)*	••	••	••
Analphabétisme (femmes)[c]	*(%)*	••	••	••
Scolarisation 12-17 ans	*(%)*	••	••	••
Scolarisation 3e degré	*(%)*	••	••	••
Adresses Internet[d]	*(‰ hab.)*	••	••	••
Livres publiés	*(titre)*	••	••	••
Armées (effectifs)				
Armée de terre	*(millier d'h.)*	••	••	••
Marine	*(millier d'h.)*	••	••	••
Aviation	*(millier d'h.)*	••	••	••
Économie				
PIB total (PPA)[c]	*(million $)*	2 800[f]	3 800[f]	1 000[f]
Croissance annuelle 1987-97	*(%)*	8,3[o]	••	11,5[o]
Croissance 1998	*(%)*	••	••	••
PIB par habitant (PPA)[c]	*($)*	1 600[f]	1 465	1 100[f]
Investissement (FBCF)	*(% PIB)*	••	••	••
Taux d'inflation	*(%)*	2,5	••	••
Énergie (taux de couverture)[f]	*(%)*	••	••	••
Dépense publique Éducation	*(% PIB)*	••	••	••
Dépense publique Défense[c]	*(% PIB)*	••	••	••
Dette extérieure totale[c]	*(million $)*	••	800[f]	••
Service de la dette/Export.[e]	*(%)*	••	••	••
Échanges extérieurs				
Importations (douanes)	*(million $)*	777[k]	2 600[c]	339[h]
Principaux fournisseurs[c]	*(%)*	Isr 90,9[k]	••	Isr 82,4[h]
	(%)	Jord 1,5[k]	••	••
	(%)	••	••	••
Exportations (douanes)	*(million $)*	173[k]	520[c]	49[h]
Principaux clients[c]	*(%)*	Isr 70,3[k]	••	Isr 69,2[h]
	(%)	Jord 29,1[k]	••	Jord 25,1[h]
	(%)	••	••	••
Solde transactions courantes	*(% PIB)*	••	••	••

Définition des indicateurs, sigles et abréviations p. 31 et suiv. Chiffres 1998 sauf notes.
a. Derniers recensements utilisables : Cisjordanie, 1997 ; Cisjordanie et Gaza, 1997 ; Gaza, 1997 ; Irak, 1997 ; Israël, 1995 ; Jordanie, 1994 ; Liban, 1970 ; Syrie, 1994. b. 1995 ; c. 1997 ; d. janv. 1999 ;

IRAK	ISRAËL	JORDANIE	LIBAN	SYRIE
21 800	5 984	6 304	3 191	15 333
49,8	290,2	70,9	311,9	83,4
2,8	2,2	3,0	1,7	2,5
5,2	2,7	4,9	2,7	4,0
95	8	26	29	33
62,4	77,8	70,1	69,9	68,9
75,9	91,0	73,1	88,8	53,6
0,586	0,883	0,715	0,749	0,663
0,59[i]	3,82[f]	1,63[h]	1,86[i]	0,83[m]
29,3[b]	2,5	7,8	8,8	13,5
55,0[b]	6,6	18,2	21,7	43,5
55,4[m]	• •	• •	72,9[m]	54,8[k]
10,9[f]	43,6[f]	24,5[n]	27,1[f]	15,1[f]
• •	161,59	0,58	7,33	• •
• •	4 608[j]	511[f]	• •	598[j]
375	134	90	53,3	215
2	9	0,48	1	5
35	32	13,5	0,8	40
42 800	105 912	15 305	24 609	48 392
– 14,0[l]	4,7	2,6	– 3,6	4,9
• •	2,0	0,5	5,0	4,3
2 000	18 150	3 450	5 940	3 250
• •	21,9[g]	30,1[e]	29,9[e]	25,8[e]
• •	5,5	5,0	8,0	1,0
130,2	3,5	4,0	4,1	231,8
• •	7,2[h]	7,3[f]	2,5[f]	4,2[f]
7,4	11,5	6,4	4,5	6,3
113 000[f]	• •	8 234	5 036	20 865
• •	• •	12,0	8,6	6,0
4 859	29 342	3 910	7 060	3 900
Aus 31,6	E-U 18,8	UE 37,8	E-U 9,2	UE 27,7
UE 20,4	UE 51	E-U 11,5	UE 47,5	Asie[p] 23,8
Asie[p] 26,6	Asie[p] 10,9	Asie[p] 34,4	Asie[p] 22	Ex-CAEM 21,3
5 901	23 286	1 750	716	2 892
UE 55,6	E-U 32,1	UE 12,1	UE 22,9	UE 55,4
E-U 12,5	UE 30,2	PED 72,7	PED 63,4	PED 39,9
Asie[p] 14,7	Asie[p] 18,6	M-O 38,8	M-O 45,6	M-O 18,7
• •	– 5,1[c]	0,4[c]	• •	3,2[c]

e. 1995-97 ; f. 1996 ; g. 1996-98 ; h. 1994 ; i. 1993 ; j. 1992 ; k. 1991 ; l. 1990-96 ; m. 1990 ; n. 1989 ; o. 1987-93 ; p. Y compris Japon et Moyen-Orient.

INDICATEUR	UNITÉ	1975	1985	1997	1998
Démographie[a]					
Population	*million*	3,5	4,2	5,9	6,0
Densité	*hab./km²*	167,6	205,3	284,2	290,2
Croissance annuelle	*%*	2,0[q]	2,7[l]	2,2[d]	••
Indice de fécondité (ISF)		3,3[q]	3,0[l]	2,7[d]	••
Indicateurs socioculturels					
Nombre de médecins	*‰ hab.*	2,50	2,90[m]	3,82[c]	••
Scolarisation 2e degré[v]	*%*	66[u]	80[u]	88[eu]	••
Scolarisation 3e degré	*%*	29,4[n]	33,1	43,6[c]	••
Téléviseurs	*‰ hab.*	196,5	260,0	321,5	••
Livres publiés	*titre*	1 907	2 214	4 608[g]	••
Économie					
PIB total (PPA)	*milliard $*	16,8	39,8	105,9	••
Croissance annuelle	*%*	3,6[o]	4,7[h]	2,3	2,0
PIB par habitant (PPA)	*$*	4 870	9 410	18 150	••
Investissement (FBCF)	*% PIB*	21,9[p]	21,5[i]	22,0	20,7
Recherche et Développement	*% PIB*	••	3,2	2,2[g]	••
Taux d'inflation	*%*	36,8	205,1	10,1	5,5
Population active	*million*	1,28	1,61	2,45	••
Agriculture	*% } 100 %*	7,9	5,1	2,5[c]	2,7[t]
Industrie	*% } 100 %*	33,7	30,5	28,5[c]	••
Services	*% } 100 %*	58,3	64,4	69,0[c]	••
Taux de chômage (fin année)	*%*	3,1	6,7	7,7	••
Énergie (consom./hab.)	*TEP*	2,22	1,94	2,84[c]	••
Énergie (taux de couverture)	*%*	85,9	3,4[w]	3,5[c]	••
Aide au développement (APD)	*% PIB*	••	••	••	••
Dépense publique Éducation	*% PIB*	6,7	7,0	7,2[f]	••
Dépense publique Défense	*% PIB*	28,3	20,3	11,5	••
Solde administrat. publiques	*% PIB*	••	••	••	••
Dette administrat. publiques	*% PIB*	••	••	••	••
Échanges extérieurs		**1974**	**1986**	**1997**	**1998**
Importations de services	*milliard $*	1,09	3,24	11,07	11,62
Importations de biens	*milliard $*	5,06	9,73	27,74	26,14
Produits alimentaires	*%*	13,5	9,2	6,9[c]	7,1[b]
Produits énergétiques	*%*	14,9	8,1	6,1[c]	6,5[b]
Produits manufacturés	*%*	55,2	75,9	82,3[c]	81[b]
Exportations de services	*milliard $*	1,14	3,11	8,43	8,81
Exportations de biens	*milliard $*	2,03	7,89	21,89	21,96
Produits agricoles	*%*	18,3	12,8	6,9[c]	6,1[b]
Produits manufacturés	*%*	75,3	84,4	91,1[c]	92,1[b]
dont machines et mat. de transport	*%*	5,5	19,0	26,9[c]	30,2[b]
Solde des transactions courantes	*% du PIB*	– 6,6[r]	– 1,7[k]	– 5,1	– 2,3
Position extérieure nette	*milliard $*	••	••	••	••

Définition des indicateurs, sigles et abréviations p. 31 et suiv. a. Dernier recensement utilisable : 1995. Les données incluent Jérusalem-Est annexée, ainsi que les résidents israéliens des colonies juives des Territoires occupés ; b. 1997 ; c. 1996 ; d. 1995-2000 ; e. 1995 ; f. 1994 ; g. 1992 ; h. 1987-97 ; i. 1987-96 ; j. 1986 ; k. 1985-96 ; l. 1985-95 ; m. 1983 ; n. 1980 ; o. 1977-87 ; p. 1977-86 ; q. 1975-85 ; r. 1975-84 ; s. 1974 ; t. An 2000, estimation FAO. ; u. Taux brut ; v. 14-17 ans ; w. La brusque chute du taux s'explique par le retour du Sinaï à l'Égypte.

Israël/Bibliographie

J. Alia, *Étoile bleue, chapeaux noirs, Israël aujourd'hui,* Grasset, Paris, 1999.

« Armée et nation en Israël : pouvoir civil, pouvoir militaire », *Les Notes de l'IFRI,* n° 10, IFRI, Paris, 1999.

Atlas historique d'Israël, par les correspondants du New York Times, Autrement, Paris, 1998.

J.-C. Attias, E. Benbassa, *Israël imaginaire,* Flammarion, Paris, 1998.

M. Benvenisti, *Jérusalem, une histoire politique,* Actes Sud/Solin, Arles, 1996.

A. Dieckhoff, *L'Invention d'une nation. Israël et la modernité politique,* Gallimard, Paris, 1993.

F. Encel, *Le Moyen-Orient entre guerre et paix, géopolitique du Golan,* Flammarion, Paris, 1999.

I. Greilsamer, *La Nouvelle Histoire d'Israël, essai sur une identité nationale,* Gallimard, Paris, 1998.

P. Haski, D. Gryn, *Ben Gourion,* Autrement, Paris, 1998.

« Israël, une nation recomposée », *Les Cahiers de l'Orient,* n° 54, Paris, 2e trim. 1999.

A. Kapeliouk, *Rabin. Un assassinat politique. Religion, nationalisme, violence en Israël,* Le Monde-Éditions, Paris, 1996.

C. Klein, *La Démocratie d'Israël,* ,Seuil, Paris, 1997.

C. Klein, *Israël, État en quête d'identité,* Casterman/Giunti, Paris, 1999.

« Les 50 ans d'Israël », *Politique étrangère,* IFRI, Paris, été 1998.

Ligue internationale pour le droit et la libération des peuples, *Le Dossier Palestine. La question palestinienne et le droit international,* La Découverte, Paris, 1991.

A. Michel, *Racines d'Israël : 1948, plongée dans 3 000 ans d'histoire,* Autrement, Paris, 1998.

S. Pérès, *Le Voyage imaginaire,* Éditions n° 1, Paris, 1998.

U. Savir, *Les 1 100 jours qui ont changé le Moyen-Orient,* Odile Jacob, Paris, 1998.

T. Segev, *Les Premiers Israéliens,* Calmann-Lévy, Paris, 1998.

D. Vidal, *Le Péché original d'Israël,* Éd. de L'Atelier, Paris, 1998.

Voir aussi les bibliographies « Proche et Moyen-Orient », « Croissant fertile » et « Palestine », p. 222, 240 et 226.

et ses électeurs attendaient de lui des changements décisifs sur plusieurs fronts. Le premier allait naturellement être le processus de paix. E. Barak a été peu précis au cours de sa campagne, mettant surtout en avant son impressionnante carrière militaire et son statut de « soldat le plus décoré de l'histoire d'Israël ». Son surnom d'alors était « le petit Napoléon »... Il s'est tout de même engagé à mettre en œuvre l'accord israélo-palestinien de Wye Plantation, conclu en octobre 1998 sous l'égide des États-Unis, accord qui avait été rapidement gelé par B. Netanyahou, prétextant de l'hostilité d'une partie de ses alliés politiques. Israël s'était engagé à rétrocéder 13 % de territoires supplémentaires à l'Autorité palestinienne (AP), mais s'est arrêté à 2 %.

La paix est-elle encore possible ?

C'est dans la négociation du statut final des territoires palestiniens que E. Barak allait avoir à faire preuve d'audace et de courage. Les Palestiniens, qui ont réagi avec soulagement mais prudence à son élection, savent qu'il sera un négociateur redoutable dès lors qu'il s'agira des garanties de sécurité. Il a d'ailleurs annoncé qu'il se ferait aider, dans ces négociations, par quatre anciens généraux. La majorité des Israéliens interrogés dans les sondages d'opinion semblent convaincus qu'il y aura un jour un État palestinien aux côtés d'Israël. Reste à en définir les frontières, le statut, le sort des colons, repartis à l'offensive une fois les élections passées, et le sort de Jérusalem, la « capitale éternelle » d'Israël que les Palestiniens revendiquent également.

Autre dossier « chaud », le Sud-Liban et la Syrie. E. Barak s'est engagé à retirer les troupes israéliennes du « bourbier » libanais avant un an. Cependant, en tant qu'ancien chef d'État-Major, il connaît la force du Hezbollah chiite et l'importance de la Syrie. Damas, apparemment décidé à aller vite, a demandé à reprendre les négociations avec l'État hébreu où elles s'étaient arrêtées en 1996. E. Barak semblait pouvoir envisager d'évacuer le Golan. Avec l'appui garanti des États-Unis et le soutien d'une solide majorité, il avait les moyens de modifier sensiblement la carte du Proche-Orient et de recréer une dynamique de paix, à condition qu'il saisisse les opportunités dont il dispose au lendemain de son élection.

Sur le plan intérieur, le défi est apparu aussi vaste. E. Barak voulait éviter de retrouver le climat de quasi-guerre civile entre Juifs qui avait précédé l'assassinat de I. Rabin, son mentor en politique, en novembre 1995. L'urgence était d'apaiser les relations

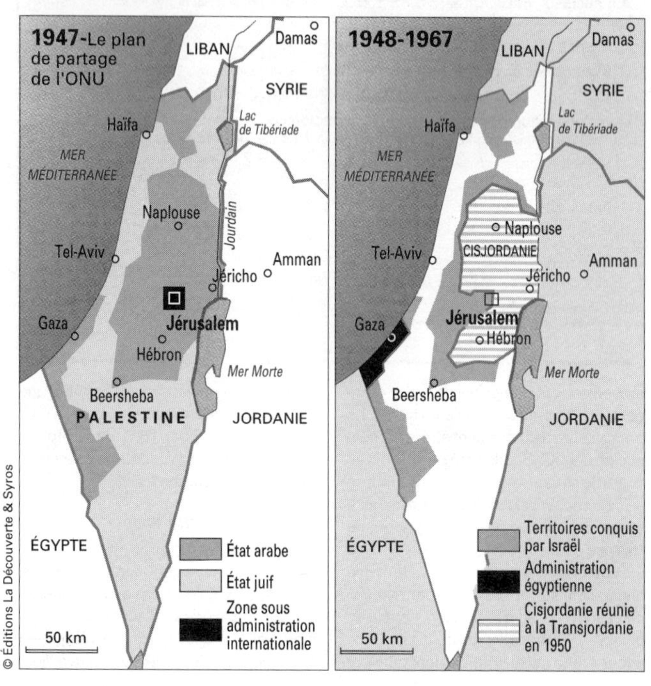

de plus en plus tendues entre laïcs et ultra-orthodoxes, deux courants polarisés, comme l'ont montré les élections, les religieux étant, par exemple, en guerre ouverte contre la Cour suprême, jugée acquise aux forces laïques. L'attitude de E. Barak allait être, sur ce point, examinée à la loupe par tous les acteurs.

L'autre priorité du Premier ministre était la relance de l'économie qui, sous B. Netanyahou, a connu un brutal coup de frein (la croissance du PIB est passée de 6,8 % en 1995 à 2,0 % en 1998, et sans doute un peu au-delà en 1999, le chômage grimpant dans le même temps de 6,9 % à près de 10 % de la population active), malgré l'existence de secteurs de pointe comme les industries de haute technologie. E. Barak devra réussir à construire la paix, mais il échouera s'il ne redresse pas la barre sur les plans économique et social. Un immense défi pour le « petit Napoléon » d'Israël. - **Pierre Haski** ■

Jordanie

L'après-Hussein

L'événement majeur de l'année a été la mort, le 7 février 1999, du roi Hussein, des suites d'un cancer. L'émotion de la population a été à la mesure du règne du souverain (46 ans), le seul qu'aient connu plus de 85 % des Jordaniens. Face aux nombreuses craintes de déstabilisation expri-

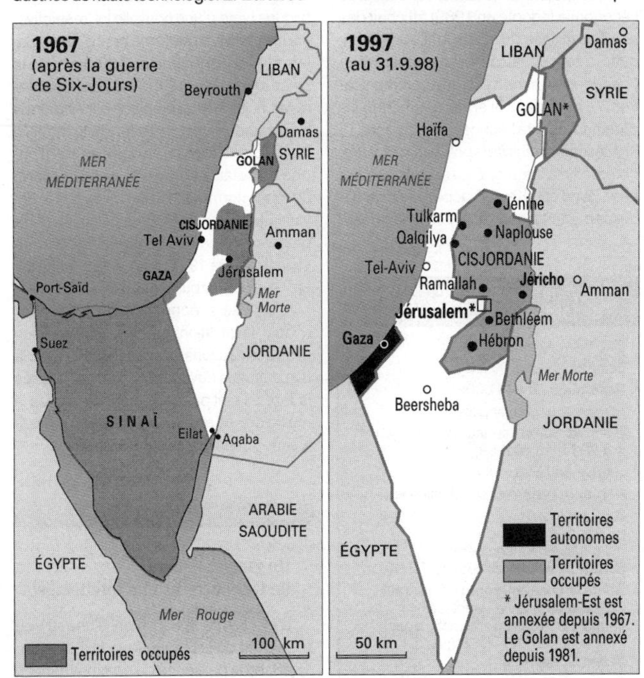

mées, il convient de rappeler que le défunt laissait un État doté d'institutions. Parmi elles, une armée dont est issu le prince héritier Abdallah (né en 1962).

Nommé *in extremis* à la place de son oncle, le fis aîné de Hussein a abordé son règne dans des conditions difficiles. Sur le plan économique et social, l'été 1998 a révélé le trucage du taux de croissance officiel, tandis que le chômage réel était évalué à 27 % des actifs. Longtemps bénéficiaire de la rente, *via* les transferts des expatriés et des États producteurs, le royaume n'en finit plus de subir les effets de l'amenuisement de cette manne – surtout depuis sa rupture avec les pétromonarchies intervenue lors de la guerre du Golfe (1991). En passe d'être reconduit, le plan d'ajustement structurel de l'économie (adopté en 1989) affichait des résultats mitigés : le retrait de l'État (très endetté) a bien eu lieu dans les secteurs marchands – non sans ratés (télécommunication) –, mais dans la sphère publique il a durement affecté l'éducation et la santé.

L'économie éclaire la politique extérieure, comme en a témoigné le rapprochement avec Riyad et le Koweït, accéléré en ce début de règne. Le soutien civil et militaire massif des États-Unis s'est aussi confirmé, favorisé par l'engagement d'Amman dans le processus de paix dans la région (rôle incitatif et symbolique du roi Hussein dans les négociations tenues à Wye Plantation – États-Unis – en octobre 1998). *A contrario*, la normalisation avec Tel-Aviv et les bonnes relations avec Ankara ont contribué à faire monter les tensions avec Damas à l'automne, avant que ne s'esquisse, sous le nouveau règne et avec l'élection d'Ehud Barak, un net réchauffement. Ni le rapprochement avec Riyad et le Koweït ni l'entente avec Washington n'empêchaient le maintien d'un partenariat économique avec l'Irak sous embargo, dont la Jordanie est restée le « poumon ».

Discrédité par un scandale d'eau polluée et par son attitude vis-à-vis des libertés publiques (vote d'une nouvelle loi, restrictive, sur la presse), le gouvernement d'Abdul Salam al-Majali (nommé en 1997) a cédé la place à l'automne 1998 à celui de Fayez Tarawneh, lui-même remplacé par Abdelrauf al-Rawabdeh en mars 1999. Faute de réelle marge de manœuvre, un dialogue avec l'opposition était à l'ordre du jour. Unissant, contre la normalisation avec Israël et la privatisation, islamistes, nationalistes et progressistes, celle-ci a participé au scrutin municipal de l'été 1999, marqué par un retour en force des barbus dans les grandes villes.

L'arrivée à échéance du calendrier d'Oslo, la question du futur État palestinien et de ses relations (confédérales ?) avec la rive orientale devraient concerner de près la Jordanie, et pas seulement du fait que la moitié de ses sujets sont d'origine palestinienne. - **Jean-Christophe Augé** ■

Royaume hachémite de Jordanie

Capitale : Amman.
Superficie : 89 000 km².
Population : 6 304 000.
Langues : arabe, anglais.
Monnaie : dinar (au taux officiel, 1 dinar = 8,73 FF au 30.4.99).
Nature de l'État : monarchie.
Nature du régime : constitutionnel.
Chef de l'État : roi Abdallah ibn Hussein, qui a succédé à son père, Hussein ibn Talal, décédé le 7.2.99.
Chef du gouvernement : Abdelrauf al-Rawabdeh, qui a remplacé en mars 99 Fayez Tarawneh, lequel avait succédé en aut. 98 à Abdul Salam al-Majali.

Liban

Un gouvernement de technocrates et d'intellectuels

L'élection par le Parlement d'un nouveau président de la République (15 octobre 1998) en la personne du commandant en chef de l'armée, le général Émile Lahoud, aussitôt suivie de l'éviction du milliardaire Rafiq Hariri à la tête du gouvernement, a provoqué une « révolution blanche » dans la vie politique libanaise. Elle a restitué, en effet, au chef de l'État un rôle prépondérant dans le fonctionnement des institutions et mis fin à la gestion tripartite et conflictuelle du pays qui durait depuis 1992 (la fameuse « troïka » qui réunissait le président Élias Hraoui, le président du Conseil R. Hariri et le président du Parlement Nabih Berri, seul rescapé de l'ère nouvelle).

Animée par la volonté de moraliser la vie publique et de lutter contre les inégalités sociales qui se sont creusées depuis la fin de la guerre (1990), la nouvelle équipe gouvernementale, composée pour l'essentiel de technocrates – comme le nouveau Premier ministre sunnite Sélim el-Hoss, connu pour son intégrité et son expérience – ou d'intellectuels – à l'image de Georges Corm, nommé ministre des Finances –, a procédé au début de l'année 1999 à une série de limogeages dans l'administration publique, tout en pressant la justice de faire la lumière sur des affaires impliquant, à des degrés divers, des responsables de l'« ancien régime ».

Le gouvernement a également fait de la lutte contre l'endettement public l'une des priorités de sa politique économique (la dette publique a atteint 109 % du PNB à la fin de l'année 1998, contre 98 % fin 1997), tout en hésitant sur le choix des instruments appropriés (à la mi-1999, le budget n'était toujours pas voté).

Concernant le Sud-Liban, le gouvernement s'est opposé à toute modification de l'accord d'avril 1996, qui vise à exclure les civils des opérations militaires, et a dénoncé sa violation répétée par Israël (massacre d'une famille de six enfants dans le village de Janta – dans la Bekaa – par un missile israélien, le 22 décembre 1998). A la fois pour venger l'humiliation du retrait de l'ALS (Armée du Liban sud, milice supplétive de l'État israélien en zone occupée) de la ville de Jezzine (1er juin 1999), rétablir la confiance de l'armée face à la guérilla de plus en plus efficace du Hezbollah (mort du général israélien Eretz Gerstein le 28 février 1999) et réagir après les tirs de mortier lancés par la même formation pro-iranienne sur la localité israélienne de Kiriat Chimouna, le gouvernement sortant du Premier ministre israélien Benyamin Netanyahou a lancé, dans la nuit du 24 au 25 juin 1999, une série de raids aériens sur la totalité du territoire libanais, provoquant des pertes civiles (8 morts et 60 blessés) et des dégâts matériels (destruction de deux centrales électriques et de plusieurs ponts) estimés à plus de 30 millions de dollars.

Après cette opération, intervenue à la veille d'une reprise des négociations entre le nouveau Premier ministre israélien Ehud Barak et le président syrien Hafez el-Assad, les dirigeants libanais ont réaffirmé le prin-

République libanaise

Capitale : Beyrouth.
Superficie : 10 400 km². Dans le Liban sud, une bande de territoire est occupée par Israël.
Population : 3 191 000.
Langues : arabe, français.
Monnaie : livre libanaise (au taux officiel, 100 livres = 0,41 FF au 30.4.99).
Nature de l'État : république unitaire à base communautaire. Les accords de Taef (oct. 89) ont prévu une déconfessionnalisation des institutions.
Nature du régime : parlementaire.
Chef de l'État : général Émile Lahoud, qui a succédé le 24.11.98 à Elias Hraoui.
Premier ministre : Sélim el-Hoss, également ministre des Affaires étrangères, qui a succédé le 2.12.98 à Rafic Hariri.
Vice-premier ministre et ministre de l'Intérieur : Michel al-Murr.
Ministre de la Défense : Ghazi Zaiter.
Ministre des Affaires étrangères : Farès Boueiz.

Croissant fertile/Bibliographie

S. Al Khazendar, *Jordan and the Palestine Question,* Ithaca Press, Berqshire, 1997.

J.-C. Augé, A. Mouftard, « La politique étrangère et régionale : héritages, contraintes et inflexions », *Maghreb-Machrek,* n° 164, La Documentation française, Paris, avr.-juin 1999.

R. Bocco (sous la dir. de), *Le Royaume hachémite de Jordanie : identités sociales, politiques de développement et construction étatique en Jordanie, 1946-1998,* Karthala/CERMOC, Paris/Amman/Beyrouth (à paraître).

R. Bocco, B. Destremeau, J. Hannoyer, *Palestine, Palestiniens. Territoire national, espaces communautaires,* Éditions du CERMOC, Beyrouth, 1997.

L.-J. Duclos, *La Jordanie,* PUF, coll. « Que sais-je ? », Paris, 1999 (rééd.).

M. Hamameh, R. Hollis, K. Shikaki, *Jordanian-Palestinian Relations : Where to ? Four scenarios for the Future,* Royal Institute of International Affairs, Londres, 1997.

T. Hanf, *Coexistence in Wartime Lebanon : Decline of a State and Rise of a Nation,* Tauris, Londres, 1993.

H. Hourani (sous la dir. de), *Islamic Movements in Jordan,* Sindbad Publishing, Amman, 1997.

Jordanies, n° 3 et 4, Éditions du CERMOC, Amman, juin 1997-déc. 1998.

F. Kiwan (sous la dir. de), *Le Liban aujourd'hui,* CNRS-Éditions, Paris, 1994.

M. Lavergne, *La Jordanie,* Karthala, Paris, 1996.

J.-F. Legrain« Les 1 001 successions de Yasser Arafat », *Monde arabe/Maghreb-Machrek,* n° 160, La Documentation française, Paris, avr.-juin 1998.

V. Perthes, *The Political Economy of Syria under Assad,* I. B. Tauris, Londres, 1995.

É. Picard, « Fin de partis en Syrie », *REMMM (Revue des mondes musulmans et de la Méditerranée),* nos 81-82, Édisud, Aix-en-Provence, 1996.

É. Picard, *Lebanon, the Shattered Country,* Holmes & Meier, New York, 1996.

Politique et État en Jordanie 1946-1996, Actes du colloque international des 24-25 juin 1997, CERMOC/IMA, Éditions du CERMOC, Beyrouth, 1997.

A. Renon, *Géopolitique de la Jordanie,* Complexe, Bruxelles, 1996.

V. Rivière-Tencer, A. Attac, *Jérusalem, destin d'une métropole,* L'Harmattan, Paris, 1998.

Voir aussi les bibliographies « Irak », « Israël » et « Palestine », p. 230, 235 et 226, ainsi que la bibliographie sélective « Proche et Moyen-Orient », p. 222.

cipe de l'unicité du volet libano-syrien, liant la question du Golan occupé à celle du Sud-Liban, dernier « front arabe » face à l'État hébreu et indispensable instrument de pression dans les négociations. Le principe de la solidarité libano-syrienne a aussi trouvé une application commerciale, puisqu'un accord entre les deux pays, signé début 1999 a prévu une libéralisation progressive des échanges jusqu'à la disparition des barrières douanières, fixée à 2002. - **Bernard Rougier** ■

Syrie

Perspectives de paix avec Israël

Lors d'une visite en France, en juillet 1998, le président Hafez al-Assad, a redit que la signature d'un accord de paix avec Jérusalem n'était possible que si Israël restituait à la Syrie le plateau du Golan qu'il occupait depuis 1967. La situation au Sud-Liban, où Israël a maintenu des troupes d'occupation à partir de 1978, a été la cause de vives tensions en 1998, Israël accusant Damas de soutenir les actions militaires du parti chiite Hezbollah contre ses soldats. Ehud Barak, qui a été élu en mai 1999 pour succéder à Benyamin Netanyahou à la tête du gouvernement israélien, a évoqué un retrait de l'armée israélienne dans un délai d'un an, mais ne s'est pas prononcé sur l'avenir du Golan. Dans un entretien au journal *Al-Hayat*, le 23 juin 1999, Hafez el-Assad s'est toutefois montré optimiste sur les chances d'aboutir à un accord de paix. Les bombardements effectués sur le Liban le 24 juin 1999, à l'initiative du gouvernement israélien sortant, n'ont pas suscité de vive réaction à Damas, la Syrie cherchant à ménager E. Barak dont l'entrée en fonctions ne s'est faite qu'en juillet suivant.

La coopération militaire de la Turquie avec Israël inquiétait Damas. A la suite des manœuvres militaires effectuées en Méditerranée par les deux pays (décembre 1997), le ministre des Affaires étrangères Farouk al-Charah a demandé à Ankara, en mars 1998, de revoir ses relations avec Jérusalem. La tension s'est accrue lorsque le président turc Süleyman Demirel a accusé, en mai 1998, la Syrie de dresser le monde arabe contre son pays et de soutenir le Parti des travailleurs du Kurdistan (PKK, en guerre contre le gouvernement d'Ankara), puis l'a menacée d'une action militaire (octobre 1998). En dépit de la médiation du président égyptien Hosni Moubarak, la Turquie a imposé, le 8 octobre 1998, un délai de 45 jours à la Syrie pour cesser de soutenir le PKK. La Syrie a alors expulsé le chef du PKK, Abdullah Öcalan, qui résidait dans la banlieue de Damas, puis a signé à Adana un accord avec la Turquie (20 octobre 1998), dans lequel elle s'engageait à ne plus soutenir les séparatistes kurdes.

Dans le même temps, la normalisation des relations avec l'Irak a progressé. Des contrats commerciaux ont été signés et les ministres du Pétrole des deux États ont décidé, en juillet 1998, la construction d'un nouvel oléoduc et la réouverture de celui qui reliait Kirkouk (Irak) à Banyas (Syrie) jusqu'en 1982. La Syrie a par ailleurs dénoncé, en décembre 1998, l'action militaire *Renard du désert* menée par les États-Unis et le Royaume-Uni contre l'Irak. Le 19 décembre 1998, une manifestation de soutien à l'Irak a rassemblé 10 000 personnes à Damas, qui, débordant les forces de police, ont provoqué des dégâts à l'ambassade américaine, dont le drapeau a été brûlé, ainsi qu'au centre culturel britannique.

Aux élections législatives du 20 novembre 1998, 7 000 candidats se sont disputé les 250 sièges à pourvoir, dont 187 étaient réservés à des représentants du Front national progressiste (FNP, au pouvoir) dirigé par le parti Baas. Sans surprise, H. el-Assad a obtenu, le 10 février 1999, un cinquième mandat de président de la République, au terme d'un plébiscite qui lui a permis de recueillir 99,98 % des voix. Pour-

République arabe syrienne

Capitale : Damas.
Superficie : 185 180 km² (incluant le plateau du Golan dont l'annexion par Israël en 1981 n'est pas reconnue au plan international).
Population : 15 333 000.
Langue : arabe.
Monnaie : livre syrienne (au taux officiel, 1 livre = 0,55 FF au 30.4.99).
Nature de l'État : république « démocratique, populaire et socialiste », centralisée.
Nature du régime : présidentiel autoritaire, appuyé sur un parti dirigeant, le Baas.
Chef de l'État : Hafez el-Assad (depuis le 22.2.71, reconduit pour la 5e fois le 10.2.99).
Chef du gouvernement : Mahmoud el-Zubi, Premier ministre (depuis nov. 87).
Vice-président : Abd el-Halim Khaddam.
Ministre des Affaires étrangères : Farouk el-Charah.
Ministre de la Défense : Mustafa Tlass.
Revendication territoriale : le Golan, occupé par Israël depuis 1967, qui l'a annexé en 1981.

suivant son ascension politique, son fils Bachar al-Assad a été nommé colonel et a pris des responsabilités accrues dans la gestion des affaires du Liban, à l'occasion de l'accession d'Émile Lahoud à la présidence de la République de ce pays (novembre 1998). Dans le même temps, plusieurs hauts responsables de l'armée et des services de sécurité ont été mis à l'écart. Le chef de l'État-Major des armées, le général Hikmat Chihabi, a été remplacé par le général Ali Aslan en juillet 1998. Le chef de la sécurité intérieure Muhamad Nassif a été mis à la retraite (avril 1999) et Bachir Najàr, chef des renseignements généraux, a été démis de ses fonctions et incarcéré en mai 1999.

L'économie a subi les conséquences de la chute des cours du pétrole, qui représente 70 % de la valeur des exportations et 40 % du budget de l'État. La situation sociale était précaire. Alors que la croissance démographique restait supérieure de 2,5 % par an, le PIB a perdu 0,7 point en 1998 (4,3 %), tandis que 60 % des actifs gagnaient moins de 100 dollars par mois. Le gouvernement négociait, en 1999, un accord d'association avec l'Union européenne. Malgré les demandes répétées des entrepreneurs locaux, qui ne se satisfaisaient plus de la loi 10 de 1991 assouplissant le régime d'investissement, la libéralisation de l'économie restait bloquée. - **Emmanuel Bonne** ■

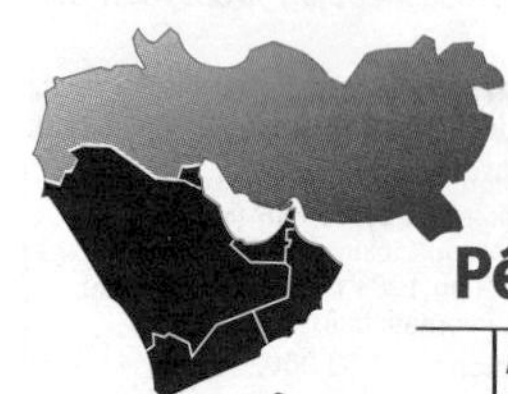

Péninsule Arabique

Arabie saoudite, Bahreïn, Émirats arabes unis, Koweït, Oman, Qatar, Yémen

Arabie saoudite

Renforcement de l'autorité du prince héritier Abdallah

En dépit de la crise économique et de la tension avec l'Irak, le royaume a célébré, fin janvier 1999, le centième anniversaire de sa fondation selon le calendrier hégirien, avec un faste qui a déplu aux religieux.

Le roi Fahd a subi plusieurs interventions chirurgicales d'urgence en 1998 et 1999. Très diminué, il a été maintenu sur le trône par l'absence de consensus, au sein de la famille royale, sur l'opportunité de procéder à un transfert de pouvoir. Le prince héritier Abdallah a néanmoins renforcé son autorité à l'intérieur du pays, en imposant des mesures d'austérité. Il s'est aussi donné une stature internationale en effectuant, à l'automne 1998 et au printemps 1999, plusieurs tournées à l'étranger. Lors de ces visites, il a invité les grandes puissances occidentales à instaurer avec son pays un « partenariat économique stratégique » et les États du Maghreb et du Machrek à « reconstruire la Maison arabe ».

La baisse du prix du pétrole (trois quarts des revenus du pays) a contraint le royaume à emprunter 5 milliards de dollars aux Émi-

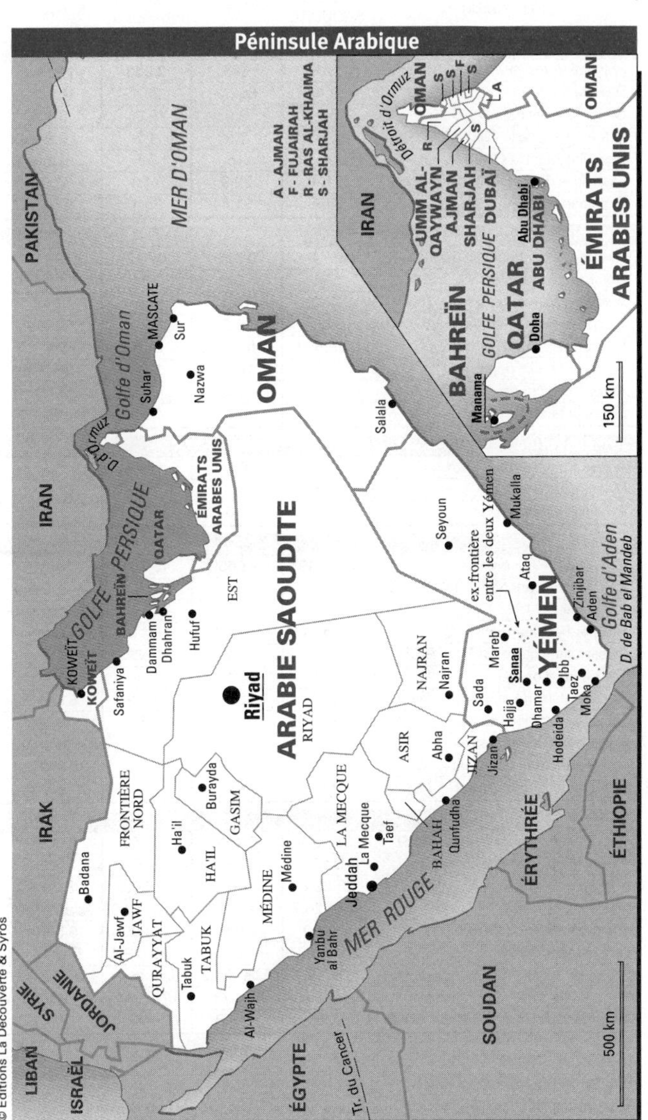
Péninsule Arabique
PAKISTAN
IRAN
IRAK
SYRIE
JORDANIE
LIBAN
ISRAËL
ÉGYPTE
SOUDAN
ÉRYTHRÉE
ÉTHIOPIE
MER D'OMAN
Golfe d'Oman
D. d'Ormuz
GOLFE PERSIQUE
MER ROUGE
Golfe d'Aden
D. de Bab el Mandeb
Tr. du Cancer
KOWEÏT
BAHREÏN
QATAR
ÉMIRATS ARABES UNIS
OMAN
ARABIE SAOUDITE
YÉMEN
Riyad
RIYAD
EST
FRONTIÈRE NORD
HA'IL
GASIM
MÉDINE
LA MECQUE
TABUK
JAWF
QURAYYAT
ASIR
BAHAH
JIZAN
NAJRAN
Koweït
Safaniya
Dammam
Dhahran
Hufuf
Buravda
Ha'il
Badana
Al-Jawf
Tabuk
Al-Wajh
Yanbu al Bahr
Médine
Jeddah
La Mecque
Taef
Qunfudha
Abha
Jizan
Najran
Sada
Hajja
Sanaa
Dhamar
Hodeida
Ibb
Taez
Moka
Mareb
Aden
Zinjibar
Ataq
Seyoun
Mukalla
Salala
Suhar
MASCATE
Nazwa
Sur
ex-frontière entre les deux Yémen
500 km
A - AJMAN
F - FUJAIRAH
R - RAS AL-KHAIMA
S - SHARJAH
IRAN
OMAN
Détroit d'Ormuz
UMM AL-QAYWAYN
AJMAN
SHARJAH
DUBAÏ
GOLFE PERSIQUE
BAHREÏN
Manama
QATAR
Doha
Abu Dhabi
ABU DHABI
ÉMIRATS ARABES UNIS
150 km

INDICATEUR	ARABIE SAOUDITE	BAHREÏN	ÉMIRATS ARABES U.	KOWEÏT
Démographie[a]				
Population *(millier)*	20 181	595	2 353	1 811
Densité *(hab./km²)*	9,4	862,3	28,1	101,6
Croissance annuelle (1995-2000) *(%)*	3,4	2,0	2,0	3,1
Indice de fécondité (ISF) (1995-2000)	5,8	2,9	1,7	2,9
Mortalité infantile (1995-2000) *(‰)*	23	16	16	12
Espérance de vie (1995-2000) *(année)*	71,4	72,9	74,8	75,9
Population urbaine *(%)*	84,5	91,4	85,1	97,4
Indicateurs socioculturels				
Développement humain (IDH)[c]	0,74	0,832	0,812	0,833
Nombre de médecins *(‰ hab.)*	1,34[i]	1,31[k]	0,84[j]	0,20[m]
Analphabétisme (hommes)[c] *(%)*	19,0	10,1	26,0	16,9
Analphabétisme (femmes)[c] *(%)*	37,6	19,3	23,2	22,5
Scolarisation 12-17 ans *(%)*	59,8[k]	59,8[k]	71,6[k]	75,9[m]
Scolarisation 3[e] degré *(%)*	16,3[f]	19,3[f]	11,9[f]	26,7[f]
Adresses Internet[d] *(‰ hab.)*	0,16	9,60	75,34	33,88
Livres publiés *(titre)*	3 900[f]	40[f]	293[i]	196[i]
Armées (effectifs)				
Armée de terre *(millier d'h.)*	70	8,5	59	11
Marine *(millier d'h.)*	13,5	1	1,5	1,8
Aviation *(millier d'h.)*	18	1,5	4	2,5
Économie				
PIB total (PPA)[c] *(million $)*	203 149	9 665[f]	42 385	28 684
Croissance annuelle 1987-97 *(%)*	3,3	3,4	4,9	3,0
Croissance 1998 *(%)*	1,2	2,1	– 5,6	2,2
PIB par habitant (PPA)[c] *($)*	10 120	16 140[f]	18 110	18 100
Investissement (FBCF) *(% PIB)*	18,5[e]	14,7[e]	25,8[g]	14,0[e]
Taux d'inflation *(%)*	-0,2	0,1	3,1	0,5
Énergie (taux de couverture)[f] *(%)*	514,9	116,6	460,2	812,5
Dépense publique Éducation *(% PIB)*	5,5[c]	4,8[c]	1,8[c]	5,7[c]
Dépense publique Défense[c] *(% PIB)*	12,4	6,5	5,5	11,4
Dette extérieure totale[c] *(million $)*	••	2 710[f]	11 440[f]	7 040[f]
Service de la dette/Export.[e] *(%)*	••	••	••	••
Échanges extérieurs				
Importations (douanes) *(million $)*	23 700	3 463	26 950	8 005
Principaux fournisseurs[c] *(%)*	E-U 22,9	E-U 9,1	E-U 9,3	E-U 22,2
(%)	UE 39,6	UE 17	UE 30,9	UE 39,8
(%)	Asie[o] 26,7	M-O 44	Asie[o] 49,9	Asie[o] 27,8
Exportations (douanes) *(million $)*	38 800	3 268	24 200	9 529
Principaux clients[c] *(%)*	E-U 15,3	UE 2	Asie[o] 73,4	E-U 13
(%)	UE 18	Asie[o] 21,2	Jap 36,4	UE 10,7
(%)	Asie[o] 58,1	PNS[n] 73,1	PNS[n] 14	Asie[o] 70,6
Solde transactions courantes *(% PIB)*	0,2[d]	– 17,3	••	9,4

Définition des indicateurs, sigles et abréviations p. 31 et suiv. Chiffres 1998 sauf notes. a. Derniers recensements utilisables : Arabie saoudite, 1992 ; Bahreïn, 1991 ; Émirats arabes unis, 1995 ; Koweït, 1995 ; Oman, 1993 ; Qatar, 1997 ; Yémen, 1994. b. 1995 ; c. 1997 ; d. janv. 1999 ; e. 1995-97 ; f. 1996 ; g. 1994-96 ; h. 1994 ; i. 1993 ;

OMAN	QATAR	YÉMEN
2 382	579	16 887
11,2	52,6	32,0
3,3	1,8	3,7
5,8	3,7	7,6
25	17	80
70,9	71,7	58,0
80,7	92,1	36,2
0,725	0,814	0,449
0,88[j]	1,50[m]	0,10[m]
23,1	20,4	35,8
45,0	18,8	79,1
72,3[k]	80,1[k]	••
6,4[f]	26,6[f]	4,2[f]
2,74	0,22	0,01
7[f]	209[f]	••
25	8,5	61
4,2	1,8	1,8
4,1	1,5	3,5
21 307	10 530	12 951
5,3	2,7	3,8[l]
3,6	11,5	2,7
9 980	16 080	810
18,8[e]	25,0[c]	20,9[e]
1,5	2,6	9,0
975,8	338,6	619,3
4,4[c]	3,4[c]	6,1[h]
10,9	13,7	7,0
3 602	12 640[f]	3 856
7,8	••	2,7
5 682	5 170	2 421
E-U 7,6	E-U 9,1	E-U 7,3
UE 33	UE 57,3	UE 24,7
Asie[o] 51,9	Asie[o] 27,7	Asie[o] 44,5
5 950	5 550	1 501
E-U 3,6	E-U 2,7	Jap 49,2
Asie[o] 88,8	Asie[o] 90,1	Cor 11,7
Jap 25,6	Jap 49,2	Sing 11,9
••	••	– 3,9

j. 1992 ; k. 1991 ; l. 1990-97 ; m. 1990 ; n. Pays non spécifiés ; o. Y compris Japon et Moyen-Orient.

rats arabes unis et à adopter, en juillet 1998, des mesures d'économie : suspension des projets non engagés, renégociation des contrats, diminution des achats, gel des nominations dans la fonction publique... Ces dispositions n'ont pas empêché un déficit budgétaire trois fois plus élevé que prévu (12,3 milliards de dollars) et des manœuvres spéculatives contre le riyal qui a cependant résisté. Établi sur la base d'un baril à 12 dollars, le budget 1999 a conjugué restriction des dépenses et réformes économiques, mais n'a pas instauré l'impôt sur le revenu réclamé de longue date par le FMI. Pour faire remonter les cours, Riyad a pressé ses partenaires de l'OPEP (Organisation des pays exportateurs de pétrole) de respecter les quotas, plusieurs fois revus à la baisse. En mars 1999, il a restreint sa production à 7,5 millions de barils par jour, pour la pre-

Royaume d'Arabie saoudite

Capitale : Riyad.
Superficie : 2 149 690 km².
Population : 20 181 000.
Langue : arabe.
Monnaie : riyal saoudien (1 riyal = 1,65 FF au 29.4.99).
Nature de l'État : monarchie.
Nature du régime : monarchie absolue.
Chef de l'État et du gouvernement (au 25.7.99) : roi Fahd ben Abdul-Aziz al-Saoud (depuis juin 82).
Vice-président du Conseil des ministres : (au 25.7.99) prince Abdallah bin Abdul-Aziz al-Saoud.
Ministre de la Défense : (au 25.7.99) prince Sultan ben Abdul-Aziz al-Saoud.
Ministre de l'Intérieur : (au 25.7.99) prince Nayef ben Abdul-Aziz Saoud.
Ministre des Affaires étrangères : (au 25.7.99) prince Saoud al-Faysal ben Abdul-Aziz al-Saoud.
Territoires contestés : litige avec le Koweït sur la délimitation de leur frontière maritime ; différend avec le Yémen sur la majeure partie de leur frontière commune ; contentieux avec le Qatar et les ÉAU sur le tracé des frontières.

mière fois depuis la guerre du Golfe de 1991.

Avec les problèmes économiques, la question irakienne est demeurée au centre des préoccupations. Les dirigeants saoudiens balançaient entre la volonté d'en finir avec le régime irakien, leur désir d'accorder à Washington le soutien réclamé à cette fin et leur crainte d'indisposer une population majoritairement opposée aux frappes contre l'Irak. Ils ont déploré que les bombardements américano-britanniques de décembre 1998 aient contribué à renforcer la position du président Saddam Hussein et ont jugé qu'il était illusoire d'accorder du crédit à l'opposition irakienne en exil. Ils ont opposé leur veto à la tenue d'un sommet arabe qui aurait offert une tribune à leur ennemi irakien. En janvier 1999, ils ont riposté à un appel de S. Hussein au « soulèvement des peuples du Hejaz et du Nejd », en prenant la tête d'une initiative, largement conforme aux projets américains, combinant atténuation de l'effet des sanctions sur la population irakienne et maintien de l'isolement diplomatique, économique et financier du régime de Bagdad.

La visite effectuée par le président iranien Mohammad Khatami à Riyad et dans les Lieux saints, en 1999, a scellé le rapprochement entre le royaume et l'Iran amorcé en 1997. Cette normalisation a fortement déplu aux Émirats arabes unis, qui ont reproché à l'Arabie saoudite son manquement à la solidarité entre membres du CCG (Conseil de coopération du Golfe). Il s'est ensuivi une polémique verbale sans précédent que les autres États de l'organisation se sont efforcés de circonscrire au plus tôt.

Malgré des déclarations d'intention apaisantes, Riyad n'a rien fait, tout au contraire, pour améliorer ses relations avec le Yémen. Les promesses de soutien faites au nouveau roi de Jordanie Abdallah ont tardé à se concrétiser. Les rapports avec l'Afghanistan se sont dégradés, après le refus des taliban de livrer ou de réduire au silence l'opposant saoudien Oussama ben Laden, accusé par Washington d'avoir été l'instigateur des attentats du 7 août 1998 contre les ambassades américaines de Dar-es-Salam et de Nairobi. - **Ignace Leverrier** ■

Bahreïn

La mort de l'émir

Cheikh Hamad ben Issa a succédé à son père, Cheikh Issa ben Salman al-Khalifa, décédé d'une crise cardiaque le 6 mars 1999, et a nommé son fils aîné, Salman ben Hamad, prince héritier de l'émirat. Il a maintenu son oncle, Cheikh Khalifa ben Salman, Premier ministre depuis 1971, à la tête d'un gouvernement remanié. Saisissant la main tendue par l'opposition, il a amnistié 320 prisonniers, soit le quart des détenus politiques, et autorisé le retour des opposants en exil.

Émirat du Bahreïn

Capitale : Manama.
Superficie : 678 km^2.
Population : 595 000.
Langue : arabe.
Monnaie : dinar (1 dinar = 16,46 FF au 30.4.99).
Nature de l'État : émirat.
Nature du régime : monarchie absolue.
Chef de l'État : Cheikh Hamad ben Issa al-Khalifa, qui a succédé le 6.3.99 à son père, Cheikh Issa ben Salman al-Khalifa (décédé).
Chef du gouvernement : Cheikh Khalifa ben Salman al-Khalifa (depuis 1971).
Ministre des Affaires étrangères : Cheikh Mohammed ben Moubarak al-Khalifa.
Ministre de l'Intérieur : Cheikh Mohammed ben Khalifa ben Hamid al-Khalifa.
Ministre de la Défense : Cheikh Khalifa ben Ahmed al-Khalifa.
Territoires contestés : litige avec le Qatar sur les îles Hawar.

Après deux années de froid entre les deux pays, l'émirat a accueilli un nouvel ambassadeur d'Iran et invité le président Mohammad Khatami à se rendre en visite à Manama. Il a également recherché l'apaisement avec le Qatar dans le contentieux sur les îles Hawar, et tenté de maintenir une opposition équilibrée à l'égard de l'Irak. - **Ignace Leverrier** ■

Emirats arabes unis (EAU)

Face à la baisse des revenus pétroliers

Abu Dhabi a compensé la baisse de ses revenus pétroliers (8 milliards de dollars en 1998, soit – 35 %) grâce à l'apport de ses placements extérieurs (plus de 10 milliards de dollars). En revanche, le commerce de Dubai a stagné, victime des difficultés économiques de la Russie et de l'Iran, destinations privilégiées de ses réexportations. Ébranlée par un minikrach boursier (chute de 30 % en octobre 1998), par une baisse de 45 % des actions en huit mois et par des banqueroutes répétées, la Fédération a imposé plus de prudence à ses banques et décidé de la création d'un marché des valeurs.

Abu Dhabi a accueilli, en décembre 1998, le 19e sommet du Conseil de coopération des États arabes du Golfe (CCG), qui a apporté aux EAU un appui formel dans le litige qui les opposait à l'Iran sur la question des îles Tomb et Abu Mussa. Mais l'« empressement » de ses voisins, et en premier lieu Riyad, à se rapprocher de Téhéran a irrité Abu Dhabi qui a laissé planer la menace d'un retrait du CCG.

Favorable, dans la crise irakienne, à une solution diplomatique et à la réintégration de Bagdad dans les rangs arabes, la Fédération a critiqué le projet américain de renversement du régime de Saddam Hussein, susceptible selon elle de déboucher sur une partition de l'Irak. Enfin, Abu Dhabi s'est montré actif, aux plans militaire et humanitaire, dans le soutien au Kosovo. - **Ignace Leverrier** ■

Émirats arabes unis (ÉAU)

Capitale : Abu Dhabi.
Superficie : 83 600 km².
Population : 2 353 000.
Langue : arabe.
Monnaie : dirham (1 dirham = 1,68 FF au 31.3.99).
Nature de l'État : fédération réunissant sept émirats (Abu Dhabi, Dubaï, Sharjah, Ajman, Umm al-Qaywayn, Ras el-Khaima, Fujairah).
Nature du régime : monarchies absolues.
Chef de l'État : Cheikh Zayed ben Sultan al-Nahyan, émir d'Abu Dhabi (depuis 1971).
Chef du gouvernement : Cheikh Maktoum ben Rached al-Maktoum, émir de Dubaï.
Ministre des Affaires étrangères : Cheikh Rached ben Abdallah al-Nuaymi
Ministre de l'Intérieur : Mohammed Saïd al-Badi.
Ministre de la Défense : Cheikh Mohammed ben Rached al-Maktoum.
Territoires contestés : litige avec l'Iran sur les îles Tomb (Grande Tomb et Petite Tomb) et sur Abu Mussa ; contentieux avec l'Arabie saoudite sur plusieurs points de la frontière.

Koweït

Renforcer l'isolement de Bagdad

La chute du prix du pétrole a entraîné une baisse des revenus de l'État de 5 milliards de dollars en 1998. L'exécutif a réagi en proposant, en janvier 1999, une réforme économique, contre laquelle libéraux et islamistes ont fait front, arguant que ce projet privilégiait les hausses de prix au détriment des réformes structurelles. Profitant de la vacance du Parlement, le gouvernement a promulgué des décrets-lois destinés à favoriser les investissements étrangers. Le budget 1999-2000 a malgré tout prévu un déficit record (22 % du PIB).

Le blocage du dialogue entre législatif et exécutif a conduit le chef de l'État Cheikh Jaber à dissoudre la Chambre des députés, le 4 mai 1999. La campagne qui s'est aussitôt ouverte pour son renouvellement, fixé au 3 juillet suivant, a été animée. Défié dans son autorité, le pouvoir a énoncé des menaces à l'adresse des islamistes, qui s'étaient opposés au projet de l'émir d'octroyer aux femmes le droit de vote et d'éligibilité dès 2003, et des tribus, qui ont organisé des « primaires » internes afin de désigner leurs candidats, enfreignant ainsi la loi.

L'Irak est demeuré au premier plan des préoccupations extérieures. L'émirat a continué d'écarter toute idée de dialogue, rejetant toujours la réintégration de son voisin dans la communauté arabe faute d'un changement de régime à la tête du pays. Déçu par les opérations militaires américano-britanniques de décembre 1998, les plus importantes depuis la fin de la guerre du Golfe, il s'est rangé derrière l'Arabie saoudite, en janvier 1999, pour promouvoir une « solution régionale », d'inspiration américaine. Celle-ci conjuguerait mesures humanitaires au profit de la population irakienne, soutien à l'opposition en exil et contribution à la chute du président Saddam Hussein.

La diplomatie koweïtienne a pris diverses initiatives (visite à Moscou, rencontre à New York avec le ministre des Affaires étrangères yéménite, réouverture de l'ambassade jordanienne à Koweït...), dans le but de renforcer l'isolement de Bagdad. - **Ignace Leverrier** ■

Émirat du Koweït

Capitale : Koweït.
Superficie : 17 811 km².
Population : 1 811 000.
Langue : arabe.
Monnaie : dinar (1 dinar = 20,27 FF au 30.4.99).
Nature de l'État : émirat.
Nature du régime : parlementaire.
Chef de l'État : Cheikh Jaber al-Ahmed al-Jaber al-Sabah (depuis 1977).
Chef du gouvernement : Cheikh Saad al-Abdallah al-Salem al-Sabah (depuis 1978).
Ministre des Affaires étrangères : Cheikh Sabah al-Ahmed al-Jaber al-Sabah.
Ministre de l'Intérieur : Cheikh Mohammed al-Khaled al-Hamed al-Sabah.
Ministre de la Défense : Cheikh Salem al-Sabah al-Salem al-Sabah.
Échéances électorales : législatives (2000).
Territoires contestés : litige sur la délimitation de la frontière maritime avec l'Arabie saoudite.

Oman

Programme d'austérité

La chute du prix du pétrole (60 % des recettes du sultanat) a été combattue, en 1998, par diverses mesures : contraction des dépenses publiques, suspension des projets non engagés et tirage sur le fonds de réserve. La Bourse a connu une forte baisse (– 54 %, après 141 % de hausse en 1997), mais la monnaie locale n'a pas été dévaluée. Établi sur la base d'un baril à 9 dollars, le budget 1999 a instauré d'autres mesures d'austérité : taxation des produits de luxe, relèvement du prix de l'eau et de l'électricité, hausse de l'impôt sur les sociétés...

Alors que l'État poursuivait un coûteux programme de production de gaz naturel liquéfié (GNL) à la rentabilité lointaine, le sultan Qabous a incité le secteur privé à « omaniser » les emplois, à faire preuve d'initiative et à investir dans le pays.

Le sultanat a exprimé sa solidarité avec le peuple irakien, rejeté les ingérences étrangères et appelé à la levée de l'embargo, mais

Sultanat d'Oman

Capitale : Mascate.
Superficie : 212 457 km^2
Population : 2 382 000.
Langue : arabe.
Monnaie : riyal (1 riyal = 16,09 FF au 30.4.99).
Nature de l'État : sultanat.
Nature du régime : monarchie absolue.
Chef de l'État et du gouvernement : Sultan Qabous ben-Saïd al-Saïd (depuis 1970), également ministre des Affaires étrangères et de la Défense.
Ministre délégué aux Affaires étrangères : Youssef ben Alaoui ben Abdallah.
Ministre de l'Intérieur : Ali ben Hammoud ben Ali al-Bousaïdi (depuis le 5.11.96).
Ministre de la Défense : Badr ben Saoud ben Hareb al-Bousaïdi (depuis le 5.11.96).

Émirat du Qatar

Capitale : Doha.
Superficie : 11 000 km^2.
Population : 579 000.
Langue : arabe.
Monnaie : riyal (1 riyal = 1,70 FF au 30.4.99).
Nature de l'État : émirat.
Nature du régime : monarchie absolue.
Chef de l'État : Cheikh Hamed ben Khalifa ben Hamed al-Thani (depuis le 27.6.95), également ministre de la Défense.
Chef du gouvernement : Cheikh Abdallah ben Khalifa ben Hamed al-Thani, également ministre de l'Intérieur.
Ministre des Affaires étrangères : Cheikh Hamed ben Jasem ben Jaber al-Thani.
Territoires contestés : litige avec le Bahreïn sur les îles Hawar.

il a évité de gêner Washington comme de déplaire à Riyad. De même, il a intensifié ses relations avec l'Iran, tout en se montrant solidaire d'Abu Dhabi dans son litige avec Téhéran sur la possession des îles Tomb et Abu Mussa, comme dans sa polémique avec l'Arabie saoudite liée à l'« empressement » de cette dernière à normaliser ses relations avec l'Iran. - **Ignace Leverrier** ■

Qatar

Mise en chantier d'une Constitution

Cheikh Hamad, le chef de l'État, a annoncé, le 16 novembre 1998, la mise en chantier d'une Constitution permanente prévoyant la mise en place d'un Parlement démocratiquement élu. Les élections municipales du 8 mars 1999, premier recours au suffrage universel dans l'émirat, ont constitué un début de succès pour la démocratie mais un échec pour les femmes candidates, dont aucune n'a été élue.

Au plan économique, l'émirat a déployé de gros efforts pour trouver les financements nécessaires à l'exploitation de ses ressources gazières et pour en assurer la commercialisation en direction de plusieurs pays d'Asie que l'émir a visités dans ce but.

Doha a accueilli Mohammad Khatami, premier président iranien à visiter l'émirat depuis la révolution de 1979, et a affiché encore davantage de distances par rapport à la politique américaine à l'égard de l'Irak. - **Ignace Leverrier** ■

Yémen

Graves difficultés sociales et économiques

Le Yémen a connu une nouvelle année difficile avec des explosions de violence et la chute de ses revenus extérieurs, aggravée par la politique d'ajustement structurel de l'économie. Les pressions du pouvoir sur l'opposition, les syndicats (journalistes, avocats) et la presse se sont accrues alors

Péninsule Arabique/Bibliographie

A. Basbous, « Les pays du Golfe face à la crise algérienne », *Les Cahiers de l'Orient,* n° 51, Paris, 3e trim. 1998.

N. Bombacci, « Préférence nationale à la saoudienne », *Le Monde diplomatique,* Paris, oct. 1998.

J.-P. Charnay, Y. Thoraval (sous la dir. de), *Sultanat d'Oman. Retour à l'Histoire,* L'Harmattan, Paris, 1998.

J. Chelhod (sous la dir. de), *Arabie du Sud,* 3 vol., Maisonneuve et Larose, Paris, 1997 (nouv. éd.).

A. H. Cordesman, *Bahrain, Oman, Qatar and the UAE : Challenges of Security,* Westview Press, Boulder, 1997.

A. H. Cordesman, *Saudi Arabia : Guarding the Desert Kingdom,* Westview Press, Boulder, 1997.

O. Da Lage, *Géopolitique de l'Arabie saoudite,* Complexe, Bruxelles, 1996.

R.H. Dekmejian, « Saudi Arabia's Consulting Council », *The Middle East Journal,* vol. 52, n° 2, Middle East Institute, Washington, print. 1998.

R. Detalle, « Les islamistes yéménites et l'État : vers l'émancipation ? », *in* M. Chartoury-Dubarry (sous la dir. de), *Les Stratégies des États arabes vis-à-vis des mouvements islamistes,* IFRI/Armand Colin, Paris, 1997.

B. Dumortier, *Géographie de l'Orient arabe,* Armand Colin, Paris, 1997.

M. Fandy, *Saudi Arabia and the Politics of Dissent,* Macmillan, Londres, 1999.

S. Ghabra, « Kuwait and the Dynamics of Socio-economic Change », *The Middle East Journal,* vol. 51, n° 3, Middle East Institute, Washington, été 1997.

H. Gubbash, *Oman, une démocratie islamique,* Maisonneuve et Larose, Paris, 1998.

H. Labrousse, « Le règlement du conflit des îles Hanish », *Défense nationale,* n° 2, Paris, févr. 1999.

J. A. Lefebvre, « Red Sea Security and the Geopolitical-Economy of the Hanish Islands Conflict », *The Middle East Journal,* vol. 52, n° 3, Middle East Institute, Washington, été 1998.

« Les partis politiques dans les pays arabes. 1. Le Machrek », *REMMM (Revue du monde musulman et de la Méditerranée),* nos 81-82, Aix-en-Provence, 1996.

I. Leverrier, « L'Arabie saoudite, le pèlerinage et l'Iran », *CEMOTI, Cahiers d'études sur la Méditerranée orientale et le monde turco-iranien,* n° 22, Paris, juill.-déc. 1996.

F. Mermier, R. Leveau, U. Steinbach (sous la dir. de), *Le Yémen contemporain,* Karthala, Paris, 1999.

M. J. O'Reilly, « Omani balancing : Oman confront an uncertain future », *The Middle East Journal,* vol. 52, n° 1, Middle East Institute, Washington, hiv. 1998.

J. Seguin, « L'aménagement du territoire en Arabie saoudite : ses enjeux politiques », *Monde arabe/Maghreb-Machrek,* n° 156, La Documentation française, Paris, avr.-juin 1997.

F. Thual, *Abrégé géopolitique du Golfe,* Ellipses, Paris, 1997.

« Yémen : l'État face à la démocratie », *Monde arabe/Maghreb-Machrek,* n° 155, La Documentation française, Paris, 1997.

Voir aussi la bibliographie sélective « Proche et Moyen-Orient », p. 222.

même que les partisans d'une alternance restaient incapables de se regrouper. Le Parti socialiste yéménite (PSY) a adopté lors de son congrès de novembre 1998 une ligne « dure » justifiée par le harcèlement policier dont il fait l'objet et les sentences de mort prononcées en 1998 contre cinq de ses dirigeants en exil. Le PSY a néanmoins choisi de présenter un candidat à l'élection présidentielle du 28 septembre 1999. Face à un gouvernement concentré sur des réformes sans audace (à la veille du scrutin), la Chambre des députés, dominée par le Congrès populaire général du président Ali Abdallah Saleh, a multiplié interpellations et commissions d'enquête, pour dénoncer les tares du régime. Le Rassemblement yéménite pour la réforme, parti d'opposition islamiste, pourrait choisir de soutenir la candidature du président.

Un nouveau découpage territorial (20 gouvernorats censés effacer l'ancienne division Nord/Sud) a précédé l'adoption d'une loi de décentralisation, attendue depuis l'unification du pays en 1990 et promise pour 1999. La sécurité intérieure est restée fragile, jusqu'au drame de la prise en otages par un groupe islamiste du sud du pays, fin décembre 1998, de quatre touristes étrangers (trois Britanniques et un Australien), qui sont finalement morts lors de l'assaut donné pour les libérer. Les procès des inculpés et d'un groupe d'étrangers (incluant des Britanniques d'origine pakistanaise) accusés de préparer des attentats ont révélé la faiblesse de l'État de droit et les collusions entre les islamistes radicaux et certaines figures du régime. Ces événements ont affecté le tourisme et suscité de vives tensions avec Londres.

Les revenus pétroliers sont passés de 1,1 milliard de dollars en 1997 à 454 millions en 1998, mais commençaient à se redresser en 1999. Le rial a continué de glisser face au dollar alors que la pauvreté et le chômage s'étendaient. En mars 1999, la première tranche de la zone franche d'Aden a été inaugurée dans un climat morose. Le gouvernement s'est engagé auprès du FMI et de la BIRD (Banque internationale pour la reconstruction et le développement) à poursuivre le processus d'ajustement économique avec une restructuration de la fonction publique et des privatisations d'entreprises. Les négociations frontalières avec l'Arabie saoudite se sont poursuivies sans hâte, mais l'arbitrage sur l'archipel des Hanish (mer Rouge), disputé avec l'Érythrée, a été rendu en faveur du Yémen en octobre 1998. Les relations avec le Koweït sont revenues à leur niveau d'avant la guerre du

République du Yémen

Capitale : Sanaa.
Superficie : 527 968 km^2.
Population : 16 887 000.
Langue : arabe.
Monnaie : riyal (au taux officiel, 100 riyals = 4,15 FF au 31.3.99).
Nature de l'État : issu de l'unification engagée en 1990 du Yémen du Sud et du Yémen du Nord, marqué par le tribalisme qui atténue la centralisation administrative et financière.
Nature du régime : présidentiel, pluralisme politique restreint.
Chef de l'État : maréchal Ali Abdallah Saleh, président de la République (depuis le 22.5.90).
Vice-président : général Abderabu Mansur Hadi (depuis oct. 1994).
Président du Conseil : Abdulkarim al-Iryani (depuis le 14.5.98).
Vice-président du Conseil et ministre des Affaires étrangères : Abdulqader Bajammal (depuis mai 1998).
Échéances institutionnelles : élections présidentielle et éventuellement locales (2e sem. 99).
Territoires contestés : Le Yémen et l'Arabie saoudite ont confirmé par un nouvel accord, le 28.7.98, le mémorandum de févr. 95 qui donne un caractère définitif au traité de Taef de 1934 définissant la section occidentale de leur frontière terrestre dont la démarcation reste à renouveler. Le reste de la frontière yéméno-saoudienne vers Oman n'est pas défini, de même que la frontière maritime en mer Rouge, ce qui affecte la souveraineté sur des îles qui ont fait l'objet d'un bref affrontement en juillet 1998. Dans le contentieux avec l'Érythrée, après l'attribution par un tribunal arbitral de la plupart des îles et îlots du sud de la mer Rouge au Yémen, les deux pays sont convenus de déterminer par négociation directe la limite de leurs eaux territoriales.

Golfe (1991) avec la réouverture des ambassades. L'armée américaine, qui souhaite disposer de facilités d'entreposage et de ravitaillement à Aden, a participé au déminage hérité du conflit civil de 1994 et à des manœuvres militaires. En juin 1999, le Yémen a accueilli les délégations de quinze pays pour le premier Forum des démocraties émergentes, organisé par les États-Unis.

Le président Saleh a effectué un nouveau voyage en Asie du Sud-Est (Inde, Japon, Singapour) en mars 1999 et a poursuivi ses efforts en faveur de la tenue d'un sommet arabe. - **Renaud Detalle** ■

Moyen-Orient

Afghanistan, Iran, Pakistan

Afghanistan

Une année mouvementée pour les taliban

Après leurs échecs en 1997, les taliban (mouvement fondamentaliste d'ethnie pachtou) sont repartis à l'offensive contre la coalition tripartite du nord de l'Afghanistan. Le 8 août 1998, ils se sont emparés de Mazar-i-Charif, dernière grande cité à leur échapper. Le général Rachid Doustom, commandant des forces ouzbèkes qui tenaient la ville, a été contraint à l'exil. Des milliers de civils de l'ethnie chiite hazara ont été massacrés, alors que les sunnites étaient épargnés. Le consulat iranien a été pris d'assaut et une dizaine de diplomates ont été assassinés. Les taliban fondirent ensuite sur la capitale des Hazaras, Bamyan, qui tomba le 13 août. Puis ils relancèrent l'offensive contre le bastion du commandant Ahmed Shah Massoud, dans le Nord-Est, et s'emparèrent brièvement de sa capitale, Taloqan. Cependant, cette dernière offensive échoua. Massoud, devenu le seul chef militaire de l'opposition, reprit sa capitale et ses positions traditionnelles, entre le nord de Kaboul et la frontière du Tadjikistan.

Malgré leur victoire militaire, les taliban se sont retrouvés momentanément isolés du fait de leur association avec un réseau islamiste de terrorisme international. Les États-Unis dénoncèrent l'implication d'Oussama ben Laden, activiste saoudien réfugié depuis 1997 auprès des taliban, dans les attentats contre deux de leurs ambassades au Kénya et en Tanzanie (7 août 1998). O. ben Laden dirige, en association avec Ayman Al Zawahiri, un Égyptien chef du Jihad islamique, le mouvement Al Qaida, qui appelle au *jihad* contre les chrétiens et les juifs. Le 20 août, les États-Unis lancèrent des missiles de croisière contre des camps d'activistes islamiques en territoire afghan sous contrôle taliban. Le lendemain, un officier des Nations unies était assassiné à Kaboul, tandis qu'au Pakistan des manifestations dénonçaient l'action américaine. L'ONU évacua son personnel d'Afghanistan.

Un nouveau front contre les taliban s'est ouvert en septembre 1998, lorsque l'Iran a massé 200 000 hommes sur la frontière af-

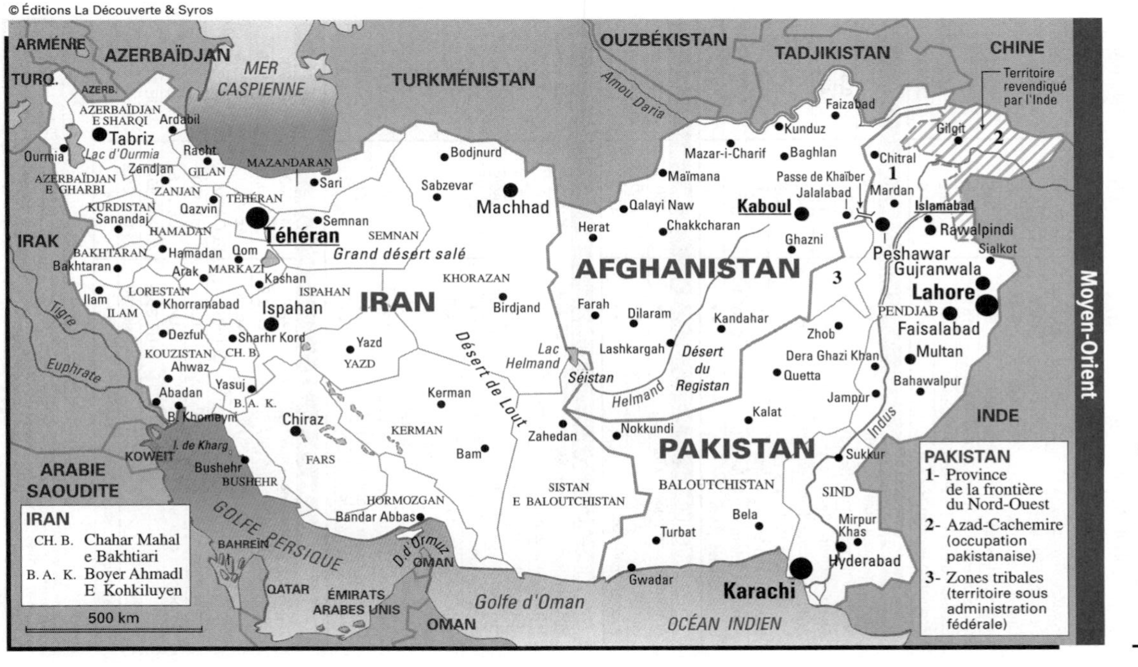
Moyen-Orient
ARMÉNIE
AZERBAÏDJAN
TURQ.
AZERB.
MER CASPIENNE
TURKMÉNISTAN
OUZBÉKISTAN
TADJIKISTAN
CHINE
Territoire revendiqué par l'Inde
Amou Daria
AZERBAÏDJAN E SHARQI
Ardabil
Tabriz
Ourmia
Lac d'Ourmia
Racht
Zandjan
GILAN
MAZANDARAN
Sari
AZERBAÏDJAN E GHARBI
ZANJAN
TEHERAN
KURDISTAN
Sanandaj
Qazvin
Téhéran
Semnan
SEMNAN
Bodjnurd
Sabzevar
Machhad
IRAK
HAMADAN
Hamadan
Qom
BAKHTARAN
Bakhtaran
Arak
MARKAZI
Grand désert salé
KHORAZAN
Kashan
ISPAHAN
Ispahan
IRAN
Birdjand
LORESTAN
Khorramabad
Ilam
ILAM
Tigre
Dezful
Sharhr Kord
CH. B.
Yazd
YAZD
KOUZISTAN
Ahwaz
Euphrate
Yasuj
Abadan
B. A. K.
Bl Khomeyni
Chiraz
Kerman
KERMAN
Bam
Désert de Lout
Lac Helmand
Séistan
Zahedan
I. de Kharg
KOWEIT
Bushehr
BUSHEHR
FARS
ARABIE SAOUDITE
HORMOZGAN
Bandar Abbas
SISTAN E BALOUTCHISTAN
GOLFE PERSIQUE
BAHREIN
D. d'Ormuz
OMAN
QATAR
ÉMIRATS ARABES UNIS
Golfe d'Oman
OMAN
Herat
Qalayi Naw
Chakkcharan
Maïmana
Mazar-i-Charif
Kunduz
Baghlan
Faizabad
Passe de Khaïber
Jalalabad
Kaboul
Ghazni
AFGHANISTAN
Farah
Dilaram
Kandahar
Lashkargah
Désert du Registan
Helmand
Chitral
Gilgit
1
2
3
Mardan
Islamabad
Rawalpindi
Peshawar
Sialkot
Gujranwala
Lahore
PENDJAB
Faisalabad
Zhob
Multan
Dera Ghazi Khan
Quetta
Bahawalpur
Jampur
Kalat
Indus
INDE
Nokkundi
PAKISTAN
Sukkur
SIND
BALOUTCHISTAN
Bela
Mirpur Khas
Turbat
Hyderabad
Gwadar
Karachi
OCÉAN INDIEN
IRAN
CH. B. Chahar Mahal e Bakhtiari
B. A. K. Boyer Ahmadl E Kohkiluyen
500 km
PAKISTAN
1- Province de la frontière du Nord-Ouest
2- Azad-Cachemire (occupation pakistanaise)
3- Zones tribales (territoire sous administration fédérale)

INDICATEUR	AFGHANI-STAN	IRAN	PAKISTAN
Démographie[a]			
Population *(millier)*	21 354	65 758	148 166
Densité *(hab./km²)*	32,7	40,5	192,2
Croissance annuelle (1995-2000) *(%)*	2,9	1,7	2,8
Indice de fécondité (ISF) (1995-2000)	6,9	2,8	5,0
Mortalité infantile (1995-2000) *(‰)*	151	35	74
Espérance de vie (1995-2000) *(année)*	45,5	69,2	64,0
Population urbaine *(%)*	21,1	60,6	35,92
Indicateurs socioculturels			
Développement humain (IDH)[c]	• •	0,715	0,508
Nombre de médecins *(‰ hab.)*	0,14[j]	0,34[j]	0,55[j]
Analphabétisme (hommes)[c] *(%)*	51,9	19,3	44,8
Analphabétisme (femmes)[c] *(%)*	82,1	34,2	74,7
Scolarisation 12-17 ans *(%)*	15,5[l]	59,8[k]	17,0[l]
Scolarisation 3e degré *(%)*	1,7[f]	17,1[f]	3,4[f]
Adresses Internet[d] *(‰ hab.)*	0,0004	0,04	0,21
Livres publiés *(titre)*	• •	15 073[f]	124[i]
Armées (effectifs)			
Armée de terre *(millier d'h.)*	• •	350	520
Marine *(millier d'h.)*	• •	20,6	22
Aviation *(millier d'h.)*	• •	47,5	45
Économie			
PIB total (PPA)[c] *(million $)*	28 409[g]	322 027[b]	199 960
Croissance annuelle 1987-97 *(%)*	1,2	3,6	4,5
Croissance 1998 *(%)*	6,0	1,7	5,4
PIB par habitant (PPA)[c] *($)*	1 330[g]	5 460[b]	1 560
Investissement (FBCF) *(% PIB)*	• •	24,6[e]	14,1[h]
Taux d'inflation *(%)*	14,0	22,0	7,8
Énergie (taux de couverture)[f] *(%)*	40,6[bm]	247,3	74,2
Dépense publique Éducation *(% PIB)*	1,5[l]	4,0[b]	3,0[f]
Dépense publique Défense[c] *(% PIB)*	12,5	6,6	5,9
Dette extérieure totale[c] *(million $)*	• •	11 816	29 665
Service de la dette/Export.[e] *(%)*	• •	30,0	30,1
Échanges extérieurs			
Importations (douanes) *(million $)*	496[f]	13 000	9 170
Principaux fournisseurs[c] *(%)*	UE 12,8	UE 40,9	E-U 11,8
(%)	Asie[o] 67	Asie[o] 28,1	UE 20,9
(%)	Ex-URSS 13,3	Ex-CAEM 12,1	Asie[o] 54,3
Exportations (douanes) *(million $)*	125[f]	13 150	8 500
Principaux clients[c] *(%)*	E-U 6,7	UE 24,6	E-U 18,8
(%)	UE 30,9	Asie[o] 35,4	UE 31,1
(%)	Asie[o] 43	PNS[n] 24,2	Asie[o] 35,7
Solde transactions courantes *(% PIB)*	• •	• •	– 2,8[c]

Définition des indicateurs, sigles et abréviations p. 31 et suiv. Chiffres 1998 sauf notes. a. Derniers recensements utilisables : Afghanistan, 1979 ; Iran, 1996 ; Pakistan, 1998. b. 1995 ; c. 1997 ; d. janv. 1999 ; e. 1995-97 ; f. 1996 ; g. 1998 ; h. 1996-98 ; i. 1994 ; j. 1993 ; k. 1991 ; l. 1990 ; m. Chiffres des Nations unies ; n. Pays non spécifiés ; o. Y compris Japon et Moyen-Orient.

Afghanistan/Bibliographie

E. Bachelier, *L'Afghanistan en guerre, la fin du grand jeu soviétique,* PUL, Lyon, 1992.

J.-P. Digard, *Le Fait ethnique en Iran et en Afghanistan,* CNRS-Éditions, Paris, 1988.

P. Frison, *L'Afghanistan post-communiste,* La Documentation française, Paris, 1993.

W. Maley (sous la dir. de), *Fundamentalism Reborn : Afghanistan and the Taliban,* Hurst & Company, Londres, 1998.

S. A. Mousavi, *The Hazaras of Afghanistan,* St. Martin's Press, Londres, 1998.

F. Nahavandi, *L'Asie du Sud-Ouest : Afghanistan, Iran, Pakistan,* L'Harmattan, Paris, 1991.

O. Roy, *The Lessons of the Soviet-Afghan War,* Adelphi Paper, HSS, Londres, 1991.

Voir aussi la bibliographie sélective « Proche et Moyen-Orient », p. 222, ainsi que les bibliographies « Iran » et « Pakistan », p. 259 et 264.

ghane, menaçant d'intervenir si les assassins des diplomates n'étaient pas punis. Le 24 septembre, l'Arabie saoudite, l'un des rares soutiens des taliban avec le Pakistan, rappelait son chargé d'affaires à Kaboul. Les taliban refusèrent de livrer O. ben Laden ou même de l'expulser. Cependant, conseillés par le Pakistan, ils allaient peu à peu desserrer la pression internationale.

Une mission de l'ONU, dirigée par l'envoyé spécial du secrétaire général, l'Algérien Lakhdar Brahimi, désamorça la crise avec l'Iran. La pression américaine diminua, ayant pour seul objectif l'expulsion de O. ben Laden, qui « disparut » opportunément près de Jalalabad en février 1999. S'ils n'ont pas obtenu d'occuper le siège de l'Afghanistan à l'ONU, les taliban ont réussi à éviter toute confrontation ouverte avec les États-Unis et l'Iran. Ils ont continué de développer leur conception très restrictive de la société islamique, bénéficiant toujours du soutien du Pakistan, dont le Premier ministre, Mian Nawaz Sharif, n'a pas hésité, en septembre, à se faire l'apôtre d'une « talibanisation » du système judiciaire au Pakistan. Début 1999, des missions iranienne, turkmène et chinoise rencontrèrent les taliban. Le chef de la diplomatie turkmène, Boris Sheykhmuradov, se rendit à Kandahar en février 1999 et rencontra Mollah Omar, le chef charismatique des taliban.

Sur le plan intérieur, les taliban ne sont pas parvenus à s'imposer définitivement. Le bastion du Nord-Est, bien approvisionné en armes par la Russie et l'Iran, a continué de résister en octobre et en novembre, Massoud a repris une partie du terrain conquis (Nahrin, est de la ville de Kunduz). Une opposition armée anti-taliban renaissait en octobre dans les provinces de Fayab et de Jozjan, fiefs des Ouzbeks battus en août, tandis que des heurts opposaient régulièrement

Émirat d'Afghanistan

Une situation institutionnelle confuse a prévalu après la chute du régime mis en place par l'URSS, le 27.4.92. Cette situation a été marquée par une guerre civile entre factions, qui s'est poursuivie après la prise de Kaboul par les taliban le 26.9.96.

Capitale : Kaboul.

Superficie : 647 497 km².

Population : 21 354 000.

Langues : pachtou, dari, ouzbek, etc.

Monnaie : afghani (au taux officiel, 100 afghanis = 0,20 FF au 30.4.99).

Nature de l'État : émirat islamique.

Nature du régime : autoritaire.

Chef de l'État et du gouvernement : (reconnu par l'ONU au 31.9.98) : Burhanuddin Rabbani (depuis le 28.6.92). Le pouvoir de fait est détenu par les taliban.

les milices taliban à des tribus pachtoun. En février 1999, la tribu des Gurbaz s'est révoltée après l'interdiction par les taliban d'un jeu traditionnel. Le blocus de la frontière iranienne a aussi entraîné une chute des revenus provenant de la drogue, même si les taliban déclarent régulièrement vouloir en interdire la production.

Le 14 mars 1999, lors d'une rencontre routinière, sous l'égide de l'ONU, entre les taliban et l'opposition au Turkménistan, un accord surprise a été signé par les deux chefs de délégation, Ahmed Mottawakil pour les taliban et Younous Qanouni pour le commandant Massoud. Il a prévu un gouvernement de coalition et une armée commune, ce qu'avaient toujours refusé les taliban. L'applicabilité d'un tel accord restait donc douteuse, chaque partie comptant sans doute affaiblir son adversaire en apparaissant ouvert au compromis politique. **- Olivier Roy** ■

Iran

En quête de pluralisme, voire de démocratie

A peine plus d'un an après l'élection du nouveau président de la République, Mohammad Khatami (23 mai 1997), dont les maîtres mots sont le dialogue, le respect de l'État de droit et la promotion de la société civile, la violence est revenue sur le devant de la scène politique iranienne. En août 1998, Asadollah Ladjervardi, ancien responsable de l'administration pénitentiaire, honni par les familles des victimes de la répression des années quatre-vingt, a été abattu à Téhéran. Le même mois, Mohsen Rafighdoust, président de la très puissante Fondation des déshérités, l'un des personnages les plus énigmatiques du régime, échappait à un attentat. L'émotion a culminé en novembre lorsqu'un ancien ministre de Mehdi Bazargan, Daryoush Forouhar, et son épouse, Parvaneh Eskandari, ont été poignardés à leur domicile et lorsque plusieurs journalistes et intellectuels, proches du Cercle des écrivains, ont disparu et ont finalement été retrouvés morts. La multiplication des manifestations de protestation, notamment lors des funérailles des victimes, et l'ampleur des critiques de la presse – bien que celle-ci ait été soumise au harcèlement de la justice depuis plusieurs mois, que des titres aient été interdits ou suspendus, et que l'équipe rédactionnelle la plus en vue, celle de *Djame'eh* (devenu *tous*), ait été emprisonnée pendant plusieurs semaines en septembre-octobre 1998 – ont amené le président Khatami et le Guide de la Révolution, Ali Khamenei, à exiger que la lumière soit faite sur ces meurtres. L'enquête a abouti à l'arrestation de fonctionnaires du ministère du Renseignement et à la démission de Ghorbanali Dorri Nadjafabadi, titulaire de ce portefeuille, en février 1999. Sans précédent dans l'histoire de la République, ce dénouement a été perçu comme une victoire de son président.

Retour de la violence politique

L'évolution politique et économique du pays, depuis la fin des années quatre-vingt, a marginalisé une partie des acteurs de la Révolution et de la guerre contre l'Irak (1980-1988), dont certains étaient susceptibles de recourir à la violence. L'ouverture culturelle progressive du régime, l'inflexion de sa politique étrangère, la professionnalisation de sa classe politique, la libéralisation économique – aussi limitée soit-elle – et la montée en puissance du secteur privé ont lésé certains intérêts, les frustrations favorisant l'extrémisme populiste. La colère des militants du Ansar-e hezbollah (Compagnons du parti de Dieu), qui, tout au long de l'année, ont agressé physiquement plusieurs personnalités politiques ou des rédactions de journaux, en aura été une expression récurrente depuis les législatives de 1996. Mais les meurtres de 1998 ont prouvé que la République islamique avait aussi ses soldats perdus. L'assassinat, en avril 1999, du général Ali Sayyad Shirazi, l'adjoint au commandant en chef des forces armées, a suggéré que la série des attentats n'était pas forcément close, même si cet acte terroriste a été imputé aux modjahedin du peuple.

Le puissant mouvement de juillet 1999 et la contremanifestation organisée en réaction ont souligné, dans la rue, l'avivement des luttes politiques. La scène électorale et institutionnelle est demeurée un cadre important de la lutte factionnelle. En octobre 1998, le Conseil des experts, dont la principale prérogative est de pourvoir, en cas de nécessité, à la succession du Guide de la Révolution, a été renouvelé. Dans la sélection des candidatures, le Conseil de surveillance de la Constitution a outrancièrement privilégié la droite. Mais la participation électorale a été très faible (45 %). En revanche, les conditions contestables du scrutin ont relancé le débat sur les prérogatives du jurisconsulte (*velayat-e faqih*), le Guide de la Révolution, et contribué à diffuser une conception plus constitutionnaliste que sacraliste de cette institution centrale de la République.

En février 1999, l'élection des conseils islamiques des villes, des banlieues et des villages, prévue depuis le lendemain de la Révolution, s'est soldée par la victoire des partisans de M. Khatami, qui ont notamment emporté la mairie de Téhéran avec, comme tête de liste, Abdollah Nouri, l'ancien ministre de l'Intérieur destitué par le Parlement en juin 1998, et pris à partie par des militants du Ansar-e hezbollah en septembre. Dans ce contexte, le rejet de l'appel déposé par l'ancien maire, Gholamhossein Karbastchi, condamné à une peine de prison pour corruption en 1998, l'arrestation du théologien critique Mohsen Kadivar et la poursuite des attaques contre la presse, y compris le quotidien *Zan* de Faezeh Hachemi, sont surtout apparus comme des manifestations de dépit de la part de la Justice, restée aux mains de la droite jusqu'au retrait de Mohammad Yazdi (juin 1999). En mai 1999, la motion de censure déposée au Parlement contre Ataollah Mohajerani, le ministre de la Culture, l'un des principaux artisans de l'ouverture, a été rejetée. Le pouvoir de M. Khatami s'est trouvé conforté par la formation du Front de la participation islamique, qui donne à ses partisans une organisation autonome par rapport à la gauche islamique

République islamique d'Iran

Capitale : Téhéran.
Superficie : 1 648 000 km^2.
Population : 65 758 000.
Langues : persan (off.), kurde, turc azéri, baloutche, arabe, arménien.
Monnaie : rial (au taux officiel, 100 rials = 0,35 FF au 30.4.99).
Nature de l'État : république islamique.
Nature du régime : fondé sur les principes de l'éthique de l'islam, combinés à quelques éléments de démocratie parlementaire.
Chef de l'État : Ali Khamenei, guide de la Révolution (depuis juin 89).
Chef de l'Assemblée pour la défense de la raison d'État : Ali Akbar Hachemi Rafsandjani (depuis mars 97).
Président de la République, chef du gouvernement : Mohammad Khatami (depuis le 3.8.97).
Porte-parole du Conseil de surveillance de la Constitution : ayatollah Ahmad Djannati.
Président du Parlement : Ali Akbar Nategh Nouri (réélu pour la quatrième année consécutive en juin 99).
Partis politiques : théoriquement reconnus par l'article 26 de la Constitution, les partis politiques sont en cours de constitution, même si le régime continue de reposer sur un système factionnel. Principaux courants : Société du clergé combattant (droite conservatrice) ; Association des clercs combattants et Alliance de la ligne de l'Imam (rassemblant la gauche), Serviteurs de la reconstruction (rafsandjanistes ; Front de participation islamiste (khatamiste). *Opposition :* Organisation des modjahedin du peuple (en exil et sans réelle audience en Iran).

INDICATEUR	UNITÉ	1975	1985	1997	1998
Démographie[a]					
Population	*million*	33,3	47,6	64,6	65,8
Densité	*hab./km²*	20,6	29,4	39,8	40,5
Croissance annuelle	%	3,6[u]	2,7[l]	1,7[c]	• •
Indice de fécondité (ISF)		6,7[u]	4,9[l]	2,8[c]	• •
Mortalité infantile	‰	89[u]	48[l]	35[c]	• •
Espérance de vie	*année*	59,9[u]	66,0[l]	69,2[c]	• •
Indicateurs socioculturels					
Nombre de médecins	*‰ hab.*	0,31[w]	0,35[j]	0,34[f]	• •
Analphabétisme (hommes)	%	45,2	37,7	19,3	• •
Analphabétisme (femmes)	%	68,4	61,0	34,2	• •
Scolarisation 12-17 ans	%	46,7	51,6	59,8[g]	• •
Scolarisation 3ᵉ degré	%	2,0[x]	4,1	17,1[b]	• •
Téléviseurs	*‰ hab.*	45,0	51,1	148,3	• •
Livres publiés	*titre*	3 027[s]	5 567	15 073[b]	• •
Économie					
PIB total (PPA)	*milliard $*	96,5	174,2	322,0	• •
Croissance annuelle	%	– 1,4[q]	3,6[h]	3,0	1,7
PIB par habitant (PPA)	$	2 910	3 700	5 460[d]	• •
Investissement (FBCF)	*% PIB*	21,6[r]	18,7[i]	24,9	• •
Recherche et Développement	*% PIB*	• •	• •	0,5[e]	• •
Taux d'inflation	%	13,5	13,3	29,2	22,0
Population active	*million*	9,96	13,66	18,28	• •
Agriculture	% } *100 %*	43,7	42,2	36,3	26,6[y]
Industrie	% } *100 %*	26,5	23,2	23,4[d]	• •
Services	% } *100 %*	29,8	34,6	40,3[d]	• •
Énergie (taux de couverture)	%	873,5	236,1	247,3[b]	• •
Dépense publique Éducation	*% PIB*	• •	3,6	4,0[d]	• •
Dépense publique Défense	*% PIB*	19,7	[z]	6,6	• •
Dette extérieure totale	*milliard $*	4,50[p]	6,06	11,82	• •
Service de la dette/Export.	%	6,8	5,2[o]	30,0[m]	• •
Échanges extérieurs		**1974**	**1986**	**1997**	**1998**
Importations de services	*milliard $*	2,40	2,28	3,08	• •
Importations de biens	*milliard $*	7,30	10,58	14,99	• •
Produits alimentaires	%	18,4	12,7[n]	15,7[e]	• •
Produits manufacturés	%	74,7	82,4[n]	• •	• •
dont machines	%	23,1	34,5[n]	• •	• •
Exportations de services	*milliard $*	0,96	0,24	0,86	• •
Exportations de biens	*milliard $*	21,40	7,17	22,39	• •
Produits énergétiques	%	97,3	95,8	79,2[d]	• •
Produits agricoles	%	1,2	1,6	5,3[d]	• •
Produits manufacturés	%	1,2	2,5	• •	• •
Solde des transactions courantes	*% du PIB*	3,1[t]	0,7[k]	• •	• •

Définition des indicateurs, sigles et abréviations p. 31 et suiv. a. Dernier recensement utilisable : 1996 ; b. 1996 ; c. 1995-2000 ; d. 1995 ; e. 1994 ; f. 1993 ; g. 1991 ; h. 1987-97 ; i. 1987-96 ; j. 1986 ; k. 1985-96 ; l. 1985-95 ; m. 1995-97 ; n. 1985 ; o. 1984-86 ; p. 1980 ; q. 1977-87 ; r. 1977-86 ; s. 1977 ; t. 1976-84 ; u. 1975-85 ; v. 1974 ; w. 1970 ; x. 1965 ; y. An 2000, esstimation FAO ; z. Les estimations varient entre 8 % Banque mondiale, et 36 % (*The Military Balance*).

Iran/Bibliographie

F. Adelkhah, *Être moderne en Iran,* Karthala, coll. « Recherches internationales », Paris, 1998.

F. Adelkhah, « Le retour de Sindbad : l'Iran dans le Golfe, *Les Études du CERI,* n° 53, Paris, mai 1999.

A. Bayat, *Street Politics. Poor people's Movements in Iran,* Columbia University Press, New York, 1997.

P. Clawson (sous la dir. de), *Iran's Strategic Intentions and Capabilities,* National Defense University, Washington (DC), 1994.

T. Coville (sous la dir. de), *L'Économie de l'Iran islamique. Entre l'État et le marché,* Institut français de recherche en Iran, Téhéran, 1994.

J.-P. Digard, B. Hourcade, Y. Richard, *L'Iran au xxe siècle,* Fayard, Paris, 1996.

« Iran : vers un nouveau rôle régional ? » (dossier constitué par M.-R. Djalili), *Problèmes politiques et sociaux,* n° 720, La Documentation française, Paris, 1994.

« Iran's Revolutionary Impass », *Middle East Report,* n° 191, nov.-déc. 1994.

F. Khosrokhavar, O. Roy, *Iran : comment sortir d'une révolution religieuse ?,* Seuil, Paris, 1999.

F. Khosrokhavar, *L'Utopie sacrifiée. Sociologie de la révolution iranienne,* Presses de Sciences-Po, Paris, 1993.

H. Naficy, *The Making of Exile Cultures, Iranian Television in Los Angeles,* University of Minnesota Press, Minneapolis, 1993.

Voir aussi la bibliographie sélective « Proche et Moyen-Orient », p. 222.

et aux « reconstructeurs », proches de l'ancien président Hachemi Rafsandjani.

Normalisation des rapports avec les pays occidentaux

Il est révélateur que le Guide de la Révolution ait cautionné l'essentiel de la politique menée par M. Khatami. Tel a notamment été le cas en matière de politique étrangère. Le lent rapprochement de l'Iran avec les États-Unis, amorcé en janvier 1998, le règlement diplomatique de l'affaire « Salman Rushdie » avec le Royaume-Uni en septembre, l'intensification des relations avec l'Union européenne (UE), qu'a symbolisée la visite présidentielle à Rome en mars 1999, ont confirmé la normalisation des rapports avec les pays occidentaux, même si l'arrestation en février-mars 1999 de treize juifs iraniens accusés d'espionnage apparaissait comme une tentative, de la part de certains réseaux, de les compromettre à nouveau. Mais c'est surtout l'approfondissement de la relation avec le monde arabe qui a réinséré l'Iran dans le concert des nations. Bien qu'un différend frontalier (îles Tomb et Abou Mussa) ait continué d'opposer celui-ci aux Émirats arabes unis, les échanges économiques dans le Golfe n'ont cessé de s'intensifier. Le climat avec l'Égypte s'est détendu et la condamnation du processus de paix au Proche-Orient s'est faite moins vive. Surtout, la visite du président Khatami en Arabie saoudite, en mai 1999, a parachevé la réconciliation entre les deux pays. Téhéran a su préserver ces acquis en renonçant à intervenir militairement en Afghanistan après le massacre par les taliban de neuf de ses diplomates à Mazar-i-Charif, en août 1998, et en donnant la priorité à la concertation diplomatique dans le cadre de l'ONU.

Les mauvaises nouvelles ont surtout été d'ordre économique et financier, bien que de nouveaux contrats aient été signés avec des compagnies pétrolières occidentales, notamment françaises. Rendu public en août 1998, le programme économique de M. Khatami n'a guère convaincu les investisseurs étrangers. Le rial a connu une forte dépréciation à partir de janvier 1998. La vente des hydrocarbures représentant 82 % des recettes d'exportation, les finances de l'État ont été mises à mal par la chute des cours du pétrole, que le rapprochement irano-saoudien est néanmoins parvenu à enrayer début 1999. La croissance a été inférieure à 2 % entre mars 1998 et mars 1999 et l'inflation a repris (officiellement 22 %, mais plus probablement 35 % en 1998). L'Iran s'est donc vu à nouveau contraint de rééchelonner sa dette extérieure (12,1 milliards dollars É-U en 1998) sur une base bilatérale, faute d'accord avec le FMI en raison du veto américain.

La dégradation de la situation économique et sociale, que ni le redressement des cours du baril ni le développement du secteur informel ne sont en mesure de contrer, reste le talon d'Achille d'une République islamique en quête de pluralisme, voire de démocratie. La montée du chômage, la dégradation des conditions de vie, la compétition scolaire risquent de dramatiser l'inévitable clarification des processus de légitimation des autorités et des institutions politiques, qu'a engagée le débat autour du statut du jurisconsulte. - **Fariba Adelkhah** ■

Pakistan

Tensions et crise économique

L'euphorie qui avait suivi les six essais nucléaires des 28 et 30 mai 1998 (succédant aux essais indiens des 11 et 13 mai) dans un quasi-consensus national a été de courte durée. Le déclin des institutions s'est accentué et la polarisation ethnique et sociale s'est renforcée alors que le pays semblait s'enfoncer dans une crise économique sans issue.

L'annonce par le Premier ministre Mian Nawaz Sharif, le 11 juin, de la construction du barrage de Kalabagh a suscité une forte opposition dans la Province de la frontière du Nord-Ouest (NWFP), ainsi que dans le Sind et au Baloutchistan. Les partis nationalistes pachtou, baloutches et sindhis, dénonçant l'hégémonie du Pendjab, ont formé en octobre 1998 le Mouvement des nations opprimées du Pakistan (PONAM), réclamant un amendement de la Constitution en vue d'établir un système confédéral garantissant une large autonomie aux « nations » qui forment le Pakistan.

M. Nawaz Sharif, soucieux de se concilier les partis religieux et de détourner l'attention de l'opinion des difficultés économiques, a introduit en août le 15e amendement (*Shariat Bill*) permettant au gouvernement d'émettre des directives pour appliquer la loi islamique et de « prescrire le bien et interdire le mal ». Ce projet de loi, adopté par l'Assemblée nationale en octobre 1998 dans une version édulcorée, a été rejeté par le Sénat. Le Premier ministre avait pourtant incité la population à faire pression sur les sénateurs pour les contraindre à le voter.

Le général Jahangir Karamat, chef de l'État-Major, a été contraint de démissionner en octobre. Il avait affirmé que le principal problème du pays était l'économie et préconisé la formation d'un Conseil national de sécurité pour éviter le chaos. L'armée a toutefois été de plus en plus impliquée dans les institutions civiles : la gestion de la WAPDA (Compagnie de l'eau et de l'électricité), en quasi-faillite, lui a notamment été confiée et 30 000 militaires ont été chargés de recenser fraudeurs et mauvais payeurs.

Les violences entre factions du MQM (Mouvement national unifié) ont repris à Karachi, où plus de 600 personnes, dont 110 pour le seul mois d'août, ont trouvé la mort entre janvier et octobre 1998. Après le meurtre en octobre de Hakeem Muhammad Saeed, ancien gouverneur du

Sind et recteur de la Hamdard University, le gouvernement a accusé le MQM d'être une organisation terroriste, ce qui a entraîné la rupture de l'alliance entre ce parti et la Ligue musulmane du Pakistan (PML). Le gouvernement provincial a été dissous et le Sind est passé sous administration fédérale, l'armée étant chargée de seconder l'administration civile pour le maintien de l'ordre. Des tribunaux militaires (déclarés inconstitutionnels par la Cour suprême en février 1999) ont été instaurés dans la province pour lutter contre le terrorisme. Cette « thérapie de choc » n'a pourtant pas semblé avoir les effets escomptés.

Violences confessionnelles

Comme les années précédentes, les violences confessionnelles entre sunnites et chiites ont fait de nombreuses victimes au Pendjab. Dix-sept chiites ont notamment été tués en janvier 1999 dans une mosquée de la région de Multan. Le Lashkar-e Jhangvi, groupe terroriste sunnite, a par ailleurs revendiqué un attentat perpétré en janvier à Raiwind et visant apparemment le Premier ministre. En outre, le suicide au mois de mai de l'évêque John Joseph pour protester contre la discrimination dont les chrétiens sont victimes, et plus particulièrement contre l'utilisation abusive de la loi sur le blasphème (article 295-C du Code pénal), a été suivi de manifestations parfois violentes.

Le procès pour corruption intenté contre l'ancien Premier ministre Benazir Bhutto et son mari, Asif Ali Zardari, s'est conclu en avril 1999 par leur condamnation à cinq ans de prison et à une amende de 8,6 millions de dollars, tandis que la presse britannique dénonçait la corruption de M. Nawaz Sharif et de ses proches.

Deux événements ont accru l'isolement diplomatique du Pakistan et mis en danger son alliance traditionnelle avec l'Iran : d'une part la progression militaire des taliban (mouvement fondamentaliste pachtou) vers le nord de l'Afghanistan, et d'autre part les frappes américaines en Afghanistan, en représailles aux attentats perpétrés contre les ambassades américaines au Kénya et en Tanzanie, le 7 août 1998. La tension s'est considérablement aggravée en septembre 1998, après les massacres de diplomates iraniens et de chiites afghans à Mazar-i-Cha-

République islamique du Pakistan

Capitale : Islamabad.
Superficie : 803 943 km².
Population : 148 166 000.
Langues : ourdou, anglais (officielles) ; pendjabi, sindhi, pachtou, baloutchi.
Monnaie : roupie (au taux officiel, 100 roupies = 13,4 FF au 31.3.99).
Nature de l'État : république fédérale islamique.
Nature du régime : semi-présidentiel.
Chef de l'État : Mohammad Rafiq Tarar, président de la République (depuis le 31.12.97).
Premier ministre : Mian Nawaz Sharif (depuis le 17.2.97).
Ministre des Affaires étrangères : Sartaj Aziz.
Ministre des Finances : Ishaq Dar.
Chef de l'État-Major : général Pervaiz Musharraf.
Principaux partis politiques : *Partis laïques :* Parti du peuple pakistanais (PPP, social-démocrate) ; Parti national du peuple (NPP, socialiste) ; Ligue musulmane du Pakistan (PML, libérale) : faction (N), faction (J). *Partis régionaux : baloutche :* Jamboori Watan Party (JWP) ; *pathan :* Parti national Awami (ANP) ; Parti national populaire pachtou (PKMAP) ; *Immigrés indiens musulmans dans le Sind :* Mouvement national unifié (MQM) ; *Partis de religieux :* Rassemblement des oulémas du Pakistan (JUP). *Partis religieux :* Jamaat-e Islami (JI, fondamentaliste sunnite) ; Mouvement djafarite du Pakistan (TJP, chiite).
Territoires revendiqués : anciennes principautés de Junagadh et de Jammu et Cachemire, administrées par l'Inde, qui revendique l'Azad-Cachemire, administré par le Pakistan.

INDICATEUR	UNITÉ	1975	1985	1997	1998
Démographie[a]					
Population	*million*	74,7	101,2	144,0	148,2
Densité	*hab./km²*	96,9	131,3	186,9	192,2
Croissance annuelle	%	3,0[s]	3,0[m]	2,8[c]	••
Indice de fécondité (ISF)		6,8[s]	5,8[m]	5,0[c]	••
Mortalité infantile	‰	123[s]	92[m]	74[c]	••
Espérance de vie	*année*	54,8[s]	60,2[m]	64,0[c]	••
Indicateurs socioculturels					
Nombre de médecins	*‰ hab.*	0,23	0,35[k]	0,55[f]	••
Analphabétisme (hommes)	%	63,7	55,3	44,8	••
Analphabétisme (femmes)	%	88,7	83,3	74,7	••
Scolarisation 12-17 ans	%	11,7	12,5	17,0[g]	••
Scolarisation 3e degré	%	2,0[p]	2,5	3,4[b]	••
Téléviseurs	*‰ hab.*	5,1	13,3	65,2	••
Livres publiés	*titre*	1 143	••	124[e]	••
Économie					
PIB total (PPA)	*milliard $*	24,6	78,2	200,0	••
Croissance annuelle	%	6,5[q]	4,5[h]	– 0,4	5,4
PIB par habitant (PPA)	$	350	820	1 560	••
Investissement (FBCF)	*% PIB*	17,1[r]	14,1[i]	16,2	14,7
Recherche et Développement	*% PIB*	••	1,0[j]	0,9[g]	••
Taux d'inflation	%	18,0	5,1	11,7	7,8
Population active	*million*	24,86	34,13	47,53	••
Agriculture	% } 100 %	56,8	52,2	47,8[d]	47,0[w]
Industrie	% } 100 %	17,2	17,9	18,9[d]	••
Services	% } 100 %	26,0	29,9	33,3[d]	••
Énergie (taux de couverture)	%	82,5	79,5	74,2[b]	••
Dépense publique Éducation	*% PIB*	2,2	2,5	3,0[b]	••
Dépense publique Défense	*% PIB*	6,3	6,1	5,9	••
Dette extérieure totale	*milliard $*	5,75	13,46	29,66	••
Service de la dette/Export.	%	19,7[u]	23,2[o]	29,5[n]	••
Échanges extérieurs		**1974**	**1986**	**1997**	**1998**
Importations de services	*milliard $*	0,33	1,23	3,26	••
Importations de biens	*milliard $*	1,49	6,00	11,42	••
Produits alimentaires	%	23,2	17,8	17,4[d]	15,2[b]
Produits énergétiques	%	13,8	14,2	16,2[d]	20,7[b]
Produits manufacturés	%	47,2	61,1	56,6[d]	57,2[b]
Exportations de services	*milliard $*	0,18	0,85	1,76	••
Exportations de biens	*milliard $*	1,02	2,94	8,19	••
Produits agricoles	%	43,9	32,1	15,7[d]	15,1[b]
dont céréales	%	26,1	9,2	5,9[d]	5,5[b]
Produits manufacturés	%	52,2	65,5	83,0[d]	83,8[b]
Solde des transactions courantes	*% du PIB*	– 4,1[t]	– 3,4[l]	– 2,8	••

Définition des indicateurs, sigles et abréviations p. 31 et suiv. a. Dernier recensement utilisable : 1998 ; b. 1996 ; c. 1995-2000 ; d. 1995 ; e. 1994 ; f. 1993 ; g. 1990 ; h. 1987-97 ; i. 1987-96 ; j. 1987 ; k. 1986 ; l. 1985-96 ; m. 1985-95 ; n. 1995-97 ; o. 1984-86 ; p. 1980 ; q. 1977-87 ; r. 1977-86 ; s. 1975-85 ; t. 1975-84 ; u. 1974-76 ; v. 1974 ; w. An 2000, estimation FAO.

rif, dont l'Iran a tenu le Pakistan pour responsable. Les pays d'Asie centrale, craignant la contagion du fondamentalisme, ont dénoncé tout au long de l'année le soutien pakistanais aux extrémistes religieux. Par ailleurs, le projet de gazoduc qui devait amener le gaz turkmène au Pakistan a été abandonné après les frappes américaines. Celles-ci ont fait des victimes pakistanaises appartenant au Harakat ul Mujahidin, groupe extrémiste sunnite qui mène le *djihad* au Cachemire, ce qui a permis à l'Inde de dénoncer l'ingérence pakistanaise dans cet État.

Les relations avec l'Inde avaient toutefois connu une embellie en février 1999 avec la visite à Lahore du Premier ministre indien, Atul Bihari Vajpayee. Sous la pression des États-Unis, soucieux d'écarter tout risque de guerre nucléaire dans la région, les deux pays sont convenus d'« intensifier leurs efforts pour résoudre tous les problèmes, y compris celui de Jammu-et-Cachemire » (territoire administré par l'Inde et traditionnellement revendiqué par le Pakistan). Toutefois, face à l'opposition virulente des partis religieux, et notamment de la Jamaat-e Islami (JI), et au mécontentement des Cachemiri qui se sont sentis trahis, les responsables pakistanais se sont empressés d'affirmer que leur position sur le Cachemire n'avait pas changé et qu'ils continueraient à réclamer le plébiscite prévu par les résolutions des Nations unies. Des mesures symboliques ont été prises, comme la mise en place d'un service d'autobus reliant Lahore à Delhi et l'assouplissement des règles de délivrance des visas. La visite du Premier ministre indien les 20-22 février 1999 a coïncidé avec une visite du chef d'État-Major chinois. Ce dernier a réitéré le soutien de la Chine à la position pakistanaise sur le Cachemire, tandis que le Pakistan affirmait son soutien à la Chine sur la question du Tibet.

Les frappes américaines en Afghanistan ont provoqué un sursaut d'anti-américanisme. Plus de 300 Américains (diplomates et membres de leurs familles) ont été évacués. Lors de sa visite aux États-Unis fin octobre 1998, M. Nawaz Sharif, espérant obtenir un soutien diplomatique et la levée des sanctions appliquées après les essais nucléaires, a annoncé qu'il signerait le CTBT (Traité d'interdiction complète des essais nucléaires) avant septembre 1999. Cet engagement et la reprise des contacts avec l'Inde en tout début d'année ont permis au Pakistan de récupérer une partie des 658 millions de dollars qui avaient été versés en 1989 pour l'achat des avions F-16 que les États-Unis avaient ensuite refusé de livrer arguant de la poursuite du programme nucléaire pakistanais. 324 millions de dollars ont été versés et le Pakistan devait encore recevoir dans les deux ans 160 millions de dollars sous forme de blé.

L'Inde a lancé, en mai 1999, une offensive dans la région de Kargil (Cachemire indien) pour repousser des militants infiltrés le long de la ligne de cessez-le-feu, ce qui a entraîné des affrontements violents entre troupes indiennes et pakistanaises.

Un pays au bord de la banqueroute

La crise économique s'est considérablement aggravée. Le Pakistan, très dépendant des capitaux étrangers, était beaucoup plus vulnérable que l'Inde aux sanctions. Les réserves en devises, qui s'élevaient à 1,4 milliard de dollars avant les essais nucléaires, sont tombées à 500 millions en août. Virtuellement en état de cessation de paiement, le pays a été sauvé de la banqueroute par un prêt de 250 millions de dollars accordé par le Koweït. L'effondrement de la roupie et la perte de confiance après le gel des comptes en devises ont provoqué une baisse de 40 % des transferts réalisés par les travailleurs pakistanais à l'étranger. Le budget annoncé en juin 1998 est resté fortement dépendant des ressources extérieures. Il a prévu une augmentation de la dette et le recours à des

Pakistan/Bibliographie

M. Abou Zahab, « Pakistan : institutions à la dérive et isolement croissant », *Politique étrangère,* 4-98, IFRI, Paris, hiv. 1998-1999.

M. Abou Zahab, « Pakistan : un sectarisme à contre-culture, pourquoi ? », *Économie et humanisme,* n° 343, Lyon, déc. 1997.

R. Akhtar, *Pakistan Yearbook,* East & West Publishing Co, Karachi-Lahore.

M. Boivin, *Le Pakistan,* PUF, coll. « Que sais-je ? », Paris, 1996.

J.-J. Boillot, *Le Pakistan. Économie et développement,* L'Harmattan, Paris, 1990.

J. Bray, « Pakistan at 50 : a State in Decline ? », *International Affairs,* n° 73-2, 1997.

A. Jalal, *Democracy and Authoritarianism in South Asia,* Cambridge University Press, Cambridge, 1995.

Mahhub ul-Haq, Khadidja Haq, *Human Development in South Asia,* Oxford University Press, Karachi, 1998.

I. H. Malik, *State and Civil Society in Pakistan. Politics of Authority, Ideology and Ethnicity,* MacMillan Press, Londres, 1997.

M. Pochoy, « Pakistan, "République islamique" », *in L'Islamisme,* La Découverte, « Les Dossiers de L'état du monde », Paris, 1994.

S. Shafqat, *Civil-Military Relations in Pakistan. From Zulfikar Ali Bhutto to Benazir Bhutto,* Westview Press, Boulder (Colorado), 1997.

M. A. Shan, The Foreign Policy of Pakistan. Ethnic Impacts on Diplomacy, I.B. Tauris, Londres/New York, 1997.

Voir aussi les bibliographies « Proche et Moyen-Orient » et « Inde et périphérie », p. 222 et 282.

prêts commerciaux à court et moyen terme à un taux d'intérêt très élevé, représentant 23 % du total des emprunts à l'étranger.

L'année a également été marquée par le bras de fer entre le Premier ministre et les producteurs indépendants d'électricité (IPP), entreprises créées sous le gouvernement de Benazir Bhutto et dans lesquelles avaient investi des sociétés américaines, britanniques et canadiennes ainsi que la Banque mondiale. M. Nawaz Sharif les a accusés de corruption en dénonçant les commissions versées à Benazir Bhutto et a voulu les contraindre à réduire leur tarif de 25 %. Si un compromis a finalement été trouvé, l'affaire a provoqué une fuite massive de capitaux et un arrêt des investissements étrangers.

Les sanctions ont toutefois été assouplies à la fin de l'année. Les États-Unis les ont levées en partie au mois de novembre en assortissant cette mesure d'un certain nombre de conditions, notamment la signature du CTBT et la reprise des négociations avec l'Inde. Le FMI, qui réclamait entre autres la dévaluation de la roupie, l'introduction d'un impôt sur le revenu agricole et l'augmentation du prix de l'électricité, a accordé en janvier 1999 un prêt de 575 millions de dollars pour compenser la forte baisse des exportations. - **Mariam Abou Zahab** ■

Présentation par **Pierre Gentelle**
Géographe, CNRS

Beaucoup d'hommes – la moitié de l'humanité – occupent les immenses territoires de l'Asie méridionale et orientale, aux limites floues : il n'existe pas de caractères géographiques « asiatiques », tant diversité et contrastes sont grands. Aux limites nord, le monde des steppes se lie sans solution de continuité à la Sibérie. A l'ouest, la mer Caspienne ne suffit pas à isoler l'Asie de l'Europe ; le monde persan (Iran, Afghanistan et Tadjikistan) est partagé entre l'Asie centrale et le Moyen-Orient. Au sud et à l'est, les océans constituent un milieu pour les échanges plus qu'une frontière. A l'intérieur de ces limites floues, les divisions culturelles et ethniques, religieuses ou nationales sont si grandes que l'on peut dessiner plusieurs Asie : Asie arctique, Asie moyenne ou tropicale ; Asie des moussons et haute Asie...

On peut aussi voir l'Asie comme un ensemble de plateaux et de plaines, pluvieux ou désertiques, entourant l'immense môle du Tibet et du Tian Shan, d'où rayonnent tous les grands fleuves asiatiques (Amou Daria, fleuve Jaune [Huang He], Mékong, Brahmapoutre, Gange, Indus...). Deux traits originaux doivent être soulignés : la continuité climatique de la façade orientale, de la Mandchourie à la Cochinchine, sans zone aride ; l'ancienneté de la vie de relations, routes des steppes, de la soie, des épices, du bouddhisme...

L'Asie *est* une géographie surprenante. Développés dans des contextes naturels allant des montagnes sèches, des plateaux glacés et des pentes abruptes jusqu'aux deltas humides, luxuriants, et aux forêts de plus en plus surexploitées, six États réunissent la moitié de la population mondiale, avec des concentrations d'une extrême densité : Chine, Inde, Indonésie, Pakistan, Japon, Bangladesh, par rang démographique. Chacun d'eux, cependant, contient, dans de grands espaces vides, des peuples mal intégrés, des cultures minoritaires, qui ont besoin de protection tant leur faiblesse est évidente devant des mutations qui leur échappent. De petits États subsistent aux côtés des colosses démographiques et de quelques États moyens aux traditions culturelles bien affirmées (Vietnam, Corée, Philippines, Thaïlande).

Partout, cependant, les particularismes restent attachés à la pauvreté. Chez les éleveurs nomades, les chasseurs-trappeurs de la forêt sibérienne, les aborigènes taïwanais, les montagnards de l'Asie du Sud-Est, les communautés de pêcheurs des mers tropicales... la persistance d'une vie proche de la nature maintient la précarité. Même dans les deux États les plus peuplés du monde, la Chine et l'Inde, des centaines de millions de personnes – les paysans, usant de techniques d'exploitation souvent raffinées, mais archaïques pour notre siècle – subsistent avec des productivités basses les laissant en proie à la violence de la migration.

IL N'EXISTE PAS DE CARACTÈRES GÉOGRAPHIQUES « ASIATIQUES », TANT DIVERSITÉ ET CONTRASTES SONT GRANDS.

DEPUIS 1950,
DES CONFLITS
INTERNES
ET DES GUERRES
ONT LARGEMENT
CONTRIBUÉ À
DÉTRUIRE
ÉCONOMIES
LOCALES ET
PHILOSOPHIES
ORIENTALES.
IL EN SUBSISTE
CEPENDANT ASSEZ
POUR QUE LES
SOCIÉTÉS EN SOIENT
ENCORE MARQUÉES,
MAIS LE
SYNCRÉTISME EST
PARTOUT
DIFFÉRENT.

Partie en 1945 du Japon, l'onde d'américanisation n'a pas partout apporté la richesse bien que, partout, elle ait grignoté les manières de vivre traditionnelles. Depuis la disparition de l'URSS en 1991, elle atteint l'Inde comme le Vietnam, la Chine ayant d'elle-même (1978) ouvert ses portes et ses ports, mettant fin – au plan économique – à trois décennies de communisme. Depuis 1950, des conflits internes et des guerres ont largement contribué à détruire économies locales et philosophies orientales. Il en subsiste assez pour que les sociétés en soient encore marquées, mais le syncrétisme est partout différent. Intérêts régionalistes, oppositions teintées de rivalités ethno-religieuses conduisent, à l'intérieur de chaque État et de presque chaque société, à des conflits meurtriers. L'Asie n'est pas pacifique. En outre, il n'y a pas d'humanité « asiatique », pas de civilisation « asiatique », mais *des* civilisations qui se superposent, se juxtaposent et se tolèrent mal.

La secousse de la crise financière qui a touché l'Asie orientale depuis 1997 ne peut faire oublier qu'une partie de l'Asie semblait triompher dans le domaine économique, révélant par contraste que beaucoup de pays et de régions ne décollaient pas, loin s'en faut (Corée du Nord, Cambodge, Tibet, nombre d'États indiens et d'îles indonésiennes), et qu'un développement social et culturel autochtone faisait de plus en plus défaut, sans parler de l'absence de précaution pour l'environnement. Il a toujours existé, dans l'histoire de l'Asie, une double fracture, d'une part entre ceux qui cherchaient la puissance matérielle et ceux qui produisaient pour les riches, les puissants, les maîtres, d'autre part, entre la vie laborieuse des multitudes et la finesse d'expression des porteurs de la conscience du monde. Cette fracture se reproduit de nos jours, élargie par la frénésie de la mondialisation, qui agrandit la rupture entre les actifs et les sans-travail. Il n'y a pas et il n'y a probablement jamais eu de « valeurs » asiatiques, tant les civilisations présentes sont différentes et puissamment cohérentes chacune pour son compte ; aucune d'entre elles ne pouvant prétendre à l'universalité.

On a pu observer ces cinquante dernières années dans quelques pays (Japon, Corée du Sud, Taïwan, Singapour...) l'efficacité économique de l'autoritarisme et du goût confucéen pour la discipline, les pratiques clientélistes et claniques, le repli sur la communauté, l'attirance pour l'épargne et le jeu, l'intérêt pour une éducation menant à la seule réussite matérielle, le peu d'attention portée à la vie d'autrui hors du cercle des proches... Certains souhaitent instituer cette « efficace » en valeur universelle, à la place des idéaux de démocratie, de liberté d'expression, d'égalité des chances, de solidarité... Il ne saurait en être question. Ces recettes fragiles n'ont rien de spécifiquement asiatique, malgré les apparences. Elles peuvent accompagner une transition. Elles ne sont pas porteuses d'avenir. ■

Asie méridionale et orientale

Par **Jean-Luc Domenach**
Directeur scientifique, FNSP

La situation de l'Asie au tournant du siècle est tout entière déterminée par les effets de la crise financière majeure que la zone a subie à partir de juillet 1997. Cette crise a eu pour première conséquence d'interrompre ou de ralentir, suivant les cas, le processus de régionalisation qui rapprochait les différents pays de la zone depuis le milieu des années quatre-vingt. Le subcontinent indien paraissait progressivement attiré dans l'orbite de l'Asie orientale : la crise asiatique l'a séparé du reste de la région. A peine atteinte, l'Inde a conservé depuis une croissance satisfaisante (5,6 % en 1998), mais tirée par l'agriculture, alors que ses voisins restaient aux prises avec de nombreuses difficultés. Les efforts de coordination dans le cadre de l'Association de l'Asie du Sud pour la coopération régionale (SAARC) ont marqué le pas. En effet, non seulement la complémentarité est faible entre les économies du subcontinent, mais les tensions régionales restent vives. La dispute indo-pakistanaise, qui chaque année atteint de nouveaux sommets (à l'issue des essais nucléaires indiens de mars 1998, puis avec les affrontements armés au Cachemire au printemps-été 1999), apparaissait d'autant plus menaçante que la politique indienne est turbulente et l'unité du Pakistan fragile.

> EN ASIE ORIENTALE, LA CRISE FINANCIÈRE A VÉRIFIÉ LA RÉALITÉ DE LA RÉGIONALISATION, PUISQU'ELLE S'EST ÉTENDUE, DURANT LE SECOND SEMESTRE 1997, AU RESTE DE L'ASIE DU SUD-EST, PUIS À LA CORÉE DU SUD, ET ENFIN AU JAPON ET À LA CHINE. EN MÊME TEMPS, ELLE EN A DÉFINITIVEMENT RALENTI LE PROCESSUS.

En Asie orientale, la crise financière a d'une certaine façon vérifié la réalité de la régionalisation, puisqu'elle s'est étendue, durant le second semestre 1997, à l'Asie du Sud-Est, puis à la Corée du Sud et enfin au Japon et à la Chine. En même temps, elle en a décisivement ralenti le processus. En effet, face à la crise, les gouvernements ont recouru à des politiques très différentes, même si la plupart des États (sauf la Fédération de Malaisie) ont sollicité l'aide du FMI, ou se sont rangés à ses conseils. L'incapacité du Japon à soutenir immédiatement ses voisins a suscité une rancœur que son plan d'aide de l'automne 1998 n'a pas apaisée.

Face à la crise, les situations sont très différentes. Parmi les économies les plus touchées, la Corée du Sud, la Thaïlande et même la Fédération de Malaisie paraissaient en voie de se relever. En revanche, le PNB indonésien a plongé à – 13,7 % en 1998 et devrait rester largement négatif en 1999. Conservant une croissance soutenue (4,9 % en 1998), Taïwan s'est situé parmi les pays moins atteints ; les Philippines et Singapour pourraient, quant à eux, relever la tête.

A la vérité, la région tout entière avait les yeux fixés sur ses deux géants économiques, le Japon et la Chine, dont les systèmes financiers sont grevés par une masse de créances douteuses. Les différents plans gouvernementaux de Tokyo, quoique vigoureux, n'ont pas relancé la consommation, et la croissance économique est devenue négative en 1998 (– 2,8 %). En Chine, l'exagération des statistiques officielles

> PARMI LES ÉCONOMIES LES PLUS TOUCHÉES, LA CORÉE DU SUD ET LA THAÏLANDE PARAISSENT EN VOIE DE SE RELEVER, À L'INVERSE DE L'INDONÉSIE OÙ LA RÉCESSION SEMBLAIT PLUS DURABLE.

Par **Jean-Luc Domenach**
Directeur scientifique, FNSP

EN CHINE, L'EXAGÉRATION DES STATISTIQUES OFFICIELLES (7,8 % DE CROISSANCE EN 1998) CACHE UNE SITUATION CONTRASTÉE OÙ LE DYNAMISME DU MARCHÉ INTÉRIEUR COMPENSE EN PARTIE LE DÉCLIN DU COMMERCE EXTÉRIEUR ET DES INVESTISSEMENTS ÉTRANGERS : LES AUTORITÉS ONT DONC RESPECTÉ LEUR PROMESSE DE NE PAS DÉVALUER LE YUAN.

(7,8 % de croissance en 1998) cachait une situation contrastée où le dynamisme du marché intérieur compense en partie le déclin du commerce extérieur et des investissements étrangers : les autorités sont donc restées fidèles à leur promesse de ne pas dévaluer le yuan, au grand soulagement de la communauté internationale.

La fragmentation de la région s'est également accentuée du fait du durcissement de certains différends : entre la Chine et l'Inde, à l'issue des essais nucléaires de mai 1998 ; entre la Chine et ses voisins d'Asie du Sud-Est (litiges territoriaux persistants en mer de Chine méridionale) ; et autour de la péninsule de Corée (envoi d'un missile nord-coréen au-dessus du Japon en août 1998 ; incident naval entre les marines des deux Corées en juin 1998). La menace nord-coréenne a, en outre, contribué au rapprochement stratégique américano-japonais, qui en retour a contribué à brouiller les relations sino-américaines, que le voyage du président Clinton en Chine (juin 1998) avait paru améliorer. Face à ces menaces, l'ANSEA (Association des nations du Sud-Est asiatique) est apparue affaiblie et divisée (malgré l'entrée en son sein du Cambodge en 1999).

En quelques années, l'Asie s'est donc à la fois fragmentée et affaiblie. Une preuve spectaculaire en est donnée par les négociations léonines imposées par le FMI et les autres bailleurs de fonds internationaux. Un peu partout dans la région, les frontières se sont ouvertes au commerce étranger et aux rachats d'entreprises ou prises de participations par les sociétés occidentales – comme Nissan par Renault en mars 1999. La crise asiatique est donc perçue par les élites de la région comme la brutale revanche d'un Occident qu'elles croyaient avoir rejoint.

Dans cette conjoncture très sombre, des éléments positifs sont cependant perceptibles. Tout d'abord, la crise financière a semblé en voie d'apaisement. Les monnaies et les marchés boursiers sont remontés. De septembre 1998 à février 1999, par exemple, les bourses de Hong Kong et de Séoul ont gagné respectivement 25 % et 68 %.

Surtout, dans l'ensemble, les sociétés et les systèmes politiques ont bien résisté à la crise. L'Indonésie, il est vrai, a sombré dans le chaos : après avoir tenté de négocier des conditions particulières auprès du FMI, le président Suharto a dû se retirer en mai 1998, laissant la direction du pays à l'un de ses anciens conseillers, B. J. Habibie, dont le pouvoir restait fragile face à la multiplication des désordres sociaux et communautaires, notamment après les élections qui ont donné la majorité au PDI-P (Parti démocratique indonésien-Combat) de Megawati Sukarnoputri, en juin 1998. En Fédération de

LA CRISE ASIATIQUE EST PERÇUE PAR CERTAINES ÉLITES COMME LA REVANCHE D'UN OCCIDENT QU'ELLES CROYAIENT AVOIR REJOINT.

Par **Jean-Luc Domenach**
Directeur scientifique, FNSP

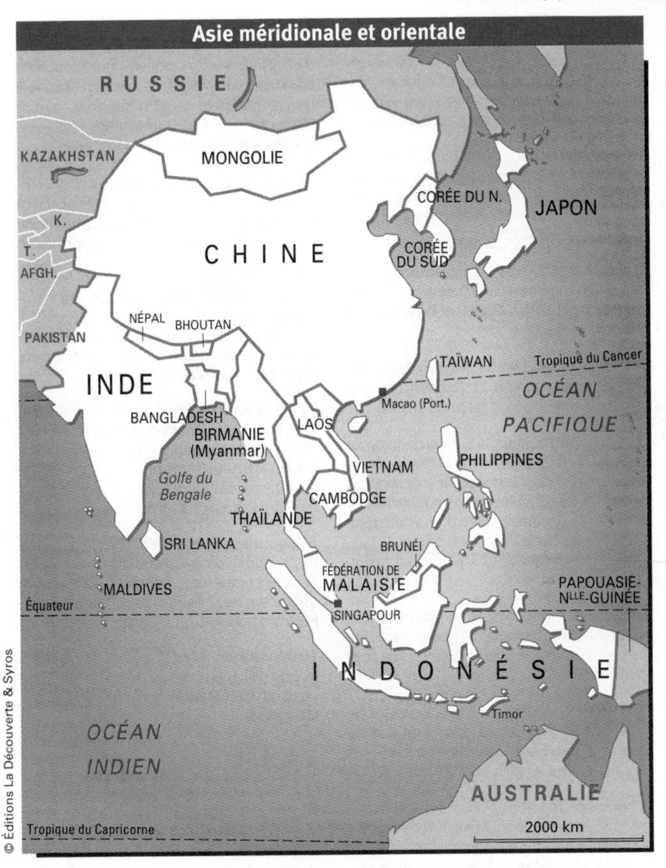

Malaisie proche, le Premier ministre Mahathir a, lui, conservé son pouvoir au prix de la purge politico-judiciaire de son adjoint Anwar Ibrahim. En Thaïlande, en Corée du Sud et aux Philippines, des alternances politiques ont vu le jour sans problème majeur. En Chine, la montée des problèmes sociaux n'a pas empêché la consolidation du pouvoir de l'équipe en place (Jiang Zemin, Zhu Rongji, Li Peng). Au Japon, les différents épisodes électoraux n'ont pas remédié à la crise de légitimité de l'appareil politico-administratif, mais le système social supportait assez bien la montée progressive du chômage et de la criminalité. ■

1998

13 juillet. Japon. Démission du Premier ministre Ryutaro Hashimoto, le Parti libéral démocrate (PLD, conservateur) ayant été battu aux élections. Obuchi Keizo lui succède.

29-31 juillet. SAARC. 10e sommet à Colombo (Sri Lanka). L'achèvement d'une zone de libre-échange entre les sept pays de l'Association de l'Asie du Sud pour la coopération régionale est fixé à 2001.

3 août. Chine. Devant les risques engendrés par des inondations catastrophiques, les autorités font sauter les digues sur le Yangsi pour préserver des villes.

31 août. Corée du Nord. Un missile balistique (ou une fusée porteuse d'un satellite) est lancé au-dessus du Japon et retombe en mer.

20 septembre. Malaisie. Incarcération de l'ancien « dauphin » Anwar Ibrahim, destitué de ses fonctions de vice-premier ministre, suscitant des manifestations populaires. A. Ibrahim se déclare victime d'une conspiration. Ahmad Badawi apparaît comme le successeur du Dr Mahathir bin Mohamad, le Premier ministre.

5 octobre. Thaïlande. Remaniement gouvernemental aboutissant à faire entrer dans la majorité l'un des principaux partis de l'opposition, le Chart Pattana.

7 octobre. Corée du Sud/Chine. Visite du président coréen Kim Dae-jung au Japon. Il s'était déjà rendu aux États-Unis, et il visitera la Chine (11 novembre) et la Russie (27 mai 1999).

12 octobre. Japon. Le Parlement adopte une série de lois ayant pour objet de recapitaliser certaines banques en difficulté, dans un contexte de faillites et de restructuration touchant le secteur financier nippon [*voir 23 octobre*].

14 octobre. Prix Nobel. La distinction est attribuée à l'économiste indien Armatya Sen. Soucieux de justice sociale, A. Sen est spécialiste des problèmes de la pauvreté et du développement et collaborateur du Programme des Nations unies pour le développement (PNUD). C'est la première fois qu'un économiste asiatique est distingué par ce prix.

23 octobre. Japon. Le gouvernement annonce la nationalisation de la LTCB (Long Term Credit Bank), premier établissement nippon de crédit à long terme. Japan Leasing, sa filiale la plus importante, avait déposé le bilan le 27 septembre. Le 13 décembre, le gouvernement nationalisera à son tour la Nippon Credit Bank (NCB), troisième établissement de crédit à long terme. Ces décisions s'inscrivent dans le cadre du plan d'assainissement bancaire [*voir 12 octobre*] dans un contexte de faillites et de restructuration financières.

13-14 novembre. Indonésie. Affrontements violents entre étudiants et forces de sécurité à Jakarta. Les manifestants s'en prennent au chef de l'État Bacharuddin Jusuf Habibie qui vient de succéder au dictateur Suharto, chassé par des émeutes en mai.

17-18 novembre. APEC. Adhésion du Pérou, de la Russie et du Vietnam, lors du 6e sommet du Forum de coopération économique Asie-Pacifique à Kuala Lumpur (Fédération de Malaisie), portant à 21 le nombre d'États membres riverains du Pacifique.

5 décembre. Taïwan. Ma Ying-jeou, candidat du Kuomintang reprend la municipalité de Taïpeh contre le maire sortant Chen Shuibian, défendant les thèses indépendantistes du Parti progressiste pour la démocratie.

10 décembre. Népal. Le Parti marxiste-léniniste (ML) se retire du gouvernement de coalition de Girjia Prasad Koirala (Nepali Congress).

1999

20-22 février. Pakistan/Inde. Visite à Lahore du Premier ministre indien Atul Bihari Vajpaye qui laisse entrevoir un apaisement de la tension entre les deux pays, quelques mois après qu'ils eurent procédé chacun à des essais nucléaires, et alors que des escarmouches se poursuivent sur la ligne de partage du Cachemire. L'éclaircie sera cependant brève. En mai, des militants infiltrés du Pakistan lanceront une offensive dans la région de Kargil, au Cachemire indien. Plus de 30 000 hommes seront dépêchés côté indien en contre-offensive.

29 mars. Birmanie. Mort du Dr Michael Aris, époux du leader de la Ligue nationale pour

Asie méridionale et orientale/Bibliographie sélective

Asia Yearbook 1998, Far Eastern Economic Review, Hong Kong, 1998.

R. Benedict, *Le Chrysanthème et le Sabre,* Éd. Picquier, Arles, 1987.

S. Bésanger, G. Schulders (sous la dir. de), *Les Relations internationales en Asie-Pacifique,* Alban, Paris, 1998.

S. Boisseau du Rocher, *L'ASEAN et la construction régionale en Asie du Sud-Est,* L'Harmattan, Paris, 1998.

D. Camroux, J.-L. Domenach (sous la dir. de), *L'Asie retrouvée,* Seuil, coll. « L'idée du monde », Paris, 1997.

N. Chanda, *Les Frères ennemis,* CNRS-Éditions, Paris, 1987.

J.-L. Domenach, *L'Asie en danger,* Fayard, Paris, 1998.

F. Godement, *Dragon de feu, dragon de papier. L'Asie a-t-elle un avenir ?,* Flammarion, Paris, 1998.

P. Gourou, *La Terre et l'Homme en Extrême-Orient,* Flammarion, Paris, 1972.

F. Joyaux, *Géopolitique de l'Extrême-Orient* (2 vol.), Complexe, Bruxelles, 1991.

G. Myrdal, *Asian Drama,* Pantheon Books, New York, 1968.

L. W. Pye, *Asian Power and Politicis. The Cultural Dimension of Authority,* Harvard University Press, Cambridge, 1985.

South East Asian Affairs 1997, Institute of South East Asian Studies, Singapour, 1997.

la démocratie (NLD, opposition) Aung San Suu Kyi (prix Nobel de la paix en 1991). L'universitaire d'Oxford, mourant, n'avait pas été autorisé à revoir son épouse, illustration du mépris des principes humanitaires les plus élémentaires de la part du régime.

18 avril. Inde. Chute du gouvernement de Atal Bihari Vajpaye, consécutif au retrait de l'AIADMK (All India Anna Dravida Munetra Kazhagam, parti régionaliste tamoul) qui était depuis sa formation le parti le plus instable de la coalition de partis régionalistes autour du BJP (Bharatiya Janata Party, nationaliste hindou). Cette hétérodoxe coalition de 14 partis régionaux, arrivée au pouvoir en mars 1998, avait déjà subi un premier désaveu en novembre, lors des élections régionales au Rajasthan, au Madhya Pradesh et dans le territoire de Delhi.

29 avril-5 mai. Japon/États-Unis. Visite officielle du Premier ministre japonais Keizo Obuchi aux États-Unis, une première depuis celle de Nakaso Yasuhivo en 1987.

30 avril. ANSEA. Le Cambodge est admis au sein de l'Association des nations du Sud-Est asiatique qui compte désormais dix États membres.

5 mai. ONU/Timor oriental. Signature par l'Indonésie et le Portugal, sous l'égide des Nations unies, d'un accord sur l'organisation en août d'un scrutin d'autodétermination au Timor oriental, ancienne colonie portugaise annexée par l'Indonésie en 1975. Le 11 juin, création de la Mission des Nations unies au Timor oriental (MINUTO) pour l'organisation du référendum. Depuis l'annonce faite par le chef de l'État indonésien, en janvier, d'une possible autodétermination des Timorais, les milices anti-indépendantistes affrontent les pro-indépendantistes.

17 mai. Népal. Aux élections législatives, le Nepali Congress obtient la majorité absolue, permettant la formation d'un gouvernement homogène dirigé par Krishna Prasad Bhattarai.

7 juin. Indonésie. Élections législatives consacrant la victoire du Parti démocratique indonésien-Combat (PDI-P) de Megawati Sukarnoputri, fille du « père de l'indépendance » Sukarno.

15 juin. Corée du Nord/Corée du Sud. Un torpilleur nord-coréen agressif est coulé sur la côte ouest de la péninsule, témoignant des tensions persistantes entre les deux États. ■

Inde et périphérie

Bangladesh, Bhoutan, Inde, Maldives, Népal, Sri Lanka

Bangladesh

Des inondations dévastatrices

Après une longue période de régime militaire, le Bangladesh a renoué avec la démocratie au terme des élections de 1991, qui ont débouché sur la formation d'un gouvernement civil dirigé par la begum Khaleda Zia du Parti national du Bangladesh (BNP). Une disposition constitutionnelle permettant l'organisation d'élections par un gouvernement intérimaire a été adoptée et des législatives ont eu lieu en 1996, remportées par la Ligue Awami de Sheikh Hasina Wajed, laquelle a formé le nouveau cabinet.

Au cours de ses deux premières années de mandat, ce dernier s'est attaqué avec succès à des problèmes déjà anciens : il s'agissait aussi bien de questions liées à l'idéologie nationale, comme renouer avec l'état d'esprit de la Libération ou avec un système de valeurs inspirées du libéralisme, que du procès des assassins du premier chef de l'État du Bangladesh, Bangabandhu Sheikh Mujibur Rahman (fondateur de la nation et père du Premier ministre) ; de la résolution du différend avec l'Inde sur le partage des eaux du Gange, ou encore de la fin de l'insurrection dans les Chittagong Hill Tracts.

Le gouvernement Wajed a également poursuivi les réformes économiques engagées auparavant, dans le but d'instaurer une économie de marché susceptible d'attirer les investisseurs étrangers.

Évolutions positives

Le pays jouit d'une presse libre, même si la télévision reste surveillée par le gouvernement ; le Premier ministre tient d'ailleurs la population informée de la manière dont sont traitées les questions importantes par le biais d'une émission télévisuelle, *Prime Minister's Question Time* (« Le Premier ministre vous répond »). Sheikh Hasina Wajed lance également des débats au Parlement contrastant avec les pratiques de la begum Zia. Le processus d'accession des femmes aux responsabilités s'est trouvé consolidé par l'introduction, en décembre 1997, d'un quota de sièges réservés dans les collectivités locales. En dépit de la résistance – efficace au début – de leurs collègues masculins, 13 500 responsables et membres de l'Union Parishads (gouvernement local) ont réclamé de voir leur rôle bien défini dans la conférence du Jatiya Mahila Sangstha (Organisation nationale des femmes) qui s'est tenue en avril 1999.

Autre avancée importante, la communauté internationale a reconnu la volonté de changement animant le pays lorsque Dhaka a signé, en décembre 1997, un traité de paix avec les chefs de l'insurrection indépendantiste jhum dans les Chittagong Hill Tracts. A titre de récompense, Sheikh Hasina Wajed s'est vu attribuer, conjointement avec le sénateur américain George Mitchell (qui a participé au processus de paix en Irlande du Nord), le prix Houphouët-Boigny 1999 (distinction pour la paix décernée par

Bangladesh/Bibliographie

Bangladesh Bureau of Statistics, *National Accounts Statistics of Bangladesh,* Dhaka, 1998.

Bangladesh High Commission, *Bangladesh Today,* bulletin mensuel, Londres.

Center for Policy Dialogue, *Crisis in Governance : a Review of Bangladesh's Development, 1997,* Dhaka University Press, Dhaka, 1998.

Economic Intelligence Unit, *Country Profile : Bangladesh, 1997-98,* Londres, 1997.

P. Fowler, « The Bangladesh Economy : A Regional Perspective », *Asian Affairs,* Royal Society for Asian Affairs, févr. 1998.

Government of the People's Republic of Bangladesh, *Memorandum for Bangladesh Development Forum, 1999-2000,* Ministry of Finance, Economic Relations Division, and Ministry of Planning, Planning Commission, 19-20 avr. 1999.

Janomot, hebdomadaire, Londres.

W. Mahmud, « "Macroeconomic Update" in Centre for Policy Dialogue », *Growth or Stagnation. A Review of Bangladesh's Development,* 1996, Dhaka University Press, Dhaka, 1997.

Voir aussi la bibliographie « Inde et périphérie », p. 286.

l'UNESCO, Organisation des Nations unies pour l'éducation, les sciences et la culture).

L'économie, qui semblait prête à décoller avec un taux de croissance prévu de 6,3 %, une inflation de 5 % et des réserves en devises d'un montant de 2 milliards de dollars pour l'exercice 1998-1999, a été arrêtée dans son élan par les inondations qui ont dévasté le pays de juillet à septembre 1998. Les bonnes récoltes de 1999 ont permis d'atteindre 4,3 % à 4,5 % de croissance. Les pertes dues aux inondations ont été évaluées à 2 milliards de dollars. L'aide internationale (secours d'urgence et aide à la reconstruction) s'est élevée à 900 millions de dollars. Le taux d'inflation a atteint 9,6 % de juillet 1998 à janvier 1999 (12,7 % pour les produits alimentaires, 4,8 % – contre 6,7 % pour l'exercice 1997-1998 – pour les autres). La tendance à la hausse des prix des produits alimentaires a cependant connu une inflexion à la baisse à partir de janvier 1999. Le déficit budgétaire a représenté 5 % du PIB. L'importation de céréales a augmenté (300 000 tonnes de riz et 100 000 tonnes de blé en plus du volume annuel moyen). L'ensemble des importations a crû de 13 %, contre 5,5 % au cours de l'exercice précédent. Après avoir été en déclin, l'activité du secteur industriel a repris à partir de novembre 1998.

En matière d'exportations, alors que les prévisions étaient à la baisse, le volume de celles-ci a augmenté de 12,4 %, atteignant 5,8 milliards de dollars en 1998-1999, contre 5,2 l'année précédente. Le déficit commercial devrait passer de 4 milliards à 2,4 milliards de dollars, selon les prévisions. L'économie du Bangladesh semblait donc s'en être assez bien tirée.

Le gouvernement a décidé que l'augmentation des recettes fiscales – rendue nécessaire par les inondations – passerait par une hausse des impôts. La reconstruction a été évaluée à 2 milliards de takas (1 dollar valant 48,5 takas) qui seront perçus en taxes supplémentaires sur six services : télécommunications, certificats d'épargne, dépôts bancaires, enregistrement de documents, établissement de passeports, et sur des produits déjà fortement taxés. Les emprunts bancaires contractés par le gouvernement ont augmenté de 21 %, limitant l'accès au crédit du secteur privé et ralentissant l'expansion du crédit intérieur.

Ce déluge, qui a affecté 31 millions de

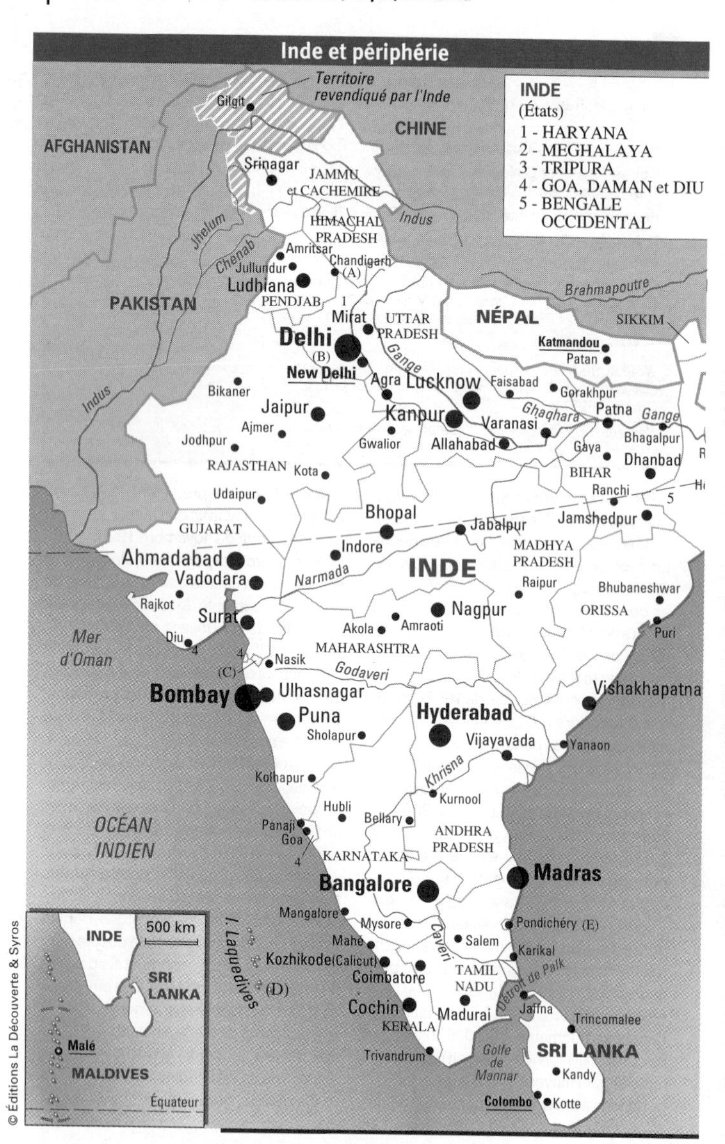
Inde et périphérie
Territoire revendiqué par l'Inde
Gilgit
CHINE
AFGHANISTAN
INDE
(États)
1 - HARYANA
2 - MEGHALAYA
3 - TRIPURA
4 - GOA, DAMAN et DIU
5 - BENGALE OCCIDENTAL
Srinagar
JAMMU et CACHEMIRE
HIMACHAL PRADESH
Indus
Jhelum
Chenab
Amritsar
Jullundur
Chandigarh
(A)
Ludhiana
PENDJAB
PAKISTAN
Brahmapoutre
NÉPAL
SIKKIM
Mirat
UTTAR PRADESH
Delhi
(B)
New Delhi
Katmandou
Patan
Gange
Indus
Bikaner
Agra
Lucknow
Faisabad
Gorakhpur
Jaipur
Kanpur
Ghaghara
Patna
Gange
Ajmer
Varanasi
Jodhpur
Gwalior
Allahabad
Bhagalpur
Gaya
Dhanbad
RAJASTHAN
Kota
BIHAR
Ranchi
Udaipur
5
Bhopal
Jamshedpur
GUJARAT
Jabalpur
MADHYA PRADESH
Ahmadabad
Indore
INDE
Vadodara
Narmada
Raipur
Bhubaneshwar
Rajkot
ORISSA
Surat
Nagpur
Mer d'Oman
Akola
Amraoti
Puri
Diu
4
4
MAHARASHTRA
Nasik
(C)
Godaveri
Bombay
Ulhasnagar
Vishakhapatna
Puna
Hyderabad
Sholapur
Vijayavada
Yanaon
Kolhapur
Khrisna
Kurnool
Hubli
Bellary
OCÉAN INDIEN
Panaji
Goa
ANDHRA PRADESH
4
KARNATAKA
Bangalore
Madras
Mangalore
Mysore
Pondichéry (E)
I. Laquedives
Mahé
Caveri
Salem
Kozhikode(Calicut)
Karikal
Coimbatore
TAMIL NADU
Détroit de Palk
(D)
Cochin
Madurai
Jaffna
KERALA
Trincomalee
Trivandrum
Golfe de Mannar
SRI LANKA
Kandy
Colombo
Kotte
INDE
500 km
SRI LANKA
Malé
MALDIVES
Équateur

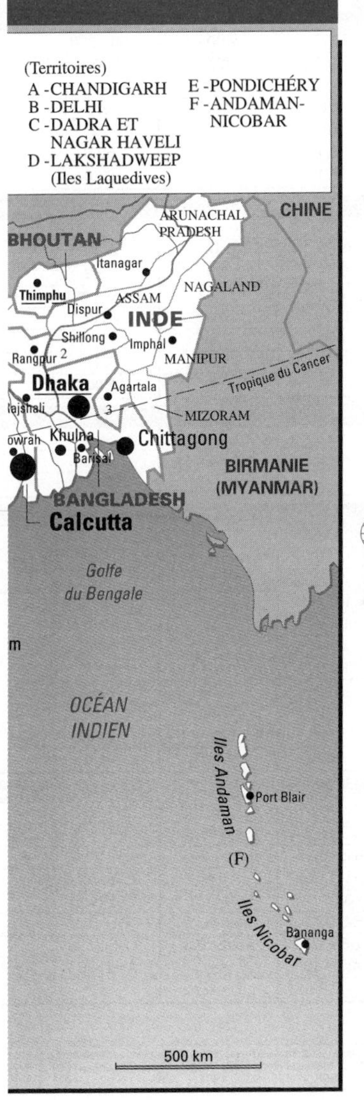

personnes, n'a pas engendré les épidémies ou disettes redoutées. L'ensemble des Bangladais ont été mobilisés, dans le cadre d'initiatives privées, officielles, ou émanant d'ONG (organisations non gouvernementales). Inévitablement, la catastrophe naturelle a donné lieu à d'innombrables débats sur le réchauffement de la planète, les causes des inondations, la maîtrise du niveau des eaux et la politique de l'eau, la nécessité de mettre en place une meilleure coopération avec les pays voisins, à la fois pour combattre le problème de manière concertée et mieux se préparer pour l'avenir. D'autres problèmes, comme les coupures d'électricité, la distribution du gaz, les pénuries d'eau ou la pollution, devraient être abordés d'urgence et avec discernement si le pays veut jouer son rôle au XXIe siècle.

Un climat social agité

Aucune perte de confiance des investisseurs n'était jusque-là perceptible. Les

République populaire du Bangladesh

Capitale : Dhaka.
Superficie : 143 998 km^2.
Population : 124 774 000.
Langue : bengali, anglais (off.).
Monnaie : taka (1 taka = 0,12 FF au 30.4.99).
Nature de l'État : république unitaire.
Nature du régime : démocratie parlementaire.
Chef de l'État : Shahabuddin Ahmed, président de la République (depuis le 23.7.96).
Chef du gouvernement : Sheikh Hasina Wajed, Premier ministre (depuis le 23.6.96).
Ministre des Finances : Shah A. M. S. Kibria.
Ministre des Affaires étrangères : Abdus Samad Azad.
Ministre du Commerce et de l'Industrie : Tofael Ahmed.
Principaux partis : Ligue Awami ; BNP (Bangladesh Nationalist Party) ; Jamaat-I-Islam ; Jatiya Party.

INDICATEUR	BANGLADESH	BHOUTAN	INDE
Démographie[a]			
Population *(millier)*	124 774	2 004	982 223
Densité *(hab./km²)*	958,5	42,6	330,4
Croissance annuelle (1995-2000) *(%)*	1,7	2,8	1,6
Indice de fécondité (ISF) (1995-2000)	3,1	5,5	3,1
Mortalité infantile (1995-2000) *(‰)*	79	63	72
Espérance de vie (1995-2000) *(année)*	58,1	60,7	62,6
Population urbaine *(%)*	20,1	6,7	27,8
Indicateurs socioculturels			
Développement humain (IDH)[c]	0,44	0,459	0,545
Nombre de médecins *(‰ hab.)*	0,20[b]	0,16[i]	0,41[j]
Analphabétisme (hommes)[c] *(%)*	50,1	43,8[b]	33,3
Analphabétisme (femmes)[c] *(%)*	72,6	71,9[b]	60,6
Scolarisation 12-17 ans *(%)*	19,9[m]	10,7[m]	43,8[m]
Scolarisation 3e degré *(%)*	6,2[f]	0,3[f]	[f]
Adresses Internet[d] *(‰ hab.)*	• •	0,18	0,13
Livres publiés *(titre)*	• •	• •	11 903[f]
Armées (effectifs)			
Armée de terre *(millier d'h.)*	101	}	980
Marine *(millier d'h.)*	10,5	} 5	55
Aviation *(millier d'h.)*	9,5	}	140
Économie			
PIB total (PPA)[c] *(million $)*	129 666	779[g]	1 609 656
Croissance annuelle 1987-97 *(%)*	4,8	5,1	6,1
Croissance 1998 *(%)*	4,2	4,6	5,6
PIB par habitant (PPA)[c] *($)*	1 050	389[g]	1 670
Investissement (FBCF) *(% PIB)*	18,7[h]	44,3[e]	23,8[e]
Taux d'inflation *(%)*	7,9	7,0	13,0
Énergie (taux de couverture)[f] *(%)*	89,9	201,9[bn]	86,7
Dépense publique Éducation *(% PIB)*	2,9[f]	2,7[j]	3,4[b]
Dépense publique Défense[c] *(% PIB)*	1,9	• •	3,3
Dette extérieure totale[c] *(million $)*	15 125	89	94 404
Service de la dette/Export.[e] *(%)*	12,4	6,3	24,0
Échanges extérieurs			
Importations (douanes) *(million $)*	7 042	136	42 201
Principaux fournisseurs[c] *(%)*	UE 13,2	Inde 65,3	E-U 8,8
(%)	Asie[q] 62,5	Autres 34,7	UE 26,1
(%)	C+H+T[o] 20,5	• •	Asie[q] 44,6
Exportations (douanes) *(million $)*	3 831	111	32 881
Principaux clients[c] *(%)*	E-U 33,3	Inde 90,7	E-U 19,3
(%)	UE 41,3	Autres 9,3	UE 25,4
(%)	Asie[q] 13	• •	Asie[q] 38,7
Solde transactions courantes *(% PIB)*	– 0,8[c]	• •	– 1,7

Définition des indicateurs, sigles et abréviations p. 31 et suiv. Chiffres 1998 sauf notes. a. Derniers recensements utilisables : Bangladesh, 1991 ; Bhoutan, 1969 ; Inde, 1991 ; Maldives (îles), 1995 ; Népal, 1991 ; Sri Lanka, 1991. b. 1995 ; c. 1997 ; d. janv. 1999 ; e. 1995-97 ; f. 1996 ; g. 1998 ; h. 1996-98 ; i. 1994 ; j. 1993 ; k. 1992 ; l. 1991 ;

MALDIVES (ILES)	NÉPAL	SRI LANKA
271	22 847	18 455
903,3	159,8	285,5
2,8	2,4	1,0
5,4	4,4	2,1
50	83	18
64,5	57,3	73,1
27,7	11,3	23,0
0,716	0,463	0,721
0,07[m]	0,07[j]	0,15[j]
4,3	44,3	6,0
4,4	79,3	12,4
70,3[k]	33,4[m]	62,3[l]
••	4,7[f]	5,2[f]
3,97	0,07	0,30
••	••	4 115[f]
••	46	92,5
••	–	10
••	–	10
945	24 270	46 205
8,0	4,9	4,8
6,0	4,5	5,0
3 690	1 090	2 490
••	21,2[e]	24,6[e]
5,0	7,0	5,0
••	91,4	61,9
6,4[b]	2,8[f]	3,4[f]
0,9[f]	0,9	6,1
160	2 398	7 638
4,4	6,9	7,0
354	2 668	5 917
UE 9,5	UE 16,2	UE 17,1
Asie 84,2	Asie 70,8	Asie 68,1
M-O 28,4	Inde 25,5	C+H+T[o] 16,9
76	474	4 732
E-U 20,4	E-U 29,2	E-U 35,8
UE 22,6	UE 41,4	UE 29,5
Asie[q] 54,9	Inde 16,5	Asie[q] 20,7
••	– 8,5[c]	••

m. 1990 ; n. Chiffres des Nations unies ; o. Chine, Hong Kong, Taïwan ; p. Total 5000 hommes ; q. Y compris Japon et Moyen-Orient.

bailleurs de fonds et les partenaires commerciaux du pays, comme l'Union européenne, semblaient toutefois soucieux de la détérioration de la vie politique intérieure. Le droit s'est révélé de plus en plus bafoué et les confrontations politiques ont pris de l'ampleur à partir de mars 1999. Les violences dans les rues et sur les campus, sans nul doute compliquées par la campagne de l'opposition (BNP, Jamaat-I-Islami et Jatiya Party) pour évincer le pouvoir en place, créaient un climat de chaos menaçant la démocratie naissante. En conséquence de quoi, gouverner correctement le pays est devenu un véritable problème.

Au-delà des turbulences politiciennes, la société civile a continué de faire entendre sa voix, parvenant parfois même à retenir l'attention de la classe politique. L'espoir pour l'avenir semblait résider là. - **Tazeen M. Murshid** ■

Bhoutan

L'incendie du monastère de Taktshang

En avril 1998, le royaume a été ébranlé par l'incendie d'un de ses plus illustres monastères, Taktshang. En juillet 1998, le roi

Royaume du Bhouthan

Capitale : Thimbou.
Superficie : 40 077 km^2.
Population : 2 004 000.
Langue officielle : dzong-ka (dialecte tibétain). Autre langue : népali.
Monnaie : ngultrum (au taux officiel, 1 ngultrum = 0,14 FF au 30.4.99).
Nature de l'État : monarchie unitaire.
Nature du régime : constitutionnel.
Chef de l'État : Jigme Singye Wangchuck (roi depuis 1972).
Chef du gouvernement et ministre des Affaires étrangères : Jigmi Thinley.
Ministre de l'Intérieur : Thinley Gyamtsho.

a introduit une série de mesures restreintes destinées à réduire son implication directe dans le gouvernement. Thimbou s'est inquiété des incursions croissantes sur son sol de groupes armés menant des actions dans l'État indien de l'Assam (guérilla bodo et Front de libération uni de l'Assam). Le Népal a souhaité voir régler au plus vite la question des Bhoutanais d'origine népalaise réfugiés sur son territoire depuis 1990. - **Philippe Ramirez** ■

Inde

Le gouvernement BJP déjà sanctionné

Le gouvernement BJP (Bharatiya Janata Party, « Parti du peuple indien », nationaliste hindou), dirigé par Atul Bihari Vajpayee, est tombé le 18 avril 1999, après le retrait de l'AIADMK (All India Anna Dravida Munetra Kazhagam, parti régionaliste tamoul) de Jayaram Jayalitha, qui était, depuis le début, la composante la plus instable de la coalition gouvernementale. Cette formation s'est rapprochée du parti du Congrès, qui espérait ainsi regagner le pouvoir. Mais l'absence de consensus chez les autres partis d'opposition l'ont empêché de constituer la majorité requise. Cette crise politique a précipité la tenue de nouvelles élections générales, fixées à octobre 1999. L'année passée au pouvoir par le BJP aura été essentiellement marquée par des difficultés internes et la désillusion des électeurs qui avaient voté pour le changement.

A peine sept mois après son arrivée au pouvoir, l'hétérodoxe coalition de 14 partis régionaux avait déjà subi un désaveu majeur lors des élections régionales de novembre 1998 au Rajasthan, au Madhya Pradesh et dans le territoire de Delhi, qu'il gouvernait depuis 1993. Ces défaites étaient d'autant plus inquiétantes pour le BJP qu'elles coïncidaient avec une remontée du parti du Congrès, dirigé par Sonia Gandhi depuis mars 1998. La colère des électeurs a essentiellement sanctionné l'augmentation brutale des prix d'un certain nombre de denrées de base, en particulier les oignons, survenue à l'automne 1998. Le gouvernement s'est aussi vu reprocher d'avoir privilégié son image sur la scène internationale – en l'occurrence, à travers les cinq essais nucléaires des 11 et 13 mai 1998 – au détriment des intérêts de la population.

Ménager les composantes internes du parti

La perte de ces trois États, capitaux pour le BJP, a mis en relief le factionnalisme de plus en plus prégnant au sein du parti. Deux branches rivales sont apparues autour des centres de pouvoir représentés par le Premier ministre et son ministre de l'Intérieur, Lal Krishna Advani, et reflétant les divergences opposant « modérés » et « extrémistes » sur les questions tant intérieures – en particulier, la politique économique – qu'extérieures – notamment les relations avec le Pakistan –, mais aussi sur la place des autres composantes du Sangh Parivar, la « famille » idéologique du BJP. Celle-ci a cherché à affirmer son emprise sur le gouvernement et, devant la résistance de la faction Vajpayee, s'est montrée de plus en plus critique. Ces tensions ont conduit à la démission, en février 1999, du ministre des Affaires parlementaires et porte-parole du gouvernement, Madan Lal Khurana, l'un des soutiens d'A. B. Vajpayee et l'un des plus anciens membres du parti.

Hors du gouvernement, cette pression s'est traduite par une intensification des attaques contre les chrétiens, d'abord localisées au Gujarat (fin 1998), puis débordant sur les autres États indiens (début 1999). Visant les nouveaux convertis au christianisme, pour la plupart issus des « castes répertoriées » (ex-Intouchables) ou des « ethnies répertoriées » (ou « dalits »), et les prêtres et missionnaires, elles sont essentiellement imputables aux extrémistes du

Sangh Parivar, en particulier le Rashtriya Swayamsevak Sangh (RSS, Association des volontaires nationaux) et le Bajrang Dal (Parti de Bajrang ou Hanuman), qui s'étaient tous deux illustrés lors de la destruction de la mosquée d'Ayodhya en décembre 1992 et dans des émeutes qui avaient suivi. Ces actions violentes tendent avant tout à réduire l'influence de la communauté chrétienne dans le domaine éducatif et social où le RSS cherche à s'imposer. Cette dérive communaliste a fragilisé l'assise électorale du parti ainsi que certaines de ses alliances, notamment avec le Trinamool Congress de Mamata Banerjee (issu d'une scission du parti du Congrès au Bengale occidental) et l'AIADMK, qui soutiennent le gouvernement sans y participer.

En dépit des critiques, l'équipe au pouvoir est demeurée stable, essentiellement du fait de sa politique de patronage envers les membres de la coalition. Le Bengale occidental a ainsi fini par obtenir l'enveloppe spéciale réclamée par M. Banerjee depuis dix mois, tandis que J. Jayalalitha voyait les procès engagés contre elle (pour détournement de fonds publics et enrichissement illicite) renvoyés vers de nouvelles cours de justice, au risque de provoquer une surenchère des demandes de la part des autres alliés gouvernementaux. De la même manière, le gouvernement a essayé à nouveau de faire imposer le régime d'administration directe au Bihar (décembre 1998, puis février 1999), sous l'influence de son allié le Samata Party, principal rival du Rashtriya Janata Dal de Laloo Prasad Yadav, au pouvoir dans cet État. Cette deuxième tentative est intervenue à la suite de massacres répétés de dalits par les activistes de la Ranvir Sena, une milice de propriétaires terriens de hautes castes.

La détérioration de l'ordre au Bihar, mais aussi, dans une certaine mesure, au Gujarat et en Orissa, permettant à des éléments extrémistes de faire régner la terreur dans certains districts, est allée de pair avec une confrontation entre détenteurs du pouvoir

Union indienne

Capitale : New Delhi.

Superficie : 3 287 590 km².

Population : 982 223 000.

Langues : outre l'anglais, langue véhiculaire, 15 langues officielles (assamais, bengali, gujarati, hindi, kannada, cachemiri, malayalam, marathi, oriya, pendjabi, sanscrit, sindhi, tamoul, telugu et ourdou).

Monnaie : roupie (au taux officiel, 1 roupie = 0,14 FF au 30.4.99).

Nature de l'État : république fédérale (25 États, 7 territoires de l'Union).

Nature du régime : démocratie parlementaire.

Chef de l'État : Kocheril Raman Narayanan (depuis le 14.7.97

Chef du gouvernement : Ahal Bihari Vajpayee (jusqu'au 18.4.99), qui avait remplacé le 18.3.98 Inder Kumal Gujra.

Ministre des Affaires étrangères : Jaswant Singh (depuis le 5.12.98).

Ministre de l'Intérieur : Lal Krishna Advani (BJP).

Ministre de la Défense : Georges Fernandes (Samata Party).

Principaux partis politiques : *Au pouvoir au plan national :* Bharatiya Janata Party (BJP, nationaliste hindou) ; All India Anna Dravida Munetra Kazhagam (AIADMK, parti régionaliste tamoul) ; Samata Party (parti régional implanté au Bihar et dans l'est de l'Uttar Pradesh) ; Shiromani Akali Dal (SAD, parti régional pendjabi) ; Biju Janata Dal (issu d'une scission du Janata Dal en Orissa) ; Trimamool Congress (issu d'une scission du Congrès-I au Bengale occidental) ; Shiv Sena (au pouvoir au Maharashtra) ; Lok Shakti (issu d'une scission du Janata Dal au Karnataka). *Au pouvoir au plan régional :* Congrès-I ; Janata Dal (promotion des basses castes) ; CPI-M (Parti communiste de l'Inde-marxiste) ; Tekugu Desam Party (Andhra Pradesh) ; Conférence nationale du Cachemire (intégrationniste, Cachemire).

Revendication territoriale : Azad-Cachemire, administré par le Pakistan.

Carte : p. 274-275.

INDICATEUR	UNITÉ	1975	1985	1997	1998
Démographie[a]					
Population	*million*	620,7	767,8	966,2	982,2
Densité	*hab./km²*	208,8	258,3	325,0	330,4
Croissance annuelle	%	2,1[s]	2,0[l]	1,6[c]	••
Indice de fécondité (ISF)		4,7[s]	3,8[l]	3,1[c]	••
Mortalité infantile	‰	118[s]	86[l]	72[c]	••
Espérance de vie	*année*	53,9[s]	59,0[l]	62,6[c]	••
Indicateurs socioculturels					
Nombre de médecins	*‰ hab.*	0,20	0,40[o]	0,41[f]	••
Analphabétisme (hommes)	%	48,2	41,1	33,3	••
Analphabétisme (femmes)	%	78,5	70,7	60,6	••
Scolarisation 12-17 ans	%	25,1	36,6	43,8[g]	••
Scolarisation 3e degré	%	5,2[p]	6,0	6,9[b]	••
Téléviseurs	*‰ hab.*	0,8	5,2	69,1	••
Livres publiés	*titre*	12 708	11 660	11 903[b]	••
Économie					
PIB total (PPA)	*milliard $*	216,0	553,3	1 609,7	••
Croissance annuelle	%	4,5[q]	6,1[h]	5,5	5,6
PIB par habitant (PPA)	$	350	720	1670	••
Investissement (FBCF)	*% PIB*	19,5[r]	22,6[i]	22,9	••
Recherche et Développement	*% PIB*	0,5	0,9	0,8[e]	••
Taux d'inflation	%	7,5	7,5	8,8	13,0
Population active	*million*	269,92	329,01	423,45	••
Agriculture	% } 100 %	70,7	66,8	61,6[d]	59,6[w]
Industrie	% } 100 %	12,9	14,5	17,1[d]	••
Services	% } 100 %	16,4	18,7	21,3[d]	••
Énergie (taux de couverture)	%	93,9	95,2	86,7[b]	••
Dépense publique Éducation	*% PIB*	2,7	3,5	3,4[d]	••
Dépense publique Défense	*% PIB*	3,1	3,5	3,3	••
Dette extérieure totale	*milliard $*	13,71	40,95	94,40	••
Service de la dette/Export.	%	14,8[u]	24,3[n]	23,5[m]	••
Échanges extérieurs		**1974**	**1986**	**1997**	**1998**
Importations de services	*milliard $*	0,36	2,22	12,44	14,76
Importations de biens	*milliard $*	5,21	17,74	45,73	44,66
Produits alimentaires	%	19,7	7,0	5,3[e]	4,3[d]
Produits énergétiques	%	28,0	15,1	28,8[e]	23,8[d]
Produits manufacturés	%	34,2	66,8	50,2[e]	53,8[d]
Exportations de services	*milliard $*	0,58	3,22	8,86	11,43
Exportations de biens	*milliard $*	3,99	10,42	35,38	33,69
Produits agricoles	%	38,5	30,0	12,3[e]	20,0[d]
Minerais et métaux	%	11,1	7,9	3,8[e]	3,3[d]
Produits manufacturés	%	49,5	56,8	75,9[e]	73,5[d]
Solde des transactions courantes	*% du PIB*	– 0,7[t]	– 2,1[k]	– 1,7	– 2,4

Définition des indicateurs, sigles et abréviations p. 31 et suiv. a. Dernier recensement utilisable : 1991 ; b. 1996 ; c. 1995-2000 ; d. 1995 ; e. 1994 ; f. 1993 ; g. 1990 ; h. 1987-97 ; i. 1987-96 ; j. 1986 ; k. 1985-96 ; l. 1985-95 ; m. 1995-97 ; n. 1984-86 ; o. 1984 ; p. 1980 ; q. 1977-87 ; r. 1977-86 ; s. 1975-85 ; t. 1975-84 ; u. 1974-76 ; v. 1974 ; w. An 2000, estimation FAO.

temporel et spirituel au Penjab. La préparation des célébrations d'avril 1999 marquant le tricentenaire de la Khalsa, l'ordre fondateur du sikhisme, s'est traduite par une lutte d'influence entre modérés de l'Akali Dal (B) et radicaux des organisations religieuses sikhs. Alors qu'en 1997 l'Akali Dal (B) avait remporté les élections régionales sur la base de son alliance avec le BJP, soulignant la nécessité d'en revenir à une bonne entente entre sikhs et hindous, il n'était pas parvenu, deux ans après, à en poser les fondements. Son inaction sur le plan de la décentralisation et du gouvernement local, pourtant cher à son électorat, a contribué à le marginaliser davantage et à redonner l'initiative aux radicaux.

Perte de vitesse de certains mouvements insurgés

Dans les États des confins, les mouvements les plus violents ont semblé être en voie de marginalisation croissante. Le dialogue a pu être maintenu, par exemple, entre le gouvernement central et le Conseil de sécurité national du Nagaland – Isak-Muivah NSCN (I-M) –, qui revendique la création d'un « Grand Nagaland ». Le cessez-le-feu, en vigueur jusqu'en août 1999, avait jusque-là été respecté, n'empêchant pas toutefois des combats entre NSCN (I-M) et son rival NSCN (Khaplang) qui ne participe pas aux négociations.

L'autre principal groupe insurgé de la région, le Front uni de libération de l'Assam (ULFA), qui avait intensifié ses opérations en 1997, a semblé en perte de vitesse. En se rapprochant de la population, l'armée et les forces de sécurité ont créé un climat potentiellement propice à la négociation, conduisant déjà de nombreux militants de l'ULFA à rendre les armes et les habitants à prendre leurs distances par rapport au mouvement. Mais l'ULFA a continué sa double politique de rejet du dialogue et de racket des entreprises locales. Après l'industrie du thé en 1997, ce sont celles du jute et du pétrole qui ont subi des actions terroristes en 1998 (explosion d'un pipeline de l'Indian Oil Corporation en novembre 1998, interdiction de l'extraction du pétrole assamais en février 1999). Mais ces actions participent plus de la nécessité pour l'ULFA de maintenir sa présence qu'elles n'indiquent une réelle dégradation de la situation.

Au Jammu et Cachemire (en proie à une lutte séparatiste encouragée par le Pakistan), une relative accalmie a été visible à partir des premiers mois de 1999, succédant à la crispation qui avait suivi les essais nucléaires indiens et pakistanais de mai 1998. Les tirs le long de la ligne de contrôle avaient alors repris en intensité et le nombre de morts parmi les civils, pour les six derniers mois de 1998, se serait élevé à près de 600. Même si on semblait encore loin du rapatriement des quelque 52 000 familles cachemiri déplacées, le déclin du militantisme local était un fait réel depuis 1998.

Reprise du dialogue avec les États de la région

Cette évolution n'est pas sans lien avec l'offensive majeure lancée en mai 1999 dans la région de haute montagne de Kargil, au Cachemire indien, par des militants infiltrés du Pakistan. Ces troupes, soutenues par des bombardements du territoire indien à partir des positions pakistanaises, ont cherché à empêcher la normalisation en cours. La situation a évolué en véritable guerre entre l'Inde et le Pakistan, nécessitant l'envoi de plus de 30 000 hommes du côté indien et le renfort de l'armée de l'air. Le risque d'embourbement, voire d'escalade du conflit, entre deux pays dotés de l'arme nucléaire, était réel, au vu de la détermination du Pakistan dans son soutien aux militants et son désir d'internationaliser la question du Cachemire.

L'éclaircie revenue dans les relations indo-pakistanaises à partir de la fin 1998, après la période de crispation qui avait suivi l'arrivée au pouvoir du BJP, semble bien avoir pris fin. Le voyage symbolique, effectué en bus, du Premier ministre indien jusqu'à la

Inde/Bibliographie

Amnesty International, *Inde. Les groupes armés de l'État de Jammu-et-Cachemire doivent observer les règles du droit humanitaire,* Paris, 1997.

J. Assayag, *Au confluent de deux rivières. Musulmans et hindous dans le sud de l'Inde,* École française d'Extrême-Orient, Paris, 1996.

J.-A. Bernard, *De l'empire des Indes à la République indienne : de 1935 à nos jours,* Imprimerie nationale, Paris, 1994.

G. Étienne, *Chine/Inde, le match du siècle,* Presses de Sciences-Po, Paris, 1998.

G. Heuzé, *Entre émeutes et mafias, l'Inde dans la mondialisation,* L'Harmattan, Paris, 1996.

G. Heuzé, M. Selin (sous la dir. de), *Religion et Politique dans l'Asie du Sud contemporaine,* Karthala, Paris, 1998.

« L'Inde et la question nationale », *Hérodote,* n° 71, La Découverte, Paris, 4e trim. 1993.

C. Jaffrelot, *La Démocratie en Inde. Religion, caste et politique,* Fayard, Paris, 1998.

C. Jaffrelot, *Les Nationalistes hindous. Idéologies, implantation et mobilisation des années 1920 aux années 1990,* Presses de Sciences-Po, Paris, 1993.

C. Jaffrelot (sous la dir. de), *L'Inde contemporaine de 1950 à nos jours,* Fayard, Paris, 1996.

C. Markovits (sous la dir. de), *Histoire de l'Inde moderne, 1480-1950,* Fayard, Paris, 1994.

É. Meyer, D. Vidal, G. Tarabout, « Violences et non-violence en Inde », *Purusartha,* n° 16, EHESS, Paris, 1994.

J. Pouchepadass (sous la dir. de), « Histoire de l'Inde » (dossier), *Historiens et Géographes,* n° 353, Paris, juin-juill. 1996.

J. Pouchepadass (sous la dir. de), « L'Inde contemporaine » (dossier), *Historiens et Géographes,* n° 356, Paris, févr.-mars 1997.

J. Virama-Racine, J. Racine, *Une vie de paria : le rire des asservis,* Plon, coll. « Terre humaine »/UNESCO, Paris, 1995.

M. J. Zins, *Histoire politique de l'Inde indépendante,* PUF, Paris, 1992.

Voir également les bibliographies « Océan Indien » et « Inde et périphérie », p. 216 et 286.

frontière pakistanaise, le 20 février 1999, son accueil en grande pompe par son homologue pakistanais, Nawaz Sharif, et les discussions menées à Lahore pendant deux jours n'auront été qu'un interlude. Toutefois, New Delhi est demeuré soucieux de ne pas prolonger l'isolement dans lequel l'avaient conduit les essais nucléaires de mai 1998 et a renoué le dialogue avec un certain nombre de ses partenaires régionaux.

Les rencontres officielles entre la Chine et l'Inde ont ainsi repris en février 1999, après une interruption de près de sept mois, même si la prochaine échéance du comité chargé de discuter des revendications frontalières des deux partenaires demeurait inconnue. La politique indienne semble obéir à deux logiques. D'une part, faire diminuer la tension régionale en sollicitant le dialogue avec ses voisins. De l'autre, parvenir avec chacun d'eux individuellement à la résolution de problèmes multilatéraux. Le transfert de technologie chinoise au Pakistan est ainsi l'un des principaux points sur lesquels l'Inde cherche à faire pression sur Pékin. En février 1999, une série de discussions avec la Birmanie tendait à intensifier les liens économiques entre les deux pays (construction de routes à partir du Nord-Est indien, achat d'électricité et de gaz birmans). Les implications stratégiques de ce rapprochement sont évidentes, si l'on rappelle que le Myanmar (Birmanie) constitue aujourd'hui une arrière-base militaire chinoise et que l'ULFA y disposerait de camps.

L'alliance avec la Russie, rebaptisée « partenariat stratégique », est entrée dans une nouvelle phase, entérinée par la visite du Premier ministre russe, Evgueni Primakov, en décembre 1998. Des domaines de coopération prioritaires ont ainsi été dégagés, en particulier l'énergie (construction prévue notamment de deux centrales nucléaires au Tamil Nadu) et les questions criminelles. Des accords ont également été conclus dans le domaine militaire, avec en particulier un accord sur la coopération en matière de défense, signé en juillet 1998, la préparation d'un nouveau programme de défense commun pour les années 2000 et 2010, l'achat de 10 nouveaux Sukhoi-30 (24 achetés sur un précédent contrat n'étaient pas encore livrés) et la réalisation d'un système de défense antimissile.

Les relations avec les États-Unis ont aussi semblé être en voie d'amélioration après la visite du secrétaire d'État américain, Strobe Talbott, à New Delhi puis Islamabad en février 1999. Les principaux points d'achoppement, à savoir le refus de l'Inde d'adhérer au Traité d'interdiction complète des essais nucléaires (CTBT) et au Traité de non-prolifération nucléaire (TNP), demeurent. Toutefois, la reprise du dialogue et, surtout, la probable levée des sanctions américaines imposées après mai 1998, concernant des flux de 2 milliards de dollars, sont apparues susceptibles de faire évoluer la position indienne sur ces deux points.

New Delhi a aussi choisi de reprendre l'initiative diplomatique avec l'Union européenne et la France en particulier, avec un tour européen du président de la République Kocheril Raman Narayanan puis du Premier ministre.

Les handicaps structurels de l'économie

Bien qu'elle ait dans l'ensemble échappé à la crise asiatique qui a touché de plein fouet les pays du Sud-Est asiatique durant l'année 1998, l'économie indienne continuait de souffrir de profonds handicaps structurels. La croissance du PIB a ralenti de 2 points pour la période allant d'avril 1998 à février 1999, passant à 5,8 %. Cette croissance a été essentiellement portée par l'agriculture (5,3 % de hausse contre – 1 % en 1997), l'industrie et les services enregistrant un ralentissement (respectivement 4,7 % et 6,7 %). La hausse brutale des prix à la consommation de certaines denrées de base, à l'automne 1998, a favorisé une reprise de l'inflation, qui est passée de 4,9 % pour l'année 1997 à 8,8 % pour le seul mois de septembre 1998, avant de retomber à 5 % en janvier 1999. Sur le plan du commerce extérieur, les exportations ont poursuivi leur chute, entamée trois ans plus tôt, jusqu'à afficher une croissance négative dans les neuf premiers mois de 1999. Enfin, le flux de l'investissement étranger s'est tari (880 millions de dollars pour les premiers mois de 1998 contre 4,3 milliards pour la même période en 1997).

Plus que les essais nucléaires, la stagnation des réformes et le poids encore très lourd de la bureaucratie sont parmi les causes profondes de ce recul. Les mesures populistes continuent de priver les gouvernements successifs des fonds que nécessitent des secteurs primordiaux comme les infrastructures (seulement + 2 % en 1998-1999 contre 9 % cinq ans plus tôt). Enfin, le ralentissement de l'investissement en provenance des pays du Sud-Est asiatique, survenu à la suite de la crise financière et économique qui a frappé l'Asie à partir de la mi-1997, s'est également fait sentir.

La marge de manœuvre du BJP est apparue d'autant plus faible que ses partenaires au pouvoir ou les membres de sa famille idéologique l'ont poussé vers la prise de mesures démagogiques. Son éloignement de la doctrine « swadeshi » (qui vise à privilégier les entreprises indiennes) lui a valu le courroux de ces derniers. Il se voyait donc contraint de rechercher de savants compromis. - **Jasmine Zérinini-Brotel** ■

Maldives

Un cinquième mandat pour Maumoon Abdul Gayoom

Le président Maumoon Abdul Gayoom, en place depuis 1978, a été réélu en octobre 1998 pour un cinquième mandat de cinq ans avec 90 % des voix. Il a remanié son gouvernement en y réintégrant son beau-frère et rival Ilyas Ibrahim, qui en était écarté depuis 1993. La réelle popularité du régime est fondée sur la prospérité, dépendant largement du tourisme (croissance annuelle de 8 % à 10 % depuis les années quatre-vingt), des investissements en matière de communications, de santé et d'enseignement, et de la visibilité internationale que ce petit pays a acquise dans le cadre de l'Association de l'Asie du Sud pour la coopération régionale (SAARC), et comme leader des micro-États insulaires menacés par les effets du réchauffement de la planète. - **Éric Meyer** ■

République des Maldives

Capitale : Male.
Superficie : 298 km².
Population : 271 000.
Langues : divehi, anglais.
Monnaie : rufiyaa (au taux officiel, 1 rufiyaa = 0,52 FF au 30.4.99).
Nature de l'État : république composée de 19 « atolls administratifs ».
Nature du régime : présidentiel. Il n'y a pas de partis.
Chef de l'État et du gouvernement : Maumoon Abdul Gayoom (depuis le 11.11.78).
Ministre du Cabinet présidentiel : Mohamed Zahir Hussain.
Ministre des Affaires étrangères : Fathulla Jameel.

Népal

La fin des coalitions

Le 10 décembre 1998, le Parti marxiste-léniniste (ML) s'est retiré du gouvernement de coalition de Girija Prasad Koirala (Nepali Congress). Après avoir, depuis l'instauration du multipartisme en 1990, épuisé toutes les coalitions possibles avec des petits partis de plus en plus exigeants, les deux principales formations rivales – Nepali Congress et Parti marxiste-léniniste unifié (UML) – ont constitué un cabinet de transition toujours sous la direction de G.P. Koirala, afin de préparer les élections législatives des 3 et 17 mai 1999. Le Nepali Congress y a obtenu la majorité absolue, permettant la formation d'un gouvernement homogène dirigé par Krishna P. Bhattarai (74 ans).

La guérilla du Parti maoïste (CPN-M) a multiplié les exécutions de militants du

Royaume du Népal

Capitale : Katmandou.
Superficie : 140 797 km².
Population : 22 847 000.
Langues : népali (off.), maithili, bhojpuri (dialectes hindi), néwari, tamang, etc.
Monnaie : roupie népalaise (au taux officiel, 100 roupies = 9,06 FF au 30.4.99).
Nature de l'État : monarchie.
Nature du régime : parlementaire.
Chef de l'État : Birendra Shah (roi depuis 72).
Chef du gouvernement, ministre de la Défense et des Affaires étrangères : Krishna Prasad Bhattarai, qui a succédé le 31.5.99 à Girija Prasad Koirala, lequel avait remplacé le 15.4.98 Surya Bahadur Thapa.

Congress et de villageois, s'en prenant désormais également à des membres d'autres partis communistes. Elle a aussi revendiqué plusieurs attentats à la bombe au cœur de Katmandou. Depuis 1996, la « guerre populaire » et les opérations policières auraient fait au total plus de 600 morts.

Alors que la famine avait frappé certaines zones de haute montagne durant l'hiver 1997-1998, la bonne récolte de novembre-décembre 1998 dans le Sud a permis au Népal d'exporter du riz vers le Bangladesh. Les prévisions pour 1999 restaient cependant très pessimistes après la longue sécheresse du printemps. Un nouveau traité commercial a été signé avec l'Inde le 5 janvier 1999, qui renouvelle les facilités de transit pour les échanges népalais avec des pays tiers. Les donateurs étrangers se sont inquiétés de la mauvaise gestion des aides au développement, la Banque mondiale suspendant plusieurs projets d'envergure dont l'un concernait l'alimentation en eau potable de la Vallée de Katmandou. De nombreux scandales politico-financiers (abus de biens sociaux et d'autorité) ont été mis au jour et sanctionnés, révélant l'influence croissante de la presse et de la Cour suprême dans la démocratie népalaise. - **Philippe Ramirez** ■

Sri Lanka

Guerre sans merci avec l'insurrection tamoule

Quinze ans après le début de la guerre opposant l'armée gouvernementale (plus de 100 000 hommes) et les troupes indépendantistes des Tigres de libération de l'Eelam tamoul (LTTE), aucune issue militaire ni politique ne se dessinait. L'inflexibilité du chef de la guérilla tamoule, Vellupillai Prabhakaran, et l'opportunisme du leader de l'opposition, Ranil Wickramasinghe, ont vidé de leur substance les propositions du gouvernement de Mme Chandrika Kumaratunga (établissement d'un régime quasi fédéral donnant une autonomie poussée aux régions tamoules du nord et de l'est de l'île) ; les milieux d'affaires et des personnalités bouddhistes et chrétiennes ont néanmoins tenté d'ouvrir un espace de négociation.

En raison des pertes élevées et des désertions, Colombo a renoncé à s'emparer de la route qui lui aurait permis de désenclaver ses troupes occupant la péninsule septentrionale de Jaffna, où se concentre la majorité de la population tamoule. Les LTTE ont cherché à empêcher la normalisation de cette région en assassinant à deux reprises les maires élus de la métropole du Nord, en attaquant des convois maritimes

République démocratique socialiste de Sri Lanka

Capitale : Colombo.
Superficie : 65 610 km².
Population : 18 455 000.
Langues : cinghalais et tamoul (off.), anglais (semi-off.).
Monnaie : roupie sri-lankaise (au taux officiel, 100 roupies = 8,85 FF au 30.4.99).
Nature de l'État : république unitaire (évolution fédérale en projet).
Nature du régime : démocratie présidentielle.
Chef de l'État : Mme Chandrika Kumaratunga, présidente de la République (depuis le 12.11.94), également ministre de la Défense et des Finances.
Premier ministre : Mme Sirimavo Bandaranaike (depuis le 12.11.94).
Ministre de la Justice et des Affaires constitutionnelles : G. L. Peiris.
Ministre des Affaires étrangères : Lakshman Kadirgamar (depuis le 12.11.94).
Échéances institutionnelles : élections présidentielle et législatives (2000).
Sécessionisme : depuis le début des années quatre-vingt, un mouvement insurrectionnel tamoul affronte les forces gouvernementales.

Inde et périphérie/Bibliographie

F. Durand-Dastès, « Mondes indiens », *in* R. Brunet (sous la dir. de), *Géographie universelle,* vol. VIII, Belin/RECLUS, Paris/Montpellier, 1995.

M. Hutt (sous la dir. de), *Nepal in the Nineties, Versions of the Past, Visions of the Future,* Oxford University Press, Delhi, 1994.

« Le communalisme en Asie du Sud » (dossier constitué par C. Jaffrelot), *Problèmes politiques et sociaux,* n° 702, La Documentation française, Paris, avr. 1993.

É. Meyer, « Impasse à Sri Lanka », *in Manière de voir/Le Monde diplomatique,* n° 29, Paris, févr. 1996.

L. Paul, *La Question tamoule à Sri Lanka,* L'Harmattan, Paris, 1998.

L.-E. Rose, *The Politics of Bhutan,* Cornell University Press, Ithaca (NY), 1977.

R. Shaha, *Politics in Nepal, 1980-1990,* Manohar, New Delhi, 1990.

A. C. Sinha, *Bhutan : Ethnic Identity and National Dilemma,* Reliance Publication House, New Delhi, 1991.

Voir aussi les bibliographies « Pakistan », « Inde » et « Bangladesh », p. 264, 282 et 273.

d'approvisionnement et de transport de civils, et en abattant un avion d'une compagnie privée. Dans le Sud, ils ont organisé un attentat spectaculaire contre le temple de la Dent du Bouddha à Kandy, en janvier 1998. Leur puissance repose largement sur leur organisation internationale (appuis et moyens financiers considérables venant de la diaspora), ainsi que sur une logistique très sophistiquée, qui en fait l'un des systèmes mafieux les plus efficaces du monde.

La guerre affecte gravement une population civile directement exposée dans le Nord et l'Est (centaines de milliers de personnes déplacées et dizaines de milliers de victimes principalement chez les Tamouls). Dans le Sud, la population cinghalaise, majoritaire, est lasse d'un conflit qui pèse sur l'activité économique, fait de nombreuses victimes chez les jeunes recrues, et engendre une violence sociale et politique endémique. Ainsi les élections locales tenues en janvier 1999 et remportées par l'Alliance populaire de Mme Kumaratunga ont-elles été entachées de nombreux incidents, augurant mal des prochaines échéances politiques (présidentielles et législatives prévues en 2000).

La croissance économique s'est légèrement ralentie (environ 5 % en 1998), en raison de l'effondrement monétaire survenu en Asie du Sud-Est à l'été 1997 (destinations touristiques concurrentes) et en Russie (gros acheteur de thé) un an plus tard. La Bourse de Colombo a été désertée par les investisseurs internationaux inquiets de la crise asiatique, de la course aux armements indo-pakistanaise (printemps 1998), et de la poursuite du conflit avec les insurgés tamouls, qui ponctionne au moins un quart des ressources de l'État. Le gouvernement de Mme Kumaratunga (à la tête de l'Association de l'Asie du Sud pour la coopération régionale – SAARC – en 1998-1999) conservait toutefois une image positive dans la région et dans le monde ; Lakshman Kadirgamar, ministre des Affaires étrangères d'origine tamoule, maniait avec doigté les relations avec l'Inde et le Pakistan et a obtenu de plusieurs gouvernements occidentaux la dénonciation comme terroristes des activités des LTTE. - **Éric Meyer** ■

Asie du Nord-Est

Chine, Corée du Nord, Corée du Sud, Japon, Macao, Mongolie, Taïwan

Chine

« Fluctuat nec mergitur »

Tel le bambou qui plie mais ne rompt pas, la Chine a su traverser l'année 1998 et les premiers mois de 1999 sans troubles sociaux ni crises économique ou politique majeures et sans s'écarter de la stratégie de croissance suivie depuis vingt ans. Pourtant, nombreux ont été les écueils et les épreuves, en particulier à l'été 1998, alors que des pluies diluviennes se déversaient sur le pays et que les spéculateurs internationaux redoublaient d'efforts pour faire chuter les devises de Hong Kong et de la Chine continentale (le yuan).

L'été de tous les dangers

Après trois mois de pluies incessantes, de juin à août 1998, une grande partie des terres situées le long du fleuve Yangzi – le plus grand de Chine, 6 380 km – étaient inondées. Pas moins de 250 millions de personnes ont été touchées par la montée des eaux et, selon les estimations officielles, 3 656 ont péri des suites des intempéries tandis que 14 millions de Chinois se sont retrouvés sans abri. Le coût financier de la catastrophe a été estimé par les autorités à 150 milliards de yuans, soit près de 2 % du produit intérieur brut (PIB) du pays.

Malgré ce bilan humain et matériel particulièrement lourd, ces inondations n'ont pas engendré une grave crise économique ou idéologique, comme ce fut le cas à maintes reprises au cours du XXe siècle. Un plan de relance publique, financé par l'émission de bons du Trésor, a été mis en place, en partie pour permettre la reconstruction des digues, des maisons et des infrastructures détruites. A cette occasion, alors que certaines grandes villes (comme Wuhan, 7,2 millions d'habitants, située dans le Hubei, au centre du pays) avaient pu être épargnées de justesse grâce au dynamitage de digues secondaires, le gouvernement a pris conscience de l'impérieuse nécessité d'un développement plus harmonieux du territoire. Ainsi a-t-il été décidé dès l'été 1998 une réorientation des investissements publics et étrangers vers l'intérieur des terres et promulgué, en janvier 1999, une révision de la loi sur l'administration des sols, avec pour principal objectif de renforcer le contrôle de l'État sur la gestion de ceux-ci et de surveiller l'utilisation des terres agricoles et non agricoles en protégeant spécialement les surfaces cultivables.

Tandis que la nature déchaînait ses foudres sur l'économie la plus peuplée du monde, comme elle l'avait déjà fait en 1931 et 1954, les fonds spéculatifs se faisaient de plus en plus pressants sur la devise hongkongaise, après avoir porté de nombreux coups à la devise japonaise. Le 13 août 1998, alors que le yen approchait les 150 pour un dollar et que l'indice phare de la place de Hong Kong (Hang Seng) avait perdu 60 % de sa valeur par rapport à l'été 1997, l'autorité monétaire de l'île, la Hong Kong Monetary Authority (HKMA), dirigée

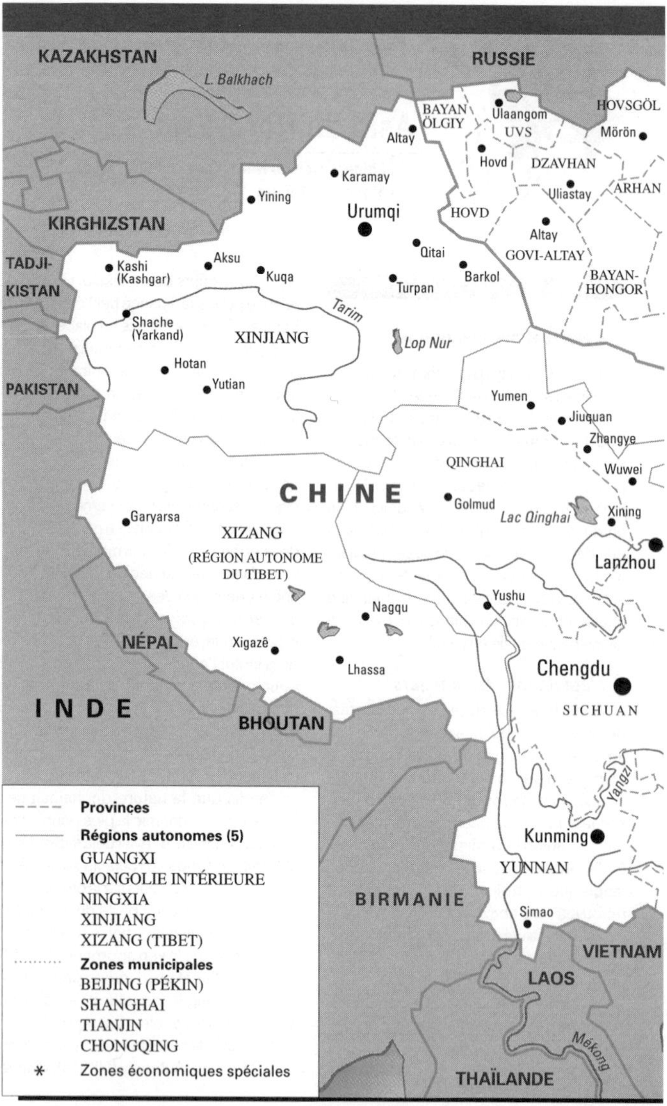

KAZAKHSTAN
L. Balkhach
RUSSIE
BAYAN ÖLGIY
Ulaangom
UVS
HOVSGÖL
Mörön
Altay
Hovd
DZAVHAN
Karamay
Yining
Uliastay
ARHAN
Urumqi
HOVD
KIRGHIZSTAN
Altay
Qitai
GOVI-ALTAY
TADJI-KISTAN
Kashi (Kashgar)
Aksu
Kuqa
Barkol
Turpan
BAYAN-HONGOR
Tarim
Shache (Yarkand)
XINJIANG
Lop Nur
Hotan
Yutian
PAKISTAN
Yumen
Jiuquan
Zhangye
QINGHAI
Wuwei
CHINE
Golmud
Garyarsa
Lac Qinghai
Xining
XIZANG
(RÉGION AUTONOME DU TIBET)
Lanzhou
Yushu
Nagqu
NÉPAL
Xigazê
Lhassa
Chengdu
SICHUAN
INDE
BHOUTAN
Yangzi
Provinces
Régions autonomes (5)
GUANGXI
MONGOLIE INTÉRIEURE
NINGXIA
XINJIANG
XIZANG (TIBET)
Zones municipales
BEIJING (PÉKIN)
SHANGHAI
TIANJIN
CHONGQING
* Zones économiques spéciales
Kunming
YUNNAN
BIRMANIE
Simao
VIETNAM
LAOS
Mékong
THAÏLANDE

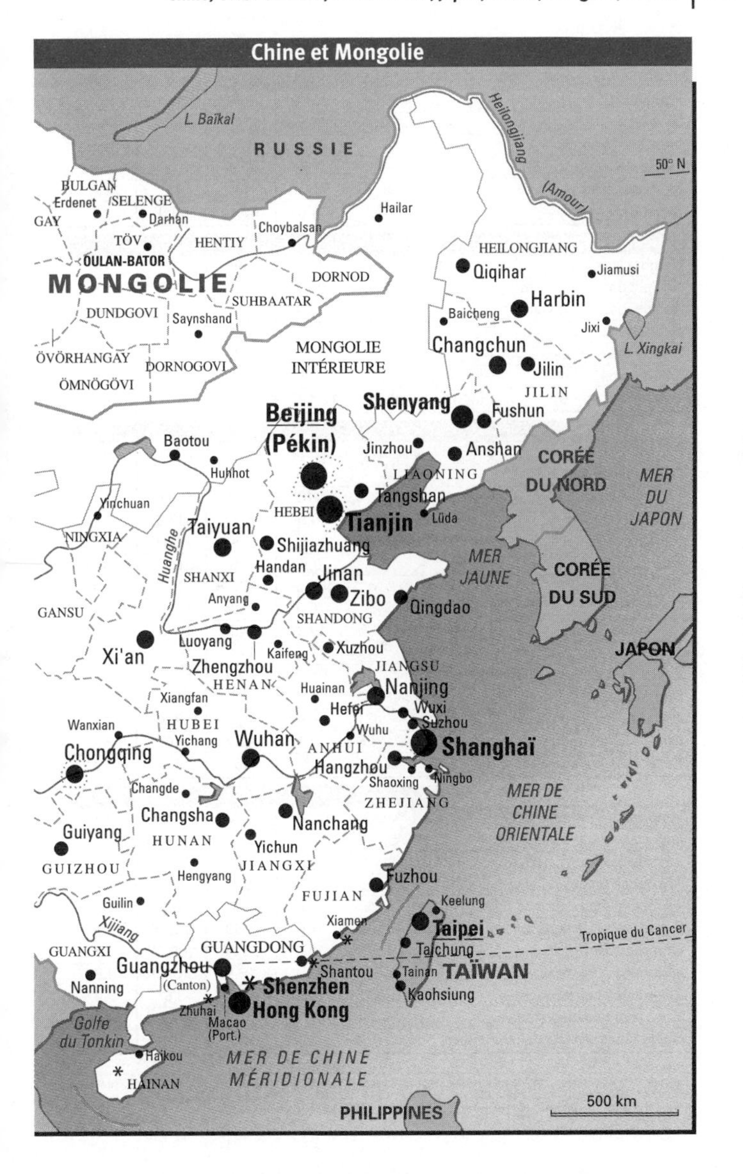
Chine et Mongolie
L. Baïkal
RUSSIE
Heilongjiang
(Amour)
50° N
BULGAN
Erdenet
SELENGE
GAY
Darhan
TÖV
HENTIY
Choybalsan
Hailar
OULAN-BATOR
MONGOLIE
DORNOD
HEILONGJIANG
Qiqihar
Jiamusi
SUHBAATAR
DUNDGOVI
Saynshand
Harbin
Baicheng
Jixi
ÖVÖRHANGAY
DORNOGOVI
MONGOLIE INTÉRIEURE
Changchun
L. Xingkai
Jilin
ÖMNÖGÖVI
JILIN
Beijing (Pékin)
Shenyang
Fushun
Baotou
Jinzhou
Anshan
CORÉE DU NORD
MER DU JAPON
Huhhot
LIAONING
Tangshan
Yinchuan
HEBEI
Tianjin
Lüda
NINGXIA
Taiyuan
Shijiazhuang
MER JAUNE
Huanghe
Handan
Jinan
CORÉE DU SUD
SHANXI
Anyang
Zibo
Qingdao
GANSU
SHANDONG
Xi'an
Luoyang
Kaifeng
Xuzhou
JAPON
Zhengzhou
JIANGSU
HENAN
Huainan
Nanjing
Xiangfan
Hefei
Wuxi
Suzhou
Wanxian
HUBEI
Wuhu
Yichang
Wuhan
Shanghaï
Chongqing
ANHUI
Hangzhou
Shaoxing
Ningbo
Changde
MER DE CHINE ORIENTALE
ZHEJIANG
Changsha
Nanchang
Guiyang
HUNAN
Yichun
GUIZHOU
Hengyang
JIANGXI
Fuzhou
Guilin
FUJIAN
Keelung
Xijiang
Xiamen
Taipei
Tropique du Cancer
GUANGXI
GUANGDONG
Taichung
Guangzhou (Canton)
Shantou
Tainan
TAÏWAN
Nanning
Shenzhen
Kaohsiung
Zhuhai
Hong Kong
Golfe du Tonkin
Macao (Port.)
Haikou
MER DE CHINE MÉRIDIONALE
HAINAN
500 km
PHILIPPINES

INDICATEUR	UNITÉ	1975	1985	1997	1998
Démographie[a]					
Population	*million*	927,8	1 070,2	1 244,2	1 255,7
Densité	*hab./km²*	99,5	114,7	133,4	134,6
Croissance annuelle	*%*	1,4[s]	1,3[k]	0,9[c]	• •
Indice de fécondité (ISF)		2,9[s]	2,2[k]	1,8[c]	• •
Mortalité infantile	*‰*	52[s]	48[k]	41[c]	• •
Espérance de vie	*année*	66,0[s]	67,8[k]	69,8[c]	• •
Indicateurs socioculturels					
Nombre de médecins	*‰ hab.*	0,71	0,99	1,57[e]	• •
Analphabétisme (hommes)	*%*	27,2	16,6	9,1	• •
Analphabétisme (femmes)	*%*	56,2	39,1	25,5	• •
Scolarisation 12-17 ans	*%*	67,0[v]	40,9	43,7[f]	• •
Scolarisation 3e degré	*%*	1,7[o]	2,9	5,7[b]	• •
Téléviseurs	*‰ hab.*	1,3	38,1	269,8	• •
Livres publiés	*titre*	12 493[p]	40 265	110 283[b]	• •
Économie					
PIB total (PPA)	*milliard $*	220,9	853,1	3 837,8	• •
Croissance annuelle	*%*	9,5[q]	9,7[g]	8,8	7,8
PIB par habitant (PPA)	*$*	240	810	3 130	• •
Investissement (FBCF)	*% PIB*	28,8[r]	31,5[h]	33,8	• •
Recherche et Développement	*% PIB*	• •	• •	0,5[d]	• •
Taux d'inflation	*%*	0,8	5,8	9,2	– 0,8
Population active	*million*	485,69	599,08	736,31	• •
Agriculture	*%* } *100 %*	76,3	73,3	47,7[b]	• •
Industrie	*%* } *100 %*	12,1	14,5	20,8[b]	• •
Services	*%* } *100 %*	11,7	12,2	31,5[b]	• •
Énergie (taux de couverture)	*%*	102,6	108 0	100,3[b]	• •
Dépense publique Éducation	*% PIB*	1,7	2,5	2,3[b]	• •
Dépense publique Défense	*% PIB*	• •	4,9	5,7	• •
Dette extérieure totale	*milliard $*	0,62[p]	16,7	146,7	• •
Service de la dette/Export.	*%*	4,3[o]	8,6[m]	9,1[l]	• •
Échanges extérieurs		**1974**	**1986**	**1997**	**1998**
Importations de services	*milliard $*	0,20[t]	2,28	30,31	• •
Importations de biens	*milliard $*	7,80[t]	34,9	136,45	• •
Produits agricoles	*%*	10,6[t]	14,8	11,8[d]	11[b]
Minerais et métaux	*%*	22,0[t]	2,6	4,3[d]	4,4[b]
Produits manufacturés	*%*	61,3[t]	79,8	80,9[d]	79,1[b]
Exportations de services	*milliard $*	0,1	3,83	24,58	• •
Exportations de biens	*milliard $*	42,4	25,76	182,67	• •
Produits agricoles	*%*	42,4	16,2	10,2[d]	9,8[b]
Produits énergétiques	*%*	16,3	8,4	3,6[d]	3,9[b]
Produits manufacturés	*%*	47,5	71,4	85,3[d]	84,4[b]
Solde des transactions courantes	*% du PIB*	1,8[n]	0[j]	3,3	• •

Définition des indicateurs, sigles et abréviations p. 31 et suiv. Chiffres 1998 sauf notes. a. Dernier recensement utilisable : 1990 ; b. 1996 ; c. 1995-2000 ; d. 1995 ; e. 1994 ; f. 1991 ; g. 1987-97 ; h. 1987-96 ; i. 1986 ; j. 1985-96 ; k. 1985-95 ; l. 1995-97 ; m. 1984-86 ; n. 1982-84 ; o. 1980 ; p. 1978 ; q. 1977-87 ; r. 1977-86 ; s. 1975-85 ; t. 1975 ; u. 1974 ; v. 1960.

par Joseph Yam, décidait d'intervenir massivement pour soutenir les cours boursiers. Cette action, supportée par Pékin, divisa les économistes, certains considérant que par ce geste autoritaire, Hong Kong signait la fin de sa prospérité, tandis que d'autres y voyaient enfin les premiers signes tangibles d'une possible mise au pas de la crise qui, partie de Thaïlande un an plus tôt, semblait tout emporter sur son passage au point de menacer l'équilibre financier de la planète. En quelques jours, la quasi-banque centrale (la HKMA) devint le principal investisseur de l'île, avec près de 10 % de la capitalisation de la place.

Par ailleurs, des mesures sévères de limitation des capacités de spéculation accompagnèrent l'engagement financier de l'autorité monétaire, si bien que rapidement les cours retrouvèrent le chemin de la hausse. De plus, les menaces émises par le Premier ministre chinois, Zhu Rongji, sur une éventuelle dévaluation du yuan, si rien n'était entrepris par les banquiers centraux américains et japonais pour enrayer la chute du yen, et les craintes d'un risque de défaillance généralisée du système bancaire international après l'annonce des pertes considérables du fonds américain LTCM (*Long Term Capital Management*) ayant conduit Alan Greenspan, président de la banque centrale américaine, la Federal Reserve, à baisser ses taux d'intérêt, les spéculateurs durent se rendre à la raison et abandonner tout espoir de voir le dollar de Hong Kong décrocher de la devise américaine et le yen glisser encore davantage.

Certains, pris de panique, quittèrent précipitamment les marchés asiatiques après avoir racheté leurs positions, initiant un mouvement de forte appréciation du yen, et une baisse de la pression sur la devise hongkongaise. Par ricochet, les taux d'intérêt à Hong Kong pouvaient baisser, mouvement favorable à une reprise de l'immobilier, secteur particulièrement stratégique pour la petite île chinoise.

A la mi-octobre 1998, l'indice Hang Seng avait repassé la barre des 10 000 points, soit une hausse de 50 % par rapport au point bas atteint en août 1998.

Aussi, alors que la Chine était parvenue à contenir les assauts des spéculateurs et

République populaire de Chine

Capitale : Pékin (Beijing)
Superficie : 9 596 961 km².
Population : 1 255 698 000.
Langues : mandarin (*putonghua*, langue commune off.) ; huit dialectes avec de nombreuses variantes ; 55 minorités nationales avec leur propre langue.
Monnaie : rrenminbi (*yuan*) ; (au taux officiel, 1 yuan = 1 renminbi = 0,71 FF au 31.12.98).
Nature de l'État : « république socialiste unitaire et multinationale » (22 provinces, 5 régions « autonomes », 4 grandes municipalités : Pékin, Shanghaï, Tianjin et Chongqing).
Nature du régime : démocratie populaire à parti unique : le Parti communiste chinois (secrétaire général : Jiang Zemin, depuis le 24.6.89).
Chef de l'État : Jiang Zemin, président de la République (depuis le 29.3.93).
Premier ministre : Zhu Rongji, qui a succédé en mars 98 à Li Peng.
Président de l'Assemblée nationale populaire (Parlement) : Li Peng, qui a succédé en mars 98 à Qiao Shi.
Président de la Conférence consultative du peuple (chargé de l'idéologie) : Li Ruihuan.
Problèmes de souveraineté territoriale : Taïwan est considérée par la Chine continentale comme une province devant un jour revenir à la mère patrie ; Macao, sous administration portugaise, doit revenir à la Chine en 1999 (comme l'ex-colonie britannique Hong Kong l'a fait le 1.7.97). Les archipels de la mer de Chine du Sud (Spratly, Paracels, Macclesfield, Pratas) font l'objet de revendications multiples. Les îles Senkaku, sous administration japonaise, sont revendiquées par Pékin. L'Inde et la Chine revendiquent mutuellement des territoires frontaliers, respectivement l'Aksaï Chin et l'Arunachal Pradesh.
Carte : p. 288-289.

les dérèglements de la nature, par une politique de relance et de restructurations visant à améliorer l'efficacité du système productif dans son ensemble, la mise en faillite de la société d'investissement de la province du Guangdong, la Guangdong International Trust and Investment Company (GITIC), le 6 octobre 1998, confirma la volonté des autorités d'éviter à la Chine une crise financière analogue à celle qui avait plongé ses voisins d'Asie dans la récession en 1998. Simultanément à l'annonce de la liquidation de quelques ITIC, Zhu Rongji décida de réformer en profondeur le secteur financier. A l'hiver 1998 fut mise en place la nouvelle organisation de la banque centrale selon le modèle de la Réserve fédérale américaine, puis une nouvelle loi sur les marchés financiers fut établie pour entrer en vigueur le 1er juillet 1999, tandis que les pouvoirs des institutions de contrôle étaient renforcés.

Pour rééquilibrer le développement du pays, le gouvernement décida de recentraliser le marché des grains. Désormais les paysans ne pourront plus vendre qu'aux entreprises d'État spécialisées qui s'engagent à acheter leur récolte et à les payer rapidement, à charge pour elles de les revendre aux entreprises de transformation. L'objectif de cette politique est d'accroître le revenu des paysans chinois, qui jusqu'alors devaient céder aux tentations des entreprises privées qui leur proposaient d'acheter leur production à vil prix en échange d'un paiement comptant, alors que les compagnies publiques, à court de trésorerie, tardaient à les régler. Pour éviter de telles mésaventures à l'avenir, la Banque de développement agricole décida parallèlement d'accroître ses crédits aux entreprises d'État et de s'assurer que les prêts seront effectivement utilisés pour l'achat des grains et non pour des opérations de spéculation immobilière comme cela fut régulièrement le cas – à grande échelle – dans le passé. En octobre 1998, le gouvernement annonça avoir mis fin à un vaste mécanisme – estimé à 214 milliards de yuans – de détournement d'argent public. Des entreprises d'État chargées d'acheter des grains aux paysans utilisaient en fait leurs fonds pour investir dans l'immobilier, acheter des voitures, des actions ou des téléphones portables.

Au total, la cohérence d'ensemble des mesures mises en place et le retour au calme sur les places financières asiatiques dès l'automne 1998 ont permis à la Chine d'éviter un retrait massif des capitaux étrangers. Les statistiques publiées par la Banque des règlements internationaux (BRI) en juin 1999 montrent ainsi que l'encours des banques étrangères sur la Chine est resté quasi stable au quatrième trimestre 1998 par rapport aux mois précédents. Par ailleurs, grâce au plan de relance de l'été (essentiellement sous forme d'investissement public), la croissance a pu être préservée et l'objectif initial de 8 % pratiquement atteint. Pourtant, quand l'année 1998 s'est achevée, malgré les succès obtenus sur les difficultés venues de l'extérieur, certains prédisaient à la Chine des mois difficiles sous l'effet de forces intérieures déstabilisatrices que pourraient exacerber quelques dates anniversaires riches en symboles ou quelques négociations internationales lourdes de conséquences. En 1999 devaient en effet être célébrés le 80e anniversaire des manifestations patriotiques contre le traité de Versailles (le 4 mai 1919), les dix ans de la répression de Tian An Men (le 4 juin 1989), les cinquante ans de la révolution communiste (le 1er octobre 1949) et le retour de Macao (le 20 décembre 1999) à la mère patrie. Par ailleurs, les discussions sur l'entrée de la Chine à l'Organisation mondiale du commerce (OMC) menaçaient de faire resurgir les divergences considérables existant entre les partisans libre-échangistes d'une intégration rapide de la Chine au marché mondial et les défenseurs d'un certain retour au protectionnisme.

Entre nationalisme et mondialisation

Tandis que la Chine semblait assaillie de toute part, Jiang Zemin et Zhu Rongji ont profité de la glorification de l'élan patriotique de la lutte face aux inondations et aux spéculations pour accélérer la libéralisation et la modernisation du pays. Ainsi, en mai 1998, Jiang Zemin demandait à plusieurs instances – dont l'Académie des sciences sociales – de réfléchir à la manière de justifier sur le plan théorique un accroissement des libertés. Quelques mois plus tard il mettait fin à la gestion par l'armée du vaste empire qu'elle contrôlait jusqu'alors, pour le restructurer et le transférer à des compagnies d'État. Enfin, en mars 1999, et pour la première fois depuis 1993, la Constitution chinoise était modifiée par trois amendements majeurs. Ceux-ci prévoient la reconnaissance des secteurs non étatiques – en particulier le secteur privé – comme des piliers du développement économique au même titre que le secteur public, placent en préambule à la Constitution la théorie de Deng Xiaoping sur le même niveau que la pensée marxiste-léniniste et celle de Mao Zedong, et enfin font de la Chine un État de droit en théorie. Ce processus d'ouverture culmina avec la décision, début avril, de signer avec les États-Unis un protocole d'accord relatif à l'adhésion à l'OMC. En effet, selon les engagements pris, la plupart des barrières tarifaires et non tarifaires existantes devront disparaître dans un délai de cinq ans. Pour autant, l'accord pouvait paraître raisonnable puisque le secteur financier restait en dehors du mouvement de libéralisation.

Cependant, le 8 mai 1999, un événement exceptionnel vint rompre le rapprochement sino-américain que des visites régulières au sommet accéléraient (Bill Clinton en Chine en juin 1998, Zhu Rongji aux États-Unis en avril 1999). L'ambassade chinoise à Belgrade fut bombardée par des missiles de l'OTAN (Organisation du traité de l'Atlantique nord) dans le cadre de l'opération *Allied Force*... Quatre Chinois y trouvèrent la mort. Cela fut qualifié de « crime de guerre », d'« agression » et d'« action barbare » par les autorités chinoises qui suspendirent aussitôt les discussions en vue de l'adhésion de la Chine à l'OMC. Des manifestations anti-occidentales éclatèrent un peu partout en Chine. Certains, notamment parmi les partisans de Li Peng – président du Parlement –, tentèrent d'utiliser l'événement pour freiner la tendance réformiste impulsée par le tandem Zhu Rongji-Jiang Zemin.

Du côté américain, les partisans d'un durcissement vis-à-vis de Pékin haussèrent le ton d'autant plus fort que, quelques jours après le bombardement, la commission Cox sur les affaires d'espionnage chinois aux États-Unis remit un rapport particulièrement accablant pour les autorités chinoises et américaines. Selon ce document de 700 pages, publié le 25 mai, les États-Unis auraient fermé les yeux pendant vingt-cinq ans sur les campagnes chinoises systématiques et persévérantes de collecte de renseignements secrets particulièrement sensibles (domaines nucléaire et balistique en particulier).

Malgré ces tensions, la voie de la libéralisation reprit le dessus dès la mi-mai 1999 avec l'engagement de restructurations importantes favorables au développement des marchés financiers. Ceux-ci s'envolèrent de 70 %, entre le 19 mai et le 30 juin, permettant à des entreprises, jusqu'alors réticentes à émettre des actions, de se financer sur les places de Shanghai et de Shenzhen. Par ailleurs, pour asseoir encore davantage son autorité, Jiang Zemin exprimait mi-juin la volonté de placer Zeng Qinhong au poste de secrétaire général de la plus haute autorité militaire, la Commission militaire centrale, poste resté vacant depuis le départ, en 1992, de Yang Baibing.

En définitive, cette période aura confirmé la détermination de la Chine à poursuivre une stratégie d'indépendance, de développement unitaire et d'intégration spatiale et temporelle (modernisation). En mettant à l'épreuve à plusieurs reprises les structures économiques, politiques, sociales et militaires du pays, les événements de l'été

Chine/Bibliographie

Amnesty International, *Chine : le règne de l'arbitraire,* « Rapport pays », Paris, 1996.

P. de Beer, J.-L. Rocca, *La Chine à la fin de l'ère Deng Xiaoping,* Le Monde-Marabout, Paris, 1995.

M.-C. Bergère, *La République populaire de Chine de 1949 à nos jours,* Armand Colin, Paris, 1987.

J.-L. Domenach, *Chine : l'archipel oublié,* Fayard, Paris, 1992.

J.-L. Domenach, P. Richier, *La Chine 1949-1985* (2 vol.), Imprimerie nationale, Paris, 1987.

P. Gentelle (sous la dir. de), *L'état de la Chine,* La Découverte, coll. « L'état du monde », Paris, 1989.

P. Gentelle, « Chine 2000 », *Documentation photographique,*n° 7034, La Documentation française, Paris, 1996.

P. Gentelle (sous la dir. de), *Chine, peuples et civilisations,* La Découverte, « Les Dossiers de L'état du monde », Paris, 1997.

« La Chine après Deng », *Revue Tiers-Monde,* n° 147, Paris, juill.-sept. 1996.

F. Lemoine, *La Nouvelle Économie chinoise,* La Découverte, coll. « Repères », Paris, 1994 (nouv. éd.).

A. Maddison, *L'Économie chinoise : une perspective historique,* OCDE, Paris, 1998.

B. J. Naughton, *Growing out of the Plan : Chinese Economic Reform, 1978-1993,* Cambridge University Press, New York, 1995.

« Nouvelle crise dans le détroit de Taïwan » (dossier constitué par J.-P. Cabestan), *Problèmes politiques et sociaux,* n° 771, La Documentation française, Paris, août 1996.

T. Pairault, A. Morin, *La Chine au travail* (2 vol.), Expert Comptable Media, Paris, 1997-1998.

J.-L. Rocca, *L'Entreprise, l'entrepreneur et le cadre. Une approche de l'économie chinoise,* n° 14, Les Études du CERI, Paris, avr. 1996.

P. Triolliet, *La Diaspora chinoise,* PUF, Paris, 1994.

« Une Chine plurielle. Stratégies de développement régional, profils statistiques et risques économiques des provinces » (sous la dir. de T. Pairault), *Le Courrier des pays de l'Est,* n° 418, La Documentation française, Paris, avril 1997.

Voir aussi la bibliographie sélective « Asie méridionale et orientale », p. 271, ainsi que la bibliographie « Asie du Nord-Est », p. 310

1998 et du printemps de 1999 ont permis d'apprécier le degré de maturité d'un pays qui est loin d'avoir terminé sa mutation mais qui dispose déjà de sérieux atouts pour résister à des déstabilisations toujours possibles et pour accroître son rayonnement international, comme ce fut le cas en 1998, malgré des tensions toujours persistantes autour de quelques territoires, comme les îles Spratly, objets à plusieurs reprises de querelles diplomatiques en juin 1999 avec l'État philippin. - **Alexandre Fur** ■

Corée du Nord

Trois millions de morts par famine ?

Le 5 septembre 1998, Kim Jong-il, fils et héritier du « grand Leader » Kim Il-sung, décédé en 1994, a été réinvesti à la présidence de la Commission de la Défense nationale (CDN), qualifiée désormais de « poste suprême de l'État qui sert à diriger toutes les forces politique, militaire et économique du pays ». La nouvelle Constitution, appelée « Constitution Kim Il-sung », a aboli la présidence de la République, le Comité populaire central, le Conseil de l'administration, et a créé un Cabinet se présentant comme « organe administratif et exécutif de l'organe suprême du pouvoir et organe de gestion des affaires générales de l'État ». Le président du Présidium de l'Assemblée populaire suprême représente l'État et le Premier ministre le gouvernement à l'extérieur. Kim Jong-il dirige donc le pays avec le titre de président de la CDN et celui de secrétaire général du Parti. Cette révision constitutionnelle révèle clairement sa volonté de ne pas se mêler des affaires économiques et administratives du pays, tout en gardant les leviers essentiels du pouvoir : le Parti et l'armée.

Nombre de spécialistes de la Corée du Nord s'accordent pour affirmer que la famine aurait provoqué plus de trois millions de morts depuis 1995. Les autorités de Pyongyang ont commencé, fin 1998, à distribuer régulièrement à la population les denrées alimentaires envoyées par la communauté internationale et les prix du riz au marché noir ont fortement chuté début 1999.

Le 31 août 1998, la Corée du Nord a lancé au-dessus du Japon un « engin » (missile ou fusée porteuse d'un satellite) qui serait retombé non loin de Vladivostok. Pyongyang pourrait tenter de mettre au point des missiles à longue portée. Toutefois, il semble que la Corée du Nord ne soit pas parvenue, contrairement à ce qu'elle avait affirmé le 4 septembre, à mettre en orbite un satellite. Le « missile » a provoqué au Japon un certain émoi qui a servi les partisans d'un renforcement des capacités militaires nippones et considérablement altéré les relations entre Pyongyang et Tokyo. Il a également constitué l'un des principaux points d'achoppement entre Pyongyang et Washington.

En outre, depuis l'été 1998, le régime nord-coréen a été soupçonné d'abriter une installation nucléaire dans le site souterrain de Kumchangri, en violation d'un accord de non-prolifération de 1994. Après plusieurs mois de négociations difficiles, les Nord-Coréens ont, en mars 1999, autorisé les États-Unis à effectuer un nombre suffisant d'inspections du site suspect. Washington a pour sa part accepté de participer à un programme agricole bilatéral pour améliorer la production de pommes de terre en Corée du Nord.

Le pays « s'ouvre » au monde extérieur à sa manière. Le 30 octobre 1998, Kim Jong-il a rencontré le fondateur et président honoraire du groupe sud-coréen Hyundai, Chung Ju-yung, et s'est montré favorable à la construction d'un oléoduc reliant les deux Corée. Par ailleurs, depuis le 18 novembre, les touristes sud-coréens sont autorisés à effectuer des visites aux monts des Diamants (Kumgangsan), un massif montagneux vénéré sur la côte est. Cette ouverture est essentiellement à rapprocher de la grave crise économique, nécessitant de l'aide extérieure. - **Cheong Seong-Chang** ■

République populaire démocratique de Corée

Capitale : Pyongyang.
Superficie : 120 538 km².
Population : 23 348 000.
Langue : coréen.
Monnaie : won (au taux officiel, 1 won = 2,88 FF au 7.6.99).
Nature de l'État : république unitaire.
Nature du régime : communiste, parti unique (Parti du travail de Corée, PTC).
Secrétaire général du Parti du travail de Corée : Kim Jong-il (depuis le 8.10.97).
Président de la Commission de la défense nationale (CDN) : Kim Jong-il (depuis le 9.4.93).
Chef de l'État : Kim Yong-nam, président du présidium de l'Assemblée populaire suprême (depuis le 5.9.98).
Chef du gouvernement : Hong Song-nam, Premier ministre (depuis le 5.9.98).
Ministre des Affaires étrangères : Paek Nam-sun (depuis le 5.9.98).
Carte : p. 303.

Corée du Sud

Difficiles réformes politiques et économiques

Le président Kim Dae-jung avait annoncé, lors de l'inauguration de son quinquennat le 25 février 1998, les deux objectifs qu'il s'était fixés : démocratisation et redressement économique du pays, lesquels passaient à l'évidence par des réformes politiques et économiques. Quinze mois après, le bilan apparaissait bien mitigé.

Dès le départ, en effet, le président Kim s'est trouvé dans une situation de blocage parlementaire, la coalition gouvernementale CNNP-ULD (Congrès national pour la nouvelle politique-Union libérale démocrate) ne détenant que 122 sièges sur 299 à l'Assemblée nationale, contre 171 au Grand parti national (GPN), seul parti d'opposition. Privé du droit de dissolution et en l'absence totale de coopération de la part du GPN, il a décidé de renverser le rapport de forces au Parlement. Pour ce faire, il a tenté de s'allier des députés de l'opposition sous peine d'enquêtes judiciaires pour corruption ou autres délits engagées à leur encontre. Cette manœuvre a réussi puisqu'en octobre 1998 la coalition gouvernementale était devenue majoritaire, avec 155 sièges contre 138 pour le GNP. Mais la méthode employée a certainement contribué à envenimer les relations déjà conflictuelles au sein de la classe politique.

Début 1999, la marge de manœuvre du président Kim apparaissait à nouveau menacée, cette fois par la fronde de l'ULD. L'alliance, avec cette formation très conservatrice dirigée par le Premier ministre Kim Jong-pil, conclue en octobre 1997 en vue de l'élection présidentielle de décembre, avait semblé, dès l'origine, contre nature. Le chef de l'État s'était engagé à procéder à une révision constitutionnelle pour instaurer un régime parlementaire et à transférer le pouvoir réel au Premier ministre à mi-chemin de son quinquennat. Mais, faute de suites concrètes données à cette intention, l'ULD n'a plus hésité à critiquer le président.

Face à une opinion publique de plus en plus sceptique et désabusée, ce dernier a réagi en déclarant le 13 mai 1999 à Taegu son intention de recomposer le paysage politique en constituant une grande coalition à partir de l'alliance gouvernementale en place et d'une bonne partie des dirigeants du GPN issus de la région de Yongnam. Ce projet reposait sur au moins deux conditions : une scission du GPN débouchant sur la marginalisation de Lee Hoi-chang, son président, et une réconciliation entre les deux régions antagonistes, Yongnam et Honam. Or cette seconde condition paraissait particulièrement difficile à satisfaire, tant le conflit régionaliste avait été exacerbé au cours de ces trois dernières décennies. (Le défunt président Park Chung-hee, arrivé au pouvoir par un coup d'État en mai 1961, n'avait, en effet, cessé d'exploiter le sentiment régionaliste pour défendre son régime.) Le président a donc appelé, lors de sa visite à Taegu, à la réconciliation entre les deux régions, n'hésitant pas, à la surprise de l'opinion publique, à rendre un hommage appuyé à Park Chung-hee qui avait pourtant été son persécuteur (en août 1973, il avait fait enlever par ses services de renseignement Kim Dae-jung, alors leader d'opposition qui effectuait une visite à Tokyo).

Dans le domaine économique, le gouvernement de Kim Dae-jung a obtenu des résultats encourageants après la tourmente de la crise financière asiatique intervenue à compter de la mi-1997. Après avoir chuté jusqu'à - 7 % courant 1998, le taux de croissance a atteint 4,6 % au premier trimestre 1999. L'industrie manufacturière a joué le rôle moteur dans ce début de redressement, progressant de - 4,7 % au quatrième trimestre 1998 à 10,7 % au premier trimestre 1999. De ce fait, le nombre de chômeurs a baissé, passant de 1 700 000 à 1 500 000 de mars à avril 1999. Quant aux réserves de devises, elles atteignaient 50 milliards de dollars fin avril 1999 contre 9 milliards en décembre 1997, et ce grâce à un excédent commercial de 42 milliards de dollars réalisé en 1998. Cette amélioration de la situation financière a permis de stabiliser la parité de la monnaie nationale à 1 200 wons pour un dollar (contre 2 000 pour 1 dollar un an plus tôt). Le gouvernement comme l'OCDE (Organisation de coopération et de développement économiques) tablaient sur un taux de croissance de 2 % à 4 % en 1999.

Cette embellie ne signifiait toutefois pas que le pays avait atteint le « bout du tunnel ». Le plein redressement économique demanderait encore deux ou trois ans, selon les estimations officielles. Il dépendrait de deux facteurs déterminants : la réforme structurelle des conglomérats (chaebols) et l'amélioration des relations industrielles (c'est-à-dire les relations entre patronat et syndicat). En mai 1999, on pouvait constater que les conglomérats, soutenus par le GPN, n'avaient pas tenu la plupart de leurs engagements concernant le premier point. Or, eux-mêmes reconnaissaient l'impérative nécessité de diminuer leur dette, le ratio dette-fonds propres atteignant en moyenne 450 % au moment de l'éclatement de la crise financière coréenne à la fin 1997.

Une autre réforme indispensable porte sur la spécialisation des activités des conglomérats par le biais d'échanges d'entreprises entre chaebols (*big deal*) pour renforcer leur compétitivité internationale. Le gouvernement de Kim Dae-jung s'est déclaré déterminé à briser en cela la résistance des conglomérats.

Quant aux relations industrielles, elles étaient naturellement conflictuelles en cette période de flexibilisation du travail et de licenciements massifs. Les syndicats ont déclenché une grève dans le métro et les hôpitaux à la mi-avril 1999, qui, trois semaines après, s'est soldée par un échec faute de soutien de l'opinion publique. Il s'agissait dès lors de reconstituer la commission de conciliation tripartite (syndicat, patronat et gouvernement) qui avait été boycottée par les deux premiers partenaires avant la grève.

Nouvelle tentative de réconciliation avec Pyongyang

En politique extérieure, le président Kim a donné dès le début la priorité aux relations avec la Corée du Nord, en lançant une politique dite de « *sunshine* ». Elle consiste à prendre des engagements et à se réconcilier avec Pyongyang pour déboucher sur un dialogue direct entre les deux États. En effet, le dialogue se trouvait dans l'impasse depuis la crise nucléaire provoquée par le retrait de la Corée du Nord du TNP (Traité de non-prolifération nucléaire) en mars 1993. Après la signature de l'accord de Genève avec Washington en octobre 1994, Pyongyang s'était même montré plus agressif et

République de Corée

Capitale : Séoul.
Superficie : 99 484 km^2.
Population : 46 109 000.
Langue : coréen.
Monnaie : won (100 wons = 0,52 FF au 30.4.99).
Nature de l'État : république unitaire.
Nature du régime : démocratie présidentielle.
Chef de l'État : Kim Dae-jung, président, qui a succédé le 25.2.98 à Kim Young-sam.
Premier ministre : Kim Jong-pil, qui a succédé le 3.3.98 à Koh Kun.
Ministre des Affaires étrangères et du Commerce international : Hong Soon-young (depuis mai 99).
Ministre de l'Intérieur, de la Fonction publique et de la Décentralisation : Kim Ki-jae (depuis mai 99).
Ministre de la Défense nationale : Cho Sung-tae (depuis mai 99).
Principaux partis politiques : *Gouvernement :* Congrès national pour une politique nouvelle (de Kim Dae-jung) ; Union de la démocratie libérale (de Kim Jong-pil). *Opposition :* Parti Hannara (de Lee Hoi-chang).
Carte : p. 303.

INDICATEUR	UNITÉ	1975	1985	1997	1998
Démographie[a]					
Population	*million*	35,3	40,8	45,7	46,1
Densité	*hab./km²*	357,3	413,3	463,2	467,0
Croissance annuelle	%	1,5[r]	1,0[k]	0,8[c]	• •
Indice de fécondité (ISF)		2,7[r]	1,8[k]	1,7[c]	• •
Mortalité infantile	‰	27[r]	13[k]	10[c]	• •
Espérance de vie	*année*	65,4[r]	70,3[k]	72,4[c]	• •
Indicateurs socioculturels					
Nombre de médecins	*‰ hab.*	0,45	0,87[i]	1,22[e]	• •
Analphabétisme (hommes)	%	4,6	2,3	1,1	• •
Analphabétisme (femmes)	%	15,3	8,9	4,5	• •
Scolarisation 12-17 ans	%	59,2	83,7	85,5[f]	• •
Scolarisation 3e degré	%	14,7[n]	34,0	60,3[b]	• •
Téléviseurs	*‰ hab.*	70,8	189,2	341,3	• •
Livres publiés	*titre*	10 921	35 837	30 487[b]	• •
Économie					
PIB total (PPA)	*milliard $*	46,9	165,2	624,9	573,6
Croissance annuelle	%	7,7[o]	7,7[g]	5,5	– 5,5
PIB par habitant (PPA)	*$*	1 330	4 050	13 590	12 373
Investissement (FBCF)	*% PIB*	29,8[p]	34,8[h]	35,0	29,4
Recherche et Développement	*% PIB*	0,4	1,3	2,89	• •
Taux d'inflation	%	21,5	2,5	4,6	7,5
Population active	*million*	12,19	15,59	21,60	21,39
Agriculture	% } 100 %	45,7	24,9	11,0	12,2
Industrie	% } 100 %	23,0	29,5	31,3	27,8
Services	% } 100 %	31,4	45,6	57,7	60,0
Énergie (taux de couverture)	%	43,4	30,8	14,0[b]	• •
Dépense publique Éducation	*% PIB*	2,2	4,5	3,7[d]	• •
Dépense publique Défense	*% PIB*	3,4	5,1	3,3	• •
Dette extérieure totale	*milliard $*	8,41	54,59	143,37	• •
Service de la dette/Export.	%	11,0[s]	25,5[m]	8,9[l]	• •
Échanges extérieurs		**1974**	**1986**	**1997**	**1998**
Importations de services	*milliard $*	0,80	3,93	29,50	23,06
Importations de biens	*milliard $*	6,50	29,83	141,80	89,19
Produits alimentaires	%	13,2	5,7	5,4[d]	6,1[b]
Produits énergétiques	%	15,4	15,9	14,2[d]	16,7[b]
Produits manufacturés	%	45,0	59,2	66,5[d]	66,9[b]
Exportations de services	*milliard $*	0,70	5,28	26,30	23,75
Exportations de biens	*milliard $*	4,50	34,13	138,62	130,99
Produits agricoles	%	10,9	5,5	3,5[d]	3,6[b]
Produits manufacturés	%	74,5	86,2	91,5[d]	92,4[b]
dont machines et mat. de transport	%	15,1	31,3	52,5[d]	52,4[b]
Solde des transactions courantes	*% du PIB*	– 3,5[q]	0,8[j]	– 1,8	9,9

Définition des indicateurs, sigles et abréviations p. 31 et suiv. a. Dernier recensement utilisable : 1995 ; b.1996 ; c. 1995-2000 ; d. 1995 ; e. 1994 ; f. 1990 ; g. 1987-97 ; h. 1987-96 ; i. 1986 ; j. 1985-96 ; k. 1985-95 ; l. 1995-97 ; m. 1984-86 ; n. 1980 ; o. 1977-87 ; p. 1977-86 ; q. 1976-84 ; r. 1975-85 ; s. 1974-76 ; t. 1974.

Corée du Sud/Bibliographie

É. Bidet, *La Corée : deux systèmes, un pays,* Le Monde/Marabout, Paris, 1998.

F. Caillaud, A. Queval (sous la dir. de), *République de Corée. Mutations et enjeux,* La Documentation française, Paris, 1997.

B. Cumings, *Korea's Place in the Sun : A Modern History,* W.W. Norton & Co, New York, 1997.

B. K. Gills, *Korea versus Korea. A Case of Contested Legitimacy,* Routledge, Londres/New York, 1996.

R. L. Janelli, *Making Capitalism,* Stanford University Press, Stanford (Calif.), 1993.

Korea Focus (bimestriel), Korea Foundation, Séoul.

D. Oberdorfer, *The Two Koreas : A Contemporary History,* Addison-Wesley, Reading, 1997.

Revue de Corée (semestriel), Commission nationale coréenne pour l'UNESCO.

B. N. Song, *The Rise of the Korean Economy,* Oxford University Press, Oxford/New York, 1997 (2e éd.).

The Economic Intelligence Unit, *South Korea. Country Report,* The Economist, Londres, 1er trim. 1999.

The Korea Herald (quotidien en anglais), Séoul.

W. K. Young, P. Hayes, *Peace and Security in Northeast Asia : The Nuclear Issue and the Korean Peninsula,* M.E. Sharpe, Armonk, 1997.

Voir aussi la bibliographie sélective « Asie méridionale et orientale », p. 271, ainsi que la bibliographie « Asie du Nord-Est », p. 310.

cherchait à marginaliser Séoul en traitant exclusivement avec Washington. Ainsi le quinquennat de Kim Yong-sam avait-il été marqué par un état de tension permanente avec la Corée du Nord. Pour tenter de débloquer la situation, Kim Dae-jung a voulu tenter une autre approche, plus conciliante, en écartant toute idée de réunification nationale à l'allemande et en faisant preuve de bonne volonté à maintes reprises en matière d'aide alimentaire. Mais la Corée du Nord est restée sourde quant à l'invitation de dialoguer à haut niveau. Après le grave incident naval survenu le 15 juin 1999 sur la côte ouest de la péninsule, dans lequel un torpilleur nord-coréen a été coulé, le président Kim Dae-jung a subi encore davantage la pression des adversaires de sa politique d'« embellie », mais a réaffirmé sa volonté de la poursuivre.

Cette politique de réconciliation n'est pas pour plaire aux États-Unis, qui ont encore durci leur attitude à l'égard de la Corée du Nord, comme l'a exprimé le président américain Bill Clinton à son homologue sud-coréen lors des visites officielles faites l'un chez l'autre en 1998.

Le président Kim avait annoncé dès son entrée en fonctions son désir de développer une diplomatie orientée vers les quatre grandes puissances directement impliquées dans le « problème coréen ». Aussi, après les États-Unis, s'est-il rendu en visite, tour à tour, au Japon (7 octobre 1998), en Chine (11 novembre) et en Russie (27 mai 1999). Enfin, le chef de l'État a participé en novembre 1998 à deux conférences régionales : celle de l'APEC à Kuala Lumpur (Coopération économique de la zone Asie-Pacifique) et celle de l'ANSEA (Association des nations du Sud-Est asiatique) au Vietnam. Dans ce dernier pays, il a présenté publiquement ses excuses pour les souffrances infligées au peuple vietnamien par les 300 000 soldats sud-coréens pendant la guerre du Vietnam. - **Bertrand Chung** ■

INDICATEUR	UNITÉ	CHINE	CORÉE DU NORD
Démographie[a]			
Population	*(millier)*	1 255 698	23 348
Densité	*(hab./km²)*	134,6	193,9
Croissance annuelle (1995-2000)	*(%)*	0,9	1,6
Indice de fécondité (ISF) (1995-2000)		1,8	2,0
Mortalité infantile (1995-2000)	*(‰)*	41	22
Espérance de vie (1995-2000)	*(année)*	69,8	72,2
Population urbaine	*(%)*	32,7	62,2
Indicateurs socioculturels			
Développement humain (IDH)[c]		0,701	••
Nombre de médecins	*(‰ hab.)*	1,57[k]	2,45[q]
Analphabétisme (hommes)[c]	*(%)*	9,1	0,7[b]
Analphabétisme (femmes)[c]	*(%)*	25,5	3,3[b]
Scolarisation 12-17 ans	*(%)*	43,2[m]	••
Scolarisation 3e degré	*(%)*	5,7[f]	••
Adresses Internet[d]	*(‰ hab.)*	0,14	–
Livres publiés	*(titre)*	110 283[f]	••
Armées (effectifs)			
Armée de terre	*(millier d'h.)*	2 090	923
Marine	*(millier d'h.)*	260	46
Aviation	*(millier d'h.)*	470	85
Économie			
PIB total (PPA)[c]	*(milliard $)*	3 837	21,8[s]
Croissance annuelle 1987-97	*(%)*	9,7	– 1,5[pt]
Croissance 1998	*(%)*	7,8	••
PIB par habitant (PPA)[c]	*($)*	3 130	900[s]
Investissement (FBCF)	*(% PIB)*	34,5[e]	••
Taux d'inflation	*(%)*	-0,8	••
Énergie (taux de couverture)[f]	*(%)*	100,3	87,7
Dépense publique Éducation	*(% PIB)*	2,3[f]	[f]
Dépense publique Défense[c]	*(% PIB)*	5,7	27,0
Dette extérieure totale[c]	*(million $)*	146 697	••
Service de la dette/Export.[e]	*(%)*	9,1	••
Échanges extérieurs			
Importations (douanes)	*(million $)*	140 305	1 397
Principaux fournisseurs[c]	*(%)*	E-U 11,5	Ex-URSS 33,5[f]
	(%)	UE 13,5	Asie[u] 51[f]
	(%)	Asie[u] 60	Chi 24,4[f]
Exportations (douanes)	*(million $)*	183 589	910
Principaux clients[c]	*(%)*	E-U 17,9[f]	Ex-URSS 29,1[f]
	(%)	UE 13[f]	Asie[u] 52,8[f]
	(%)	Asie[u] 59,3[f]	Jap 24,2[f]
Solde transactions courantes	*(% PIB)*	3,3[c]	••

Définition des indicateurs, sigles et abréviations p. 31 et suiv. Chiffres 1998 sauf notes. a. Derniers recensements utilisables : Chine, 1990 ; Corée du Nord, 1993 ; Corée du Sud, 1995 ; Hong Kong, 1996 ; Japon, 1995 ; Macao, 1991 ; Mongolie, 1989 ; Taïwan, 1991. b. 1995 ; c. 1997 ; d. janv. 1999 ; e. 1995-97 ; f. 1996 ; g. 1998 ;

CORÉE DU SUD	HONG KONG	JAPON	MACAO	MONGOLIE	TAÏWAN
46 109	6 660	126 281	459	2 579	21 908
467,0	6727,3	335,4	22950,0	1,6	679,1
0,8	2,1	0,2	1,9	1,6	0,9
1,6	1,3	1,4	1,4	2,6	1,8
10	6	4	10	51	6,34
72,4	78,5	80,0	77,7	65,8	76,8
84,3	95,4	78,6	98,8	62,4	74,7[b]
0,852	0,88	0,924	••	0,618	••
1,10[b]	1,32[b]	1,80[k]	1,56[o]	2,70[m]	1,12[b]
1,1	3,9	••	4,0	••	7,0[r]
4,5	11,7	••	11,1	••	21,0[r]
84,0[l]	••	••	••	85,5[l]	86,2[n]
60,3[f]	28,0[f]	42,7[f]	25,9[l]	19,0[c]	••
40,26	122,97	133,50	3,06	0,08	140,24
30 487[f]	••	56 221[f]	67[f]	285[l]	••
560	••	151,8	••	8	240
60	••	43,8	••	••	68
52	••	45,6	••	0,8	68
624	158	3 035	7,8	3,3	434[g]
7,7	5,0	3,0	4,5	– 0,1	6,7
-5,5	– 5,1	– 2,8	••	3,5	4,9
13 590	24 350	24 070	15 600	1 310	19 870[g]
36,1[e]	32,4[h]	28,1[h]	32,2[k]	24,4[i]	22,3[j]
7,5	2,6	0,6	••	9,4	1,7
14,0	0,4	20,1	••	74,2[b]	••
3,7[b]	2,9[b]	3,6[b]	2,8[l]	6,4[f]	6,2[c]
3,3	••	1,0	••	2,0	4,7
143 373	••	••	••	718	••
8,9	••	••	••	10,2	••
93 282	184 503	280 484	2 058[c]	548	104 240
UE 11,7[g]	UE 11	UE 13,9[g]	Chi 26,3	UE 21,8	E-U 20,3
E-U 21,9[g]	Asie[u] 76,4	EU 24[g]	H-K 31,6	Asie[u] 27	UE 15,6
Asie[u] 50[g]	Chi 37,7	Asie[u] 46,2[g]	UE 12,4	Ex-CAEM 43,8	Asie[u] 51,9
132 313	173 990	387 827	2 112[c]	439	109 890
E-U 17,4[g]	E-U 21,8[f]	UE 18,4[g]	E-U 45[f]	Chi 39,8[f]	E-U 24,2
UE 13,8[g]	UE 14,7[f]	E-U 30,9[g]	UE 32,8[f]	Jap 23,5[f]	UE 15,6
Asie[u] 47,1[g]	Asie[u] 54,9[f]	Asie[u] 37,9[g]	Asie[u] 18,7[f]	Rus 17,4[f]	Asie[u] 36,1
9,9	••	2,9	••	4,1[b]	••

h. 1996-98 ; i. 1995-96 ; j. 1994-96 ; k. 1994 ; l. 1992 ; m. 1991 ; n. 1989 ; o. 1987 ; p. 1986-96 ; q. 1983 ; r. 1980 ; s. Estimation de la CIA ; t. Estimations sud-coréennes ; u. Y compris Japon et Moyen-Orient.

Japon

D'inéluctables mesures drastiques

L'année clôturant la décennie et le siècle est celle du Lièvre dans le zodiaque chinois. Beaucoup de Japonais ont espéré qu'elle serait celle du rebond économique. Les membres du gouvernement et le Premier ministre Obuchi Keizo ont même affirmé que le pire était passé, que le pays se redressait peu à peu et que la conjoncture stagnante, voire récessive, ne serait bientôt qu'un mauvais souvenir.

Pourtant, la morosité a persisté. Le spectre de la spirale déflationniste a plané sur le « triangle de fer » (industrie, monde politique, finance). L'indice des prix de gros a baissé pour la septième année consécutive (moins 1,5 % par rapport à 1997) et l'on s'attendait à ce que l'investissement dans les entreprises baisse de 10 % pour l'année fiscale 1999 (se terminant en avril 2000).

Le Japon pourrait-il éviter de prendre des mesures drastiques comparables à celles adoptées dans certains pays d'Asie du Sud-Est ou en Corée du Sud ? Les attitudes dilatoires ne pouvaient qu'encourager la progression de la gangrène financière, avec un risque d'autant plus grand que Wall Street a semblé atteint du même mal que celui qui a frappé le Kabutocho (Bourse de Tokyo) dix ans plus tôt. Un krach boursier américain n'est plus apparu exclu.

Après deux années de croissance faible (1995 à 1997), le marasme s'est installé durablement et 1998 aura été l'année des premières décisions douloureuses et des annonces redoutées : après 336 ans d'histoire, le grand magasin Tokyu a été déclaré en faillite, de même que des banques et des maisons de titres. Des fusions ont été imposées à des institutions bancaires rivales, comme la Mitsui et la Chuo ; l'État japonais a nationalisé *de facto* la Banque japonaise de crédit et la Banque japonaise de crédit à long terme ; des prises de capital dans des entreprises japonaises par des sociétés étrangères ont été opérées, comme cela a été le cas pour le deuxième constructeur automobile Nissan, dont le français Renault a acquis 35 %.

Restaurer la solvabilité et renouer avec les bénéfices sont cependant deux choses différentes et les 750 milliards de yens prêtés par l'État aux quinze banques désignées comme « saines », mais en réalité très fragiles, sont apparus à beaucoup d'analystes comme un don à peine déguisé qu'il faudrait certainement renouveler. Les taux d'intérêt de la Banque du Japon ont été abaissés à un niveau pratiquement nul afin d'inciter les investisseurs à se lancer dans de nouveaux secteurs. On a constaté un réveil positif des indicateurs économiques à la fin du premier trimestre.

Le spectre du chômage et des réductions de salaire

Pour les Japonais de tous âges, la principale préoccupation est restée le chômage. Son taux atteignait 4,4 % (plus de 3 millions de personnes), soit le niveau le plus élevé depuis 1953. L'« emploi à vie » (qui en fait ne concerne que 20 % à peine des Japonais dans les entreprises contre 8,8 % aux États-Unis) risquait d'être mis davantage à mal.

Des multinationales telles que Sony ont annoncé une réduction de 17 000 emplois d'ici 2003, soit 10 % de l'ensemble des effectifs. Pour sa part, NEC a supprimé 15 000 postes (10 % environ également). Hitachi a annoncé quant à lui la suppression de 4 000 postes, tout en augmentant la durée du travail d'un quart d'heure par jour et en réduisant les salaires de 5 %. Kanebo devait lui aussi sacrifier 10 % de ses effectifs. La production de véhicules chez Toyota, le « numéro un » japonais, a baissé de 30 % en 1998 (de 4,2 à moins de 3,2 millions de véhicules, sur une production nationale inférieure à 6 millions en 1998). La chaîne de supermarchés Seyu a annoncé la suppression de 1 000 emplois d'ici 2002 et la

Corée, Japon, Taïwan

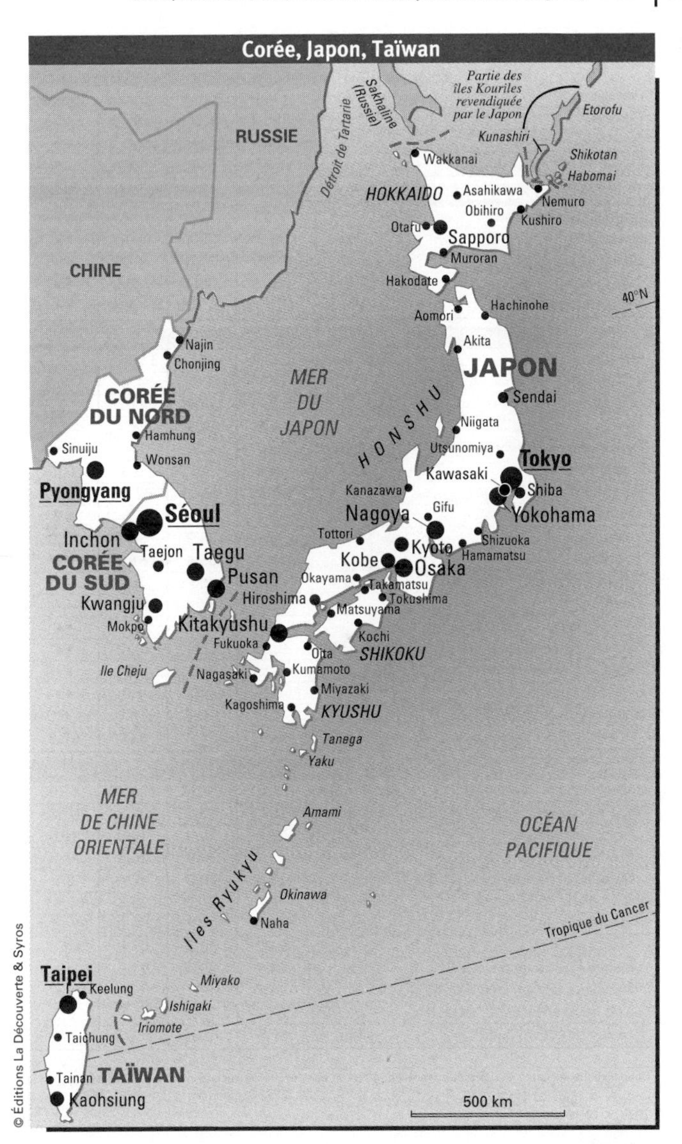

INDICATEUR	UNITÉ	1975	1985	1997	1998
Démographie[a]					
Population	*million*	111,5	120,8	126,0	126,3
Densité	*hab./km²*	296,2	320,9	334,7	335,4
Croissance annuelle	%	0,8[q]	0,4[i]	0,2[c]	• •
Indice de fécondité (ISF)		1,8[q]	1,6[i]	1,4[c]	• •
Indicateurs socioculturels					
Nombre de médecins	*‰ hab.*	1,12[s]	1,51[j]	1,80[d]	• •
Scolarisation 2e degré[t]	%	92,9[l]	95,4	98,0[d]	• •
Scolarisation 3e degré	%	30,5[l]	27,8	42,7[b]	• •
Téléviseurs	*‰ hab.*	357,1	578,5	707,9	• •
Livres publiés	*titre*	35 590	45 430	56 221[b]	• •
Économie					
PIB total (PPA)	*milliard $*	587,1	1 457,4	3 035,5	2 943,7
Croissance annuelle	%	3,7[n]	3,0[e]	1,4	– 2,8
PIB par habitant (PPA)	*$*	5 240	12 070	24 070	23 298
Investissement (FBCF)	*% PIB*	29,4[o]	29,9[f]	28,4	26,2
Recherche et Développement	*% PIB*	2,10[k]	2,60	2,92	• •
Taux d'inflation	%	14,6	1,6	0,6	0,6
Population active	*million*	53,23	59,63	67,87	67,92
Agriculture	% } *100 %*	12,7	8,8	5,3	5,3
Industrie	% } *100 %*	35,9	34,9	33,1	32,0
Services	% } *100 %*	51,5	56,4	61,6	62,7
Taux de chômage (fin année)	%	1,9	2,6	3,4	4,9[t]
Énergie (consom./hab.)	*TEP*	2,75	3,04	4,06[b]	• •
Énergie (taux de couverture)	%	9,7	18,4	20,1[b]	• •
Aide au développement (APD)	*% PIB*	0,23	0,29	0,22	• •
Dépense publique Éducation	*% PIB*	5,5	5,0	3,6[d]	• •
Dépense publique Défense	*% PIB*	0,9	1,0	1,0	• •
Solde administrat. publiques	*% PIB*	– 5,6[m]	– 0,8	– 4,0	– 5,0
Dette administrat. publiques	*% PIB*	45,6[m]	64,2	84,7	97,3
Échanges extérieurs		**1974**	**1986**	**1997**	**1998**
Importations de services	*milliard $*	13,10	36,22	123,45	111,83
Importations de biens	*milliard $*	53,10	115,23	307,64	251,66
Produits agricoles	%	26,5	25,0	19,8	19,5
Produits énergétiques	%	40,1	30,9	18,5	15,4
Minerais et métaux	%	13,6	10,3	6,0	6,2
Exportations de services	*milliard $*	8,4	23,25	69,3	62,41
Exportations de biens	*milliard $*	54,4	206,42	409,24	374,04
Machines	%	21,2	35,3	47,6	47,5
Matériel de transport	%	24,2	28,4	21,5	• •
Métaux et articles métalliques	%	24,7	8,7	6,3	• •
Solde des transactions courantes	*% du PIB*	0,9[p]	2,7[h]	2,3	2,9
Position extérieure nette	*milliard $*	12,5[l]	181,0	958,7	1 153,6

Définition des indicateurs, sigles et abréviations p. 31 et suiv. a. Dernier recensement utilisable : 1995 ; b. 1996 ; c. 1995-2000 ; d. 1994 ; e. 1987-97 ; f. 1987-96 ; g. 1986 ; h. 1985-96 ; i. 1985-95 ; j. 1984 ; k. 1981 ; l. 1980 ; m. 1979 ; n. 1977-87 ; o. 1977-86 ; p. 1977-87 ; q. 1975-85 ; r. 1974 ; s. 1970 ; t. Avril 1999 ; t. 12-17 ans.

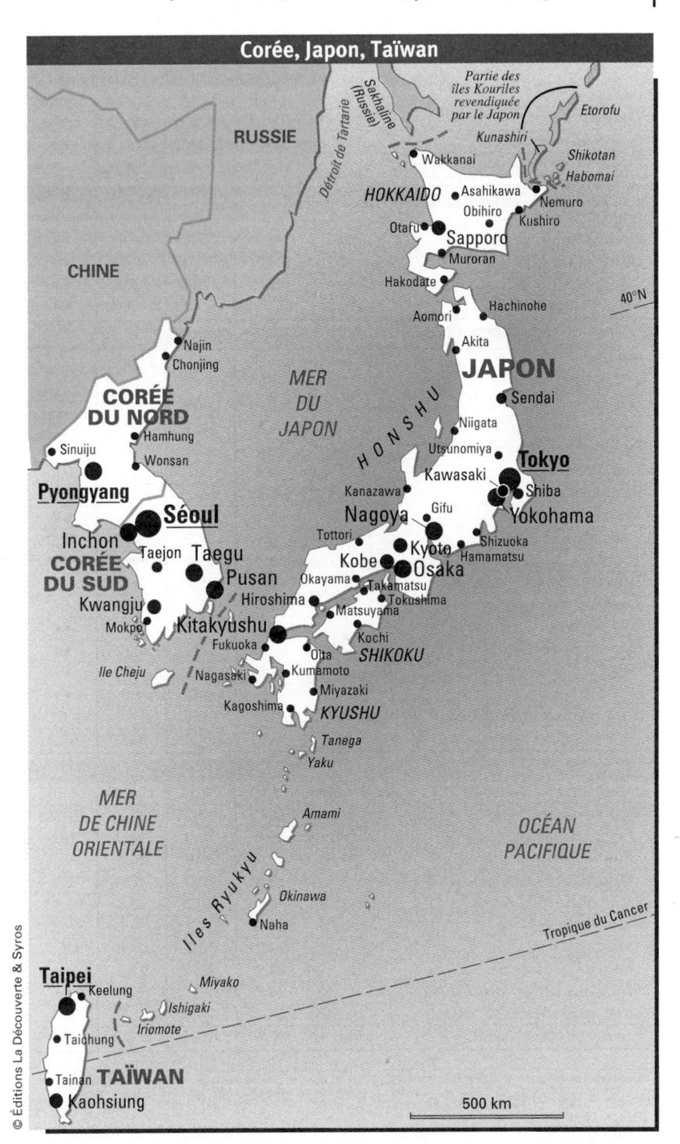
Corée, Japon, Taïwan
RUSSIE
CHINE
Sakhaline (Russie)
Détroit de Tartarie
Partie des îles Kouriles revendiquée par le Japon
Etorofu
Kunashiri
Shikotan
Habomai
Wakkanai
HOKKAIDO
Asahikawa
Nemuro
Obihiro
Kushiro
Otaru
Sapporo
Muroran
Hakodate
40°N
Aomori
Hachinohe
Akita
JAPON
Sendai
Niigata
HONSHU
Utsunomiya
Tokyo
Kawasaki
Shiba
Yokohama
Kanazawa
Gifu
Nagoya
Tottori
Kyoto
Shizuoka
Hamamatsu
Kobe
Osaka
Okayama
Takamatsu
Tokushima
Hiroshima
Matsuyama
Kochi
SHIKOKU
Kitakyushu
Fukuoka
Oita
Kumamoto
Nagasaki
Miyazaki
Kagoshima
KYUSHU
Tanega
Yaku
Najin
Chonjing
MER DU JAPON
CORÉE DU NORD
Hamhung
Sinuiju
Wonsan
Pyongyang
Séoul
Inchon
Taejon
Taegu
CORÉE DU SUD
Pusan
Kwangju
Mokpo
Ile Cheju
MER DE CHINE ORIENTALE
Amami
OCÉAN PACIFIQUE
Iles Ryukyu
Okinawa
Naha
Tropique du Cancer
Taipei
Keelung
Miyako
Ishigaki
Iriomote
Taichung
Tainan
TAÏWAN
Kaohsiung
500 km

INDICATEUR	UNITÉ	1975	1985	1997	1998
Démographie[a]					
Population	*million*	111,5	120,8	126,0	126,3
Densité	*hab./km²*	296,2	320,9	334,7	335,4
Croissance annuelle	*%*	0,8[q]	0,4[i]	0,2[c]	• •
Indice de fécondité (ISF)		1,8[q]	1,6[i]	1,4[c]	• •
Indicateurs socioculturels					
Nombre de médecins	*‰ hab.*	1,12[s]	1,51[j]	1,80[d]	• •
Scolarisation 2e degré[t]	*%*	92,9[l]	95,4	98,0[d]	• •
Scolarisation 3e degré	*%*	30,5[l]	27,8	42,7[b]	• •
Téléviseurs	*‰ hab.*	357,1	578,5	707,9	• •
Livres publiés	*titre*	35 590	45 430	56 221[b]	• •
Économie					
PIB total (PPA)	*milliard $*	587,1	1 457,4	3 035,5	2 943,7
Croissance annuelle	*%*	3,7[n]	3,0[e]	1,4	– 2,8
PIB par habitant (PPA)	*$*	5 240	12 070	24 070	23 298
Investissement (FBCF)	*% PIB*	29,4[o]	29,9[f]	28,4	26,2
Recherche et Développement	*% PIB*	2,10[k]	2,60	2,92	• •
Taux d'inflation	*%*	14,6	1,6	0,6	0,6
Population active	*million*	53,23	59,63	67,87	67,92
Agriculture	*%* } *100 %*	12,7	8,8	5,3	5,3
Industrie	*%* } *100 %*	35,9	34,9	33,1	32,0
Services	*%* } *100 %*	51,5	56,4	61,6	62,7
Taux de chômage (fin année)	*%*	1,9	2,6	3,4	4,9[t]
Énergie (consom./hab.)	*TEP*	2,75	3,04	4,06[b]	• •
Énergie (taux de couverture)	*%*	9,7	18,4	20,1[b]	• •
Aide au développement (APD)	*% PIB*	0,23	0,29	0,22	• •
Dépense publique Éducation	*% PIB*	5,5	5,0	3,6[d]	• •
Dépense publique Défense	*% PIB*	0,9	1,0	1,0	• •
Solde administrat. publiques	*% PIB*	– 5,6[m]	– 0,8	– 4,0	– 5,0
Dette administrat. publiques	*% PIB*	45,6[m]	64,2	84,7	97,3
Échanges extérieurs		**1974**	**1986**	**1997**	**1998**
Importations de services	*milliard $*	13,10	36,22	123,45	111,83
Importations de biens	*milliard $*	53,10	115,23	307,64	251,66
Produits agricoles	*%*	26,5	25,0	19,8	19,5
Produits énergétiques	*%*	40,1	30,9	18,5	15,4
Minerais et métaux	*%*	13,6	10,3	6,0	6,2
Exportations de services	*milliard $*	8,4	23,25	69,3	62,41
Exportations de biens	*milliard $*	54,4	206,42	409,24	374,04
Machines	*%*	21,2	35,3	47,6	47,5
Matériel de transport	*%*	24,2	28,4	21,5	• •
Métaux et articles métalliques	*%*	24,7	8,7	6,3	• •
Solde des transactions courantes	*% du PIB*	0,9[p]	2,7[h]	2,3	2,9
Position extérieure nette	*milliard $*	12,5[l]	181,0	958,7	1 153,6

Définition des indicateurs, sigles et abréviations p. 31 et suiv. a. Dernier recensement utilisable : 1995 ; b. 1996 ; c. 1995-2000 ; d. 1994 ; e. 1987-97 ; f. 1987-96 ; g. 1986 ; h. 1985-96 ; i. 1985-95 ; j. 1984 ; k. 1981 ; l. 1980 ; m. 1979 ; n. 1977-87 ; o. 1977-86 ; p. 1977-87 ; q. 1975-85 ; r. 1974 ; s. 1970 ; t. Avril 1999 ; t. 12-17 ans.

compagnie d'électricité de Tokyo 2 000 d'ici 2003.

Dans les petites et moyennes entreprises, le salaire a pu être réduit de 10 % ou plus. Les compressions de personnel ont affecté l'emploi des jeunes (seulement 50 postes offerts pour 100 demandes au printemps 1999). C'est pourquoi le gouvernement a lancé au début de mars 1999 un plan pour la création de 770 000 nouveaux emplois dans des secteurs tels que la santé et les soins aux personnes âgées, l'information et les télécommunications, le tourisme et le logement.

Selon les experts, une croissance de 2 % était à attendre pour 2001. Beaucoup considéraient qu'il fallait attendre l'horizon 2008 ou 2010 pour que le système bancaire retrouve un équilibre. La balance des échanges avec les États-Unis aura cependant augmenté de plus de 33 % en 1998, ce qui ne pouvait qu'accroître d'autant les tensions bilatérales. Pendant combien de temps encore pourront être ajournés l'inéluctable restructuration du système bancaire et le constat de faillite des secteurs sinistrés ?

Plus largement, de nombreux analystes ont plaidé pour des suppressions d'emplois et des mises à la retraite anticipée dans les secteurs où la rentabilité apparaît insuffisante, afin de mieux faire face à la concurrence mondiale. La presse s'est régulièrement fait l'écho de plusieurs types de scénario, tel celui d'augmenter la masse monétaire de 25 % à 30 % pour enrayer une possible déflation.

Il existe un écart très grand entre les propos rassurants voire incantatoires de nombreux hommes politiques et spécialistes économiques et les réflexes des familles japonaises, pour qui le pire reste peut-être à venir. C'est ainsi que l'épargne par ménage a encore augmenté en 1998 de 1,6 %. Mais la situation s'est en revanche dégradée pour les ménages endettés : 5,74 millions de yens, soit + 15,4 % par rapport à l'année 1997.

Scandaleuses collusions

La gravité de la situation économique a eu pour résultat de faire voter sans difficulté un budget record de près de 82 000 milliards de yens pour l'année fiscale 1999. Ce budget a prévu, dans le but de stimuler la relance, des dépenses en augmentation de

Japon (Nihon Koku)

Capitale : Tokyo.
Superficie : 377 750 km^2.
Population : 126 281 000.
Langue : japonais.
Monnaie : yen (100 yens = 5,33 FF ou 0,86 dollar au 3.8.99).
Nature de l'État : monarchie (l'empereur n'a aucun pouvoir pour gouverner).
Nature du régime : parlementaire. L'empereur demeure constitutionnellement le symbole de l'État et le garant de l'unité de la nation. Le pouvoir exécutif est détenu par un gouvernement investi par la Diète.
Chef de l'État : Akihito, empereur (depuis le 7.1.89).
Chef du gouvernement : Obuchi Keizo, qui a succédé en juill. 98 à Hashimoto Ryutaro.
Ministre des Finances : Miyazawa Kiichi.
Ministre de l'Industrie et du Commerce extérieur (MITI) : Kaoru Nakasone.
Ministre des Affaires étrangères : Komura Masahiko.
Ministre de l'Éducation nationale : Arima Akito.
Principaux partis politiques : Jiminto (Parti libéral-démocrate, PLD, conservateur) ; Shinshinto (Parti de la nouvelle Frontière, ex-Shinseito) ; Kyosanto (Parti communiste japonais) ; Shakaito (Parti socialiste) ; Minshutô (réformateur) ; indépendants.
Échéances institutionnelles : élections à la Chambre des députés (2000).
Revendication territoriale : « Territoires du Nord », c'est-à-dire les quatre îles Kouriles nommées Kunashiri, Habomai, Shikotan et Eterofu (5 000 km^2 au total), annexés par l'URSS en 1945.
Carte : p. 303.

Japon/Bibliographie

A. Berque, *Du geste à la cité,* Gallimard, Paris, 1993.

A. Berque, P. Nys, *Logique du lieu et œuvre humaine,* Ousia, Bruxelles, 1997.

J.-M. Bouissou, G. Faure, É. Seizelet, *Japon, le déclin,* Complexe, coll. « Espace international », Bruxelles, 1996.

J.-M. Bouissou (sous la dir. de), *L'Envers du consensus. Les conflits et leur gestion dans le Japon contemporain,* Presses de Sciences-Po, Paris, 1997.

J.-F. Estienne, *Réforme et avenir des retraites : les enseignements de l'exemple japonais,* La Documentation française, Paris, 1999.

A. Garrigue, *Japonaises, la révolution douce,* Picquier, Arles, 1998.

F. Hérail (sous la dir. de), *Histoire du Japon,* Horvath, Le Coteau, 1990.

T. Horio, *L'Éducation au Japon,* CNRS-Éditions, Paris, 1993.

« Japon et géopolitique », *Hérodote,* n° 78-79, La Découverte, Paris, févr. 1996.

D. Kaplan, A. Marshall, *Aum, le culte de la fin du monde - l'incroyable histoire de la secte japonaise,* Albin Michel, Paris, 1996.

A. L'Hénoret, *Le clou qui dépasse. Récit du Japon d'en bas,* La Découverte, Paris, 1993 (éd. poche, 1997).

« Le Japon face à un nouveau défi », *Le MOCI,* n° 1316-1317, Paris, nov. 1997.

K. Nakayama, *Le Japon au double visage,* Denoël, Paris, 1997.

OCDE, *Études économiques, Japon 1998,* Paris, déc. 1998.

V. Pelletier, *La Japonésie,* CNRS-Éditions, Paris, 1997.

K. Postel-Vinay, *Le Japon et la Nouvelle Asie,* Presses de Sciences-Po, coll. « La bibliothèque du citoyen », Paris, 1997.

J.-F. Sabouret (sous la dir. de), *L'état du Japon,* La Découverte, coll. « L'état du monde », Paris, 1995 (nouv. éd.).

J.-F. Sabouret, *Radioscopie du Japon,* Picquier, Arles, 1997.

C. Sautter, *La France au miroir du Japon,* Odile Jacob, Paris, 1996.

Voir aussi la bibliographie sélective « Asie méridionale et orientale », p. 271, ainsi que la bibliographie « Asie du Nord-Est », p. 310

plus de 10 % pour les travaux publics et d'importantes réductions des impôts sur les revenus.

Les mises au jour de délits d'initiés, constatés jusque chez de hauts fonctionnaires du ministère des Finances en contrepartie de « tournées des grands ducs » (les fameuses *no pan shabu-shabu parties*), permettront-elles de mettre un frein, sinon un terme, aux scandaleuses collusions existant entre le monde des affaires et celui de l'administration ? Les critiques portées depuis dix ans sur le trop grand nombre et la trop grande puissance des fonctionnaires de l'administration centrale (850 000 au total) ont semblé commencer à porter leurs fruits. Une restructuration drastique a été prévue sur dix ans : réduction de 20 % des effectifs et diminution du nombre de ministères de 22 à 11 d'ici 2001.

La fin de la « guerre de sécession » au sein du camp conservateur était en vue fin 1998. On se souvient qu'en 1993 le turbulent Ozawa Ichiro avait quitté le Parti libéral-démocrate (PLD, ou Jiminto) et tenté sa chance avec de multiples alliances contradictoires, dans le but de devenir Premier ministre. Il lui faudra encore attendre ; le Premier ministre Obuchi Keizo, pourtant si décrié pour son manque de charisme et sa faible popularité, a semblé au contraire tirer parti des défauts qu'on lui impute. Sa modestie et sa fragilité politique sont en effet apparues comme des atouts, faisant de lui l'homme des compromis, celui que l'on aide ou que l'on croit manipuler : 1999 pouvait être l'année de l'alliance conservatrice entre le Jiminto et le Jiyuto (Parti libéral). La reconstitution du camp conservateur a montré toute la force des factions et du « pouvoir derrière les rideaux » (comme on nomme les tractations politiciennes sur la rotation des postes de pouvoir).

Les élections municipales du 11 avril 1999 ont vu plusieurs candidats conservateurs s'affronter pour le poste de maire de Tokyo. C'est Ishihara Shintaro, nationaliste et auteur, avec Morita Akio (patron de Sony), du best-seller *Le Japon qui dit « non »* (... aux États-Unis), qui l'a emporté. Il allait avoir fort à faire avec une ville au bord de la faillite économique.

Resserrement des liens avec la Chine et la Corée du Sud

Dans le domaine international également la crise aura été l'occasion, pour certains spécialistes, de plaider en faveur d'une zone économique plus structurée et de citer en « exemple » à l'Asie-Pacifique l'Union européenne. Le Premier ministre Obuchi a reçu la visite en novembre 1998 du président chinois Jiang Zemin. A son tour, il s'est rendu en Corée du Sud en mars 1999 pour rencontrer son nouveau président, Kim Dae-jung. Cette rencontre a permis, dit-on, d'ouvrir une nouvelle ère dans les relations toujours tendues entre les deux voisins, dont l'un a été colonisé par l'autre durant trente-cinq années. Les deux chefs d'État ont affirmé un renforcement des liens, économiques mais aussi politiques, entre leurs pays. Il fallait voir là un message à la Corée du Nord après qu'un missile nord-coréen eut survolé le territoire japonais le 31 août 1998 pour s'abîmer dans le Pacifique. Les deux voisins asiatiques entendaient développer le dialogue, notamment sur la stratégie nucléaire de Kim Jong-il. Keizo Obuchi s'est par ailleurs rendu aux États-Unis du 29 avril au 5 mai 1999, ce qui a constitué la première visite officielle d'un chef de gouvernement japonais depuis celle de Nakasone Yasuhiro en 1987.

Les faillites et le chômage ont introduit de profonds changements de mentalités chez certains salariés qui se dévouaient auparavant corps et âme à leur entreprise. Certains ont pris les devants et se sont trouvé un autre emploi, d'autres ont entrepris des recherches, ne voulant plus, disent-ils, tout sacrifier pour leur entreprise qui peut les sacrifier à tout moment. Une cassure sociale profonde s'est fait jour. Les salariés ayant des enfants ont d'autres motifs d'inquiétude : l'année 1998 a vu les cas de violence au collège passer de 8 169 à 18 209 et de 2 406 à 4 108 au lycée. Les jeunes auraient de plus en plus de mal à contrôler leurs émotions et certains programmes de télévision et les jeux vidéo retarderaient structurellement leur socialisation. Mais pourquoi incriminer des jeux virtuels quand ceux-ci sont parfois dépassés par des affaires de violence réelle ?

En cette fin de siècle, le légendaire cinéaste Kurosawa Akira est mort (en septembre 1998). Auteur d'une série de grands films connus mondialement comme *Rashomon, Les Sept samouraï, Dodescaden, Yojinbo, Kagemusha, Madadayo*, il a été, avec Ozu et Mizoguchi entre autres, de ceux qui ont permis au cinéma japonais d'être apprécié et reconnu mondialement. - **Jean-François Sabouret** ■

Macao

La fin de l'administration portugaise

L'année 1999 marquera la fin de l'administration portugaise à Macao. Le Portugal, qui avait ouvert le premier comptoir européen en terre chinoise (1557), aura été le dernier pays à y conserver une enclave. Le

20 décembre, la Chine populaire allait recouvrer la souveraineté du territoire et Macao devenir une « région sous administration spéciale ». Le 15 mai 1999, l'influent banquier de 44 ans Edmund Ho a été élu premier chef de l'exécutif à une très forte majorité.

En septembre 1998, Pékin a annoncé qu'une garnison y serait déployée, malgré l'accord passé avec Lisbonne. La persistance des guerres de triades, responsables d'une vingtaine de crimes chaque année depuis 1996, explique cette décision. L'incapacité d'enrayer cette violence a porté ombrage aux dernières années du gouverneur Vasco Rocha Vieira. Les audacieux attentats, reliés de près aux casinos, ont fortement inquiété les 450 000 résidents.

En mars 1999, le président portugais Jorge Sampaio et le vice-premier ministre Qian Qichen ont répété que les relations luso-chinoises étaient excellentes, et que la rétrocession allait avoir lieu sans heurts. Pourtant, la partie chinoise n'a guère fait de concessions en matière de nationalité, de fêtes historiques et de langue. Certains ont estimé que Macao risquait de perdre son identité et sa spécificité culturelle, pourtant garanties par le principe d'« un pays, deux systèmes ».

La crise asiatique a eu pour effet une diminution du tourisme, un surplus en immobilier et 5,4 % de taux de chômage. Néanmoins, les travaux de modernisation, d'infrastructure et la rénovation des édifices historiques ont complètement transformé l'enclave. - **Jules Nadeau** ■

Mongolie

Des institutions longtemps bloquées

L'année 1998 a été marquée par une grave crise politique opposant l'Alliance démocrate (AD, formée du Parti national-démocrate mongol et du Parti social-démocrate mongol) aux ex-communistes du PRPM (Parti révolutionnaire du peuple mongol). Dans ce pays qui fut en 1924 le deuxième au monde où le communisme fut érigé en système de pouvoir, les premières élections présidentielles libres (après l'adoption d'une nouvelle Constitution à caractère présidentialiste en 1992), furent gagnées en 1993 par l'opposition démocrate. Celle-ci emporta également les élections générales de 1996, mettant ainsi fin au pouvoir du PRPM

Le Premier ministre Mendsaikhany Enkhsaikhan engagea une politique de réformes. Mais la crédibilité du gouvernement fut affaiblie par son échec à lutter contre l'extension de la pauvreté et la hausse des prix (le taux d'inflation atteignait environ 60 % à cette époque, avant de fléchir jusqu'à 9,4 % en 1998). Elle a aussi souffert des dissensions internes à la coalition démocrate. En mai 1997, le candidat du PRPM gagna l'élection présidentielle. Son parti a abandonné l'étoile rouge pour une rose rouge. Il s'est engagé dans une politique d'obstruction de l'action gouvernementale, boycottant le Parlement, sauf pour voter une motion de défiance le 24 juillet 1998 à laquelle se joignirent quinze membres de l'Al-

Mongolie

Capitale : Oulan-Bator.
Superficie : 1 565 000 km².
Population : 2 579 000.
Langue : mongol, dialecte kazakh.
Monnaie : tugrik (au taux officiel, 100 tugriks = 0,59 FF au 31.3.99).
Nature de l'État : république unitaire.
Nature du régime : ancien régime communiste devenu multipartiste (Constitution de 1992).
Chef de l'État : Natsagiin Bagabandi (depuis le 18.7.97).
Premier ministre : Renchinnyamiin Amarjargal.
Carte : p. 288-289

liance démocrate. Tsakhiagiin Elbedorj, qui avait succédé le 23 avril au poste de Premier ministre à M. Enshsaikhan, dut se retirer. Pendant des mois, les candidats successivement présentés par l'Alliance ont été refusés par le chef de l'État. T. Elbedorj a ainsi continué à expédier les affaires courantes pendant des mois.

La crise a rebondi lorsque Sanjaasurengiin Zorig (AD) qui était pressenti pour le poste fut assassiné le 2 octobre 1998. Il avait été la figure de proue du mouvement de contestation prodémocratique du régime communiste en 1990. En 1999, le gouvernement du Premier ministre Janlaviin Narantsatsralt a dû démissionner pour n'avoir pas respecté la confidentialité dans la privatisation de l'entreprise minière Erdenet (propriété conjointe des États mongol et russe). Renchinnyamiin Amarjargal, ancien ministre des Affaires étrangères lui a succédé.

Sur le plan externe, la Mongolie a été admise en juillet 1998 au Forum régional de l'ANSEA (Association des nations du Sud-Est asiatique). - **Kamal Kara Uglu** ■.

Taïwan

Contacts prudents avec Pékin

Les autorités de Taïwan et celles de la Chine populaire ont procédé à un dégel prudent au cours de la seconde moitié de 1998. Les contacts au plus haut niveau ont repris après un long état de conflit causé par la visite du président Lee Teng-hui aux États-Unis en 1995 et la crise des missiles dans le détroit de Taïwan au début de l'année 1996, lorsque le Pentagone y a dépêché de puissants vaisseaux de guerre.

La visite du président Bill Clinton en Chine populaire (juin-juillet 1998) a permis de poser à nouveau le problème. L'impact a toutefois été négatif à Taipei, le chef de la diplomatie américaine appuyant la politique chinoise des « trois non » : non à l'indépendance de Taïwan, non à une politique des deux Chine, non à la participation de Taïwan à des organisations internationales composées d'États souverains. Plus tard,

Taïwan « République de Chine »

Capitale : Taipei.
Superficie : 35 980 km².
Population : 21 908 000.
Langues : chinoises (mandarin, taïwanais).
Monnaie : dollar de Taïwan (1 dollar = 0,19 FF au 7.6.99).
Nature de l'État : république.
Nature du régime : démocratie semi-présidentielle.
Chef de l'État : Lee Teng-hui (président depuis janv. 1988).
Vice-président : Lien Chan (depuis févr. 93).
Chef du gouvernement : Vincent Siew, Premier ministre (depuis le 1.9.97).
Vice-premier ministre : John Chang (depuis le 1.9.97).
Ministre de la Défense : Tang Fei (depuis le 1.2.99).
Ministre de la Justice : Mme Yeh Chin-fong (depuis le 1.2.99).
Ministre des Affaires étrangères : Jason Hu (depuis le 1.9.97).
Taïwan et la Chine : officiellement, Taïwan considère qu'elle incarne la continuité de la Chine après avoir perdu le continent à la suite de l'installation du régime communiste. La Chine populaire, quant à elle, considère que Taïwan a vocation à lui revenir n'ayant jamais renoncé à l'unité du pays. L'ONU ne reconnaît qu'une seule Chine, celle de Pékin.
Souveraineté revendiquée : plusieurs archipels de la mer de Chine méridionale (Spratly, que Taïwan contrôle en partie), des Paracels, des Macclesfield et des Pratas. Ces archipels sont également revendiqués par la Chine et, pour certains, par divers autres États encore (Vietnam, Fédération de Malaisie, Philippines et Brunéi).
Carte : p. 303.

Asie du Nord-Est/Bibliographie

É. Bouteiller, M. Fouquin, *Le Développement économique de l'Asie orientale,* Découverte, coll. « Repères », Paris, 1995.

F. E. Caillaud, A. Queval (sous la dir. de), *La République de Corée. Mutations et enjeux,* La Documentation française, Paris, 1997.

Cheong Seong-Chang, *Idéologie et système en Corée du Nord. De Kim Il Sung à Kim Jong Il,* L'Harmattan, Paris, 1997.

Cheong Seong-Chang, « Un avenir commun pour les deux Corées », *Relations internationales et stratégiques,* n° 27, Paris, aut. 1998.

M. Chemillier-Gendreau, *La Souveraineté sur les archipels Paracels et Spratly,* L'Harmattan, Paris, 1996.

N. Eberstadt, « Hastening Korean Reunification », *Foreign Affairs,* , n° 76-2, New York, mars-avr. 1997.

P. Gentelle, P. Pelletier, « Chine, Corée, Japon », *in* R. Brunet (sous la dir. de), *Géographie universelle,* vol. V, Belin/RECLUS, Paris/Montpellier, 1994.

« La Corée », *Géopolitique,* nos 96-97, Paris, hiv. 1996-1997.

D. S. Suh, C. J. Lee (sous la dir. de), *North Korea after Kim Il Sung,* Lynne Rienner Publishers, Boulder, 1998.

« Mongolia », *Country Profile 1997-1998,* The Economist Intelligence Unit Limited, Londres, 1997.

Mongolie (dossier documentaire Cidic-Asie), La Documentation française, Paris, 1995-1996.

« South Korea. North Korea », *Country Report,* The Economist Intelligence Unit Limited, Londres, 1997-1998.

Voir aussi les bibliographies « Chine », « Corée du Sud » et « Japon », p. 294, 299 et 306.

à Tokyo, le président chinois Jiang Zemin a tenté d'amener le gouvernement japonais à adopter la même position, mais le Premier ministre s'est contenté de dire qu'il n'appuyait pas l'indépendance de Taïwan.

A la mi-octobre, comme représentant non officiel de Taïwan, Koo Chen-fu s'est rendu à Pékin et à Shanghaï où il a participé aux rencontres les plus importantes depuis la proclamation de la Chine populaire en 1949. L'influent octogénaire, membre du Comité central du Kuomintang, a échangé une poignée de main symbolique avec Jiang Zemin. Comme prévu, Koo Chen-fu s'est principalement entretenu avec son homologue Wang Daohan, chargé de représenter la Chine populaire de façon non officielle auprès de Taïwan. Le Premier ministre chinois Zhu Rongji et le vice-premier ministre Quian Qichen ont également accueilli l'homme de confiance de Lee Teng-hui.

Fortement encouragées par l'administration Clinton, ces rencontres n'ont toutefois pas eu de résultats spectaculaires, ni en termes concrets, ni même en termes de communiqué officiel. Du côté de Pékin, aucune concession n'a été faite à sa province la plus riche. Pour sa part, Taïwan a insisté, à son profit, sur le fossé de la démocratie qui sépare maintenant les deux parties.

Sur le plan intérieur, les élections du 5 décembre 1998 à la mairie de Taipei ont pris la forme d'une véritable bataille rangée. Ma Ying-jeou, candidat vedette du Kuomintang, a lutté contre le maire sortant Chen Shui-bian, homme politique très populaire défendant les thèses indépendantistes du Parti progressiste pour la démocratie (DPP). Après une campagne coûteuse, où le président Lee Teng-hui lui-même défendait les couleurs du Kuomintang, cette formation a repris la capitale avec 51 % des voix. Le Kuomintang s'est en outre assuré d'une meilleure majorité au Yuan législatif avec 123 des 225 sièges. Les leaders de Pékin ont pu se réjouir du recul du mouvement autonomiste. Mais cette consultation montre aussi qu'ils doivent tenir compte, dans leur désir d'unification, d'un défi encore plus grand : la démocratie consolidée chez les 21,8 millions d'insulaires.

Malgré les tournées diplomatiques du Premier ministre Vincent Siew, et du ministre des Affaires étrangères Jason Hu, quatre pays ont rompu leurs relations officielles avec Taïwan en 1998. La Macédoine est toutefois devenue son 28e allié. Le dalaï-lama a annulé la seconde visite qu'il devait faire à Taipei ; mais la venue du dissident Wei Jingsheng, au lendemain des élections, a permis de marquer des points. De même, le secrétaire américain à l'Énergie, Bill Richardson, est devenu le troisième homme politique américain de haut rang à braver l'opposition de Pékin en se rendant sur l'île nationaliste.

La crise asiatique n'a pas épargné l'économie taïwanaise, dont le taux de croissance s'est limité à 4,9 % en 1998. Des milliers d'entreprises ont fermé et les exportations ont chuté de façon substantielle, sauf vers les États-Unis, le premier client. Taïwan s'est néanmoins bien défendu grâce à son conservatisme financier, à de faibles emprunts et à de fortes réserves de devises. Le chômage n'a pas dépassé 2,7 %. Entretemps, la dépendance économique grandissante vis-à-vis du continent chinois continuait d'alarmer des économistes locaux.

- **Jules Nadeau** ■

Péninsule indochinoise

Cambodge, Laos, Myanmar, Thaïlande, Vietnam

Cambodge

Le procès des dirigeants khmers rouges en débat

Le 30 avril 1999, le royaume du Cambodge est devenu le dixième État membre de l'ANSEA (Association des nations du Sud-Est asiatique). Pour adapter son économie, Phnom Penh a obtenu certaines facilités – les taxes à l'importation ne pourront pas excéder 0,5 % avant 2010 – et le groupe des pays donateurs, réuni à Tokyo les 25 et 26 février 1999, a débloqué 470 millions de dollars pour l'aide au développement en 1999. En échange, le gouvernement s'est engagé à éradiquer la corruption, à faire mieux respecter les droits de l'homme, à lutter contre la déforestation et à démobiliser 55 000 soldats et 24 000 policiers en cinq ans.

La situation intérieure s'est normalisée avec la signature d'un accord politique entre Hun Sen (second co-Premier ministre jusqu'au coup de force du 5 juillet 1997) et le prince Norodom Ranariddh (ancien premier

INDICATEUR	UNITÉ	CAMBODGE	LAOS
Démographie[a]			
Population	*(millier)*	10 716	5 163
Densité	*(hab./km²)*	60,7	22,4
Croissance annuelle (1995-2000)	*(%)*	2,2	2,6
Indice de fécondité (ISF) (1995-2000)		4,6	5,7
Mortalité infantile (1995-2000)	*(‰)*	103	93
Espérance de vie (1995-2000)	*(année)*	53,4	53,2
Population urbaine	*(%)*	22,3	22,4
Indicateurs socioculturels			
Développement humain (IDH)[c]		0,514	0,491
Nombre de médecins	*(‰ hab.)*	0,11[i]	0,23[l]
Analphabétisme (hommes)[c]	*(%)*	••	30,6[b]
Analphabétisme (femmes)[c]	*(%)*	••	55,6[b]
Scolarisation 12-17 ans	*(%)*	••	47,8[m]
Scolarisation 3e degré	*(%)*	1,4[f]	2,8[f]
Adresses Internet[d]	*(‰ hab.)*	0,06	–
Livres publiés	*(titre)*	••	88[b]
Armées (effectifs)			
Armée de terre	*(millier d'h.)*	90	25
Marine	*(millier d'h.)*	2	0,6
Aviation	*(millier d'h.)*	2	3,5
Économie			
PIB total (PPA)[c]	*(million $)*	13 494	6 317
Croissance annuelle 1987-97	*(%)*	5,3	6,0
Croissance 1998	*(%)*	1,0	5,0
PIB par habitant (PPA)[c]	*($)*	1 290	1 300
Investissement (FBCF)	*(% PIB)*	19,2[e]	28,4[e]
Taux d'inflation	*(%)*	14,8	81,0
Énergie (taux de couverture)[f]	*(%)*	3,6[bn]	59,4[bn]
Dépense publique Éducation	*(% PIB)*	2,9[f]	2,5[f]
Dépense publique Défense[c]	*(% PIB)*	7,3	3,9
Dette extérieure totale[c]	*(million $)*	2 129	2 320
Service de la dette/Export.[e]	*(%)*	1,0	6,5
Échanges extérieurs			
Importations (douanes)	*(million $)*	1 114[c]	553
Principaux fournisseurs[c]	*(%)*	Asie[q] 75,5	Thaï 82,4
	(%)	UE 7,7	C+H+T[o] 4,6
	(%)	Sui 11,9	Jap 2,4
Exportations (douanes)	*(million $)*	624[c]	370
Principaux clients[c]	*(%)*	UE 11,2	UE 41,7
	(%)	E-U 13,8	PNS[p] 30,7
	(%)	Asie[q] 74,1	Thaï 17,7
Solde transactions courantes	*(% PIB)*	– 6,9[c]	– 18,0[c]

Définition des indicateurs, sigles et abréviations p. 31 et suiv. Chiffres 1998 sauf notes. a. Derniers recensements utilisables : Cambodge, 1998 ; Laos, 1995 ; Myanmar (Birmanie), 1994 ; Thaïlande, 1990 ; Vietnam, 1989. b. 1995 ; c. 1997 ; d. janv. 1999 ; e. 1995-97 ; f. 1996 ; g. 1998 ; h. 1996-98 ; i. 1994 ; j. 1993 ; k. 1992 ; l. 1990 ;

MYANMAR (BIRMANIE)	THAÏLANDE	VIETNAM
44 497	60 300	77 562
67,7	118,0	238,3
1,2	0,9	1,5
2,4	1,7	2,6
79	29	38
60,1	68,8	67,4
26,9	21,0	19,6
0,58	0,753	0,664
0,08[l]	0,23[k]	0,44[k]
11,5	3,3	4,9
21,2	7,2	11,0
25,3[l]	37,0[l]	47,0[k]
6,0[f]	20,9[f]	4,7[f]
0,0002	3,39	0,004
3 660[j]	8 142[f]	5 581[j]
325	190	412
15,8	73	42
9	43	15
44 356[g]	405 587	125 332
3,6	8,4	7,7
7,0	– 8,0	3,5
997[g]	6 690	1 630
13,1[h]	39,3[e]	28,0[e]
10,0	8,1	7,7
92,7	55,0	113,9
1,2[i]	4,1[b]	2,6[j]
7,7	2,1	4,1
5 074	93 416	21 629
13,1	13,2	5,5
2 668	42 971	11 015
Asie[q] 80,2	E-U 13,8	UE 10,1
Chi 23,4	UE 14,2	Asie[q] 72,7
Sing 29	Asie[q] 60,9	C+H+T[o] 23,4
1 075	54 456	8 980
E-U 9,5	E-U 19,4	UE 27,4
UE 11,8	UE 15,9	Asie[q] 49,7
Asie[q] 59,5	Asie[q] 56,2	Jap 22,7
••	9,9	••

m. 1989 ; n. 1996-98 ; o. Chine, Hong Kong, Taïwan ; p. Pays non spécifiés ; q. Y compris Japon et Moyen-Orient.

co-Premier ministre, qui avait été écarté par le précédent), le 13 novembre 1998. Après plusieurs mois de tergiversations, l'Assemblée nationale issue des élections législatives du 26 juillet 1998 a investi un gouvernement dirigé par Hun Sen et dont les cinq postes clés (Affaires étrangères, Défense, Finances, Intérieur, Justice) ont été confiés aux membres de son parti, le PPC (Parti du peuple cambodgien). Pour sa part, le prince Ranariddh a obtenu la présidence de l'Assemblée nationale tandis que son prédécesseur, Chea Sim, se voyait confier celle du Sénat. L'existence d'une chambre haute était, il est vrai, une condition posée à l'intégration à l'ANSEA. Les membres ont été nommés pour cinq ans suivant le ratio de la représentation nationale : 31 sièges pour le PPC, 21 pour le Funcinpec (Front uni national pour un Cambodge indépendant, neutre, pacifique et coopératif), 7 pour le Parti de Sam Rainsy (PSR, libéral-nationaliste) et 2 sénateurs étant par ailleurs nommés par le roi. Le prince Ranariddh a de-

Royaume du Cambodge

Capitale : Phnom Penh.

Superficie : 181 035 km².

Population : 10 716 000.

Langues : khmer, français, anglais, vietnamien.

Monnaie : riel (au taux officiel, 100 riels = 0,16 FF au 30.4.99).

Nature de l'État : monarchie unitaire.

Nature du régime : parlementaire.

Chef de l'État : Norodom Sihanouk Varman (à nouveau proclamé roi le 24.9.93).

Chef du gouvernement : Hun Sen (Parti du peuple cambodgien, PPC).

Ministres de l'Intérieur et de la Sécurité nationale : Sar Kheng (PPC) et You Hockry (Funcinpec).

Ministres de la Défense : général Tea Banh (PPC) et Sar Sisowath Sirarath (Funcinpec).

Ministre des Affaires étrangères : Hor Nam Hong (PPC).

mandé le pardon royal pour ses partisans (Neak Bounchay, Srei Kosal), condamnés *in absentia* en mars 1998 pour avoir tenté de recourir à la lutte armée. Dans la même logique d'apaisement, le prince Nordom Sirivudh, condamné à l'exil depuis 1995, a été nommé, par décret royal, haut conseiller privé du roi.

Toutefois, après la mort de Pol Pot, leader historique du mouvement khmer rouge, le 15 avril 1998, la reddition de deux grandes figures, Khieu Samphan et Nuon Chea, le 25 décembre 1998, et la capture de Ta Mok le 6 mars 1999, la question d'un procès des dirigeants khmers rouges reste au cœur du débat politique national et des attentes de la communauté internationale. Les dirigeants de Phnom Penh se sont résignés à traduire en justice certains responsables khmers rouges, avec l'assistance de juges et de procureurs étrangers, mais la liste des responsables incriminés restait à définir. La limiter à Ta Mok et à l'ancien responsable du centre d'interrogatoires de Tuol Sleng, Kek Ieu, dit « Duch », susciterait de vives critiques, au Cambodge comme à l'étranger.
- **Christian Lechervy** ■

Laos

Toujours la crise asiatique

En 1998, la crise asiatique a encore fortement affecté l'économie laotienne. Les investissements étrangers ont chuté de 17,8 % et les réserves de change ont fondu, ne représentant plus que l'équivalent de deux mois d'importations. En deux ans, la monnaie s'est dépréciée de 70 % et le pays a connu en 1998 le taux d'inflation (81 %) le plus élevé d'Asie. Ces évolutions ont creusé le déficit budgétaire (13 % du PIB) et brutalement diminué le pouvoir d'achat de la population. Cette conjoncture difficile n'a pas remis en cause l'ouverture économique du pays, décidée à la fin des années quatre-vingt. Elle se traduit cependant par une intensification de la corruption au sein des administrations et par un développement inquiétant de la « petite » criminalité. Les dirigeants ont hésité à suivre les mesures préconisées par le FMI de peur d'accroître les tensions sociales et de légitimer ceux qui s'opposent au régime.

L'ouverture politique n'était toujours pas d'actualité. La mort d'un prisonnier d'opinion et les arrestations opérées dans les milieux religieux ont continué de ternir l'image du pays à l'heure où celui-ci compte beaucoup sur le développement du tourisme. Un million de visiteurs était attendu en 1999 et 2000. Même s'il a cherché à s'ouvrir un peu plus vers l'étranger en développant des contacts par l'entremise de l'ANSEA (Association des nations du Sud-Est asiatique), en inaugurant des ambassades à Brunéi, à Singapour, à Séoul, ou en établissant des relations diplomatiques avec de nouveaux partenaires (Arménie, Croatie, Géorgie,

République démocratique populaire lao

Capitale : Vientiane.
Superficie : 236 800 km².
Population : 5 163 000.
Langues : lao, dialectes (taï, phoutheung, hmong), français, anglais.
Monnaie : kip (au taux officiel, 100 kips = 0,13 FF au 30.4.99).
Nature de l'État : république unitaire.
Nature du régime : communiste.
Chef de l'État : Khamtay Siphandone, qui a succédé le 24.2.98 à Nouhak Phoumsavanh.
Chef du gouvernement : Sisavat Keobounphanh, qui a succédé le 26.2.98 à Khamtay Siphandone.
Vice-premiers ministres : Bougnang Vorachith, lieut.gén. Choummally Saygnasone, Somsavath Lengsavath, Kamphoui Keoboualapha.
Ministre de l'Intérieur : major Asang Laoli.
Ministre de la Défense : lieut-gén. Choummally Saygnasone.
Ministre des Affaires étrangères : Somsavath Lengsavath.

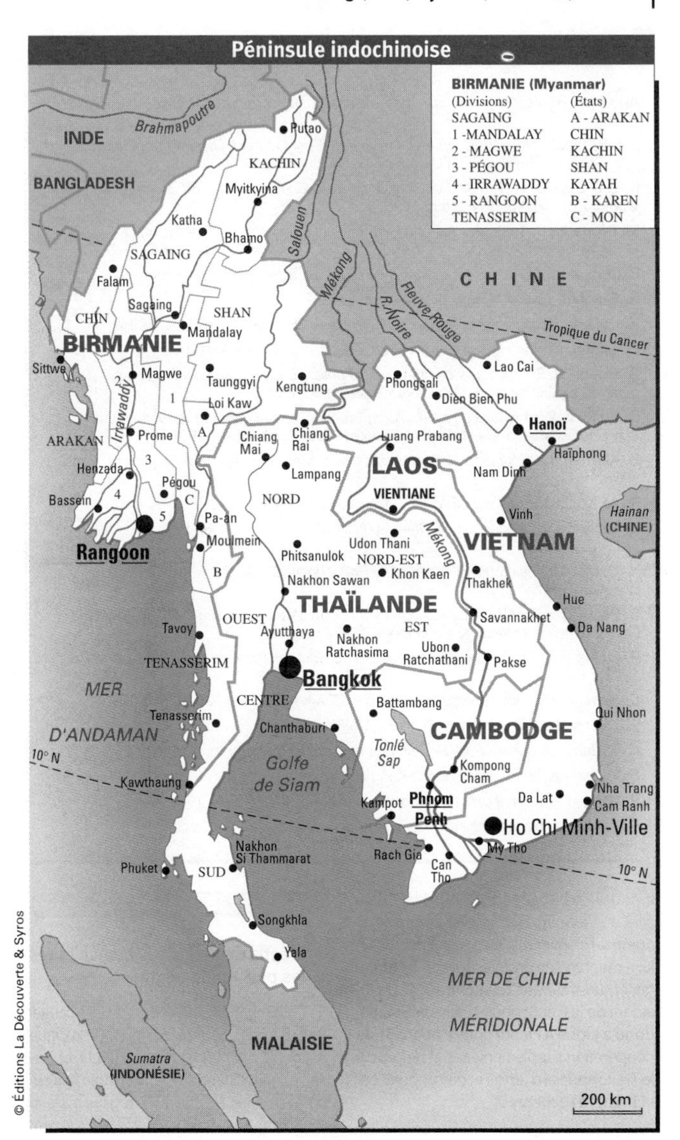
Péninsule indochinoise
BIRMANIE (Myanmar)
(Divisions) (États)
SAGAING A - ARAKAN
1 -MANDALAY CHIN
2 - MAGWE KACHIN
3 - PÉGOU SHAN
4 - IRRAWADDY KAYAH
5 - RANGOON B - KAREN
TENASSERIM C - MON
INDE
BANGLADESH
Brahmapoutre
Putao
KACHIN
Myitkyina
Katha
Bhamo
Salouen
SAGAING
Falam
Sagaing
SHAN
CHIN
Mandalay
BIRMANIE
Sittwe
Magwe
Irrawaddy
Taunggyi
Kengtung
Loi Kaw
ARAKAN
Prome
Henzada
Pégou
Bassein
Rangoon
Pa-an
Moulmein
Mékong
R. Noire
Fleuve Rouge
CHINE
Tropique du Cancer
Lao Cai
Phongsali
Dien Bien Phu
Hanoï
Haïphong
Nam Dinh
Luang Prabang
LAOS
VIENTIANE
Chiang Mai
Chiang Rai
Lampang
NORD
Vinh
Hainan (CHINE)
VIETNAM
Udon Thani
Phitsanulok
NORD-EST
Khon Kaen
Thakhek
Nakhon Sawan
THAÏLANDE
Hue
Savannakhet
Da Nang
Tavoy
OUEST
Ayutthaya
Nakhon Ratchasima
EST
Ubon Ratchathani
Pakse
TENASSERIM
Bangkok
MER D'ANDAMAN
CENTRE
Battambang
Tenasserim
Chanthaburi
CAMBODGE
Qui Nhon
Tonlé Sap
10° N
Golfe de Siam
Kompong Cham
Kawthaung
Kampot
Phnom Penh
Da Lat
Nha Trang
Cam Ranh
Ho Chi Minh-Ville
My Tho
Rach Gia
Can Tho
Nakhon Si Thammarat
Phuket
SUD
Songkhla
Yala
MER DE CHINE MÉRIDIONALE
MALAISIE
Sumatra (INDONÉSIE)
200 km

Péninsule indochinoise/Bibliographie

Ang Chin Geok, *Aung San Suu Kyi : Towards a New Freedom,* Prentice Hall, Sydney, 1998.

J. J. Brandon, *Burna : Myanmar in the Twenty-First Century. Dynamics of Continuity and Change,* Chulalongkorn University, Bangkok, 1998.

F. Z. Brown, D. G. Timbernan (sous la dir. de), *Cambodia and the International Community,* ISEAS, Singapour, 1998.

M. Bruneau, C. Taillard, « Asie du Sud-Est », *in* R. Brunet (sous la dir. de), *Géographie universelle,* vol. VII, Belin/RECLUS, Paris/Montpellier, 1985.

F. Christophe, *Birmanie, la dictature du pavot,* Picquier, Paris, 1998.

S. Crochet, *Le Cambodge,* Karthala, Paris, 1997.

X. Galland, *Histoire de la Thaïlande,* PUF, coll. « Que sais-je ? », Paris, 1998.

A. Gilboa, *Off the Rails in Phnom Penh,* Asia Books, Bangkok, 1998.

B. Hours, M. Selim, *Essai d'anthropologie politique sur le Laos contemporain : marché, socialisme et génies,* L'Harmattan, Paris, 1997.

D. Kelly, A. Reid (sous la dir. de), *Asian Freedoms : The Idea of Freedom in East and Southeast Asia,* Cambridge University Press, Cambridge, 1998.

B. Kiernan, *Le Génocide au Cambodge : race, idéologie et pouvoir,* Gallimard, Paris, 1998.

R. de Koninck, *L'Asie du Sud-Est,* Masson, Paris, 1994.

C. Lechervy, N. Régaud, *Les Guerres d'Indochine (Xe-XXe siècle),* PUF, coll. « Que sais-je ? », Paris, 1996.

H. C. Mehta, *Cambodia Silenced : The Press under Six Regimes,* White Lotus, Bangkok, 1997.

S. Peou, *Conflict Neutralization in the Cambodia War : From Battlefield to Ballot-Box,* Oxford University Press, Kuala Lumpur, 1997.

P. Richer (sous la dir. de), *Crises en Asie du Sud-Est,* Presses de Sciences-Po, Paris, 1999.

C. Schauli, *Birmanie : mémoires de l'oubli,* Olizane, Genève, 1997.

S. Thierry, *Les Khmers,* Kailash, Paris, 1996.

C. Taillard, *Le Laos. Stratégie d'un État-tampon,* RECLUS, Montpellier, 1989.

B. Victor, *La Dame de Rangoon : Aung San Suu Kyi,* Flammarion, Paris, 1997.

R. Werly, *Dans les soutes du « miracle » asiatique,* Stock, Paris, 1998.

Voir aussi les bibliographies « Thaïlande » et « Vietnam », p. 321 et 324.

Irlande), le Laos reste d'abord un fidèle allié du Vietnam. Sisavat Keobounphanh, nommé Premier ministre en février 1998, lui a réservé son premier voyage à l'étranger en juillet suivant. En janvier 1999, le président de la République Khamtay Siphandone a signé à Hanoi quatre accords de coopération supplémentaires et renouvelé le Traité spécial d'amitié et de coopération. - **Christian Lechervy** ■

Myanmar (Birmanie)

Mépris des principes humanitaires les plus fondamentaux

Le 29 mars 1999, la mort du Dr Michael Aris (53 ans), l'époux du leader de la Ligue nationale pour la démocratie (NLD, opposition) Aung San Suu Kyi, a jeté une fois encore une lumière crue sur le régime militaire de Rangoon. Les États occidentaux ont dénoncé son mépris des principes humanitaires les plus fondamentaux. L'universitaire d'Oxford n'avait pas été autorisé à revoir son épouse depuis janvier 1996. Atteint d'un cancer en phase terminale, il s'est vu refuser un visa pour visiter une dernière fois sa compagne. Les militaires firent valoir que « la Dame » pouvait se rendre librement au chevet de son époux, mais elle s'y refusa de crainte de ne pas être autorisée ensuite à regagner son pays.

Depuis plusieurs mois, les militaires cherchaient à l'isoler de son parti et à affaiblir ce dernier par tous les moyens. Les permanences locales de la Ligue ont été fermées et des centaines de militants ont été invités à démissionner après avoir été interpellés et « hébergés dans des maisons d'hôtes » du gouvernement pour des « échanges de vues ». Seuls sont relâchés ceux qui promettent de renoncer à la politique, les autres étant condamnés à de lourdes peines. Ainsi, le 8 janvier 1999, 300 opposants ont été condamnés au total à 3 440 années de prison. Les violations des droits de l'homme par la junte ont été dénoncées dans un nouveau rapport des Nations unies en mars 1999. Le rapporteur spécial Rajsoomu Lallah a accusé l'armée d'employer systématiquement la violence contre les civils, notamment dans sa lutte contre la rébellion des minorités ethniques (Karen, Mon, Shan...), entraînant massacres, travaux forcés et déplacements massifs des populations. Le régime s'est attaché les services d'anciens seigneurs de la guerre et de la drogue en échange d'une paix fragile avec les rébellions ethniques. La présence à Rangoon de Khun Sa et Lo Hsing-han, trafiquants de stupéfiants notoires, n'a pas manqué de choquer lors d'une réunion, organisée par Interpol en février 1999 pour lutter contre le trafic d'héroïne, boycottée par les pays occidentaux.

La junte a cherché à s'organiser politiquement et socialement. Elle a multiplié les meetings de masse pour faire entendre la « voix du peuple » hostile à la LND et exigé des dirigeants des groupes ethniques et des partis politiques encore autorisés qu'ils se désolidarisent publiquement de Aung San Suu Kyi. En réponse, le Prix Nobel de la paix (1991) a tenté à quatre reprises de sortir de la capitale pour rejoindre ses partisans et elle a multiplié les messages à destination de l'étranger. La situation politique est apparue si figée que certains en sont venus à s'interroger sur la stratégie de la dissidente. Cette dernière a refusé la poursuite des contacts entre le président de son parti et le premier secrétaire du Conseil pour la paix et le développement (SPDC) puisqu'elle en est exclue.

L'intransigeance de la junte à l'égard de l'opposition et de son chef a également troublé l'harmonie de l'ANSEA (Association des nations d'Asie du Sud-Est asiatique) que Rangoon a rejointe en 1997. Les Philippines ont pressé la junte d'engager des réformes politiques afin de faciliter les relations de l'ANSEA avec l'Union européenne (UE),

Union de Myanmar (ou Union de Birmanie)

Capitale : Rangoon.
Superficie : 676 552 km².
Population : 44 497 000.
Langues : birman, anglais, dialectes des diverses minorités ethniques.
Monnaie : kyat (au taux officiel, 1 kyat = 0,98 FF au 30.4.99).
Nature de l'État : dominé par les Birmans au détriment des minorités ethniques (Chan, Karen, Kachin, Môn...) partisanes d'une fédération.
Nature du régime : dictature militaire.
Chef de l'État : général Than Shwe (au pouvoir depuis 1992), président du Conseil pour la paix et le développement (SPDC), depuis nov. 97. Également ministre de la Défense.
Vice-président : général Maung Aye.
Ministre de l'Intérieur : colonel Tin Hlaing.
Ministre des Affaires étrangères : Win Aung.

faute de quoi l'ancien Premier ministre singapourien, Lee Kwan Yew, prédisait à ses chefs le même sort que le général Pinochet. La situation en Birmanie est en effet susceptible de perturber durablement les relations de l'ensemble des États d'Asie du Sud-Est avec le reste du monde et, en particulier, avec l'UE. L'entrevue ministérielle prévue en marge de la réunion des ministres des Affaires étrangères de l'Asem (Rencontre Asie-Europe), en avril 1999, a dû être ajournée. Le Royaume-Uni, l'Irlande, les Pays-Bas et les pays scandinaves avaient menacé de la boycotter si le délégué birman n'en était pas exclu. La plupart des États de l'UE se sont montrés favorables à l'isolement du gouvernement birman. A compter de 1996, l'UE a d'ailleurs fermé son territoire aux membres de la junte et aux cadres du régime.

Sur le plan économique, le pays en a été réduit à revenir à la politique d'autarcie de l'ancien régime socialiste (1962-1988) et à compter toujours davantage sur l'aide de la Chine. L'inflation est élevée (+ 10 %), tandis que le kyat s'échange à 50 fois sous son taux officiel. Les restrictions administratives au commerce extérieur ont été renforcées. Plusieurs produits ont été interdits à l'exportation à compter de mars 1998. Les licences d'importation sont plus difficiles que jamais à obtenir, pour préserver notamment les réserves de change. Les investissements étrangers ont quasi disparu (70 % au premier semestre 1998 par rapport à l'année précédente). Dans ce contexte, la tendance à l'« asiatisation » des investissements s'est révélée un handicap, même si priorité a été donnée au développement de l'agriculture. En janvier 1999, une vaste campagne de mise en valeur des terres en friche (13 % du territoire est cultivé) a été lancée. La Birmanie veut s'affirmer comme une puissance agraire et remet à plus tard l'internationalisation de son économie, mais elle n'en est pas moins confrontée à des problèmes de solvabilité. - **Christian Lechervy** ■

Thaïlande

Périlleuse sortie de crise

Pour sortir de ses graves difficultés économiques, faisant suite à l'effondrement de son système financier et bancaire de 1997, la Thaïlande a employé 13,3 milliards de dollars sur les 17,2 accordés par le FMI dans le cadre du plan de soutien agréé en août 1997 pour lutter contre le surendettement, mais le cycle de la crise n'en a pas moins suivi son cours. La consommation intérieure a chuté de 15 % en 1998 et le taux de croissance de 8 %. Le 30 mars 1999, un nouveau plan de relance de 3,5 milliards de dollars a donc été adopté. Pour stimuler la croissance, il a été décidé de baisser la TVA de 3 %, d'offrir des exonérations de charges aux PME (petites et moyennes entreprises) et de diminuer les impôts sur le revenu. Bien que le déclin de la production se soit arrêté, que le taux de change soit demeuré stable, que les taux d'intérêt aient été baissés et que l'inflation soit faible (+ 8,1 %), la demande intérieure, anémique, ne pouvait garantir la relance.

La sortie de crise nécessitait désormais des réformes ambitieuses. L'objectif immédiat du gouvernement a consisté à restructurer l'économie, assainir un système bancaire surendetté (60 milliards de dollars), mais également à reconquérir rapidement la confiance des milieux d'affaires, étrangers et nationaux. Plus inquiétant pour l'avenir, alors que les infrastructures de transport et de communication étaient déjà insuffisantes, le budget 1999 n'a prévu de leur consacrer que 1,6 % de son montant. De même, alors que la crise thaïlandaise est née d'un surendettement excessif, les investissements improductifs demeuraient encore très nombreux. En 1998, la dette totale du secteur privé s'élevait à 241 % du PIB. La relance semblait d'autant moins probable que, même si les importations ont considérablement diminué (– 32,3 %), la dépréciation de 33,4 % du baht entre le

1er juillet 1997 et mai 1999 n'a pas permis une relance des exportations, ni en 1998 (– 6,6 % en un an) ni au premier trimestre 1999 (– 3 %).

Des réformes impopulaires

Pour s'engager plus avant dans les réformes, le Parlement a adopté une série de mesures propres à favoriser les investissements privés étrangers, en décidant d'ouvrir à la concurrence étrangère les secteurs de l'eau, de l'énergie, des télécommunications et des transports. D'ici à 2006, il a ainsi été prévu d'ouvrir le capital de 56 entreprises publiques. Toutefois, si l'État est apparu effectivement chercher à se dégager du secteur bancaire, bien des difficultés ont persisté quant à la mise en œuvre du programme de privatisation dicté par le FMI. Les syndicats ont dénoncé le « bradage de l'économie » au profit d'intérêts étrangers, tandis que les manifestations dans le secteur public se multipliaient. Le taux de chômage officiel est passé de 1,9 % en 1997 à 4 % (1,3 million) de personnes en 1999. L'adoption et l'application d'une loi sur les faillites ont dès lors été dénoncées avec vigueur.

Dans ce contexte, le Premier ministre a déclaré à plusieurs reprises qu'il n'était pas dans son intention d'aller jusqu'au terme du mandat parlementaire (novembre 2000) et qu'il appellerait certainement à des élections législatives anticipées. Or, le gouvernement de Chuan Leekpai, articulé autour de la formation de ce dernier, le Parti démocrate, se trouvait en difficulté non seulement du fait de la crise, mais également à cause de dissensions au sein de sa majorité. Bien que n'apparaissant pas menacé à court terme, le Premier ministre a préféré élargir sa coalition.

Le remaniement gouvernemental du 5 octobre 1998 a vu l'entrée dans la majorité de l'un des principaux parti de l'opposition, le Chart Pattana (51 sièges à l'Assemblée). La nouvelle coalition comptait sept partis et 256 députés sur un total de 388 élus. Si le Parti démocrate a conservé la plupart des portefeuilles économiques, le Chart Pattana a, lui, obtenu l'un des six postes de vice-premier ministre et dix maroquins – dont celui de l'Industrie pour son secrétaire général, Suwat Liptapalop, et celui de la Santé. Ce remaniement a fait suite à une série de scandales (corruption) mettant en cause trois ministres issus du Parti de l'action sociale. En janvier 1999, de nouvelles affaires sont venues défrayer la chronique. L'opposition a cherché à en tirer profit en déposant une motion de censure, comme le lui permet une fois par an la Constitution de 1997. Elle a été rejetée. Sur le terrain de la politique économique, les attaques partisanes se sont multipliées et se sont concentrées sur le peu charismatique ministre des Finances, Tarrin Nimmanahaeminda. Comme lors de son premier mandat (1992-1995), le gouvernement Chuan a dû survivre à la forte personnalité et à la

Royaume de Thaïlande

Capitale : Bangkok.
Superficie : 514 000 km².
Population : 60 300 000.
Langues : thaï (off.), chinois, anglais.
Monnaie : baht (1 baht = 0,16 FF au 30.4.99).
Nature de l'État : monarchie unitaire.
Nature du régime : constitutionnel.
Chef de l'État : roi Bhumibol Adulyadej, Rama IX (depuis le 10.6.46).
Premier ministre et ministre de la Défense : Chuan Leekpai (depuis le 10.11.97).
Ministre des Affaires étrangères : Surin Pitsuwan.
Ministre de l'Intérieur : Sanan Kachornprasart.
Principaux partis politiques : Parti de la nation thaïe (Chart Thaï) ; Parti des aspirations nouvelles ; Parti de la force religieuse (Palang Dharma) ; Parti de l'action sociale (Kit Sang Khom) ; Parti des masses (Muan Chon) ; Parti du développement national (Chart Pattana) ; Parti démocrate ; Prachakom Thaï Party.

INDICATEUR	UNITÉ	1975	1985	1997	1998
Démographie[a]					
Population	*million*	41,4	51,1	59,7	60,3
Densité	*hab./km²*	81,0	100,1	116,9	118,0
Croissance annuelle	%	2,1[q]	1,4[k]	0,9[c]	••
Indice de fécondité (ISF)		3,6[q]	2,3[k]	1,7[c]	••
Mortalité infantile	‰	50[q]	35[k]	29[c]	••
Espérance de vie	*année*	63,1[q]	68,0[k]	68,8[c]	••
Indicateurs socioculturels					
Nombre de médecins	*‰ hab.*	0,12	0,17	0,23[e]	••
Analphabétisme (hommes)	%	9,7	6,0	3,3	••
Analphabétisme (femmes)	%	21,5	13,6	7,2	••
Scolarisation 12-17 ans	%	34,0	35,3	37,0[f]	••
Scolarisation 3e degré	%	14,7[n]	19,0	20,9[b]	••
Téléviseurs	*‰ hab.*	12,1	98,4	234,3	••
Livres publiés	*titre*	2 419	7 289	8 142[b]	••
Économie					
PIB total (PPA)	*milliard $*	33,1	107,1	405,6	••
Croissance annuelle	%	6,4[o]	8,4[g]	– 0,4	– 8,0
PIB par habitant (PPA)	$	800	2 090	6 690	••
Investissement (FBCF)	*% PIB*	26,9[p]	37,6[h]	35,6	••
Recherche et Développement	*% PIB*	••	0,4[n]	0,1[d]	••
Taux d'inflation	%	10,9	1,6	5,7	8,1
Population active	*million*	20,68	28,13	36,36	••
Agriculture	% } 100 %	75,3	67,4	59,6[d]	56,5[u]
Industrie	% } 100 %	8,1	12,1	18,0[d]	••
Services	% } 100 %	16,5	20,5	22,4[d]	••
Énergie (taux de couverture)	%	55,9	66,6	55,0[b]	••
Dépense publique Éducation	*% PIB*	3,5	3,8	4,1[d]	••
Dépense publique Défense	*% PIB*	3,6	4,1	2,1	••
Dette extérieure totale	*milliard $*	1,87	17,55	93,42	••
Service de la dette/Export.	%	11,2[s]	29,2[m]	13,2[l]	••
Échanges extérieurs		**1974**	**1986**	**1997**	**1998**
Importations de services	*milliard $*	0,6	1,85	17,34	12,02
Importations de biens	*milliard $*	2,8	8,41	55,10	36,51
Produits agricoles	%	8,9	11,4	7,9[d]	••
Produits énergétiques	%	19,8	13,5	6,8[d]	••
Produits manufacturés	%	57,9	66,4	80,7[d]	••
Exportations de services	*milliard $*	0,6	2,30	15,76	13,09
Exportations de biens	*milliard $*	2,4	8,80	56,65	52,75
Produits agricoles	%	74,1	52,7	24,7[d]	••
Minerais et métaux	%	9,8	3,1	0,6[d]	••
Produits manufacturés	%	13,2	42,7	73,1[d]	••
Solde des transactions courantes	*% du PIB*	– 5,3[r]	– 4,9[j]	– 2,0	9,9

Définition des indicateurs, sigles et abréviations p. 31 et suiv. a. Dernier recensement utilisable : 1990 ; b. 1996 ; c. 1995-2000 ; d. 1995 ; e. 1992 ; f. 1990 ; g. 1987-97 ; h. 1987-96 ; i. 1986 ; j. 1985-96 ; k. 1985-95 ; l. 1995-97 ; m. 1984-86 ; n. 1980 ; o. 1977-87 ; p. 1977-86 ; q. 1975-85 ; r. 1975-84 ; s. 1974-76 ; t. 1974 ; u. An 2000, estimation FAO.

Thaïlande/Bibliographie

W. Belo, *A. Siamese Tragedy,* Zed Books, Londres, 1998.

M. Briki, *Midnight Bangkok,* Anne Carrière, Paris, 1997.

C. Dixon, *The Thai Economy,* Routledge, Londres, 1999.

X. Galland, *Histoire de la Thaïlande,* PUF, coll. « Que sais-je ? », Paris, 1998.

K. Hewison, *Political Change in Thailand : Democracy and Participation,* Routledge, Londres, 1997.

C. F. Keyes, *The Golden Peninsula,* University of Hawaii Press, Honolulu, 1995.

N. Mulder, *Inside Thai Society,* The Pepin Press, Amsterdam, 1996.

R. J. Muscat, *The Fifth Tiger : A Study of Thai Development Policy,* United Nations University Press, New York, 1994.

P. Phongpaichit, *Guns, Girls, Gambling, Ganja : Thailand's Illegal Economy and Public Policy,* Silkworm Books, Chiang Mai, 1998.

P. Phongpaichit, C. Baker, *Thailand : Economy and Politics,* Oxford University Press, Oxford/New York, 1995.

S. Sivaraksa, *Loyalty Demands Dissent,* Parallax Press, Bangkok, 1998.

Voir aussi la bibliographie « Péninsule indochinoise », p. 316.

popularité du Premier ministre, auquel on a continué de prêter une probité sans faille.

En décidant d'élever le maréchal Thanom Kittikachorn, responsable de la répression sanglante du soulèvement populaire du 14 octobre 1973, au rang de garde royal honoraire, titre attribué aux officiers qui ont consacré leur vie à l'armée, les militaires ont provoqué une véritable tempête politique. L'affaire Chaloem Yoobamrung, où le vice-président du Parti des aspirations nouvelles a été accusé d'entretenir des liens étroits avec un trafiquant de drogue allemand, a également fait la « une » de la presse. Enfin, la douzaine d'attentats à l'explosif contre des postes de police, des locaux administratifs et le quartier général du Parti démocrate, orchestrée par un officier général à la retraite réputé proche du leader de l'opposition et ancien Premier ministre, le général Chavalit Yongchaiyudh, a provoqué autant de tumulte.

Intense activité diplomatique

La politique étrangère a également fait l'objet de vives polémiques. Si l'expulsion de six Nord-Coréens consécutive à la tentative d'enlèvement d'un ancien diplomate transfuge a engendré des tensions avec Pyongyang et suscité quelques débats nationaux, la diplomatie multilatérale thaïlandaise s'est trouvée au cœur des controverses. L'échec de Bangkok à promouvoir le vice-premier ministre et ministre du Commerce, Supachai Panitchapakdi, au poste de directeur général de l'OMC (Organisation mondiale du commerce) a provoqué des rancœurs vis-à-vis des États-Unis et de l'Europe. Ses tentatives de déblocage du dialogue Union européenne-ANSEA (Association des nations du Sud-Est asiatique), qui bute sur la question de la participation de Rangoon, n'ont pas rencontré plus de succès. Constatant qu'avec la crise asiatique l'ANSEA a perdu de son pouvoir d'attraction, la Thaïlande a exprimé son souhait de voir s'engager une réflexion sur l'avenir de l'association.

A la lumière notamment de l'impasse politique où a abouti la doctrine régionale d'« engagement constructif », Bangkok a défendu l'idée d'une nécessaire inflexion du principe de non-ingérence. Le royaume, qui a dû faire face à un regain de tension sur sa frontière occidentale et à des heurts entre les militaires des deux pays, s'est montré de plus en plus préoccupé par le blocage de la situation politique en Birmanie. L'annonce d'une coopération renforcée entre les deux pays pour éradiquer le fléau de la drogue d'ici 2020, faite à l'occasion de la visite du chef de l'État de Birmanie, le général Than Shwe, ne pouvait suffire à normaliser les relations entre les deux voisins.

Dans cette logique, la Thaïlande a souhaité conditionner l'entrée du Cambodge dans l'ANSEA à la mise en place d'un Sénat à Phnom Penh. Pour atteindre cet objectif, Bangkok n'a pas ménagé ses efforts de médiation avec les autres partenaires de la troïka anséanienne (Indonésie, Philippines) et au sein du Groupe des amis du Cambodge. Marque d'une nouvelle étape dans les relations bilatérales avec Phnom Penh, fin mars 1999, les derniers réfugiés ont été rapatriés et les camps installés à Trat et Surin fermés. Depuis octobre 1997, 37 000 Cambodgiens auront ainsi regagné leur pays.

Avec les trois « grandes » puissances impliquées dans la région, les relations ont été bonnes voire chaleureuses. Avec le Japon, premier bailleur de fonds bilatéral et premier investisseur, elles sont demeurées privilégiées. La Thaïlande a été le premier pays avec lequel Tokyo a ouvert des négociations (novembre 1998) dans le cadre de la mise en œuvre du plan Miyazawa de soutien aux pays d'Asie en crise.

Avec la Chine populaire, le nombre élevé de visites officielles dans les deux capitales ont témoigné du climat de confiance prévalant, Bangkok ayant apprécié la participation de Pékin au plan de soutien du FMI. Le ressentiment thaïlandais à l'égard des États-Unis, auxquels il était reproché de s'être davantage intéressés au sort de la Corée et de l'Indonésie, s'estompe comme la secrétaire d'État américaine Madeleine Albright a pu le constater lors de son voyage à Bangkok en mars 1999. - **Christian Lechervy** ■

Vietnam

Rattrapé par la crise asiatique

Pour le meilleur et pour le pire, le Vietnam poursuit son intégration à l'Asie, engagée depuis le début des années quatre-vingt-dix. En accueillant pour la première fois, en décembre 1998, un sommet de l'ANSEA (Association des nations du Sud-Est asiatique), il a pris toute sa place dans l'organisation régionale, plus que trentenaire, mais dont il n'est membre que depuis 1995. Les échanges politiques ou techniques se multiplient. Hanoi a par exemple reçu, les 19 et 20 mars 1999, la conférence des ministres des Finances de ses pays membres. La voie apparaît également ouverte à une coopération – notamment militaire – susceptible de neutraliser d'éventuelles tensions régionales, en particulier avec les Philippines dans les îles Spratly. En ces temps de crise, le pays n'oublie pas pour autant ses relations avec la Chine : le Premier ministre Pham Van Khai, en octobre 1998, et le secrétaire général du Parti, Le Kha Phieu, en février 1999, se sont rendus en visite officielle à Pékin, en rapportant notamment la promesse d'une prochaine délimitation de certaines frontières communes.

En 1998, le Vietnam a été rattrapé par la crise asiatique, après en avoir été épargné grâce à ses structures et à son modeste développement. Majoritairement tournées vers l'Asie, ses exportations ont vu leur progression freinée par les effets combinés d'une contraction de la demande, de la dépréciation des monnaies concurrentes et de la faiblesse des cours du pétrole (principale exportation du pays en valeur) et du riz (dont le Vietnam est le deuxième exportateur mondial). Le déficit commercial s'est stabilisé autour de 2 milliards de dollars. Parallèlement, mais cette tendance n'est pas seulement liée à la crise, les investissements étrangers, eux-mêmes surtout d'origine asiatique, ont été en recul pour la deuxième année consécutive : les investissements agréés se sont élevés à 4 milliards de dollars en 1998, soit 10 % de moins que l'année précédente, et encore grâce à un engagement russe *in extremis* de 1,3 milliard de dollars dans le projet de raffinerie de Dung Quat. Dans ces conditions, la croissance, estimée selon les sources entre 4 % et 6 % pour 1998, s'est trouvée ralentie ; le chômage augmente et l'inflation menace, bien que contenue en deçà de 10 %. La monnaie vietnamienne, qui a subi une nouvelle dévaluation de 5 % en août 1998 (1 $ = 13 900 dongs), a perdu environ 19 % de sa valeur depuis le début de la crise financière en Asie.

Réformes à petits pas

Face à ce que certains considèrent comme une situation d'urgence, le Vietnam a poursuivi ses réformes à petits pas. Une TVA (taxe sur la valeur ajoutée) est entrée en vigueur le 1er janvier 1999, les taux variant de 10 % à 50 % selon les activités. Les investissements étrangers, toujours considérés comme l'un des fondements de la croissance, sont de plus en plus autorisés à 100 % plutôt qu'en *joint venture*. Pepsi a ainsi acquis à Hô Chi Minh-Ville 96,6 % d'International Beverage, alors qu'elle n'en détenait que 30 % auparavant. Le régime a insisté sur l'objectif d'éradiquer la sous-nutrition en l'an 2000 et la pauvreté avant 2010, dans un pays toujours aussi vulnérable aux aléas climatiques : 76 morts et 31 disparus ont été dénombrés dans le Centre-Vietnam après le passage d'un typhon en novembre 1998. Sur le plan des libertés, une amnistie, prononcée début septembre 1998 à l'occasion de la fête nationale, a élargi 5 166 personnes, parmi lesquelles deux dignitaires bouddhistes et le dissident Doan Viet Hoat, expulsé du pays. Le pouvoir maintient pourtant sa pression.

D'un point de vue politique, la crise a en effet rendu plus aigu le débat sur les réformes, réactivant la méfiance traditionnelle des élites à l'égard du capitalisme et d'une trop grande libéralisation – un document « interne » et anonyme circulait à Hanoi en mars 1999, dénonçant violemment les réformateurs. Le parti unique, qui a exclu en janvier 1999 le général Tran Do, vétéran de la lutte révolutionnaire ayant appelé à une réforme politique, affiche sa bonne santé, revendiquant 2,3 millions de membres – pour plus de 78 millions d'habitants – et 106 000 adhérents de plus en 1998, la plus forte augmentation depuis dix ans. Le VIe plénum du Comité central, réuni du 25 janvier au 2 février 1999 à Hanoi, où la discussion semble avoir été vive entre conservateurs et réformateurs, s'est finalement séparé sur la perspective d'une grande campagne contre la corruption dans ses propres rangs. La presse vietnamienne relève en effet quotidiennement des cas de

République socialiste du Vietnam

Capitale : Hanoi.
Superficie : 333 000 km².
Population : 77 562 000.
Langues : vietnamien (langue nationale), langue des ethnies minoritaires (khmer, cham, thai, sedang, miao-yao, chinois).
Monnaie : dong (au taux officiel, 1 000 dongs : 0,48 FF en févr. 99).
Nature de l'État : république, refondée le 2.7.76, après la réunification du pays.
Nature du régime : communiste, parti unique (Parti communiste vietnamien, PCV).
Chef de l'État : Tran Duc Luong, président depuis le 24.9.97.
Premier ministre : Pham Van Khai (depuis le 29.9.97).
Ministre des Affaires étrangères : Nguyen Manh Cam (depuis août 91).
Ministre de l'Intérieur : Le Minh Huong (depuis le 6.11.96).
Ministre de la Défense : Pham Van Tra (depuis le 29.9.97).
Secrétaire général du Parti : général Le Kha Phieu (depuis le 26.12.97).
Revendications territoriales : archipels des Spratly et des Paracels (mer de Chine méridionale), également revendiquées par les autres États riverains.

Vietnam/Bibliographie

C. Balaize, *Villages du Sud-Vietnam,* L'Harmattan, Paris, 1995.

P. Brocheux, « Le Vietnam, une sortie à petits pas », *in* J.-L. Domenach, F. Godement (sous la dir. de), *Communismes d'Asie : mort ou résurrection ?,* Complexe, coll. « Espace international », Bruxelles, 1994.

P. Brocheux, *The Mekong Delta. Ecology, Economy and Revolution, 1860-1960,* Center for South-East Asian Studies, University of Wisconsin, Madison, 1995.

P. Brocheux, D. Hémery, *Indochine, la colonisation ambiguë, 1858-1954,* La Découverte, Paris, 1994.

P. Cosaert, *Le Centre du Vietnam, du local au global,* L'Harmattan, Paris, 1998.

P. Devillers, *Français et Annamites. Partenaires ou ennemis ? 1856-1902,* Denoël, Paris, 1998.

D. Hémery, *Hô Chi Minh. De l'Indochine au Vietnam,* Gallimard, coll. « Découvertes », Paris, 1991.

P. Le Failler, J.-M. Mancini (sous la dir. de), *Vietnam. Source et approches,* Publications de l'université de Provence, Aix-en-Provence, 1996.

J. Luguem, *Le Vietnam,* Karthala, Paris, 1997.

R. McNamara, *Avec le recul. La tragédie du Vietnam et ses leçons,* Seuil, Paris, 1996.

P. Papin, *Vietnam, parcours d'une nation,* La Documentation française, coll. « Asie plurielle », Paris, 1999.

R. Parenteau (sous la dir. de), *Habitat et environnement au Vietnam. Hanoi et Hô Chi Minh-Ville,* Karthala/CRDI/ACCT, Paris, 1997.

J.-C. Pomonti, H. Tertrais, *Viêt-nam, communismes et dragons,* Le Monde-Éditions, Paris, 1994.

Saigon Eco, Hô Chi Minh-Ville (bimensuel, en français).

C. Taillard, Vu Tu Lap, *Atlas du Viêt-Nam,* La Documentation française/RECLUS, Paris/Montpellier, 1994.

Vietnam coopération investissement, Hanoi (bimensuel, en français).

Voir aussi la bibliographie « Péninsule indochinoise », p. 316.

corruption et de prévarication, qui avaient déjà été à l'origine des troubles paysans de la province de Thaï Binh en 1997.

L'ouverture économique au péril du régime

Les conditions de l'intégration du Vietnam dans l'économie mondiale ont avivé le débat, les échéances se rapprochant. Les pays donateurs réunis à Paris le 8 décembre 1998 sous l'égide de la Banque mondiale ont accordé une aide de 2,2 milliards de dollars. Mais c'est près de 10 % de moins que l'année précédente, et cette institution comme le FMI réclame de nouvelles réformes avant d'aller plus loin. Les relations économiques avec les États-Unis sont apparues plus sensibles encore.

En échange d'un accès privilégié au marché américain, les États-Unis réclament en effet du Vietnam une ouverture équivalente de son marché, notamment une libéralisation des services (assurances, banques, etc.). Longtemps réticent, craignant pour ses entreprises d'État, pour l'avenir de son secteur industriel et peut-être pour lui-même, le régime vietnamien a finalement repris l'initiative en janvier 1999 et proposé la négociation d'un nouveau calendrier. L'entrée du Vietnam dans l'Organisation mondiale du commerce (OMC) pose des problèmes similaires. - **Hugues Tertrais** ■

Asie du Sud-Est insulaire

Brunéi, Indonésie, Fédération de Malaisie, Philippines, Singapour

Brunéi

Mise à l'écart du prince Jeffri

Dans ce très riche sultanat, la récession née de la chute des prix du gaz et du pétrole (80 % des recettes fiscales), les effets indirects de la crise asiatique et la fin du monopole énergétique au profit de la compagnie Elf ont affaibli le *Shellfare State*. Le prince Billah, fils aîné du sultan, a été proclamé l'héritier du trône (10 août 1998), tandis que son oncle, le prince Jeffri, après la faillite du groupe financier Amedeo, a perdu son portefeuille de ministre des Finances et la direction de l'Agence d'investissement. Sa mise à l'écart a entraîné celle du ministre de la Justice et une influence accrue des religieux conservateurs. - **Christian Lechervy** ■

Sultanat de Brunéi
(Negara Brunei Darussalam)

Capitale : Bandar S. B.
Superficie : 5 770 km².
Population : 315 000.
Langue : malais.
Monnaie : dollar de Brunéi (1 dollar = 3,68 FF au 7.6.99).
Nature de l'État : sultanat.
Nature du régime : monarchie absolue (les partis sont interdits depuis 1988).
Chef de l'État et du gouvernement : Paduka Seri Badinga Sultan Haji Hassanal Bolkiah Muizzaddin Waddaulah (depuis 1968), également ministre de la Défense et des Finances (depuis 1998)
Ministre de l'Intérieur et conseiller spécial du sultan : Issa Awang Ibrahim.
Ministre des Affaires étrangères : prince Haji Mohammed Bolkiah.

Indonésie

La victoire de Megawati

Après une année de tempête politique et de désastre économique, l'Indonésie a semblé connaître une accalmie en 1999 et entrer peu à peu en démocratie. La chute du président Suharto, le 21 mai 1998, après trente-deux ans de pouvoir autoritaire, a été suivie d'une série de réformes politiques importantes. La liberté de la presse apparaissait désormais « acquise », plus de 1 000 nouveaux titres ayant fait leur apparition depuis la fin de la dictature. Le multipartisme a été légalisé dès le mois de juin et, en novembre 1998, l'Assemblée votait une série de textes organisant la tenue d'élections libres, qui ont eu lieu le 7 juin 1999. Ces dernières visaient à pourvoir 462 sièges à la chambre basse (DPR), 68 sièges restant réservés par décret aux forces armées ; elles ont consacré la victoire du nationalisme intransigeant du Parti démocratique indonésien - Combat (PDI-P) de Megawati Sukarnoputri.

En termes économiques, la roupie s'est

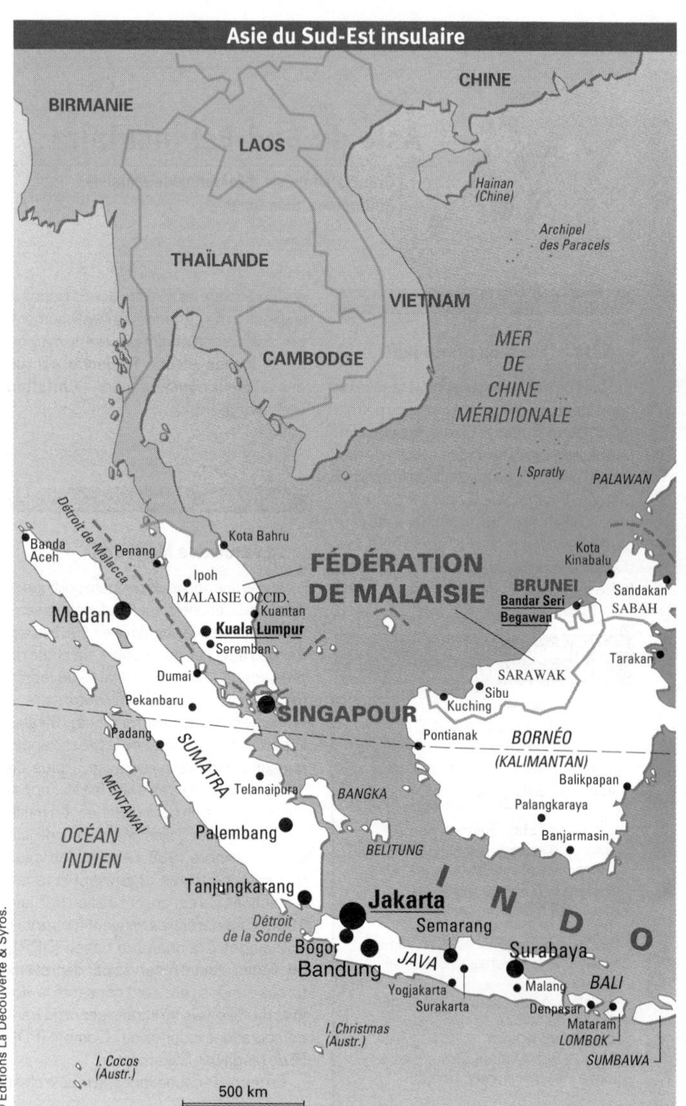
Asie du Sud-Est insulaire
CHINE
BIRMANIE
LAOS
Hainan (Chine)
Archipel des Paracels
THAÏLANDE
VIETNAM
MER DE CHINE MÉRIDIONALE
CAMBODGE
I. Spratly
PALAWAN
Détroit de Malacca
Kota Bahru
Banda Aceh
Penang
FÉDÉRATION DE MALAISIE
Kota Kinabalu
Ipoh
MALAISIE OCCID.
BRUNEI
Bandar Seri Begawan
Sandakan
SABAH
Medan
Kuantan
Kuala Lumpur
Seremban
Tarakan
Dumai
SARAWAK
Sibu
Kuching
Pekanbaru
SINGAPOUR
Padang
SUMATRA
Pontianak
BORNÉO (KALIMANTAN)
MENTAWAI
Telanaipura
BANGKA
Balikpapan
Palangkaraya
OCÉAN INDIEN
Palembang
Banjarmasin
BELITUNG
Tanjungkarang
Jakarta
INDO
Détroit de la Sonde
Semarang
Bogor
Bandung
JAVA
Surabaya
Yogjakarta
Surakarta
Malang
BALI
Denpasar
Mataram
LOMBOK
I. Christmas (Austr.)
SUMBAWA
I. Cocos (Austr.)
500 km

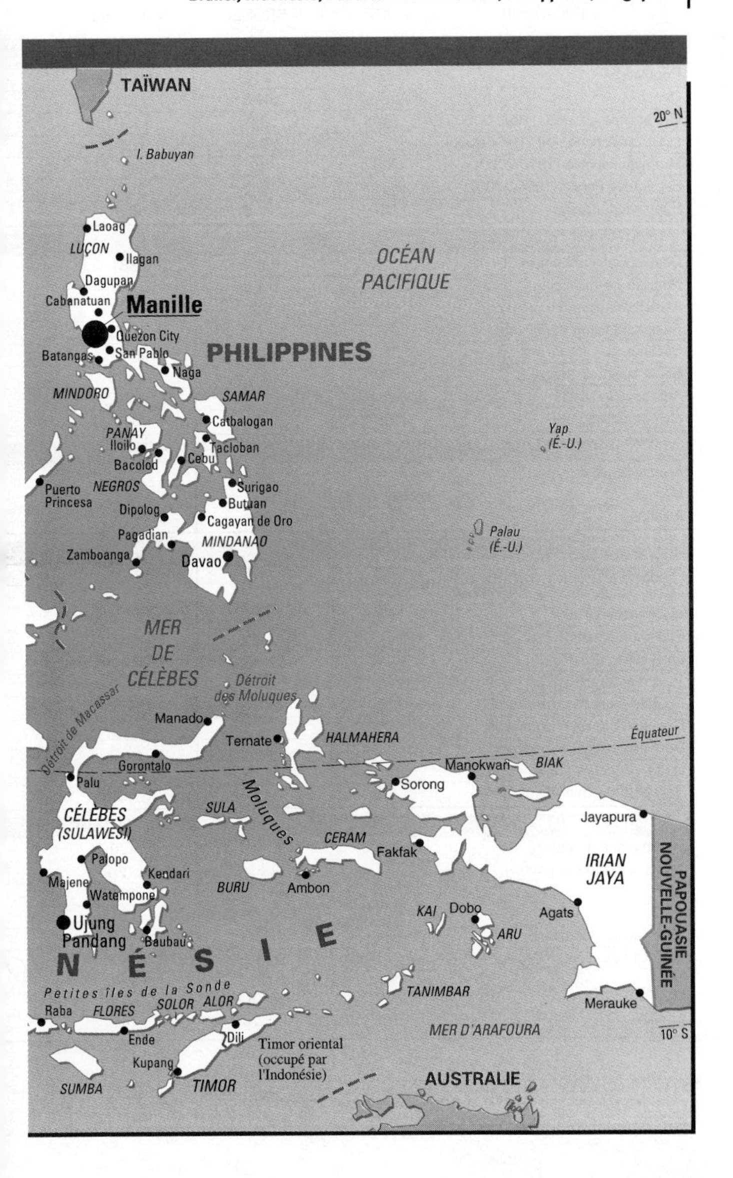
TAÏWAN
20° N
I. Babuyan
Laoag
LUÇON
Ilagan
OCÉAN
PACIFIQUE
Dagupan
Cabanatuan
Manille
Quezon City
Batangas
San Pablo
PHILIPPINES
Naga
MINDORO
SAMAR
Catbalogan
PANAY
Iloilo
Tacloban
Yap
(É.-U.)
Bacolod
Cebu
Puerto
Princesa
NEGROS
Surigao
Butuan
Dipolog
Cagayan de Oro
Pagadian
MINDANAO
Palau
(É.-U.)
Zamboanga
Davao
MER
DE
CÉLÈBES
Détroit
des Moluques
Détroit de Macassar
Manado
Ternate
HALMAHERA
Équateur
Gorontalo
Manokwari
BIAK
Palu
Moluques
Sorong
SULA
CÉLÈBES
(SULAWESI)
Jayapura
CERAM
Fakfak
Palopo
IRIAN
JAYA
Majene
Kendari
BURU
Ambon
PAPOUASIE
NOUVELLE-GUINÉE
Watampone
KAI
Dobo
Agats
Ujung
Pandang
ARU
Baubau
N É S I E
Petites îles de la Sonde
TANIMBAR
Raba
FLORES
SOLOR
ALOR
Merauke
MER D'ARAFOURA
Ende
Dili
10° S
Timor oriental
(occupé par
l'Indonésie)
Kupang
AUSTRALIE
SUMBA
TIMOR

INDICATEUR	UNITÉ	BRUNÉI	INDONÉSIE
Démographie[a]			
Population	*(millier)*	315	206 338
Densité	*(hab./km²)*	59,8	113,9
Croissance annuelle (1995-2000)	*(%)*	2,2	1,4
Indice de fécondité (ISF) (1995-2000)		2,8	2,6
Mortalité infantile (1995-2000)	*(‰)*	10	48
Espérance de vie (1995-2000)	*(année)*	75,5	65,1
Population urbaine	*(%)*	71,0	38,3
Indicateurs socioculturels			
Développement humain (IDH)[c]		0,878	0,681
Nombre de médecins	*(‰ hab.)*	0,74[k]	0,17[h]
Analphabétisme (hommes)[c]	*(%)*	6,3	9,4
Analphabétisme (femmes)[c]	*(%)*	14,0	20,5
Scolarisation 12-17 ans	*(%)*	81,6[k]	60,1[l]
Scolarisation 3e degré	*(%)*	6,6[f]	11,3[f]
Adresses Internet[d]	*(‰ hab.)*	37,53	0,74
Livres publiés	*(titre)*	45[j]	4 018[f]
Armées (effectifs)			
Armée de terre	*(millier d'h.)*	3,9	235
Marine	*(millier d'h.)*	0,7	43
Aviation	*(millier d'h.)*	0,4	21
Économie			
PIB total (PPA)[c]	*(million $)*	5 400	699 784
Croissance annuelle 1987-97	*(%)*	1,1	7,6
Croissance 1998	*(%)*	• •	– 13,7
PIB par habitant (PPA)[c]	*($)*	18 000	3 490
Investissement (FBCF)	*(% PIB)*	• •	28,8[e]
Taux d'inflation	*(%)*	• •	60,7
Énergie (taux de couverture)[f]	*(%)*	569,5	165,5
Dépense publique Éducation	*(% PIB)*	3,1[i]	1,4[f]
Dépense publique Défense[c]	*(% PIB)*	6,7	2,2
Dette extérieure totale[c]	*(million $)*	• •	136 174
Service de la dette/Export.[e]	*(%)*	• •	32,2
Échanges extérieurs			
Importations (douanes)	*(million $)*	3 946[c]	27 420
Principaux fournisseurs[c]	*(%)*	UE 32,8	E-U 12,7
	(%)	Asie[m] 55,9	UE 19,9
	(%)	Sing 38,9	Asie[m] 53,5
Exportations (douanes)	*(million $)*	2 375[c]	48 840
Principaux clients[c]	*(%)*	Jap 53,9	E-U 14,4
	(%)	R-U 21	UE 14,9
	(%)	Sing 8,1	Asie[m] 62,9
Solde transactions courantes	*(% PIB)*	• •	– 2,3[c]

Définition des indicateurs, sigles et abréviations p. 31 et suiv. Chiffres 1998 sauf notes. a. Derniers recensements utilisables : Brunéi, 1991 ; Indonésie, 1990 ; Malaisie (Fédération de), 1991 ; Philippines, 1995 ; Singapour, 1990. b. 1995 ; c. 1997 ; d. janv. 1999 ; e. 1995-97 ; f. 1996 ; g. 1996-98 ; h. 1994 ; i. 1993 ;

MALAISIE (FÉDÉR. DE)	PHILIP-PINES	SINGA-POUR
21 410	72 944	3 476
65,2	244,6	5 698,4
2,0	2,1	1,4
3,2	3,6	1,7
11	35	5
72,0	68,3	77,1
55,8	56,8	100,0
0,768	0,74	0,888
0,43[h]	0,12[i]	1,41[h]
9,8	5, 2	4,2
19,0	5,7	13,0
67,7[k]	71,9[k]	87,4[l]
11,4[f]	35,2[f]	38,5[f]
22,13	1,25	191,55
5 843[f]	927	••
85	74,5	50
12,5	25,9	9
12,5	17,4	13,5
176 444	258 882	88 317
8,7	3,8	8,9
− 6,8	− 0,5	1,5
8 140	3 520	28 460
42,5[e]	23,1[g]	35,6[e]
5,3	9,7	− 0,3
168,8	45,4	0,2
5,2[f]	2,2[b]	3,0[b]
3,7	1,7	4,3
47 228	45 433	••
7,8	12,9	••
58 326	31 960	101 496
E-U 16,6	E-U 16,9	E-U 16,9
UE 13,7	UE 12,9	UE 13,9
Asie[m] 60,5	Asie[m] 60,4	Asie[m] 63,4
73 304	29 330	109 895
E-U 18,6	E-U 34,4	E-U 18,5
UE 14,4	UE 16,1	UE 13,9
Asie[m] 61	Asie[m] 41,8	Asie[m] 60,3
••	1,6	••

j. 1992 ; k. 1991 ; l. 1990 ; m. Y compris Japon et Moyen-Orient.

stabilisée au taux de 8 000 pour 1 dollar (premier semestre 1999) et l'inflation aura été de 61 % en 1998 durant la même période. Le rythme des licenciements a fortement diminué, et l'on notait même une légère reprise de l'embauche dans le secteur des services, après une « série noire » de banqueroutes. Pourtant, les tensions sociales restaient fortes et l'unité nationale se trouvait mise en péril par la renaissance de mouvements séparatistes.

Une libéralisation politique limitée

Dès son accession à la Présidence, le 22 mai 1998, Bacharuddin Jusuf Habibie, dauphin désigné du président Suharto, s'est trouvé contraint, pour désamorcer la colère populaire, de rétablir certaines libertés publiques, comme le droit d'association et d'expression. Souhaitant engager le pays sur la voie d'une réforme *(« Reformasi »)* de grande ampleur, le nouveau chef de l'État a ainsi mis fin au tripartisme de l'Ordre nouveau (en effet, depuis 1974, seuls trois partis étaient autorisés à concourir lors des élections quinquennales : le PDI, le Parti uni du développement – PPP – et le Golkar), et annoncé la tenue d'élections libres. Durant l'été 1998, des dizaines de partis politiques ont vu le jour. Amien Raïs, critique virulent de Suharto et intellectuel islamique réformiste dirigeant l'association Muhammadjiyah (laquelle affirme compter 26 millions de membres), a créé le Parti du mandat national (PAN). Il comptait rassembler les suffrages des citadins des classes moyennes, mais son relatif échec électoral (moins de 10 %) a laissé à penser que les nouveaux partis islamiques s'étaient frayé un chemin dans les réseaux de l'islam réformiste. Abdurrahman Wahid, le leader de l'association conservatrice Nahdlatul Ulama (Renaissance des oulémas), a fondé le Parti de l'éveil national (PKB), tablant sur le soutien des écoles coraniques rurales pour rallier la petite paysannerie. Megawati Sukarnoputri a également profité de cette

INDICATEUR	UNITÉ	1975	1985	1997	1998
Démographie[a]					
Population	*million*	135,7	167,3	203,4	206,3
Densité	*hab./km²*	74,9	92,4	112,3	113,9
Croissance annuelle	%	2,1[t]	1,7[l]	1,4[c]	• •
Indice de fécondité (ISF)		4,4[t]	3,1[l]	2,6[c]	• •
Mortalité infantile	‰	98[t]	67[l]	48[c]	• •
Espérance de vie	*année*	54,5[t]	61,4[l]	65,1[c]	• •
Indicateurs socioculturels					
Nombre de médecins	*‰ hab.*	0,04	0,11[o]	0,17[e]	• •
Analphabétisme (hommes)	%	25,6	16,7	9,4	• •
Analphabétisme (femmes)	%	47,9	33,5	20,5	• •
Scolarisation 12-17 ans	%	36,3	58,9	60,1[g]	• •
Scolarisation 3e degré	%	3,6[q]	7,1	11,3[b]	• •
Téléviseurs	*‰ hab.*	9,6	39,3	134,1	• •
Livres publiés	*titre*	2 181	2 480	4 018[b]	• •
Économie					
PIB total (PPA)	*milliard $*	63,5	205,8	699,8	• •
Croissance annuelle	%	5,2[r]	7,6[h]	4,7	– 13,7
PIB par habitant (PPA)	*$*	480	1 260	3 490	• •
Investissement (FBCF)	*% PIB*	23,6[s]	27,0[i]	31,3	• •
Recherche et Développement	*% PIB*	• •	0,3[q]	0,1[d]	• •
Taux d'inflation	%	26,1	7,0	8,0	60,7
Population active	*million*	51,71	68,48	94,18	• •
Agriculture	% } *100 %*	61,8	56,5	44,0[b]	48,4[v]
Industrie	% } *100 %*	11,7	12,8	18,1[b]	• •
Services	% } *100 %*	26,5	30,7	37,9[b]	• •
Énergie (taux de couverture)	%	220,8	184,7	165,5[b]	• •
Dépense publique Éducation	*% PIB*	2,7	1,8[f]	1,4[b]	• •
Dépense publique Défense	*% PIB*	3,6	2,4	2,2	• •
Dette extérieure totale	*milliard $*	11,50	36,72	136,17	• •
Service de la dette/Export.	%	15,1	29,3[n]	32,2[m]	• •
Échanges extérieurs		**1974**	**1986**	**1997**	**1998**
Importations de services	*milliard $*	0,95	4,26	16,61	• •
Importations de biens	*milliard $*	4,63	11,94	46,22	• •
Produits alimentaires	%	15,0	7,2	8,8[d]	10,8[b]
Produits manufacturés	%	66,0	68,0	72,6[d]	71,2[b]
Minerais et métaux	%	11,6	10,0	4,6[d]	3,7[b]
Exportations de services	*milliard $*	0,07	0,84	6,94	• •
Exportations de biens	*milliard $*	7,26	14,40	56,30	• •
Produits agricoles	%	24,6	21,3	18,3[d]	17,0[b]
Produits énergétiques	%	70,2	54,8	25,3[d]	25,8[b]
Produits manufacturés	%	0,8	18,8	50,5[d]	51,4[b]
Solde des transactions courantes	*% du PIB*	– 3,9[p]	– 2,5[k]	– 2,3	4,5

Définition des indicateurs, sigles et abréviations p. 31 et suiv. a. Dernier recensement utilisable : 1990 ; b. 1996 ; c. 1995-2000 ; d. 1995 ; e. 1994 ; f. 1993 ; g. 1990 ; h. 1987-97 ; i. 1987-96 ; j. 1986 ; k. 1985-96 ; l. 1985-95 ; m. 1995-97 ; n. 1984-86 ; o. 1983 ; p. 1981-84 ; q. 1980 ; r. 1977-87 ; s. 1977-87 ; t. 1975-85 ; u. 1974 ; v. An 2000, estimation FAO.

ouverture politique pour tirer avantage de la stature mythologique que lui confère sa filiation avec Sukarno, premier président de la République d'Indonésie et leader du mouvement nationaliste durant la période coloniale. Elle a tenu un discours nationaliste de plus en plus orthodoxe à l'approche du scrutin, se déclarant notamment opposée à l'indépendance de Timor oriental (ancienne colonie portugaise annexée par la force en 1975) et condamnant sans appel la guérilla séparatiste d'Aceh (nord-est de Sumatra).

Les anciens partis légaux ont, également, réussi à intégrer le nouveau jeu politique. Le Golkar, parti du pouvoir sortant, s'est doté en juillet 1998 d'une nouvelle direction : Akbar Tanjung, son secrétaire général, et Marzuki Darusman, le président de la Commission nationale des droits de l'homme, lui ont redonné une certaine crédibilité en jouant sur le désir de stabilité des classes moyennes après les émeutes du printemps 1998. Certaines petites formations, comme le Parti de la souveraineté populaire ou le Parti de la République – soupçonnés d'avoir été financés par les alliés de Suharto et d'avoir détourné les fonds d'un programme de lutte contre la pauvreté –, occupaient le même terrain, refusant au nom de la paix civile que soient jugés les anciens dignitaires du régime Suharto. Enfin, le Parti uni du développement (PPP ou P3, ex-parti musulman officiel) a fait campagne sur le thème de la fidélité à l'islam et regagné le soutien de la communauté santri, la bourgeoisie dévote. Selon les premières estimations, le PDI-P aurait remporté 34 % des suffrages, le Golkar 22 %, le PKB 12 %, le PPP 10 % et le PAN 7,8 %.

La naissance d'une pléthore de partis islamiques n'aura pas conduit à enflammer les identités religieuses, dans un archipel où 90 % de la population se réclame de l'islam mais où la manière dont celui-ci est vécu diffère fortement d'une région à une autre. Le succès du PDI-P de Megawati démontre, au contraire, que les clivages déterminants dans la formation des préférences politiques sont variés : chaque parti a réussi à se constituer une base électorale sur des critères de classe sociale et, par ailleurs, les effets de charisme ont certainement conduit à voter pour un candidat plus que pour une ligne idéologique.

République d'Indonésie

Capitale : Jakarta
Superficie : 1 904 400 km^2.
Population : 206 338 000.
Langues : bahasa Indonesia (off.) ; 200 langues et dialectes régionaux.
Monnaie : roupie (au taux officiel, 1 000 roupies = 0,75 FF au 30.4.99.
Nature de l'État : république.
Nature du régime : présidentiel ; l'armée conserve un rôle important.
Chef de l'État : Bacharuddin Jusuf Habibie, président depuis le 21.5.98, assumant la fonction de président par intérim en tant que vice-président nommé le 10.5.98 par le général Suharto, qui s'est retiré.
Ministre des Affaires étrangères : Ali Alatas.
Ministre de l'Intérieur : général Syarwan Hamid.
Ministre de la Défense : général Wiranto.
Principaux partis politiques : Parti démocratique indonésien - Combat (PDI-P) ; Golkar (Golongan Karya, fédération de « groupes fonctionnels » où les militaires occupent une grande place) ; Parti de l'éveil national (PKB, musulman conservateur) ; Partai Persatuan Pembangunan (PPP, Parti unité développement, coalition musulmane) ; Parti du mandat national (PAN, musulman réformiste).
Échéances institutionnelles : désignation du président (nov. 99) ; référendum à Timor oriental fixé à l'été 1999.
Territoire contesté : l'ONU ne reconnaît pas la souveraineté indonésienne sur Timor oriental, ancienne possession portugaise occupée en 1975, puis annexée. Mouvements sécessionnistes papou (OPM, Organisi Papua Merdeka) et acehnais (Sumatra nord).

Indonésie/Bibliographie

E. Aspinall, H. Feith et G. Van Klinken (sous la dir. de), *The Last Days of President Suharto,* Monash University, Clayton, 1999.

R. Bertrand, « La politique du FMI et l'Indonésie de Suharto », *Esprit,* n° 242, Paris, mai 1998.

R. Bertrand, « L'Indonésie au risque de la démocratie », *Le MOCI,* n° 1390, Paris, 1999.

F. Cayrac-Blanchard, « Préparatifs de succession en Indonésie », *Les Études du CERI,* n° 24, FNSP, Paris, mars 1997.

G. Defert, *Timor-Est, le génocide oublié. Droit d'un peuple et raison d'État,* L'Harmattan, Paris, 1992.

W. Hefner, « Islam, State and Civil Society : ICMI and the Struggle for Indonesian Middle Class », *Indonesia,* n° 56, oct. 1993.

« Indonésie, l'Orient de l'Islam », *Hérodote,* n° 88, La Découverte, Paris, 1er trim. 1998.

R. Lowry, *The Armed Forces of Indonesia,* Allen & Unwin, St. Leonards, 1996.

National Democratic Institute for International Affairs, *The New Legal Framework for Elections in Indonesia,* Jakarta, 23.02.1999.

J. Schiller, « Off to the Polls : the June Election », *Inside Indonesia,* n° 58, Melbourne, avr.-juin 1999.

J. T. Siegel, « Rawan Is as Rawan Does : The Origins of Didorder in New Order Aceh », *Indonesia,* n° 66, Ithaca (NY), oct. 1998.

A. Uhlin, *Indonesia and the Third Wave of Democratization. The Indonesian pro-Democracy Movement in a Changing World,* Curzon Press, Richmond, 1997.

C. Van Dijk, *Political Development, Stability and Democracy : Indonesia in the Last Decade,* KITLV, Leyde, 1993.

Voir aussi la bibliographie « Asie du Sud-Est insulaire », p. 336.

La composition sociale de l'élite politique a certes changé, mais pas dans un sens égalitariste : une nouvelle catégorie de notables, issue de la petite bourgeoisie provinciale, tend à remplacer les barons de l'Ordre nouveau. Même si les discours populistes ont fait florès, le sort du « petit peuple » n'a pas fait l'objet d'une grande considération.

Une situation économique et sociale explosive

Alors que la récession a atteint – 13,7 % en 1998, le FMI prévoyait un taux de – 4 % pour 1999. Pour autant, la situation économique était encore loin d'inciter à l'optimisme. La crise s'est traduite par des millions de licenciements dans les secteurs secondaire et tertiaire, et le taux de chômage dans les grandes villes portuaires (Surabaya ou Medan) atteignait plus de 30 % en décembre 1998. Même si l'inflation est restée contenue, le prix des produits de consommation courante est demeuré très élevé, les salaires subissant en outre des pressions à la baisse.

Les effets de la crise sont toutefois apparus très différents selon les régions : certaines zones d'agriculture diversifiée, comme dans le nord de Sumatra, ont mieux fait face à la tourmente, tandis que les campagnes surpeuplées de Java oriental se sont enfoncées dans la misère au cours de l'année 1998, et que des cas de famine ont été signalés à Kalimantan (Bornéo). Cette dégradation de l'environnement économique, aggravée par l'incapacité des autorités à réformer en profondeur un système bancaire corrompu, s'est traduite par une hausse importante du taux de criminalité urbaine et par une multiplication des entrées dans l'illégalité ; la prostitution occasionnelle et le trafic de drogue à Jakarta ont connu un essor sans précédent.

La hausse de la criminalité a également frappé les campagnes, témoignant du désaveu de l'État. De nombreux chefs de villages ont été chassés de leurs bureaux par des foules en colère à Java oriental durant l'été 1998, et le braconnage des forêts domaniales de teck ou des plantations appartenant aux nantis du régime a attesté du potentiel de violence de la petite paysannerie. La confiance dans les institutions de l'État semblait, en effet, au plus bas : l'armée, et en particulier les Commandos spéciaux (Kopassus) ont été accusés par la presse d'avoir commis des crimes de masse à Aceh ou à Timor. La lutte anti-corruption a battu son plein et certaines ONG indonésiennes ont demandé, en mai 1999, au FMI et à la Banque mondiale de suspendre le versement des aides internationales, craignant des détournements de fonds liés à la pratique de l'achat des votes.

Violences dans les « îles extérieures »

Dans le même temps, le réveil des séparatismes régionaux portait atteinte à l'idée nationale. La province d'Aceh, au nord de Sumatra, théâtre d'une rébellion larvée depuis 1976 ayant subi dix ans de répression (1988-1998) qui ont fait des milliers de victimes, a connu à nouveau, au premier semestre 1998, une vague d'événements meurtriers : à plusieurs reprises, l'armée a ouvert le feu sur des manifestants ou mené des opérations punitives. Malgré les excuses publiques du président Habibie et du général Wiranto, chef des Forces armées et ministre de la Défense, pour les exactions commises dans le passé, le niveau de violence n'a cessé de monter à Aceh. Le Mouvement Aceh libre (GAM, fondé en 1976 par Hassan Di Tiro vivant en exil en Suède), qui ne comptait que quelques centaines de combattants dans les années soixante-dix/quatre-vingt, a repris la lutte armée et une nouvelle génération de propagateurs de la cause indépendantiste, souvent formés en Fédération de Malaisie, parcourait avec succès les villages. Le sentiment séparatiste acehnais s'enracine dans le partage inégalitaire des ressources locales (gaz naturel et produits agricoles) entre Jakarta et cette province, ainsi que dans le sentiment d'une absence de reconnaissance culturelle.

Les griefs sont les mêmes à Kalimantan (Bornéo), où une série d'affrontements meurtriers entre colons madurais (musulmans) et groupes dayaks (animistes christianisés) s'est soldée par plusieurs centaines de morts entre les mois de janvier et d'avril 1999. En Irian Jaya, partie indonésienne de l'île de Nouvelle-Guinée, de nombreux heurts se sont également produits à la même époque, du fait de la reprise des opérations de « pacification » à l'intérieur des terres, et des rumeurs de viols massifs ont été confirmées par certaines ONG. Aux îles Moluques, plusieurs centaines de victimes étaient à déplorer, au terme de plusieurs semaines de violences intercommunautaires (avril 1999). A nouveau, la géographie des migrations passées semblait être cause de cette flambée de haine, bien plus que les antagonismes d'ordre religieux.

Enfin, à Timor oriental, un accord prévoyant la tenue d'un référendum en août 1999 a été conclu, sous l'égide de l'ONU, en mai 1999. Des troupes de police ont été déployées dans la province pour tenter de désarmer les milices pro-indépendantistes et intégrationnistes, qui s'affrontaient depuis l'annonce faite par B. J. Habibie, en janvier 1999, d'une possible autodétermination des Timorais.

Cette série de violences dans les « îles extérieures » s'enracine dans un profond ressentiment à l'égard de Jakarta et des Javanais, accusés d'avoir pillé le pays. Elle conduit à remettre en question un modèle d'État très centralisé, dans un archipel où, en contexte de changement politique, la reconnaissance des diversités de langue et de mœurs peut devenir très rapidement un argument de sécession. Ces phénomènes s'articulent, en outre, à la question du statut de la communauté chinoise qui, malgré l'abrogation de lois discriminatoires en mai 1999, est restée un bouc émissaire de choix en période de crise économique. - **Romain Bertrand** ■

Fédération de Malaisie

Criminalisation de l'ancien « dauphin »

Pour la première fois depuis 1985, la Fédération de Malaisie a connu une récession économique. En 1998, la production industrielle a chuté de 9,4 %, 75 000 personnes ont été licenciées, le ringgit a été dévalué de 60 %, la Bourse a perdu les deux tiers de sa capitalisation et les prix à la consommation ont augmenté. Les projets d'investissements étrangers (– 12,5 %) et nationaux (– 68 %) ont fortement diminué. Le principal obstacle à la reprise était la pénurie de financements pour recapitaliser les banques, dans un contexte de déficit budgétaire (6 % du PIB). La méfiance des investisseurs tenait pour sa part autant aux interrogations sur la politique économique volontariste engagée depuis l'été 1998 qu'aux soubresauts engendrés par les rivalités pour le pouvoir. Après avoir décidé de mener, non sans succès, une politique monétaire hétérodoxe en imposant un strict contrôle des changes (1er septembre 1998), le Premier ministre Mahathir bin Mohamad s'est engagé dans une spectaculaire épreuve de force politique avec son « dauphin » Anwar Ibrahim, qu'il a destitué de ses fonctions de vice-premier ministre et de numéro « deux » de l'UMNO (Organisation nationale des Malais unis). Son éviction puis son incarcération, le 20 septembre, ont entraîné des manifestations populaires de septembre à novembre. A l'issue d'un premier procès (77 jours), Anwar, qui s'est déclaré victime d'une conspiration, a été condamné, le 14 avril, à six ans de prison pour corruption et abus de pouvoir, motifs destinés à dissimuler des actes homosexuels présumés. Le 27 avril, un nouveau procès était engagé. Ces procès ont été l'occasion de dénoncer certaines pratiques abusives de la police contre les opposants ; des poursuites judiciaires ont été engagées contre l'ancien chef de la police, accusé de sévices sur Anwar pendant sa détention.

Pour conserver à Anwar un rôle politique, son épouse, Wan Azizah, a pris la tête du Parti de la justice nationale (Keadilan) qui entend constituer le pivot de l'union de l'opposition pour les élections générales devant se tenir au plus tard en avril 2000. En dépit de la popularité d'Anwar, le Dr Mahathir a su contrôler la contestation au sein de l'UMNO, notamment en reportant de dix-huit mois son congrès électif. Au sein du gouvernement, le Dr Mahathir a opéré quelques ajustements aux postes de mi-

Fédération de Malaisie

Capitale : Kuala Lumpur.
Superficie : 329 750 km².
Population : 21 410 000.
Langues : malais, chinois, anglais, tamoul.
Monnaie : ringgit (1 ringgit = 1,62 FF au 30.4.99).
Nature de l'État : monarchie fédérale.
Nature du régime : constitutionnel.
Chef de l'État : Salahuddin Abdul Aziz Shah Alhaj Ibni Ahmarhum Sultan Hishamuddin Alam Shah Alhaj, qui a succédé le 27.2.99 à Tuanku Jaafar Ibni al-Marhum Tuanku Abdul.
Chef du gouvernement : Datuk Seri Mahathir bin Mohamad (depuis le 16.7.81), également ministre de l'Intérieur.
Ministre de la Défense : Datuk Sri Abang Bakar.
Ministre des Affaires étrangères : Abdullah Ahmad Badawi.

nistres des Affaires étrangères, de la Défense et des Finances. Le poste de vice-premier ministre a été attribué au ministre des Affaires étrangères, Abdullah Ahmad Badawi, le 8 janvier 1999, avant qu'il ne devienne vice-président en février. Artisan de la victoire de l'UMNO lors de l'élection partielle du Sabah (12-13 mars 1999), Badawi apparaît comme le successeur du Dr Mahathir, qui lui a abandonné le portefeuille de l'Intérieur.

A l'extérieur, la maîtrise de cette crise fut tout aussi délicate, y compris au sein de l'ANSEA (Association des nations du Sud-Est asiatique). Mais c'est avec les États-Unis que les tensions ont été les plus vives, comme lors du 6e sommet de l'APEC (Coopération économique de la zone Asie-Pacifique), du 14 au 18 novembre. Le vice-président américain Al Gore appela en effet les Malaisiens à la «*reformasi*», terme employé d'ordinaire par les opposants au Dr Mahathir. - **Christian Lechervy** ■

Philippines

Les surprises du nouvel exécutif

Entré en fonctions le 30 juin 1998, le président de la République Joseph Estrada a créé la surprise par l'originalité de ses méthodes. Son souhait de disposer de pouvoirs économiques d'urgence pour faire face à la crise, le retour au premier plan d'anciens affidés de la dictature de Ferdinand Marcos, les négociations entreprises avec l'homme d'affaires Luci Tan pour réduire son amende fiscale, ainsi que celles menées avec la famille de l'ancien dictateur, la mise à l'écart de Richard Gordon de la Subic Bay Metropolitan Authority (Subic Bay était une grande base navale américaine) ont terni l'image du nouvel exécutif.

Les attentes vis-à-vis du nouveau pouvoir étaient d'autant plus fortes que les résultats économiques de l'administration précédente avaient été louables. Entre 1994 et 1997, le revenu réel moyen des Philippins s'est accru de 21 % (28,9 % en milieu urbain) et, jusqu'à la mi-1998, le pays semblait être relativement épargné par la crise asiatique. En 1998 est survenu un début de récession économique (– 0,5 % de croissance) qui s'est traduit, au premier semestre, par la fermeture de 1 324 entreprises. 5 millions de Philippins étaient à la recherche d'un emploi début 1999 ; J. Estrada, l'« ami des pauvres », n'a pas pu réduire à moins de 20 % le taux de sous-emploi. Avec un accroissement démographique de 2,1 % par an, le revenu par habitant est retombé, en 1998, au niveau de 1996. Même si les projets d'investissement enregistrés auprès des autorités ont accusé une baisse de 53,14 % en valeur (libellée en pesos) en 1998, la situation économique n'a pas semblé trop critique. Le peso s'est apprécié de 9 % sur l'année et les réserves de change représentaient fin 1998 l'équivalent de trois mois d'importations.

En refusant (à la différence de la Malaisie) d'établir un contrôle des changes, les

République des Philippines

Capitale : Manille.
Superficie : 300 000 km^2.
Population : 72 944 000.
Langues : tagalog, anglais.
Monnaie : peso (au taux officiel, 1 peso = 0,16 FF au 30.4.99).
Nature de l'État : république unitaire.
Nature du régime : démocratie présidentielle.
Chef de l'État : Joseph Estrada, président de la République, qui a succédé le 11.5.98 à Fidel Ramos.
Vice-président : Gloria Macapagal Arroyo (depuis le 11.5.98).
Ministre de l'Intérieur et des gouvernements locaux : Ronaldo Puno.
Ministre de la Défense : Orlando Mercado.
Ministre des Affaires étrangères : Domingo Siazon.

Asie du Sud-Est insulaire/Bibliographie

É. Bouteiller, M. Fouquin, *Le Développement économique de l'Asie orientale,* La Découverte, coll. « Repères », Paris, 1995.

R. Brown, *The State and Ethnic Politics in Southeast Asia,* Routledge, Londres, 1994.

M. Bruneau, C. Taillard, « Asie du Sud-Est », *in* R. Brunet (sous la dir. de), *Géographie universelle,* vol. VII, Belin/RECLUS, Paris/Montpellier, 1995.

J. Giri, *Les Philippines : un dragon assoupi ?,* Karthala, Paris, 1997.

« Indonésie. L'Orient de l'Islam », *Hérodote,* n° 88, La Découverte, Paris, 1er trim. 1998.

M. Jan, G. Chaliand, J.-P. Rageau, *Atlas de l'Asie orientale,* Seuil, Paris, 1997.

F. Joyaux, *L'Association des nations du Sud-Est asiatique,* PUF, coll. « Que sais-je ? », Paris, 1997.

R. de Koninck, *L'Asie du Sud-Est,* Masson, Paris, 1994.

Kua Kia Soong, *Inside the DAP (1990-1995),* Oriengroup, Kuala Lumpur, 1996.

H. P. Lee, *Constitutional Conflicts in Contemporary Malaysia,* Oxford University Press, Kuala Lumpur, 1995.

Lee Kuan Yew, *The Singapore Story. Memoirs of Lee Kuan Yew,* Times Editions, Singapour, 1998.

D. Lombard, *Le Carrefour javanais. Essai d'histoire globale,* EHESS, Paris, 1990.

F. Raillon, *Indonésie. La réinvention d'un archipel,* La Documentation française, coll. « Asie plurielle », Paris, mars 1999.

W. Sachsenröder, U. E. Frings, *Political Party Systems and Democratic Development in East and Southeast Asia,* vol. 1, Asghate, Aldershot, 1998.

G. Saunders, *A History of Brunei,* Oxford University Press, Oxford, 1994.

G. Silliman (sous la dir. de), *Organizing for Democracy : NGOs, Civil Society and the Philippine State,* University of Hawaii Press, Honolulu, 1998.

South East Asian Affairs (annuel), Institute of South East Asian Studies, Singapour

D. G. Timberman (sous la dir. de), *The Philippines : New Directions in Domestic Policy and Foreign Relations,* ISEAS, Singapour, 1998.

Voir aussi la bibliographie « Indonésie », p. 332.

Philippines ont conservé la confiance de la communauté financière internationale. La croissance soutenue des exportations (+ 18 %) et la diminution des importations (17,5 % en valeur) ont permis au pays, pour la première fois depuis de longues années, de présenter une balance courante positive (1,6 % du PIB). Le nouveau président a pu se prévaloir d'une certaine maîtrise de l'inflation (+ 9,7 %) et surtout du sauvetage *in extremis* de la compagnie aérienne nationale Philippine Airlines (PAL). Ces succès étaient d'autant plus importants que le pays a connu un enchaînement de catastrophes naturelles, sécheresses puis typhons, qui a entraîné un effondrement conjoncturel de la production agricole (– 6,6 %).

Le « démarrage » difficile de la nouvelle équipe présidentielle a engendré des rumeurs de coup d'État, rapidement démenties. Les réformes annoncées pendant la campagne électorale n'ont guère avancé. Le président a décidé d'abandonner son portefeuille de ministre de l'Intérieur et des Collectivités locales, confié à Ronaldo Puno (avril 1999), remplacé au poste de vice-ministre par M. Santiago, le mari de la très populaire Miriam Defensor-Santiago, candidate malheureuse à la dernière élection présidentielle, jusqu'alors très critique à l'égard de la nouvelle administration. Avec les oppositions armées, les résultats n'ont pas été plus probants. Les combats se sont intensifiés entre l'armée régulière et le MILF (Front moro islamique de libération) sur l'île de Mindanao, tandis que les négociations qui se déroulaient aux Pays-Bas depuis 1992 avec les communistes du Front national démocratique ont été suspendues en mars 1999 après une vague d'enlèvements de policiers et de militaires par les rebelles. L'exécution pour viol du peintre en bâtiment Leo Echegaray, le 5 février 1995, suscita bien des débats. Cette exécution a été la première depuis plus de vingt ans, la peine de mort ayant été proscrite en 1987, puis restaurée en 1994. Début 1999, le pays comptait 1 017 condamnés à mort.

Sur la scène internationale, les difficultés ont été nombreuses, bien que le président ait reconduit dans ses fonctions Domingo Siazon, le ministre des Affaires étrangères de l'ancien président Fidel Ramos. Pour protester contre la détention du vice-premier ministre malaisien Anwar Ibrahim, J. Estrada a envisagé de boycotter le sommet de l'APEC (Coopération économique de la zone Asie-Pacifique). C'est avec la Chine que les relations se sont le plus envenimées. Le président philippin a annulé la visite officielle qu'il devait effectuer en mai 1999. Le contentieux opposant les deux pays depuis 1995 concernant les îles Spratly a en effet connu une nouvelle période de tension, Manille ayant constaté, en novembre 1998, que Pékin avait fait édifier, en violation des accords passés, des installations militaires sur l'îlot de Mischief Reef, à l'intérieur de la zone économique. Cette crise a d'autant plus renforcé la détermination des Philippines à regagner la protection américaine que leurs propositions pour sortir de la crise ont reçu, les unes après les autres (constitution d'une Cour internationale pour résoudre les litiges territoriaux, médiation américaine...), une fin de non-recevoir de la Chine et que l'Allemagne s'est opposée à l'inscription de cette question lors de la réunion ministérielle de l'Asem (Rencontre Europe-Asie). - **Christian Lechervy** ■

Singapour

Les contrecoups de la crise asiatique

Singapour a durement ressenti les contrecoups de la deuxième année de la crise asiatique. Le taux de croissance du PIB total, qui était de 8,5 % en 1996 et de 7,8 % en 1997, a chuté à 1,5 % en 1998. Les exportations ont diminué, les salaires ont été réduits, des emplois ont été supprimés et les touristes sont venus moins nombreux. Pour la première fois depuis 1985-1986, le gouvernement a présenté un budget déficitaire et un plan de redressement.

République de Singapour

Capitale : Singapour (cité-État).
Superficie : 618 km².
Population : 3 476 000.
Langues : anglais, chinois, malais, tamoul.
Monnaie : dollar de Singapour (1 dollar = 3,64 FF au 30.4.99).
Nature de l'État : république unitaire.
Nature du régime : parlementaire autoritaire (un parti dominant).
Chef de l'État : Ong Teng Cheong (depuis le 28.8.93).
Chef du gouvernement : Goh Chok Tong, Premier ministre (depuis le 27.11.90).
Ministre émérite : Lee Kuan Yew (qui fut Premier ministre pendant 31 ans, de 1959 à 1990).
Vice-premier ministre : Lee Hsien Loong.
Vice-premier ministre et ministre de la Défense : Tony Tan.
Ministre de l'Intérieur : Wong Kan Seng.
Ministre de la Justice et des Affaires étrangères : S. Jayakumar.

La dépendance économique de Singapour par rapport à ses voisins (Malaisie, Indonésie, Thaïlande) a rendu cette récession inévitable, mais le taux de croissance de 1,5 % est demeuré encore supérieur à celui de ces pays.

L'inquiétude généralisée suscitée par le ralentissement de l'économie l'a nettement emporté sur les considérations politiques. En l'absence d'élections, de crises ou de procès fortement médiatisés, c'est la publication des Mémoires du fondateur de la République Lee Kuan Yew qui fut l'événement de 1998. Dans son premier tome de 680 pages, publié le 16 septembre, jour de son 75e anniversaire, Lee Kuan Yew a relaté son histoire personnelle, et donné sa version des faits menant à la séparation de Singapour de la Malaisie.

Dans son histoire de Singapour (*The Singapore Story*), Lee Kuan Yew a décoché une série de flèches en direction des leaders malais des années soixante, affirmations écrites qui ont suscité du ressentiment au nord de la frontière. Les relations Singapour-Malaisie ont d'ailleurs été ternies par d'autres querelles montrant que les rapports de voisinage ne sont pas faciles depuis 1965. Une dispute sur l'emplacement d'un poste d'immigration, l'interdiction de l'espace aérien malais aux appareils singapouriens et l'approvisionnement en eau par la Malaisie ont retenu l'attention des deux côtés.

Sur le plan interne, le seul défi posé à l'autorité du Premier ministre Goh Chok Tong est venu du jeune député Chee Soon Juan. Le chef du Parti démocratique de Singapour, déjà bien connu pour d'autres altercations avec le parti politique dominant, le Parti de l'action du peuple (PAP), a été condamné à deux courtes peines de prison pour avoir pris la parole devant quelques centaines de personnes sans avoir obtenu au préalable de « permis de discours ».
- **Jules Nadeau** ■

Présentation par **Benoît Antheaume**
Géographe, IRD (ex-ORSTOM)

Avant d'être une région, le Pacifique sud est d'abord un océan, pas n'importe lequel : l'Océan majeur de la planète, le « Grand Océan », comme l'ont surnommé les navigateurs. Pourtant, cet océan n'a rien de... pacifique et il compte autant, voire plus de tempêtes que les autres. Divers cataclysmes comme les secousses telluriques dont il est le siège, ou les cyclones et tsunamis qu'il engendre comptent parmi les plus violentes catastrophes naturelles au monde. L'océan Pacifique couvre environ 180 millions de km^2, soit le tiers de notre planète (510 millions de km^2). Il s'étire dans sa plus grande largeur – des Philippines à Panama – sur près de la moitié de la circonférence du globe (17 500 km). Il se répartit dans un rapport 40 / 60 entre les hémisphères nord et sud. Espace incommensurable, le Pacifique constitue aussi une gigantesque machine thermique stockant l'énergie solaire et dissolvant plus de la moitié du volume du gaz carbonique dont l'émission est consécutive à l'activité humaine. D'une certaine manière, il détient, dans son aptitude à réguler les changements perceptibles dans le climat mondial – malgré les phénomènes exceptionnels de type El Niño, – la clé du devenir de l'humanité. Mais le Pacifique sud est aussi un espace fait d'îles et plus encore d'archipels comptant au total moins de sept millions d'habitants, dont quatre et demi pour la seule Papouasie-Nouvelle-Guinée, essaimés sur 550 000 km^2 de terres émergées prolongées en 1976 d'une zone de souveraineté maritime (dite Zone économique exclusive ou ZEE) de 30 millions de km^2.

Le Pacifique sud d'aujourd'hui résulte d'une histoire complexe, faite de la rencontre d'éléments culturels multiples et souvent très anciens. Les savants des siècles derniers l'ont découpé en trois grandes aires géographiques : la Mélanésie – « îles noires » –, Papouasie-Nouvelle-Guinée, îles Salomon, Vanuatu, Nouvelle-Calédonie, Fidji ; la Polynésie – « îles nombreuses » –, un vaste triangle qui va de Hawaii au nord à l'île de Pâques à l'est et jusqu'à la Nouvelle-Zélande à l'ouest et qui comprend les îles Cook, Niue, la Polynésie française, les Samoa américaines, le Samoa, Tokelau, Tonga, Tuvalu et Wallis et Futuna ; et la Micronésie – « îles petites » –, située sur ou au nord de l'équateur et incluant les îles Mariannes du Nord, Guam, Palau, les États fédérés de Micronésie, les îles Marshall, Nauru et Kiribati.

Premières peuplées, les îles de Mélanésie sont restées fidèles à une organisation sociale souple, faite de clans et de tribus de petites tailles, d'idéologie égalitaire, réunis les uns aux autres par des systèmes d'échange complexe. Les Polynésiens, venus plus tard, ont bâti des sociétés hiérarchiques quasi féodales, avec parfois de véritables royaumes transinsulaires, comme celui des Tonga dont l'organisation sociale et les symboles sont ceux des gens de pirogues, qui permirent la conquête du triangle polynésien. Alors que les Mélanésiens ont préféré des sociétés horizontales, les Polynésiens ont construit en général des sociétés verticales à chefferies fortes, où les classes ressemblaient presque à des castes. Plus au nord, les Micronésiens, s'ils présentent des

LES SOCIÉTÉS DU PACIFIQUE SUD SE FONDENT SUR DES TRADITIONS MARITIMES, L'ÉCHANGE GÉNÉRALISÉ, ET PRATIQUENT TOUTES LA CULTURE DES TUBERCULES.

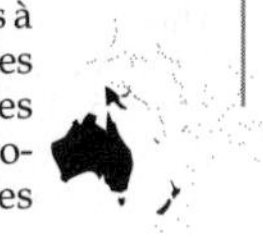

Le facteur qui crée les plus forts contrastes est l'inégal niveau de développement économique. Son originalité dans le Pacifique sud tient à ce qu'il est fortement corrélé au statut politique des différentes entités d'une part, et à leur mode de participation aux échanges internationaux de l'autre.

liens culturels plus marqués avec leurs proches voisins de l'Asie du Sud-Est et des Philippines, n'ont pourtant pas été isolés du reste du monde polynésien ou mélanésien, ce dont témoignent les traditions orales, les faits linguistiques et les vestiges archéologiques. Mais, pour différentes et diverses qu'elles soient, toutes ces sociétés du Pacifique sud ont un air de parenté. Elles se fondent sur des traditions maritimes, l'échange généralisé, et pratiquent toutes la culture des tubercules.

Le Pacifique sud est aussi une perception subjective qui alimente les représentations mentales des uns et des autres : fort différentes selon qu'on soit Occidental ou ressortissant insulaire. Pour le premier, le Pacifique sud est fait de clichés (paradis, cocotiers, vahinés, etc.) et il véhicule des mythes. Aujourd'hui, le « mythe Pacifique » fascine toujours, par le biais de catalogues touristiques ou d'une médiatisation savamment orchestrée. A cette vision quelque peu idyllique, qui perdure, s'oppose la perception des insulaires, plutôt fondée sur la culture, la recherche du lien, la connexion, le réseau, la proximité et parfois aussi l'enfermement et l'isolement douloureusement ressentis, qu'exacerbe souvent le rôle considérable joué par les Églises, quelles que soient leurs obédiences. Comme en d'autres parties du globe, le facteur qui crée les plus forts contrastes est l'inégal niveau de développement économique. Son originalité dans le Pacifique sud tient à ce qu'il est fortement corrélé au statut politique des différentes entités d'une part, et à leur mode de participation aux échanges internationaux de l'autre.

Les États indépendants – une situation acquise tardivement entre 1962 et 1980 – sont en situation d'isolement et de marginalité et sont en général les plus pauvres. Leurs échanges avec l'extérieur sont d'un poids médiocre. Au contraire, les territoires qui sont sous la dépendance des États-Unis, de la France, voire de la Nouvelle-Zélande sont parmi les plus riches et les plus développés et largement ouverts sur l'extérieur, encore que des interprétations différentes en ressortent : si l'indépendance « appauvrit », elle conduit aussi à une meilleure maîtrise des besoins socio-économiques et à un meilleur équilibre de l'écologie insulaire alors que la « richesse » ne fait que masquer l'extraordinaire spirale d'exclusive dépendance que vivent certains territoires avec leur métropole.

Deux États échappent cependant à toute classification : la Papouasie-Nouvelle-Guinée, véritable « colosse » dans la région, pourvue d'un grand territoire, d'une large population en accroissement rapide, de ressources minières (or), d'une agriculture vivrière et de plantations, et Nauru, île corallienne soulevée, État phosphatier rentier, parmi les plus riches du monde par habitant, mais devenu à l'issue d'un siècle d'exploitation forcenée une coquille vide.

En tant que région, le Pacifique sud existe à travers deux institutions de coopération. La plus ancienne est la Communauté du Pacifique (ex-CPS, Commission du Pacifique sud), dont le siège est à Nouméa et qui a été créée en 1947 par les six puissances extérieures qui administraient alors la région. Progressivement, toutes les entités – souveraines ou non – de la région y ont adhéré à

Présentation par **Benoît Antheaume**
Géographe, IRD (ex-ORSTOM)

Pacifique sud/Bibliographie sélective

S. Al Wardi, *Tahiti et la France,* L'Harmattan, Paris, 1998.
B. Antheaume, J. Bonnemaison, *Atlas des îles et États du Pacifique sud,* RECLUS/Publisud, Paris, 1988.
B. Antheaume, J. Bonnemaison, « Une aire Pacifique ? », *La Documentation photographique,* n° 7030 (n° spécial), La Documentation française, Paris, 1995.
B. Antheaume, J. Bonnemaison, « Océanie », *in* R. Brunet (sous la dir. de), *Géographie universelle,* vol. VII, Belin/RECLUS, Paris/Montpellier, 1995.
A. Bensa, *Nouvelle-Calédonie, un paradis dans la tourmente,* Gallimard, coll. « Découvertes », Paris, 1990.
J. Bonnemaison, *Les Fondements géographiques d'une identité, l'archipel de Vanuatu, essai de géographie culturelle ;* livre I, *Gens de pirogue et gens de la terre ;* livre II, *Les Gens des lieux,* ORSTOM, Paris, 1996-1997.
J. Bonnemaison, J. Freyss (sous la dir. de), « Le Pacifique insulaire, nations, aides, espaces », *Revue Tiers Monde,* n° 149, PUF, Paris, janv.-mars 1997.
J. Chesneaux, N. Maclellan, *La France dans le Pacifique. De Bougainville à Moruroa,* La Découverte, Paris, 1992.
J.-M. Colombani, *La Nouvelle-Calédonie : deux couleurs, un seul peuple,* Denoël, Paris, 1999.
G. David, D. Guillaud, P. Pillon (sous la dir. de), *La Nouvelle-Calédonie à la croisée des chemins,* Société des océanistes & IRD, Paris, 1999.
H. Godard (sous la dir. de), « Les outre-mers », *in* T. Saint-Julien (sous la dir. de), *Atlas de France,* vol. XIII, RECLUS/La Documentation française, Montpellier/Paris, 1998.
P. Grundmann, *Nouvelle-Calédonie,* Hachette, coll. « Guide bleu Évasion », Paris, 1998.
P. Grundmann, J.-J. Portail *et alii, L'Océanie et le Pacifique.* Sélection du Reader's Digest, « Regards sur le monde », Paris, 1999.
K. Howe *et alii, Tides of History : the Pacific Islands in the Twentieth Century,* University of Hawaii Press, Honolulu, 1994.
« Pacific Islands Yearbook », *Pacific Islands Monthly,* PO Box 1167 Suva, Fiji.
A. Pitoiset, *La Nouvelle-Calédonie,* Autrement, Paris, 1999.
R. Thakur (sous la dir. de), *The South Pacific : Problems, Issues and Prospects,* Macmillan, Londres, 1991.
Voir aussi la bibliographie « Australie », p. 349.

égalité de droits et de devoirs, tandis que les Pays-Bas, le Royaume-Uni et les États-Unis s'en retiraient par étapes. L'action de la CP en matière de développement, de santé, de protection de l'environnement et de réglementation des pêches est largement reconnue. En plus de l'Australie et de la Nouvelle-Zélande, pays indépendants de longue date, l'accession à la souveraineté internationale de nombreuses entités a toutefois conduit à créer en 1971 un Forum du Pacifique sud (siège Suva), où les problèmes économiques, mais aussi politiques, pouvaient être débattus.
La meilleure définition de l'état présent du Pacifique sud, c'est un certain mélange de formes désuètes héritées du XIXe siècle et l'espoir concomitant de formes nouvelles qu'annoncent les enjeux du siècle futur. Mais l'aspect « hors du temps » qui fait toujours le charme de la région et qui, dans une certaine mesure, l'a jusqu'ici préservée et dont elle joue parfois, représente-t-il une chance ou au contraire une excessive fragilité pour le Pacifique sud ? ■

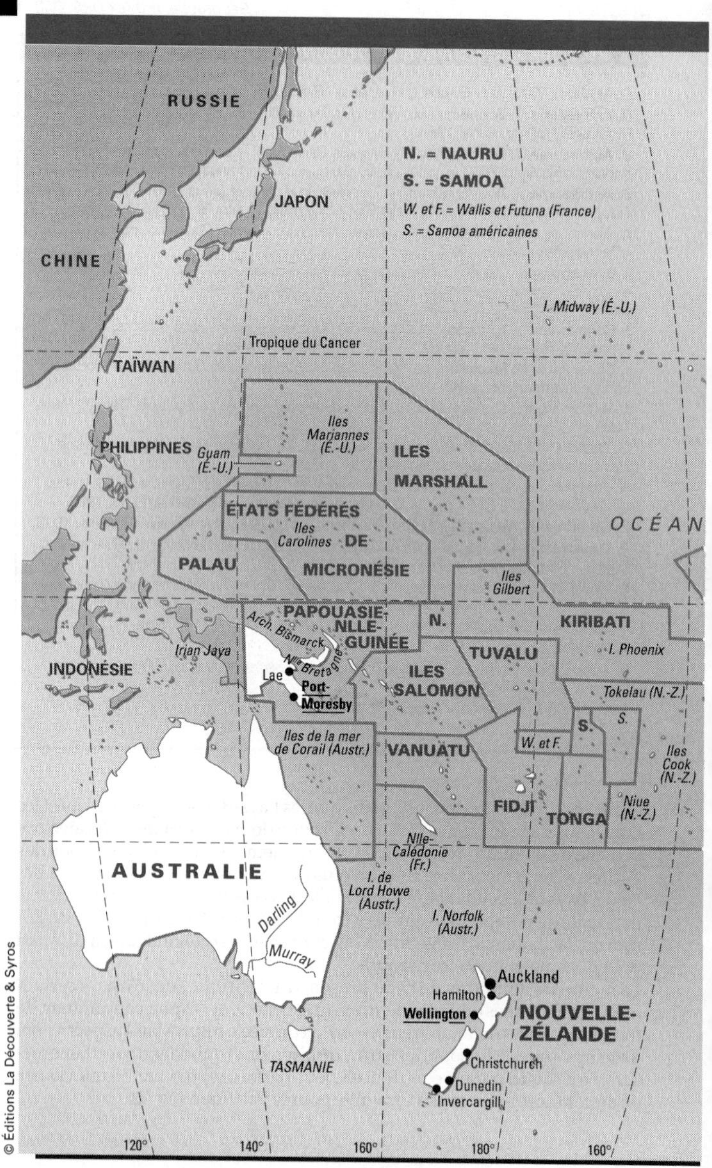
RUSSIE
JAPON
CHINE
N. = NAURU
S. = SAMOA
W. et F. = Wallis et Futuna (France)
S. = Samoa américaines
I. Midway (É.-U.)
Tropique du Cancer
TAÏWAN
Iles Mariannes (É.-U.)
PHILIPPINES
Guam (É.-U.)
ILES MARSHALL
ÉTATS FÉDÉRÉS DE MICRONÉSIE
Iles Carolines
OCÉAN
PALAU
Iles Gilbert
PAPOUASIE-NLLE-GUINÉE
Arch. Bismarck
N.
KIRIBATI
Irian Jaya
Nlle-Bretagne
TUVALU
I. Phoenix
INDONÉSIE
Lae
Port-Moresby
ILES SALOMON
Tokelau (N.-Z.)
S.
Iles de la mer de Corail (Austr.)
W. et F.
VANUATU
Iles Cook (N.-Z.)
FIDJI
TONGA
Niue (N.-Z.)
Nlle-Calédonie (Fr.)
AUSTRALIE
I. de Lord Howe (Austr.)
Darling
I. Norfolk (Austr.)
Murray
Auckland
Hamilton
Wellington
NOUVELLE-ZÉLANDE
Christchurch
TASMANIE
Dunedin
Invercargill
120°
140°
160°
180°
160°

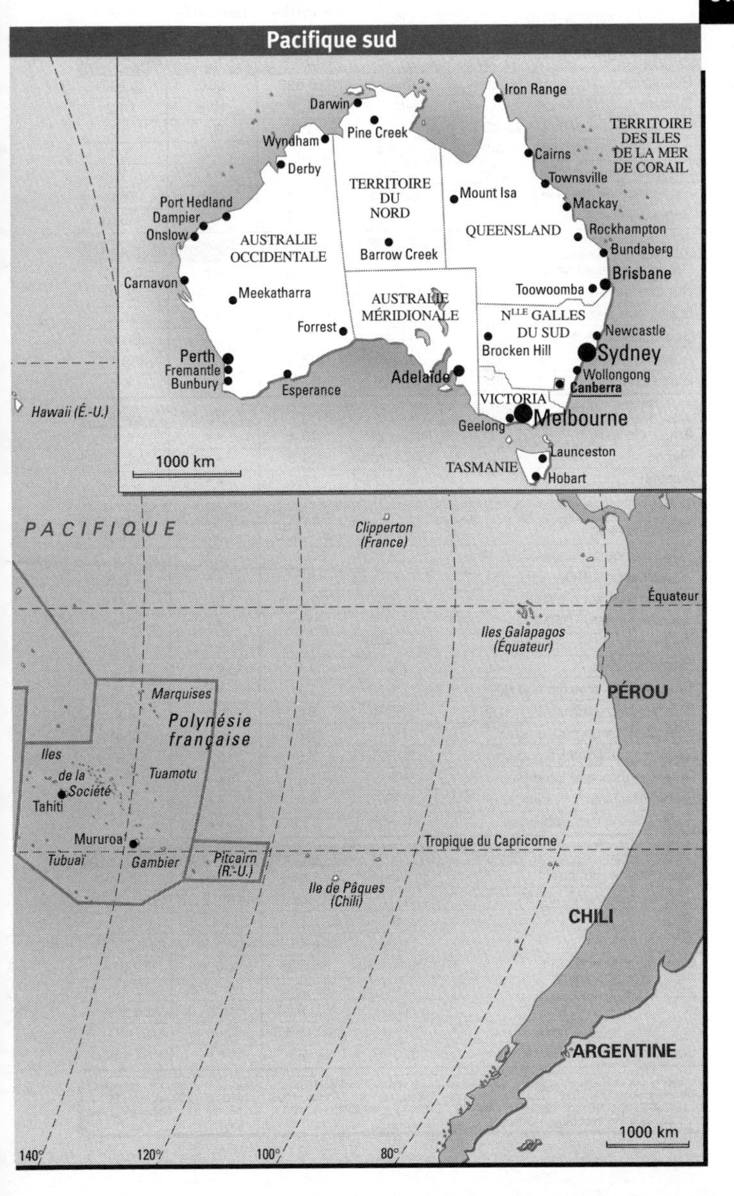
Pacifique sud
Iron Range
Darwin
Pine Creek
Wyndham
Derby
TERRITOIRE DES ILES DE LA MER DE CORAIL
Cairns
Townsville
TERRITOIRE DU NORD
Mount Isa
Mackay
Port Hedland
Dampier
Onslow
AUSTRALIE OCCIDENTALE
QUEENSLAND
Rockhampton
Bundaberg
Barrow Creek
Brisbane
Carnavon
Meekatharra
AUSTRALIE MÉRIDIONALE
Toowoomba
Nlle GALLES DU SUD
Forrest
Newcastle
Brocken Hill
Perth
Fremantle
Bunbury
Sydney
Esperance
Adelaide
Wollongong
Canberra
VICTORIA
Hawaii (É.-U.)
Geelong
Melbourne
Launceston
1000 km
TASMANIE
Hobart
PACIFIQUE
Clipperton (France)
Équateur
Iles Galapagos (Équateur)
PÉROU
Marquises
Polynésie française
Iles de la Société
Tuamotu
Tahiti
Mururoa
Tropique du Capricorne
Tubuaï
Gambier
Pitcairn (R.-U.)
Ile de Pâques (Chili)
CHILI
ARGENTINE
1000 km
140°
120°
100°
80°

INDICATEUR	UNITÉ	AUSTRALIE	Nlle-CALÉDONIE	Nlle-ZÉLANDE
Démographie[a]				
Population	*(millier)*	18 520	206	3 796
Densité	*(hab./km²)*	2,4	10,8	14,2
Croissance annuelle (1995-2000)	*(%)*	1,0	2,1	1,0
Indice de fécondité (ISF) (1995-2000)		1,8	2,7	2,0
Mortalité infantile (1995-2000)	*(‰)*	6	11	7
Espérance de vie (1995-2000)	*(année)*	78,2	72,5	76,9
Population urbaine	*(%)*	84,7	63,3	86,5
Indicateurs socioculturels				
Développement humain (IDH)[c]		0,922	••	0,901
Nombre de médecins	*(‰ hab.)*	2,5[f]	0,65[k]	2,1[f]
Espérance de scolarisation[b]	*(année)*	16,2	••	16,4
Scolarisation 3e degré	*(%)*	79,9[c]	5,4[f]	58,5[f]
Adresses Internet[d]	*(‰ hab.)*	425,66	5,43	359,74
Livres publiés	*(titre)*	10 835[i]	••	••
Armées (effectifs)				
Armée de terre	*(millier d'h.)*	25,4	••	4,4
Marine	*(millier d'h.)*	14,3	••	2,1
Aviation	*(millier d'h.)*	17,7	••	3,05
Économie				
PIB total (PPA)[c]	*(million $)*	374 536	1 500[b]	65 488
Croissance annuelle 1987-97	*(%)*	3,2	2,9[j]	1,9
Croissance 1998	*(%)*	5,1	••	– 0,3
PIB par habitant (PPA)[c]	*($)*	20 210	8 000[b]	17 410
Investissement (FBCF)	*(% PIB)*	21,8[h]	••	20,6[e]
Recherche et Développement	*(% PIB)*	1,7[f]	••	1,0[b]
Taux d'inflation	*(%)*	1,6	••	1,5
Taux de chômage (fin année)	*(%)*	7,4	••	7,7
Énergie (consom/hab.)[f]	*(TEP)*	5,5	2,4[bl]	4,4
Énergie (taux de couverture)[f]	*(%)*	187,9	5,4[bl]	83,4
Dépense publique Éducation	*(% PIB)*	5,6[i]	10,7[b]	7,3[f]
Dépense publique Défense[c]	*(% PIB)*	2,2	••	1,6
Solde administrat. publiques	*(% PIB)*	0,1	••	1,8
Dette administrat. publiques	*(% PIB)*	33,6	••	••
Échanges extérieurs				
Importations (douanes)	*(million $)*	64 668	930[c]	12 499
Principaux fournisseurs[c]	*(%)*	UE 23,8[g]	A&NZ 21,7[f]	UE 19,7[g]
	(%)	E-U 22,4[g]	Fra 47,8[f]	Aus 22[g]
	(%)	Asie 43,2[g]	Asie[m] 11,7[f]	Asie[m] 30,2[g]
Exportations (douanes)	*(million $)*	55 896	500[c]	12 074
Principaux clients[c]	*(%)*	UE 13,8[g]	Jap 30,6	UE 16,7
	(%)	E-U 9,5[g]	Fra 28,9	Aus 20,9[g]
	(%)	Asie[m] 58,3[g]	Taï 6,1	Asie[m] 31,6[g]
Solde transactions courantes	*(% PIB)*	– 4,3	••	– 4,9

Définition des indicateurs, sigles et abréviations p. 31 et suiv. Chiffres 1998 sauf notes. a. Derniers recensements utilisables : Australie, 1996 ; Nouvelle-Calédonie, 1989 ; Nouvelle-Zélande, 1996. b. 1995 ; c. 1997 ; d. janv. 1999 ; e. 1995-97 ; f. 1996 ; g. 1998 ; h. 1996-98 ; i. 1994 ; j. 1988-95 ; k. 1983 ; l. Chiffres des Nations unies ; m. Y compris Japon et Moyen-Orient.

Par **Jean-Jacques Portail**
Journaliste

1998

1er juillet. Fidji. Entrée en vigueur d'une nouvelle Constitution qui rétablit les droits politiques de la communauté indo-fidjienne.

12 août. Nouvelle-Zélande. Winston Peters, vice-premier ministre et leader du parti New-Zealand First, partenaire minoritaire de la coalition au pouvoir, quitte le gouvernement. Le Premier ministre, Jenny Shipley, se maintient au pouvoir grâce au soutien de plusieurs indépendants.

26 août. Forum du Pacifique sud. La Nouvelle-Calédonie obtient le statut d'observateur à la réunion annuelle du Forum du Pacifique sud.

3 octobre. Australie. Le gouvernement de coalition (Parti libéral-Parti national) dirigé par John Howard, qui avait fait campagne sur l'introduction d'une TVA (taxe sur la valeur ajoutée), est reconduit avec une majorité réduite.

20 octobre. Vanuatu. Le vice-premier ministre, Walter Lini, leader du Parti national unifié (NUP, anglophone), est limogé par le Premier ministre, Donald Kalpokas, et remplacé par Willie Jimmy, dirigeant d'une faction dissidente de l'Union des partis modérés (UPM, francophone).

9 novembre. Nouvelle-Calédonie. 72 % des électeurs du territoire approuvent par référendum l'accord de Nouméa du 4 mai 1998 qui confère à la Nouvelle-Calédonie de nouvelles compétences et reporte à 2013 au plus tôt le scrutin d'autodétermination.

27 novembre. Kiribati. Le président Teburoro Tito est reconduit dans ses fonctions à la suite des élections présidentielles.

27 novembre. Samoa. Le ministre des Finances, Tuilaepa Sailele Malielegaoi, remplace au poste de Premier ministre Tofilau Eti Alesana, gravement malade.

1999

29 mars. Kiribati. Un consortium international dominé par la compagnie Boeing lance un satellite dans l'espace à partir d'une ancienne plate-forme pétrolière au large de Kiribati.

14 avril. Tuvalu. Le Premier ministre Bikenibeu Paeniu est déposé à l'issue d'une motion de censure au Parlement. Il sera remplacé le 26 avril par Ionatana Ionatana.

9 mai. Nouvelle-Calédonie. Aucun parti ne remporte de majorité absolue aux élections du nouveau Congrès du territoire. Le RPCR (Rassemblement pour la Calédonie dans la République) du député RPR Jacques Lafleur forme une alliance avec la Fédération des comités de coordination des indépendantistes (FCCI).

15 mai. Fidji. Le Parti travailliste fidjien remporte la majorité absolue de sièges à l'Assemblée. Son dirigeant, Mahendra Chaudhry, sera nommé Premier ministre le 19 mai.

28 mai. Nouvelle-Calédonie. Jean Lèques, le maire RPCR de Nouméa, est élu président du premier gouvernement collégial. Les indépendantistes du Front de libération nationale kanak et socialiste (FLNKS) obtiennent quatre postes au sein du nouvel exécutif.

31 mai . Papouasie-Nouvelle-Guinée. Le leader indépendantiste Joseph Kabui est élu président du Congrès populaire de Bougainville, chargé de négocier l'avenir politique de la province (où une guerre sécessionniste a duré plus de neuf ans) avec les autorités de Port Moresby.

11 juin. Polynésie française. L'Assemblée nationale à Paris adopte à l'unanimité le projet de modification de la Constitution qui fait de la Polynésie française un « pays d'outre-mer ». Comme en Nouvelle-Calédonie, le territoire pourra voter ses propres « lois de pays » et créer « une citoyenneté polynésienne ». Mais le texte ne prévoit aucun processus de transition vers l'indépendance.

15 juin. Iles Salomon. L'état d'urgence est déclaré sur l'île de Guadalcanal à la suite de tensions entre habitants de la province et colons originaires de la province voisine de Malaita.

16 juin. Iles Cook. Aucun parti n'ayant obtenu la majorité absolue aux élections générales, le Cook Islands Party du Premier ministre sortant, Geoffrey Henry, fait alliance avec le New Alliance Party pour former le nouveau gouvernement. ■

Australie

En mal de dynamisme

Paradoxale Australie, toutes les conditions semblaient réunies pour que le pays aborde avec confiance le troisième millénaire et ses rendez-vous avec l'histoire : le référendum sur l'instauration de la République, en novembre 1999, et les jeux Olympiques de Sydney, en septembre 2000. L'île-continent bénéficie d'une grande stabilité, avec la reconduite au pouvoir du gouvernement conservateur de John Howard au terme des législatives de 1998 et un tableau de bord économique bien orienté, malgré la crise financière asiatique apparue à la mi-1997. Et pourtant, aucun de ces facteurs n'a créé d'« effet 2000 » : c'est avec la plus grande prudence que le gouvernement fédéral a entamé son nouveau mandat, en phase avec une opinion publique très circonspecte.

Sur le plan politique, la marge de manœuvre de l'équipe au pouvoir est restée limitée : malgré ses victoires électorales successives, en 1995 et 1998, la coalition conservatrice Parti libéral-Parti national ne dispose pas de la majorité à la Chambre haute, et doit négocier avec les « petits » partis centristes (Parti des démocrates australiens, Verts) et les sénateurs indépendants pour faire passer son programme législatif.

Les élections d'octobre 1998 se sont traduites par une demi-victoire pour J. Howard ; si la coalition a gagné une majorité confortable à la Chambre des représentants, elle se trouvait en position minoritaire par le nombre de voix dans le pays ainsi qu'au Sénat ; quant au Parti travailliste australien de Kim Beazley, il a récupéré une partie des électeurs perdus en 1995. Ces élections ont, par ailleurs, marqué un recul de l'influence du parti One Nation de Pauline Hanson (nationaliste anti-Aborigènes et anti-Asiatiques). Avec 8,4 % des suffrages au niveau national, et une pointe à 14 % dans le Queensland, cette formation s'affirmait pourtant comme la troisième force politique du pays devant les démocrates et les Verts ; mais, si son parti a remporté un siège au Sénat fédéral, P. Hanson n'a pas été réélue députée du Queensland. Les sénateurs centristes ont promis de joindre leurs voix à celles des élus travaillistes pour contrer ou amender certains projets du gouvernement, en particulier deux des principales promesses électorales de la coalition : la réforme fiscale et la poursuite des privatisations.

Débats sur la réforme fiscale et les privatisations

La réforme fiscale proposée par le gouvernement prévoit la création d'une taxe sur les biens et services (GST, l'équivalent de la TVA), accompagnée d'une réduction de certaines tranches de l'impôt sur le revenu. Les démocrates ont obtenu du gouvernement que les produits alimentaires soient exclus de la GST. Les sénateurs ont voté, le 21 juin 1999, la deuxième tranche de la privatisation du groupe public de télécommunications Telstra (mais ils ont refusé la privatisation totale ; le gouvernement conserve 50,1 % du capital). L'hostilité aux privatisations des services publics a semblé augmenter au sein de la population, accentuée par la série d'incidents qui ont gravement perturbé en 1998 la distribution de l'eau potable à Sydney, et du gaz à Melbourne. Aux élections de mars 1999 pour l'État de Nouvelle-Galles du Sud (NSW, Sydney), le travailliste sortant Bob Carr a infligé une sévère défaite à la candidate du Parti libéral Kerry Chikarowski, qui avait fait campagne pour la privatisation de la compagnie régionale d'électricité ; One Nation a remporté 6 % des voix et un siège au Sénat local.

Sur le plan économique, le gouvernement a pu se prévaloir de résultats favorables, plaçant l'Australie en bonne position parmi les pays de l'OCDE (Organisation de coopération et de développement économiques). Le pays a bien résisté à la crise asiatique, avec un taux de croissance dynamique (5,1 % en 1998), une inflation calée à moins de 2 %, un chômage en baisse (7,4 %), des taux d'intérêt parmi les plus bas depuis 1962. La contrepartie de la bonne tenue de l'économie est une dette extérieure importante (236 milliards de dollars australiens fin 1998) et un déficit des comptes courants qui a atteint 23,9 milliards de dollars australiens pour l'année fiscale 1997-1998 (en augmentation de 40 % par rapport à 1996-1997).

Sur le plan extérieur, l'Australie se retrouve en première ligne face aux problèmes diplomatiques et humanitaires liés à la crise de l'Indonésie voisine. Pour la première fois depuis l'annexion de Timor oriental par l'Indonésie en 1975, Canberra a reconnu que le destin de l'ancienne colonie portugaise devait être décidé par ses habitants, mais le gouvernement a indiqué sa préférence pour une autonomie du territoire au sein de la république indonésienne, plutôt que pour l'indépendance, synonyme, pour Canberra, de troubles possibles aux portes de l'île-continent pouvant obliger à une intervention australienne.

Sur le plan institutionnel, l'Australie a semblé tout aussi prudente. Le gouvernement conservateur du Territoire du Nord (NT) a perdu en 1998 un référendum considéré comme une simple formalité : les électeurs ont refusé d'approuver l'accession du Territoire au statut d'État, pour des raisons liées surtout à la personnalité du leader conservateur ; de leur côté, les Aborigènes (un tiers de la population du NT) se sont opposés en majorité à ces nouveaux statuts qui leur paraissaient remettre en cause le contrôle qu'ils ont obtenu sur de vastes espaces.

Au plan national, la « question » aborigène reste entière ; une importante partie des 390 000 Australiens d'origine indigène demeure affectée par de graves problèmes sociaux : taux de mortalité infantile trois fois supérieur à la moyenne nationale ; espérance de vie inférieure de 15 à 20 ans ; taux de fécondité deux fois supérieur ; taux de chômage cinq fois plus élevé (40 %) ; revenu moyen inférieur de près d'un tiers (14 200 dollars australiens contre 20 603). Par ailleurs, alors que se manifeste, dans les régions rurales (le bush), un fort sentiment anti-Aborigènes, les problèmes politiques se sont accentués, en particulier ceux liés aux droits fonciers, après la nouvelle législation limitant les accès des tribus aux revendications des terres ancestrales (législation dite « Wik ») ; d'autre part, le gouvernement a refusé de s'engager concrètement sur le processus de « réconciliation » devant permettre une reconnaissance effective des peuples indigènes australiens par les communautés blanches. Le débat sur la République semblait également mal engagé.

Commonwealth d'Australie

Capitale : Canberra.

Superficie : 7 682 300 km^2.

Population : 18 520 000.

Langue : anglais (off.).

Monnaie : dollar australien (1 dollar australien = 4,08 FF ou 0,65 dollar des États-Unis au 30.4.99).

Nature de l'État : fédération de six États et deux territoires.

Nature du régime : démocratie parlementaire de type britannique.

Chef de l'État : William Patrick Deane, gouverneur général représentant la reine Elizabeth II (depuis le 16.2.96).

Chef du gouvernement : John Howard (depuis le 11.3.96).

Ministre des Affaires étrangères : Alexander Downer.

Ministre de la Défense : John Moore.

Ministre des Finances : Peter Costello.

Principaux partis politiques : *Gouvernement (coalition) :* Parti libéral ; Parti national d'Australie. *Opposition :* Parti travailliste australien (ALP) ; Parti des démocrates australiens ; Verts ; One Nation.

Territoires externes et sous administration : île de Norfolk, Territoire des îles de la mer de Corail, Lord Howe [Océanie] ; îles Cocos, îles Christmas [océan Indien] ; îles Heard et MacDonald ; île Macquarie [Antarctique].

Carte : p. 342-343.

INDICATEUR	UNITÉ	1975	1985	1997	1998
Démographie[a]					
Population	*million*	13,9	15,6	18,3	18,5
Densité	*hab./km²*	1,8	2,0	2,4	2,4
Croissance annuelle	%	1,2[q]	1,4[k]	1,0[c]	••
Indice de fécondité (ISF)		2,0[q]	1,9[k]	1,8[c]	••
Indicateurs socioculturels					
Nombre de médecins	*‰ hab.*	1,2[t]	2,29[i]	2,2[e]	••
Scolarisation 2e degré[v]	%	69,7[m]	78,3	91,6[b]	••
Scolarisation 3e degré	%	25,4[m]	27,7	79,9	••
Téléviseurs	*‰ hab.*	327,3	443,0	637,8	••
Livres publiés	*titre*	5 563	2 603	10 835[d]	••
Économie					
PIB total (PPA)	*milliard $*	79,2	182,1	374,5	385,7
Croissance annuelle	%	3,3[o]	3,2[g]	3,6	5,1
PIB par habitant (PPA)	*$*	5 700	11 550	20 210	20 603
Investissement (FBCF)	*% PIB*	24,1[p]	21,7[h]	23,2	23,4
Recherche et Développement	*% PIB*	1,0[l]	1,3	1,68[b]	••
Taux d'inflation	%	14,6	7,5	2,4	1,6
Population active	*million*	6,12	7,24	9,19	9,31
Agriculture	% } 100 %	6,8	6,2	5,2	5,0
Industrie	% } 100 %	33,5	27,3	22,2	21,9
Services	% } 100 %	59,7	66,4	72,6	73,2
Taux de chômage (fin année)	%	4,5	7,8	8,5	7,6[u]
Énergie (consom./hab.)	*TEP*	4,39	4,69	5,49[b]	••
Énergie (taux de couverture)	%	122,8	169,5	187,9[b]	••
Aide au développement (APD)	*% PIB*	0,65	0,47	0,28	••
Dépense publique Éducation	*% PIB*	5,9	5,5	5,6[d]	••
Dépense publique Défense	*% PIB*	2,3	2,7	2,2	••
Solde administrat. publiques	*% PIB*	– 2,6[n]	– 3,0	– 0,7	0,1
Dette administrat. publiques	*% PIB*	••	25,9[f]	33,6	33,6
Échanges extérieurs		**1974**	**1986**	**1997**	**1998**
Importations de services	*milliard $*	3,73	7,54	18,85	17,18
Importations de biens	*milliard $*	10,69	24,46	63,04	61,27
Produits énergétiques	%	8,4	4,6	5,9	4,4
Produits manufacturés	%	74,4	80,8	83,8	85,6
dont machines et mat. de transport	%	34,4	42,9	46,1	45,9
Exportations de services	*milliard $*	1,89	4,76	18,81	16,39
Exportations de biens	*milliard $*	10,91	22,64	64,89	55,84
Produits agricoles	%	49,1	39,9	22,1	31,8
dont céréales	%	15,9	11,8	7,5	5,8
Produits miniers	%	33,1	42,8	29,5	29,3
Solde des transactions courantes	*% du PIB*	– 3,2[r]	– 4,7[j]	– 3,2	– 4,3
Position extérieure nette	*milliard $*	••	– 72,8	– 201,5	••

Définition des indicateurs, sigles et abréviations p. 31 et suiv. a. Dernier recensement utilisable : 1996 ; b. 1996 ; c. 1995-2000 ; d. 1994 ; e. 1991 ; f. 1988 ; g. 1987-97 ; h. 1987-96 ; i. 1986 ; j. 1985-96 ; k. 1985-95 ; l. 1981 ; m. 1980 ; n. 1979 ; o. 1977-87 ; p. 1977-86 ; q. 1975-85 ; r. 1975-84 ; s. 1974 ; t. 1970 ; u. Avril 1999 ; v. 12-17 ans

Australie/Bibliographie

S. Bambrick (sous la dir. de), *The Cambridge Encyclopedia of Australia,* Cambridge University Press, Cambridge, 1996.

H. Goodall, *Invasion to Embassy,* Allen & Unwin, Sydney, 1996.

P. Grimshaw *et alii, Creating a Nation 1788-1990,* McPhee Gribble, Ringwood, 1994.

P. Grundmann, *Australie,* Hachette, « Guide bleu Évasion », Paris, 1999 (nouv. éd.).

P. Grundmann, J.-J. Portail *et alii, L'Australie et la Nouvelle-Zélande,* Sélection du Reader's Digest, « Regards sur le monde », Paris, 1998.

P. Kriesler (sous la dir. de), *The Australian Economy : The Essential Guide,* Angus & Robertson, Sydney, 1997.

G.-G. Le Cam, *L'Australie et la Nouvelle-Zélande,* Presses universitaires de Rennes, Rennes, 1996.

X. Pons, *Le Multiculturalisme en Australie,* L'Harmattan, Paris, 1996.

X. Pons, C. Smit (sous la dir. de), *Le Débat républicain en Australie,* Ellipses, Paris, 1997.

J.-C. Redonnet, *L'Australie,* PUF, coll. « Que sais-je ? », Paris, 1994.

D. Walmsley, A. Sorenson, *Contemporary Australia,* Longmar Cheshire, Melbourne, 1993.

Voir aussi la bibliographie « Pacifique sud », p. 341.

Référendum sur la République : enjeux brouillés

En novembre 1999, les électeurs australiens devaient décider par référendum s'ils souhaitent que l'Australie devienne une République ou au contraire maintienne ses liens avec la Couronne britannique. Monarchiste militant, J. Howard a su jouer sur les divisions des républicains. Les modérés souhaitent une république minimaliste, avec un chef d'État australien, et non plus « étranger » ; l'actuel gouverneur-général, représentant de la reine Elizabeth, et nommé par le Premier ministre, serait remplacé par un président confirmé par les deux tiers du Parlement. C'est ce modèle, choisi par les délégués de la Convention constitutionnelle de Canberra en février 1998, qui allait être soumis au vote populaire. Les ultra-républicains, favorables à l'élection d'un président au suffrage universel, ont indiqué qu'ils appelleraient à voter « non ». Ce brouillage idéologique et politique pourrait réduire le vote républicain au référendum, et entraîner un rejet de la République, même si, selon les sondages, une majorité d'Australiens paraissait favorable à cette évolution. La préparation des jeux Olympiques de Sydney, enfin, a été ternie par les affaires de corruption qui ont secoué les instances du Comité international olympique (CIO) et les pratiques de l'un des membres du comité local, Phil Coles. Mais les installations ont été achevées, le grand stade de Sydney inauguré, les premières compétitions organisées. - **Pierre Grundmann** ■

Nouvelle-Zélande

Éclatement de la coalition gouvernementale

A la suite de la démission, le 12 août 1998, de son ministre de l'Économie, Winston Peters, leader du New Zealand First, partenaire minoritaire de la coalition au pouvoir, le Premier ministre Jenny Shipley (Parti national, conservateur), en poste depuis décembre 1997 seulement, s'est trouvé à la tête d'un gouvernement minoritaire. W. Peters s'était opposé à la privatisation des parts détenues par l'État dans l'aéroport de Wellington. Dès lors, le gouvernement s'est maintenu au pouvoir grâce au soutien, au

Parlement, de plusieurs députés indépendants, transfuges du New Zealand First. Dans l'attente des élections générales devant avoir lieu fin 1999, l'opposition travailliste, dirigée par Helen Clark, a tenté, sans grand succès, d'impliquer J. Shipley dans le « scandale du Bureau du tourisme », une affaire politico-financière qui a coûté son poste, en avril 1999, au ministre du Tourisme, Murray McMully.

Sur le plan économique, la crise financière asiatique apparue à la mi-1997 a eu plus d'impact que prévu (récession de 0,3 % et 7,7 % de chômage), amenant le gouvernement à adopter en juin 1998 de nouvelles mesures d'austérité (coupe de 76 millions de dollars É-U dans les dépenses publiques). Le montant des pensions de retraite dont bénéficient tous les Néo-Zélandais de plus de soixante-cinq ans a notamment été réduit. En raison de la baisse des taux d'intérêt et d'un taux de change compétitif, le gouvernement comptait cependant sur une reprise économique en 1999 avec un taux de croissance de l'ordre de 3 %. Alors que l'équipe au pouvoir poursuivait sa politique néolibérale (réduction des impôts, programme de privatisation des entreprises publiques de gaz et d'électricité), un rapport officiel a confirmé que l'écart s'agrandissait entre les conditions de vie des Maoris, qui représentent 13 % de la population (en matière d'emploi, de logement, d'éducation), et le reste des habitants du pays.

Sur le plan extérieur, la Nouvelle-Zélande – jugée plus neutre en cette affaire que l'Australie – a permis de remettre sur les rails le processus de paix à Bougainville (île déchirée entre sécessionnistes et partisans du maintien au sein de la Papouasie-Nouvelle-Guinée), en organisant en avril 1999 à Rotorua une nouvelle réunion entre les dirigeants des différentes factions. - **Jean-Jacques Portail** ■

Nouvelle-Zélande

Capitale : Wellington.
Superficie : 268 676 km².
Population : 3 796 000.
Langues : anglais, maori.
Monnaie : dollar néo-zélandais (1 dollar = 3,42 FF au 30.4.99).
Nature de l'État : unitaire.
Nature du régime : parlementaire.
Chef de l'État (nominal) : reine Elizabeth II, représentée par un gouverneur, Sir Michael Hardie Boys (depuis le 23.3.96).
Chef du gouvernement : Jenny Shipley (depuis le 8.12.97).
Ministre des Affaires étrangères : Don McKinnon.
Échéances institutionnelles : élections générales (fin 1999).
Territoires : îles Cook et Niue (libre association), Tokelau (sous administration).

États indépendants de Mélanésie

♦ **Fidji.** La sécheresse persistante a réduit de 40 % la récolte de canne à sucre

République des Fidji

Capitale : Suva.
Superficie : 18 274 km².
Population : 796 000.
Langues : fidjien, anglais, hindi.
Monnaie : dollar fidjien (au taux officiel, 1 dollar = 3,17 FF au 30.4.99).
Nature de l'État : la nouvelle Constitution, entrée en vigueur le 1.7.98, garantit aux Fidjiens 23 des 71 sièges du Parlement, 23 autres étant réservés aux Indiens et le solde restant ouvert à tous les autres candidats quelle que soit leur appartenance ethnique.
Nature du régime : démocratie parlementaire.
Chef de l'État : Ratu Sir Kamisese Mara (élu le 18.1.94).
Chef du gouvernement : Mahendra Chandhry, qui a succédé le 15.5.99 à Sitiveni Rabuka.
Ministre des Affaires étrangères : Tupeni Baba.

(principale source de recettes à l'export), tandis que des inondations catastrophiques faisaient 20 000 sinistrés sur l'île principale de Viti Levu, en janvier 1999. La dévaluation de 20 % du dollar fidjien, début 1998, a permis un développement du secteur du tourisme (en hausse de 3,3 % en 1998). Les élections du 15 mai 1999 ont vu la victoire surprise du Parti travailliste qui a obtenu la majorité absolue à l'Assemblée. Son leader, Mahendra Chandhry, devenu ainsi le premier dirigeant d'origine indienne à occuper le poste de Premier ministre depuis 1987, a formé un gouvernement d'union avec plusieurs partis représentant les intérêts fidjiens. - **J.-J. P.** ■

♦ **Papouasie-Nouvelle-Guinée.** Malgré l'adoption en novembre 1998 d'un budget d'austérité (licenciement de 7 000 fonctionnaires, introduction d'une TVA), le gouvernement s'est trouvé en proie à de graves problèmes de liquidités engendrés par la chute du cours des matières premières (minerais, bois, pétrole). Le Premier ministre, Bill Skate, impliqué dans une affaire de corruption, a fini par démissionner à la mi-1999. L'avenir politique de l'île de Bougainville (où un cessez-le-feu est en vigueur depuis avril 1998 après un conflit de plus de dix ans) fait l'objet de nouvelles négociations entre le gouvernement central et le nouveau Congrès populaire de Bougainville, une assemblée élue en mai 1999 et dominée par les partisans de l'indépendance. - **J.-J. P.** ■

Papouasie-Nouvelle-Guinée

Capitale : Port Moresby.
Superficie : 461 691 km².
Population : 4 600 000.
Langues : pidgin mélanésien, anglais, 700 langues locales.
Monnaie : kina (au taux officiel, 1 kina = 2,73 FF au 28.2.99).
Nature de l'État : unitaire.
Nature du régime : parlementaire.
Chef de l'État (nominal) : reine Elizabeth II, représentée par un gouverneur, Silas Atopare (depuis le 14.11.97).
Chef du gouvernement : Sir Mekere Morauta, qui a succédé le 14.7.99 à Bill Skate (démissionnaire).
Ministre des Affaires étrangères : Sir Michael Somare.
Sécessionisme : un accord de cessez-le-feu a été signé le 23.1.98, avec la rébellion née en 1989 sur l'île de Bougainville (celle-ci possède la plus importante mine de cuivre à ciel ouvert du monde).

♦ **Salomon (îles).** Le plan d'austérité recommandé par la Banque mondiale et la Banque asiatique de développement (BAD) a prévu le licenciement de 400 fonctionnaires en 1999. Le gouvernement a tenté d'apaiser les tensions communautaires apparues début 1999 sur l'île de Guadalcanal entre autochtones et récents immigrants de la province voisine de Malaita. - **J.-J. P.** ■

Îles Salomon

Capitale : Honiara.
Superficie : 28 446 km².
Population : 417 000.
Langues : pidgin mélanésien, anglais.
Monnaie : dollar des Salomon (au taux officiel, 1 dollar = 1,26 FF au 30.4.99).
Nature de l'État : monarchie.
Nature du régime : constitutionnel.
Chef de l'État (nominal) : reine Elizabeth II, représentée par un gouverneur, Moses Pitakaka (depuis juill. 94).
Chef du gouvernement : Bartholomew Ulufa'alu (depuis le 6.8.97).
Ministre des Affaires étrangères : Patterson Oti.

INDICATEUR	UNITÉ	FIDJI (ILES)	KIRIBATI	NAURU
Démographie[a]				
Population	*(millier)*	796	81	11
Densité	*(hab./km²)*	43,6	111,0	523,8
Croissance annuelle (1995-2000)	*(%)*	1,2	1,4	1,8
Indice de fécondité (ISF) (1995-2000)		2,7	4,2	2,1
Mortalité infantile (1995-2000)	*(‰)*	20	60	41
Espérance de vie (1995-2000)	*(année)*	72,7	60,4	66,7
Population urbaine	*(%)*	41,6	36,7	100,0
Indicateurs socioculturels				
Développement humain (IDH)[c]		0,763	••	••
Nombre de médecins	*(‰ hab.)*	0,47[j]	0,20[j]	••
Analphabétisme (hommes)[c]	*(%)*	5,9	••	••
Analphabétisme (femmes)[c]	*(%)*	10,58	••	••
Scolarisation 12-17 ans	*(%)*	74,0[m]	••	••
Scolarisation 3e degré	*(%)*	13,1[f]	••	••
Adresses Internet[d]	*(‰ hab.)*	2,67	••	••
Livres publiés	*(titre)*	401[h]	••	••
Armées (effectifs)				
Armée de terre	*(millier d'h.)*	3,2	••	••
Marine	*(millier d'h.)*	0,3	••	••
Aviation	*(millier d'h.)*	–	••	••
Économie				
PIB total (PPA)[c]	*(million $)*	3 249	41[g]	100[i]
Croissance annuelle 1987-97	*(%)*	4,3	1,6	••
Croissance 1998	*(%)*	4,0	2,0	••
PIB par habitant (PPA)[c]	*($)*	3 990	506[g]	10 000[i]
Investissement (FBCF)	*(% PIB)*	10,8[e]	55,7[j]	••
Taux d'inflation	*(%)*	2,2	3,0	••
Énergie (taux de couverture)[f]	*(%)*	13,9[bp]	••	••
Dépense publique Éducation	*(% PIB)*	5,4[j]	11,4[f]	••
Dépense publique Défense[c]	*(% PIB)*	2,6	••	••
Dette extérieure totale[c]	*(million $)*	213	17[l]	••
Service de la dette/Export.[e]	*(%)*	4,2	••	••
Échanges extérieurs				
Importations (douanes)	*(million $)*	921[c]	93[c]	26[c]
Principaux fournisseurs[c]	*(%)*	Aus 47,5	UE 48,5[f]	Aus 76,2[f]
	(%)	NZ 16,1	Asie[r] 10,4[f]	NZ 16,9[f]
	(%)	Asie[r] 25,8	Aus 18,9[f]	Asie[r] 11,9[f]
Exportations (douanes)	*(million $)*	655[c]	11[c]	24[c]
Principaux clients[c]	*(%)*	UE 17,5	UE 14,3[f]	NZ 48,1[f]
	(%)	Aus 33,1	E-U 13[f]	Aus 18,7[f]
	(%)	Asie[r] 23	Asie[r] 68,6[f]	Asie[r] 13,8[f]
Solde transactions courantes	*(% PIB)*	0,5[f]	••	••

Définition des indicateurs, sigles et abréviations p. 31 et suiv. Chiffres 1998 sauf notes. a. Derniers recensements utilisables : Fidji (îles), 1996 ; Kiribati, 1995 ; Nauru, 1992 ; Papouasie-Nlle-Guinée, 1990 ; Salomon (îles), 1986 ; Samoa, 1991 ; Tonga, 1986 ; Tuvalu, 1991 ; Vanuatu, 1989. b. 1995 ; c. 1997 ; d. janv. 1999 ; e. 1995-97 ;

PAPOUASIE-(Nlle-GUINÉE)	SALOMON (ILES)	SAMOA	TONGA	TUVALU	VANUATU
4 600	417	174	98	11	182
10,2	14,9	61,5	136,1	69,6	14,9
2,2	3,1	1,4	0,3	2,7	2,4
4,6	4,8	4,1	3,6	3,1	4,3
61	23	23	22	26	39
57,9	71,7	71,3	70,5	63,9	67,4
16,8	18,6	21,3	44,0	42,2[b]	19,6
0,57	0,623	0,747	••	••	0,627
0,07[l]	0,16[j]	0,21[m]	0,51[k]	0,44[l]	0,10[k]
19,0[b]	••	••	••	••	43,0[o]
37,3[b]	••	••	••	••	52,0[o]
19,9[l]	••	••	••	••	••
3,2[f]	••	4,6[f]	••	••	••
0,25	0,47	0,06	190,65	0,90	4,23
122[k]	••	••	••	••	••
3,8	••	••	••	••	
0,4	••	••	••	••	0,3
0,1	••	••	••	••	
10 945[g]	932	619	164[g]	7,8[b]	617
3,4	3,4	1,9	1,0	3,7[n]	3,5
3,7	1,0	1,2	– 1,5	••	2,1
2 379[g]	2 310	3 550	1 673[g]	800[b]	3 480
29,0[e]	••	••	15,5[j]	••	40,8[l]
13,5	8,0	2,2	2,9	••	5,0
773,6[bp]	••	4,5[bp]	••	••	••
••	3,8[k]	4,2[l]	4,7[j]	••	4,9[b]
1,2	••	••	4,9[m]	••	••
2 273	135	156	61	••	48
16,2	3,4	4,1	5,7	••	1,5
1 189	150[c]	97	91[f]	4[c]	84
A&NZ 50,9	A&NZ 42,9	A&NZ 50,7	E-U 10,8	UE 20[f]	Jap 52,6
Asie[r] 29,4	Asie[r] 46,3	Asie[r] 34,4	UE 12,2	Aus 44[f]	A&NZ 24
E-U 6,2	Sing 15,7	E-U 9	A&NZ 48,6	NZ 22[f]	UE 5,7
1 677	184[c]	15	15[f]	2[c]	31
Aus 26,5	UE 12,8	Aus 69,8	E-U 17,6	UE 50[f]	UE 45,3
Asie[r] 37,4	Asie[r] 83,8	E-U 6,3	Jap 52,9	PED 50[f]	E-U 3,8
UE 15	Jap 59,2	Asie[r] 9,5	A&NZ 11,8	[f]	Asie[r] 41,5
– 4,1[c]	– 7,4[c]	4,7[c]	••	••	– 7,7[c]

f. 1996 ; g. 1998 ; h. 1994 ; i. 1993 ; j. 1992 ; k. 1991 ; l. 1990 ; m. 1989 ; n. 1985-92 ; o. 1979 ; p. Chiffres des Nations unies ; q. Total 300 ; r. Y compris Japon et Moyen-Orient.

♦ **Vanuatu.** Pour stabiliser l'économie, le gouvernement a mis en place un programme d'austérité (licenciement de fonctionnaires, TVA de 12,5 %, abolition de droits à l'importation) en échange d'un prêt de 20 millions de dollars É-U de la part de la Banque asiatique de développement (BAD). En octobre 1998, le Parti national unifié (NUP) du vice-premier ministre Walter Lini (décédé le 21 février 1999) a cédé la place au sein de la coalition gouvernementale à une faction dissidente de l'Union des partis modérés, dirigée par Willie Jimmy. Un nouveau président de la République, le père John Bani, a été élu par le Parlement le 24 mars 1999. - **J.-J. P.** ■

République de Vanuatu

Capitale : Port-Vila.
Superficie : 12 189 km².
Population : 182 000.
Langues : bislamar, anglais, français.
Monnaie : vatu (au taux officiel, 100 vatus = 4,48 FF au 30.4.99).
Nature de l'État : république unitaire.
Nature du régime : démocratie parlementaire.
Chef de l'État : John Bani, qui a succédé le 24.3.99 à Jean-Marie Leye.
Chef du gouvernement : Donald Kalpokas, qui a succédé le 30.3.98 à Serge Vohor. Également ministre des Affaires étrangères.
Ministre des Affaires étrangères associé : Clement Leo.

États indépendants de Micronésie

♦ **Kiribati.** Après la victoire du Maurin Te Mwaneaba (parti gouvernemental) lors des élections du 30 septembre 1998, le président Teburoro Tito a lui-même été réélu président le 28 novembre. Début 1999, la quasi-totalité du pays a été déclarée zone sinistrée en raison de la sécheresse. - **J.-J. P.** ■

République de Kiribati

Capitale : Bairiki
Superficie : 728 km².
Population : 81 000.
Langue : anglais.
Monnaie : dollar australien (1 dollar = 4,08 FF au 30.4.99).
Nature de l'État : république unitaire.
Nature du régime : démocratie parlementaire.
Chef de l'État et du gouvernement : Teburoro Tito (depuis le 30.9.94, réélu le 28.11.98), également ministre des Affaires étrangères.

♦ **Marshall (îles).** Le pacte d'association avec les États-Unis arrivant à expiration en 2001, le gouvernement d'Imata Kabua a tenté d'accroître les revenus du pays en renégociant la location à Washington de l'atoll de Kwajalein (base d'essais de missiles balistiques). - **J.-J. P.** ■

République des îles Marshall (RIM)

Capitale : Dalap-Uliga-Darrit.
Superficie : 180 km².
Population : 60 000.
Langue : anglais.
Monnaie : dollar des États-Unis (1 dollar = 6,17 FF au 27.7.99).
Nature de l'État : république indépendante depuis le 21.10.86 en libre-association avec les États-Unis qui gardent la responsabilité de la Défense.
Nature du régime : démocratie parlementaire.
Chef de l'État : Imata Kabua (depuis le 22.12.90).
Ministre des Affaires étrangères : Phillip Muller.

♦ **États fédérés de Micronésie.** L'ancien vice-président de la fédération, le député de Pohnpei, Leo Falcam, a été élu président de la République, en remplacement de Jacob Nena, à la suite des élections générales du 2 mars 1999. Le député de Chuuk, Redley Killion, a été nommé vice-président. - **J.-J. P.** ■

États fédérés de Micronésie

Capitale : Palikir.
Superficie : 700 km^2.
Population : 114 000.
Langue : anglais.
Monnaie : dollar des États-Unis (1 dollar = 6,17 FF au 27.7.99).
Nature de l'État : république fédérale indépendante depuis le 3.11.86 en libre-association avec les États-Unis, qui gardent la responsabilité de la Défense.
Nature du régime : démocratie parlementaire.
Chef de l'État : Leo Falcam, qui a succédé le 2.3.99 à Jacob Nena.
Vice-président : Redley Killion.

♦ **Palau.** Sous la pression des États-Unis, avec lesquels Palau est en libre association, le gouvernement a adopté un projet de loi fixant un salaire minimum. Cette législation ne s'applique cependant pas à la main-d'œuvre immigrée qui occupe la majorité des emplois dans l'agriculture et les services. - **J.-J. P.** ■

République de Palau (également appelée « Belau »)

Capitale : Koror.
Superficie : 490 km^2.
Population : 19 000.
Langues : anglais, palauen.
Monnaie : dollar des États-Unis (1 dollar = 6,17 FF au 27.7.99).
Nature de l'État : république indépendante depuis le 1.10.94 en libre-association avec les États-Unis qui gardent la responsabilité de la Défense.
Nature du régime : démocratie parlementaire.
Chef de l'État : Kuniwo Nakamura, également ministre des Affaires étrangères (depuis le 1.10.94, réélu en nov. 96).

♦ **Nauru.** En avril 1999, Bernard Dowiyogo, élu président en juin 1998 pour la cinquième fois à la suite d'une motion de censure déposée contre son prédécesseur, Kinza Clodumar, a lui-même été déposé par un vote au Parlement et remplacé par René Harris. Il s'est agi là du septième changement de gouvernement en trois ans. - **J.-J. P.** ■

République de Nauru

Capitale : Yaren.
Superficie : 24 km^2.
Population : 11 000.
Langue : anglais.
Monnaie : dollar australien (1 dollar = 4,08 FF au 30.4.99).
Nature de l'État : république unitaire.
Nature du régime : démocratie parlementaire.
Chef de l'État et du gouvernement : René Harris, qui a succédé le 27.4.99 à Kinza Clodumar.

États indépendants de Polynésie

♦ **Samoa.** En novembre 1998, après seize ans de pouvoir, le Premier ministre Tofilau Eti Alesana a cédé la place, pour raisons de santé, à Tuilaepa Sailele Malielegaoi, qui a conservé son poste de ministre des Finances. Le Samoa a pu, comme plusieurs autres pays de la région, enregistrer une croissance économique

Samoa

Par un vote du Parlement (4.7.97), l'État indépendant des Samoa (ancien nom officiel), généralement appelé « Samoa occidentales », a pris le nom de « Samoa ».
Capitale : Apia.
Superficie : 2 842 km^2.
Population : 174 000.
Langues : samoan, anglais.
Monnaie : tala (au taux officiel, 1 tala = 2,08 FF au 30.4.99).
Nature de l'État : formellement monarchie constitutionnelle.
Nature du régime : démocratie parlementaire.
Chef de l'État : Malietoa Tanumafili (roi depuis le 5.4.63).
Chef du gouvernement : Tuilaepa Sailele Malielegaoi, qui a succédé le 23.11.98 à Tofilau Eti Alesana. Également ministre des Affaires étrangères.

positive (1,2 %) en 1998 (tourisme en hausse de 15 %, revenus à l'export en hausse de 36 %). - **J.-J. P.** ■

♦ **Tonga.** En octobre 1998, le roi a nommé son plus jeune fils, le prince Lavata-Ata'ulukalala, au poste de ministre des Affaires étrangères. Un mois plus tard le royaume a décidé de reconnaître la Chine aux dépens de Taïwan et, début 1999, a demandé à devenir membre des Nations unies. Les élections de mars 1999 ont vu un léger recul du Mouvement pour la démocratie (antimonarchique), qui a perdu un siège à l'Assemblée nationale. L'économie, durement affectée par la sécheresse et les cyclones (baisse de 1,5 % du PNB en 1998), restait à flot grâce à l'aide étrangère et les mandats envoyés par les Tongiens vivant à l'étranger. Le programme controversé de vente de passeports a été arrêté en décembre 1998. - **J.-J. P.** ■

Royaume de Tonga

Capitale : Nuku'Alofa.
Superficie : 699 km^2.
Population : 98 000.
Langues : tongien, anglais.
Monnaie : pa'anga (au taux officiel, 1 pa'anga = 3,67 FF au 31.12.98).
Nature de l'État : monarchie héréditaire.
Nature du régime : constitutionnel.
Chef de l'État : roi Taufa'ahau Tupou IV (depuis le 5.12.65).
Chef du gouvernement : baron Vaea of Houma (depuis août 91).
Ministre des Affaires étrangères : prince Lavata-Ata'ulukalala (depuis oct. 98).

♦ **Tuvalu.** A la fin 1998, le gouvernement a annoncé la signature d'un contrat avec une compagnie canadienne pour la commercialisation de son nom de domaine Internet « .tv ». Ce marché, censé sortir Tuvalu de son état de dépendance économique, n'avait, à la mi-1999, rapporté que 200 000 dollars É-U, au lieu des 50 millions prévus. Le Premier ministre Bikenibeu Paeniu, déposé le 14 avril 1999 à la suite d'une motion de censure du Parlement, a cédé la place à Ionatana Ionatana. - **J.-J. P.** ■

Tuvalu

Capitale : Funafuti.
Superficie : 158 km^2.
Population : 11 000.
Langues : tuvalien, anglais.
Monnaie : dollar australien (1 dollar = 4,08 FF au 7.6.99).
Nature de l'État : unitaire.
Nature du régime : parlementaire.
Chef de l'État (nominal) **:** reine Elizabeth II, représentée par un gouverneur, Tulaga Manuella (depuis le 21.6.94).
Chef du gouvernement : Ionatana Ionatana, qui a succédé le 27.4.99 à Bikenibeu Paeniu.

Territoires sous contrôle de la France

♦ **Nouvelle-Calédonie.** Le 8 novembre 1998, l'accord de Nouméa (signé le 4 mai) a été approuvé dans le cadre d'un référendum par 72 % de la population calédonienne (mais seulement 58 % à Nouméa). A la suite de ce vote, le projet de loi sur l'avenir constitutionnel de ce qui était jusqu'alors un territoire français d'outre-mer (TOM) a été définitivement adopté par les deux chambres du Parlement en février 1999. La Nouvelle-Calédonie bénéficiera d'un statut unique la dotant d'une « citoyenneté calédonienne » et d'un gouvernement local habilité à créer des « lois de pays ». Le statut prévoit un transfert progressif des compétences vers le territoire et un référendum d'autodétermination dans un délai de quinze à vingt ans. A la suite des élections provinciales du 8 mai 1999, le Rassemblement pour la Calédonie dans la République (RPCR), faute d'obtenir la majorité absolue au Congrès, a dû faire alliance avec les indépendantistes dissidents de la FCCI (Fédération des comités de coordination des indépendantistes). Le maire RPCR de Nouméa, Jean Lèques, a été élu le 28 mai 1999 président du premier gouvernement collégial de Nouvelle-Calédonie. Les indépendantistes du Front de libération nationale kanak et socialiste (FLNKS) ont emporté 4 des 11 sièges dans le nouvel exécutif. L'ouverture de la Nouvelle-Calédonie sur son environnement s'est poursuivie, fin août 1998, avec son adhésion au Forum du Pacifique sud, en tant qu'observateur. - **J.-J. P.** ■

♦ **Wallis et Futuna.** Après la signature de l'accord de Nouméa (4 mai 1998 – voir « Nouvelle-Calédonie »), Paris a tenu à assurer aux autorités de ce territoire français d'outre-mer (TOM) que l'importante communauté wallisienne et futunienne installée en Nouvelle-Calédonie depuis les années cinquante ne souffrirait d'aucune discrimination lors de la mise en place des nouvelles institutions en Nouvelle-Calédonie. Le prochain contrat de plan (2000-2006) passé avec le territoire privilégiera la construction de nouvelles infrastructures (routes, télécommunications, eau, électricité). - **J.-J. P.** ■

♦ **Polynésie française.** Dans le sillage de la Nouvelle-Calédonie, la Polynésie française a bénéficié en 1999 d'une réforme constitutionnelle qui va renforcer son autonomie et lui permettre d'adopter ses propres lois, de conclure des accords internationaux et de réserver certains emplois aux « locaux ». Cette réforme, qui fait de l'ancien territoire français d'outre-mer (TOM) un POM (pays d'outre-mer), a été adoptée par l'Assemblée nationale en juin 1999. Le président du gouvernement polynésien, Gaston Flosse, a exclu toute possibilité d'un référendum d'autodétermination, mais les indépendantistes polynésiens ont signé en février 1999 une convention avec le Parti socialiste pour favoriser l'émergence d'une nouvelle majorité. En décembre 1998, des pluies torrentielles ont fait trois morts et d'importants dégâts sur l'île de Tahiti. - **J.-J. P.** ■

Territoires sous contrôle des États-Unis

♦ **Guam.** Ce territoire non incorporé de 150 000 habitants a vu l'arrivée en 1999 de plusieurs centaines de boat-people chinois.

♦ **Mariannes du Nord.** Washington s'est inquiété de l'implantation, dans cet État associé autonome de 60 000 habitants où la législation américaine ne s'applique pas, d'ateliers de confection asiatiques employant une main-d'œuvre immigrée bon marché et exportant librement vers le marché américain.

♦ **Samoa américaines.** Dans ce territoire non incorporé de 60 000 habitants, le représentant au Congrès, Faleomavaega Eni Hunkin, a été réélu en novembre 1998 pour son sixième mandat successif. L'incinération des armes chimiques sur l'atoll de **Johnston** (sous administration militaire, comme **Wake** et **Midway**) devrait cesser en 2000. **Hawaii** est le cinquantième État de l'Union. - **J.-J. P.** ■

Territoires sous souveraineté néo-zélandaise

♦ **Cook (îles).** Dans cet État autonome associé de 20 000 habitants, le Premier ministre Geoffrey Henry (Cook Islands Party), au pouvoir depuis 1989, a perdu sa majorité au Parlement lors des élections du 16 juin 1999. Il a été remplacé, le 30 juillet 1999, par Joe William.

♦ **Niue.** Dans cet État autonome associé de 2 500 habitants, le nouveau Premier ministre issu des élections du 19 mars 1999, Sani Elia Lakatani, a souhaité réduire la dépendance du territoire envers la Nouvelle-Zélande.

♦ **Tokelau.** Ce territoire d'outre-mer de 1 700 habitants, le dernier territoire du Pacifique à ne posséder ni port ni piste d'atterrissage, s'est fait connaître internationalement en 1998 grâce au succès du groupe musical Te Vaka, dont la musique allie les harmonies polynésiennes traditionnelles aux rythmes et à la technologie modernes. - **J.-J. P.** ■

Territoires sous souverainetés diverses

♦ **Pitcairn.** Sur cet îlot qui est une colonie britannique (57 habitants), la construction d'une piste d'atterrissage devait commencer en 1999.

♦ **Norfolk.** Cette île de 2 500 habitants est un territoire fédéral australien autonome.

♦ **Lord Howe.** Cette île est un « territoire extérieur » australien.

♦ **Territoire des îles de la mer de Corail.** Ces îles inhabitées sont aussi un « territoire extérieur » australien.

Le Chili administre l'île de **Pâques** (Rapa Nui), et l'Équateur, les îles **Galápagos. Palmyra** (un atoll privé), vendu au gouvernement américain, sera transformé en réserve naturelle. - **Jean-Jacques Portail** ■

Présentation par **Alain Noël**
Politologue, Université de Montréal

Le 19 avril 1998, à Santiago du Chili, le second Sommet des Amériques se terminait sur une déclaration commune, engageant les 34 pays participants à construire, pour l'an 2005, une zone de libre-échange couvrant l'ensemble des Amériques. Les probabilités d'une évolution rapide semblaient toutefois minées par l'incapacité du président américain Bill Clinton d'obtenir du Congrès pleine autorité pour négocier de nouvelles ententes commerciales. Le partenariat entre les trois grands pays de l'Amérique du Nord, dont les relations économiques étroites ont été renforcées par l'Accord de libre-échange nord-américain (ALENA), semblait par conséquent susceptible de demeurer, pour encore quelques années, relativement unique et exclusif.

Entré en vigueur le 1er janvier 1994, l'ALENA engage le Canada, les États-Unis et le Mexique à respecter un ensemble de règles économiques communes. En plus de libéraliser les échanges de biens et de services, il réglemente les investissements, la propriété intellectuelle, les barrières non tarifaires et les marchés publics. Dans la plupart des domaines, la discrimination en faveur des firmes nationales n'est plus possible. Il s'agit en quelque sorte d'une constitution économique, établissant les droits du capital sur tout le continent. L'ALENA est accompagné de deux accords de coopération dans les domaines de l'environnement et du travail.

Pour le Mexique, les premières années de l'ALENA ont été particulièrement houleuses. L'insurrection dans le Chiapas, des assassinats politiques non élucidés et de nombreux scandales associés au narcotrafic et impliquant l'entourage immédiat de l'ex-président Carlos Salinas de Gortari ont ébranlé le régime. En même temps, la crise économique de décembre 1994 a donné lieu à une dévaluation dramatique de la monnaie nationale (en quelques heures, le peso a perdu presque la moitié de sa valeur) et à une chute marquée de la production nationale et des salaires réels, qui ont diminué de 22 % en 1995. Dès 1996, les indicateurs étaient plus encourageants (forte croissance, réduction du chômage et de l'inflation, ralentissement de la chute des salaires). Le chômage et le sous-emploi restaient cependant endémiques et les revenus de la population demeuraient généralement très bas. Dans ces circonstances et comme l'ALENA était le projet d'un président maintenant discrédité, l'appui à l'accord s'est effrité. D'un point de vue strictement commercial, le bilan a semblé positif pour le Mexique, mais les effets sur l'emploi et les revenus ont été au mieux minimes. Si elle ne remet pas en cause l'accord, une gauche mexicaine plus influente pourra chercher à en discuter le contenu et les implications sociales.

Au Canada, le Parti libéral s'est entièrement rallié à l'idée du libre-échange continental. Fortement opposé à l'idée de l'ALENA au départ, cette formation et son chef, le Premier ministre Jean Chrétien, en sont devenus

UNE GRANDE ÉVOLUTION EST À SURVEILLER : L'ÉVENTUALITÉ D'UN ÉLARGISSEMENT DE L'ALENA À D'AUTRES PARTENAIRES.

Sans effacer entièrement une histoire faite de relations difficiles, l'intégration économique multiplie les points de contact et intensifie les rapports entre Canada, États-Unis et Mexique.

des défenseurs inconditionnels, souhaitant l'étendre rapidement à d'autres pays de l'hémisphère. De 1989, année d'entrée en vigueur de l'Accord de libre-échange Canada-États-Unis (ALE), à 1996, le solde canadien des échanges commerciaux avec les États-Unis est passé, pour les produits libéralisés, d'un déficit d'environ 9 milliards de dollars canadiens à un excédent d'environ 15 milliards. Au cours de la même période, la situation n'a presque pas changé avec les autres partenaires commerciaux du pays et elle est également demeurée stable pour les produits non libéralisés.

Les opposants canadiens au libre-échange craignaient que celui-ci exerce une pression à la baisse sur les salaires et sur les programmes sociaux. La pression est apparue réelle, mais il était difficile de faire le partage entre ce qui relève de l'évolution commune à tous les pays industrialisés, des politiques d'austérité, et de l'accord lui-même. Une chose est certaine, la distribution des revenus est restée moins inégalitaire que celle des États-Unis et, dans la mesure où les inégalités augmentent, l'État corrige la tendance par la fiscalité et les programmes sociaux.

Aux États-Unis, en revanche, les inégalités et la pauvreté se sont aggravées en dépit d'une évolution très positive de l'emploi. En 1992, Bill Clinton promettait de donner la priorité aux personnes et d'investir dans l'Amérique. L'échec de presque toutes les réformes envisagées, et notamment de celle de l'assurance maladie, a laissé le président sans projet social précis. Très dure et très éloignée du projet démocrate initial, la réforme de l'assistance sociale entérinée par B. Clinton à la veille des élections présidentielles de novembre 1996 aboutira à terme à appauvrir 10 % des familles américaines et à laisser plus d'un million d'enfants dans le dénuement. Il s'agit de la seule coupe budgétaire majeure et durable effectuée par l'administration Clinton entre 1994 et 1996.

Sans protection syndicale ou sociale solide dans un marché du travail qui engendre d'importantes inégalités, les Américains se méfient beaucoup de l'ALENA. Cette attitude est relayée au Congrès par les démocrates plus progressistes, qui insistent sur les emplois détruits et sur la pression à la baisse exercée sur les salaires par l'accord. Pour d'autres raisons, et notamment parce qu'ils accusent l'ALENA de favoriser l'augmentation du trafic de drogue et de l'immigration illégale, plusieurs républicains se sont associés à cette résistance. En mars 1997, B. Clinton a dû faire pression pour que le Congrès ne retire pas au Mexique sa « certification » comme allié dans la lutte internationale contre le narcotrafic.

Un accroissement des échanges, des résultats au mieux modestes en termes d'emploi et d'importantes tensions définissent donc l'Accord de libre-échange nord-américain. De plus en plus, celui-ci a tout de même pris l'allure d'un fait incontournable. Graduellement, il fait aussi avancer l'idée d'une certaine communauté de destin entre les trois pays. Sans effacer entièrement une histoire faite de relations difficiles, l'intégration économique multiplie les points de contact et intensifie les rapports. L'accord de coopération dans le domaine

Présentation par **Alain Noël**
Politologue, Université de Montréal

Amérique du Nord/Bibliographie sélective

« A Trinational Symposium : Canada/The United States/Mexico », *American Review of Canadian Studies,* vol. 26, n° 2, Washington DC, été 1996.

A. S. Bailly, G. Dorel, J.-B. Racine *et alii,* « États-Unis, Canada », *in* R. Brunet (sous la dir. de), *Géographie universelle,* vol. IV, Belin/RECLUS, Paris/Montpellier, 1994.

K. Banting, G. Hoberg, R. Simeon (sous la dir. de), *Degrees of Freedom : Canada and the United States in a Changing World,* McGill/Queen's University Press, Montréal, 1997.

R. Blank, *It Takes a Nation : A New Agenda for Fighting Poverty,* Princeton University Press, Princeton, 1997.

C. F. Doran, A. P. Drischler (sous la dir. de), *A New North America : Cooperation and Enhanced Interdependence,* Praeger, Westport, Conn. 1996.

R. M. Earle, D. Wirth, *Identities in North America. The Search for Community,* Stanford University Press, Stanford, 1995.

P. Edelman, « The Worst Thing Bill Clinton Has Done », *Atlantic Monthly,* Boston, mars 1997.

M. Levine, « Public Policies, Social Institutions, and Earnings Inequality : Canada and the United States, 1970-1995 », *American Review of Canadian Studies,* vol. 26, n° 3, Washington DC, aut. 1996.

G. Mace, J.-P. Thérien (sous la dir. de), *Foreign Policy and Regionalism in the Americas,* Lynne Rienner, Boulder, 1996.

D. Maschino, E. Griego, « L'Accord nord-américain de coopération dans le domaine du travail : bilan et perspectives », *Le Marché du travail,* Québec, avr. 1997.

J. Myles, « When Markets Fail : Social Welfare in Canada and the United States », *in* G. Esping-Andersen (sous la dir. de), *Welfare States in Transition,* Sage, Londres, 1996.

« Nafta Revisited : Expectations and Realities », *Annals of the American Academy of Political and Social Sciences,* n° 550, Thousand Oaks, mars 1997.

W. A. Orme, *Understanding NAFTA : Mexico, Free Trade and the New North America,* University of Texas Press, Austin, 1996.

C. Paraskevopoulos, R. Grinspun, G. E. Eaton (sous la dir. de), *Economic Integration in the Americas,* Edward Elgar, Cheltenham (R-U), 1996.

« Vers un nouvel État-providence ? », *Politique et sociétés,* n° 30, Montréal, aut. 1996.

S. Weintraub, *NAFTA at Three : A Progress Report,* Center for Strategic and International Studies, Washington DC, 1997.

M. Weir, *The Social Divide : Political Parties and the Future of Activist Governement,* Brookings Institution Press, Washington DC, 1998.

Voir aussi les bibliographies « Canada », « États-Unis » et « Mexique », p. 370, 376 et 382.

du travail, par exemple, aussi limité soit-il, a permis de tisser des liens institutionnels entre les syndicats des trois pays, qui discutent maintenant de questions d'intérêt commun sur une base continentale.

En 1999, des économistes et des hommes d'affaires influents du Canada et du Mexique lançaient l'idée, inspirée par l'euro, d'une union monétaire nord-américaine. La proposition a été relativement bien accueillie, mais à court terme sa réalisation paraissait peu probable. ■

Amérique du Nord

Par **Alain Noël**
Politologue, Université de Montréal

1998

11 juin. États-Unis/Mexique/Canada. Les travailleurs de deux usines de pièces automobiles du Michigan amorcent une grève de près de huit semaines qui paralysera presque complètement les activités de General Motors en Amérique du Nord. Le transfert de la production et des emplois vers le Mexique constitue un enjeu central.

25 juin. États-Unis. La Cour suprême déclare inconstitutionnelle l'utilisation par le président d'un veto permettant de bloquer des dépenses spécifiques associées par le Congrès à une législation (*line-item veto*) et rejette ainsi une importante innovation institutionnelle, qui visait à renforcer le pouvoir de l'exécutif.

5 juillet. Mexique. Le Parti révolutionnaire institutionnel (PRI) du président Ernesto Zedillo reprend au Parti d'action nationale (PAN, droite libérale) le poste de gouverneur de l'État de Chihuahua. Le recours à des élections primaires pour désigner le candidat du PRI semble avoir contribué à son succès. E. Zedillo s'est engagé à faire de même au niveau national. Le même jour, le PRI gagne dans l'État de Durango, et perd dans le Zacatecas.

4 août. Canada. Le gouvernement canadien signe un traité historique avec le peuple Nisga'a, accordant à celui-ci l'intendance de ses terres et de ses affaires. Le traité fait figure de modèle, mais son approbation par l'Assemblée législative de Colombie-Britannique fait l'objet d'une vive controverse.

20 août. Canada. La Cour suprême rend un jugement historique. Tout en indiquant que ni le droit canadien ni le droit international ne conféraient au Québec le droit de déclarer unilatéralement son indépendance, la Cour admet que les gouvernements du Canada ne pourraient rester indifférents face à l'expression claire, par une majorité de Québécois, de leur volonté de ne plus faire partie du Canada. Les différents gouvernements auraient même l'obligation d'engager des négociations.

27 août. Canada. Le dollar canadien clôture à son niveau le plus bas jamais enregistré (63,31 cents américains).

11 septembre. États-Unis. Le rapport de Kenneth W. Starr sur les relations entre le président Bill Clinton et Monica S. Lewinsky, est rendu public. Selon le procureur indépendant, il pourrait conduire à la révocation (*impeachment*) du président.

21 septembre. États-Unis. L'enregistrement du témoignage de B. Clinton dans l'affaire Lewinsky est rendu public par le Congrès.

3 novembre. États-Unis. Les démocrates remportent d'importantes victoires au Congrès (plus cinq sièges) et dans les États (plus un siège) lors des élections de mi-parcours (*mid-term elections*). Les républicains conservent le contrôle de la Chambre des représentants et du Sénat, mais constatent que les difficultés du président B. Clinton dans l'affaire Lewinsky ne les servent pas dans l'opinion publique.

23 novembre. Canada. Démission du Solliciteur général du Canada, Andy Scott, qui, en parlant publiquement de la question, aurait compromis une enquête en cours sur des abus policiers commis lors du forum de la Coopération économique de la zone Asie-Pacifique (APEC) de 1997 à Vancouver.

30 novembre. Canada. Aux législatives au Québec, le Parti québécois et le Premier ministre Lucien Bouchard sont réélus.

1999

21 janvier. Mexique. Raul Salinas de Gortari, frère de l'ancien président Carlos Salinas de Gortari, est condamné à 50 ans de prison pour le meurtre en 1994 de José Francisco Ruiz Massieu, l'un des leaders du PRI. Cette condamnation représente une victoire pour le président E. Zedillo, qui avait enfreint une règle non écrite de la vie politique mexicaine en permettant l'arrestation d'un proche de son prédécesseur. Le lendemain, le pape entame sa quatrième visite dans le pays.

4 février. Canada. Le gouvernement fédéral et toutes les provinces, Québec excepté, signent une entente sur l'union sociale, qui établit un nouveau cadre pour les relations fédérales-provinciales dans le domaine des politiques sociales.

9 février. Canada. Le gouvernement libéral de Brian Tobin est aisément réélu à Terre-Neuve.

12 février. États-Unis. Le Sénat acquitte le président B. Clinton des accusations de parjure et d'obstruction à la justice dans l'affaire

Par **Alain Noël**
Politologue, Université de Montréal

Lewinsky, mettant fin à la procédure de révocation (*impeachment*) amorcée à la Chambre des représentants en septembre.

1er avril. Canada. Naissance d'un nouveau territoire à majorité inuit et occupant près d'un cinquième du pays, le Nunavut. Le premier gouvernement autonome du territoire, dirigé par Paul Okalik, avait été élu le 15 février.

25 mai. Canada/États-Unis. Ottawa et Washington règlent un différend commercial qui durait depuis huit mois et risquait de s'étendre à plusieurs secteurs, en signant une entente permettant aux magazines américains distribués au Canada d'inclure jusqu'à 18 % de publicité canadienne dans leurs pages.

3 juin. Canada. Réélection des conservateurs de Mike Harris en Ontario.

7 juin. Canada. Au Nouveau-Brunswick, défaite des libéraux de Camille Thériault contre les conservateurs de Bernard Lord, qui prennent le pouvoir avec une très forte majorité, relativement inattendue.

4 juillet. Mexique. Lors d'une élection pour le poste de gouverneur de l'État de Mexico, le candidat du Parti révolutionnaire institutionnel (PRI), Arturo Montiel, l'emporte aisément, avec un peu plus de 40 % des voix. Le PRI gagne aussi dans l'État de Nayarit. ■

INDICATEUR	UNITÉ	CANADA	ÉTATS UNIS	MEXIQUE
Démographie[a]				
Population	*(millier)*	30 563	274 028	95 831
Densité	*(hab./km^2)*	3,3	29,9	50,2
Croissance annuelle (1995-2000)	*(%)*	1,0	0,8	1,6
Indice de fécondité (ISF)(1995-2000)		1,5	2,0	2,7
Mortalité infantile (1995-2000)	*(‰)*	6	7	31
Espérance de vie (1995-2000)	*(année)*	79,0	76,7	72,2
Population urbaine	*(%)*	76,9	76,8	74,0
Indicateurs socioculturels				
Développement humain (IDH)[c]		0,932	0,927	0,786
Nombre de médecins	*(‰ hab.)*	2,1[f]	2,6[f]	1,6[b]
Espérance de scolarisation[b]	*(année)*	17,5	15,8	• •
Scolarisation 3e degré	*(%)*	90,1[f]	80,6[f]	16,1[f]
Adresses Internet[d]	*(‰ hab.)*	364,35	1 170,95	11,66
Livres publiés	*(titre)*	19 900[f]	68 175[f]	6 183[f]
Armées (effectifs)				
Armée de terre	*(millier d'h.)*	20,9	479,4	130
Marine	*(millier d'h.)*	9	380,6	37
Aviation	*(millier d'h.)*	15	541,6	8
Économie				
PIB total (PPA)[c]	*(milliard $)*	680	7 765	790
Croissance annuelle 1987-97	*(%)*	2,1	2,6	3,0
Croissance 1998	*(%)*	3,0	3,9	4,9
PIB par habitant (PPA)[c]	*($)*	22 480	29 010	8 370
Investissement (FBCF)	*(% PIB)*	18,4[h]	17,4[h]	17,9[e]
Recherche et Développement	*(% PIB)*	1,6	2,8	0,3[b]
Taux d'inflation	*(%)*	1,0	1,6	16,7
Taux de chômage (fin année)	*(%)*	8,0	4,3	3,0[j]
Énergie (consom/hab.)[f]	*(TEP)*	7,9	8,1	1,5
Énergie (taux de couverture)[f]	*(%)*	151,3	79,0	151,0
Dépense publique Éducation	*(% PIB)*	7,0[i]	5,4[i]	4,9[b]
Dépense publique Défense[c]	*(% PIB)*	1,3	3,4	1,0
Solde administrat. publiques	*(% PIB)*	1,6	0,9	• •
Dette administrat. publiques	*(% PIB)*	89,8	56,7	• •
Échanges extérieurs				
Importations (douanes)	*(million $)*	206 233	944 353	128 940
Principaux fournisseurs	*(%)*	UE 9,5[g]	UE 19,3[g]	UE 7,9[c]
	(%)	E-U 68,2[g]	Alena 29,5[g]	E-U 70,2[c]
	(%)	Asie[k] 13,2[g]	Asie[k] 40,3[g]	PED 10,2[c]
Exportations (douanes)	*(million $)*	214 327	682 497	117 500
Principaux clients	*(%)*	E-U 85,4[g]	UE 21,9[g]	UE 3,7[c]
	(%)	UE 5[g]	Alena 34,3[g]	E-U 75,8[c]
	(%)	Asie[k] 5,8[g]	Asie[k] 27,6[g]	PED 14,5[c]
Solde transactions courantes	*(% PIB)*	– 1,8	– 2,8	– 3,7

Définition des indicateurs, sigles et abréviations p. 31 et suiv. Chiffres 1998 sauf notes. a. Derniers recensements utilisables : Canada, 1991 ; États-Unis, 1990 ; Mexique, 1990. b. 1995 ; c. 1997 ; d. janv. 1999 ; e. 1995-97 ; f. 1996 ; g. 1998 ; h. 1996-98 ; i. 1994 ; j. Définition nationale, non harmonisée ; k. Y compris Japon et Moyen-Orient.

Canada

Obligation de négocier

Le 20 août 1998, la Cour suprême du Canada rendait un jugement historique, et très politique, en réponse à trois questions soumises par le gouvernement fédéral en février 1998, pour mettre en cause la légalité d'une éventuelle déclaration unilatérale d'indépendance par le gouvernement du Québec. Tout en indiquant que ni le droit constitutionnel canadien ni le droit international ne conféraient au Québec le droit de déclarer unilatéralement son indépendance, la Cour suprême a reconnu que le pays « ne pourrait demeurer indifférent devant l'expression claire, par une majorité claire de Québécois, de leur volonté de ne plus faire partie du Canada ». Face à une telle majorité, le gouvernement fédéral et les autres provinces auraient même l'obligation d'engager des négociations et de les poursuivre « en conformité avec les principes constitutionnels ».

En réaction à ce jugement, le gouvernement fédéral a immédiatement insisté sur la nécessité d'une question référendaire claire et d'une majorité « claire au sens qualitatif ». Le gouvernement du Québec, pour sa part, a mis l'accent sur la reconnaissance nouvelle d'une « obligation de négocier », qui forcerait les autres gouvernements du pays à accepter la légitimité d'une victoire souverainiste et à engager des discussions en vue de former un nouveau partenariat avec le Québec. En permettant à chaque gouvernement de déclarer victoire, la Cour a trouvé un point d'équilibre que peu anticipaient et a préservé, voire renforcé, sa propre légitimité institutionnelle.

L'aspect le plus novateur est sans aucun doute la reconnaissance d'une obligation constitutionnelle de négocier. En dépit de ses bien fragiles fondements juridiques, elle change les termes du débat en légitimant la procédure référendaire et en balisant un peu plus clairement un processus que la Cour inscrit dans la continuité des institutions démocratiques. Elle a également des implications plus générales, puisqu'elle rappelle aux différents gouvernements que le propre du fédéralisme est de constituer des majorités concurrentes qui doivent accepter de délibérer, de négocier et de faire des compromis.

Accord-cadre visant à améliorer l'« union sociale »

Dans les mois qui ont suivi, les grands enjeux constitutionnels sont demeurés les mêmes, mais le gouvernement fédéral a mis l'accent sur la réforme du fédéralisme canadien (Plan A), plutôt que sur la discussion d'éventuels obstacles à l'accession à la souveraineté (Plan B). A cet égard, les négociations sur ce que l'on a appelé l'« union sociale » ont été révélatrices. Heurtées par d'importantes coupes dans les transferts fédéraux, les provinces – sans le Québec au début – ont remis en question la capacité du gouvernement fédéral d'utiliser son pouvoir en matière de dépense publique pour intervenir de façon unilatérale dans des politiques sociales qui relèvent de leurs compétences (santé, éducation post-secondaire, aide sociale, services sociaux). En août 1998, à Saskatoon, le Québec s'est joint au front commun des provinces en faisant accepter par celles-ci l'idée qu'une province pourrait se retirer, avec pleine compensation financière, de tout nouveau programme fédéral dans un secteur de compétence provinciale. Réticent à compromettre sa capacité autonome d'intervention, le gouvernement fédéral s'est tout de même engagé dans les négociations. Le 4 février 1999, les provinces laissaient de côté la plupart de leurs demandes pour signer, sans le Québec, une entente avec le gouvernement fédéral intitulée « Un cadre visant à améliorer l'union sociale pour les Canadiens ». En échange de transferts accrus pour les soins de santé, les provinces reconnaissaient la légitimité du pouvoir fédéral de dépenser et acceptaient de ne l'encadrer que de façon minimale. Ainsi le pays

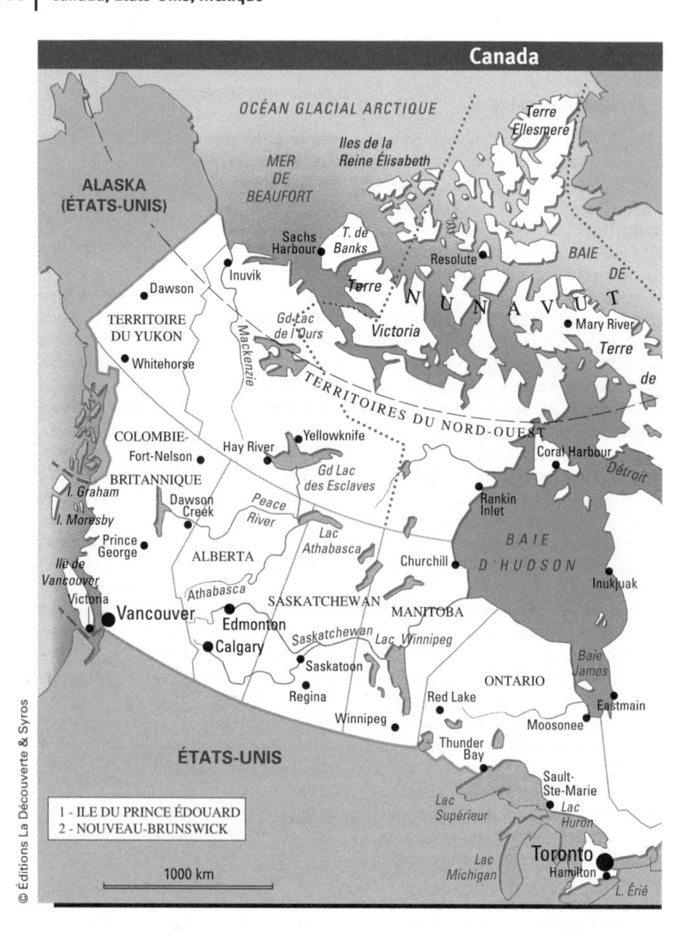

se redéfinissait-il sans véritablement chercher à obtenir l'accord du gouvernement du Québec ou même de l'opposition officielle à l'Assemblée nationale.

Naissance du Nunavut

Avec les nations autochtones, des pourparlers difficiles mais ponctués de succès se sont poursuivis. En 1999, le résultat le plus spectaculaire a été la création d'un nouveau territoire occupant à peu près un cinquième de la superficie du pays, le Nunavut. Comptant 27 000 habitants, en large majorité inuits (85 %), celui-ci dispose dorénavant d'un gouvernement autonome, responsable de l'éducation, de la santé, des

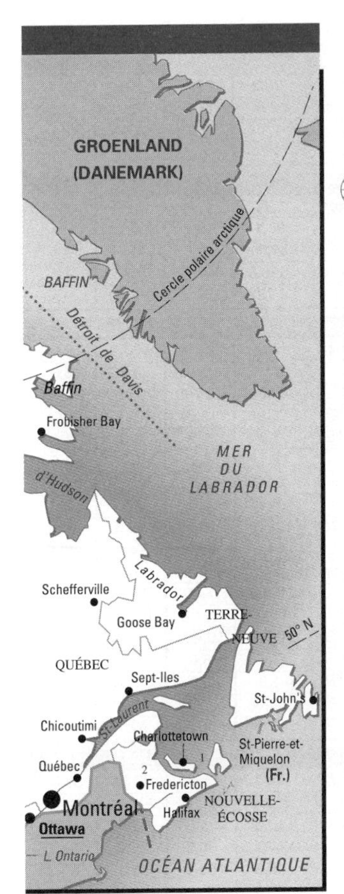

services sociaux, de la langue, de la culture, du logement et de la justice. En Colombie-Britannique, un traité beaucoup plus controversé, et qui pourrait préfigurer de nombreux autres accords, a répondu aux demandes du peuple Nisga'a en accordant à celui-ci l'intendance de ses terres et de ses affaires. En mai 1999, une entente de principe était également annoncée concernant les Inuits du Labrador.

Sur le plan économique, la croissance a été modérée (3,0 % en 1998), l'inflation très basse (1 %) et le taux de chômage légèrement en baisse (8,3 % en 1998). A

Canada

Capitale : Ottawa.
Superficie : 9 976 139 km^2.
Population : 30 563 000.
Langues : anglais et français (off.).
Monnaie : dollar canadien (1 dollar canadien = 4,09 FF ou 0,66 dollar des États-Unis au 27.7.99).
Nature de l'État : fédération (10 provinces et 3 territoires). Les deux provinces les plus importantes, l'Ontario et le Québec, regroupent 63 % de la population canadienne. En 1999 est entré en fonction le gouvernement d'un nouveau territoire, le Nunavut (« Notre terre » en inuktitut), à majorité inuit.
Nature du régime : démocratie parlementaire.
Chef de l'État : reine Elizabeth II, représentée par un gouverneur général, Roméo LeBlanc (depuis le 8.2.95). Le pouvoir exécutif est assuré par le Premier ministre.
Premier ministre : Jean Chrétien (depuis le 5.11.93).
Vice-premier ministre : Herbert Eser Gray.
Ministre des Affaires étrangères : Lloyd Axworthy.
Ministre des Finances : Paul Martin.
Principaux partis politiques : *Au niveau fédéral et provincial :* Parti progressiste conservateur (conservateur) ; Parti libéral du Canada ; Nouveau parti démocratique (social-démocrate). *Au niveau fédéral seulement :* Reform Party (très conservateur) ; Bloc québécois, présent au Québec seulement (souverainiste). *Au niveau provincial seulement :* Parti québécois, Parti libéral du Québec et Action démocratique du Québec.
Échéances électorales : provinciales en Nouvelle-Écosse (27.7.99) et vraisemblablement au Manitoba et en Saskatchewan (aut. 99).

INDICATEUR	UNITÉ	1975	1985	1997	1998
Démographie[a]					
Population	*million*	23,2	25,9	30,3	30,6
Densité	*hab./km²*	2,5	2,8	3,3	3,3
Croissance annuelle	*%*	1,1[q]	1,3[j]	1,0[c]	••
Indice de fécondité (ISF)		1,7[q]	1,7[j]	1,6[c]	••
Indicateurs socioculturels					
Nombre de médecins	*‰ hab.*	1,46[t]	1,9[k]	2,2[e]	••
Scolarisation 2e degré[v]	*%*	83,1[l]	88,2	92,5[d]	••
Scolarisation 3e degré	*%*	57,1[m]	69,6	90,1[b]	••
Téléviseurs	*‰ hab.*	396,6	540,5	708,2	••
Livres publiés	*titre*	6 737	••	19 900[b]	••
Économie					
PIB total (PPA)	*milliard $*	153,2	356,8	680,9	694,6
Croissance annuelle	*%*	3,0[o]	2,1[f]	3,8	3,0
PIB par habitant (PPA)	*$*	6 600	13 750	22 480	22 705
Investissement (FBCF)	*% PIB*	21,9[p]	19,6[g]	18,9	19,1
Recherche et Développement	*% PIB*	1,3[l]	1,5	1,6	1,6
Taux d'inflation	*%*	9,7	4,1	1,7	1,0
Population active	*million*	9,97	13,12	15,35	15,63
Agriculture	*%* } *100 %*	6,1	5,0	3,7	3,7
Industrie	*%* } *100 %*	29,3	25,5	22,3	22,4
Services	*%* } *100 %*	64,6	69,5	74,0	73,9
Taux de chômage (fin année)	*%*	6,9	10,5	9,2	8,3[u]
Énergie (consom./hab.)	*TEP*	7,21	7,45	7,88[b]	••
Énergie (taux de couverture)	*%*	111,9	124,8	151,3[b]	••
Aide au développement (APD)	*% PIB*	0,54	0,49	0,34	••
Dépense publique Éducation	*% PIB*	7,6	6,6	7,0[e]	••
Dépense publique Défense	*% PIB*	1,9	2,2	1,3	••
Solde administrat. publiques	*% PIB*	– 3,0[n]	– 7,5	1,2	1,6
Dette administrat. publiques	*% PIB*	43,7[n]	63,1	92,7	89,8
Échanges extérieurs		**1974**	**1986**	**1997**	**1998**
Importations de services	*milliard $*	5,73	15,86	37,04	35,68
Importations de biens	*milliard $*	32,52	82,92	200,49	204,61
Produits énergétiques	*%*	10,5	4,7	4,6	3,4
Produits manufacturés	*%*	70,1	80,9	83,2	84,7
dont machines et mat. de transport	*%*	45,6	55,8	52,1	52,3
Exportations de services	*milliard $*	4,16	11,81	30,48	30,92
Exportations de biens	*milliard $*	34,28	90,10	217,62	217,24
Produits agricoles	*%*	24,4	18,4	16,7	13,5
Produits miniers	*%*	33,6	20,2	12,8	10,4
Produits manufacturés	*%*	41,6	60,9	63,6	69,1
Solde des transactions courantes	*% du PIB*	– 2,7[r]	– 2,7[i]	– 1,7	– 1,8
Position extérieure nette	*milliard $*	••	– 135,7	– 237,5	••

Définition des indicateurs, sigles et abréviations p. 31 et suiv. a. Dernier recensement utilisable : 1991 ; b. 1996 ; c. 1995-2000 ; d. 1995 ; e. 1994 ; f. 1987-97 ; g. 1987-96 ; h. 1986 ; i. 1985-96 ; j. 1985-95 ; k. 1984 ; l. 1981 ; m. 1980 ; n. 1979 ; o. 1977-87 ; p. 1977-86 ; q. 1977-85 ; r. 1975-84 ; s. 1974 ; t. 1970 ; u. Avril 1999 ; v. 12-17 ans.

7,8 %, ce dernier atteignait en février 1999 son plus bas niveau en huit ans. Alors que presque tous les gouvernements avaient atteint l'équilibre budgétaire, cette situation relativement favorable annonçait une relance des revendications syndicales, notamment dans le secteur public, durement éprouvé par plusieurs années de lutte contre le déficit. Au début de 1999, les infirmières ont amorcé ce processus en réclamant, un peu partout au Canada, de meilleures conditions de travail.

A Ottawa, la configuration partisane n'a pas changé. Le Parti libéral du Canada, dirigé par le Premier ministre Jean Chrétien, formait le gouvernement avec 156 sièges sur 301 à la Chambre des communes, et l'opposition restait divisée. Le mouvement souverainiste québécois est représenté par le Bloc québécois de Gilles Duceppe (44 des 75 sièges du Québec), la social-démocratie canadienne par le Nouveau parti démocratique dirigé par Alexa McDonough (21 députés), et la droite par le Reform Party (59 sièges) et par le Parti progressiste conservateur (19 députés). Deuxième en termes de sièges, le très conservateur Reform Party forme l'opposition officielle mais demeure un parti régional, sans représentant élu à l'est du Manitoba. Prenant acte de l'impasse dans laquelle se retrouvait une opposition divisée et incapable d'offrir une alternative crédible au Parti libéral, son chef, Preston Manning, a proposé en mai 1998 la création d'une nouvelle alliance des forces de droite, l'Alternative unie. Mais faute d'appuis provenant des autres formations, notamment du Parti progressiste conservateur, dirigé à partir de novembre 1998 par Joe Clark, le projet n'a pas véritablement abouti

Paysage politique stable au terme des élections provinciales

Lors de l'élection québécoise du 30 novembre 1998, le Parti québécois et le Premier ministre Lucien Bouchard ont obtenu un deuxième mandat. Le contexte économique et politique paraissait relativement favorable au gouvernement de L. Bouchard, avec un déficit des finances publiques presque résorbé et un taux de chômage diminué de 2,5 points au cours du premier mandat. Le résultat de l'élection a toutefois été serré : le Parti libéral du Québec de Jean Charest ayant obtenu la majorité relative des voix (43,6 % contre 42,9 % pour le Parti québécois et 11,8 % pour l'Action démocratique du Québec de Mario Dumont). Le mode de scrutin majoritaire uninominal à un tour et la concentration du vote libéral dans des circonscriptions plus anglophones expliquent la victoire du Parti québécois, qui l'a emporté dans la grande majorité des circonscriptions, obtenant à peu près le même nombre de sièges à l'Assemblée nationale que lors de l'élection précédente (76 sur un total de 125, contre 77 en 1994 ; le Parti libéral du Québec est passé de 47 à 48 sièges, et l'Action démocratique du Québec a conservé son siège, celui de M. Dumont). Ce résultat, et le soutien égal mais insuffisant à la souveraineté du Québec dans l'opinion publique rendaient improbable, à court terme, un nouveau référendum sur la souveraineté.

La situation politique était également stable en Ontario, où les conservateurs de Mike Harris ont été réélus en juin 1999. Le même mois au Nouveau-Brunswick, les libéraux de Camille Thériault ont été défaits par le Parti conservateur de Bernard Lord.

En politique étrangère, l'accent mis les années précédentes sur les droits de la personne et la sécurité humaine a été maintenu. En désaccord avec d'autres pays membres de l'OTAN (Organisation du traité de l'Atlantique nord), le Canada a pris position en faveur d'une redéfinition de la stratégie de l'Alliance, en vue de réduire l'importance accordée à l'arme nucléaire. La participation aux frappes aériennes en République fédérale de Yougoslavie, au prin-

Canada/Bibliographie

G. Bourque, J. Duchastel, *L'Identité fragmentée,* Fides, Montréal, 1996.

A. Burelle, *Le Mal canadien,* Fides, Montréal, 1995.

F. Dumont, *Genèse de la société québécoise,* Boréal, Montréal, 1993.

A.-G. Gagnon (sous la dir. de), *Québec : État et société,* Québec/Amérique, Montréal, 1994.

A.-G. Gagnon, A. Noël (sous la dir. de), *L'Espace québécois,* Québec/Amérique, Montréal, 1995.

E. Greenspon, A. Wilson-Smith, *Double Vision : The Inside Story of the Liberals in Power,* Seal Books/McClelland-Bantam, Toronto, 1997.

G. Laforest, R. Gibbins (sous la dir. de), *Sortir de l'impasse : les voies de la réconciliation,* Institut de recherche en politiques publiques, Montréal, 1998.

H. Lazar (sous la dir. de), *Canada : The State of the Federation 1997 - Non-Constitutional Renewal,* Institute of Intergovernmental Relations, Kingston, 1998.

K. McRoberts, *Un pays à refaire. L'échec des politiques constitutionnelles,* Boréal, Montréal, 1999.

P. H. Russell, *Constitutional Odyssey,* University of Toronto Press, Toronto, 1993 (2e éd.).

G. Swimmer (sous la dir. de), *How Ottawa Spends 1997-1998,* Carleton University Press, Ottawa, 1997.

R. Young, *La Sécession du Québec et l'avenir du Canada,* Presses de l'université Laval, Sainte-Foy, 1995.

Voir aussi la bibliographie sélective « Amérique du Nord », p. 361.

temps 1999, a toutefois permis à Ottawa de réaffirmer son engagement envers l'alliance et ses objectifs. Par ailleurs, en octobre 1998, le Canada est entré au Conseil de sécurité des Nations unies. - **Alain Noël** ■

États-Unis

Bill Clinton plébiscité

Le 19 décembre 1998, William Jefferson Clinton, 42e président des États-Unis, est devenu le deuxième chef d'État de l'histoire américaine (après Andrew Johnson en 1868) à être mis en accusation par la Chambre des représentants (procédure d'*impeachment*). Deux chefs d'inculpation étaient retenus contre lui : après la révélation de sa liaison avec une stagiaire de la Maison-Blanche, Monica Lewinsky, il aurait menti sous serment et tenté de faire obstruction à la justice. Le président, invité par un certain nombre de dirigeants républicains à choisir l'« issue honorable » consistant à démissionner, a réagi en affirmant qu'il se battrait « jusqu'à la dernière heure du dernier jour » de son mandat.

Comme le prévoit la Constitution, le Sénat s'est donc transformé en tribunal, présidé par le chef de la Cour suprême William Rehnquist, avec pour « procureurs » (*House managers*) douze membres, tous républicains, de la Commission judiciaire de la Chambre des représentants. Après avoir envisagé, sans succès, de remplacer la procédure en cours par un compromis (vote de censure assorti de pénalités financières à l'encontre du locataire de la Maison-Blanche), les 100 sénateurs (55 républicains et 45 démocrates) se sont transformés en jurés silencieux, en mesure de destituer, à la majorité des deux tiers, le président. Cependant, les *House managers* ne sont pas parvenus à obtenir la défection d'un seul démocrate. Ils n'ont pas non plus réussi à faire le plein des voix républicaines. En effet, lors du vote du 12 février 1999, Bill Clinton a été déclaré « non coupable » de parjure par 54 voix contre 45 (et un vote blanc) et d'obstruction à la justice par 50 voix contre.

Les républicains pris à leur propre piège

Politiquement, la procédure de destitution a semblé faire plus de tort aux républicains qu'aux démocrates. Déjà, le 3 novembre 1998, lors des élections de mi-mandature (*mid-term*) qui, traditionnellement, affaiblissent le parti du président, les démocrates malgré des pronostics alarmants, se sont plutôt bien tirés d'affaire. Les républicains ont certes conservé la majorité des deux chambres, mais les démocrates ont gardé leurs 45 sièges au Sénat, et gagné 6 sièges à la Chambre des représentants ainsi qu'un poste de gouverneur. Ils ont même remporté plusieurs succès spectaculaires, en particulier en Californie et à New York.

C'est à la suite de ces élections que Newt Gingrich, ennemi juré du président qui s'était promis de « ne plus prendre la parole sans mentionner ce scandale », dut faire face à une rébellion de ses lieutenants. Il démissionna non seulement de son poste de *speaker* (président) de la Chambre des représentants, mais également du siège de représentant de Géorgie qu'il venait juste de remporter. A peine élu, son successeur, Robert Livingston, un représentant de Louisiane, s'est trouvé lui-même victime du maccartisme sexuel ambiant : à la suite de révélations parues dans la presse sur ses « liaisons extraconjugales », il a annoncé, dans le discours qui précédait le vote de l'*impeachment*, qu'il démissionnerait. Un nouveau *speaker*, Dennis Hastert, représentant de l'Illinois, lui a succédé.

Tout au long de l'affaire Lewinski, la popularité du Parti républicain n'a cessé de se détériorer, tandis que celle du président se maintenait au-dessus de 60 %. Dans leur majorité, les Américains condamnaient la conduite personnelle du président, mais jugeaient que celle-ci ne constituait pas l'un de ces « crimes et délits majeurs » (comme la trahison ou la prévarication) pour lesquels la Constitution prévoit la destitution. Les finasseries du président, ses arguties légales et ses contorsions sémantiques – omniprésentes tant dans les 4 600 pages de documents officiels publiés par le procureur Kenneth Starr que dans le témoignage (sous

États-Unis d'Amérique

Capitale : Washington.
Superficie : 9 363 123 km².
Population : 274 028 000.
Langue : anglais (off.).
Monnaie : dollar (1 dollar = 6,17 FF au 27.7.99).
Nature de l'État : république fédérale (50 États et le District of Columbia).
Nature du régime : démocratie présidentielle.
Chef de l'État : Bill (William Jefferson) Clinton, président (élu le 3.11.92, réélu le 5.11.96), mandat expirant en janv. 2001.
Vice-président : Albert Gore Jr.
Secrétaire d'État : Madeleine Albright.
Secrétaire à la Défense : William Cohen.
Président de la Chambre des représentants : Dennis Hastert (républicain).
Chef de la majorité au Sénat : Trent Lott (républicain).
Principaux partis politiques : Parti républicain et Parti démocrate.
Possessions. États associés et territoires sous tutelle : Porto Rico, îles Vierges américaines [Caraïbes], zone du canal de Panama [Amérique centrale], îles Mariannes du Nord, Guam, Samoa américaines, Midway, Wake, Johnston [Pacifique].
Échéances électorales : présidentielle (7.11.2000).

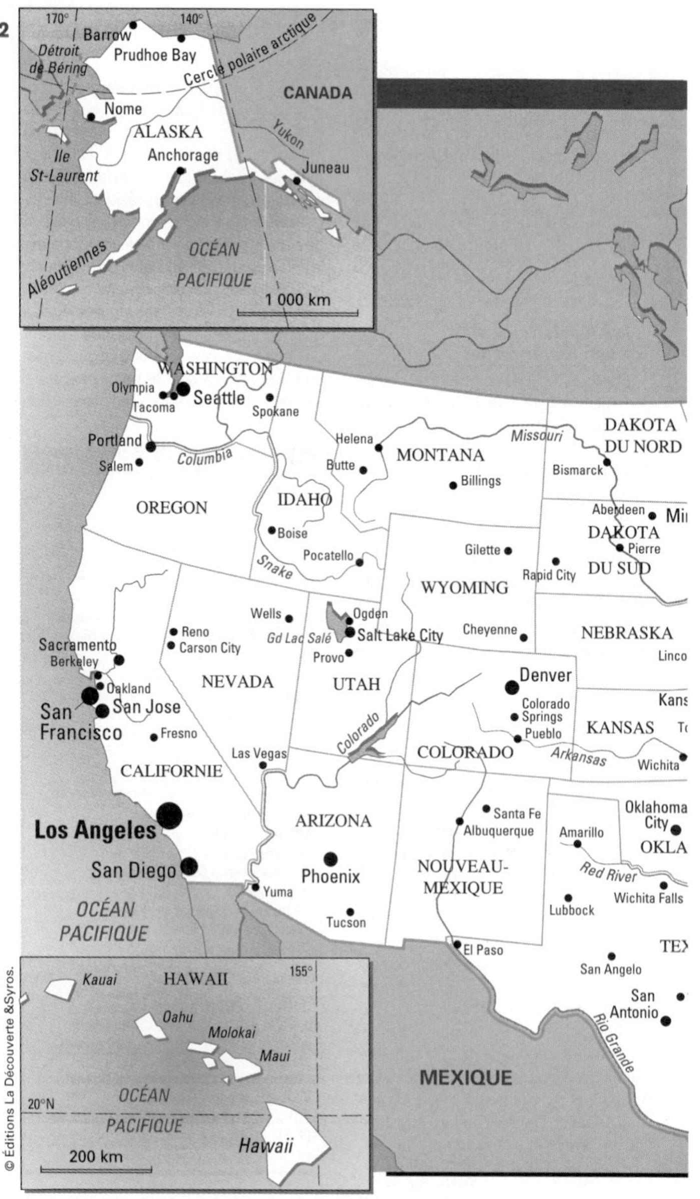
170°
140°
Barrow
Prudhoe Bay
Détroit de Béring
Cercle polaire arctique
CANADA
Nome
ALASKA
Yukon
Ile St-Laurent
Anchorage
Juneau
Aléoutiennes
OCÉAN PACIFIQUE
1 000 km
WASHINGTON
Olympia
Seattle
Tacoma
Spokane
Portland
Columbia
Salem
OREGON
IDAHO
Boise
Snake
Pocatello
Helena
Butte
MONTANA
Missouri
Billings
DAKOTA DU NORD
Bismarck
Aberdeen
DAKOTA DU SUD
Pierre
Rapid City
Gilette
WYOMING
Cheyenne
NEBRASKA
Wells
Ogden
Gd Lac Salé
Salt Lake City
Provo
UTAH
Reno
Carson City
NEVADA
Sacramento
Berkeley
Oakland
San Francisco
San Jose
Fresno
CALIFORNIE
Las Vegas
Colorado
Denver
Colorado Springs
Pueblo
COLORADO
Arkansas
KANSAS
Wichita
Los Angeles
San Diego
ARIZONA
Phoenix
Yuma
Tucson
Santa Fe
Albuquerque
NOUVEAU-MEXIQUE
El Paso
Amarillo
Oklahoma City
Red River
Wichita Falls
Lubbock
San Angelo
San Antonio
Rio Grande
MEXIQUE
OCÉAN PACIFIQUE
HAWAII
155°
Kauai
Oahu
Molokai
Maui
20°N
Hawaii
200 km

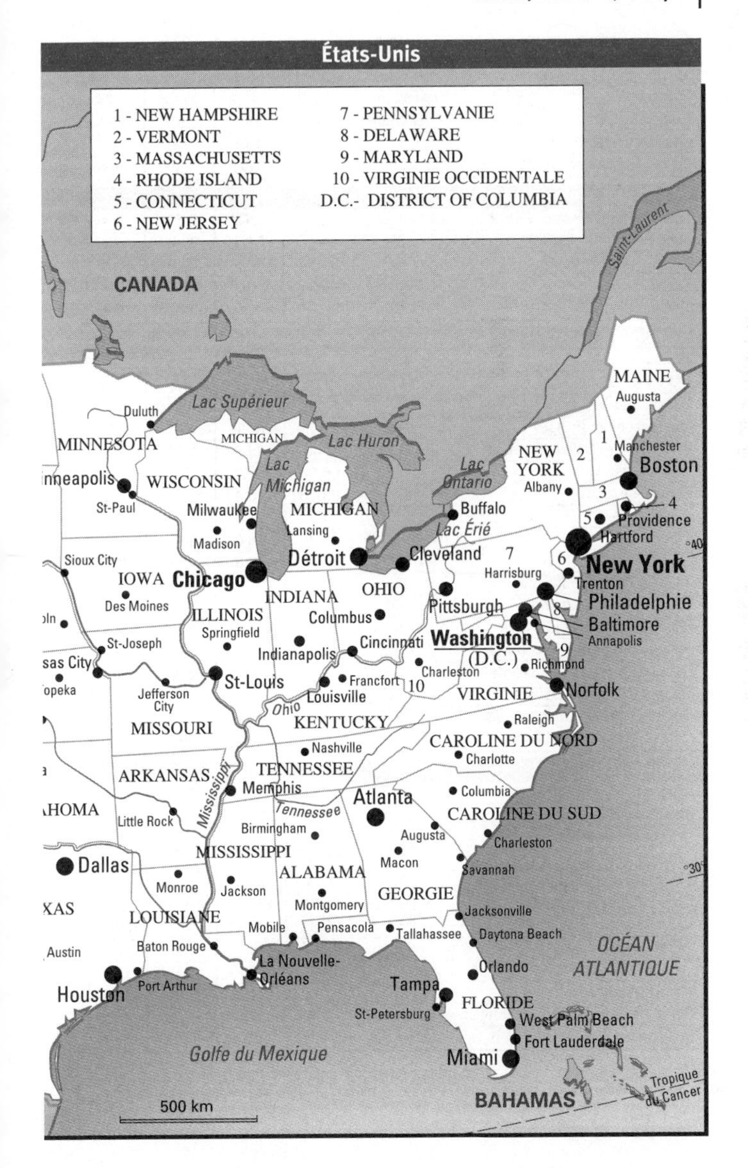
États-Unis
1 - NEW HAMPSHIRE
2 - VERMONT
3 - MASSACHUSETTS
4 - RHODE ISLAND
5 - CONNECTICUT
6 - NEW JERSEY
7 - PENNSYLVANIE
8 - DELAWARE
9 - MARYLAND
10 - VIRGINIE OCCIDENTALE
D.C.- DISTRICT OF COLUMBIA
CANADA
Saint-Laurent
Lac Supérieur
Lac Huron
Lac Michigan
Lac Ontario
Lac Érié
MAINE
Augusta
NEW YORK
Albany
Manchester
Boston
Providence
Hartford
New York
Trenton
Philadelphie
Baltimore
Annapolis
Washington (D.C.)
Richmond
Norfolk
Harrisburg
Pittsburgh
Buffalo
Cleveland
Détroit
Lansing
MICHIGAN
Duluth
MINNESOTA
WISCONSIN
St-Paul
Milwaukee
Madison
Sioux City
IOWA
Chicago
Des Moines
ILLINOIS
Springfield
INDIANA
Indianapolis
OHIO
Columbus
Cincinnati
Charleston
Francfort
Louisville
Ohio
KENTUCKY
VIRGINIE
Raleigh
CAROLINE DU NORD
Charlotte
St-Joseph
St-Louis
Jefferson City
MISSOURI
Nashville
TENNESSEE
ARKANSAS
Memphis
Mississippi
Little Rock
Tennessee
Atlanta
Columbia
CAROLINE DU SUD
Charleston
Augusta
Birmingham
MISSISSIPPI
Macon
Savannah
Dallas
Monroe
Jackson
ALABAMA
GEORGIE
Montgomery
LOUISIANE
Jacksonville
Mobile
Pensacola
Tallahassee
Daytona Beach
Austin
Baton Rouge
La Nouvelle-Orléans
Orlando
OCÉAN ATLANTIQUE
Houston
Port Arthur
Tampa
St-Petersburg
FLORIDE
West Palm Beach
Fort Lauderdale
Golfe du Mexique
Miami
BAHAMAS
Tropique du Cancer
500 km
40
30

INDICATEUR	UNITÉ	1975	1985	1997	1998
Démographie[a]					
Population	*million*	220,2	241,9	271,8	274
Densité	*hab./km²*	24,0	26,4	29,7	29,9
Croissance annuelle	%	0,9[p]	1,0[k]	0,8[c]	• •
Indice de fécondité (ISF)		1,8[p]	2,0[k]	2,0[c]	• •
Indicateurs socioculturels					
Nombre de médecins	*‰ hab.*	1,58	2,13[l]	2,50[f]	• •
Scolarisation 2e degré[t]	%	• •	91,2	89,9[d]	• •
Scolarisation 3e degré	%	55,5[m]	60,2	80,6[b]	• •
Téléviseurs	*‰ hab.*	486,1	648,5	847,0	• •
Livres publiés	*titre*	85 287	• •	68 175[b]	• •
Économie					
PIB total (PPA)	*milliard $*	1 732,0	3 879,9	7 765,2	8 018,6
Croissance annuelle	%	2,8[n]	2,6[g]	3,9	3,9
PIB par habitant (PPA)	*$*	8 020	16 310	29 010	29 710
Investissement (FBCF)	*% PIB*	19,7[o]	16,8[h]	17,2	17,8
Recherche et Développement	*% PIB*	2,40	2,90	2,71	2,79
Taux d'inflation	%	8,6	3,3	2,7	1,6
Population active	*million*	93,78	115,46	136,30	137,70
Agriculture	% } *100 %*	4,1	3,1	2,7	2,7
Industrie	% } *100 %*	30,6	28,0	23,9	23,6
Services	% } *100 %*	63,3	68,8	73,4	73,7
Taux de chômage (fin année)	%	8,3	7,1	4,9	4,3[s]
Énergie (consom./hab.)	*TEP*	7,69	7,49	8,05[b]	• •
Énergie (taux de couverture)	%	84,7	88,1	79,0[b]	• •
Aide au développement (APD)	*% PIB*	0,28	0,23	0,09	• •
Dépense publique Éducation	*% PIB*	7,4	4,9	5,4[e]	• •
Dépense publique Défense	*% PIB*	5,8	6,1	3,4	• •
Solde administrat. publiques	*% PIB*	• •	– 3,3	0,0	0,9
Dette administrat. publiques	*% PIB*	• •	49,4	59,1	56,7
Échanges extérieurs		**1974**	**1986**	**1997**	**1998**
Importations de services	*milliard $*	21,66	79,84	166,19	176,92
Importations de biens	*milliard $*	103,82	368,75	877,28	919,04
Produits agricoles	%	14,7	9,2	4,8	5,0
Produits énergétiques	%	25,1	10,4	9,0	6,3
Produits manufacturés	%	46,4	72,6	78,3	81,3
Exportations de services	*milliard $*	20,77	85,50	256,16	258,27
Exportations de biens	*milliard $*	98,31	224,11	681,27	673,02
Produits agricoles	%	26,2	16,9	9,0	7,3
dont céréales	%	10,6	3,6	2,0	2,1
Produits manufacturés	%	61,2	71,5	80,5	82,6
Solde des transactions courantes	*% du PIB*	– 0,4[q]	– 2,0[j]	– 2,0	– 2,8
Position extérieure nette	*milliard $*	273,7[m]	136,4	– 1 322,4	• •

Définition des indicateurs, sigles et abréviations p. 31 et suiv. a. Dernier recensement utilisable : 1990 ; b. 1996 ; c. 1995-2000 ; d. 1995 ; e. 1994 ; f. 1993 ; g. 1987-97 ; h. 1987-96 ; i. 1986 ; j. 1985-96 ; k. 1985-95 ; l. 1984 ; m. 1980 ; n. 1977-87 ; o. 1977-86 ; p. 1975-85 ; q. 1975-84 ; r. 1974 ; s. Avril 1999 ; t. 12-17 ans.

serment) diffusé dans sa totalité par les chaînes de télévision américaines – semaient certes le doute sur son « tempérament » (*character*) mais ne constituaient pas un cas de parjure. Dans sa majorité, le public faisait porter la responsabilité de la crise politique sur le procureur et ses alliés au sein du Congrès, qui s'acharnaient contre le président en vue, selon l'expression consacrée des partisans de ce dernier, de « renverser les résultats de l'élection présidentielle de 1996 ».

Le retour des excédents budgétaires

Mais B. Clinton était surtout plébiscité en raison de la prospérité économique du pays, qu'un changement à la tête de l'État aurait pu entraver. En effet, durant le dernier trimestre de 1998, la croissance a dépassé 6 %. Le taux de chômage s'est maintenu autour de 4,5 %, et l'inflation n'a pas dépassé 2 %. De plus, le 3 mai 1999, l'indice boursier du Dow Jones a pour la première fois dépassé la barre des 11 000 points : il avait plus que triplé depuis l'accession de B. Clinton au pouvoir en 1993. Surtout, le pays venait de renouer, après près de trois décennies, avec les excédents budgétaires.

L'utilisation de ces excédents – 70 milliards de dollars pour le seul exercice 1998 – a d'ailleurs donné lieu à une bataille politique. Tandis que les républicains cherchaient à obtenir une réduction d'impôts de 10 %, le président, appuyé par la majorité de ses concitoyens, voulait soutenir financièrement le système de sécurité sociale, menacé de faillite. Sur ce sujet comme sur beaucoup d'autres, le président – que ses détracteurs accusent de toujours agir en fonction des sondages – avait su prendre le pouls de l'opinion publique et se montrer proche des préoccupations des citoyens, en particulier en matière de retraites.

Depuis l'adoption, après la déroute électorale de 1994, d'une stratégie de « triangulation » (consistant à se situer à mi-chemin entre les républicains et les démocrates de gauche), B. Clinton a occupé le centre de l'échiquier politique. Il a emprunté au parti d'opposition la plupart de ses thèmes : équilibre budgétaire, réduction de la taille du gouvernement fédéral (son administration compte près de 100 000 fonctionnaires en moins), rhétorique droitière sur « la loi et l'ordre », appui à une augmentation des dépenses militaires, réforme en profondeur de l'État-providence (*welfare state*), décentralisé au profit des États et imposant des conditions draconiennes aux récipiendaires de l'aide publique. Ces choix ne l'ont pas empêché de se poser en dernier rempart contre les « extrémistes » et en défenseur des positions démocrates traditionnelles. Tout au long de la campagne électorale, il a ainsi fustigé les républicains, accusés d'avoir torpillé sa législation antitabac, la réforme du financement des campagnes électorales et le durcissement de la réglementation sur les ventes d'armes individuelles. Il a également rappelé qu'il s'était battu pour que restent intacts les deux grands programmes fédéraux d'assurance médicale (pour les personnes âgées et les handicapés – Medicare – et pour les plus pauvres – Medicaid –, pour créer 100 000 postes d'enseignants, pour défendre les droits des femmes (en particulier en matière de congé parental et d'avortement), et pour préserver l'agence fédérale consacrée à la protection de l'environnement (Environmental Protection Agency, EPA).

Même au plus fort de la procédure de l'*impeachment*, le président cherchait à se montrer « présidentiel », donnant une impression d'hyperactivité, sillonnant le pays, annonçant de nouvelles initiatives à l'égard de telle ou telle catégorie de citoyens, semblant se désintéresser d'un « complot politique » que ses avocats étaient chargés de contrer. Ce mouvement permanent masquait cependant une véritable paralysie politique. Il était en effet impossible d'engager des actions d'importance qui, par définition, nécessitent l'accord de l'opposition, qui domine le législatif.

États-Unis/Bibliographie

M.-A. Combesque, I. Warde, *Mythologies américaines,* Éd. du Félin, Paris, 1996.

E. Drew, *On the Edge : The Clinton Presidency,* Simon & Schuster, New York, 1995.

« États-Unis, le racisme contre la nation », *Hérodote,* n° 85, La Découverte, Paris, 2e trim. 1997.

S. Halimi, « Virage à droite aux États-Unis », *Le Monde diplomatique,* Paris, déc. 1994 ; « Les boîtes à idées de la droite américaine », *Le Monde diplomatique,* Paris, mai 1995 ; « Le populisme, voilà l'ennemi », *Le Monde diplomatique,* Paris, avr. 1996.

D. Lacome, *La Crise de l'identité américaine. Du melting pot au multiculturalisme,* Fayard, Paris, 1997.

A. Lennk, M.-F. Toinet (sous la dir. de), *L'état des États-Unis,* La Découverte, coll. « L'état du monde », Paris, 1990.

M. Lewis, *Trail Fever,* Knopf, New York, 1997.

S. M. Lipset, *American Exceptionalism : A Double-Edged Sword,* W.W. Norton, New York, 1996.

C. Moisy, *L'Amérique en marche arrière,* Hachette, Paris, 1996.

« Le nouveau modèle américain », *Manière de voir/Le Monde diplomatique,* Paris, 1996.

J. Portes, *Histoire des États-Unis depuis 1945,* La Découverte, coll. « Repères », Paris, 1991.

R. Reich, *Locked in the Cabinet,* Knopf, New York, 1997.

G. Stephanopoulos, *All too Human : A Political Education,* Little Brown, New York, 1999.

F. Subileau, M.-F. Toinet, *Les Chemins de l'abstention. Une comparaison franco-américaine,* La Découverte, Paris, 1992.

M.-F. Toinet, *La Présidence américaine,* Montchrestien, Paris, 1996 (nouv. éd.).

A. Valladão, *Le XXIe siècle sera américain,* La Découverte, Paris, 1993.

I. Warde, R. Farnetti, *Le Modèle anglo-saxon en question,* Économica, Paris, 1997.

B. Vincent, *Histoire des États-Unis,* Presses universitaires de Nancy, Nancy, 1994.

Voir aussi la bibliographie sélective « Amérique du Nord », p. 361.

Une politique étrangère en trompe l'œil ?

En même temps, certains se sont demandé si certaines initiatives, en particulier en matière de politique étrangère, n'étaient pas surtout destinées à détourner l'attention du scandale. L'empressement à bombarder l'Afghanistan et le Soudan, consécutivement aux attentats terroristes ayant touché deux ambassades américaines sur le continent africain (au Kénya et en Tanzanie), le 7 août 1998, au plus fort des révélations sur l'affaire Lewinsky, a pu paraître suspect. De même, c'est au moment où la Chambre terminait ses délibérations sur la destitution du président que l'Irak connut ses bombardements les plus intenses. Une nouvelle politique a d'ailleurs été mise en place, qui a pour objectif déclaré le renversement de Saddam Hussein. Le Congrès a ainsi voté une « loi pour la libération de l'Irak » qui autorise de lancer des opérations clandestines sur une échelle beaucoup plus importante que par le passé et affecte près de 100 millions de dollars au soutien à l'opposition irakienne, y compris pour la livraison d'armes.

L'événement majeur au plan international a toutefois été la crise du Kosovo. Les bombardements de l'OTAN (Organisation du traité de l'Atlantique nord) en Yougoslavie (opération *Force alliée*) se sont soldés par une victoire à la Pyrrhus. Le président yougoslave Slobodan Milosevic a certes cédé, mais il a conservé son poste (le 24 juin 1999, Washington offrait une récompense de 5 millions de dollars pour la capture de S. Milosevic et des autres yougoslaves inculpés de crimes de guerre par le Tribunal pénal international de La Haye). L'offensive aérienne aura été plus longue que prévu (78 jours) ; le problème des réfugiés du Kosovo s'est aggravé et le bombardement « accidentel » de l'ambassade de Chine à Belgrade – sur fond de révélations concernant l'importance des réseaux d'espionnage chinois en Amérique – est venu compliquer les rapports avec Pékin. Enfin, l'empressement des troupes russes à occuper l'aéroport de Pristina au lendemain du dénouement du conflit a laissé entrevoir une Russie moins soumise qu'on pouvait l'attendre.

L'année a par ailleurs été ponctuée par des crises économiques, monétaires et financières. L'administration – par l'intermédiaire d'Alan Greenspan, gouverneur de la Réserve fédérale, et de Robert Rubin, secrétaire au Trésor – s'est efforcée de contenir les crises asiatique, russe et brésilienne, et d'éviter que l'effet de contagion ne vienne entamer la prospérité des États-Unis. A plusieurs reprises, B. Clinton a affirmé la nécessité de revoir l'« architecture financière internationale » et d'« humaniser » la mondialisation, mais peu de propositions concrètes ont été avancées.

Au Proche-Orient, une initiative américaine a permis la reprise du processus de paix, bloqué pendant dix-neuf mois. Pour obtenir cet accord, B. Clinton s'est inspiré de son prédécesseur Jimmy Carter qui, en 1978, avait passé treize jours à Camp David avec Menahem Begin et Anouar el-Sadate pour y conclure la paix entre l'Égypte et Israël. Il s'est enfermé pendant cinq jours avec les protagonistes. Le 23 octobre 1998, Yasser Arafat et Benyamin Netanyahou ont entériné le mémorandum de Wye Plantation. L'Autorité palestinienne s'est engagée à mettre en œuvre un plan de lutte contre le terrorisme, en coopération avec la CIA (Central intelligence Agency), et à modifier la Charte palestinienne lors d'un congrès exceptionnel des instances dirigeantes palestiniennes. A cette occasion, le président américain s'est rendu à Gaza. - **Ibrahim A. Warde** ■

Mexique

Durcissement préélectoral du pouvoir

Le Mexique a traversé en 1998 une phase de turbulence économique due à la chute des prix du pétrole : la croissance du PIB a faibli (4,9 %), celle de l'emploi s'est stabilisée, l'inflation a atteint 16,7 % et le déficit de la balance commerciale s'est creusé. L'adoption d'un budget d'austérité (qui s'est traduit entre autres par une baisse de 37,5 % des dépenses pour l'enseignement supérieur), le rétablissement du prix du pétrole à son niveau de 1997 et l'obtention de crédits (27 milliards de dollars) émanant des institutions internationales ont permis d'envisager un redressement de l'économie en 1999.

Cependant la crise bancaire s'est aggravée, malgré la conversion en dette publique des passifs bancaires épongés par le Fobaproa (Fonds bancaire de protection de l'épargne, organisme chargé de racheter les créances douteuses des banques), transformé en IPAB (Institut de protection de l'épargne bancaire). Ces passifs devaient impliquer le paiement en 1999 d'intérêts équivalant à 2 % du PIB. Certes, l'audit exigé par le Parlement en échange de son accord aura permis de déduire de cette somme tous les prêts bancaires douteux, mais le gouvernement a limité l'accès des

INDICATEUR	UNITÉ	1975	1985	1997	1998
Démographie[a]					
Population	*million*	59,1	75,5	94,3	95,8
Densité	*hab./km²*	31,0	39,5	49,4	50,2
Croissance annuelle	%	2,4[s]	1,9[l]	1,6[c]	••
Indice de fécondité (ISF)		5,9[s]	3,9[l]	2,8[c]	••
Mortalité infantile	‰	52[s]	37[l]	31[c]	••
Espérance de vie	*année*	66,3[s]	70,4[l]	72,2[c]	••
Indicateurs socioculturels					
Nombre de médecins	*‰ hab.*	0,70	0,56[j]	1,31[e]	••
Analphabétisme (hommes)	%	16,9	11,7	7,7	••
Analphabétisme (femmes)	%	25,5	18,1	12,1	••
Scolarisation 12-17 ans	%	57,7	61,9	59,6[g]	••
Scolarisation 3e degré	%	14,3[o]	15,9	16,1[b]	••
Téléviseurs	*‰ hab.*	45,8	113,6	251	••
Livres publiés	*titre*	5 822	5 482	6 183[b]	••
Économie					
PIB total (PPA)	*milliard $*	158,7	409,0	790,0	811,0
Croissance annuelle	%	3,5[q]	3,0[h]	7,0	4,9
PIB par habitant (PPA)	$	2 680	5 420	8 370	8 454
Investissement (FBCF)	*% PIB*	21,3[r]	18,2[i]	19,5	21,3
Recherche et Développement	*% PIB*	0,20[u]	0,22[f]	0,31[d]	••
Taux d'inflation	%	18,2	69,4	29,8	16,7
Population active	*million*	18,32	26,41	37,74	••
Agriculture	% } 100 %	40,3	32,1	23,2	21,5[v]
Industrie	% } 100 %	26,6	26,4	22,7	••
Services	% } 100 %	33,1	41,5	54,1	••
Énergie (taux de couverture)	%	104,9	174,6	151,0[b]	••
Dépense publique Éducation	*% PIB*	3,5	3,9	4,9[d]	••
Dépense publique Défense	*% PIB*	0,7	0,7	1,0	••
Dette extérieure totale	*milliard $*	18,22	96,86	149,69	••
Service de la dette/Export.	%	41,1	44,2[n]	31,9[m]	••
Échanges extérieurs		**1974**	**1986**	**1997**	**1998**
Importations de services	*milliard $*	1,8	5,19	12,62	13,07
Importations de biens	*milliard $*	5,8	16,78	109,81	125,24
Produits alimentaires	%	16,5	13,0	6,3[d]	7,6[b]
Produits manufacturés	%	62,1	73,8	80,0[d]	83,6[b]
dont machines et mat. de transport	%	37,1	42,0	41,9[d]	45,4[b]
Exportations de services	*milliard $*	3,1	4,59	11,4	12,06
Exportations de biens	*milliard $*	3,0	21,8	110,43	117,5
Produits agricoles	%	40,8	23,0	8,9[d]	7,6[b]
Produits énergétiques	%	4,2	48,3	10,3[d]	12,0[b]
Produits manufacturés	%	36,0	25,9	77,7	78,2[b]
Solde des transactions courantes	*% du PIB*	– 1,8[p]	– 2,5[k]	– 1,8	– 3,7

Définition des indicateurs, sigles et abréviations p. 31 et suiv. a. Dernier recensement utilisable : 1990 ; b. 1996 ; c. 1995-2000 ; d. 1995 ; e. 1994 ; f. 1993 ; g. 1991 ; h. 1987-97 ; i. 1987-96 ; j. 1986 ; k. 1985-96 ; l. 1985-95 ; m. 1995-97 ; n. 1984-86 ; o. 1980 ; p. 1979-84 ; q. 1977-87 ; r. 1977-86 ; s. 1975-85 ; t. 1974 ; u. 1970 ; v. An 2000, estimation FAO.

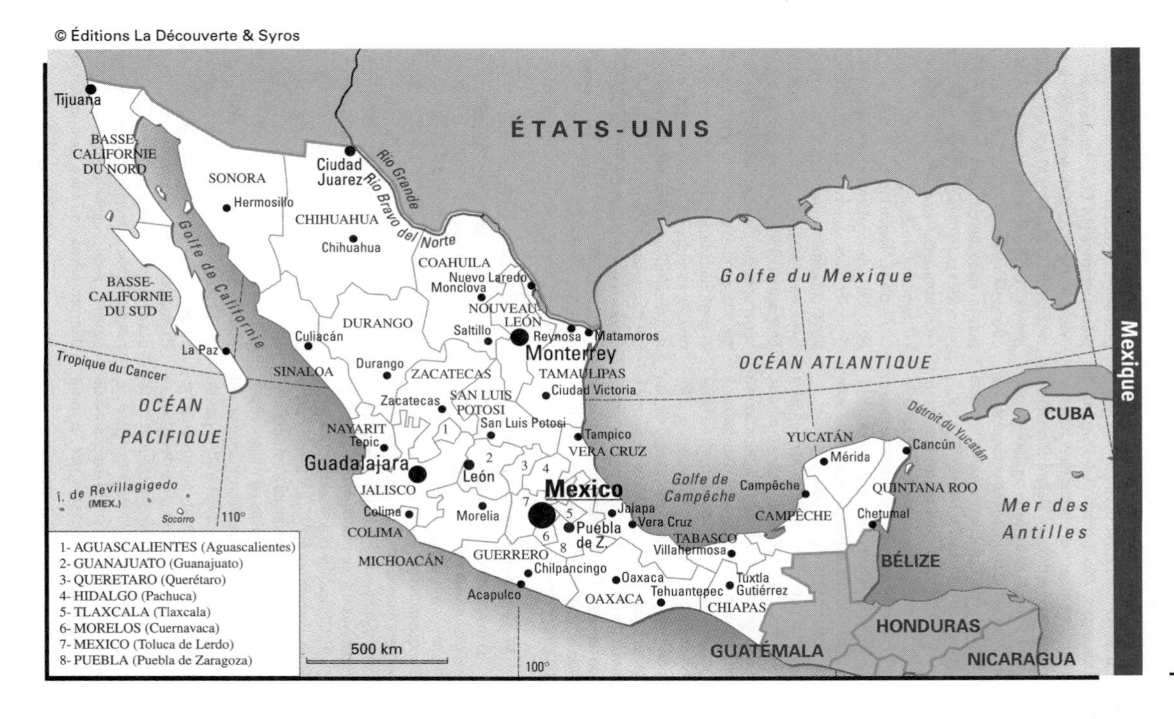
Mexique
© Éditions La Découverte & Syros
ÉTATS-UNIS
Golfe du Mexique
OCÉAN ATLANTIQUE
CUBA
Mer des Antilles
Détroit du Yucatán
Golfe de Campêche
OCÉAN PACIFIQUE
Golfe de Californie
Tropique du Cancer
Rio Grande
Rio Bravo del Norte
BÉLIZE
HONDURAS
NICARAGUA
GUATÉMALA
Î. de Revillagigedo (MEX.)
Socorro
110°
100°
500 km
Tijuana
BASSE-CALIFORNIE DU NORD
BASSE-CALIFORNIE DU SUD
La Paz
SONORA
Hermosillo
CHIHUAHUA
Chihuahua
Ciudad Juarez
SINALOA
Culiacán
DURANGO
Durango
COAHUILA
Monclova
Nuevo Laredo
NOUVEAU LEÓN
Monterrey
Saltillo
Reynosa
Matamoros
TAMAULIPAS
Ciudad Victoria
Tampico
ZACATECAS
Zacatecas
SAN LUIS POTOSI
San Luis Potosi
NAYARIT
Tepic
JALISCO
Guadalajara
COLIMA
Colima
MICHOACÁN
Morelia
León
GUERRERO
Chilpancingo
Acapulco
Mexico
Puebla de Z.
Jalapa
Vera Cruz
VERA CRUZ
OAXACA
Oaxaca
Tehuantepec
TABASCO
Villahermosa
CHIAPAS
Tuxtla Gutiérrez
CAMPÊCHE
Campêche
YUCATÁN
Mérida
QUINTANA ROO
Cancún
Chetumal
1 2 3 4 5 6 7 8
1- AGUASCALIENTES (Aguascalientes)
2- GUANAJUATO (Guanajuato)
3- QUERETARO (Querétaro)
4- HIDALGO (Pachuca)
5- TLAXCALA (Tlaxcala)
6- MORELOS (Cuernavaca)
7- MEXICO (Toluca de Lerdo)
8- PUEBLA (Puebla de Zaragoza)

parlementaires aux informations qui auraient pu démontrer l'appui privilégié dont bénéficie le parti officiel de la part de l'oligarchie financière et sans doute des blanchisseurs d'argent de la drogue. Malgré ce renflouement, l'ouverture totale au capital étranger, et un nouveau plan de restructuration des dettes des petits débiteurs, la crise bancaire a continué de freiner la reprise. En effet, le système bancaire ne finance plus l'investissement et provoque une ponction annuelle sur le budget. Par ailleurs, la réforme fiscale, plus que jamais nécessaire du fait des fluctuations du prix du pétrole, a été repoussée aux calendes par les députés.

Le nombre des pauvres est estimé à 50 millions, dont 26 millions dans la misère. Le programme d'urgence Progresa couvre près de la moitié de ces derniers (bourses scolaires aux enfants du primaire, aide alimentaire aux mères, soins médicaux). Cependant, ce programme ne compense pas la suppression des aides alimentaires massives qui bénéficiaient à un grand nombre de familles défavorisées, en particulier en ville. En fait, les dépenses sociales ont globalement diminué.

Ni guerre ni paix au Chiapas

Dans ce contexte, l'initiative présidentielle de privatisation du secteur de l'électricité, vivement recommandée par la Banque mondiale, a provoqué un vaste mouvement nationaliste (Front de défense de la nation) autour du syndicat des électriciens, réussissant à faire reculer le président.

Au Chiapas, le dialogue de sourds entre le gouvernement et l' EZLN (Armée zapatiste de libération nationale) s'est poursuivi, aucune des deux parties ne voulant céder. Cette situation a entraîné un pourrissement du tissu social, qui s'est traduit par de fréquents conflits intra- et intercommunautaires, la montée en force des groupes paramilitaires gouvernementaux et la militarisation croissante des régions indiennes. Assassinats de familles et expulsions de sympathisants zapatistes par les neuf groupes paramilitaires existants se sont poursuivis, grossissant le nombre de déplacés internes (14 000), tandis que l'armée concentrait 20 % de ses effectifs dans cet État (30 000 à 40 000 soldats), multipliant les camps et les barrages, et que des étrangers solidaires de l'EZLN étaient expulsés. Face aux dangers de l'autonomisation des paramilitaires, le gouverneur a fait promulguer une loi d'amnistie en échange de la remise des armes.

Au plan politique local, le gouverneur a organisé personnellement la victoire du PRI (Parti révolutionnaire institutionnel) aux élections municipales d'octobre. D'autre part, le gouverneur a promulgué une loi de redécoupage municipal qui a créé sept nouvelles communes dans la zone de conflit, afin d'affaiblir les communes autonomes zapatistes, et une loi sur les droits indigènes qui réduit ceux-ci au cadre de la communauté et ne reconnaît ni l'autonomie ni le territoire des peuples indiens. Cette stratégie a visé à rendre obsolètes les accords de San Andrés (16 février 1996) relatifs à la culture et aux droits des Indiens.

L' EZLN a organisé un référendum populaire pour légitimer l'initiative de loi de la Cocopa (Commission parlementaire de concorde et de pacification) sur les droits et la culture indigènes, préparé par une rencontre avec la société civile au Chiapas en novembre. Organisé le 21 mars par des brigades de jeunes dans plus de mille communes des 32 États du pays, ce référendum a vu la participation de 2 500 000 personnes. Les observateurs s'accordaient pour penser que les négociations ne reprendraient pas avant le scrutin présidentiel de l'an 2002.

La répression des guérillas de l'ERP (Armée populaire révolutionnaire) et de l'ERPI (Armée révolutionnaire du peuple insurgé) dans les États de Guerrero et d'Oaxaca a par ailleurs porté de rudes coups à la direction de cette dernière. Cette répression s'est accompagnée de la militarisation de zones indigènes et de l'apparition d'un groupe paramilitaire. Le fréquent recours à l'armée pour réprimer les Indiens dans ces États et au Chiapas et l'arbitraire d'une justice militaire inféodée à l'État-Major ont provoqué la première fracture qui aura touché cette institution depuis 1952. En a témoigné l'apparition publique en décembre 1998 du Commando patriotique de conscientisation du peuple du colonel Hildegardo Bacillo, inspiré de l'exemple de Hugo Chavez au Vénézuela, du néo-zapatisme et de la lutte pour les droits de l'homme. H. Bacillo a été arrêté six mois plus tard, ainsi que plusieurs officiers.

Préparatifs en vue de l'élection présidentielle

L'année 1999 a aussi été marquée par l'accélération des préparatifs en vue de l'élection présidentielle de 2002. Les scrutins provinciaux ont été un test non seulement des tendances électorales mais aussi en matière de transparence du scrutin. En général, l'opposition a pu triompher là où son avantage électoral était tel qu'il rendait la fraude politiquement coûteuse, et là où les deux principux partis d'opposition, le PAN (Parti d'action nationale) et le PRD (Parti de la révolution démocratique), se présentaient unis. En 1998, le PRD l'a emporté au Zacatecas, au Tlaxcala et en Basse-Californie du Sud. Au Guerrero, il a perdu pour une différence de voix de 1,9 % dans un contexte de fraude. Le PRI (Parti révolutionnaire institutionnel, au pouvoir depuis 1929) l'a aussi emporté dans l'État d'Oaxaca (où le PRD et le PAN ont conquis cependant les principales villes), au Sinaloa, au Tamaulipas et au Quintana Roo – avec les mêmes méthodes. En revanche, au Veracruz, son candidat, fils de l'ancien président Miguel Aleman Velasco, a obtenu une victoire sans taches du fait de la division du PRD, de même que dans l'État d'Hidalgo. Le PAN de son côté a progressé à Aguascalientes. En 1999, l'opposition unie a gagné le Nayarit et contesté la victoire douteuse du PRI dans l'État de Mexico, fief du « groupe d'Atlacomulco » des barons du parti officiel.

Face aux progrès de l'opposition, ce dernier a bloqué au Sénat une nouvelle réforme électorale approuvée par la Chambre des députés (où l'opposition est majoritaire). Cette loi visait notamment à modifier les contraintes légales à la formation de coalitions et à permettre une plus grande équité dans les campagnes électorales (financement, accès aux médias, élargissement du corps électoral...). Le PRI s'est par ailleurs retiré de l'Institut fédéral électoral, en accusant cet organisme neutre de partialité. Les échecs de l'opposition ont reflété ses difficultés à s'unir et l'impuissance de la

États-Unis du Mexique

Capitale : Mexico.
Superficie : 1 967 183 km².
Population : 95 831 000.
Langues : espagnol (off.), 56 langues indiennes (nahuati, otomi, maya, zapotèque, mixtèque, etc.).
Monnaie : nouveau peso (au taux officiel, 1 peso = 0,66 FF au 30.4.99).
Nature de l'État : république fédérale (31 États et un district fédéral, la ville de Mexico).
Nature du régime : présidentiel.
Chef de l'État et du gouvernement : Ernesto Zedillo, président de la République (depuis le 1.12.94, pour un mandat de six ans).
Ministre des Finances : José Angel Gurría (depuis le 4.1.98).
Ministre de l'Intérieur : Diódoro Carrasco (depuis mai 99).
Ministre des Affaires étrangères : Rosario Green (depuis le 5.1.98).
Principaux partis politiques : *Gouvernement :* Parti révolutionnaire institutionnel (PRI, au pouvoir, sous différents noms, depuis 1929). *Opposition :* Parti d'action nationale (PAN, droite libérale) ; Parti de la révolution démocratique (PRD, gauche nationaliste) ; Parti des travailleurs (PT, social-démocrate) ; Parti vert (écologiste).
Territoires outre-mer : îles Revillagigedo [Pacifique].
Échéances électorales : législatives et présidentielle en 2002.

Mexique/Bibliographie

C. Bataillon, L. Panabière, *Mexico aujourd'hui, la plus grande ville du monde,* Publisud, Paris, 1988.

P. Gondard, J. Revel-Mouroz, *La Frontière États-Unis/Mexique. Mutations économiques, sociales et territoriales,* IHEAL, Paris, 1995.

S. Gruzinski, *Histoire de la ville de Mexico,* Fayard, Paris, 1996.

M. Humbert, *Le Mexique,* PUF, coll. « Que sais-je ? », Paris, 1994.

Y. Le Bot, *Le Rêve zapatiste,* Seuil, Paris, 1997.

« Le Mexique en recomposition : société, économie, politique », *Problèmes d'Amérique latine,* n° 27, La Documentation française, Paris, oct.-déc. 1997.

« Mexique : le Chiapas et l'EZLN », *Problèmes d'Amérique latine,* n° 25, La Documentation française, Paris, avr.-juin 1997.

J. Monnet, *Le Mexique,* Nathan, Paris, 1994.

A. Musset, *Le Mexique,* Armand Colin, Paris, 1996.

F. Roubaud, *L'Économie informelle au Mexique. De la sphère domestique à la dynamique macroéconomique,* ORSTOM/Karthala, Paris, 1994.

J. Santiso, « Wall Street face à la crise mexicaine. Une analyse temporelle des marchés émergents », *Les Études du CERI,* n° 34, FNSP, Paris, 1997.

M.-F. Schapira, J. Revel-Mouroz (coord.), *Le Mexique à l'aube du 3e millénaire,* IHEAL, Paris, 1993.

Voir aussi les bibliographies sélectives « Amérique du Nord » et « Amérique centrale et du Sud », p. 361 et 390.

Chambre des députés, qu'elle domine, face au régime présidentiel.

Aux différences idéologiques entre le PAN et le PRD s'ajoute une longue histoire de méfiance. Le PRD a traversé une grave crise en voulant faire élire son nouveau chef par la base. Au bord de la rupture, le parti dut y renoncer et nommer un président intérimaire, tandis que ses deux fondateurs historiques, Cuauhtemoc Cárdenas et Porfirio Muñoz Ledo, se disputaient férocement l'investiture de candidat à la Présidence. La rapide montée en puissance électorale du parti a aiguisé les ambitions et rivalités internes. Quant au PRI, il est également apparu divisé, trois pré-candidats présidentiels reflétant trois grands pôles. M. Bartlett, ancien ministre de l'Intérieur et artisan des élections présidentielles frauduleuses de 1988, représente la vieille classe politique populiste et autoritaire ; Roberto Madrazo, jeune loup parrainé par Carlos de Salinas (président du Mexique de 1988 à 1994), s'est soudain déclaré contre le néo-libéralisme ; et Francisco Labastida a renoncé au ministère de l'Intérieur pour figurer comme candidat téléguidé par le président Zedillo. Ce dernier avait pourtant affirmé que les temps du « grand électeur » étaient révolus.

Les chances de C. Cárdenas aux élections présidentielles de l'an 2002 sont apparues liées au premier bilan de son mandat au gouvernorat de Mexico (depuis juillet 1997). Il a dû faire face à une campagne hostile émanant à la fois du gouvernement, du PRI, du PAN et des médias. Placé le dos au mur dès son arrivée au pouvoir, il a allié concessions (fortes augmentations de salaires aux fonctionnaires), répression (contre les camionneurs qui bloquaient les halles), négociation (création de places commerciales pour les petits vendeurs ambulants) et prudence budgétaire (augmentation des revenus fiscaux propres, faible endettement et épargne). Dans le domaine social, il a amélioré les services publics, et mis en place des programmes en faveur des femmes, des enfants, des indigènes migrants, et de diverses autres catégories. D'autre part ont été prises des mesures de décentralisation et de démocratisation de l'administration. Un plan de formation et de moralisation de la police a par ailleurs été lancé et ont été institués des « policiers de quartier », ce qui a freiné la progression de la délinquance. De grands travaux ont aussi été engagés en matière d'environnement. Mais les pratiques corporatives de son parti et la persistance des problèmes d'insécurité n'ont pas permis à C. Cárdenas de capitaliser dans l'opinion les résultats de ses actions.

L'accord commercial et de coopération avec l'Union européenne

En matière de politique étrangère, les relations avec les États-Unis n'ont pas été exemptes de tensions, à l'exemple du scandale provoqué en 1998 par la séquestration pendant quelques heures par des paramilitaires, au Chiapas, de militaires de l'ambassade américaine en mission d'information dans la zone de conflit. Des résolutions du Congrès américain ont exigé du gouvernement Zedillo le retrait des troupes et la reprise des négociations. De plus, la certification en matière de lutte antidrogue accordée au Mexique par le Congrès n'a été acquise qu'après une visite personnelle du ministre de l'Intérieur à Washington. En outre, le différend commercial a rebondi avec l'accusation de dumping émanant de compagnies pétrolières américaines.

L'accord commercial et de coopération avec l'Union européenne (UE) a focalisé les relations avec le Vieux Continent. Discuté depuis le début 1995, un accord-cadre a été signé en décembre 1997 et les négociations commerciales ont commencé au second trimestre 1998. Les avantages pour les deux partenaires sont évidents. Pour le Mexique : diversification de son commerce extérieur, réduction de son déficit avec l'UE, élargissement du marché pour ses exportations agricoles, apports de capitaux et diminution de sa dépendance économique extrême vis-à-vis des États-Unis. L'UE entend quant à elle récupérer les parts de marché perdues depuis l'entrée en vigueur en 1994 de l'ALENA (Accord de libre-échange nord-américain) et utiliser le Mexique comme plate-forme d'exportation vers les États-Unis.

Les États-Unis, craignant les conséquences en terme de concurrence de cet accord, ont exercé des pressions sur les négociateurs mexicains. Le président Zedillo a poussé à la conclusion des négociations (lesquelles devraient théoriquement se conclure en novembre 1999), l'UE allant dans le même sens et cherchant à obtenir l'élimination de toutes les barrières douanières en 2003, et une ouverture totale aux capitaux européens, en échange de quoi elle s'engagerait à libéraliser dès la signature 80 % de ses marchés. Le Mexique, échaudé par l'expérience de l'ALENA, a proposé de libéraliser 46 % de son commerce immédiatement, 3 % en 2003, et 51 % dans sept ou huit ans. En gage de bonne volonté, il a offert un abaissement immédiat de 30 % de ses tarifs douaniers.

De nombreuses exigences ont été formulées, émanant de secteurs professionnels ou de groupes de citoyens. Il a notamment été demandé que l'accord prenne en compte les asymétries de développement entre le Mexique et l'Europe et que celle-ci offre en conséquence coopération technique et aides compensatoires ; qu'il exclue les produits agricoles subventionnés par la Politique agricole commune (viande, lait, sucre, céréales), que l'UE assouplisse ses normes sanitaires et respecte strictement les règles d'origine, et qu'elle concède des moratoires pour les secteurs industriels mexicains sensibles. - **Francis Mestries** ■

Amérique centrale & du Sud

Présentation par **Alain Musset**
Géographe, Université Paris-X-Nanterre

Dès le XVIe siècle, la conquête ibérique a donné une profonde unité culturelle et religieuse à des territoires marqués par l'extrême diversité des paysages et des populations. Deux langues latines (l'espagnol et le portugais) et une religion (le catholicisme) dominent un espace qui va du rio Grande à la Terre de Feu. Cependant, les guerres d'indépendance (1810-début des années 1820) n'ont pas réussi à forger une nation latino-américaine. En outre, le Brésil (42 % du territoire et 35 % de la population de l'Amérique latine) forme un monde à part, même s'il joue désormais un rôle moteur dans les organisations régionales comme le Mercosur (Marché commun du sud de l'Amérique, qui réunit l'Argentine, le Brésil, le Paraguay, l'Uruguay, et dont le Chili et la Bolivie sont membres associés).

Le métissage biologique ou culturel, conséquence directe de l'époque coloniale, touche très inégalement les différents pays de la région. Alors que les États du Cône sud (Argentine, Chili, Uruguay) se distinguent par une population majoritairement d'origine européenne, le Brésil et les Antilles révèlent d'importants apports africains (descendants d'esclaves). En revanche, en Amérique centrale et dans les pays andins (Bolivie, Colombie, Équateur, Pérou), les communautés indiennes sont restées importantes : en Bolivie ou au Guatémala, elles représentent la moitié de la population. Longtemps tenues à l'écart du pouvoir par les élites urbaines d'origine hispanique, elles commencent à faire valoir leurs droits.

La question de la terre est toujours d'actualité dans des pays largement dominés par de grands propriétaires (*hacendados*) d'ascendance européenne ou par de grandes sociétés étrangères. Les richesses sont très inégalement réparties et les populations indiennes occupent systématiquement le bas de l'échelle sociale. Au cours des années quatre-vingt-dix, la disparition progressive des régimes militaires n'a pas atténué les tensions sociales. Ces tensions, économiques, culturelles et identitaires, se manifestent par la montée en puissance des Églises et des sectes protestantes (presque le tiers de la population guatémaltèque) et par une augmentation alarmante de la criminalité. En outre, les catastrophes naturelles qui touchent les pays sud-américains (cyclone *Mitch*, phénomène climatique El Niño, tremblement de terre d'Armenia...) révèlent périodiquement les fractures sociales et les carences des États.

Les disparités socio-économiques qui caractérisent le sous-continent s'inscrivent dans un contexte de forte pression démographique, malgré une baisse générale des taux de natalité. L'exode rural a fait gonfler les villes (plus de 70 % des Latino-Américains sont urbains) et accentué la métropolisation : parmi les cent premières villes du monde,

LES GUERRES D'INDÉPENDANCE (1810-DÉBUT DES ANNÉES 1820) N'ONT PAS RÉUSSI À FORGER UNE NATION LATINO-AMÉRICAINE, ET LE BRÉSIL FORME UN MONDE À PART.

douze sont situées en Amérique du Sud (dont six au Brésil). Les quartiers sous-intégrés et les bidonvilles se sont développés dans les périphéries urbaines et dans les centres historiques dégradés.
La faiblesse du tissu industriel, héritage de l'époque coloniale où les produits manufacturés étaient importés de la métropole, est particulièrement sensible dans le monde andin, en Amérique centrale et dans les Antilles. Elle n'a pas été compensée par les politiques économiques mises en œuvre au cours du XIXe et du XXe siècle pour développer les produits d'exportation : minerais bruts (cuivre et étain de Bolivie), pétrole du Vénézuela, café de Colombie, bananes du Honduras. Les cultures de plantation continuent à peser dans les balances commerciales, notamment dans les anciennes « îles à sucre » des Antilles, même si de nouvelles productions agricoles ont été développées pour répondre à la demande occidentale (viande de bœuf, soja, agrumes).
En ville, le sous-emploi et le chômage ont favorisé la croissance d'un important secteur informel qui permet à une large part de la population de survivre, tandis que, dans les campagnes mal contrôlées par les militaires (notamment au Pérou et en Colombie), la culture du chanvre ou de la coca remplace souvent des produits moins rémunérateurs (maïs ou café).
Ces disparités socio-économiques et culturelles se traduisent par de forts contrastes à l'intérieur des pays et entre les grands ensembles régionaux. Alors que le Brésil et les pays du Cône sud (particulièrement le Chili) ont réussi à diversifier leurs activités et à harmoniser leurs politiques économiques dans le cadre du Mercosur, l'Amérique centrale, les pays andins et les Antilles sont toujours confrontés à la misère et au sous-développement. Autour de la mer des Caraïbes, « Méditerranée américaine » devenue la chasse gardée des États-Unis, le relief tourmenté et l'exiguïté des territoires ont accentué les particularismes locaux et limité les processus d'intégration.
Les guerres civiles qui ont bouleversé la région centraméricaine des années soixante au milieu des années quatre-vingt-dix ont appauvri des nations déjà caractérisées par des revenus faibles et un fort endettement. Pourtant le retour à la paix a permis de réactiver divers projets de coopération (entre autres, le Marché commun centraméricain, MCCA).
Dans les Antilles, les disparités économiques sont fortes entre les États indépendants (Haïti est l'un des pays les plus pauvres au monde) et les territoires dépendant d'une métropole européenne. Dans cet ensemble, Cuba joue un rôle à part depuis 1959, même si Washington a tout fait pour empêcher la révolution castriste de s'exporter. Pourtant, même dans les pays considérés comme des modèles par le FMI (Fonds monétaire international), la question sociale hypothèque l'avenir des politiques économiques libérales menées par les gouvernements pour sortir l'Amérique centrale et du Sud du mal-développement. ■

Même dans les pays considérés comme des modèles par le FMI (Fonds monétaire international), la question sociale hypothèque sérieusement l'avenir des politiques économiques libérales menées par les gouvernements pour sortir l'Amérique centrale et du Sud du mal-développement.

Amérique centrale 392
Grandes Antilles 402
Petites Antilles 411
Vénézuela-Guyanes 420
Amérique andine 427
Sud de l'Amérique 434

Par **Olivier Dabène**
Politologue, IEP-Aix-en-Provence, CERI

La crise financière asiatique a pénalisé les exportations latino-américaines. La crise russe déclenchée à l'été 1998 a tendu à détourner les investissements qui étaient orientés vers les pays émergents. La crise brésilienne, enfin, a eu des conséquences pour la croissance sur tout le continent.

Longtemps perçu comme le continent des désordres économiques et politiques, l'Amérique latine apparaît en ce tournant de siècle comme une zone particulièrement prometteuse. Au plan économique, l'année 1997 a été la plus dynamique depuis vingt-cinq ans, tandis qu'au plan politique la démocratie semble solidement stabilisée, comme en témoignent les nombreuses alternances de pouvoir.

Pourtant, les motifs de préoccupation demeurent nombreux. La conjoncture économique internationale est défavorable, un grand nombre de réformes restent à réaliser, et l'état de la démocratie ne satisfait guère les citoyens.

Après une croissance de 5,3 % en 1997 (contre 3,2 % en moyenne entre 1991 et 1996) et une inflation de l'ordre de 10,5 % (contre 882 % en 1993, 335 % en 1994, 26 % en 1995 et 18,4 % en 1996), l'Amérique latine a été victime en 1998 et 1999 de turbulences financières (crise asiatique puis crise brésilienne). La crise asiatique (été 1997) a d'abord pénalisé les exportations latino-américaines, limitant la croissance moyenne en 1998 à 2,3 %. La crise brésilienne a ensuite entraîné le continent dans la récession (1999). Mais les turbulences financières n'étaient pas seules en cause : la nature n'a pas été clémente en Amérique latine. Les conséquences du phénomène climatique El Niño (réchauffement de l'océan Pacifique), ont été dévastatrices pour plusieurs pays, comme le Pérou ou l'Équateur, qui ont perdu en 1998 plusieurs points de croissance. En Amérique centrale, le passage du cyclone *Mitch*, fin octobre 1998, a dévasté la région, notamment le Honduras, qui, selon son ambassadeur aux États-Unis, a reculé de trente ans.

En dépit de ces difficultés conjoncturelles, le commerce intrarégional a continué de progresser, grâce au dynamisme des accords d'intégration comme le Mercosur (Marché commun du sud de l'Amérique, associant depuis 1991 l'Argentine, le Brésil, le Paraguay et l'Uruguay) : la part du commerce intra-Mercosur rapporté au commerce extérieur des quatre États membres est passée de 8,9 % en 1990 à 22,7 % en 1996. Le succès du Mercosur le porte à s'élargir. En 1996-1997, le Chili et la Bolivie ont acquis le statut d'États associés. D'autres pays, comme le Vénézuela ou le Pérou, négociaient des conditions similaires. Depuis le premier Sommet des Amériques (Miami, décembre 1994), la perspective d'une Zone de libre-échange des Amériques (ZLEA), réunissant les 34 démocraties du continent (c'est-à-dire tous les pays à l'exception de Cuba), semblait porter tort aux progrès de l'intégration régionale en Amérique latine. Les États-Unis envisageaient de construire cette ZLEA à partir d'un élargissement progressif de l'Accord de libre-échange nord-américain (ALENA, réunissant Canada, États-Unis et Mexique). En octobre 1997, la visite du président américain Bill Clinton au

Un grand nombre de réformes restent à réaliser, et l'état de la démocratie ne satisfait guerre les citoyens.

Par **Olivier Dabène**
Politologue, IEP-Aix-en-Provence, CERI

Brésil et en Argentine a valu reconnaissance du Mercosur et le deuxième Sommet des Amériques (Santiago du Chili, avril 1998) a lancé la négociation pour la ZLEA sur la base des accords existants. Le Mercosur – comme la ZLEA – a été conçu pour être un instrument de consolidation de la démocratie. L'intégration devait apporter la prospérité, laquelle devait à son tour enraciner la démocratie. Or, sur ce plan, les Latino-Américains ont toutes les raisons d'être déçus.

Par **Olivier Dabène**
Politologue, IEP-Aix-en-Provence, CERI

LE SUCCÈS DU MERCOSUR (MARCHÉ COMMUN DU SUD DE L'AMÉRIQUE LE PORTE À S'ÉLARGIR. EN 1996-1997, LE CHILI ET LA BOLIVIE ONT ACQUIS LE STATUT D'ÉTATS ASSOCIÉS. D'AUTRES PAYS, COMME LE VÉNÉZUELA OU LE PÉROU, NÉGOCIAIENT DES CONDITIONS SIMILAIRES.

La progression des inégalités et de l'insécurité mine les bases de la démocratie en Amérique latine. Les inégalités se creusent d'ailleurs aussi bien durant les crises économiques (années quatre-vingt), parce que les coûts des ajustements économiques sont mal répartis, qu'en phase de croissance (années quatre-vingt-dix), parce que les bénéfices de la reprise sont mal distribués. Si la misère a reculé sur le continent depuis le début des années quatre-vingt-dix, les écarts de richesse se sont creusés, contredisant l'égalité citoyenne. Par ailleurs, la prolifération d'une violence de nature délinquante délite le tissu social. L'Amérique latine est le continent le plus inégalitaire et le plus violent du monde.

Les Latino-Américains sont donc majoritairement déçus par le fonctionnement de la démocratie, comme le révèlent des comportements électoraux erratiques (abstentions massives ou sanction des partis au pouvoir). Il n'y a guère qu'au Mexique que cet état d'esprit de l'électorat a été positif. Les élections intermédiaires du 6 juillet 1997 se sont soldées par une défaite historique pour le Parti révolutionnaire institutionnel (PRI, au pouvoir depuis 1929), ce qui a fait notablement progresser la démocratie. Au Costa Rica, le parti du président sortant a connu une sévère défaite lors des élections générales du 1er février 1998. Ailleurs, les élections ont parfois fait apparaître des situations de cohabitation risquant de paralyser les gouvernements. Ainsi en Argentine les élections intermédiaires du 26 octobre 1997 ont-elles fait perdre au président Carlos Menem sa majorité parlementaire. En Bolivie aussi, le scrutin du 1er juin 1997 a réservé des surprises : l'ancien dictateur Hugo Banzer a emporté la présidence de la République à la tête d'une vaste coalition, au sein de laquelle son parti est minoritaire. Enfin, en juin 1998, les électeurs colombiens ont porté un conservateur à la Présidence, Andrés Pastrana, mais une majorité libérale au Congrès. Seules les élections présidentielles tenues au Honduras le 30 novembre 1997, au Brésil le 4 octobre 1998 et au Salvador le 7 mars 1999 ont contredit cette tendance aux alternances. Les partis des présidents sortants ont conservé la Présidence dans les deux États centraméricains, tandis que Fernando Henrique Cardoso était facilement réélu au Brésil.

Le discrédit qui frappe les classes politiques est tel, en Amérique latine, que de nombreux *outsiders* émergent, à l'image du militaire putschiste Hugo Chavez, vainqueur de l'élection présidentielle au Vénézuela le 6 décembre 1998. Les dérives populistes de ces candidats hors normes, parmi lesquels on compte plusieurs militaires, sont apparues pouvoir déboucher sur une plus ample frustration des citoyens. De façon générale, la faiblesse des exécutifs risque de rendre problématique la mise en œuvre des réformes. Or l'Amérique latine, après s'être courageusement engagée dans cette voie au début des années quatre-vingt-dix, semble paralysée, alors même qu'elle a devant elle un agenda chargé, concernant surtout la modernisation de ses appareils étatiques (justice, fiscalité) ou les réformes économiques. ■

Par **Olivier Dabène**
Politologue, IEP-Aix-en-Provence, CERI

1998

12 juillet. Équateur. Le maire de Quito, Jamil Mahuad, du parti Démocratie populaire, remporte l'élection présidentielle, mettant en échec Alvaro Noboa, candidat populiste soutenu par l'ancien président Abdalá Bucarám Ortiz destitué en 1997.

17 juillet. Costa Rica/Nicaragua. Le Nicaragua interdit la navigation du fleuve frontalier San Juan aux policiers costariciens armés, provoquant un grave incident diplomatique.

21 août. Paraguay. Six jours après son entrée en fonctions, le président Raul Cubas fait libérer le général Lino Oviedo, auteur d'une tentative de coup d'État en avril 1996. S'ouvre alors une crise institutionnelle majeure, la Cour suprême et le Congrès s'opposant à cette décision.

30 août. Panama. Les Panaméens rejettent par référendum la réforme constitutionnelle visant à autoriser la réélection du président de la République.

4 octobre. Brésil. Le président Fernando Henrique Cardoso est réélu dès le premier tour, avec 51,6 % des voix, contre 33,5 % pour Luis Inacio da Silva dit « Lula », candidat malheureux pour la troisième fois consécutive. Les Brésiliens récompensent ainsi l'artisan de la stabilité économique du pays depuis 1994.

17 octobre. Chili. L'ancien dictateur Augusto Pinochet est arrêté à Londres, à la demande d'un juge espagnol réclamant son extradition afin de le juger pour crime contre l'humanité.

26 octobre. Équateur/Pérou. Un accord de paix entre les deux pays est signé à Brasilia, mettant un terme au différend frontalier qui avait provoqué une courte guerre en janvier-février 1995. Les Équatoriens renoncent à leur revendication territoriale sur l'Amazonie péruvienne, tandis que les Péruviens leur concèdent un droit de propriété sur une enclave de 1 km² à Tiwinza.

24 octobre-1er novembre. Amérique centrale. Le passage de l'ouragan *Mitch* laisse la région dévastée, avec plus de 6 500 morts et des destructions matérielles considérables. Le Honduras et le Nicaragua sont particulièrement touchés.

7 novembre. Colombie. L'armée termine l'évacuation d'une zone de 42 000 km² dans le sud du pays, cédant à une exigence posée par les Forces armées révolutionnaires colombiennes (FARC) pour entamer des négociations de paix.

10 novembre. Vénézuela. Les élections législatives et pour les postes de gouverneurs des États, exceptionnellement séparées de l'élection présidentielle, permettent aux partis traditionnels d'enrayer partiellement la montée en puissance du mouvement Cinquième République de l'ex-colonel Hugo Chavez. Celui-ci obtient le contrôle d'un tiers des États et d'un tiers de la Chambre des députés.

6 décembre. Vénézuela. L'élection présidentielle est facilement remportée par Hugo Chavez, l'auteur d'une tentative de coup d'État en 1992 devenu un leader charismatique néo-populiste, qui avait contre lui l'ensemble de la classe politique. Sa victoire souligne le discrédit frappant les politiques dans l'ensemble du continent.

13 décembre. Porto Rico. Les Portoricains se prononcent par référendum pour le maintien du statut d'État associé aux États-Unis dont l'île jouit depuis 1952, rejetant la voie de l'indépendance et de la transformation en État de l'Union.

1999

6 janvier. Brésil. L'ex-président Itamar Franco, gouverneur de l'État de Minas Gerais depuis le 1er janvier, déclare un moratoire de quatre-vingt-dix jours sur le paiement de la dette de l'État envers le gouvernement fédéral.

7 janvier. Colombie. L'ouverture officielle des négociations de paix est gâchée par l'absence du chef des Forces armées révolutionnaires colombiennes (FARC), Manuel Miranda Vélez, dit « Tirofijo », à la cérémonie qui a lieu dans la zone démilitarisée en présence du président Andrés Pastrana et du gouvernement.

Par **Olivier Dabène**
Politologue, IEP-Aix-en-Provence, CERI

Amérique centrale et du Sud/Bibliographie sélective

J.-P. Bastian, *Le Protestantisme en Amérique latine,* Labor et Fides, Genève, 1994.

C. Bataillon, J.-P. Deler, H. Théry, « Amérique latine », *in* R. Brunet (sous la dir. de), *Géographie universelle,* vol. III, Belin/RECLUS, Paris/Montpellier, 1994.

C. Bataillon, J. Gilard (sous la dir. de), *La Grande Ville en Amérique latine,* CNRS-Éditions, Paris, 1988.

P. Bouin (sous la dir. de), *Las Fronteras del istmo,* CIESAS/CEMCA, Mexico, 1997.

Cahiers des Amériques latines (semestriel), CNRS-IHEAL, Paris.

Caravelle (semestriel), IPEALT, Université de Toulouse-Le Mirail.

J. Castañeda, *L'Utopie désarmée. L'Amérique latine après la guerre froide,* Grasset, Paris, 1996.

CEPAL (Commission des Nations unies pour l'Amérique latine), *Rapport annuel,* Santiago du Chili.

F. Chevallier, *L'Amérique latine de l'indépendance à nos jours,* PUF, Paris, 1993.

G. Couffignal (sous la dir. de), *Amérique latine. Tournant de siècle,* La Découverte, coll. « Les Dossiers de L'état du monde », Paris, 1997.

G. Couffignal (sous la dir. de), *Réinventer la démocratie : le défi latino-américain,* Presses de Sciences-Po, Paris, 1992.

O. Dabène, *Amérique latine, la démocratie dégradée,* Complexe, coll. « Espace international », Bruxelles, 1997.

O. Dabène, *L'Amérique latine au XXe siècle,* Armand Colin, Paris, 1994.

O. Dabène, *La Région Amérique latine. Interdépendance et changement politique,* Presses de Sciences-Po, Paris, 1997.

DIAL (Diffusion de l'information sur l'Amérique latine), bimensuel, Lyon.

D. Douzant-Rosenfeld, P. Grandjean, *Nourrir les métropoles d'Amérique latine,* L'Harmattan, Paris, 1995.

Espaces latinos (revue, 10 numéros par an), Lyon.

L'Ordinaire latino-américain, bimestriel, GRAL-CNRS/IPEALT, Université de Toulouse-Le Mirail.

F. Laplantine, *Transatlantique, entre Europe et Amérique latine,* Payot, Paris, 1994.

Y. Le Bot, *Violence de la modernité en Amérique latine,* Karthala, Paris, 1994.

B. Marques Pereira, I. Bizberg, *La Citoyenneté sociale en Amérique latine,* L'Harmattan/CELA, Paris/Bruxelles, 1995.

A. Musset, *L'Amérique centrale et les Antilles,* Masson, Paris, 1994.

Problèmes de l'Amérique latine (trimestriel), La Documentation française, Paris.

A. Rouquié, *Amérique latine. Introduction à l'Extrême-Occident,* Seuil, Paris, 1987.

A. Touraine, *La Parole et le Sang : politique et sociétés en Amérique latine,* Odile Jacob, Paris, 1988.

P. Vaissière, *Les Révolutions d'Amérique latine,* Seuil, Paris, 1991.

A. Valladão, « Le retour du panaméricanisme. La stratégie des États-Unis en Amérique latine après la guerre froide », *Les Cahiers du CREST,* Paris, 1995.

D. van Eeuwen (coord. par), *Transformations de l'État en Amérique latine,* Karthala, Paris, 1994.

Voir aussi la bibliographie « Brésil », p. 444, ainsi que la bibliographie « Mexique » p. 382.

Par **Olivier Dabène**
Politologue, IEP-Aix-en-Provence, CERI

13-15 janvier. Brésil. Le gouvernement dévalue de 9 % la monnaie nationale, le real, puis, deux jours après, la laissera flotter. En quelques jours, la dépréciation atteindra 40 %, mettant en difficulté les économies voisines, notamment argentine.

17 février. Équateur. Le député Jaime Hurtado est assassiné à Quito, dans un climat de mobilisation sociale croissante.

7 mars. El Salvador. Francisco Flores remporte l'élection présidentielle au premier tour. Candidat de l'Alliance républicaine nationaliste (Arena), le parti de droite au pouvoir depuis 1989, il a distancé le représentant du Front Farabundo Martí de libération nationale (FMLN), l'ancien dirigeant de la guérilla Facundo Guardado.

23 mars. Paraguay. Le vice-président Luis María Argaña est assassiné. Soumis à de fortes pressions internationales, le président Raúl Cubas Grau démissionne et prend le chemin de l'exil au Brésil. Luis González Macchi, président du Sénat, assure l'intérim de la présidence de la République.

25 avril. Vénézuela. Le président H. Chavez fait approuver par référendum son projet de convoquer une Assemblée constituante afin de permettre le « fonctionnement effectif d'une démocratie sociale et participative ».

2 mai. Panama. La candidate de l'opposition Mireya Moscoso remporte facilement l'élection présidentielle face à Martín Torrijos (44,9 % des voix contre 37,6 %). Elle devient la première femme présidente du Panama.

6 mai. Colombie. Les négociations de paix s'ouvrent officiellement entre le gouvernement et les Forces armées révolutionnaires colombiennes (FARC).

13 mai. Pérou/Équateur. Les présidents Jamil Mahuad et Alberto Fujimori se réunissent sur la frontière pour sceller l'accord de paix entre les deux pays.

17 mai. Guatémala. Le référendum organisé dans le cadre des accords de paix concernant les réformes à la Constitution devant favoriser les Indiens (60 % de la population) provoque une double surprise : 81,5 % de la population s'abstient et les réformes sont rejetées.

28 mai. Amérique centrale. Les pays et institutions donateurs réunis à Stockholm décident d'octroyer à l'Amérique centrale une aide de 9 milliards de dollars É-U après le passage de l'ouragan *Mitch* en octobre 1998.

30 mai. Chili. Le socialiste Ricardo Lagos remporte les élections primaires au sein de la Concertation, coalition au pouvoir depuis le retour à la démocratie de 1989. Il s'affirme comme le favori de l'élection présidentielle de décembre 1999.

6 juin. Argentine/Brésil. Le président brésilien F. H. Cardoso et son homologue argentin Carlos Saúl Menem s'engagent à équilibrer les dépenses publiques. Ce sommet est présenté comme un « mini-Maastricht » destiné à renforcer l'intégration régionale.

18 juin. Nicaragua. Une série de négociations entre le Parti libéral constitutionnaliste (PLC) au pouvoir et les sandinistes aboutit à la nomination d'un procureur des droits de l'homme, trois ans après la création de cette institution.

28-29 juin. Amérique latine/Europe. Lors d'une rencontre historique à Rio de Janeiro, les chefs d'État et de gouvernement des quinze pays membres de l'Union européenne (UE) et de trente-trois pays d'Amérique latine et de la Caraïbe officialisent un partenariat stratégique couvrant les domaines politique, économique, culturel et social. La rencontre déçoit toutefois les tenants d'une lilbéralisation rapide des échanges entre les deux continents. Aussi l'UE et le Mercosur (Marché commun du sud de l'Amérique réunissant l'Argentine, le Brésil, le Paraguay et l'Uruguay, avec le Chili et la Bolivie comme membres associés) décident de repousser à 2001 l'ouverture des négociations en vue de libéraliser les échanges commerciaux. ■

Les événéments concernant le Mexique sont traités dans le Journal de l'année consacré à l'Amérique du Nord.

Amérique centrale

Bélize, Costa Rica, Guatémala, Honduras, Nicaragua, Panama, El Salvador

Bélize

Nouveau gouvernement

Le Parti uni du peuple est revenu au pouvoir après les élections générales du 27 août 1998, avec une majorité écrasante de 26 sièges sur 29 au Parlement. Le Premier ministre sortant, Manuel Esquivel, chef du Parti démocrate uni (UDP, conservateur), a lui-même perdu son siège. Le nouveau chef du gouvernement, Said Musa, ancien homme de gauche d'origine palestinienne, a nommé des femmes pour présider les deux chambres du Parlement, entrepris une réforme du système fiscal et annulé en avril 1999 le permis d'une compagnie forestière étrangère accusée d'avoir nui à l'environnement.

L'économie (sucre, agrumes, bananes, fruits de mer, confection, tourisme, secteur financier) a progressé de 1,4 % en 1998. Un accord de coopération avec Cuba a été signé en février 1999. - **Greg Chamberlain** ■

Bélize

Capitale : Belmopan.
Superficie : 22 960 km^2.
Population : 230 000.
Langues : anglais (off.), espagnol, langues indiennes (ketchi, mayamopan), garifuna.
Monnaie : dollar bélizéen (au taux officiel, 1 dollar = 3,09 FF au 30.4.99).
Nature de l'État : unitaire.
Nature du régime : parlementaire.
Chef de l'État (nominal) : reine Elizabeth II, représentée par un gouverneur, Sir Colville Young (depuis le 17.11.93).
Premier ministre : Said Musa, également ministre des Affaires étrangères et des Finances, qui a succédé le 28.8.98 à Manuel Esquivel.
Premier ministre adjoint, ministre des Ressources naturelles et de l'Environnement : John Briceño (depuis le 28.8.98).
Ministre de la Sécurité nationale et de l'Immigration : Jorge Espat (depuis le 28.8.98).

Costa Rica

Exercice de délibération démocratique

Dès sa prise de fonction, le 8 mai 1998, le nouveau président Miguel Angel Rodríguez, du Parti de l'unité sociale-chrétienne (PUSC, droite modérée), semble avoir provoqué un regain d'optimisme dans une population très déçue par le bilan autant que par le style du président sortant, José María Figueres. En dépit de problèmes économiques importants, notamment une dette de 3,2 milliards de dollars, les Costariciens estimaient que leur nouveau président serait en mesure de stabiliser la situation économique et de lutter contre la pauvreté. Le 15 juin, M. A. Rodríguez apportait la preuve qu'il comptait gouverner le pays différem-

Amérique centrale

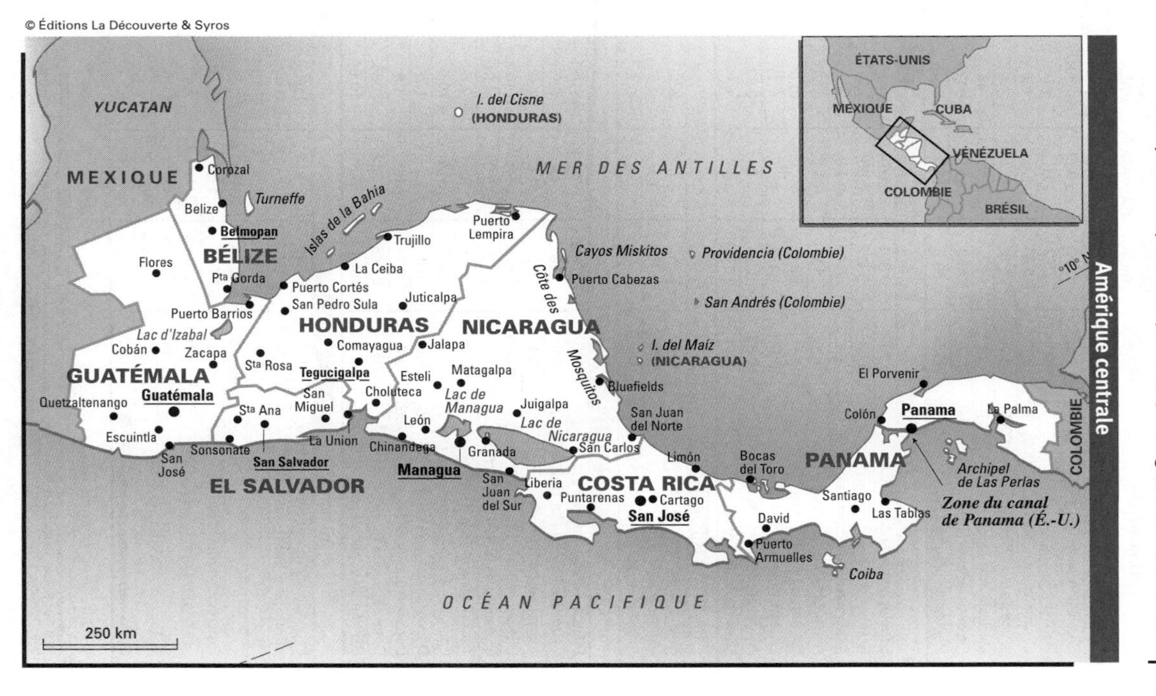

INDICATEUR	BÉLIZE	COSTA RICA	EL SALVADOR	GUATÉ-MALA
Démographie[a]				
Population *(millier)*	230	3 841	6 032	10 801
Densité *(hab./km²)*	10,1	75,2	291,1	99,6
Croissance annuelle (1995-2000) *(%)*	2,4	2,5	2,0	2,6
Indice de fécondité (ISF) (1995-2000)	3,7	2,8	3,2	4,9
Mortalité infantile (1995-2000) *(‰)*	29	12	32	46
Espérance de vie (1995-2000) *(année)*	74,7	76,0	69,1	64,0
Population urbaine *(%)*	46,5	50,9	46,0	39,8
Indicateurs socioculturels				
Développement humain (IDH)[c]	0,732	0,801	0,674	0,624
Nombre de médecins *(‰ hab.)*	0,53[i]	0,88[i]	0,65[i]	0,27[i]
Analphabétisme (hommes)[c] *(%)*	• •	5,0	19,8	• •
Analphabétisme (femmes)[c] *(%)*	• •	4,9	25,8	41,1
Scolarisation 12-17 ans *(%)*	• •	52,6[o]	56,1[o]	45,8[o]
Scolarisation 3e degré *(%)*	0,9[f]	33,1[f]	16,7[f]	8,1[f]
Adresses Internet[d] *(‰ hab.)*	10,83	8,39	1,34	0,83
Livres publiés *(titre)*	107[f]	1 034[b]	103[f]	• •
Armées (effectifs)				
Armée de terre *(millier d'h.)*	1	7[l] (total terre, marine, aviation)	22,3	29,2
Marine *(millier d'h.)*	0,05		0,7	1,5
Aviation *(millier d'h.)*	• •		1,6	0,7
Économie				
PIB total (PPA)[c] *(million $)*	986	23 049	17 085	43 091
Croissance annuelle 1987-97 *(%)*	5,9	3,9	4,4	3,9
Croissance 1998 *(%)*	3,1	6,2	4,0	4,9
PIB par habitant (PPA)[c] *($)*	4 300	6 650	2 880	4 100
Investissement (FBCF) *(% PIB)*	21,2[e]	20,0[e]	16,0[g]	14,6[g]
Taux d'inflation *(%)*	0,0	11,6	2,5	7,5
Énergie (taux de couverture)[f] *(%)*	28,0[bk]	32,7	64,2	76,5
Dépense publique Éducation *(% PIB)*	5,0[f]	5,3[f]	2,2[b]	1,7[b]
Dépense publique Défense[c] *(% PIB)*	2,6	0,7	1,9	1,5
Dette extérieure totale[c] *(million $)*	383	3 548	3 282	4 086
Service de la dette/Export.[e] *(%)*	11,0	14,1	8,5	10,6
Échanges extérieurs				
Importations (douanes) *(million $)*	298	6 230	3 112	4 619
Principaux fournisseurs[c] *(%)*	E-U 51,7	E-U 52	E-U 46,4	E-U 42,3
(%)	UE 9,1	UE 11,4	UE 13,1	UE 10,1
(%)	AmL 32,5	AmL 26,4	AmL 30,4	AmL 35,1
Exportations (douanes) *(million $)*	146	5 511	1 263	2 550
Principaux clients[c] *(%)*	E-U 46,6	E-U 53,3	E-U 55,7	E-U 45,6
(%)	UE 40,3	UE 22,8	UE 16,4	UE 14,6
(%)	AmL 9,7	AmL 14,9	AmL 25	AmL 30,1
Solde transactions courantes *(% PIB)*	– 6,1[c]	– 3,7	– 2	– 3,7

Définition des indicateurs, sigles et abréviations p. 31 et suiv. Chiffres 1998 sauf notes. a. Derniers recensements utilisables : Bélize, 1991 ; Costa Rica, 1984 ; El Salvador, 1992 ; Guatémala, 1994 ; Honduras, 1988 ; Nicaragua, 1995 ; Panama, 1990. b. 1995 ; c. 1997 ; d. janv. 1999 ; e. 1995-97 ; f. 1996 ; g. 1996-98 ; h. 1994-96 ; i. 1993 ;

HONDURAS	NICA-RAGUA	PANAMA
6 147	4 807	2 767
54,9	39,6	37,2
2,7	2,7	1,6
4,3	4,4	2,6
35	43	21
69,4	67,9	73,6
45,7	63,7	56,9
0,641	0,616	0,791
0,43[o]	0,64[j]	1,78[j]
28,9	36,6	8,3
29,8	36,7	9,6
49,5[o]	53,5[o]	63,5[o]
11,2[f]	12,6[f]	31,5[f]
0,16	1,47	2,66
22[i]	••	••
5,5	15	11,8[m]
1	0,8	
1,8	1,2	
13 274	8 877[f]	18 713[f]
3,5	0,1	2,9
5,0	5,0	4,0
2 220	1 950[f]	7 000[f]
26,2[g]	24,8[h]	27,0[e]
13,0	5,0	0,6
60,3	62,5	33,2
3,6[b]	3,7[f]	4,6[b]
2,1	1,4	1,3
4 698	5 677	6 338
26,2	31,7	10,0
2 500	1 492	3 351
E-U 61,5	E-U 25,2	E-U 8,9
UE 5,1	UE 5,5	UE 6,9
AmL 20,8	AmL 49,2	Asie[n] 72,2
1 533	573	786
E-U 73,8	E-U 53,9	E-U 49,1
UE 12,1	UE 19,5	UE 22,3
AmL 5,9	AmL 14,1	AmL 23,9
– 6,2	– 38,0	– 15,0

j. 1990; k. Chiffres des Nations Unies; l. Forces paramilitaires; m. Paramilitaires; n. Y compris Japon et Moyen-Orient; o. 1991.

ment, en installant un Forum de concertation nationale, bien dans la tradition démocratique du pays. Composé de représentants du gouvernement, des partis politiques, d'associations de coopératives, de secteurs paysans, du patronat, des collectivités locales et du mouvement associatif (jeunes, Indiens, femmes, écologistes), ce Forum s'est vu d'emblée confier un agenda de discussions très fourni, comprenant la corruption, les marchés de l'assurance et des télécommunications, les retraites, le chômage, les allocations familiales, le développement social, les libertés syndicales, la politique salariale et le développement rural.

Le 30 octobre 1998, le Forum concluait sa première phase d'existence en présentant au Parlement les conclusions de ses dix commissions de travail. Sur de nombreux points, le consensus atteint donnait une bonne image du travail réalisé, et le président pouvait tirer les bénéfices politiques de cet exercice de délibération démocratique. De surcroît, il disposait d'une base solide pour lancer un certain nombre d'initiatives législatives dans le cadre d'un plan de sauvetage économique et social, dont les objectifs sont la réduction du coût de la vie, la création d'emplois et la diminution de la pauvreté.

République du Costa Rica

Capitale : San José.
Superficie : 50 700 km².
Population : 3 841 000.
Langues : espagnol, anglais, créole.
Monnaie : colón (au taux officiel, 100 colóns = 2,20 FF au 30.4.99).
Nature de l'État : république unitaire.
Nature du régime : démocratie présidentielle.
Chef de l'État et du gouvernement : Miguel Angel Rodriguez, qui a succédé le 8.5.98 à José María Figueres.
Ministre de l'Intérieur : Roberto Tovar.
Ministre des Affaires étrangères : Roberto Rojas.
Échéances institutionnelles : élections générales (2002).

Les ambitions sociales du président Rodríguez sont apparues limitées par les faibles marges de manœuvre qu'offre l'état très dégradé des finances publiques ; au moins avaient-elles été servies en 1998 par une croissance vigoureuse. Avec 6,2 %, le Costa Rica a connu le deuxième taux de croissance le plus élevé d'Amérique latine. Après la récession de 1996 et la légère reprise de 1997, les exportations et le tourisme ont une nouvelle fois tiré la croissance en 1998. L'inflation a, par ailleurs, été limitée à 12,3 %, fait assez exceptionnel pour une année électorale. Enfin, le pays a eu la chance d'être épargné par l'ouragan *Mitch*, qui a sévèrement frappé ses voisins. - **Olivier Dabène** ■

Guatémala

Effort de modernisation et de démocratisation

Depuis la signature, le 29 décembre 1996, d'un Accord de paix ferme et durable entre le gouvernement et l'Unité révolutionnaire nationale guatémaltèque (URNG), qui a mis un terme à une guerre civile de trente-six ans, le Guatémala vit au rythme de la mise en œuvre des mesures prévues.

Le 16 octobre 1998, le Congrès de la République a approuvé les réformes constitutionnelles prévues par les accords de paix, portant sur 47 articles de la Constitution. Effort de modernisation et de démocratisation sans précédent dans l'histoire du pays, cette réforme concerne cinq grands domaines : la justice, les forces de sécurité, l'identité et les droits des peuples indigènes, la séparation des pouvoirs et l'équité sociale. Le 17 mai 1999, le référendum organisé pour l'approbation de ces réformes s'est soldé par une double surprise : le taux de participation n'a atteint que 18,5 % et 55,6 % des votants ont rejeté le projet.

En mars 1999, toujours dans le cadre des accords de paix, la Commission d'éclaircissement historique (CEH) divulguait son rapport sur la guerre civile. Selon celui-ci, l'État serait responsable de 90 % des 200 000 morts provoquées par la guerre, et la période 1981-1983 aurait été marquée par une volonté d'extermination de communautés indiennes. Aucun coupable n'est nommément désigné mais un débat s'est ouvert sur la possibilité d'engager des procès. En dépit d'une loi d'amnistie couvrant les crimes commis durant les combats, les défenseurs des droits de l'homme ont mis en avant l'argument du génocide contre les populations indiennes. Toutefois, la totale paralysie de l'enquête sur l'assassinat de Mgr Juan José Gerardi (avril 1998), directeur du bureau des droits de l'homme de l'archevêché de Guatémala, n'a pas inspiré la confiance.

Au plan économique, le désengagement de l'État prévu par les accords de paix s'est traduit en 1998 par la privatisation de la compagnie nationale assurant la production et

République du Guatémala

Capitale : Guatémala.
Superficie : 108 890 km^2.
Population : 10 841 000.
Langues : espagnol, 23 langues indiennes (quiché, cakchiquel, mam, etc.), garifuna.
Monnaie : quetzal (1 quetzal = 0,86 FF au 30.4.99).
Nature de l'État : république unitaire.
Nature du régime : présidentiel.
Chef de l'État et du gouvernement : Alvaro Arzu Irigoyen (depuis le 14.1.96).
Ministre des Affaires étrangères : Eduardo Stein Barillas.
Ministre de l'Intérieur : Rodolfo Mendoza.
Ministre de la Défense : général Julio Balconi Turcios.
Territoires contestés : le Guatémala n'a toujours pas reconnu la souveraineté du Bélize, ex-Honduras Britannique, indépendant depuis 1981.

la distribution d'électricité et de la compagnie de téléphone, les deux entreprises publiques les plus importantes du pays.

A la fin de l'année 1998, le respect des accords de paix était cependant passé au second plan, la classe politique se préparant pour les élections générales prévues fin 1999, auxquelles la guérilla devrait, pour la première fois, participer en tant que parti politique.

La paix n'a toujours pas amélioré les conditions de vie des Guatémaltèques, la politique économique du gouvernement d'Alvaro Arzu continuait de creuser les inégalités. La mise en œuvre du volet fiscal des accords de paix, notamment la réduction de la part des impôts indirects, socialement injustes, tardait particulièrement. La croissance économique a pourtant atteint 4,7 % en 1998 (contre 4,1 % en 1997). En novembre 1998, les ravages causés par l'ouragan *Mitch* ont durement affecté l'économie, entraînant par exemple de fortes hausses de prix (2,6 % en novembre) et un chômage généralisé dans les zones affectées. L'inflation annuelle a atteint 7,5 % en 1998. - **Olivier Dabène** ■

Honduras

Les ravages de l'ouragan « Mitch »

Le Honduras a fait un pas historique vers la démilitarisation de son régime lorsque, le 18 septembre 1998, le Congrès a approuvé une réforme constitutionnelle supprimant le poste de commandant en chef des forces armées, le remplaçant par une charge de ministre de la Défense dotée de réelles prérogatives. Le pays a ainsi mis un terme à trente-cinq années de complète autonomie des militaires et inauguré une ère nouvelle de soumission des forces armées à l'autorité politique du chef de l'État. En janvier 1999, soit dix-sept ans après le retour des civils au pouvoir en 1982, le président Carlos Flores nommait le premier civil au poste de ministre de la Défense en la personne d'Edgardo Dumas Rodriguez.

Le 26 août 1998, le président avait déjà créé un ministère de la Sécurité, confié à une civile, Elizabeth Chiuz, avec la lourde tâche d'enrayer l'inquiétante hausse de la criminalité et de la violence. La création de ce portefeuille ministériel s'insérait dans le Plan national de sécurité lancé en septembre 1998, à la suite de l'enlèvement de la nièce du président ; sa mesure la plus spectaculaire a été l'adoption de la peine d'emprisonnement à perpétuité.

En dépit de l'effort de démilitarisation, le président n'a pu éviter, en octobre 1998, de demander à l'armée de déployer 10 000 hommes dans les rues de la capitale pour lutter contre la délinquance.

Toutefois, l'effort de démilitarisation n'est sans doute pas ce qui aura le plus marqué la population dans le courant de l'année. Fin octobre 1998, le Honduras a en effet connu la plus grande catastrophe naturelle de son histoire, après avoir souffert des effets du

République du Honduras

Capitale : Tegucigalpa.
Superficie : 112 090 km².
Population : 6 147 000.
Langues : espagnol, langues indiennes (miskito, sumu, paya, lenca, etc.), garifuna.
Monnaie : lempira (au taux officiel, 1 lempira = 0,43 FF au 31.12.98).
Nature de l'État : république unitaire.
Nature du régime : présidentiel.
Chef de l'État et du gouvernement : Carlos Flores Facussé, qui a succédé le 27.1.98 à Carlos Roberto Reina.
Ministre de l'Intérieur : Enrique Flores Valeriano.
Ministre de la Défense : Edgardo Dumas Rodriguez.
Ministre des Affaires étrangères : Fernando Martinez.
Échéances institutionnelles : élections générales (2001).

phénomène climatique El Niño, en 1997, sous la forme notamment de graves incendies de forêts. Le passage de l'ouragan *Mitch* a entraîné près de 6 000 morts, 8 000 disparus, et plus de deux millions de personnes se sont trouvées affectées par les destructions. Avec près du tiers du réseau routier détruit, et de nombreuses exploitations agricoles dévastées, le pays a vu sa croissance soudainement arrêtée et handicapée pour les années à venir. Alors qu'un taux supérieur était attendu, il n'a finalement atteint que 5 % pour l'année 1998. Les exportations ont drastiquement chuté en fin d'année, avec la perte des récoltes de bananes (12 000 hectares de plantations détruites) et de café. De leur côté, les importations, notamment de nourriture et de matériels de construction, ont fortement augmenté, provoquant un grave déséquilibre des comptes extérieurs. L'amélioration des finances publiques, sensible sur les dix premiers mois de l'année 1998, a été réduite à néant. - **Olivier Dabène** ■

Nicaragua

Le coût social des catastrophes naturelles

Après le Honduras, le Nicaragua a été le pays d'Amérique centrale le plus affecté par le passage de l'ouragan *Mitch* à la fin du mois d'octobre 1998. Cette catastrophe naturelle est venue interrompre un cycle de reprise économique vigoureuse. La croissance, de 5,8 % en 1996 et 4,5 % en 1997, était estimée pouvoir atteindre 6 % en 1998. Elle n'a été finalement que de 5,0 %. De surcroît, comme dans les autres pays de l'isthme centraméricain, *Mitch* a engendré une tendance inflationniste. Les pénuries de produits alimentaires, provoquées en premier lieu par les sécheresses consécutives au phénomène climatique El Niño (1997), puis aggravées par les inondations dues à *Mitch*, sont à l'origine des hausses des prix.

Les dommages provoqués par ces désastres naturels ont encore accru la mobilisation sociale. Ils ont aussi grossi les rangs des candidats à l'exil. Or l'émigration était déjà auparavant une cause de tensions avec le Costa Rica : la présence dans ce pays voisin d'un nombre de Nicaraguayens en situation illégale estimé entre 300 000 et 800 000 (pour une population totale de 3,58 millions d'habitants) provoque régulièrement des incidents. Le 12 août 1998, Managua avait interdit aux forces de police costariciennes de patrouiller sur le Rio San Juan, la rivière marquant la frontière, mais sous souveraineté nicaraguayenne.

Le 9 novembre 1998, à la suite du passage de *Mitch*, les présidents centraméricains ont toutefois décidé qu'aucun Centraméricain résidant irrégulièrement hors de son pays ne serait expulsé, ouvrant la voie à une régularisation des Nicaraguayens du Costa Rica. Les chefs d'État souhaitaient ainsi éviter le risque de dérive qui avait conduit le Honduras et le Salvador à s'affronter dans une courte guerre en 1969.

Au plan intérieur, le président Arnoldo

République du Nicaragua

Capitale : Managua.
Superficie : 130 000 km².
Population : 4 807 000.
Langues : espagnol (off.), anglais, créole, langues indiennes (miskito, sumu, rama), garifuna.
Monnaie : cordoba or (au taux officiel, 1 cordoba or = 0,53 FF au 30.4.99).
Nature de l'État : république unitaire.
Nature du régime : présidentiel.
Chef de l'État et du gouvernement : Arnoldo Alemán (depuis le 10.1.97).
Ministre de l'Intérieur : Jaime Cuadra Somarriba.
Ministre de la Défense : Pedro Joaquín Chamorro.
Ministre des Affaires étrangères : Eduardo Montealegre.

Alemán a vu sa cote de popularité chuter en 1998-1999, et ses soutiens politiques faiblir. La découverte d'un trafic de cocaïne utilisant l'avion présidentiel a été très mal perçue par l'opinion publique, en dépit des protestations d'innocence du chef de l'État. Par ailleurs, l'Alliance libérale, le groupe d'A. Alemán majoritaire à l'Assemblée, s'est divisée, la moitié des députés libéraux décidant de former un Groupe libéral de la dignité. Enfin, la poursuite du dialogue avec le Front sandiniste de libération nationale (FSLN) – dans le cadre d'un processus de normalisation politique et de réconciliation nationale engagé à la fin de la guerre civile en 1990 –, condition indispensable de la gouvernabilité au Nicaragua, s'est révélée difficile, son leader Daniel Ortega réclamant des réformes sociales radicales. - **Olivier Dabène** ■

Panama

Le sens du « non » au référendum

L'écrasante victoire du « non » au référendum du 30 août 1998 invitant à se prononcer sur une série de réformes constitutionnelles (65 % des suffrages exprimés) a marqué, très certainement, une étape importante de la consolidation démocratique au Panama. La population a surtout manifesté son rejet de la réforme prévoyant la possibilité d'une réélection pour le président de la République. Le chef de l'État Ernesto Balladares n'a guère convaincu que ses troupes du Parti révolutionnaire démocratique (PRD) de la nécessité de permettre un second mandat. Les Panaméens en ont aussi profité pour sanctionner l'action du gouvernement, notamment sa politique néolibérale, les privatisations, les réformes du code du travail et le projet d'un Centre multilatéral antidrogues (CMA). Ce dernier aurait dû permettre aux États-Unis de reconvertir l'une des bases militaires qu'ils se sont engagés à rendre avant l'an 2000 (dans le cadre des accords Torrijos-Carter de 1977 portant sur la dévolution du canal) en un centre régional de lutte contre le trafic de drogue. Le projet a toutefois été abandonné, faute d'un accord portant sur l'indemnisation du Panama pour l'utilisation de la base.

La victoire du « non » au référendum a ouvert une période d'intenses négociations en vue de l'élection présidentielle de mai 1999. Le PRD a dû rapidement choisir un autre candidat en la personne de Martín Torrijos Espino (35 ans), le fils du général Omar Torrijos, fondateur du PRD et dictateur nationaliste et réformiste entre 1968 et 1981. Le 2 mai 1999, la candidate de l'opposition Mireya Moscoso a remporté la présidentielle en battant facilement M. Torrijos (respectivement 44,9 % et 37,6 %).

La popularité du PRD et la campagne de M. Torrijos ont souffert, fin 1998-début 1999, du ralentissement de l'activité économique. La crise financière internationale

République du Panama

Capitale : Panama.
Superficie : 77 080 km^2.
Population : 2 767 000.
Langues : espagnol (off.), langues indiennes (guaymi, kuna, etc.).
Monnaie : théoriquement le balboa (1 balboa = 6,19 FF au 30.4.99) de fait le dollar.
Nature de l'État : république unitaire.
Nature du régime : présidentiel.
Chef de l'État et du gouvernement : Mireya Moscoso, qui a succédé le 2.5.99 à Ernesto Pérez Balladares.
Ministre de l'Intérieur et de la Justice : Raúl Montenegro.
Ministre des Affaires étrangères : Jorge Ritter.
Statut de la zone du canal : selon le traité Hay-Bunau-Varilla de 1903, le canal et une zone adjacente ont été concédés aux États-Unis. Le traité Torrijos-Carter du 7.9.77 a abrogé le traité de 1903 et prévu le passage sous souveraineté panaméenne au 31.12.99.

Amérique centrale/Bibliographie

Amnesty International, *Guatémala. Mettre fin à l'impunité,* « Rapport pays », Paris, 1997.

M. Cutlack, *Belize : Ecotourism in Action,* Macmillan Caribbean, Londres, 1997.

O. Dabène, « Invention et rémanence d'une crise : leçons d'Amérique centrale », *Revue française de science politique,* n° 42/4, Paris, août 1992.

Y. Le Bot, *La Guerre en terre maya. Communauté, violence et modernité au Guatémala,* Karthala, Paris, 1992.

I. Peedle, *Inside Belize,* Latin America Bureau, Londres 1999.

A. Rouquié, *Guerres et paix en Amérique centrale,* Seuil, Paris, 1992.

A. Rouquié (sous la dir. de), *Les Forces politiques en Amérique centrale,* Karthala, Paris, 1991.

Voir aussi la bibliographie sélective « Amérique centrale et du Sud », p. 390.

a affecté le marché panaméen, mais ce sont surtout les activités de réexportation depuis la zone franche de Colón (représentant en 1997 plus de 13 % du PIB et employant 14 000 personnes) qui ont chuté en 1998. Les flux commerciaux n'ont augmenté que de 1 % en 1998 (contre 14 % en 1997), en raison de la baisse de la demande latino-américaine. De surcroît, le secteur agricole a connu, au cours du dernier trimestre de 1998, de graves difficultés dues au phénomène climatique El Niño (1997) et à l'ouragan *Mitch* (1998). Les exportations de bananes ont aussi été pénalisées par la réduction du quota attribué par l'Union européenne à Panama. La croissance a été ainsi limitée en 1998 à 4 %, à peine plus que le taux de 3,7 % atteint en 1997. - **Olivier Dabène** ■

El Salvador

Nouvelle victoire présidentielle pour l'Arena

Le 7 mars 1999, Francisco Flores a remporté l'élection présidentielle dès le premier tour avec 51,4 % des suffrages. Candidat de l'Alliance républicaine nationaliste (Arena), le parti de droite au pouvoir depuis 1989, il a distancé le représentant du Front Farabundo Martí de libération nationale (FMLN) et ancien dirigeant de la guérilla, Facundo Guardado (29 % des voix). Ce résultat était attendu, et l'élection a surtout été marquée par un taux d'abstention massif, supérieur à 70 %.

La reconversion de la guérilla à la vie politique, à la suite des accords de paix de 1992, s'était pourtant soldée par de bons

République du Salvador

Capitale : San Salvador.
Superficie : 21 040 km².
Population : 6 032 000.
Langues : espagnol (off.), nahuatlpipil.
Monnaie : colón (au taux officiel, 1 colón = 0,70 FF au 30.4.99).
Nature de l'État : république unitaire.
Nature du régime : présidentiel.
Chef de l'État et du gouvernement : Francisco Flores Facussé, qui a succédé le 1.6.99 à Amando Calderón Sol.
Ministre de l'Intérieur : Mario Acosta Oertel.
Ministre de la Défense : général Jaime Guzmán Morales.
Ministre des Affaires étrangères : Ramón González Giner.

résultats aux élections législatives et municipales de 1997. Après avoir emporté la moitié des sièges à l'Assemblée législative et une centaine de municipalités, dont la capitale, le FMLN nourrissait l'espoir de parvenir au pouvoir par les urnes, après avoir vainement tenté douze ans durant de le conquérir par les armes. Mais les primaires au sein du FMLN ont donné lieu à d'âpres disputes qui ont affaibli et divisé le parti. A cette occasion, les Salvadoriens ont pu constater que les anciens guérilleros étaient devenus des professionnels de la politique aussi aguerris que les autres. De surcroît, l'absence de propositions originales pour faire face à la hausse spectaculaire de la violence et pour résoudre les problèmes sociaux a annihilé la campagne du FMLN.

F. Flores, 39 ans, ancien professeur de philosophie formé aux États-Unis, et ancien président de l'Assemblée législative, avait séduit la population en conduisant une enquête sur la corruption au sein de la Banque centrale du pays. Ayant perdu son beau-père assassiné par la guérilla, il incarnait bien la réconciliation nationale conduite par l'Arena – pourtant clairement située à l'extrême droite pendant les années quatre-vingt. Il pouvait aussi faire valoir un bilan économique abouti en termes de stabilité. L'inflation, qui avait atteint en 1997 son meilleur taux depuis de très longues années, avec 1,9 %, a été maintenue à 2,5 % en 1998. La croissance économique a atteint 4 % en 1998, soit une performance à peine supérieure à celle de 1997 (3,7 %). Ce résultat était imputable notamment aux exportations non traditionnelles, et à la forte hausse des investissements étrangers, notamment dans les secteurs récemment privatisés comme les télécommunications ou la distribution d'énergie. Les transferts financiers des émigrés salvadoriens installés aux États-Unis ont aussi continué d'augmenter, représentant la première source de devises du pays.

La croissance s'est traduite par une légère baisse du taux de chômage (7,2 % en 1998 contre 7,5 % en 1997). L'ouragan *Mitch* (fin octobre 1998) a toutefois détruit une partie des cultures et sérieusement affecté les activités d'élevage, avec pour conséquence attendue un ralentissement de la croissance en 1999. Dès la fin de l'année 1998, les prix s'orientaient à la hausse, faisant s'élever de deux points le taux annuel d'inflation pour 1998. - **Olivier Dabène** ■

Grandes Antilles

Bahamas, Bermudes, Cayman, Cuba, Haïti, Jamaïque, Porto Rico, République dominicaine, Turks et Caicos

Bahamas

Développement des infrastructures touristiques

La croissance économique, largement tirée par le tourisme (40 % du PIB) et le secteur *offshore*, a été de 2,2 % en 1998. Une augmentation de 26 % du nombre de chambres d'hôtel disponibles était prévue pour 1999, ainsi que le renforcement de la capacité de l'aéroport de Nassau à 41 000 passagers par semaine. Le développement spectaculaire de Paradise Island, grand centre touristique proche de la capitale, s'est poursuivi. Le directeur du tourisme a souligné que l'accueil devait être « très bahamien », pour parer la concurrence des destinations voisines, surtout de Cuba. Les autorités ont continué de rapatrier des centaines de réfugiés de Haïti et de Cuba. Une foule opposée à la privatisation de la compagnie de téléphone a essayé d'envahir le Parlement en mars 1999. - **Greg Chamberlain** ■

Commonwealth des Bahamas

Capitale : Nassau.
Superficie : 13 930 km².
Population : 296 000.
Langue : anglais.
Monnaie : dollar bahaméen, aligné sur le dollar des États-Unis (1 dollar = 6,17 FF au 27.7.99).
Nature de l'État : unitaire.
Nature du régime : parlementaire.
Chef de l'État (nominal) : reine Elizabeth II, représentée par un gouverneur, Sir Orville Turnquest (depuis févr. 95).
Chef du gouvernement : Hubert Ingraham, Premier ministre (depuis le 19.8.92).
Vice-premier ministre et ministre de la Sécurité nationale : Frank Watson (respectivement depuis le 4.1.95 et depuis le 18.3.97).
Ministre des Affaires étrangères : Janet Bostwick (depuis le 4.1.95).

Bermudes

Le Parti travailliste progressiste (PLP) accède au pouvoir

Jennifer Smith a accédé au pouvoir le 9 novembre 1998 dans ce paradis fiscal sous tutelle britannique (de tous les territoires et colonies du Royaume-Uni, il est le plus riche), à la suite de la défaite électorale du Premier ministre, Pamela Gordon (qui avait été élu le 27 mars 1997, après la démission de David Saul). Le Parti travailliste progressiste (PLP) a ainsi mis fin aux 31 ans de pouvoir du Parti unifié des Bermudes (UBP), considéré comme le porte-parole de la minorité blanche. Le PLP a obtenu 26 des 40 sièges du Parlement. Le tourisme, deuxième activité économique après le secteur *offshore*, était en baisse en 1998. - **Greg Chamberlain** ■

Bahamas, Bermudes, Cayman, Cuba, Haïti, Jamaïque, Porto Rico, République dominicaine, Turks et Caicos

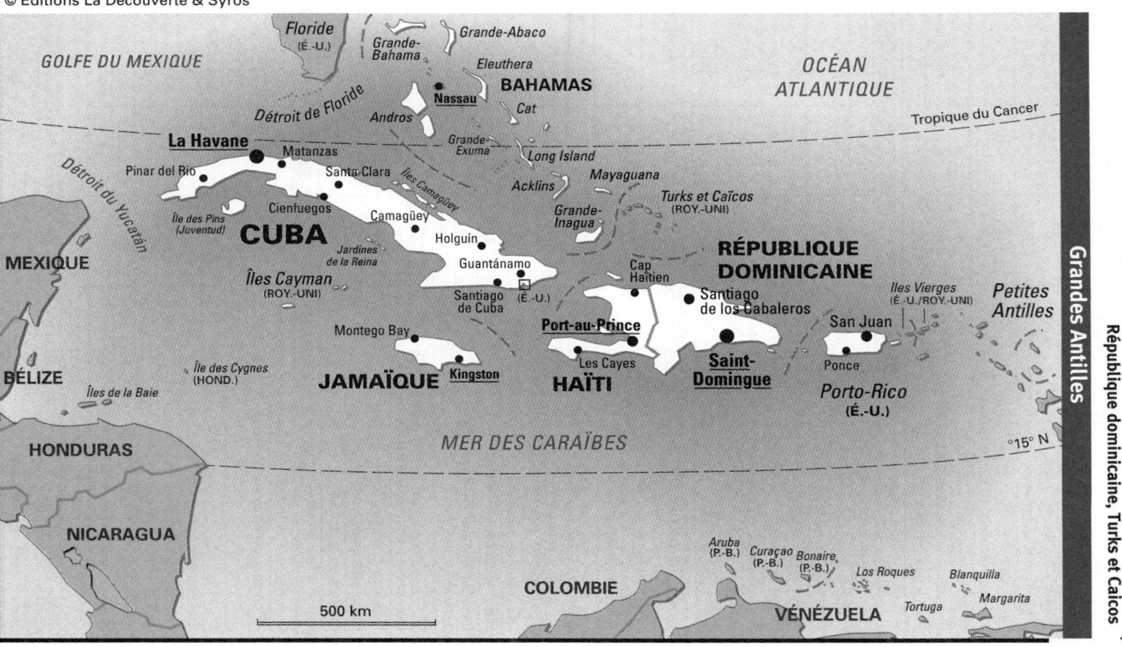

INDICATEUR	BAHAMAS	CAYMAN (ILES)	CUBA	HAÏTI
Démographie[a]				
Population *(millier)*	296	36	11 116	7 952
Densité *(hab./km²)*	29,6	139,0	101,2	288,5
Croissance annuelle (1995-2000) *(%)*	1,8	3,6	0,4	1,7
Indice de fécondité (ISF) (1995-2000)	2,6	1,3	1,5	4,4
Mortalité infantile (1995-2000) *(‰)*	15	8	9	68
Espérance de vie (1995-2000) *(année)*	73,8	77,1	75,7	53,7
Population urbaine *(%)*	87,7	100,0	77,1	33,7
Indicateurs socioculturels				
Développement humain (IDH)[c]	0,851	••	0,765	0,43
Nombre de médecins *(‰ hab.)*	1,45[i]	1,63[k]	3,64[m]	0,09[i]
Analphabétisme (hommes)[c] *(%)*	4,9	••	4,1	51,7
Analphabétisme (femmes)[c] *(%)*	3,6	••	4,1	56,6
Scolarisation 12-17 ans *(%)*	77,6[m]	••	73,5[k]	43,9[m]
Scolarisation 3e degré *(%)*	24,3[g]	••	12,4[g]	1,2[g]
Adresses Internet[d] *(‰ hab.)*	16,11	94,94	0,07	–
Livres publiés *(titre)*	15[k]	••	679[g]	340[b]
Armées (effectifs)				
Armée de terre *(millier d'h.)*	0,86 (total)	[r]	38	••
Marine *(millier d'h.)*			5	••
Aviation *(millier d'h.)*			10	••
Économie				
PIB total (PPA)[c] *(million $)*	2 997[b]	860[g]	16 900[p]	9 485
Croissance annuelle 1987-97 *(%)*	1,1	••	– 3,7[l]	– 1,1
Croissance 1998 *(%)*	2,2	••	1,5	3,0
PIB par habitant (PPA)[c] *($)*	10 780[b]	23 800[g]	1 540[p]	1 270
Investissement (FBCF) *(% PIB)*	22,8[b]	••	••	9,5[e]
Taux d'inflation *(%)*	1,8	••	••	10,0
Énergie (taux de couverture)[f] *(%)*	••	••	42,1	81,2
Dépense publique Éducation *(% PIB)*	4,0[k]	••	6,6[m]	1,5[m]
Dépense publique Défense[c] *(% PIB)*	0,6[g]	••	5,2	5,2
Dette extérieure totale[c] *(million $)*	••	••	13 710[g]	1 057
Service de la dette/Export.[e] *(%)*	••	••	12,0[g]	26,2
Échanges extérieurs				
Importations (douanes) *(million $)*	1 509	359[c]	4 492	797
Principaux fournisseurs[c] *(%)*	E-U 34,9	••	UE 42,5	E-U 59,4
(%)	UE 24,3	••	Rus 11,9	UE 13,3
(%)	Asie[t] 21,3	••	AmL 17,6	AmL 13,4
Exportations (douanes) *(million $)*	311	2[c]	1 616	175
Principaux clients[c] *(%)*	E-U 24,5	E-U	UE 28,8	E-U 81,4
(%)	UE 36,5	T&T	Can 14,5	UE 15
(%)	PED 13,8	R-U	Rus 18,2	AmL 0,9
Solde transactions courantes *(% PIB)*	••	••	••	– 3,8

Définition des indicateurs, sigles et abréviations p. 31 et suiv. Chiffres 1998 sauf notes. a. Derniers recensements utilisables : Bahamas, 1990 ; Cayman (îles), 1989 ; Cuba, 1981 ; Haïti, 1982 ; Jamaïque, 1991 ; Porto Rico, 1990 ; République dominicaine, 1993. b. 1995 ; c. 1997 ; d. janv. 1999 ; e. 1995-97 ; f. 1996 ; g. 1996-98 ; h. 1994-96 ; i. 1993 ; j. 1992 ; k. 1991 ; l. 1990-97 ; m. 1990 ; n. 1983 ; o. Chiffres des Nations unies ; p. Estimation de

JAMAÏQUE	PORTO RICO	RÉP. DOMINICAINE
2 538	3 810	8 232
234,3	430,0	170,2
0,9	0,8	1,6
2,5	2,1	2,8
22	12	34
74,8	73,9	70,6
55,1	74,4	63,9
0,734	••	0,726
0,47[i]	2,18[n]	1,05[i]
18,8	6,9	17,1
10,4	6,7	17,7
75,8[m]	79,1[j]	73,5[m]
8,1[g]	48,2[g]	22,9[g]
1,26	4,11	5,81
••	••	2 219[m]
3	••	15
0,15	••	4
0,17	••	5,5
8 776	32 900	39 097
0,5	3,0	3,7
– 1,9	••	7,0
3 440	8 600	4 820
34,2	15,0[h]	25,5[g]
7,3	••	4,8
14,7	0,4[bo]	28,2
7,4[g]	7,7[k]	2,0[g]
0,6	••	1,2
3 913	••	4 239
16,8	••	6,3
3 001	21 798	4 716
E-U 48,8	E-U 62,3[g]	E-U 31,1
UE 12,1	RD 5,5[g]	AmL 21,2
AmL 20,9	Jap 4,1[g]	PNS[q] 38,2
1 315	30 273	795
E-U 38,8	E-U 88,5[g]	E-U 9,9
UE 26,7	RD 3[g]	UE 3,3
PED 16,5	Jap 1[g]	PNS[q] 79,2
– 9,2[c]	••	– 3,1

la CIA ; q. Pays non spécifiés ; r. Responsabilité du Royaume-Uni ; s. Total 860 hommes ; t. Y compris Japon et Moyen-Orient.

Cayman

Refus d'autoriser l'homosexualité et de supprimer la peine de mort

Le tourisme est resté en hausse en 1998, pour la cinquième année consécutive. Ce territoire dépendant britannique vit également du secteur financier *offshore*. Il compte 584 banques. Le PIB a progressé de 5 %. Le gouvernement a prévu un budget 1999 en augmentation de 21 %. Il s'est opposé en avril 1999 à Londres qui demandait que ses colonies caraïbéennes lèvent l'interdiction de l'homosexualité et suppriment la peine de mort. - **Greg Chamberlain** ■

Cuba

Reconnaissance diplomatique régionale

Un an et demi après la visite du pape à Cuba, aucun changement majeur n'était intervenu dans les relations diplomatiques entre La Havane et Washington et, à la veille de nouvelles échéances présidentielles aux États-Unis, rien n'indiquait qu'une normalisation soit à l'ordre du jour. La proposition de personnalités américaines, notamment de l'ancien secrétaire d'État Henry Kissinger, de mettre sur pied une commission bipartite chargée de réviser la politique menée à l'égard de Cuba a été ajournée *sine die*. L'Union européenne est devenue un partenaire de premier ordre pour l'île, qui a bénéficié d'un statut d'observateur dans la renégociation des accords de la convention de Lomé. Des pourparlers ont été engagés afin de rééchelonner la dette cubaine avec le Club de Paris et le gouvernement cubain a décidé d'utiliser l'euro dans ses transactions avec l'UE dès juillet 1999. L'accroissement des échanges commerciaux avec la France a confirmé la qualité des relations bilatérales entre les deux pays dont la coopération en matière de santé publique pourrait se développer dans les Caraïbes.

Sur le plan intérieur, la progression des réformes économiques est restée lente et graduelle, mais la modernisation et la restructuration des entreprises d'État se sont poursuivies. Après une mauvaise année 1998, dont le taux de croissance n'a été que de 1,2 %, le gouvernement s'est fixé pour objectif une croissance du PIB de 2,5 % pour 1999. La *zafra* (récolte de canne à sucre) a progressé par rapport aux très mauvais résultats de 1998 (3,2 millions de tonnes de sucre), atteignant 3,6 millions de tonnes. La découverte de gisements de pétrole devrait permettre d'accroître la production nationale, diminuant ainsi les importations énergétiques. Un million quatre cent mille touristes ont visité l'île en 1998. L'essor du tourisme se poursuit, entraînant de nombreux secteurs de l'économie, mais il a des effets néfastes sur le plan social. La prostitution et la criminalité se sont accrues. En janvier 1999, le gouvernement a renforcé de façon spectaculaire la présence policière et une nouvelle loi a été adoptée afin de lutter contre la délinquance, le trafic de drogue et les vols à main armée. Les sanctions ont été renforcées pour ces différents délits et les prostituées envoyées dans des « camps de réhabilitation ». Enfin, en juin 1999, de hauts responsables ont été limogés pour corruption liée à l'activité touristique.

Les difficultés de la vie quotidienne restent très importantes. Les pénuries alimentaires perdurent et le marché noir prospère, stimulé par la dollarisation. Les Cubains – lorsqu'ils ne bénéficient pas des dollars envoyés par leur famille aux États-Unis (les *remesas*) ou des compléments de salaire en devises attribués dans certains secteurs stratégiques à 1 100 000 travailleurs – survivent tant bien que mal avec un salaire moyen de 217 pesos mensuels.

En février 1999, l'Assemblée nationale du pouvoir populaire, réunie en session extraordinaire, a adopté la Loi de protection de l'indépendance nationale et de l'économie cubaine. Cette législation sanctionne la livraison, la recherche ou l'obtention d'informations favorisant le gouvernement américain et l'introduction dans l'île de matériel subversif. Elle prévoit des peines d'emprisonnement, des amendes ou la confiscation de biens. Le procès puis la condamnation des quatre dissidents, dont l'UE et le pape avaient demandé la libération, ont confirmé le renforcement de la répression. Cela a valu à Cuba d'être condamnée (à une voix de majorité) par la Commission des droits de l'homme de l'ONU.

L'année 1999 a mis en évidence la reconnaissance diplomatique de Cuba dans

République de Cuba

Capitale : La Havane.
Superficie : 110 861 km^2.
Population : 11 116 000.
Langue : espagnol.
Monnaie : peso cubain (1 peso cubain = 6,35 FF au 7.6.99).
Nature de l'État : république unitaire communiste (« État socialiste des ouvriers et des paysans », selon la Constitution de 1976).
Nature du régime : socialiste à parti unique (Parti communiste cubain, PCC).
Chef de l'État : Fidel Castro Ruz, président du Conseil d'État, président du Conseil des ministres, premier secrétaire du Parti communiste cubain (PCC), commandant en chef des Forces armées (au pouvoir depuis 1959).
Premier vice-président du Conseil d'État et ministre des Forces armées : Raúl Castro.
Vice-président du Conseil des ministres et ministre de l'Économie : Carlos Lage Dávila.
Président de l'Assemblée nationale : Ricardo Alarcón.
Échéances institutionnelles : l'Assemblée nationale populaire (589 membres) est élue au suffrage universel direct. Seul le PCC participe aux élections.
Litige territorial : la base de Guantanamo fait l'objet d'une concession illimitée aux États-Unis.

la région. Présente en avril à Saint-Domingue au sommet de l'Association des États de la Caraïbe (AEC) dont elle est membre, en juin au Brésil lors de la réunion des pays de l'Union européenne, de l'Amérique latine et des Caraïbes, La Havane devrait, en dépit des protestations de plusieurs dirigeants latino-américains, accueillir pour la première fois le Sommet des pays ibéro-américains, au mois de novembre, et ce alors même que le ministre des Relations extérieures Roberto Robaina a été limogé et remplacé par le secrétaire personnel du chef de l'État Fidel Castro, Felipe Perez Roque. La visite officielle du roi d'Espagne Juan Carlos restait, quant à elle, à confirmer.

L'île a réaffirmé ses ambitions régionales en apportant son soutien aux négociations engagées entre gouvernement et guerilla en Colombie lors de la visite officielle du président Andrés Pastrana et en présence du nouveau président vénézuélien Hugo Chavez. Les contacts ont été renoués avec la CISL (Confédération internationale des syndicats libres). L'essor de la coopération médicale cubaine avec les pays de la région (plusieurs centaines de médecins cubains ont été envoyés en Amérique centrale pour venir en aide aux pays victimes de l'ouragan *Mitch* qui a sévi à l'automne 1998) a souligné l'importance accordée par les autorités à leur environnement caribéen. - **Janette Habel** ■

Haïti

Difficultés à constituer un gouvernement

Les Haïtiens se sont finalement vus dotés d'un nouveau gouvernement le 26 mars 1999, presque deux ans après la démission du précédent. Le Premier ministre, Jacques Édouard Alexis, nommé en juillet 1998, n'a été que partiellement approuvé par le Parlement. La fin du mandat de ce dernier et l'entrée en fonction de J.É. Alexis ont été annoncées par le président René Préval le 11 janvier 1999. Bien que R. Préval ait rappelé l'accord des parlementaires de 1995 sur la durée écourtée de leur mandat, la majorité des députés a continué à se réunir pendant quelques mois.

La longue impasse politique s'est atténuée en mars 1999 avec un accord entre R. Préval et cinq petits partis extra-parlementaires sur un nouveau conseil électoral et un gouvernement dans lequel ces formations ont pris leur place. Cependant, la scène politique est restée dominée par la rivalité entre le parti Lafanmi Lavalas, de l'ancien président Jean-Bertrand Aristide, dont le retour au pouvoir est attendu aux élections de l'an 2000, et l'Organisation du peuple en lutte (OPL), majoritaire au Parlement, qui dénonce J.-B. Aristide comme un futur dictateur. Des élections législatives étaient prévues pour la fin 1999.

Les escadrons de la mort – d'origine non identifiée – ont été actifs en 1998 et 1999. Le mandat de 300 moniteurs de police de l'ONU a été reconduit fin 1998 pour une année, la nouvelle police haïtienne n'étant toujours pas à la hauteur de sa tâche. Le chef

République d'Haïti

Capitale : Port-au-Prince.
Superficie : 27 750 km².
Population : 7 952 000.
Langues : créole, français.
Monnaie : gourde (1 gourde = 0,37 FF au 30.4.99).
Nature de l'État : république unitaire.
Nature du régime : présidentiel.
Chef de l'État : René Préval, président (depuis le 7.2.96).
Chef du gouvernement : Jacques Édouard Alexis, Premier ministre (depuis le 11.1.99) en remplacement de Rosny Smarth, et ministre de l'Intérieur (depuis le 26.3.99).
Ministre des Affaires étrangères : Fritz Longchamp (depuis le 7.11.95).
Ministre des Finances : Fred Joseph (depuis le 6.3.96).

de la police de la capitale a été arrêté pour avoir participé à l'exécution de onze personnes en mai 1999.

Malgré la pauvreté grandissante des Haïtiens, le PIB a progressé de 3 % en 1997-1998, notamment dans le secteur de la sous-traitance (+ 40 %). L'agriculture a enregistré un progrès de 4 %. Cependant, les investissements sont restés toujours aussi rares et le processus de privatisation, exigé par les bailleurs de fonds extérieurs, était très lent. Le passage du cyclone *Georges*, en septembre 1998, a fait 250 morts et provoqué des pertes agricoles de 300 millions de dollars. Le trafic de cocaïne Colombie-États-Unis *via* Haïti a continué de battre son plein. - **Greg Chamberlain** ■

Jamaïque

Émeutes contre la politique d'austérité

Quatre jours d'émeutes en avril 1999 ayant fait sept morts ont obligé le Premier ministre, P.J. Patterson, à diminuer de moitié la hausse d'impôts de 110 millions de dollars É-U prévue, notamment sur l'essence (+ 30 %), pour aider à indemniser les 2,5 millions de personnes frappées par l'effondrement de divers organismes financiers. Des protestations violentes contre l'austérité et le délabrement des services publics ont aussi éclaté en septembre 1998.

La croissance économique a reculé de 1,9 % en 1998 et les revenus de l'exportation des matières premières, notamment la bauxite et le sucre, ont baissé de 10 %. Le gouvernement a repris le contrôle de quatre usines sucrières privatisées en 1994. Cependant, le tourisme, principale industrie, a progressé de 4 % en 1998. Au total, 62 % du budget national de 1999 a été consacré au remboursement de la dette, soit 43 % de plus que l'année précédente.

L'opposition, le Parti travailliste jamaïcain (JLP) et son vieux leader autoritaire Edward Seaga, n'inspiraient toujours pas confiance à la population. De nouvelles démissions parmi ses hauts responsables, en janvier 1999, ont été suivies par des démarches d'éléments rebelles du parti pour faire revenir à sa tête son ancien président, Bruce Golding, leader du petit Mouvement démocratique national (NDM). Le JLP a été largement battu aux élections locales de septembre 1998. Les premières à être organisées depuis 1990, elles avaient été reportées à six reprises pour permettre une normalisation du mécanisme électoral. - **Greg Chamberlain** ■

Jamaïque

Capitale : Kingston.
Superficie : 10 990 km².
Population : 2 538 000.
Langue : anglais.
Monnaie : dollar jamaïcain (au taux officiel, 1 dollar = 0,16 FF au 31.3.99).
Nature de l'État : unitaire.
Nature du régime : parlementaire.
Chef de l'État (nominal) : reine Elizabeth II, représentée par un gouverneur, Sir Howard Cooke (depuis août 91).
Chef du gouvernement : P.J. Patterson, Premier ministre et ministre de la Défense (depuis le 26.3.92).
Vice-premier ministre et ministre des Affaires étrangères : Seymour Mullings (respectivement depuis le 31.3.93 et depuis le 7.1.95).
Ministre des Finances et du Plan : Omar Davies (depuis le 3.12.93).

Porto Rico

Refus de devenir le 51e État des États-Unis

L'administration du gouverneur Pedro Rosselló a essuyé une défaite humiliante lors du référendum de décembre 1998 sur le futur statut de cet État libre associé aux États-Unis, qui est la plus riche des grandes îles des Caraïbes. P. Rosselló a clamé la victoire pour son projet de faire de Porto Rico le 51e État des États-Unis, bien que celui-ci n'ait recueilli que 46,5 % des voix. Ses opposants, rassemblés dans le Parti populaire démocratique (PPD), favorables au *statu quo*, ont appelé l'électorat à cocher la case « aucun des choix ci-dessus » pour protester contre la formulation ambiguë du bulletin, et ont obtenu 50,3 % des voix. Les indépendantistes n'ont attiré que 2,5 % des voix en cette année du centenaire de la tutelle des États-Unis.

L'île a été sévèrement touchée par le cyclone *Georges* en septembre 1998. Grâce à une bonne anticipation de la catastrophe, son bilan humain s'est limité à six victimes. Les dégâts, estimés à 2 milliards de dollars É-U, dont 300 millions dans l'agriculture (1 % du PIB), ont déclenché une aide massive de Washington, qui habituellement verse déjà 10 milliards de dollars chaque année. Le gouvernement a lancé, début 1999, une campagne pour transformer l'île en centre mondial de science et de technologie, face au déclin anticipé du secteur industriel (40 % du PIB) consécutif au nouveau régime d'imposition décrété aux États-Unis. Nombre de nouvelles incitations fiscales ont été mises en place. Le gouvernement envisageait également, grâce à de grands investissements dans les infrastructures, de faire de l'île un pont commercial entre l'Amérique du Sud et l'Amérique du Nord. La croissance économique a été de 2,5 % en 1998, mais des cas de corruption spectaculaires ont assombri l'horizon.

Les habitants de Vieques se sont élevés en avril 1999 contre les forces armées américaines qui utilisent depuis longtemps cette petite île dépendante comme terrain d'entraînement intensif. Au cours d'un exercice de préparation à la guerre du Kosovo, un bombardement aérien a manqué sa cible, tuant un civil. Le gouverneur P. Rosselló a demandé à Washington l'arrêt immédiat et définitif de l'activité militaire à Vieques. - **Greg Chamberlain** ■

République dominicaine

Les ravages du cyclone « Georges »

Une lutte de pouvoir entre les trois principales formations politiques a ralenti l'administration du pays à partir de la prise de fonctions du nouveau congrès national en août 1998. Le Parti de la libération dominicaine (PLD, centriste, au pouvoir), le Parti révolutionnaire dominicain (PRD, social-démocrate, majoritaire au Parlement) et le Parti réformiste social-chrétien (PRSC, conservateur, parti de l'ancien président Joaquín Balaguer) se sont battus pour décider la composition du conseil devant organiser les élections générales de l'an 2000 et pour prendre le contrôle de la Ligue municipale, qui gère les fonds publics destinés aux autorités locales. Les membres du conseil électoral avaient été nommés par le Sénat,

République dominicaine

Capitale : Saint-Domingue.
Superficie : 48 730 km^2.
Population : 8 232 000.
Langue : espagnol.
Monnaie : peso (au taux officiel, 1 peso = 0,38 FF au 30.4.99).
Nature de l'État : république unitaire.
Nature du régime : présidentiel.
Chef de l'État et du gouvernement : Leonel Fernández, président (depuis le 16.8.96).
Vice-président : Jaime David Fernández Mirabal (depuis le 16.8.96).
Ministre des Affaires étrangères : Eduardo Latorre (depuis le 16.8.96).
Ministre de l'Intérieur et de la Police : Norge Botello (depuis le 1.3.99).
Ministre des Finances : Daniel Toribio (depuis le 16.8.96).

Grandes Antilles/Bibliographie

G. Barthélémy, *L'Univers rural haïtien : le pays en dehors,* L'Harmattan, Paris, 1990.

Caribbean Insight (mensuel), 8 Northumberland St, London, WC2N 5RA.

J. Carranza, P. Monreal, L. Gutierrez, Cuba : la restructuración de la económica, Alerce Talleres Gráficos (Chili), 1996 (2e éd.).

G. Chamberlain, T. Gunson, A. Thompson, *Dictionary of Contemporary Politics : Central America and the Caribbean,* Routledge, Londres, 1991.

« Cuba a la luz de otras transiciones », *Encuentro de la cultura cubana,* nos 6/7, Madrid, 1997.

J. I. Dominguez, « US-Cuban relations : from the cold war to the colder war », *Journal of Interamerican Studies and World Affairs,* nov. 1997.

A. Dupuy, *Haiti in the New World Order : the Limits of the Democratic Revolution,* Westview Press, Boulder, 1997.

J. Habel, « Cuba : une année charnière », *in Universalia 98,* Encyclopaedia Universalis, Paris, 1998.

J. Habel, « Miser sur l'Église pour sauver la révolution ? », *Le Monde diplomatique,* Paris, févr. 1997.

Haïti-hebdo, 29, rue Victor-Hugo, 93170 Bagnolet (France).

D.-C. Martin (avec F. Constant), *Les Démocraties antillaises en crise,* Karthala, Paris, 1996.

F. Moya-Pons, *The Dominican Republic : A National History,* Hispaniola Books, New Rochelle, 1995.

D. Nicholls, *From Dessalines to Duvalier,* Macmillan, Londres, 1996.

« Puerto Rico, 1988-1992 », *Homines,* déc. 1992.

N. Sanchez (sous la dir. de), *The Military and Transition in Cuba,* The National Security Archive, Washington, mars 1995/rapport commandé par le Pentagone.

M. Wucker, *Why the Cocks Fight : Dominicans, Haitians and the Struggle for Hispaniola,* Hill & Wang, New York, 1999.

fief du PRD. Un accord partiel a été négocié en avril 1999.

Le pays a été dévasté en septembre 1998 par le cyclone *Georges*, qui a tué au moins 300 personnes, laissé 100 000 sans-abri et fait un milliard de dollars de dégâts, surtout dans l'agriculture. Le tourisme, principale source de revenu national, a diminué en 1998, touché par le cyclone et la mauvaise image du pays à l'étranger. La récolte sucrière, deuxième source de revenu, a été l'une des plus faibles jamais enregistrées. Les investissements étrangers ont néanmoins augmenté d'un tiers en 1998, pour moitié dans le secteur touristique.

Le président Leonel Fernández a lancé un programme d'austérité et de « redressement administratif » en juillet 1998, comprenant une dévaluation du peso de 8,5 % et suivi en février 1999 d'un gel des dépenses publiques pour le reste de l'année. Le programme gouvernemental de privatisation a traîné en longueur en 1999, notamment en ce qui concerne la compagnie d'électricité, responsable depuis longtemps de pénuries de courant. La minoterie nationale a été, en décembre 1998, la première grande entreprise étatique vendue. Le pays a signé en août 1998 un large accord de libre-échange avec le Caricom (Communauté des Caraïbes), bloc des pays anglophones de la région. Des différends ont par la suite reporté sa mise en œuvre. - **Greg Chamberlain** ■

Turks et Caicos

Le Mouvement démocratique du peuple confirmé au pouvoir

Le « ministre en chef » Derek Taylor a été reconduit dans ses fonctions pour quatre ans après la victoire de son parti, le Mouvement démocratique du peuple, aux élections du 4 mars 1999, où il a gagné neuf des treize sièges du Conseil législatif. La croissance économique (tourisme, secteur financier *offshore*, pêche) de ce territoire dépendant britannique a été de 13,2 % en 1998. - **Greg Chamberlain** ■

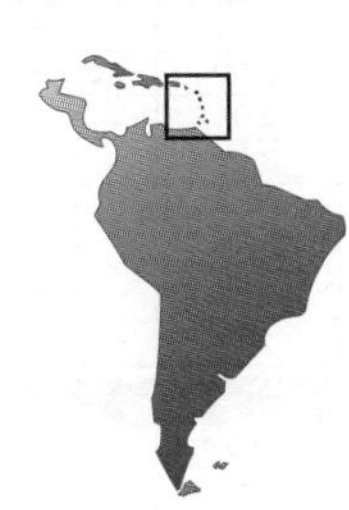

Petites Antilles

Iles Vierges, Anguilla, St. Kitts et Nevis, Antigua et Barbuda, Montserrat, Guadeloupe, Dominique, Martinique, Sainte-Lucie...

(Les îles sont présentées selon un ordre géographique en suivant l'arc qu'elles forment, du nord au sud, dans la mer des Caraïbes.)

Iles Vierges britanniques

Contrôler le secteur financier « offshore » ?

La croissance économique de ce territoire dépendant du Royaume-Uni et grand paradis fiscal s'est élevée à 6,8 % en 1998, grâce notamment au secteur financier *offshore*, qui a attiré 1 700 fonds communs de placement (FCP) pendant l'année.

Le « ministre en chef », Ralph O'Neal, s'est engagé à se pencher sur le contrôle de ce secteur, qui constitue la moitié du revenu public, à la suite de la demande de l'Union européenne. - **Greg Chamberlain** ■

Iles Vierges américaines

Une économie toujours prospère

Un ancien professeur d'université, Charles Turnbull (Parti démocrate), est devenu, en janvier 1999, gouverneur de ce territoire américain non incorporé, remplaçant Roy Schneider (républicain). Ce dernier, battu aux urnes deux mois plus tôt, était accusé d'irrégularités financières qu'il a expliquées par les urgences suscitées par trois cyclones. C. Turnbull s'est plaint d'avoir hérité d'une dette de plus de un milliard de dollars, mais l'économie (tourisme, industrie légère) restait prospère. - **Greg Chamberlain** ■

Anguilla

Hubert Hughes confirmé dans ses fonctions

Le « ministre en chef », Hubert Hughes, a été confirmé au pouvoir à la suite des élec-

INDICATEUR	UNITÉ	ANTIGUA ET BARBUDA	BARBADE	DOMINIQUE
Démographie[a]				
Population	*(millier)*	67	268	71
Densité	*(hab./km²)*	152,3	623,3	94,7
Croissance annuelle (1995-2000)	*(%)*	0,5	0,5	– 0,1
Indice de fécondité (ISF) (1995-2000)		1,7	1,5	1,9
Mortalité infantile (1995-2000)	*(‰)*	17,3	12	15,8
Espérance de vie (1995-2000)	*(année)*	75,5	76,4	76,0
Population urbaine	*(%)*	36,4	48,9	70,3
Indicateurs socioculturels				
Développement humain (IDH)[c]		0,828	0,857	0,776
Nombre de médecins	*(‰ hab.)*	3,03[j]	1,14[l]	0,53[k]
Analphabétisme (hommes)[c]	*(%)*	••	2,0[b]	••
Analphabétisme (femmes)[c]	*(%)*	••	3,2[b]	••
Scolarisation 12-17 ans	*(%)*	••	74,3[k]	••
Scolarisation 3e degré	*(%)*	••	29,4[b]	••
Adresses Internet[d]	*(‰ hab.)*	26,05	1,64	20,85
Livres publiés	*(titre)*	••	77[l]	20[l]
Armées (effectifs)				
Armée de terre	*(millier d'h.)*	0,125	0,5	••
Marine	*(millier d'h.)*	0,025	0,11	••
Aviation	*(millier d'h.)*	••	–	••
Économie				
PIB total (PPA)[c]	*(million $)*	589[b]	2 795[b]	319
Croissance annuelle 1987-97	*(%)*	3,3	0,8	2,5
Croissance 1998	*(%)*	3,8	4,9	2,5
PIB par habitant (PPA)[c]	*($)*	9 030[b]	10 580[b]	4 320
Investissement (FBCF)	*(% PIB)*	35,4[h]	12,7[i]	30,2[e]
Taux d'inflation	*(%)*	1,2	– 1,2	0,9
Énergie (taux de couverture)[f]	*(%)*	••	28,0[bo]	4,9[bo]
Dépense publique Éducation	*(% PIB)*	••	7,2[i]	5,0[f]
Dépense publique Défense[c]	*(% PIB)*	0,5	0,6	••
Dette extérieure totale[c]	*(million $)*	••	644	98
Service de la dette/Export.[e]	*(%)*	••	8,4	6,6
Échanges extérieurs				
Importations (douanes)	*(million $)*	300[c]	1 009	136
Principaux fournisseurs[c]	*(%)*	E-U 28,1[f]	E-U 45,4	E-U 16,7
	(%)	UE 35,8[f]	UE 14,5	AmL 36,6
	(%)	AmL 8,4[f]	AmL 21,2	Asie[s] 30,9
Exportations (douanes)	*(million $)*	84[c]	251	59
Principaux clients[c]	*(%)*	E-U 15,4[f]	E-U 14,8	E-U 8,9
	(%)	UE 22,6[f]	UE 20,1	UE 34,7
	(%)	AmL 43,4[f]	AmL 44,5	AmL 34,7
Solde transactions courantes	*(% PIB)*	••	••	– 16,9[f]

Définition des indicateurs, sigles et abréviations p. 31 et suiv. Chiffres 1998 sauf notes. a. Derniers recensements utilisables : Antigua et Barbuda, 1991 ; Barbade, 1990 ; Dominique, 1991 ; Grenade, 1991 ; Guadeloupe, 1990 ; Martinique, 1990 ; Sainte-Lucie, 1991 ; Trinidad et Tobago, 1990. b. 1995 ; c. 1997 ; d. janv. 1999 ; e. 1995-97 ;

GRENADE	GUADE-LOUPE	MARTINIQUE	SAINTE-LUCIE	ST-VINCENT ET GREN.	TRINIDAD ET TOBAGO
93	443	389	150	112	1 283
273,5	262,1	367,0	245,9	287,2	250,1
0,3	1,4	0,8	1,4	0,7	0,5
3,6	1,9	1,7	2,4	2,2	1,6
19,2	9	7	16	17,7	15
71,8	77,3	78,8	70,4	72,9	73,8
37,1	99,6	94,3	37,6	52,2	73,1
0,777	••	••	0,737	0,744	0,797
0,55[j]	1,32[n]	1,38[n]	0,54[j]	0,51[k]	0,66[j]
••	••	3,7	••	••	1,3
••	••	2,7	••	••	3,0
••	••	••	••	••	65,3[k]
••	••	••	••	••	8,0[f]
0,32	3,56	0,97	1,52	0,0	15,11
••	••	••	63[i]	••	26[j]
••	••	••	••		1,9
••	••	••	••	0,005	0,7
••	••	••	••		–
451[f]	3 700[b]	3 950[b]	837[f]	464[f]	8 936
3,5	3,3	3,3[m]	5,0	3,7	1,0
3,6	••	••	3,6	4,0	6,0
4 750[f]	9 200[b]	10 000[b]	5 310[f]	4 150[f]	6 840
32,9[e]	••	••	19,0[g]	30,0[g]	18,3[e]
2,5	••	••	2,7	1,7	4,0
••	••	••	••	4,8[bo]	172,1
4,7[jp]	14,6[j]	12,4[j]	9,8[i]	6,9[l]	3,7[f]
••	••	••	••	1,4	1,7[b]
105	••	••	152	258	2 162
5,3	••	••	3,0	7,2	15,8
183[c]	1 957[f]	1 969[f]	260[c]	193	3 080
E-U 24,6	Fra 40,9[f]	UE 81,1[f]	E-U 41,8[f]	E-U 25,8	E-U 44,6
UE 11,5	AmL 6[f]	Fra 69,8[f]	UE 23,1[f]	UE 23,2	UE 19,1
AmL 55,2	PNS[q] 43,8[f]	AmL 6,9[f]	AmL 25,8[f]	Asie[s] 20,6	AmL 24,5
49[c]	109[f]	212[f]	113[c]	50	2 253
E-U 12,2	Fra 59,6	UE 60,2	E-U 16,6	UE 64,3	E-U 43
UE 59,2	AmL 27,5[f]	Fra 39,4[f]	UE 64,2[f]	Jap 6,5	UE 16,8
AmL 22,4	Mart 22[f]	Guad 30,3[f]	AmL 17,5[f]	AmL 18,8	AmL 36,5
– 19,6[f]	••	••	– 13,4[f]	••	5,5[b]

f. 1996 ; g. 1995-96 ; h. 1994-95 ; i. 1994 ; j. 1993 ; k. 1991 ; l. 1990 ; m. 1984-94 ; n. 1984 ; o. Chiffres des Nations unies ; p. Dépenses courantes seulement ; q. Pays non spécifiés ; r. Total 50 ; s. Y compris Japon et Moyen-Orient.

tions législatives du 4 mars 1999. La répartition des sept sièges du Parlement est restée la même qu'au scrutin précédent de 1994. H. Hughes, qui s'indigne contre la tutelle britannique « excessive » sur l'île, et ses alliés détiennent quatre sièges. La croissance économique (tourisme, secteur *offshore*) s'est élevée à 7 % en 1998. - **Greg Chamberlain** ■

St. Kitts et Nevis

Nevis reste dans la fédération

En septembre 1998, le cyclone *Georges* a fait cinq morts, provoqué 400 millions de dollars de dégâts et laissé 2 500 personnes sans abri. La croissance économique (tourisme, sucre) a néanmoins été de 7 % en 1998. Environ 62 % des habitants de l'île de Nevis ont voté, lors d'un référendum en août 1998, en faveur de son indépendance, soit moins que la majorité de deux tiers requise. Le gouvernement de la fédération s'est engagé à répondre aux plaintes des Névisiens. - **Greg Chamberlain** ■

Fédération de St. Kitts et Nevis (Saint-Christophe et Niévès)

Capitale : Basseterre.
Superficie : 267 km².
Population : 39 000.
Langue : anglais.
Monnaie : dollar des Caraïbes orientales (au taux officiel, 1 dollar EC = 2,29 FF au 30.4.99).
Nature de l'État : fédérale.
Nature du régime : parlementaire.
Chef de l'État (nominal) : reine Elizabeth II, représentée par un gouverneur, Dr. Cuthbert Montroville Sebastian (depuis janv. 96).
Chef du gouvernement : Denzil Douglas, Premier ministre, ministre des Affaires étrangères, des Finances et de la Sécurité nationale (depuis le 4.7.95).
Vice-premier ministre et ministre du Commerce et de l'Industrie : Sam Condor (depuis le 4.7.95).
Premier ministre de Nevis : Vance Amory (depuis le 1.6.92).

Antigua et Barbuda

Poursuite du règne de la famille Bird

Le pouvoir de la famille Bird (en place depuis près de cinquante ans) a été confirmé aux élections générales du 9 mars 1999. En effet, le Parti travailliste a obtenu 12 des 17 sièges du Parlement. Un incendie d'origine criminelle a détruit l'imprimerie du principal journal de l'opposition, *Outlet*, en novembre 1998. Le gouvernement américain, selon lequel l'île est une grande plaque tournante du trafic de drogue, a dénoncé, en avril 1999, l'inefficacité, à cause de la corruption, des mesures pour empêcher le blanchiment de l'argent sale. La croissance économique (tourisme, secteur financier) a été de 3,8 % en 1998. - **Greg Chamberlain** ■

Antigua et Barbuda

Capitale : St. John's.
Superficie : 442 km².
Population : 67 000.
Langue : anglais.
Monnaie : dollar des Caraïbes orientales (au taux officiel, 1 dollar EC = 2,29 FF au 30.4.99).
Nature de l'État : unitaire.
Nature du régime : parlementaire.
Chef de l'État (nominal) : reine Elizabeth II, représentée par un gouverneur, Sir James Carlisle (depuis juin 93).
Chef du gouvernement : Lester Bird, Premier ministre et ministre des Affaires étrangères (depuis le 9.2.94).
Ministre des Finances : John St. Luce (depuis le 22.9.96).
Ministre de l'Agriculture : Vere Bird Jr. (depuis le 10.3.99).

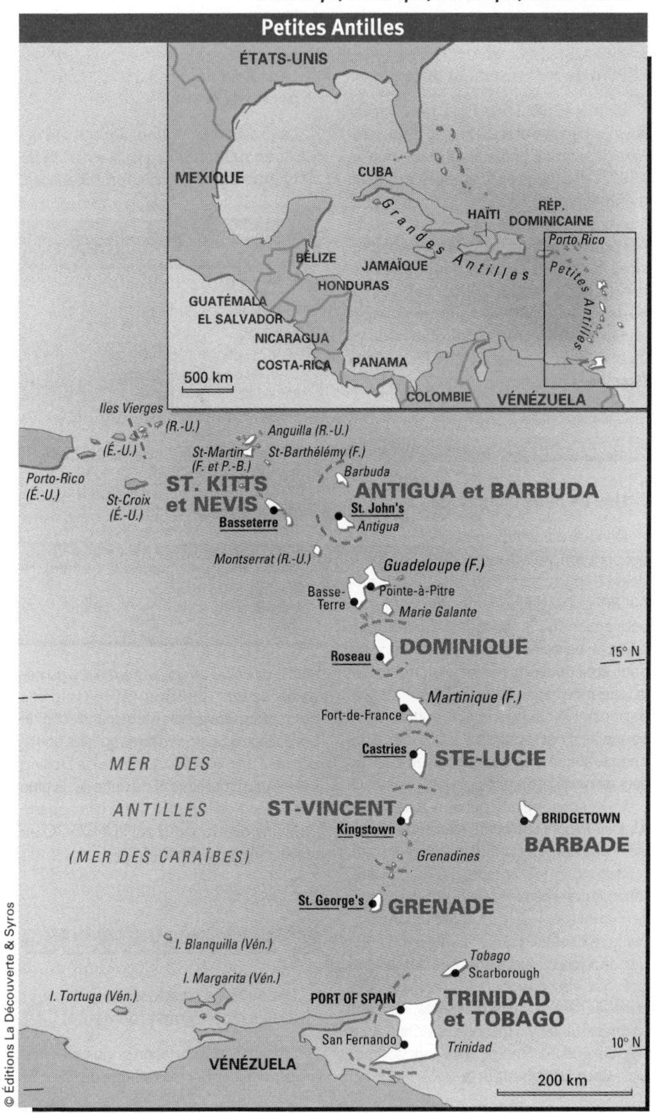
Petites Antilles
ÉTATS-UNIS
MEXIQUE
CUBA
Grandes Antilles
HAÏTI
RÉP. DOMINICAINE
Porto Rico
Petites Antilles
BÉLIZE
JAMAÏQUE
HONDURAS
GUATÉMALA
EL SALVADOR
NICARAGUA
COSTA-RICA
PANAMA
COLOMBIE
VÉNÉZUELA
500 km
Iles Vierges
(R.-U.)
(É.-U.)
Anguilla (R.-U.)
St-Martin (F. et P.-B.)
St-Barthélémy (F.)
Porto-Rico (É.-U.)
St-Croix (É.-U.)
ST. KITTS et NEVIS
Basseterre
Barbuda
ANTIGUA et BARBUDA
St. John's
Antigua
Montserrat (R.-U.)
Guadeloupe (F.)
Basse-Terre
Pointe-à-Pitre
Marie Galante
DOMINIQUE
Roseau
15° N
Martinique (F.)
Fort-de-France
Castries
STE-LUCIE
MER DES ANTILLES
(MER DES CARAÏBES)
ST-VINCENT
Kingstown
BRIDGETOWN
BARBADE
Grenadines
St. George's
GRENADE
I. Blanquilla (Vén.)
Tobago
Scarborough
I. Margarita (Vén.)
I. Tortuga (Vén.)
PORT OF SPAIN
TRINIDAD et TOBAGO
San Fernando
Trinidad
10° N
VÉNÉZUELA
200 km

Montserrat

Plan de redressement britannique

Le volcan Soufrière Hills, qui avait enseveli la capitale et la partie sud de ce territoire dépendant britannique autonome en 1997, s'est calmé en 1998 après trois ans d'éruptions. Les habitants ont commencé à sortir de leur refuge dans le tiers nord de l'île pour regagner les terres qui ont subsisté. Le retour au pays des 9 000 personnes qui avaient fui en Grande-Bretagne ou dans les Caraïbes allait être financé par le gouvernement britannique, qui a présenté un plan de redressement de l'île. - **Greg Chamberlain** ■

Guadeloupe

Une île dans l'impasse ?

Dans de nombreux secteurs, des grèves ont perturbé, en octobre 1998, l'économie de ce département français d'outre-mer (DOM) qui vit du tourisme, d'importantes subventions de la métropole et de l'exportation de bananes. Seuls 9 % des importations sont couverts par les exportations et la tendance est à la baisse. La surface occupée par la canne à sucre, culture traditionnelle, s'est réduite de 1 000 hectares chaque année pour représenter en 1999 un tiers de ce qu'elle était vingt ans auparavant.

Le trésorier-payeur général, Jean-Pierre Maloisel, a démissionné avec éclat en janvier 1999 après avoir été trois ans en poste, en dénonçant le marasme de l'île, considérant que cette dernière était « dans le coma » et n'étant pas « sûr que la perfusion pourrait faire quelque chose ». Il n'y aurait « aucun effort de concertation, pas de dialogue politique » et beaucoup de corruption. Les démêlés avec la justice du sénateur Lucette Michaux-Chevry (Rassemblement pour la République, RPR, droite) se sont poursuivis. - **Greg Chamberlain** ■

Dominique

Le site de Boiling Lake classé par l'UNESCO

La croissance économique a été de 2,5 % en 1998, mais l'agriculture (20 % du PIB), en particulier la production de bananes, était en baisse. Le gouvernement a pu négocier en avril 1999 avec les compagnies de croisière étrangères qui menaçaient d'un boycottage à cause des taxes qu'elles considéraient trop élevées. La zone de Boiling Lake (« lac Bouillante ») de cette île, la plus « sauvage » de la région, a été classée site du Patrimoine mondial par l'UNESCO en 1998. - **Greg Chamberlain** ■

Commonwealth de la Dominique

Capitale : Roseau.
Superficie : 750 km².
Population : 71 000.
Langues : anglais, créole.
Monnaie : dollar des Caraïbes orientales (au taux officiel, 1 dollar EC = 2,29 FF au 30.4.99).
Nature de l'État : unitaire.
Nature du régime : parlementaire.
Chef de l'État (nominal) : Vernon Shaw, président, qui a succédé le 2.10.98 à Crispin Sorhaindo.
Chef du gouvernement : Edison James, Premier ministre et ministre des Affaires étrangères (depuis le 14.6.95).
Ministre des Finances : Julius Timothy (depuis le 16.6.95).

Martinique

Les sévères conclusions d'un rapport gouvernemental

La banane, exportation principale avec les produits pétroliers raffinés de cette île française, était au centre des grèves survenues à partir de novembre 1998. Les travailleurs tentaient d'obtenir une hausse de salaire. Le port de Fort-de-France a été paralysé pendant plus d'un mois.

Le directeur départemental du Travail, Jacques Bertholle, a été muté en métropole en janvier 1999, malgré le soutien des élus et des syndicats. Il a accusé ses supérieurs d'avoir cédé aux pressions des « cercles les plus rétrogrades du patronat ». Depuis 1991, il tenait à appliquer la législation sociale dans les entreprises, le commerce et l'agriculture.

Un rapport commandé par le gouvernement à Paris a constaté en mars 1999 que les transferts publics de la métropole constituaient 30 % du PIB de la Martinique, qui dépend aussi du tourisme. Il a critiqué l'économie figée des îles françaises et leur isolement des autres îles des Caraïbes. Les primes de salaires accordées aux fonctionnaires métropolitains en poste dans l'île (plus de 50 %), en place depuis un demi-siècle, d'après ce rapport, ne seraient plus justifiées et bloqueraient le développement.
- **Greg Chamberlain** ■

Sainte-Lucie

Les producteurs de bananes en péril

L'économie de cette île, principal producteur régional de bananes mais aussi dynamique centre de tourisme, a progressé de 2,9 % en 1998. Le secteur de la banane a représenté 60 % des revenus étrangers du pays et fourni 50 % de ses emplois. Il s'est trouvé menacé par la victoire, en avril 1999, des grandes compagnies bananières américaines contrôlant l'activité de ce secteur en Amérique centrale, dans la guerre tarifaire qui les a opposées à l'Union européenne, principal acheteur des bananes de la Caraïbe. L'ancien Premier ministre Sir John Compton a repris, en juin 1998, la tête du Parti unifié des travailleurs (UWP), largement battu aux élections de 1997.
- **Greg Chamberlain** ■

Sainte-Lucie

Capitale : Castries.
Superficie : 620 km².
Population : 150 000.
Langues : anglais, créole.
Monnaie : dollar des Caraïbes orientales (au taux officiel, 1 dollar EC = 2,29 FF au 30.4.99).
Nature de l'État : unitaire.
Nature du régime : parlementaire.
Chef de l'État (nominal) : reine Elizabeth II, représentée par un gouverneur, Perlette Louisy (depuis le 17.9.97).
Chef du gouvernement : Kenny Anthony, Premier ministre et ministre des Finances (depuis le 24.5.97).
Premier ministre adjoint et ministre de l'Éducation : Mario Michel (depuis le 24.5.97).
Ministre des Affaires étrangères : George Odlum (depuis le 24.5.97).

Saint-Vincent et les Grenadines

Révolte des producteurs de marijuana

Des centaines de paysans vivant de la culture de la marijuana (principale production de l'île avec la banane) ont protesté en décembre 1998 contre la destruction de leurs plantations par la police, soutenue par les États-Unis.

La croissance économique (tourisme, secteur *offshore*, agriculture) a été de 4 % en 1998. L'ancien « gauchiste » Ralph Gonsalves a été élu en décembre 1998 chef du Parti travailliste unifié (ULP), qui

Petites Antilles/Bibliographie

N. Amand, *Histoire de la Martinique,* L'Harmattan, Paris, 1996.

G. Belorgey, G. Bertrand, *Les DOM-TOM,* La Découverte, coll. « Repères », Paris, 1994.

Caribbean Insight (mensuel), 8 Northumberland St. London WC2N 5RA.

Caribbean Islands Handbook, Trade and Travel Publications, Bath (R-U), 1996.

G. Drower, *Britain's Dependent Territories,* Dartmouth Publishing Co, Aldershot (R-U), 1992.

J.-C. Giacottino, « Guyane, Guadeloupe, Martinique », *in L'état de la France 1999-2000,* La Découverte, coll. « L'état du monde », Paris, 1999.

H. Godard, *Les Outre-Mers, in* T. Saint-Julien (sous la dir. de), *Atlas de la France,* vol. XIII, RECLUS/La Documentation française, Montpellier/Paris, 1998.

D.-C. Martin (avec F. Constant), *Les Démocraties antillaises en crise,* Karthala, Paris, 1996.

G. Oostindie, « The Dutch Caribbean in the 1990s : decolonization, recolonization », *Annales des pays d'Amérique latine et des Caraïbes,* n°s 11-12, IEP/CREALC, Aix-en-Provence, 1993.

J. H. Parry, P. Sherlock, A. Maingot, *A Short History of the West Indies,* Macmillan, Londres, 1987.

P. Pattullo, *Last Resorts : the Cost of Tourism in the Caribbean,* Cassell/Latin America Bureau, Londres, 1996.

F. Taglione, *Géopolitique des Petites Antilles,* Karthala, Paris, 1995.

avait perdu de justesse les élections générales cinq mois plus tôt. - **Greg Chamberlain** ■

Saint-Vincent et les Grenadines

Capitale : Kingstown.
Superficie : 388 km².
Population : 112 000.
Langue : anglais.
Monnaie : dollar des Caraïbes orientales (au taux officiel, 1 dollar EC = 2,29 FF au 30.4.99).
Nature de l'État : unitaire.
Nature du régime : parlementaire.
Chef de l'État (nominal) : reine Elizabeth II, représentée par un gouverneur, Sir David Jack (depuis sept. 89).
Chef du gouvernement : Sir James Mitchell, Premier ministre (depuis le 26.7.84).
Ministre des Finances : Arnhim Eustace (depuis le 18.6.98).
Ministre des Affaires étrangères et du tourisme : Allen Cruickshank.

Barbade

Sévères mesures contre le blanchiment de l'argent sale

Le Parti travailliste du Premier ministre Owen Arthur, profitant d'une économie prospère, a gagné les élections du 20 janvier 1999, lesquelles lui ont octroyé 26 des 28 sièges du Parlement.

Le PIB a augmenté de 14 % en 1998, soutenu par le tourisme, qui a compensé une chute de 26 % dans la production de la canne à sucre, principale récolte. Le secteur de la construction lié au tourisme a progressé de 17 %. Des mesures sévères contre le blanchiment de l'argent sale ont été imposées fin 1998. Un plan (175 millions de dollars É-U) pour rénover et informatiser le système éducatif a été annoncé en septembre 1998. Le pays a été classé par l'ONU en première po-

Barbade

Capitale : Bridgetown.
Superficie : 430 km².
Population : 268 000.
Langue : anglais.
Monnaie : dollar de la Barbade (au taux officiel, 1 dollar = 3,09 FF au 30.4.99).
Nature de l'État : unitaire.
Nature du régime : parlementaire.
Chef de l'État (nominal) : reine Elizabeth II, représentée par un gouverneur, Sir Clifford Husbands (depuis juin 96).
Chef du gouvernement : Owen Arthur, Premier ministre et ministre des Finances (depuis le 7.9.94).
Vice-premier ministre, ministre des Affaires étrangères (depuis le 7.9.94) **et du Commerce extérieur** (depuis le 24.1.99) : Bilhé Miller.
Ministre de l'Intérieur et de la Justice : David Simmons (depuis le 7.9.94).

sition dans la région pour son niveau de « développement humain » (indicateur IDH) et au 24e rang sur le plan mondial. - **Greg Chamberlain** ■

Grenade

Victoire électorale totale du Parti national nouveau

Le Premier ministre Keith Mitchell et son Parti national nouveau (NNP) ont emporté les 15 sièges du Parlement lors des élections du 18 janvier 1999. L'opposition était fractionnée. Le scrutin avait été précipité par la démission en novembre 1998 du ministre des Affaires étrangères et des Affaires légales, Ralph Fletcher, qui avait fait perdre au gouvernement sa courte majorité parlementaire.

La croissance économique (tourisme, bananes, cacao, noix de muscade, services financiers) a été de 3,6 % en 1998. - **Greg Chamberlain** ■

Grenade

Capitale : St.George's.
Superficie : 344 km².
Population : 93 000.
Langue : anglais.
Monnaie : dollar des Caraïbes orientales (au taux officiel, 1 dollar EC = 2,29 FF au 30.4.99).
Nature de l'État : unitaire.
Nature du régime : parlementaire.
Chef de l'État (nominal) : reine Elizabeth II, représentée par un gouverneur, Daniel Williams (depuis août 96).
Chef du gouvernement : Keith Mitchell, Premier ministre, ministre des Finances et de la Sécurité nationale (depuis le 22.6.95), ainsi que des Affaires étrangères (depuis le 19.1.99).
Ministre des Affaires légales, du Travail, du Gouvernement local et des Îles dépendantes : Elvin Nimrod (depuis le 19.1.99).

Trinidad et Tobago

Un Premier ministre allergique aux médias

Malgré une chute de la valeur des exportations de marchandises en 1998, à cause de la baisse des prix mondiaux du fer, de l'acier, du méthanol, de l'ammoniaque et du pétrole, le PIB a progressé de 1,9 point. Les perspectives étaient cependant plutôt sombres. Ainsi, dans l'industrie, un projet norvégien de fonderie d'aluminium de 1,6 milliard de dollars a été reporté. Mais la stabilisation, en mars 1999, du prix du pétrole (20 % des recettes de l'État) et l'expansion de la production du gaz naturel, avec l'ouverture en avril 1999 d'une usine

République de Trinidad et Tobago

Capitale : Port of Spain
Superficie : 5 130 km².
Population : 1 283 000.
Langues : anglais, hindi.
Monnaie : dollar de Trinidad et Tobago (au taux officiel, 1 dollar = 0,98 FF au 30.4.99).
Nature de l'État : république unitaire.
Nature du régime : parlementaire.
Chef de l'État (nominal) : A.N.R. Robinson, président (depuis le 18.3.97).
Chef du gouvernement : Basdeo Panday, Premier ministre (depuis le 9.11.95).
Ministre des Affaires étrangères : Ralph Maraj (depuis le 9.11.95).
Ministre des Finances : Brian Kuei Tung (depuis le 9.11.95).

de gaz liquifié qui a coûté 1 milliard de dollars et devrait fournir 5 milliards de dollars de recettes fiscales sur vingt ans, ont suscité de l'espoir.

Le Premier ministre, Basdeo Panday, a persisté dans son hostilité aux médias, déclarant en novembre 1998 qu'il fallait « les frapper ». Les deux tiers de la criminalité sont liés à la drogue. Neuf trafiquants appartenant à un gang, accusés de meurtre, ont été pendus en juin 1999. - **Greg Chamberlain** ■

Antilles néerlandaises et Aruba

Dispositif de contrôle du trafic de drogue

Le gouvernement néerlandais a accepté, en avril 1999, l'installation dans ces îles autonomes, plaque tournante importante dans le trafic de drogue en provenance d'Amérique du Sud, d'un dispositif américain de contrôle (300 personnes), muni de plusieurs avions. Le tourisme (bateaux de croisière), les services financiers, le raffinage du pétrole et surtout l'aide massive des Pays-Bas sont les autres bases de l'économie. - **Greg Chamberlain** ■

Vénézuela, Guyanes

Guyana, Guyane française, Suriname, Vénézuela

Guyana

Frictions entre communautés

Les tensions entre « Hindous » et « Afro-Guyanais », centrées sur les deux grandes formations politiques, le Parti progressiste du peuple (PPP, au pouvoir) et le Congrès national du peuple (PNC), ne se sont guère atténuées en 1999, malgré la trêve obtenue en juillet 1998 par la Caricom (Communauté des Caraïbes). Le leader du PNC, Desmond Hoyte, qui ne reconnaissait pas la présidente Janet Jagan, a rompu en février 1999 les négociations sur le partage des postes dans la fonction publique et évoqué une re-

Vénézuela - Guyanes

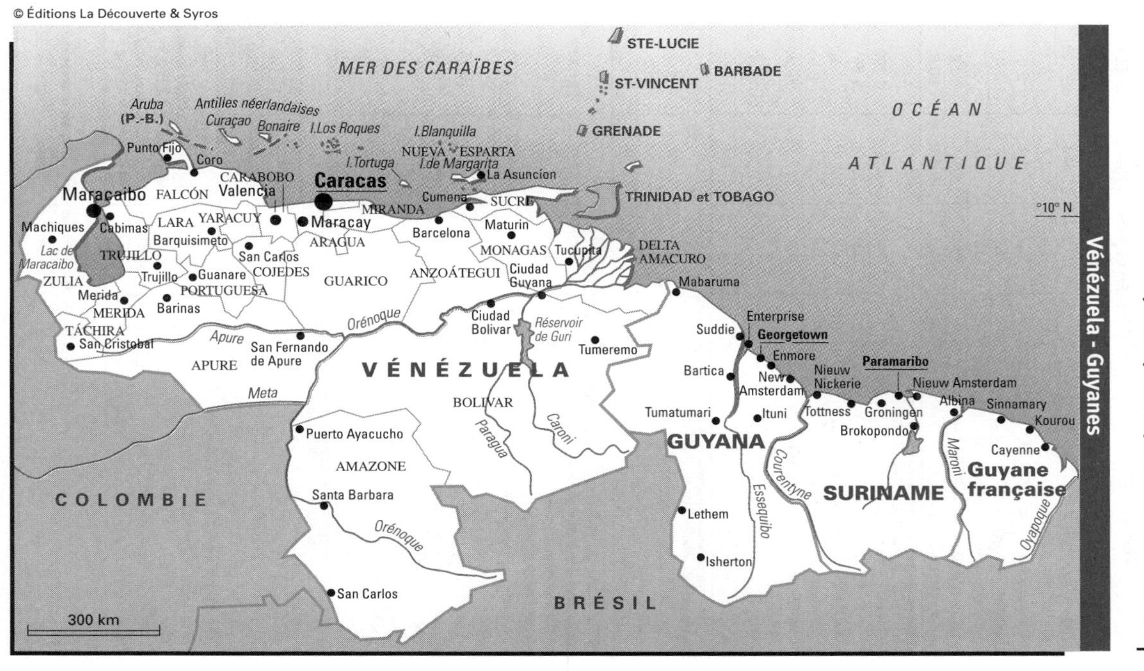

INDICATEUR	GUYANA	GUYANE FRANÇAISE	SURI-NAME	VÉNÉ-ZUELA
Démographie[a]				
Population *(millier)*	850	167	414	23 242
Densité *(hab./km²)*	4,3	1,8	2,7	26,3
Croissance annuelle (1995-2000) *(%)*	0,7	4,2	0,4	2,0
Indice de fécondité (ISF) (1995-2000)	2,3	3,3	2,2	3,0
Mortalité infantile (1995-2000) *(‰)*	58	13	29	21
Espérance de vie (1995-2000) *(année)*	64,4	76,3	70,1	72,4
Population urbaine *(%)*	37,1	76,5[b]	51,0	86,8
Indicateurs socioculturels				
Développement humain (IDH)[c]	0,701	• •	0,757	0,792
Nombre de médecins *(‰ hab.)*	0,11[i]	1,35[f]	0,78[i]	1,56[k]
Analphabétisme (hommes)[c] *(%)*	1,3	• •	4,9[b]	7,5
Analphabétisme (femmes)[c] *(%)*	2,5	• •	9[b]	8,5
Scolarisation 12-17 ans *(%)*	70,5[k]	• •	77,1[k]	59,8[j]
Scolarisation 3e degré *(%)*	10,2[f]	• •	• •	25,4[f]
Adresses Internet[d] *(‰ hab.)*	0,81	6,63	• •	3,37
Livres publiés *(titre)*	42[f]	• •	47[f]	3 468[f]
Armées (effectifs)				
Armée de terre *(millier d'h.)*	1,4	• •	1,4	34
Marine *(millier d'h.)*	0,017	• •	0,24	15
Aviation *(millier d'h.)*	0,1	• •	0,16	7
Économie				
PIB total (PPA)[c] *(million $)*	2 721	800[i]	3 280[g]	201 843
Croissance annuelle 1987-97 *(%)*	4,0	8,7[l]	2,3	2,6
Croissance 1998 *(%)*	– 1,5	• •	1,9	– 0,4
PIB par habitant (PPA)[c] *($)*	3 210	600[i]	7 922[g]	8 860
Investissement (FBCF) *(% PIB)*	33,2[e]	• •	18,4[i]	16,6[h]
Taux d'inflation *(%)*	4,6	• •	20,8	35,8
Énergie (taux de couverture)[f] *(%)*	0,2[bm]	• •	65,6[bm]	353,0
Dépense publique Éducation *(% PIB)*	4,9[f]	10,7[i]	3,5[i]	5,2[f]
Dépense publique Défense[c] *(% PIB)*	1,0	• •	4,4	1,1
Dette extérieure totale[c] *(million $)*	1 611	• •	60[k]	35 542
Service de la dette/Export.[e] *(%)*	16,6	• •	• •	23,1
Échanges extérieurs				
Importations (douanes) *(million $)*	565	783[b]	410	15 600
Principaux fournisseurs[c] *(%)*	E-U 28,2	UE 76,9[b]	E-U 35,4	E-U 45
(%)	UE 17,4	Fra 60,8[b]	UE 27,5	UE 18,1
(%)	AmL 38,2	AmL 8,6[b]	AmL 25,9	AmL 21,5
Exportations (douanes) *(million $)*	485	158[b]	383	17 200
Principaux clients[c] *(%)*	E-U 20,3	UE 77,8[b]	E-U 15,5	E-U 51,2
(%)	Can 24,2	Fra 69[b]	UE 33,5	UE 6,9
(%)	UE 34,4	AmL 15,2[b]	AmL 13,2	AmL 34,7
Solde transactions courantes *(% PIB)*	– 21,8[b]	• •	21,8[b]	– 1,8

Définition des indicateurs, sigles et abréviations p. 31 et suiv. Chiffres 1998 sauf notes. a. Derniers recensements utilisables : Guyana, 1991 ; Guyane française, 1990 ; Suriname, 1980 ; Vénézuela, 1990. b. 1995 ; c. 1997 ; d. janv. 1999 ; e. 1995-97 ; f. 1996 ; g. 1998 ; h. 1996-98 ; i. 1993 ; j. 1991 ; k. 1990 ; l. 1984-94 ; m. Chiffres des Nations unies.

République coopérative de Guyana

Capitale : Georgetown.
Superficie : 214 970 km².
Population : 850 000.
Langue : anglais.
Monnaie : dollar de Guyana (au taux officiel, 100 dollars : 3,44 FF au 31.3.99).
Nature de l'État : république unitaire.
Nature du régime : présidentiel.
Chef de l'État : Janet Jagan, présidente (depuis le 19.12.97).
Vice-président et ministre des Finances : Bharrat Jagdeo (respectivement depuis le 22.12.97 et le 18.5.95).
Premier ministre : Samuel Hinds (depuis le 22.12.97).
Ministre des Affaires étrangères : Clement Rohee (depuis nov. 92).
Ministre de l'Intérieur : Ronald Gajraj (depuis le 8.1.99).

prise des manifestations. Des violences ont éclaté à Georgetown le mois suivant. Une commission bipartite a été créée en janvier 1999 pour réformer la Constitution. Mais une grève de 10 000 fonctionnaires, qui a dégénéré en violences, a paralysé le pays entre avril et juin suivants.

Le ministre des Finances, Bharrat Jagdeo, a prévu un retour à la croissance en 1999, après une baisse du PIB de 1,3 % en 1998. Divers déficits fiscaux ont été réduits d'une manière significative, ce qui a valu les louanges du FMI, et la chute du dollar guyanais a été ralentie. Cependant, un système de permis d'importations a été réintroduit en février 1999. La production des principales cultures du pays, le sucre et le riz, ainsi que la bauxite et l'or, a été plutôt stable en 1998, mais la baisse des prix mondiaux de ceux-ci a noirci le tableau. L'influence des barons de la cocaïne est restée importante, bien que la loi draconienne contre la possession de la marijuana ait été allégée en mars 1999. - **Greg Chamberlain** ■

Guyane française

Critique de l'assistanat

Les conseils général et régional de ce département français d'outre-mer (DOM) peu développé ont déclaré en février 1999 ne plus vouloir « subir le dénigrement de l'assistanat » et ont appelé le pouvoir à créer une assemblée unique, dotée d'une large autonomie. Ils ont également exprimé leurs doutes au sujet du projet de créer un parc naturel de 2,5 millions d'hectares qui couvrirait un tiers de ce territoire qui exporte or, crevettes, riz, bois et bananes. Les activités du Centre spatial à Kourou restaient très importantes.

Les autorités se sont rapprochées du Suriname fin 1998, après quinze ans de froideur liée aux troubles politiques existant chez leur voisin. Un accord visant à lutter contre le trafic de drogue a été signé. Un autre accord conclu en mars 1999 avec le Brésil a prévu l'achèvement d'une route entre les deux pays.

La députée guyanaise Christiane Taubira-Delannon (parti Radical de gauche) a demandé en octobre 1998 au gouvernement français le paiement de réparations aux descendants des esclaves, et a fait approuver un projet de loi en février 1999 pour qualifier l'esclavage de crime contre l'humanité. - **Greg Chamberlain** ■

Suriname

Rejet du président Wijdenbosch

Le Parlement, appuyé par les syndicats et le patronat, le 1er juin 1999, a refusé sa confiance au président Jules Wijdenbosch après de longs mois de grèves et finalement de grandes manifestations de rue, parfois violentes, liées à la crise économique aiguë. Mais l'opposition parlementaire, qui bénéficiait d'une majorité mince et instable, n'a pas réussi à faire élire André Telting, ancien directeur de la Banque centrale, pour le remplacer. J. Wijdenbosch a refusé de démissionner mais a proposé des élections générales anticipées pour le 25 mai 2000.

L'ancien dictateur militaire Desi Bouterse, chef de la plus importante formation au Parlement et au gouvernement, le Parti démocrate national, qui avait été révoqué en avril 1999 de son poste de conseiller spécial de J. Wijdenbosch, tout à la fois soutenait la position de ce dernier et souhaitait son départ. En juillet 1999, D. Bouterse a été condamné *in absentia* par les Pays-Bas à purger seize ans de prison et à payer 2,3 millions de dollars pour avoir acheminé 1,3 tonne de cocaïne vers ce pays au fil des ans.

Le PIB a progressé de seulement 1,9 % en 1998, mais l'économie s'est effondrée en 1999. Le florin surinamien a perdu 70 % de sa valeur dans les six premiers mois de l'année. Parmi les causes, la chute des recettes d'exportations (bauxite, riz, or, bois), d'importantes saisies de cocaïne surinamienne aux Pays-Bas (les trafiquants devant payer leurs fournisseurs en dollars) et de fortes dépenses en travaux publics. Le gouvernement hollandais a décidé, en mai 1999, de suspendre son aide au pays, qualifiant le pouvoir au Suriname de « totalement corrompu ». - **Greg Chamberlain** ■

République du Suriname

Capitale : Paramaribo.
Superficie : 163 270 km^2.
Population : 414 000.
Langues : néerlandais, anglais, sranan tongo.
Monnaie : florin du Suriname (au cours officiel, 100 florins = 1,54 FF au 30.4.99).
Nature de l'État : république unitaire.
Nature du régime : présidentiel.
Chef de l'État et du gouvernement : Jules Wijdenbosch, président (depuis le 14.9.96). Le Parlement lui a refusé sa confiance le 1.6.99, mais il a refusé de démissionner.
Vice-président : Pretaap Radhakishun (depuis le 14.9.96).
Ministre des Affaires étrangères : Errol Snijders (depuis le 11.9.97).
Ministre des Finances : Tjan Gobardhan (depuis le 11.9.97).

Vénézuela

Le « typhon Chavez » au pouvoir

Les derniers mois de 1998 ont été particulièrement sombres pour Rafael Caldera. La fin du second mandat présidentiel du fondateur de la démocratie chrétienne au Vénézuela a été « plombée » par l'effondrement de l'économie du pays, conséquence directe de la chute des prix du baril de pétrole, pointés à leur niveau le plus bas depuis vingt-cinq ans. Sur le plan politique, le dernier combat de R. Caldera s'est soldé par un cuisant échec : il n'a pu contrer la candidature à l'élection présidentielle, le 6 décembre 1998, de l'ex-lieutenant-colonel Hugo Chavez, porté au pouvoir par près de 60 % de ses compatriotes (premier militaire jamais élu à la présidence de la République). Un score d'autant plus étonnant que, pour la première fois en quarante ans, le scrutin n'a pas été entaché des fraudes électorales généralement en usage. Le « typhon Chavez » a, de fait, tout balayé sur son passage : aussi bien les deux partis traditionnels, l'Action démocratique (sociaux-démocrates) et le COPEI (Comité d'organisation politique indépendant ; démocrates chrétiens) qui, en novembre, avaient retiré à la hâte leurs candidats à la présidentielle, laminés dans les sondages, cependant que les autres *outsiders*, qui surfaient comme H. Chavez sur la vague « anti-parti et anti-corruption », l'ultra-libéral Enrique Salas Römer et l'ancienne miss Univers Irene Saez, coulaient également à pic.

A peine investi chef de l'État, début février 1999, «*el comandante*», comme le surnomment ses proches, a rayé d'un trait de plume les institutions qui avaient régi la démocratie « corrompue » du pays depuis 1958, date de la chute du dernier dictateur Marco Perez Jimenez. Il a décrété « moribonde » la Constitution en vigueur et appelé les électeurs à un référendum, le 25 avril 1999, qu'il remporta avec plus de 90 % des suffrages exprimés, malgré une abstention très élevée. Cela entérina la réunion d'une Assemblée constituante dont les 100 membres prévus rédigeraient, dans les six mois, une nouvelle Loi fondamentale. Celle-ci aurait pour vocation, entre autres, de réformer de fond en comble le clientélisme politique, d'autoriser la réélection immédiate du chef de l'État et d'instaurer un quatrième pouvoir, le « pouvoir moral », destiné à défendre la notion de citoyenneté. Les membres de l'Assemblée constituante ont été désignés le 25 juillet 1999 : 119 sièges (soit 90 %) ont été attribués à des candidats soutenus par H. Chavez, qui enregistrait ainsi sa troisième victoire électorale.

Dans le même temps, l'ancien officier parachutiste putschiste – il avait tenté un coup d'État le 2 février 1992, ce qui lui avait valu d'être formellement radié de la liste des cadres de l'armée – a gracié et réintégré dans les forces armées les soldats et les officiers qui l'avaient soutenu lors de son *pronunciamento* avorté. Enfin, près de 300 officiers supérieurs, d'active ou à la retraite, ont été nommés à des postes clés de l'État ou de la fonction publique.

En février 1999, le nouveau chef de l'État a augmenté le salaire minimal de 20 %, sollicité une restructuration de la dette extérieure (35,5 milliards de dollars qui dévorent 40 % du budget) et fait incarcérer, début mars, des chefs policiers de province qui avaient fait réprimer trop durement des manifestations d'étudiants, entraînant la mort de l'un d'entre eux. Populiste et nationaliste, le jeune président – âgé seulement de 43 ans – refusait, dans le même esprit, de faire déloger par la force les milliers de Vénézuéliens, parmi les plus pauvres, qui avaient occupé de manière sauvage, tout au long du mois de mars, des terres et des immeubles privés ou appartenant à l'État. Le patronat a dénoncé une violation du droit de la propriété.

Accusé de naviguer à vue dans les remous économiques, le nouveau chef de l'État a pu cependant se targuer d'un premier succès pétrolier. A la mi-mars 1999, son ministre de l'Énergie et des Mines, l'ancien maquisard Ali Rodriguez, a obtenu de l'OPEP (Organisation des pays exportateurs de pétrole) une nouvelle réduction de la production d'or noir, entraînant une remontée spectaculaire, au moins provisoire, des prix du baril de brut (passés de 7,5 dollars à près de 12 dollars) et plus de 2 milliards de dollars d'encaissement supplémentaire, au printemps 1999. Cet argent a aussitôt été réinjecté dans le budget, dont le déficit, à la fin du mandat Caldera, flirtait avec les 10 milliards de dollars.

République du Vénézuela

Capitale : Caracas.
Superficie : 910 250 km^2.
Population : 23 242 000.
Langue : espagnol.
Monnaie : bolivar (au cours officiel, 100 bolivars = 1,04 FF au 30.4.99).
Nature de l'État : république fédérale.
Nature du régime : démocratie présidentielle.
Chef de l'État et du gouvernement : Hugo Chavez Frias, qui a succédé le 2.2.99 à Rafael Caldera.
Ministre de la Défense : général Raúl Salazar.
Ministre de l'Énergie et des Mines : Ali Rodriguez.
Ministre des Affaires étrangères : José Vicente Rangel.
Ministre des Finances : Maritza Izaguirre.
Territoires contestés : Essequibo (région guyanaise ; différend avec le Guyana) et golfe du Vénézuela (frontière maritime avec la Colombie).

Vénézuela, Guyanes/Bibliographie

A. Arvelo Ramos, *El dilema del charismo, una incógnita en el poder,* El Centauro Ediciones, Caracas, 1998.

O. Barry (coord. par), « Dossier Vénézuela », *Espaces latino-américains,* nos 101-110, Villeurbanne, mars-avr. 1994.

G. Belorgey, G. Bertrand, *Les DOM-TOM,* La Découverte, coll. « Repères », Paris, 1994.

E. M. Dew, *The Trouble in Suriname 1975-95,* Praeger, Westpoint (CT)/Londres, 1994.

J.-C. Giacottino, « Guyane, Guadeloupe, Martinique », *in L'état de la France 1999-2000,* La Découverte, Paris, 1999, coll. « L'état du monde ».

H. Godard, *Les Outre-Mers, in* T. Saint-Julien (sous la dir. de), *Atlas de la France,* vol. XIII, RECLUS/La Documentation française, Montpellier/Paris, 1998.

A. de Janvry, A. Graham, E. Sadoulet, *La Faisabilité politique de l'ajustement en Équateur et au Vénézuela,* OCDE, Paris, 1994.

S. Mam-Lam-Fouck, *Histoire générale de la Guyane française,* Ibis rouge éditions, Cayenne, 1996.

J. D. Martz, D. J. Myers, « Technological Elites and Political Parties. The Venezuelan Professional Community », *Latin American Research Review,* vol. 29, n° 1, 1994.

J. McDonough « Guyana », *South America, Central America + the Caribbean,* Europa Publications, Londres, 1998.

J. Molina, C. Perez, « Vénézuela : les élections de 1993. Vers un nouveau système des partis ? », *Problèmes d'Amérique latine,* n° 15, La Documentation française, Paris, oct.-déc. 1994.

« Vénézuela, la crise des partis politiques », *Problèmes d'Amérique latine,* n° 29, La Documentation française, Paris, avr.-juin 1998.

« Venezuela rethinking capitalist democracy », *NACLA's Report on the Americas,* vol. 27, n° 5, mars-avr. 1994.

Sur le plan international, H. Chavez a affirmé sa volonté de jouer dans la « cour des grands ». Il a effectué, dès la fin décembre 1998, une grande tournée en Europe (France, Italie, Allemagne), avant de s'envoler pour le Mexique, la Colombie et l'Argentine. Il a même été accueilli par le président américain Bill Clinton, à la mi-février 1999, après que Washington lui eut longtemps refusé un visa, inquiet de son passé factieux et de ses proclamations en faveur de l'instauration d'une troisième voie économique au Vénézuela. Proche du chef de l'État cubain Fidel Castro, il a essayé, en février 1999, de se poser en médiateur dans le conflit colombien entre les guérillas et l'armée régulière. Mais ses déclarations partisanes l'ont momentanément disqualifié, et il s'est ensuivi un courtois refroidissement des relations entre Bogota et Caracas.
- **Claude Pereira** ■

Amérique andine

Bolivie, Colombie, Équateur, Pérou

Bolivie

Un gouvernement miné par les affaires

La faiblesse politique du gouvernement de l'ex-dictateur Hugo Bánzer (1971-1978), soutenu par une coalition de nombreux partis sans projet concret à long terme, s'est vue aggravée par des scandales de corruption. Ces affaires ont entraîné la démission des ministres de la Santé, Tonchi Marinkovic (octobre 1998), et du Travail, Leopoldo López (mars 1999), ainsi que celles du directeur des douanes et du commandant de la police, accusés de contrebande d'automobiles. Le dernier ministre dans l'œil de la tourmente était celui de la Défense, Fernando Kieffer, soupçonné d'implication dans l'achat d'un avion militaire sans appel d'offres.

Pour se défendre contre les accusations de corruption portées contre le chef de l'État par son prédécesseur, le libéral Gonzalo Sánchez de Lozada, l'ADN (Action démocratique nationaliste) – le parti de H. Bánzer – a demandé plusieurs enquêtes sur des détournements de fonds publics et des atteintes supposées aux droits de l'homme au cours du mandat de G. S. de Lozada. Le discrédit de la classe politique traditionnelle ne pouvait que profiter aux formations populistes, en particulier à l'Union civique solidaire.

En dépit de l'instabilité politique et des problèmes du système bancaire, l'économie a enregistré une croissance de 4,7 % en 1998 et une inflation de 6,5 %. Ces bons résultats macroéconomiques ont permis à la Bolivie d'être le premier État de la région à bénéficier d'un allégement de sa dette multilatérale, grâce à un accord signé en septembre 1998 avec le FMI et la BID (Banque interaméricaine de développement).

L'entrée en activité du gazoduc destiné à acheminer le gaz naturel bolivien vers le Brésil représentera une source de devises importante 2 milliards de dollars par an au cours des six années à venir. Elle devrait permettre à la Bolivie d'affronter son principal problème, la pauvreté. - **Monica Almeida, Jean-Christophe Rampal** ■

République de Bolivie

Capitale : Sucre (La Paz est le siège du gouvernement).
Superficie : 1 098 581 km².
Population : 7 957 000.
Langues : espagnol, quechua, aymara (off.), guarani.
Monnaie : boliviano (au taux officiel, 1 boliviano = 1,07 FF au 30.4.99).
Nature de l'État : république unitaire.
Nature du régime : démocratie présidentielle.
Chef de l'État et du gouvernement : Hugo Banzer (depuis le 6.8.97).
Ministre des Relations extérieures : Javier Murillo.
Ministre du Développement économique : Herbert Muller.
Echéances institutionnelles : élections municipales (déc. 99).

INDICATEUR	BOLIVIE	COLOMBIE	ÉQUATEUR	PÉROU
Démographie[a]				
Population *(millier)*	7 957	40 803	12 175	24 797
Densité *(hab./km²)*	7,3	39,3	44,0	19,4
Croissance annuelle (1995-2000) *(%)*	2,3	1,9	2,0	1,7
Indice de fécondité (ISF) (1995-2000)	4,4	2,8	3,1	3,0
Mortalité infantile (1995-2000) *(‰)*	66	30	46	45
Espérance de vie (1995-2000) *(année)*	61,4	70,4	69,5	68,3
Population urbaine *(%)*	63,1	74,0	61,0	72,0
Indicateurs socioculturels				
Développement humain (IDH)[c]	0,652	0,768	0,747	0,739
Nombre de médecins *(‰ hab.)*	0,43[h]	0,87[h]	1,53[k]	1,03[i]
Analphabétisme (hommes)[c] *(%)*	9,3	9,0	7,3	6,1
Analphabétisme (femmes)[c] *(%)*	23,2	9,2	11,2	16,3
Scolarisation 12-17 ans *(%)*	43,4[k]	65,7[j]	73,4[k]	74,6[k]
Scolarisation 3[e] degré *(%)*	24,0[f]	18,6[f]	26,0[f]	31,1[f]
Adresses Internet[d] *(‰ hab.)*	0,78	3,93	1,26	1,92
Livres publiés *(titre)*	447[l]	1481[j]	8[f]	612[f]
Armées (effectifs)				
Armée de terre *(millier d'h.)*	25	121	50	85
Marine *(millier d'h.)*	4,5	18	4,1	25
Aviation *(millier d'h.)*	4	7,3	3	15
Économie				
PIB total (PPA)[c] *(million $)*	22 399	272 847	58 979	114 080
Croissance annuelle 1987-97 *(%)*	4,2	4,0	3,6	1,1
Croissance 1998 *(%)*	4,7	0,2	0,2	1,5
PIB par habitant (PPA)[c] *($)*	2 880	6 810	4 940	4 680
Investissement (FBCF) *(% PIB)*	19,6[g]	17,9[e]	18,5[e]	24,0[g]
Taux d'inflation *(%)*	6,5	18,7	36,1	7,3
Énergie (taux de couverture)[f] *(%)*	144,2	212,6	255,8	88,7
Dépense publique Éducation *(% PIB)*	5,6[f]	4,4[f]	3,5[f]	2,9[f]
Dépense publique Défense[c] *(% PIB)*	2,0	4,0	3,5	2,2
Dette extérieure totale[c] *(million $)*	5 248	31 777	14 918	30 496
Service de la dette/Export.[e] *(%)*	30,8	30,2	26,7	27,4
Échanges extérieurs				
Importations (douanes) *(million $)*	1 983	15 840	5 503	10 050
Principaux fournisseurs[c] *(%)*	E-U 23,3	E-U 35,3	E-U 32,4	E-U 28,9
(%)	Asie[m] 15	UE 18,5	UE 17,4	UE 21,4
(%)	AmL 43,1	AmL 25,6	AmL 31,4	AmL 30,4
Exportations (douanes) *(million $)*	1 103	10 890	4 141	5 723
Principaux clients[c] *(%)*	E-U 19,4	E-U 39,2	E-U 38	E-U 23,4
(%)	UE 23,2	UE 23,6	UE 18,8	UE 24,2
(%)	AmL 46,4	AmL 26,4	AmL 21,6	AmL 17,7
Solde transactions courantes *(% PIB)*	– 9,5	– 6,2	– 8,8	– 6,3

Définition des indicateurs, sigles et abréviations p. 31 et suiv. Chiffres 1998 sauf notes. a. Derniers recensements utilisables : Bolivie, 1992 ; Colombie, 1993 ; Équateur, 1990 ; Pérou, 1993. b. 1995 ; c. 1997 ; d. janv. 1999 ; e. 1995-97 ; f. 1996 ; g. 1996-98 ; h. 1993 ; i. 1992 ; j. 1991 ; k. 1990 ; l. 1988 ; m. Y compris Japon et Moyen-Orient.

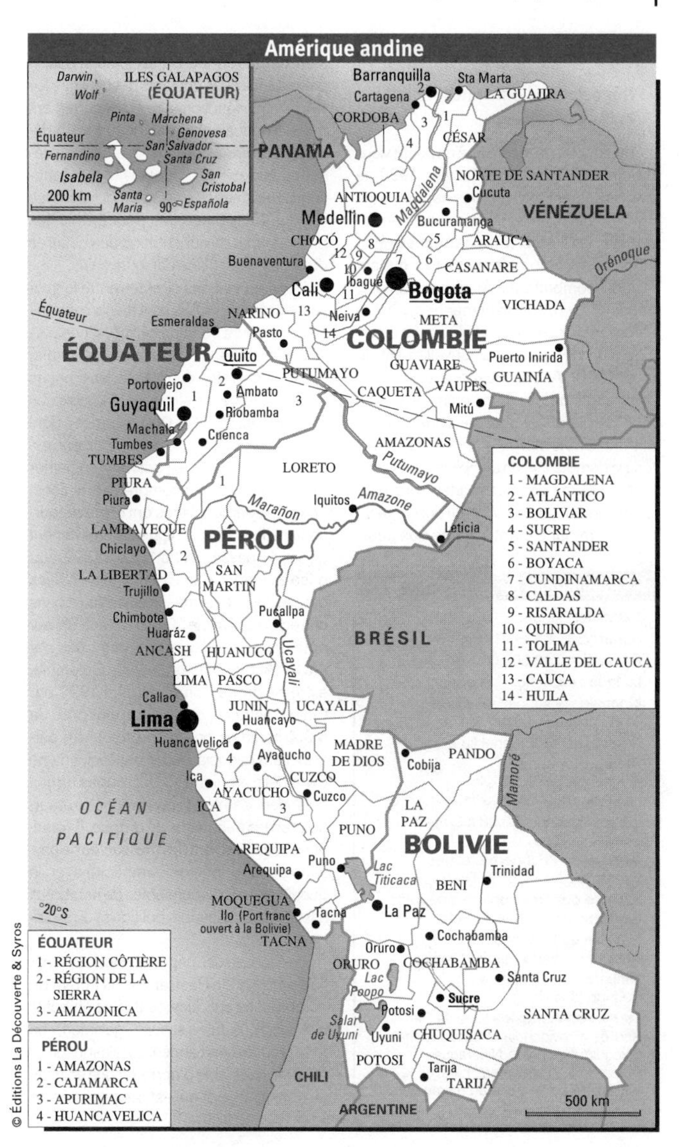
Amérique andine
ILES GALAPAGOS (ÉQUATEUR)
Darwin
Wolf
Pinta
Marchena
Genovesa
Équateur
Fernandino
San Salvador
Santa Cruz
Isabela
San Cristobal
Santa Maria
Española
200 km
PANAMA
Barranquilla
Sta Marta
Cartagena
LA GUAJIRA
CORDOBA
CÉSAR
NORTE DE SANTANDER
Cucuta
ANTIOQUIA
Magdalena
Medellin
Bucuramanga
VÉNÉZUELA
CHOCÓ
ARAUCA
Buenaventura
CASANARE
Orénoque
Ibagué
Cali
Bogota
VICHADA
Équateur
Esmeraldas
NARINO
Neiva
META
Pasto
COLOMBIE
ÉQUATEUR
Quito
Puerto Inirida
GUAVIARE
GUAINÍA
PUTUMAYO
Portoviejo
Ambato
CAQUETA
VAUPES
Guyaquil
Riobamba
Mitú
Machala
Cuenca
Tumbes
AMAZONAS
TUMBES
Putumayo
LORETO
PIURA
Piura
Marañon
Iquitos
Amazone
Leticia
LAMBAYEQUE
PÉROU
Chiclayo
LA LIBERTAD
SAN MARTIN
Trujillo
Pucallpa
Chimbote
Huaráz
BRÉSIL
ANCASH
HUANUCO
Ucayali
LIMA
PASCO
Callao
JUNIN
UCAYALI
Lima
Huancayo
Huancavelica
MADRE DE DIOS
PANDO
Ayacucho
Cobija
Ica
CUZCO
AYACUCHO
Cuzco
Mamoré
OCÉAN PACIFIQUE
ICA
LA PAZ
PUNO
BOLIVIE
AREQUIPA
Puno
Arequipa
Lac Titicaca
Trinidad
BENI
MOQUEGUA
La Paz
20°S
Ilo (Port franc ouvert à la Bolivie)
Tacna
TACNA
Cochabamba
Oruro
ORURO
COCHABAMBA
Lac Poopo
Santa Cruz
Sucre
Potosi
Salar de Uyuni
SANTA CRUZ
Uyuni
CHUQUISACA
POTOSI
Tarija
CHILI
TARIJA
ARGENTINE
500 km
COLOMBIE
1 - MAGDALENA
2 - ATLÁNTICO
3 - BOLIVAR
4 - SUCRE
5 - SANTANDER
6 - BOYACA
7 - CUNDINAMARCA
8 - CALDAS
9 - RISARALDA
10 - QUINDÍO
11 - TOLIMA
12 - VALLE DEL CAUCA
13 - CAUCA
14 - HUILA
ÉQUATEUR
1 - RÉGION CÔTIÈRE
2 - RÉGION DE LA SIERRA
3 - AMAZONICA
PÉROU
1 - AMAZONAS
2 - CAJAMARCA
3 - APURIMAC
4 - HUANCAVELICA

Colombie

Négociations officielles avec les FARC

Pour tenter de mettre fin à un conflit vieux de cinquante ans, le 7 janvier 1998, le gouvernement a ouvert des négociations officielles avec le principal mouvement de guérilla, les FARC (Forces armées révolutionnaires colombiennes), regroupant 15 000 combattants. Au terme d'un processus aux rebondissements multiples – dont une rencontre historique entre le président de la République nouvellement élu (août 1998), Andrès Pastrana, et le légendaire leader de la guérilla communiste, Manuel Marulenda, le plus vieux guérillero en activité dans le monde –, les FARC ont obtenu la démilitarisation complète d'une zone de 42 000 km^2 dans le département du Caquetá, autour de San Vicente del Caguán, cette commune étant le siège des pourparlers entre le gouvernement et le mouvement de lutte armée. Parallèlement, pour la première fois, des contacts directs entre les FARC et un fonctionnaire du département d'État américain ont eu lieu les 14 et 15 décembre 1998 au Costa Rica. Les représentants des FARC ont invité des fonctionnaires américains à se rendre dans les régions qu'ils contrôlent pour évaluer les programmes de substitution des cultures de coca mis en place par leurs soins.

Les négociations directes entre le gouvernement et les FARC ont mécontenté les autres acteurs du conflit armé, d'une part l'ELN (Armée de libération nationale, marxiste-léniniste), d'autre part les groupes paramilitaires. Pour s'imposer à la table des discussions, l'ELN (5 000 hommes), dont le principal dirigeant, le prêtre d'origine espagnol Manuel Pérez, est mort en février 1998, a entrepris de nombreuses actions. Les plus spectaculaires ont été le détournement d'un avion de ligne et l'enlèvement de ses 41 passagers, le 12 avril 1999, et la prise en otages d'une centaine de fidèles qui assistaient à la messe dominicale dans une église de Cali, le 30 mai suivant. De leur côté, les paramilitaires représentés par l'AUC (Autodéfenses unies de Colombie, extrême droite, fondé en avril 1997 par Fidel Castaño), qui regroupent près de 5 000 hommes, ont eux aussi souhaité participer aux négociations et bénéficier d'une éventuelle amnistie. Ces groupes armés défendent les intérêts des propriétaires terriens et des trafiquants de drogue. Ils pratiquent régulièrement des massacres de paysans soupçonnés de complicité avec la guérilla et sont responsables de nombreux assassinats de leaders politiques ou syndicaux.

La conduite des négociations de paix par l'administration Pastrana a fait l'objet de nombreuses critiques, tant leurs objectifs restaient flous. Elle a suscité également une forte grogne dans l'armée, qui s'est jusqu'ici montrée incapable d'apporter une solution au conflit armé et qui est soupçonnée de

République de Colombie

Capitale : Bogota.
Superficie : 1 138 914 km^2.
Population : 40 803 000.
Langue : espagnol.
Monnaie : peso (au taux officiel, 1 000 pesos = 3,87 FF au 30.4.99).
Nature de l'État : république unitaire.
Nature du régime : démocratie présidentielle.
Chef de l'État : Andrés Pastrana, qui a succédé le 7.8.98 à Ernesto Samper Lozano.
Ministre de l'Économie et des Finances : Juan Camilo Restrepo.
Ministre des Relations extérieures : Guillermo Fernández de Soto.
Ministre de l'Intérieur : Néstor Humberto Martínez Neira.
Ministre de la Défense : Rodrigo Lloreda.
Territoires contestés : îles de San Andrés, Providencia et Quita Sueño, revendiquées par le Nicaragua. Différend frontalier maritime avec le Vénézuela sur le golfe du même nom.

complicité avec les groupes paramilitaires. Selon une étude réalisée par le département de planification nationale, le conflit coûte à la Colombie 1,1 milliard de dollars par an.

Le 25 janvier 1998, un tremblement de terre a dévasté trois départements dans l'ouest du pays, autour de la ville d'Armenia. Cette région produit la moitié du café colombien, matière première dont le pays est le deuxième producteur mondial (12 millions de sacs). Le bilan de cette catastrophe a été de plus de 1 000 morts et 250 000 sans-abri. Le coût de la reconstruction des bâtiments et des infrastructures a été évalué à plus de 1 milliard de dollars.

En 1998, l'économie a encaissé de plein fouet la chute des prix des matières premières (café, charbon, pétrole), l'instabilité politique et la crise des marchés émergents. L'amélioration enregistrée fin 1997 ne s'est pas confirmée. La croissance du PIB n'a atteint que 0,2 % en 1998, contre 3,2 % l'année précédente. Ce ralentissement de l'activité s'est traduit par une progression du chômage qui a officiellement dépassé 15 % de la population active. Malgré les conséquences sur les prix agricoles du phénomène climatique El Niño, l'indice des prix à la consommation n'a progressé que de 16,3 % en 1998. Par ailleurs, le président Pastrana et son équipe ont mis en place un plan d'ajustement destiné à réduire un déficit budgétaire de 6 milliards de dollars. L'ensemble de ces facteurs ont conduit le gouvernement à autoriser une dévaluation du peso face au dollar, début septembre 1998. La monnaie faisait l'objet d'attaques spéculatives et la banque centrale n'était plus en mesure de la soutenir.

Sur le plan international, la Colombie a obtenu la reconnaissance par les États-Unis de ses efforts de lutte contre le trafic de drogue. Washington lui a attribué le certificat de bonne conduite qui lui avait été refusé les années précédentes, l'arrivée au pouvoir d'A. Pastrana pesant significativement dans la prise de cette décision. - **Monica Almeida, Jean-Christophe Rampal** ■

Équateur

Grave crise du système bancaire

Le 26 octobre 1998, deux mois à peine après son investiture, le président démocrate-chrétien Jamil Mahuad a signé avec son homologue péruvien Alberto Fujimori un traité de paix mettant fin à un différend frontalier qui avait donné lieu à trois conflits armés depuis 1941. A la suite de cet accord, les organismes financiers internationaux se sont engagés à verser aux deux pays 2 milliards de dollars pour développer la zone frontalière.

La vague d'optimisme suscitée par ce traité n'a pas résisté à la récession due à la baisse du prix du pétrole, à la fuite des capitaux et à un fort déficit budgétaire faisant obstacle à la reconstruction du réseau routier endommagé par les fortes précipitations engendrées par le phénomène climatique El Niño. En outre, une crise sans précédent du système bancaire a contraint l'État à consacrer près de 1 milliard de dollars au

République de l'Équateur

Capitale : Quito.
Superficie : 283 561 km^2.
Population : 12 175 000.
Langues : espagnol (off.), quechua, shuar et autres langues indiennes reconnues par la Constitution.
Monnaie : sucre (au taux officiel, 1 000 sucres = 0,61 FF au 31.3.99).
Nature de l'État : république unitaire.
Nature du régime : démocratie présidentielle.
Chef de l'État et du gouvernement : Jamil Mahuad (depuis le 10.8.98).
Ministre des Relations extérieures : Benjamín Ortiz.
Ministre des Finances : Ana Lucía Armijos.
Ministre de la Défense : José Guallardo.
Échéances institutionnelles : élections municipales (mai 2000).
Territoires contestés : 78 km de frontière avec le Pérou.

Amérique andine/Bibliographie

J.-M. Blanquer, C. Gros, *La Colombie à l'aube du troisième millénaire,* IHEAL, Paris, 1996.

« Bolivie : *Conciencia de Patria,* une forme originale de clientélisme au sein d'un parti politique », *Problèmes d'Amérique latine,* n° 32, La Documentation française, Paris, 1999.

P. Burin des Rosiers, *Cultures mafieuses, l'exemple colombien,* Stock, Paris, 1995.

A. Collin-Delavaud, *Le Guide de l'Équateur et des îles Galapagos,* La Manufacture, Lyon, 1993.

« Colombie : changement constitutionnel et organisation des mouvements noirs », *Problèmes d'Amérique latine,* n° 32, La Documentation française, Paris, 1999.

« Colombie : les élections de 1997-1998, entre changement et continuité », *Problèmes d'Amérique latine,* n° 31, La Documentation française, Paris, 1998.

P. Condori, *Nous, les oubliés de l'Altiplano,* L'Harmattan, Paris, 1996.

« Équateur : l'élection présidentielle de 1998, le retour de la norme démocratique ? », *Problèmes d'Amérique latine,* n° 31, La Documentation française, Paris, 1998.

« La Bolivie à l'heure de la réforme », *Problèmes d'Amérique latine,* n° 28, La Documentation française, Paris, janv.-mars 1998.

J.-P. Minaudier, *Histoire de la Colombie : de la conquête à nos jours,* L'Harmattan, Paris, 1997.

« Pérou : le Haut-Huallaga, de la coca à l'abandon », *Problèmes d'Amérique latine,* n° 28, La Documentation française, Paris, 1998.

C. Rudel, *L'Équateur,* Karthala, Paris, 1994.

R. Santana, *Les Indiens d'Équateur, citoyens de l'ethnicité,* CNRS-Éditions, Paris, 1992.

« Socio-économie de la drogue dans les pays andins », *Problèmes d'Amérique latine,* n° 18, La Documentation française, Paris, juill.-sept. 1995.

« Vénézuela », *Problèmes d'Amérique latine,* n° 29, La Documentation française, Paris, 1998.

Voir aussi la bibliographie sélective « Amérique centrale et du Sud », p. 390.

sauvetage d'une dizaine d'institutions financières et à bloquer pour sept mois 25 % du total des dépôts bancaires, suscitant le mécontentement des épargnants. Sur la base d'un taux de croissance du PIB de 0,2 % et d'une inflation de 36,1 % en 1998, on prévoyait pour 1999 une inflation au moins aussi élevée et une récession de 3 % à 7 %. Contraint par la hausse du dollar à éliminer les aides à la consommation du gaz et de l'électricité, le gouvernement a créé en septembre 1998 un « bon de solidarité » pour les plus démunis.

En mars 1999, l'agitation sociale suscitée par la crise bancaire et la hausse du prix des combustibles a paralysé le pays, entraînant des rumeurs de coup d'État et provoquant l'éclatement de l'alliance entre la parti du président (la Démocratie populaire, minoritaire au Parlement) et la droite ultralibérale (Union démocrate-chrétienne), qui avait imposé l'élimination de l'impôt sur le revenu et son remplacement par une taxe de 1 % sur les transactions bancaires. En s'appuyant sur les partis de centre gauche, J. Mahuad a pu faire voter le rétablissement de l'impôt sur le revenu et le renforcement de la lutte contre la fraude fiscale, ce qui devrait permettre de ramener le déficit budgétaire à 4 % du PIB.

Satisfait par ces mesures, le FMI a promis une aide de 1 milliard de dollars si le gouvernement menait à bien l'assainissement du système financier et la privatisation du secteur pétrolier, de l'électricité et des télécommunications. - **Monica Almeida, Jean-Christophe Rampal** ■

Pérou

Un régime de plus en plus impopulaire

La dégradation de la situation économique a contribué à alimenter le mécontentement des Péruviens qui supportent de plus en plus mal l'autoritarisme du président Alberto Fujimori. Le 27 août 1998, le Congrès, totalement acquis au chef de l'État, a définitivement rejeté l'organisation d'un référendum sur la question de permettre au président de briguer un troisième mandat (ce qu'interdit pourtant la Constitution). De son côté, l'opposition avait obtenu 1,5 million de signatures en faveur d'une telle consultation. Par ailleurs, elle a infligé une défaite cuisante aux candidats de Vamos Vecino (« En avant, voisin »), mouvement soutenu par le gouvernement, lors des élections municipales du 11 octobre 1998.

A Lima, le maire sortant Alberto Andrade a été réélu avec 59 % des voix, face au candidat du pouvoir, l'ancien ministre de l'Économie Juan Carlos Hurtado Miller. Cette victoire a conforté A. Andrade dans sa position de leader de l'opposition, le mettant en position d'affronter A. Fujimori lors de l'élection présidentielle de 2000. L'avertissement le plus sérieux adressé au président depuis son arrivée au pouvoir en 1990 a eu lieu le 28 avril 1999, lorsque la Confédération générale des travailleurs du Pérou (CGTP) a appelé avec succès à une grève générale. Ce mouvement a obtenu le soutien de huit partis et mouvements politiques, allant de la gauche à la droite, ainsi que celui de nombreux syndicats professionnels et des étudiants. Il entendait s'opposer à la candidature à un troisième mandat présidentiel d'A. Fujimori. Tous les sondages ont fait apparaître un effondrement de la cote de popularité du président. Par ailleurs, les journalistes ont fait l'objet de nombreuses pressions, voire de menaces.

De nombreuses publications ont également vu le jour dans le seul but de discréditer la presse indépendante. Le patronat a rejoint les détracteurs de la politique économique du gouvernement, jugée trop soucieuse d'attirer les investissements étrangers.

L'année 1998 a été marquée par un effondrement du taux de croissance du PIB (1,5 %, contre 7,5 % l'année précédente). Cette chute de l'activité est liée à la crise financière et économique des pays asiatiques et la Russie. Elle a entraîné une baisse du prix du cuivre et des autres métaux sur

République du Pérou

Capitale : Lima.
Superficie : 1 285 216 km².
Population : 24 797 000.
Langues : espagnol (off.), quechua, aymara.
Monnaie : nouveau sol (au taux officiel, 1 000 nouveaux sols =1,85 FF au 30.4.99).
Nature de l'État : république unitaire.
Nature du régime : démocratie présidentielle.
Chef de l'État et du gouvernement : Alberto Fujimori, président depuis 1990 (réélu le 9.4.95 pour un mandat s'achevant le 28.7.2000).
Président du Conseil, ministre de l'Économie et des Finances : Victor Joy Way Rojas.
Ministre des Relations extérieures : Fernando de Trazegnies.
Ministre de la Défense : général Carlos Bergamino Cruz.
Territoires contestés : 78 km de frontière avec l'Équateur.

les marchés internationaux. Les exportations de ces matières premières représentent deux cinquièmes des recettes en devises du pays. Par ailleurs, le phénomène climatique El Niño a eu pour conséquence une division par deux de la production du secteur de la pêche. Le Pérou est en effet le premier producteur mondial de farine de poisson, produit utilisé par l'industrie agroalimentaire et pour la fabrication d'aliments pour bétail. Enfin, la crise des marchés émergents a entraîné le report de nombreux investissements étrangers, en particulier dans le secteur minier.

La déconvenue la plus importante a été l'annonce faite le 15 juillet 1998 par le consortium Shell (Pays-Bas et Royaume-Uni) et Mobil (États-Unis) qu'il ne poursuivrait pas ses investissements dans l'exploitation du gisement gazier de Camisea. Les deux partenaires prévoyaient initialement d'injecter au cours des cinq prochaines années 3 milliards de dollars dans le projet. Shell et Mobil souhaitaient pouvoir distribuer leur production dans la capitale et en vendre une autre partie au Brésil. Les obstacles posés par le gouvernement les en a dissuadés. En dépit de cette conjoncture défavorable, le déficit public est resté inférieur à 1 % du PIB et l'inflation n'a pas dépassé 7,3 %. - **Monica Almeida, Jean-Christophe Rampal** ■

Sud de l'Amérique

Argentine, Brésil, Chili, Paraguay, Uruguay

Argentine

Inquiétudes économiques

L'activité politique s'est focalisée dès 1998 sur la préparation des élections générales fixées au 24 octobre 1999. L'Alliance pour le travail, la justice et l'éducation, formée à l'occasion des législatives d'octobre 1997 par les deux principaux partis d'opposition, l'Union civique radicale (UCR) et le Frepaso (Front pour un pays solidaire), a tenu ses primaires le 28 novembre 1998, afin d'atténuer en son sein les rivalités entre la composante de gauche et un parti traditionnellement situé au centre. Le radical Fernando de la Rúa, maire de la capitale, a été choisi comme candidat à la Présidence, avec pour colistier Carlos « Chacho » Alvarez du Frepaso. Il l'a nettement emporté sur Graciela Fernández Meijide, députée fédérale Frepaso de la province de Buenos Aires, qui a préféré briguer le gouvernorat de ce bastion du péronisme.

Au sein du Parti justicialiste (PJ, péroniste), la succession présidentielle donnait lieu à une lutte féroce. Carlos Menem, président depuis 1989 et réélu en 1995, a tenté d'obtenir une nouvelle investiture contre son rival Eduardo Duhalde, gouverneur de la province de Buenos Aires. Après avoir fait alterner déclarations de retrait de sa candidature et manœuvres pour obtenir le soutien du PJ à son projet de « ré-réélection »,

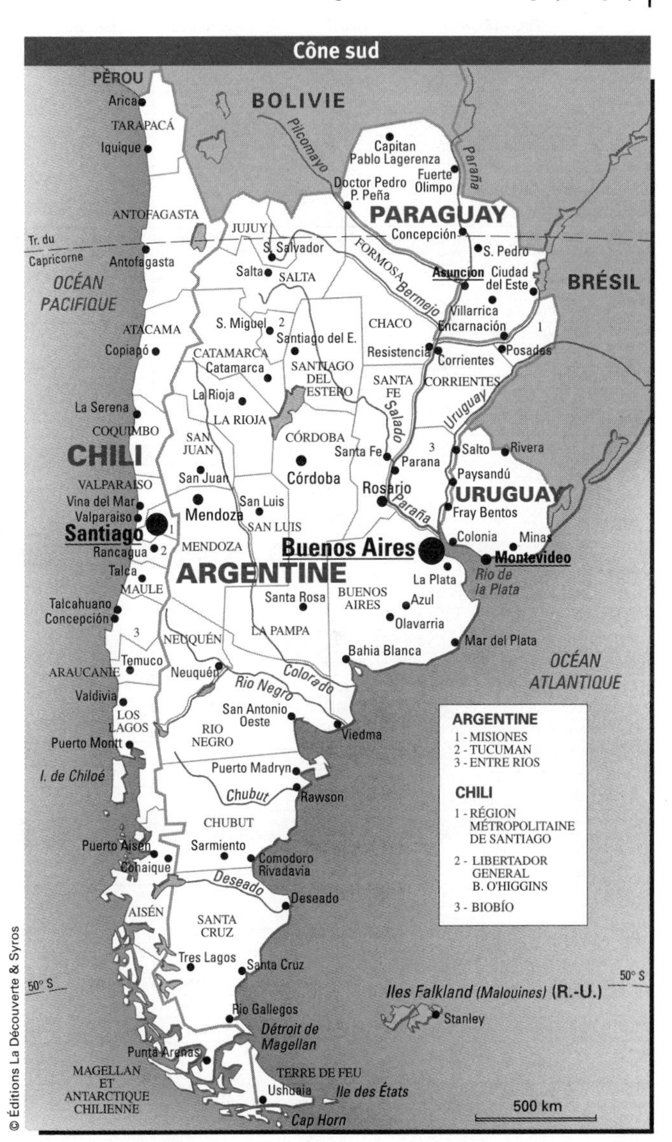
Cône sud
PÈROU
BOLIVIE
PARAGUAY
BRÉSIL
CHILI
ARGENTINE
URUGUAY
OCÉAN PACIFIQUE
OCÉAN ATLANTIQUE
Tr. du Capricorne
Arica
TARAPACÁ
Iquique
ANTOFAGASTA
Antofagasta
ATACAMA
Copiapó
La Serena
COQUIMBO
VALPARAISO
Vina del Mar
Valparaiso
Santiago
Rancagua
Talca
MAULE
Talcahuano
Concepción
ARAUCANIE
Temuco
Valdivia
LOS LAGOS
Puerto Montt
I. de Chiloé
Puerto Aisén
Cohaique
AISÉN
Punta Arenas
MAGELLAN ET ANTARCTIQUE CHILIENNE
Pilcomayo
Capitan Pablo Lagerenza
Fuerte Olimpo
Doctor Pedro P. Peña
Paraña
Concepción
S. Pedro
Asunción
Ciudad del Este
Villarrica
Encarnación
Posadas
JUJUY
S. Salvador
Salta
SALTA
FORMOSA
Bermejo
S. Miguel
Santiago del E.
CATAMARCA
Catamarca
SANTIAGO DEL ESTERO
CHACO
Resistencia
Corrientes
CORRIENTES
SANTA FE
Salado
Uruguay
La Rioja
LA RIOJA
CÓRDOBA
Córdoba
Santa Fe
Parana
SAN JUAN
San Juan
Mendoza
MENDOZA
San Luis
SAN LUIS
Rosario
Paraña
Salto
Rivera
Paysandú
Fray Bentos
Colonia
Minas
Montevideo
Buenos Aires
La Plata
Rio de la Plata
BUENOS AIRES
Azul
Olavarria
Santa Rosa
LA PAMPA
NEUQUÉN
Neuquén
Mar del Plata
Bahia Blanca
Colorado
Rio Negro
San Antonio Oeste
Viedma
RIO NEGRO
Puerto Madryn
Chubut
Rawson
CHUBUT
Sarmiento
Comodoro Rivadavia
Deseado
Deseado
SANTA CRUZ
Tres Lagos
Santa Cruz
50° S
Iles Falkland (Malouines) (R.-U.)
Stanley
Rio Gallegos
Détroit de Magellan
TERRE DE FEU
Ushuaia
Ile des États
Cap Horn
500 km
ARGENTINE
1 - MISIONES
2 - TUCUMAN
3 - ENTRE RIOS
CHILI
1 - RÉGION MÉTROPOLITAINE DE SANTIAGO
2 - LIBERTADOR GENERAL B. O'HIGGINS
3 - BIOBÍO

INDICATEUR	UNITÉ	ARGENTINE	BRÉSIL
Démographie[a]			
Population	*(millier)*	36 123	165 851
Densité	*(hab./km²)*	13,2	19,6
Croissance annuelle (1995-2000)	*(%)*	1,3	1,3
Indice de fécondité (ISF) (1995-2000)		2,6	2,3
Mortalité infantile (1995-2000)	*(‰)*	22	42
Espérance de vie (1995-2000)	*(année)*	72,9	66,8
Population urbaine	*(%)*	88,9	80,1
Indicateurs socioculturels			
Développement humain (IDH)[c]		0,827	0,739
Nombre de médecins	*(‰ hab.)*	2,68[l]	1,42[b]
Analphabétisme (hommes)[c]	*(%)*	3,4	15,9
Analphabétisme (femmes)[c]	*(%)*	3,5	16,1
Scolarisation 12-17 ans	*(%)*	79,1[k]	74,3[k]
Scolarisation 3e degré	*(%)*	41,8[f]	11,7[f]
Adresses Internet[d]	*(‰ hab.)*	18,28	12,88
Livres publiés	*(titre)*	9 850[f]	21 574[h]
Armées (effectifs)			
Armée de terre	*(millier d'h.)*	41	195
Marine	*(millier d'h.)*	20	68,25
Aviation	*(millier d'h.)*	12	50
Économie			
PIB total (PPA)[c]	*(million $)*	367 487	1 059 971
Croissance annuelle 1987-97	*(%)*	3,1	2,0
Croissance 1998	*(%)*	4,2	0,2
PIB par habitant (PPA)[c]	*($)*	10 300	6 480
Investissement (FBCF)	*(% PIB)*	19,0[e]	19,7[e]
Taux d'inflation	*(%)*	0,9	3,5
Énergie (taux de couverture)[f]	*(%)*	127,1	68,7
Dépense publique Éducation	*(% PIB)*	3,5[f]	5,5[b]
Dépense publique Défense[c]	*(% PIB)*	1,7	2,3
Dette extérieure totale[c]	*(million $)*	123 221	193 663
Service de la dette/Export.[e]	*(%)*	45,7	45,5
Échanges extérieurs			
Importations (douanes)	*(million $)*	31 402	60 980
Principaux fournisseurs[c]	*(%)*	E-U 20	E-U 23,3
	(%)	UE 27,4	UE 26,6
	(%)	AmL 31	AmL 21,9
Exportations (douanes)	*(million $)*	25 227	51 120
Principaux clients[c]	*(%)*	UE 15,7	E-U 17,5
	(%)	AmL 49,3	UE 27
	(%)	Asie[m] 18,8	AmL 28,1
Solde transactions courantes	*(% PIB)*	– 3,6	– 3,9

Définition des indicateurs, sigles et abréviations p. 31 et suiv. Chiffres 1998 sauf notes. a. Derniers recensements utilisables : Argentine, 1991 ; Brésil, 1991 ; Chili, 1992 ; Paraguay, 1992 ; Uruguay, 1996. b. 1995 ; c. 1997 ; d. janv. 1999 ; e. 1995-97 ; f. 1996 ; g. 1996-98 ; h. 1994 ; i. 1993 ; j. 1992 ; k. 1991 ;

CHILI	PARAGUAY	URUGUAY
14 824	5 222	3 289
19,8	13,1	18,8
1,4	2,6	0,7
2,4	4,2	2,4
13	39	18
74,9	69,6	73,9
84,3	54,6	90,9
0,844	0,73	0,826
1,07[k]	0,28[h]	3,21[j]
4,6	6,2	3,0
5,0	8,9	2,2
86,6[k]	46,6[k]	84,4[j]
30,3[f]	11,4[f]	29,4[f]
20,17	2,17	46,63
2 469[b]	152[i]	934[f]
51	14,9	17,6
30	3,6	5
13,5	1,7	3
186 067	20 246	30 046
7,9	3,6	3,1
3,3	3,5	4,5
12 730	3 980	9 200
24,6[e]	22,3[e]	12,2[g]
5,1	7,0	10,8
38,3	155,8	34,5
3,1[f]	3,9[f]	3,3[f]
2,8	1,5	2,3
31 440	2 053	6 652
25,8	5,8	17,6
18 828	3 050	3 808
E-U 22,9	E-U 17,4	E-U 11,7
UE 20,9	UE 10,3	UE 19,3
AmL 28,2	AmL 53	AmL 50,3
14 895	1 021	2 769
UE 24,4	UE 14,6	UE 18,9
AmL 20,5	AmL 70,9	AmL 56
Asie[m] 34,8	Asie[m] 10,8	Asie[m] 14,1
– 5,7	– 2,2	– 2,0

l. 1990 ; m. Y compris Japon et Moyen-Orient.

il a finalement choisi de s'assurer le contrôle du parti, que la Cour suprême lui a accordé jusqu'à la fin 2002. Il s'est incliné devant les parlementaires et la justice électorale, par absence de soutien véritable des gouverneurs péronistes, et surtout en raison de la nette victoire le 9 mai 1999 du courant Duhalde aux primaires du PJ dans la province de Buenos Aires, où le vice-président Carlos Ruckauf a été désigné comme candidat au gouvernorat. Le 17 juin suivant, le PJ proclamait donc E. Duhalde et Ramón Ortega uniques candidats du PJ à la Présidence et à la Vice-présidence, rendant ca-

République d'Argentine

Capitale : Buenos Aires
Superficie : 2 766 889 km².
Population : 36 123 000.
Langue : espagnol.
Monnaie : peso (au taux officiel, 1 peso = 6,19 FF au 30.4.99).
Nature de l'État : république fédérale (23 provinces et le district fédéral de Buenos Aires).
Nature du régime : démocratie présidentielle.
Chef de l'État et du gouvernement : Carlos Saúl Menem, président de la Nation argentine (depuis le 8.7.89, réélu le 14.5.95).
Vice-président : Carlos Ruckauf.
Chef du cabinet des ministres : Jorge Rodríguez (depuis 1995).
Ministre de l'Intérieur : Carlos Corach.
Ministre des Relations extérieures et du Culte : Guido Di Tella.
Ministre de l'Économie, des Travaux et des Services publics : Roque Fernández.
Principaux partis politiques : Union civique radicale (UCR, présidée par Fernando de la Rúa) ; Parti justicialiste (PJ, péroniste de Carlos Menem) ; Frepaso (Front pour un pays solidaire, de Carlos « Chacho » Alvarez).
Revendication territoriale : îles Falkland (Malouines, R-U).
Échéances institutionnelles : élection présidentielle et à la Chambre des députés (oct. 1999).

duques les primaires du 4 juillet dans le reste du pays.

Si les élections de gouverneurs qui avaient déjà eu lieu ont donné des résultats variés pour le péronisme, l'image de fermeté du gouvernement Menem face aux crises a permis au PJ de voir sa cote remonter au niveau de celle de l'Alliance. E. Duhalde a su centrer sa campagne sur les questions économiques et sociales, en souffrance après les réformes structurelles de l'ère Menem, alors que l'Alliance tardait à proposer un programme se démarquant du sien sur l'emploi, l'éducation et la sécurité, principales préoccupations des Argentins.

Le sang-froid des autorités à partir du déclenchement de la crise russe n'est pas parvenu à atténuer l'opinion négative des citoyens sur le fonctionnement de l'État et de la classe politique. L'affaire des ventes d'armes illégales à la Croatie et à l'Équateur sous le premier mandat de C. Menem a conduit des responsables militaires et politiques devant les tribunaux. Les questions de droits de l'homme sont également revenues au premier plan. De nouvelles poursuites contre les principaux acteurs de la dictature militaire (1976-1983) pour les enlèvements d'enfants de « disparus » (quelques centaines de dossiers pour 30 000 disparus selon les organisations de défense des droits de l'homme), et les enquêtes judiciaires sur la localisation des corps de ceux-ci ont apporté de nouveaux témoignages sur la répression. Plus de dix ans après le procès de la Junte, largement soutenues par l'opinion publique et la hiérarchie militaire, ces actions ne sont plus considérées comme une menace pour la stabilité du pays.

La délicate situation économique au début de 1999 a suscité des revendications protectionnistes de la part des industriels, mais contribuait à limiter la surenchère populiste en année électorale. La croissance, vive du premier semestre 1998 a dangereusement fléchi (4,2 % pour l'ensemble de l'année), après la crise russe d'août 1998 puis la dévaluation de la monnaie brésilienne en janvier 1999. La contraction des échanges extérieurs et de l'activité industrielle, surtout dans le secteur automobile, très dépendant du marché brésilien (destination de 50 % de la production argentine), a entraîné une baisse des recettes fiscales dans un contexte budgétaire toujours délicat. L'inflation est descendue à 0,9 % pour l'année 1998, malgré les hausses de prix de services de base. La réduction du taux de chômage à 12,4 % en octobre 1998 (contre 13,7 % un an auparavant), grâce aux créations d'emplois dans le secteur tertiaire, n'a été que de courte durée. La pauvreté due à la précarité et aux faibles rémunérations touche plus du tiers des habitants, amenant le gouvernement à mettre en œuvre des aides à la création d'emplois et une baisse des cotisations patronales. Avec la même fermeté que lors de la crise de 1995, le président Menem a défendu le régime de « convertibilité », qui interdit l'émission monétaire au-delà des réserves internationales du pays sur la base de 1 peso pour 1 dollar. Son projet de « dollarisation complète de l'économie » entendait rassurer les marchés financiers et rappeler au gouvernement brésilien ses engagements envers les partenaires du Mercosur (Marché commun du sud de l'Amérique). Face à une dette extérieure en augmentation (123 milliards de dollars) et de lourdes échéances pour les quatre années à venir, les autorités économiques ont profité de toutes les accalmies (réélection de Fernando Henrique Cardoso à la tête de l'État brésilien en octobre 1998 et octroi d'une aide financière internationale au Brésil à la fin de la même année, annonce du projet de dollarisation), pour couvrir les besoins de financement de 1998 et du début 1999, malgré des intérêts alourdis par le moratoire russe. En janvier 1999, la privatisation de l'essentiel de la part de l'État dans YPF (Yacimientos petróliferos fiscales) et de 25 % du Banco Hipotecario Nacional devait abonder les fonds de développement des provinces et des infrastructures.

En 1998, le gouvernement Menem a continué d'engranger des succès en politique étrangère. Buenos Aires n'a pas réussi à convaincre Londres d'engager le dialogue sur la souveraineté des îles Falkland (Malouines), mais de multiples gestes réciproques de réconciliation ont été échangés. L'Argentine a obtenu en septembre 1998 un siège non permanent au Conseil de sécurité des Nations unies. Les relations avec Washington sont demeurées excellentes, mais celles avec l'Europe se sont tendues en matière commerciale. Le rapprochement avec le Chili semblait irréversible depuis la ratification par les parlements des deux États, le 2 juin 1999, de l'accord du 16 décembre 1998 sur le dernier différend frontalier des « Glaciers continentaux ». Pour pouvoir faire face aux chocs économiques, l'Argentine a prôné une intégration plus poussée au sein du Mercosur et l'adoption de politiques de sortie de crise coordonnées. - **Sophie Jouineau** ■

Brésil

Face à la crise financière

Fernando Henrique Cardoso, sociologue de renommée mondiale et social-démocrate converti au néo-libéralisme progressiste, façon Tony Blair, était le premier chef d'État, dans l'histoire constitutionnelle du Brésil, à pouvoir briguer un second mandat consécutif. Avec seulement un point de moins qu'à la présidentielle de 1994 (53 % des suffrages exprimés cette fois), il a remporté dès le premier tour le scrutin d'octobre 1998. Dans chaque État fédéré, hormis le Rio Grande do Sul, il a devancé les douze autres candidats en lice. Mais ce score était trompeur et l'alliance au pouvoir n'est guère sortie renforcée des scrutins disputés le même jour : élections des gouverneurs pour le Congrès et des membres des assemblées locales.

La réélection sans triomphe de F. H. Cardoso

A peine plus d'un inscrit sur trois a voté pour le président sortant ; le nombre de voix en sa faveur (35 937 000) était inférieur à celui des abstentionnistes, des votes blancs et nuls réunis (38 372 000). F. H. Cardoso n'a atteint la majorité absolue que dans 16 États sur 27 (contre 23 en 1994). En outre, alors que le corps électoral s'est étoffé (+ 11,4 millions d'inscrits), il n'a obtenu que 1 650 000 voix de plus qu'en 1994. Plus significatif encore, son score est apparu en recul de quatre points dans les dix États les plus peuplés. Son électorat s'est à la fois « désurbanisé » et « dépopularisé ».

F. H. Cardoso avait cependant toutes les chances de son côté. Du centre gauche à la droite conservatrice, toutes les formations d'importance avaient appuyé sa candidature. Malgré le soutien plus ou moins effectif de 21 gouverneurs sortants sur 27, de 69 sénateurs sur 81, de 70 % des députés et de 80 % des maires de villes de plus de 50 000 inscrits, son avance sur son rival immédiat, Luis Inácio da Silva (dit « Lula »), loin de s'accroître, s'est réduite.

Celui-ci, candidat du Parti des travailleurs (PT, gauche radicale), déjà présent et déjà deuxième lors du premier tour de la présidentielle de 1989 (17,2 % des voix) et de 1994 (27 %), a encore progressé. Avec 31,7 % des suffrages, il est arrivé 21 points derrière le président sortant. L'opposition de gauche a globalement gagné près de douze points en quatre ans (41,7 % contre 30 %). Ciro Gomes, ancien gouverneur du Ceará, candidat du PPS (Parti populaire socialiste, ex-parti communiste, façon PDS italien), est arrivé en troisième position avec 11 % des voix. Toutefois, cette évolution du rapport de forces au niveau national n'a pas systématiquement trouvé sa traduction au plan local. Les différences d'alliance et d'implantation électorale des formations politiques d'un État à l'autre, combinées à la variété des modes de scrutin (majoritaire à deux tours pour les gouverneurs, à un tour pour les sénateurs, proportionnel pour les députés), ont joué pour beaucoup.

Dans la course aux gouvernorats, la formation de F. H. Cardoso, le Parti de la social-démocratie brésilienne (PSDB), moins prompte que lui à adhérer au néo-libéralisme, a enregistré deux échecs significatifs. Sur les trois plus importants États du pays qu'elle détenait (São Paulo, Rio de Janeiro et Minas Gerais), elle n'a pu garder que le premier : Rio est passé aux mains des travaillistes ; Minas Gerais est allé à l'ex-président populiste Itamar Franco, pour le compte du Parti du mouvement démocratique brésilien (PMDB, centre droit). L'obtention de deux petits États, dont Goiás, n'a pas compensé ces pertes. Le principal allié du PSDB, le Parti du front libéral (PFL, formation néo-libérale frileusement progressiste), n'a, pour sa part, conquis aucun État décisif. Au soir du scrutin, seul le PT pouvait se réjouir de trois États enlevés, au nombre desquels l'important Rio Grande do Sul (anciennement PMDB).

A l'issue des élections législatives, l'alliance pro-Cardoso est toutefois restée ultra-majoritaire, avec 68 % des sièges à la Chambre et 75 % au Sénat. Mieux, la part des soutiens inconditionnels au président est passée de 33 % à 40 % à la Chambre, frôlant par ailleurs la majorité absolue au Sénat. En outre, la coalition s'est équilibrée à la Chambre. Le PSDB a refait son handicap sur le PFL. Ces deux piliers de la coalition, comptabilisant chacun 20 % des sièges, ont devancé le PMDB qui, avec 16 % des sièges, a cessé d'être le premier parti du pays. Au Sénat, en revanche, le PSDB est demeuré en retrait du PFL et du PMDB. Dans les deux enceintes, l'opposition de gauche, regroupée autour d'un PT en progression (11 % des sièges), fait jeu égal avec une opposition de droite en recul et structurée autour des ultra-libéraux du Parti progressiste réformateur (PPR, 11 %).

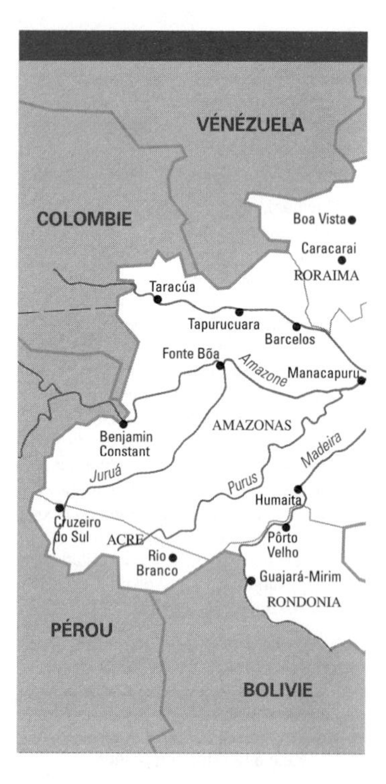

Il reste que ces scrutins ont été affectés par les tensions sur la devise nationale.

La fin du real fort

A son lancement, à l'été 1994, le real avait été surévalué d'environ 25 % par rapport au dollar afin d'arrêter net une inflation galopante (1 % par jour). L'opération, engagée notamment pour faciliter le succès de F. H. Cardoso, avait réussi en raison de l'adoption d'un taux de change à dépréciation mensuelle annoncée. En clair, la Banque centrale fixait à l'avance le rythme et l'amplitude du glissement de la monnaie, avec des taux d'intérêt nominaux attractifs, c'est-à-dire très élevés ; simultanément, le gouvernement

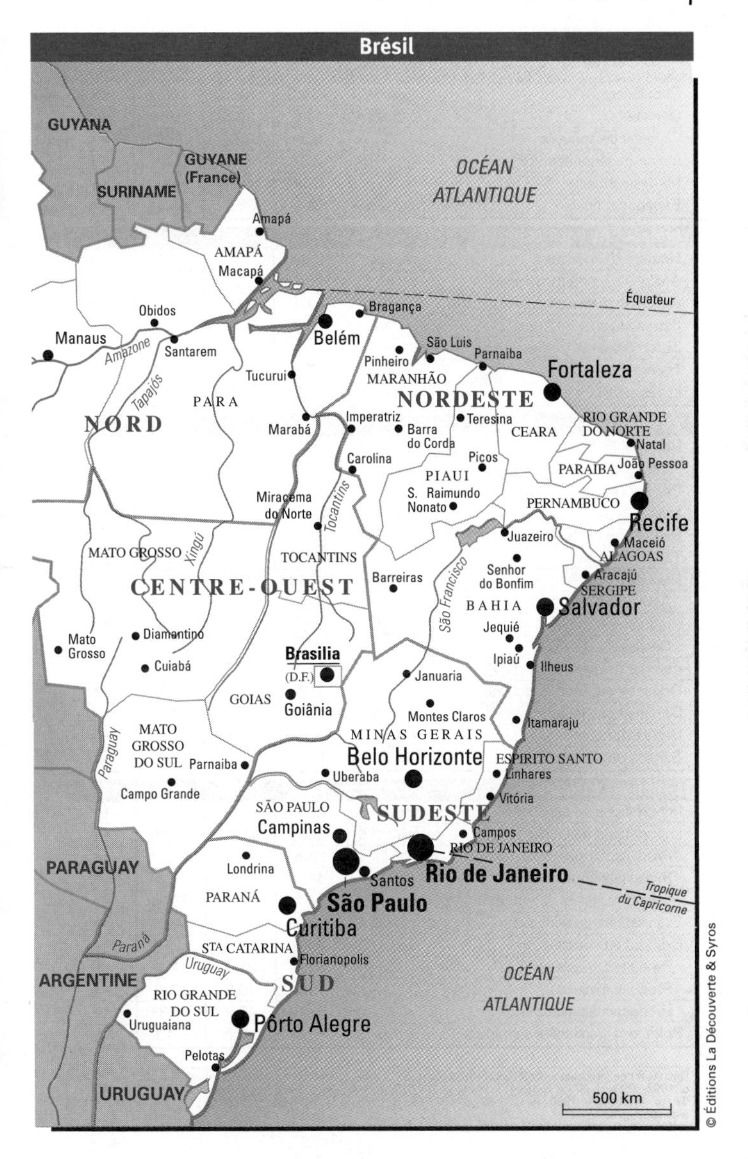
Brésil
GUYANA
GUYANE (France)
SURINAME
OCÉAN ATLANTIQUE
Amapá
AMAPÁ
Macapá
Équateur
Obidos
Bragança
Belém
Manaus
Amazone
Santarem
São Luis
Parnaiba
Fortaleza
Pinheiro
Tucurui
Tapajós
MARANHÃO
NORDESTE
PARA
NORD
Imperatriz
Teresina
RIO GRANDE DO NORTE
Marabá
Barra do Corda
CEARA
Natal
Carolina
Picos
PARAIBA
João Pessoa
PIAUI
Miracema do Norte
S. Raimundo Nonato
Tocantins
PERNAMBUCO
Recife
Juazeiro
Maceió
Xingú
MATO GROSSO
TOCANTINS
ALAGOAS
Senhor do Bonfim
Barreiras
Aracajú
CENTRE-OUEST
São Francisco
SERGIPE
BAHIA
Salvador
Jequié
Mato Grosso
Diamantino
Ipiaú
Brasilia
Cuiabá
Ilheus
(D.F.)
Januaria
GOIAS
Goiânia
Montes Claros
Itamaraju
MATO GROSSO DO SUL
MINAS GERAIS
Paraguay
Belo Horizonte
ESPIRITO SANTO
Parnaiba
Linhares
Uberaba
Campo Grande
Vitória
SÃO PAULO
SUDESTE
Campinas
Campos
RIO DE JANEIRO
PARAGUAY
Londrina
Santos
Rio de Janeiro
Tropique du Capricorne
PARANÁ
São Paulo
Curitiba
Paraná
STA CATARINA
Florianopolis
Uruguay
OCÉAN ATLANTIQUE
ARGENTINE
SUD
RIO GRANDE DO SUL
Uruguaiana
Pôrto Alegre
Pelotas
URUGUAY
500 km

INDICATEUR	UNITÉ	1975	1985	1997	1998
Démographie[a]					
Population	*million*	108,2	135,2	163,7	165,9
Densité	*hab./km²*	12,8	16,0	19,4	19,6
Croissance annuelle	%	2,2[q]	1,6[k]	1,3[c]	• •
Indice de fécondité (ISF)		4,5[q]	3,3[k]	2,3[c]	• •
Mortalité infantile	‰	72[q]	51[k]	42[c]	• •
Espérance de vie	*année*	62,4[q]	65,2[k]	66,8[c]	• •
Indicateurs socioculturels					
Nombre de médecins	*‰ hab.*	0,62	1,47	1,42[d]	• •
Analphabétisme (hommes)	%	25,7	20,5	15,9	• •
Analphabétisme (femmes)	%	31,1	22,9	16,1	• •
Scolarisation 12-17 ans	%	58,9	69,1	74,3[f]	• •
Scolarisation 3e degré	%	11,1[n]	10,5	11,7[b]	• •
Téléviseurs	*‰ hab.*	77,8	185,2	316,3	• •
Livres publiés	*titre*	12 296	17 648	21 574[e]	• •
Économie					
PIB total (PPA)	*milliard $*	227,7	564,2	1 060,0	• •
Croissance annuelle	%	3,7[o]	2,0[g]	3,2	0,2
PIB par habitant (PPA)	*$*	2 100	4 170	6 480	• •
Investissement (FBCF)	*% PIB*	20,5[p]	20,7[h]	19,6	• •
Recherche et Développement	*% PIB*	0,3	0,4	0,6[d]	• •
Taux d'inflation	%	32,7	193,5	24,2	3,5
Population active	*million*	40,02	56,79	75,3	• •
Agriculture	% } *100 %*	37,9	30,0	26,1[d]	16,7[u]
Industrie	% } *100 %*	24,3	23,5	19,6[d]	• •
Services	% } *100 %*	37,8	46,5	54,3[d]	• •
Énergie (taux de couverture)	%	59,1	79,0	68,7[b]	• •
Dépense publique Éducation	*% PIB*	3,0	3,8	5,5[d]	• •
Dépense publique Défense	*% PIB*	1,2	0,8	2,3	• •
Dette extérieure totale	*milliard $*	27,33	103,60	193,66	• •
Service de la dette/Export.	%	40,7[s]	43,5[m]	45,5[l]	• •
Échanges extérieurs		**1974**	**1986**	**1997**	**1998**
Importations de services	*milliard $*	2,40	4,39	18,46	• •
Importations de biens	*milliard $*	12,60	14,04	61,35	• •
Produits énergétiques	%	23,8	26,8	12,1[d]	• •
Produits manufacturés	%	48,2	49,1	71,2[d]	• •
dont machines et mat. de transport	%	24,2	24,7	38,1[d]	• •
Exportations de services	*milliard $*	0,80	1,82	7,27	• •
Exportations de biens	*milliard $*	7,80	22,35	52,99	• •
Produits agricoles	%	63,9	37,2	34,0[b]	• •
Produits miniers	%	12,0	10,9	10,9[b]	• •
Produits manufacturés	%	22,3	47,9	53,8[b]	• •
Solde des transactions courantes	*% du PIB*	– 4,0[r]	– 0,5[j]	– 4,1	– 3,9

Définition des indicateurs, sigles et abréviations p. 31 et suiv. a. Dernier recensement utilisable : 1991 ; b. 1996 ; c. 1995-2000 ; d. 1995 ; e. 1994 ; f. 1991 ; g. 1987-97 ; h. 1987-96 ; i. 1986 ; j. 1985-96 ; k. 1985-95 ; l. 1995-97 ; m. 1984-86 ; n. 1980 ; o. 1977-87 ; p. 1977-86 ; q. 1975-85 ; r. 1975-84 ; s. 1974-76 ; t. 1974 ; u. An 2000, estimation FAO.

s'était engagé à assainir les comptes publics. Cette formule n'exigeait pas, contrairement à la dollarisation, un équilibre budgétaire immédiat, ni de privatiser à tout va. Elle permettait d'adopter progressivement les mesures susceptibles d'assainir les comptes (réformes de l'État, du régime de retraite, de la fiscalité, fin des monopoles d'État, ouverture accrue du pays aux capitaux étrangers...), tout en finançant les programmes de réduction des injustices sociales. Cette solution était vertueuse à condition que le calendrier des réformes ne prenne pas trop de retard ou qu'un choc monétaire extérieur n'oblige pas à relever le taux nominal.

Dès la fin 1996, les taux d'intérêt élevés, après avoir servi d'oxygène à l'économie brésilienne, se sont mis peu à peu à asphyxier l'investissement, la consommation et l'activité. La croissance s'est ralentie, les déficits se sont encore creusés et la dette interne a dangereusement enflé. Le président Cardoso, qui devait l'essentiel de sa popularité à la forte parité du real, a refusé toute dévaluation compétitive. Il y aurait perdu l'appui massif de l'opinion, ce qui aurait réduit ses chances de réélection. Aussi, pour justifier et défendre la parité de la devise brésilienne, et alors que le pays subissait successivement le contrecoup des crises financières du Sud-Est asiatique (été 1997), du Japon puis de la Russie (août 1998), le gouvernement, plutôt que d'accroître la rigueur budgétaire, a relevé de plus en plus imprudemment le taux de base.

Marasme monétaire et mesures d'austérité

Cette fuite en avant a fait que le PIB, après avoir stagné à 3 % en 1997, a reculé en 1998 (0,2 %). Elle a aussi eu de graves répercussions sur l'emploi (7,6 % de chômage dans les grands centres urbains fin 1998, soit un bond de 30 % en un an). Plus grave encore aux yeux des investisseurs et des spéculateurs, le déficit public représentait 8,4 % du PIB en 1998. De la sorte, en octobre 1998, le real a subi une première attaque. 23 milliards de dollars sont sortis du pays, faisant fondre d'un tiers les réserves de change brésiliennes. Pour arrêter cette périlleuse hémorragie, le taux a été considérablement relevé (il a atteint jusqu'à 49,75 %) et un premier correctif budgétaire décidé. Simultanément, une aide internationale de 41,5 milliards de dollars, dont 18 en provenance du FMI et versés en trois temps, a été accordée au Brésil, moyennant une rigueur accrue.

Le Congrès n'a toutefois voté qu'à moitié les mesures d'austérité. Pire, I. Franco, dès son arrivée à la tête du Minas Gerais en janvier 1999, a décrété un moratoire de trois mois sur le remboursement de la dette de son État à Brasília (15,5 milliards). Plusieurs gouverneurs ont menacé d'en faire autant. Les capitaux ont, dès lors, à nouveau fui le Brésil en masse et le gouvernement a dû se résoudre à dévaluer le real de 9 % et à changer de régime de change. Ne disposant plus de réserves monétaires suffisantes, il n'a pu empêcher la monnaie de perdre jusqu'à

République fédérative du Brésil

Capitale : Brasilia.
Superficie : 8 511 965 km².
Population : 165 851 000.
Langue : portugais du Brésil.
Monnaie : real (1 real = 3,73 FF au 30.4.99).
Nature de l'État : république fédérale (26 États et le district fédéral de Brasilia).
Nature du régime : démocratie présidentielle.
Chef de l'État : Fernando Henrique Cardoso, président de la République (depuis le 1.1.95, réélu le 4.10.98).
Principaux partis politiques : Parti du mouvement démocratique brésilien (PMDB) ; Parti du front libéral (PFL) ; Parti de la social-démocratie brésilienne (PSDB) ; Parti progressiste rénovateur (PPR) ; Parti des travailleurs (PT).
Échéances institutionnelles : élections municipales (2000).
Carte : p. 440-441.

Brésil/Bibliographie

B. Bret, H. Théry, « Le Brésil. De la croissance au développement ? », *Documentation photographique,* n° 7036, La Documentation française, Paris, 1996.

M. Droulers, « Les dynamiques territoriales au Brésil », *Cahiers des Amériques latines* (dossier), n° 24, CNRS/IHEAL, Paris, 1997.

B. Hersant Leoni, *Fernando Henrique Cardoso : le Brésil du possible,* L'Harmattan, Paris, 1997.

« L'oppression paternaliste au Brésil », *Lusotopie,* vol. 1996, Karthala/Maison des pays ibériques/CEAN, Paris/Bordeaux, 1997.

C. A. Leite Barbosa, *L'Intégration latino-américaine et le Mercosur,* Adb, Paris, 1995.

« Le Brésil entre réformes et blocages », *Problèmes d'Amérique latine,* n° 23, La Documentation française, Paris, oct.-déc. 1996. (Voir notamment l'article de I. Sachs, « Une transition qui se prolonge ».)

S. Monclaire, « Comprendre les élections brésiliennes », *Infos-Brésil,* nos 137 à 140, Paris, juin à oct. 1998. Voir aussi « Les résultats des scrutins », nos 140-141 (oct.-nov. 1998) ; « La crise vue de l'intérieur », n° 146 (avr. 1999).

S. Monclaire, « L'État frein au développement », *Cahiers des Amériques latines,* n° 25, CNRS/IHEAL, Paris, 1998. Voir aussi « Urgences et retard des privatisations ».

D. Rolland, *Le Brésil et le monde,* L'Harmattan, Paris, 1998.

H. Théry, *Le Brésil,* Masson, Paris, 1998 (nouv. éd.).

H. Théry, *Pouvoir et territoire au Brésil,* Éditions de la MSH, Paris, 1995.

D. Vidal, *La Politique au quartier,* Éditions de la MSH, Paris, 1998.

Voir aussi la bibliographie « Cône sud », p. 446.

80 % de sa valeur. Chute excessive puisque les marchés ont vite été rassurés par le nouvel accord avec le FMI. Pour recevoir la seconde tranche du prêt consenti, Brasília avait en effet promis un plus grand excédent du budget primaire (3,1 % du PIB en 1999, 3,25 % en 2000 et 3,75 % en 2001). Début mars, le real remontait ; fin avril, il se stabilisait, de sorte que sa dépréciation vis-à-vis du dollar n'était plus que de 35 %. Les craintes d'une forte inflation se sont estompées (vraisemblablement pas plus de 8 % en 1999), et les exportations, dopées par une monnaie désormais plus compétitive, ont permis que la balance commerciale redevienne positive. Les experts, après avoir redouté une récession de 4 %, pariaient sur un PIB stable en 1999. Mais les dissensions au Congrès, en menaçant l'adoption des réformes fiscales, devaient tempérer cet optimisme. - **Stéphane Monclaire** ■

Chili

Les retombées de l'« affaire Pinochet »

La surprise provoquée par l'arrestation du général Augusto Pinochet (chef de la dictature de 1973 à 1990) à Londres en octobre 1998 à la demande de la justice espagnole est venue renforcer les tensions au sein des alliances de partis, liées aux nouveaux rapports de force issus des élections parlementaires de décembre 1997. Elle compliquait pour chaque coalition la désignation d'un candidat unique à l'élection présidentielle du 12 décembre 1999. La Concertation (au pouvoir) a été doublement atteinte par l'escalade des tensions entre démocrates-chrétiens et socialistes. Les premiers étaient fragilisés par la grande popularité du précandidat socialiste Ricardo

Lagos. Les seconds ont été mis en porte à faux par la position adoptée par le gouvernement d'Eduardo Frei qui tentait de faire valoir auprès des autorités judiciaires britanniques la non-recevabilité de la demande d'extradition espagnole au nom de la défense de la souveraineté juridique du Chili. Le 24 mars 1999, le Comité judiciaire de la Chambre des lords n'a jugé A. Pinochet que pour les crimes commis après le 29 septembre 1988 (date de la ratification par le Chili et le Royaume-Uni de la convention internationale contre la torture), ce qui a partiellement satisfait les défenseurs des droits de l'homme comme les partisans de l'inculpé. Le 16 avril, le ministre de l'Intérieur britannique Jack Straw autorisait la poursuite de la procédure judiciaire d'extradition vers l'Espagne, qui devait reprendre le 27 septembre 1999.

Avant même son voyage au Royaume-Uni, A. Pinochet, sénateur à vie depuis mars 1998, cherchait en effet à approfondir les divisions au sein de la Concertation, prenant apparemment ses distances avec le candidat de droite le mieux placé, Joaquín Lavín, donné perdant au second tour. Pourtant, Andrés Zaldívar, président du Sénat et précandidat du PDC plutôt tourné vers l'électorat de centre droit et de droite, a été largement battu par R. Lagos aux primaires du 30 mai 1999. Ces manœuvres pouvaient bien ne pas favoriser l'Alliance pour le Chili, réunion de l'Union démocrate indépendante (UDI) et de Rénovation nationale, toutes deux de droite, soutenant l'ancien dictateur aux côtés des secteurs patronaux et des forces armées.

L'« affaire Pinochet » a affecté directement la politique étrangère du Chili : les relations avec l'Espagne et le Royaume-Uni ont été très rapidement refroidies, comme celles, déjà difficiles au plan commercial, avec l'Europe. En revanche, les rapports avec les États-Unis sont demeurés excellents : l'exécutif américain a autorisé la déclassification de certains documents sur l'opération *Condor* (entreprise conjointe des services de répression d'Argentine, du Brésil, du Chili, du Paraguay et de l'Uruguay pour s'échanger leurs ressortissants réfugiés, à l'origine de l'action du juge Garzón), en même temps qu'il assurait Santiago de son respect total pour la souveraineté du Chili dans les affaires internes de droits de l'homme. Le Mercosur (Marché commun du sud de l'Amérique) s'affirmait comme la priorité de la politique étrangère du Chili, qui prévoyait d'en devenir membre à part entière en 1999, et ce en dépit du soutien mitigé apporté au président Frei, dans l'« affaire Pinochet », par ses partenaires lors du sommet de Rio de Janeiro (décembre 1998). Le rapprochement avec l'Argentine s'est poursuivi : les deux parlements ont fini d'approuver le 2 juin 1999 la ratification de l'accord du 16 décembre 1998 sur le différend frontalier dans la région des « Glaciers sud ».

Le très net ralentissement de l'économie intervenu en fin d'année a ramené la croissance pour 1998 à 3,3 % (contre 6,6 % en 1997). La récession touchant le Brésil, ajoutée aux effets de la crise financière asiatique

République du Chili

Capitale : Santiago du Chili.
Superficie : 756 945 km².
Population : 14 824 000.
Langue : espagnol.
Monnaie : peso (au cours officiel, 100 pesos = 1,27 FF au 30.4.99).
Nature de l'État : république unitaire.
Nature du régime : démocratie « restreinte » à fort pouvoir présidentiel.
Chef de l'État et du gouvernement : Eduardo Frei Ruiz-Tagle (depuis le 11.3.94).
Ministre de l'Intérieur : Raúl Troncoso, PDC (depuis le 1.8.98).
Ministre des Relations extérieures : José Gabriel Valdés, PS (depuis le 21.6.99).
Ministre de la Défense : Edmundo Pérez Yoma, PDC (depuis le 1.8.98).
Échéances institutionnelles : élections présidentielle (12.12.99), parlementaires (11.12.2001).

Cône sud/Bibliographie

« L'Argentine de Menem à Menem. Les nouveaux défis économiques et politiques », *Problèmes d'Amérique latine*, n° 20 (spécial), La Documentation française, Paris, 1er trim. 1996.

O. Bottinelli *et alii*, *Reforma politica*, FCU, Montevideo, 1993.

A. Cavallo, *La Historia oculta de la transición, memoria de una época*, Grijalbo, Santiago, 1998.

L. Costa Bonino, *Las Crises del sistema politico uruguayo. Partidos politicos y democracia hasta 1973*, FCU, Montevideo, 1995.

C. Gabetta, « Coup de semonce pour le président argentin », *Le Monde diplomatique*, n° 525, Paris, déc. 1997.

C. Gillespie, *Negociando la Democracia. Politicos y generales en Uruguay*, FCU, Montevideo, 1995.

S. Jouineau, « Au Chili, une transition qui n'en finit pas », *Le Monde diplomatique*, n° 529, Paris, avr. 1998.

S. Jouineau, « Les Élections parlementaires du 11 décembre 1997 », *Problèmes d'Amérique latine*, n° 31, Paris, oct.-déc. 1998.

T. Moulian, *Chile actual, Anatomia de un mito*, LOM Ediciones, Santiago, 1997.

C. Rudel, *Le Paraguay*, Karthala, Paris, 1990.

R. Sidicaro, J. Mayer (sous la dir. de), *Politica y sociedad en los años del menemismo*, Universidad de Buenos Aires, Buenos Aires, 1995.

M.-A. Veganzones, C. Winograd, *L'Argentine au XXe siècle, chronique d'une croissance annoncée*, OCDE, Paris, 1997.

M. Weinstein, *Uruguay, the Politics of Failure*, Greenwood Press, Westport (Conn.), 1975.

Voir aussi la bibliographie « Brésil », p. 444.

de 1997, a accéléré la baisse des exportations de matières premières, au premier rang desquelles le cuivre dont le cours tombé historiquement bas a affecté les finances publiques et entraîné le gel des investissements de Codelco, le consortium minier étatique. La banque centrale et le gouvernement ont réagi en prenant des mesures de contraction monétaire et de restriction des importations dans une conjoncture qui favorisait cependant la réduction de l'inflation (5,1 % en 1998, contre 6 % en 1997).

Le chômage a fortement augmenté en fin d'année, surtout dans le secteur de la construction et chez les jeunes, avec un taux officiel de 6,4 % en 1998 et de 8,2 % au premier trimestre 1999 ; la hausse des salaires réels est restée modérée (2 % par rapport à 1997). - **Sophie Jouineau** ■

Paraguay

Assassinat du vice-président

Deux faits politiques ont changé la donne, en 1999, pour la jeune démocratie paraguayenne. Le 23 mars, le vice-président Luis María Argaña a été assassiné par trois hommes revêtus de tenues de combat militaires. La crise politique qui s'est ensuivie a bien failli provoquer la fin du régime démocratique, en vigueur depuis une décennie à peine.

Le crime a été attribué au général Lino César Oviedo (responsable de la tentative de coup d'État d'avril 1996) et, de manière indirecte, à son partenaire politique, le président Raúl Cubas Grau, qui comparaissait alors devant un tribunal parlementaire devant établir s'il pouvait conserver ses fonctions ou devait être destitué, auquel cas son premier successeur aurait été le vice-président assassiné, ennemi déclaré de R. Cubas et du général Oviedo. Le procès du président s'est accéléré, tandis qu'une foule, composée surtout de jeunes opposants, s'installait pendant trois jours sur la place principale d'Asunción pour réclamer sa démission. Six personnes ont été tuées par des francs-tireurs sympathisants du général Oviedo. Le 28 mars 1999, R. Cubas a finalement démissionné, le général Oviedo s'est exilé en Argentine, et la Présidence a été confiée au président du Sénat, Luis González Macchi, qui devait achever le mandat du chef de l'État démissionnaire (échéance : 2003).

République du Paraguay

Capitale : Asunción.
Superficie : 406 752 km².
Population : 5 222 000.
Langues : espagnol, guarani.
Monnaie : guarani (au taux officiel, 1 000 guaranis = 2,12 FF au 30.4.99).
Nature de l'État : république unitaire.
Nature du régime : démocratie présidentielle.
Chef de l'État et du gouvernement : Luis González Macchi, qui a remplacé le 28.3.99 Raúl Cubas Grau (démissionnaire le 28.3.99).
Ministre des Affaires extérieures : Abdou Sagnier.
Ministre de l'Économie et des Finances : Federico Zayas.
Échéance institutionnelle : élection présidentielle (2003).

La crise politique a rendu nécessaire la constitution d'un gouvernement de coalition nationale, le premier en l'espace d'un demi-siècle, avec la présence au sein du cabinet de figures importantes de l'opposition, telles que Guillermo Caballero Vargas (Rencontre nationale, gauche) et Miguel Saguier (Parti libéral radical authentique, PLRA), nouveau ministre des Affaires étrangères. En vertu d'un accord, le nouveau vice-président allait appartenir au PLRA, le troisième « pilier » de la coalition étant le Parti colorado (à l'exclusion de sa branche « oviédiste »).

L'économie du Paraguay, comme celle de l'Uruguay (les deux États membres « mineurs » du Mercosur – Marché commun du sud de l'Amérique), a été frappée par la crise financière du Brésil (automne 1998). Ciudad del Este, la plus importante zone commerciale du pays, a particulièrement pâti de la baisse des échanges à la frontière. Selon le ministre de l'Économie Federico Zayas, les finances de la République (liquidités) traversaient le pire moment de leur histoire.
- **Luis Costa Bonino** ■

Uruguay

Nouveau système électoral

La vie politique du pays aura été marquée, pendant l'année 1999, par trois scrutins nationaux, auxquels devaient s'ajouter

République orientale de l'Uruguay

Capitale : Montevideo.
Superficie : 176 215 km².
Population : 3 289 000.
Langue : espagnol.
Monnaie : peso (au taux officiel, 1 peso = 0,54 FF au 30.4.99).
Nature de l'État : république unitaire.
Nature du régime : démocratie présidentielle.
Chef de l'État et du gouvernement : Julio María Sanguinetti (depuis le 1.3.95).
Ministre de l'Intérieur : Guillermo Stirling.
Ministre des Affaires étrangères : Didier Opertti.
Échéances institutionnelles : élections législatives et premier tour de la présidentielle (oct. 99).

les élections municipales fixées à mai 2000. Ce calendrier a résulté de la modification de la Constitution approuvée par référendum en décembre 1996. La réforme portait uniquement sur le système électoral : l'ancienne élection nationale unique organisée tous les cinq ans, où l'ensemble des postes électoraux à tous niveaux étaient à pourvoir, a cédé la place à des scrutins séparés pour chaque instance.

Le nouveau système a été inauguré le 25 avril 1999, lors des primaires des partis. Toutes les personnes inscrites sur les registres électoraux nationaux pouvaient voter dans le parti de leur choix, mais la participation n'était pas obligatoire, et elle a été relativement faible (un peu plus de 50 %). Les candidats élus des trois partis principaux ont été Jorge Batlle (Parti colorado), l'ex-président Luis Alberto Lacalle (Parti national) et Tabaré Vásquez (Front élargi, gauche), la candidature de Rafael Michelini (Nouvel espace, centre gauche) a également été retenue, avec un nombre moindre de voix.

Le climat général de la campagne électorale a été passablement tendu par les attaques personnelles et les accusations de corruption, centrées surtout sur l'ancien président Lacalle, qu'on a tenu pour responsable des actes délictueux commis par son entourage lors de sa présidence (1990-1995) et de la vente frauduleuse d'une banque d'État. Ces faits ont amené à la rupture des deux principales branches du Parti national.

Fin octobre 1999 devraient se tenir les élections générales (législatives et premier tour de l'élection présidentielle).

Au plan économique, la croissance a connu un sensible ralentissement lié à la crise financière au Brésil (automne 1998), voisin puissant et principal client. Les fortes limitations et même l'arrêt des importations de ce pays se sont traduits par la fermeture de nombreuses usines et la montée du chômage, déjà élevé (10,2 % en 1998 et 12,2 % au premier trimestre 1999).

Le 13 avril 1999, les producteurs du secteur primaire ont convergé en masse vers le centre de Montevideo, à cheval ou au volant de leurs machines agricoles, pour exprimer aux autorités leur mécontentement.
- **Luis Costa Bonino** ■

Présentation par **Michel Foucher et Catherine Baulamon**
OEG Lyon

L'Europe, province d'un monde relationnel, est ce continent où le doute et la critique structurent le discours que les Européens tiennent sur eux-mêmes. Cette posture philosophique décrit un aspect original de l'esprit de ceux-ci, attachés au primat de l'individu et de la liberté d'agir, de croire et de juger. Mais elle dessine aussi une géographie aux contours flous et une pratique qui allie la diversité sans cesse revendiquée – paysages, langues, nations et peuples, trajectoires historiques, cultures et visions – à une rhétorique de rassemblement – recherche d'unité des États nationaux et, parfois, des peuples dissociés, convergence accrue de la gestion économique, extension des procédures démocratiques.
Il y a place pour le doute, en effet, sur les frontières de cet espace aux marges incertaines, car voici un ensemble fragmenté en plus de 45 États, avec au moins 50 nations ou entités ethnolinguistiques à vocation nationale. Début 1999, il comptait 735 millions d'habitants, Russes inclus ; quant à l'Union européenne, elle regroupait déjà un peu plus de la moitié des Européens (380 millions).
La construction européenne brouille les représentations de l'Europe en dissociant les quinze États membres des non-membres aspirant à s'y agréger. La difficulté s'accroît avec l'emploi du mot « Europe » dans le sens d'association volontaire et durable de quinze États liés par des traités d'union (Maastricht, 1992 ; Amsterdam, 1997). Il constitue aussi un critère d'adhésion : « tout État européen peut en devenir membre », selon le traité de Rome (1957), sans que le terme « européen » y soit officiellement défini. Si l'Union s'élargissait à 27 États, avec les douze candidats actuels, sa superficie augmenterait d'un tiers, sa population de 30 % mais son PIB de 8 % seulement.
L'Union est le pôle de prospérité et de réorganisation, mais les contraintes d'une convergence accrue en matière de politique économique et d'une extension impérative renforcent son introversion au moment où il conviendrait de s'ouvrir aux nouvelles réalités géopolitiques. De là viennent les critiques, multiples et incessantes dans les parlements et les chroniques, portant tour à tour sur l'absence de visions communes du devenir de l'Europe, la quête d'un modèle conciliant justice sociale et efficacité économique, la lenteur des processus d'élargissement à l'Est, l'impuissance diplomatique supposée de l'Union en matière d'intervention dans les crises et les guerres civiles de son « arrière-cour », l'incapacité à construire un système de sécurité crédible sans la présence du « grand frère » américain, l'illusion, enfin, de maintenir un projet géopolitique autonome dans un monde globalisé.
L'Europe, comme discours géopolitique, sert de mythe organisateur de la complexité du continent. Pour la Commission européenne, celui-ci combine des éléments géographiques, historiques

SOUS L'EUROPE DES ÉTATS SE DESSINE DÉJÀ UNE EUROPE DES RÉSEAUX ET DES ALLIANCES ENTRE DES RÉGIONS, DES CITÉS, DES FIRMES ET AUTRES ACTEURS.

L'expérience européenne partagée ne peut être condensée en une formule simple. Il n'est ni possible ni opportun d'établir maintenant les frontières de l'Union, dont les contours se construiront au fil du temps. Il s'agit bien d'un processus de convergence des États, où la diversité n'est pas niée, la poursuite des intérêts nationaux se faisant au nom de l'Europe.

et culturels qui, ensemble, contribuent à l'identité européenne. L'expérience partagée ne peut être condensée en une formule simple et reste sujette à révision à chaque génération. Il n'est ni possible ni opportun d'établir maintenant les frontières de l'Union, dont les contours se construiront au fil du temps. Il s'agit bien d'un processus de convergence des États, où la diversité n'est pas niée, la poursuite des intérêts nationaux se faisant au nom de l'Europe. Les « petits » États disposent d'un poids décisionnel supérieur à leur taille économique ou démographique ; le maintien de la diversité sauvegarde des équilibres. Les États plus peuplés se ménagent des marchés élargis et trouvent dans le projet européen les relais d'une puissance accrue, mais acceptable par les autres.

Si l'État national demeure le trait géographique le plus structurant du continent – l'Union n'est encore que la somme de quinze États –, il n'est pas unique. En Suisse, par exemple, l'équilibre tient au fait que les limites linguistiques ne coïncident pas avec les limites religieuses ; ce pays illustre ainsi la mosaïque européenne. Le contraste entre l'Europe occidentale des sociétés formées dans la matrice du catholicisme et du protestantisme, et celle, orientale, de l'orthodoxie, demeure d'actualité ; l'Union s'élargira d'abord vers cette Europe centrale. L'Europe orientale, de la Russie à la Serbie, se débat avec son identité et ses frontières, dont l'un des aspects est justement la nature du rapport à l'Europe.

Relevons aussi en Europe des différences plus géo-économiques, selon le degré de l'intervention de l'État ou d'intimité entre banques et entreprises. L'Europe gagnante insérée dans l'économie-monde voit ses métropoles du Nord-Ouest, de Londres à Paris, Amsterdam et Francfort, s'affirmer ; les façades de la mer du Nord s'imposer sur les routes Rotterdam-New York-Singapour ; les régions situées au nord et au sud de l'arc alpin prospérer autour de villes historiques dynamiques et de régions *high tech*, de Munich à Milan. Les surplus commerciaux des grands États européens sont partiellement transférés, par les fonds communautaires, vers les régions périphériques : arc atlantique de l'Irlande au sud du Portugal, arc méditerranéen de l'Andalousie aux îles grecques, à leur tour affectés par une modernisation accélérée.

Quant au champ politique, qui dans certains pays subit les effets de la fin de la guerre froide – crise du gaullisme en France, de la démocratie-chrétienne en Italie –, il est marqué depuis un quart de siècle par l'avancée démocratique : Espagne, Portugal, Grèce, puis Europe centrale et plus lentement Europe du Sud-Est et Europe orientale.

L'espace public européen reste dominé par les alternances et les compromis entre les deux grands courants social-démocrate et conservateur (libéral ou chrétien-démocrate selon les cas). Mais les aléas de la croissance, les lacunes

Présentation par **Michel Foucher et Catherine Baulamon**
OEG Lyon

de la gestion des régions et villes, attirant les populations plus que les emplois, et les doutes sur l'identité nationale dans des sociétés où partis, syndicats, entreprises et parfois écoles ne sont plus d'efficaces laboratoires d'intégration civique affectent celles-ci à des degrés divers. Les discours xénophobes et les réflexes de repli ne sont pas rares. Les frontières extérieures de l'Union se ferment. Des ruptures de solidarité entre régions prospères et régions plus dépendantes de l'action publique s'énoncent comme projet politique (Italie du Nord, Allemagne du Sud, Espagne du Nord, Belgique de l'Ouest...).

Sous l'Europe des États se dessine déjà une Europe des réseaux et des alliances entre des régions, des cités, des firmes et autres acteurs.

L'esprit de liberté traverse le continent européen depuis 1989 : ce faisant, il l'unifie mais son souffle fait ployer identités et certitudes. Dans les vents de l'histoire, l'Europe figure un bien commun. ■

Par **Paul Magnette**
Institut d'études européennes-ULB

EN DÉPIT DU SOUTIEN AFFIRMÉ DE LONDRES À L'ÉLABORATION D'UNE POLITIQUE ÉTRANGÈRE EUROPÉENNE, VOIRE D'UNE POLITIQUE COORDONNÉE DE DÉFENSE, LA « RELATION SPÉCIALE », QUI CONTINUE DE LIER LA PLUPART DES ÉTATS MEMBRES DE L'UNION AUX ÉTATS-UNIS DANS LE CADRE DE L'OTAN, S'EST RÉVÉLÉE, À L'OCCASION DE LA GUERRE EN YOUGOSLAVIE, PLUS SOLIDE QUE LA VOLONTÉ DE DÉFINIR UNE ATTITUDE EUROPÉENNE.

Les historiens ont d'ores et déjà pris l'habitude de borner le XXe siècle par deux événements européens qui ont eu une portée mondiale : la Grande Guerre née en 1914 dans les Balkans d'un côté, l'effondrement du bloc soviétique symbolisé par la chute du mur de Berlin en 1989 de l'autre. Les grandes tendances qui traversent l'Europe en cette fin de décennie appartiennent déjà, en termes de découpages historiques, au XXIe siècle.
La fin des années quatre-vingt-dix s'inscrit dans la continuité des grands bouleversements qui ont clos la décennie précédente. Elle se caractérise par le rapprochement des deux Europe, longtemps séparées par la « guerre froide ». Le modèle politique et socio-économique occidental se diffuse vers le centre et l'est du continent, dont les pays aspirent, et se préparent, à entrer dans l'Union européenne. Dans le même temps, l'Europe continue de vivre, de part et d'autre des ruines du mur, au rythme des restructurations industrielles qu'amène la globalisation économique et financière. La croissance a lentement progressé, après des années de stagnation, mais avec des effets réduits sur les taux de chômage historiques ; les différences de développement, entre l'Ouest et l'Est comme entre le Nord et le Sud, restent considérables. La construction de l'Europe s'apparente à une tentative de réponse coordonnée des États européens à ces défis communs. Il s'agit d'établir un cadre macroéconomique général, de rapprocher les politiques sociales, et de donner à l'Europe un poids politique proportionnel à sa puissance économique et commerciale sur la scène internationale. Les divergences entre gouvernements restent toutefois fortes ; elles se doublent de méfiance à l'égard du « pouvoir de Bruxelles » dans des franges grandissantes des opinions publiques, imposant à l'entreprise commune un rythme heurté.
Les inflexions significatives des années quatre-vingt-dix se sont confirmées en Europe médiane à la fin de la décennie. Les États de la région ont réussi à éviter que les conséquences du krach financier russe de l'été 1998 n'affectent profondément leurs économies aux profils contrastés. Si la situation a globalement continué à s'améliorer en Pologne, elle s'est dégradée en République tchèque. Des secteurs importants restent encore à privatiser avec des risques importants au niveau social.
La Roumanie est le seul État qui ait connu une crise politique intérieure grave avec les tentatives de déstabilisation du régime par les marches organisées par les mineurs en colère en janvier 1999. La fragile démocratie roumaine s'est renforcée en parvenant à mettre un terme à ces menaces récurrentes. La nette défaite, en mai 1999, du leader populiste Václav Meciar aux élections présidentielles a pour sa part consolidé le régime démocratique slovaque.
La guerre du Kosovo, outre son coût humain, a déstabilisé l'ensemble du Sud-Est européen. Elle a aussi confirmé les faiblesses de l'identité politique

Par **Paul Magnette**
Institut d'études européennes-ULB

européenne sur la scène internationale, patentes tout au long des conflits dans l'ancienne Yougoslavie. En dépit du soutien affirmé du nouveau gouvernement britannique à l'élaboration d'une politique étrangère européenne, voire d'une politique coordonnée de défense, la « relation spéciale » qui continue de lier la plupart des États membres de l'Union aux États-Unis dans le cadre de l'OTAN (Organisation du traité de l'Atlantique nord) s'est révélée plus solide que la volonté de définir une attitude européenne. Les Européens se sont, un temps, efforcés de privilégier les méthodes diplomatiques, mais l'enlisement des négociations de Rambouillet au printemps 1999 les ont contraints, pour tenir leurs engagements, de recourir à la force. Un partage des tâches implicite s'est accompli entre les États-Unis et l'UE. Aux premiers revenait la définition de la stratégie militaire, axée sur les frappes aériennes ; aux seconds incombaient les secours humanitaires aux populations réfugiées et le vaste projet de reconstruction des Balkans.

Les politiques internes de l'Union européenne ont connu, au cours de cette période, des progrès plus tangibles. La mise en œuvre de l'euro le 1er janvier 1999, par onze des quinze États membres, est venue couronner six ans de convergence économique. Quatre États sont restés en dehors de la Zone euro, l'un parce que ses performances économiques restaient encore éloignées de la moyenne européenne (Grèce), les trois autres (Royaume-Uni, Suède, Danemark) par choix politique du fait de réticences des opinions publiques. Si la Banque centrale européenne (BCE) indépendante gère désormais la monnaie commune, les politiques économiques de l'Union continuent d'être peu coordonnées. Le pacte de stabilité exigé par l'Allemagne lors du sommet d'Amsterdam (juin 1997) a affermi les contraintes budgétaires, mais il apparaît plus difficile de mettre en œuvre les nouveaux chapitres sur l'emploi et le social définis au même moment dans le traité d'Amsterdam. La campagne électorale des élections européennes de juin 1999 a montré combien les socialistes et sociaux-démocrates européens, présents dans treize des quinze gouvernements, peinaient à dégager un projet socio-économique pour l'Europe. L'asymétrie entre la politique monétaire fortement intégrée et les politiques économiques et sociales faiblement coordonnées demeure flagrante.

Parallèlement, les États membres se sont engagés dans un processus d'élargissement de l'Union vers le centre du continent. Les négociations avec sept des quinze pays candidats à l'adhésion ont débuté en mars 1998 (Pologne, Hongrie, République tchèque, Estonie, Lettonie, plus Malte et Chypre), rythmées par l'évaluation périodique de la convergence de ces pays vers les standards occidentaux. La Commission avait établi, en juillet 1997, des perspectives financières prudentes, et il s'est confirmé depuis que les pays qui contribuent au budget de l'Union davantage qu'ils n'en bénéficient, l'Allemagne en particulier, entendent plafonner les dépenses (à 1,27 % du PIB), si bien que les budgets de la PAC (Politique agricole commune) et de la politique de cohésion économique et sociale devront être répartis entre les nouveaux adhérents et les bénéficiaires antérieurs, ce qui ne va pas sans inquiéter ces derniers. La méfiance réciproque n'est d'ailleurs pas totalement éteinte : que le traité d'Amsterdam ait renforcé les mécanismes de contrôle de la stabi-

La Banque centrale européenne (BCE) gère désormais la monnaie commune, mais les politiques économiques restent peu coordonnées.

Par **Paul Magnette**
Institut d'études européennes-ULB

UN PROCESSUS D'ÉLARGISSEMENT VERS LE CENTRE DU CONTINENT A COMMENCÉ. LE FAIT QUE LE TRAITÉ D'AMSTERDAM AIT RENFORCÉ LES MÉCANISMES DE CONTRÔLE DE LA STABILITÉ DÉMOCRATIQUE ET DE RESPECT DES DROITS DE L'HOMME ET POSÉ CES CRITÈRES COMME CONDITIONS D'ADHÉSION MONTRE QUE LES ÉTATS MEMBRES CRAIGNENT ENCORE LA FRAGILITÉ POLITIQUE DE L'« AUTRE EUROPE ».

lité démocratique et de respect des droits de l'homme, et explicitement posé ces critères comme conditions d'adhésion, montre que les États membres craignent encore la fragilité politique de l'« autre Europe ».

L'élargissement implique aussi de réformer les institutions de l'Union, tâche qui incombait en principe à la conférence intergouvernementale (CIG) de 1996-1997, mais s'est heurtée à des oppositions frontales entre gouvernements. Les États membres ont dès lors décidé de convoquer une autre CIG en 2001 pour aborder ces questions. Mais tandis que certains d'entre eux souhaitent saisir l'occasion pour reconsidérer en profondeur les institutions de l'Union, d'autres ont montré qu'ils entendaient limiter les réformes aux trois mesures considérées par tous comme indispensables – la révision de la pondération des voix au Conseil, l'extension du vote à la majorité qualifiée et la réduction du nombre de membres de la Commission. Ces trois questions déterminent à la fois le poids respectif des États et la faculté de l'Union d'éviter les blocages décisionnels.

Le printemps 1999 a d'ailleurs révélé les grippages institutionnels de l'Union. Les fraudes dénoncées au sein de la Commission à la fin de l'hiver 1999 étaient anecdotiques en elles-mêmes, mais elles témoignaient d'un mal plus profond. Depuis le début de la législature en 1995, la Commission souffrait d'un manque de direction et d'une érosion progressive de la collégialité, les commissaires les plus puissants ayant tendance à travailler dans leur département plutôt qu'au sein du collège. Les maladresses du président Santer, refusant de transmettre aux parlementaires européens les documents que ceux-ci exigeaient, ont gravement détérioré les relations entre les deux organes, traditionnellement alliés, jusqu'à ce que la Commission, sous la menace d'une motion de censure, présente spontanément sa démission collective en mars 1999. En nommant très rapidement un nouveau président, l'ancien président du Conseil italien Romano Prodi, apparaissant plus comme un technicien que comme l'homme des socialistes ou des chrétiens-démocrates, les chefs d'État et de gouvernement ont voulu restaurer la réputation de neutralité et la capacité d'impulsion de la Commission. Les élections européennes de juin 1999 ont toutefois confirmé l'indifférence, voire la défiance des citoyens européens à l'égard des institutions communautaires : avec un taux de participation inférieur à 50 %, et des résultats consolidant les conservateurs et les eurosceptiques en son sein, le Parlement européen, déjà tiraillé par les tensions nationales, apparaît affaibli. Il sera difficile de rendre au couple Parlement-Commission la cohésion et la détermination qui ont fait sa force au cours des années précédentes. Le début du nouveau siècle s'annonce décisif pour la stabilisation de la construction européenne, contrainte de réussir à la fois l'Union économique et monétaire et les élargissements

Voir également les articles p. 49, 53 et 57. ■

1998

28 juillet. Kosovo. Les troupes serbes, à l'offensive contre l'UCK (Armée de libération du Kosovo), reprennent le contrôle de l'axe Pristina-Pec.

16 septembre. Espagne. Le mouvement séparatiste basque ETA (Euskadi ta Askatasuna) annonce une trêve unilatérale dans l'action armée, suscitant l'espoir d'une paix définitive au Pays basque.

20 septembre. Suède. Le parti social-démocrate (au pouvoir) recule de près de 9 points lors des élections législatives. Le Premier ministre reste cependant en place.

23 septembre. Kosovo. Le Conseil de sécurité des Nations unies adopte la résolution 1199 menaçant Belgrade de « mesures additionnelles » si la paix n'est pas rétablie au Kosovo.

27 septembre. Allemagne. Aux élections législatives allemandes, les sociaux-démocrates conduits par Gerhard Schröder l'emportent largement (40,9 % des voix et 298 sièges contre 35,2 % et 245 sièges aux chrétiens-sociaux). Ils forment une coalition avec les Verts, mettant fin à seize années de pouvoir d'Helmut Kohl. Joschka Fischer (Verts) est nommé ministre des Affaires étrangères et Oskar Lafontaine ministre des Finances. En cette fin des années quatre-vingt, dans une écrasante majorité, les États membres de l'UE sont dirigés par des gouvernements sociaux-démocrates ou de centre-gauche.

13 octobre. Yougoslavie. Un accord est signé entre le président yougoslave Slobodan Milosevic et Richard Holbrooke, émissaire du président des États-Unis. Cet accord prévoit un cessez-le-feu au Kosovo, une diminution des effectifs des forces spéciales de la police serbe, le déploiement d'observateurs internationaux dans le cadre d'une « mission de vérification » de l'OSCE (Organisation pour la sécurité et la coopération en Europe), l'organisation d'élections dans neuf mois.

16 octobre. Nobel de la paix. Le prix est attribué conjointement à John Hume, leader du Parti social-démocrate et travailliste (SDLP, catholique), et à David Trimble, du Parti unioniste d'Ulster (UUP, protestant). Le prix vient saluer l'accord du « vendredi saint » du 10 avril 1998, qui a suscité l'espoir d'une paix durable en Irlande du Nord. Cet accord va cependant achopper sur la question du désarmement des groupes paramilitaires, aucune formule ne paraissant acceptable par toutes les parties en présence.

17 octobre. Pinochet. L'ancien dictateur Augusto Pinochet est arrêté à Londres, à la demande des juges espagnols Baltasar Garzon et Manuel Garcia Castellan réclamant son extradition afin de le juger pour crime contre l'humanité.

1999

1er janvier. Euro. Lancement de la monnaie unique européenne dans onze des quinze pays de l'UE (Allemagne, Autriche, Belgique, Espagne, Finlande, France, Irlande, Italie, Luxembourg, Pays-Bas et Portugal) après la fixation des parités définitives des monnaies nationales en euro. Seuls quatre États membres de l'UE n'adoptent pas la monnaie unique : le Danemark, le Royaume-Uni et la Suède par choix politique, la Grèce parce qu'elle ne satisfait pas aux critères de convergence fixés par le traité de Maastricht [*Voir article p. 57*].

6-23 février. Kosovo. A Rambouillet (France), sous la présidence de la France et du Royaume-Uni, négociations entre une délégation d'Albanais du Kosovo et représentants de Belgrade. L'objectif des organisations est d'aboutir à la confirmation de la souveraineté de la Yougoslavie sur le Kosovo tout en limitant celle-ci par la concession d'une « autonomie substantielle » à la province. Ces négociations n'aboutissent pas. Elles reprendront du 15 au 23 mars à Paris, sans aboutir à un accord avec la Yougoslavie. L'ordre de frappes aériennes sera ensuite aussitôt donné par l'OTAN.

16 février. Turquie. Abdullah Öcalan, leader du Parti des travailleurs du Kurdistan (PKK, insurgé depuis 1984), est enlevé par un commando turc au Kénya. Lors de son procès, il appellera ses partisans à cesser la lutte armée et à quitter le pays.

7 mars. Autriche. En Carinthie, lors des élections régionales, le FPÖ (Parti libéral d'Autriche, extrême droite), obtient 42 % des suf-

Europe occidentale et médiane/Bibliographie sélective

R. Brunet (sous la dir. de), *Géographie universelle,* Belin/RECLUS, Paris/Montpellier : voir **D. Pumain, T. Saint-Julien, R. Ferras,** « France, Europe du Sud » (vol. II, 1994) ; **J.-P. Marchand, P. Riquet** (sous la dir. de), « Europe médiane, Europe du Nord » (vol. IX, 1996) ; **V. Rey,** « Europes orientales » (*in* vol. X, 1996).

P. Delwit, J.-M. De Waele, P. Magnette (sous la dir. de), *A quoi sert le Parlement européen ?,* Complexe, Bruxelles, 1999.

F. Féron, A. Thoraval (sous la dir. de), *L'état de l'Europe,* La Découverte, coll. « L'état du monde », Paris, 1992.

M. Foucher, *Fronts et frontières, un tour du monde géopolitique* (2e éd. rev. et augm.), Fayard, Paris, 1991.

M. Foucher (sous la dir. de), *Fragments d'Europe, atlas de l'Europe médiane et orientale,* Fayard, Paris, 1998 (3e éd.).

M. Foucher, *La République européenne,* Belin, Paris, 1998.

T. Garton Ash, *Au nom de l'Europe,* Gallimard, Paris, 1995.

F. de La Serre, C. Lequesne (sous la dir. de), *Quelle Union pour quelle Europe L'après-traité d'Amsterdam,* Complexe, coll. « Espace international », Bruxelles, 1997.

J. Léonard, C. Hen, *L'Europe,* La Découverte, coll. « Repères », Paris, 1995 (nouv. éd.).

C. Lequesne, P. Le Galles, *Les Paradoxes des régions en Europe,* La Découverte, coll. « Recherches », Paris, 1997.

« Les enjeux de l'élargissement de l'Union européenne », *Le Courrier des pays de l'Est,* n° 425, La Documentation française, Paris, déc. 1997.

A. et J. Sellier, *Atlas des peuples d'Europe centrale,* La Découverte, Paris, 1998 (nouv. éd.).

J. et A. Sellier, *Atlas des peuples d'Europe occidentale,* La Découverte, Paris, 1995.

M. Telo, P. Magnette (sous la dir. de), *De Maastricht à Amsterdam,* Complexe, Bruxelles, 1998.

K. Wilson, J. Van der Dussen, *The History of Europe,* Routledge, Londres, 1993.

frages exprimés. Son chef Jörg Haider deviendra le 8 avril le gouverneur de ce *Land.*

11 mars. Allemagne. Le ministre des Finances et président du Parti social-démocrate Oskar Lafontaine démissionne de ses fonctions.

16 mars. UE. Démission collective de la Commission européenne à la suite du rapport de cinq « sages » commandé par le Parlement européen sur les « allégations de fraude, mauvaise gestion et népotisme ». Cet événement considérable pose la question d'une démocratisation et d'une plus grande transparence des institutions communautaires, indissociables d'un élargissement des pouvoirs du Parlement européen. L'Italien Romano Prodi est proposé le 24 mars par le Conseil européen de Berlin, comme futur président de la Commission, nomination qui sera approuvée par le Parlement le 6 mai. Le 8 juillet sera annoncée la composition de la nouvelle Commission (20 commissaires). Elle repose sur un souci d'équilibre gauche/droite tenant compte des résultats des élections au Parlement européen du 13 juin précédent.

24 mars. Agenda 2000. Conseil européen extraordinaire à Berlin. Parmi d'autres points à l'ordre du jour, Agenda 2000 et cadre financier pour les réformes des politiques structurelles de la période 2000-2006, est approuvé.

24 mars-10 juin. OTAN-Yougoslavie. Bombardement par l'OTAN (Organisation du traité de l'Atlantique nord) de la Yougoslavie pendant 79 jours afin de contraindre le président yougoslave Slobodan Milosevic à accepter le plan de paix pour le Kovoso, après l'échec des négociations de Rambouillet et de Paris menées en février et mars. En riposte à la décision de l'OTAN de procéder à des frappes aériennes contre la Serbie, la Russie rappelle son représentant spécial au quartier général de l'Alliance atlantique, ferme la représentation de l'OTAN à Moscou et gèle la coopération avec l'Alliance. Le président B. Eltsine exige la convocation du Conseil de sécurité des Nations unies.

13 avril. Kosovo. Les chefs des diplomaties russe et américaine s'entendent sur les principe d'une sortie de crise, mais divergent sur le rôle de l'OTAN dans une force internationale de paix. Le 22, V. Tchernomyrdine, représentant spécial du président B. Eltsine dans les Balkans, est reçu par le président Slobodan Milosevic qui propose « une présence internationale civile » au Kosovo, plan rejeté par l'OTAN.

18 avril. Turquie. Aux élections législatives (où le Parti de la gauche démocratique (DSP) du Premier ministre Bülent Ecevit arrive en tête (22 % de voix), l'extrême droite (Parti nationaliste du mouvement, MHP) obtient 17 %.

25 avril. OTAN. Clôture du sommet du cinquantenaire à Washington. Celui-ci est marqué par l'élargissement à l'Est, avec l'adhésion le 12 mars de la Hongrie, de la Pologne et de la République tchèque, dans le contexte des bombardements aériens de l'Alliance en Yougoslavie.

1er mai. UE. Entrée en vigueur du traité d'Amsterdam (1997) modifiant le traité de Maastricht relatif à l'Union européenne (1992) : il donne des pouvoirs accrus au Parlement européen et crée un poste de Haut Représentant de la PESC (Politique étrangère et de sécurité communes), que le Conseil européen de Cologne attribue le 4 juin à Javier Solana, jusqu'alors secrétaire général de l'OTAN.

6 mai. G8-Yougoslavie. Le Groupe des Huit, réuni à Bonn, élabore un nouveau plan de paix pour le Kosovo : retrait des troupes serbes, création d'une force internationale, retour des réfugiés et mise en place d'une administration provisoire de l'ONU.

6 mai. Écosse. Élection du nouveau Parlement faisant suite à l'octroi d'une semi-autonomie à l'Écosse.

7 mai. Allemagne. Le projet de réforme du code de la nationalité (tenant davantage compte du droit du sol) est voté par le Bundestag.

23 mai. Allemagne. Le social-démocrate Johannes Rau est élu à la présidence de la République où il succède au chrétien-social Roman Herzog.

27 mai. TPIY. Le président yougoslave Slobodan Milosevic est inculpé par le Tribunal pénal international pour l'ex-Yougoslavie pour crimes de guerre et crimes contre l'humanité, au titre des actes commis depuis janvier 1999 au Kosovo.

29 mai. Slovaquie. Élection (au suffrage universel) au second tour de Rudolf Schuster (57,2 %) à la présidence de la République contre Vaclav Meciar (42,8 %), le chef de l'État sortant.

3-12 juin. Kosovo. Après l'acceptation par la Yougoslavie du plan de paix pour le Kosovo du Groupe des Huit [*voir 6 mai*], l'OTAN signe le 9 un accord militaire à Kumanovo (Macédoine) avec les généraux yougoslaves. Ce plan porte sur le retrait serbe du Kosovo et la suspension des bombardements. Le 10, le Conseil de sécurité de l'ONU adopte la résolution 1244 autorisant le déploiement d'une force internationale. Le 12, les premiers éléments de la Kfor (Force de paix au Kosovo, 50 000 hommes) entrent au Kosovo.

13 juin. UE. Les élections au Parlement européen donnent pour la première fois la victoire à la droite, le Parti populaire européen (224 sièges) devançant le Parti socialiste européen (180 sièges), et voient la percée des Verts (44 sièges). Le mauvais score des socialistes est notamment dû au très médiocre résultat des travaillistes britanniques qui ont perdu 31 sièges. Les sociaux-démocrates allemands ont pour leur part reculé de 7 sièges. La Française Nicole Fontaine (PPE) sera élue présidente du Parlement.

28-29 juin. UE-Amérique latine. Réunis à Rio de Janeiro, les 34 pays latino-américains et les quinze de l'Union européenne adoptent une déclaration de « partenariat stratégique » concernant le libre-échange, la démocratie et les droits de l'homme. L'Union européenne lance un projet de zone de libre-échange avec le Mercosur (Marché commun du sud de l'Amérique) et le Chili, à l'horizon 2003. ■

Europe germanique

Allemagne, Autriche, Liechtenstein, Suisse

Allemagne

De l'euphorie à la déception

En 1998-1999, près de dix ans après la chute du mur de Berlin, l'Allemagne aura connu de profonds changements. L'ère du chancelier Helmut Kohl a pris fin, l'euro a été introduit comme nouvelle monnaie européenne, et à partir de mars 1999, avec l'intervention de soldats allemands dans la crise du Kosovo, le pays s'est trouvé impliqué dans une guerre pour la première fois depuis la création de la RFA en 1949.

Dès le début de 1998, la fin du gouvernement chrétien-libéral de H. Kohl était prévisible. De fait, aux élections législatives fédérales du 27 septembre, son parti, la CDU (Union démocrate-chrétienne), n'a recueilli avec la CSU (Union sociale-chrétienne) que 35,1 % des voix, contre 41,5 % en 1994. En revanche les sociaux-démocrates du SPD (Parti social-démocrate) sont passés de 36,4 % à 40,9 %, ce qui leur a permis d'engager des négociations pour former une coalition de gauche avec les Verts. Disposant de 345 sièges sur 669 au Bundestag (chambre haute), les deux partis ont élu Gerhard Schröder (SPD) comme septième chancelier de la RFA, le 27 octobre.

L'issue de ces élections avait fait l'effet d'un véritable séisme politique. Pour la première fois en RFA, un nouveau chancelier arrivait au pouvoir à la suite d'échéances électorales normales ; jusqu'alors, de tels changements avaient toujours été provoqués par des crises de coalition intervenant au cours d'une législature. Pour la première fois aussi, les Verts allaient participer au gouvernement fédéral, obtenant trois ministères, dont celui des Affaires étrangères confié à Joschka Fischer, par ailleurs nommé vice-chancelier. Contrairement à son prédécesseur, G. Schröder pouvait enfin compter, dans un premier temps, sur une majorité de même sensibilité au Bundesrat (chambre basse). Ainsi, l'élection d'un social-démocrate comme chef d'État par la Bundesversammlung, où sont représentées les deux chambres, devenait possible. Élu le 23 mai 1999, Johannes Rau a succédé au chrétien-démocrate Roman Herzog le 1er juillet suivant.

Ambitieux plan de réformes

Le très pragmatique G. Schröder avait promis que le changement politique ne serait pas trop brutal. Or, sous l'influence notamment des Verts, l'accord de coalition passé en octobre 1998 a prévu la création d'une taxe écologique ainsi que l'abandon du nucléaire comme source d'énergie. Le code de la nationalité fondé sur le droit du sang devait également être réformé. Le président du SPD, Oskar Lafontaine, alors ministre des Finances, faisait pour sa part pression sur la banque centrale, pour qu'elle baisse ses taux d'intérêt afin d'infléchir la politique économique. Il envisageait aussi une réforme fiscale favorisant le pouvoir d'achat des bas revenus, aux dépens des grandes entreprises. En décembre,

Europe germanique
DANEMARK
MER DU NORD
MER BALTIQUE
SCHLESWIG-HOLSTEIN
Kiel
Lübeck
MECKLEMBOURG POMÉRANIE OCC.
Hambourg
Schwerin
Neubrandenburg
Oldenbourg
Brême
BASSE-SAXE
PAYS-BAS
ALLEMAGNE
BRANDEBOURG
Berlin
Hanovre
Brunswick
Postdam
Francfort-sur-l'Oder
Oder
POLOGNE
Bielefeld
Essen
Duisbourg
Dortmund
Düsseldorf
Cologne
Bonn
Cassel
Magdebourg
SAXE-ANHALT
Elbe
Halle
Leipzig
Cottbus
Neisse
THURINGE
Dresde
SAXE
HESSE
Erfurt
Suhl
Gera
Chemnitz
BELG.
Coblence
Francfort-sur-le-Main
RHÉNANIE-PALATINAT
LUX.
Wurtzbourg
RÉP. TCHÈQUE
SARRE
Sarrebruck
Mannheim
Nuremberg
BAVIÈRE
Karlsruhe
Stuttgart
Danube
BADE-WURTEMBERG
FRANCE
Fribourg
Munich
Linz
Vienne
BASSE-AUTRICHE
Salzbourg
Eisenstadt
Rhin
St-Gall
Bregenz
Zurich
Bienne
Innsbruck
AUTRICHE
Neuchâtel
Berne
Lucerne
Graz
HONGRIE
SUISSE
Lausanne
Genève
Rhône
ITALIE
Klagenfurt
100 km
SLOVÉNIE
CROATIE
ALLEMAGNE (Länder)
1 - BERLIN
2 - RHÉNANIE DU NORD-WESTPHALIE
AUTRICHE (Länder)
1 - VORARLBERG
2 - TYROL
3 - CARINTHIE
4 - SALZBOURG
5 - STYRIE
6 - HAUTE-AUTRICHE
7 - BURGENLAND
SUISSE (Cantons)
1 - BÂLE-VILLE
2 - BÂLE-CAMPAGNE
3 - SOLEURE
5 - FRIBOURG
7 - OBWALD
8 - NIDWALD
9 - SCHWYZ
10 - ZOUG
11 - SCHAFFHOUSE
12 - APPENZEL (Rhodes ext.)
13 - APPENZEL (Rhodes int.)
14 - ST-GALL
15 - GLARIS
Suisse
FRANCE
ARGOVIE
THURGOVIE
JURA
ZURICH
NEUCHÂTEL
LUCERNE
LIECHTENSTEIN
VAUD
BERNE
URI
GRISONS
GENÈVE
VALAIS
TESSIN
1. Lac Léman
2. Lac de Constance
3. Lac de Neuchâtel
4. Lac des Quatre Cantons
5. Lac Majeur
50 km
ITALIE

INDICATEUR	UNITÉ	1975	1985	1997	1998
Démographie[a]					
Population	*million*	78,7	77,7	82,1	82,1
Densité	*hab./km²*	225,3	222,4	234,9	235,2
Croissance annuelle	%	– 0,1[q]	0,5[l]	0,1[c]	••
Indice de fécondité (ISF)		1,6[q]	1,4[l]	1,3[c]	••
Indicateurs socioculturels					
Nombre de médecins	*‰ hab.*	1,71	2,31[m]	3,35[d]	••
Scolarisation 2e degré[t]	%	••	88,3[f]	87,4[d]	••
Scolarisation 3e degré	%	27,0	29,5	45,3[b]	••
Téléviseurs	*‰ hab.*	404,5	483,6	569,9	••
Livres publiés	*titre*	46 416	60 660	71 515	••
Économie					
PIB total (PPA)	*milliard $*	••	1424,8[h]	1744,9	1780,3
Croissance annuelle	%	1,8	2,6[i]	2,2	2,8
PIB par habitant (PPA)	$	••	17 810[h]	21 260	21 671
Investissement (FBCF)	*% PIB*	••	22,0	19,9	19,4
Recherche et Développement	*% PIB*	2,40[m]	2,70	2,31	2,33
Taux d'inflation	%	5,7	1,4	1,7	0,9
Population active	*million*	36,7	37,9	39,8	39,8
Agriculture	% } *100 %*	6,8	4,6	3,0	2,9
Industrie	% } *100 %*	45,4	41,0	35,5	35
Services	% } *100 %*	47,8	54,4	61,5	62,1
Taux de chômage (fin année)	%	4,0	8,0	9,9	9,1[r]
Énergie (consom./hab.)	*TEP*	4,02	4,65	4,27[b]	••
Énergie (taux de couverture)	%	54,4	57,9	40,2[b]	••
Aide au développement (APD)	*% PIB*	0,4[s]	0,45[s]	0,28	••
Dépense publique Éducation	*% PIB*	4,0[s]	4,8[es]	4,8[d]	••
Dépense publique Défense	*% PIB*	3,7[s]	3,2[s]	1,6	••
Solde administrat. publiques	*% PIB*	– 4,4[os]	– 0,2	– 1,7	– 1,4
Dette administrat. publiques	*% PIB*	24,8[s]	41,7[s]	61,5	61,0
Échanges extérieurs		**1974[s]**	**1986[s]**	**1997**	**1998**
Importations de services	*milliard $*	13,58	43,76	119,51	124,38
Importations de biens	*milliard $*	70,54	186,84	439,33	455,52
Produits agricoles	%	21,2	16,2	10,6	8,5
Produits énergétiques	%	19,3	11,5	7,6	5,5
Produits manufacturés	%	44,3	61,1	69,5	71,3
Exportations de services	*milliard $*	10,14	39,33	79,90	81,48
Exportations de biens	*milliard $*	89,13	241,52	511,08	538,7
Produits manufacturés	%	76,3	83,5	85,5	86,3
dont machines et mat. de transport	%	42,6	48,9	49,6	51,0
Produits miniers	%	16,5	8,3	1,8	1,5
Solde des transactions courantes	*% du PIB*	••	– 0,9[g]	– 0,1	– 0,3
Position extérieure nette	*milliard $*	33,4[n]	96,3	187,4	••

Définition des indicateurs, sigles et abréviations p. 31 et suiv. a. Dernier recensement utilisable : 1987 ; b. 1996 ; c. 1995-2000 ; d. 1995 ; e. 1993 ; f. 1992 ; g. 1991-96 ; h. 1991 ; i. 1987-97 ; j. 1987-96 ; k. 1986 ; l. 1985-95 ; m. 1981 ; n. 1980 ; o. 1979 ; p. 1977-86 ; q. 1975-85 ; r. Avril 1999 ; s. Ex-RFA seulement ; t. 10-18 ans.

G. Schröder invitait patronat et syndicats à des rencontres multilatérales destinées à former une « alliance pour l'emploi ».

L'objectif premier de la nouvelle coalition était de faire baisser le chômage. Et, dans un premier temps, la conjoncture économique semblait en effet lui être favorable. La croissance, pour 1998, a été de 2,8 % et le nombre des sans-emploi, qui était de 4 823 000 en janvier 1998, a baissé de 350 000 en un an. L'inflation pour sa part avait pratiquement disparu, avec 0,3 % au début de 1999, et l'excédent commercial a atteint son niveau le plus élevé depuis 1989. Les entreprises allemandes ont poursuivi leurs engagements internationaux. Daimler-Benz a fusionné avec l'américain Chrysler pour devenir le troisième constructeur automobile du monde. En novembre 1998, la Deutsche Bank est devenue le premier institut financier du monde en achetant la banque américaine Bankers Trust. Dans la chimie, Hoechst s'alliait au concurrent français Rhône-Poulenc pour créer la nouvelle entité Aventis.

L'euphorie des premières semaines du gouvernement Schröder a pourtant rapidement cédé la place à la frustration. Dès l'automne, l'économie commençait à souffrir des effets retardés de la crise dans les pays émergents. Le climat de confiance qui régnait dans l'industrie s'est dégradé et l'amélioration de l'emploi s'est interrompue sur fond de vives critiques du patronat à l'encontre du gouvernement.

La démission d'Oskar Lafontaine

Malgré leur caractère sans doute exagéré, ces attaques ont atteint d'autant plus facilement leur but que le SPD paraissait à la peine depuis son accession au pouvoir, après onze ans dans l'opposition. Des clivages sont apparus entre G. Schröder, plus proche des industriels, et O. Lafontaine, soucieux de l'électorat ouvrier populaire. De plus, la coalition s'est trouvée affaiblie par la crise des Verts. Ceux-ci n'ont recueilli que 6,7 % des voix aux élections fédérales contre 7,3 % en 1994. G. Schröder a alors entrepris de réviser de nombreux projets gouvernementaux. Ayant fait passer une partie de la réforme fiscale en décembre 1998, il a retiré d'autres projets de réformes sous la pression du patronat. Ainsi, en février, l'abandon du nucléaire était remis en cause. Ce projet avait en effet été critiqué par la France et le Royaume-Uni qui craignaient le non-respect de contrats à long

République fédérale d'Allemagne

Capitale : Berlin (Bonn a été le siège du gouvernement fédéral et du Parlement jusqu'à l'été 1999).
Superficie : 357 050 km^2.
Population : 82 133 000.
Langue : allemand.
Monnaie : mark (1 mark = 0,57 dollar des États-Unis ou 3,35 FF au 11.8.99). Le mark fait partie de la Zone euro : 1 euro = 1,95583 mark.
Nature de l'État : république fédérale (16 *Länder*). Les deux États issus de la Seconde Guerre mondiale ont été réunifiés politiquement le 3.10.90.
Nature du régime : démocratie parlementaire.
Chef de l'État : Johannes Rau (SPD), président de la République, qui a succédé le 23.5.99 à Roman Herzog.
Chef du gouvernement : Gerhard Schröder (SPD), chancelier fédéral, qui a succédé le 27.10.98 à Helmut Kohl.
Ministre des Finances : Hans Eichel, SPD (depuis mi-mars 99).
Ministre des Affaires étrangères : Joschka Fischer, Verts (depuis le 27.10.98).
Principaux partis politiques : *Gouvernement fédéral :* Parti social-démocrate (SPD) ; Die Grünen/Bündnis 90 (Verts/Alliance 90) ; Union démocrate chrétienne (CDU) ; Union sociale chrétienne (CSU) ; Parti libéral (FDP) ; Parti du socialisme démocratique (PDS, ex-parti communiste en RDA) ; Deutsche Volksunion (Union du peuple allemand – DVU –, extrême droite, non représentée au Bundestag.
Échéances électorales : régionales (2000).

Allemagne/Bibliographie

J.-P. Gougeon, *Où va l'Allemagne ?,* Flammarion, Paris, 1997.

M. Korinman (sous la dir. de), *L'Allemagne vue d'ailleurs,* Balland, Paris, 1992.

« L'Allemagne de nos incertitudes », *Esprit,* Paris, mai 1996.

« L'évolution des forces politiques en Allemagne » (dossier constitué par F. Guérard), *Problèmes politiques et sociaux,* n° 762, La Documentation française, Paris, févr. 1996.

A.-M. Le Gloannec (sous la dir. de), *L'Allemagne après la guerre froide. Le vainqueur entravé,* Complexe, coll. « Espace international », Bruxelles, 1993.

A.-M. Le Gloannec (sous la dir. de), *L'état de l'Allemagne,* La Découverte, coll. « L'état du monde », Paris, 1995.

D. Marsh, *Germany and Europe, the Crisis of Unity,* Heinemann, Londres, 1994.

H. Ménudier (sous la dir. de), *Le Couple franco-allemand en Europe,* Publications de l'Institut allemand d'Asnières, 1993.

J. Rovan, *Histoire de l'Allemagne, des origines à nos jours,* Seuil, Paris, 1994.

Sachverständigenrat zur Begutachtung der gesamtwirtschaftlichen Entwicklung Reformen voranbringen, Rapport annuel 1997/98, Metzler-Poeschel, Wiesbaden, 1997.

D. Vernet, *La Renaissance allemande,* Flammarion, Paris, 1992.

terme, concernant le retraitement de déchets nucléaires allemands. Plus grave pour le chancelier, la CDU réussissait à faire campagne contre la réforme du code de la nationalité, à la veille des élections dans le *Land* de Hesse. A l'issue de celles-ci, SPD et Verts ont perdu la majorité dans ce *Land,* ce qui allait faire perdre à G. Schröder sa majorité au Bundesrat. Le chancelier était alors contraint de coopérer avec la CDU ou avec les libéraux du FDP (Parti libéral) dans les domaines où l'accord de la chambre basse se révélait nécessaire. La réforme du code de la nationalité allait ainsi être nettement plus restreinte que prévu.

Les tergiversations au sein de la coalition se sont transformées en crise ouverte le 11 mars 1999. Dénonçant le manque de solidarité entre les membres du gouvernement, O. Lafontaine a démissionné de toutes ses fonctions. Le 12 avril, il était remplacé aux Finances par l'ancien ministre-président de la Hesse Hans Eichel, et G. Schröder lui succédait comme chef du parti, en étendant ainsi ses pouvoirs.

Aux élections parlementaires européennes du 13 juin 1999, le gouvernement s'est trouvé à nouveau sanctionné par une forte montée de l'opposition. La CDU a obtenu 48,7 % des suffrages, contre 30,9 % seulement pour le SPD. Le 23 juin, H. Eichel présentait un plan budgétaire de rigueur, transformant sensiblement la politique économique suivie par le pays.

Dans ce contexte de politique intérieure agitée, le gouvernement allait aussi devoir affronter de nombreux défis majeurs sur le plan extérieur, allant de l'introduction de l'euro, projet cher à l'ancien chancelier Kohl, jusqu'à la crise du Kosovo. L'enjeu était d'autant plus important que les Allemands n'avaient jusqu'alors guère apprécié l'abandon annoncé du mark, et que les partenaires étrangers s'étaient interrogés sur un éventuel infléchissement de la diplomatie après les élections. G. Schröder avait d'ailleurs nourri ces interrogations en s'abstenant d'assister aux commémorations de la fin de la Première Guerre mondiale, le 11 novembre 1998 à Paris.

En fait, le lancement de l'Union monétaire au 1er janvier 1999 s'est accompagné d'un net retournement d'opinion en faveur de l'euro, l'Allemagne détenant à ce moment la présidence de l'Union européenne. Lors du Conseil européen de Berlin, fin mars 1999, G. Schröder poussait les Quinze à adopter l'Agenda 2000 sur le financement de l'Union jusqu'en 2006. Surtout, la participation allemande aux frappes de l'OTAN (Organisation du traité de l'Atlantique nord) contre la Serbie, au printemps 1999, a réuni un large consensus. Ce choix a d'ailleurs été défendu par l'ancien pacifiste Joschka Fischer, chef de la diplomatie, qui a contribué de façon décisive aux négociations sur le processus de paix intervenu en juin suivant.

Une identité en constitution

Si les Allemands semblaient largement approuver le nouveau rôle du pays à l'extérieur, sur le plan national, la recherche d'une nouvelle identité se révélait plus difficile. A plusieurs reprises, au cours de 1998-1999, le souvenir de l'histoire nazie a été au cœur de controverses. L'écrivain Martin Walser a ainsi provoqué un tollé en octobre 1998, lorsqu'il a dénoncé la prétendue omniprésence de l'Holocauste dans les discours publics en Allemagne. Le projet de monument commémoratif consacré aux détenus d'Auschwitz, à Berlin, a aussi donné lieu à de vifs débats. Enfin, l'échec de la politique du gouvernement sur le nouveau code de la nationalité a montré à quel point la question de l'intégration des étrangers divisait le pays.

A ces difficultés, il faut ajouter celles, persistantes, de l'intégration intra-allemande. Unifiées juridiquement depuis le 3 octobre 1990, les deux parties du pays se trouvent toujours séparées du fait d'un écart de richesse, lequel s'est de nouveau creusé en 1998. La croissance économique à l'Est est en effet restée inférieure à celle des anciens *Länder*. Sur le plan politique, le parti communiste réformé PDS (Parti du socialisme démocratique) obtient lors des élections environ 20 % des voix à l'Est, sans pouvoir s'établir à l'Ouest. Aux élections fédérales, il a réussi à entrer au Bundestag, avec 5,1 % des suffrages exprimés (en moyenne nationale). Ces succès devaient rendre la vie dure aux partis, notamment au SPD. Ayant rejeté toute coopération sur le plan fédéral, G. Schröder allait devoir tolérer des alliances régionales entre son parti et le PDS. Ainsi un gouvernement minoritaire a-t-il été constitué par le SPD en Saxe-Anhalt avec le soutien du PDS. En Mecklembourg-Poméranie occidentale, les sociaux-démocrates se sont même engagés pour la première fois dans une coalition formelle avec les ex-communistes, après les élections régionales de septembre 1998.

Face à ces problèmes d'unification, de nombreux observateurs allemands ont espéré que le processus de rapprochement pourrait s'accélérer en 1999 grâce au déplacement du gouvernement fédéral de Bonn à Berlin, au cœur des nouveaux *Länder*. Capitale officielle depuis l'unification, Berlin devait ainsi devenir le nouveau centre de la vie politique du pays à la veille de l'an 2000. Le déplacement du gouvernement devait entraîner alors celui de quelques milliers de diplomates, de journalistes et de lobbyistes dans la partie est de la nouvelle Allemagne. - **Thomas Fricke** ■

Autriche

Au deuxième trimestre 1998, l'Autriche a assuré la présidence de l'Union européenne (UE), une première pour ce pays qui n'y a adhéré qu'en 1995. Bien que son sens de l'organisation ait été généralement apprécié, les résultats auxquels elle est parvenue ont fait l'objet de critiques. Voulant mettre en œuvre le slogan qui résumait son programme « L'Europe au top niveau » (pour le prochain millénaire), le gouvernement autrichien a semblé avoir été trop ambitieux. Les possibilités d'infléchir la politique européenne étaient minces, du fait de la multiplicité des intérêts en jeu. En concentrant ses efforts sur la « politique de l'emploi », l'Autriche aura tout de même tenté d'imposer sa marque à la période. De nombreux autres dossiers en

INDICATEUR	ALLE-MAGNE	AUTRICHE	LIECHTEN-STEIN	SUISSE
Démographie[a]				
Population *(millier)*	82 133	8 140	32	7 299
Densité *(hab./km²)*	235,2	98,4	203,8	184,6
Croissance annuelle (1995-2000) *(%)*	0,1	0,5	1,3	0,7
Indice de fécondité (ISF) (1995-2000)	1,3	1,4	1,6	1,5
Mortalité infantile (1995-2000) *(‰)*	5	6	5	6
Espérance de vie (1995-2000) *(année)*	77,2	77,0	78,0	78,6
Population urbaine *(%)*	87,1	64,5	21,4[i]	62,0
Indicateurs socioculturels				
Développement humain (IDH)[c]	0,906	0,904	••	0,914
Nombre de médecins *(‰ hab.)*	3,4[f]	2,8[f]	••	3,16[b]
Espérance de scolarisation[b] *(année)*	15,1	14,3	••	14,0
Scolarisation 3e degré *(%)*	45,3[f]	48,0[f]	••	••
Adresses Internet[d] *(‰ hab.)*	160,22	175,41	102,77	306,34
Livres publiés *(titre)*	71 515[f]	8 056[f]	••	15 371[f]
Armées (effectifs)				
Armée de terre *(millier d'h.)*	230,6	45,5	••	357,46
Marine *(millier d'h.)*	26,7	••	••	••
Aviation *(millier d'h.)*	76,2	4,25	••	32,6
Économie				
PIB total (PPA)[c] *(milliard $)*	1 744	178	0,71[f]	178
Croissance annuelle 1987-97 *(%)*	2,6	2,6	••	1,2
Croissance 1998 *(%)*	2,7	3,2	••	2,1
PIB par habitant (PPA)[c] *($)*	21 260	22 070	23 000[f]	25 240
Investissement (FBCF) *(% PIB)*	7,0[h]	22,9[h]	••	20,4[e]
Recherche et Développement *(% PIB)*	2,3	1,5	••	2,7[c]
Taux d'inflation *(%)*	0,9	0,9	••	0,0
Taux de chômage (fin année) *(%)*	9,2	4,6	••	3,4
Énergie (consom/hab.)[f] *(TEP)*	4,3	3,4	••	3,6
Énergie (taux de couverture)[f] *(%)*	40,2	28,6	••	40,9
Dépense publique Éducation *(% PIB)*	4,8[b]	5,6[b]	••	5,3[b]
Dépense publique Défense[c] *(% PIB)*	1,6	0,8	••	1,5
Solde administrat. publiques *(% PIB)*	– 1,4	– 2	••	– 1,4
Dette administrat. publiques *(% PIB)*	61	63,1	••	••
Échanges extérieurs				
Importations (douanes) *(million $)*	467 315	68 270	852[i]	73 877
Principaux fournisseurs[c] *(%)*	UE 54,1	UE 69	UE	UE 76,7
(%)	E-U 8,3	RFA 41,7	••	E-U 7,3
(%)	PED 17,4	PED 11,9	••	PED 10
Exportations (douanes) *(million $)*	540 554	62 374	2 140[i]	75 431
Principaux clients[c] *(%)*	UE 56,4	UE 62,1	UE 41,6[j]	UE 62,3
(%)	E-U 9,4	RFA 35,1	Sui 13,8[j]	E-U 11
(%)	PED 16,3	PED 14,8	••	PED 16,5
Solde transactions courantes *(% PIB)*	– 0,3	– 2,0	••	8,1

Définition des indicateurs, sigles et abréviations p. 31 et suiv. Chiffres 1998 sauf notes. a. Derniers recensements utilisables : Allemagne, 1987 ; Autriche, 1991 ; Liechtenstein, 1990 ; Suisse, 1990. b. 1995 ; c. 1997 ; d. janv. 1999 ; e. 1995-97 ; f. 1996 ; g. 1998 ; h. 1996-98 ; i. 1994 ; j. 1993.

seront restés au stade de la préparation, notamment la finalisation de l'*Agenda 2000* (qui définit les principes de la réforme des politiques structurelles de l'UE), l'institution d'un « monsieur PESC (Politique étrangère et de sécurité commune) », ou la révision du système de financement du budget de l'UE par les États membres.

Pour la première fois, les ministres de la Défense des pays de l'UE se sont réunis, dans le cadre d'une rencontre informelle. Comme la politique de défense n'entre pas dans les compétences de l'UE (ou de la PESC), le gouvernement a été ébranlé par une querelle portant sur la neutralité autrichienne. Dès les débuts de la « grande coalition » réunissant le Parti social-démocrate d'Autriche (SPÖ) et le Parti populaire d'Autriche (ÖVP), en janvier 1998, la politique de sécurité a été le sujet de controverses. En avril 1998, le gouvernement n'avait toujours pas réussi à définir de ligne commune. Le débat sur l'entrée éventuelle dans l'OTAN (Organisation du traité de l'Atlantique nord) ou dans l'UEO (Union de l'Europe occidentale), comme celui de la reformulation d'une politique de neutralité active dans le contexte de l'UE, est donc resté en suspens.

Dans d'autres domaines de politique intérieure (marché du travail, politiques familiale et fiscale), des réformes ont toutefois été engagées. La montée de la critique concernant la façon dont l'État intervient sur la question de l'emploi était révélatrice de la demande croissante de « plus de service public ». Au printemps 1999 – correspondant à la période préélectorale –, les partenaires de la coalition ont pris certaines mesures dans ce sens : relèvement des allocations familiales et rejet du projet de réforme de la politique fiscale. Les élections parlementaires européennes du 13 juin 1999 ont vu la victoire du SPÖ et des Verts (qui ont chacun gagné un siège), au détriment du Parti libéral d'Autriche (FPÖ, populiste d'extrême droite), qui a perdu un siège et du Forum libéral qui n'est plus représenté. L'ÖVP a légèrement progressé, mais sans gain de siège.

Un autre sujet important a été la « digestion » de l'héritage national-socialiste autrichien. A l'automne 1998, deux tableaux du peintre Egon Schiele, de retour après un prêt pour une exposition au Museum d'art moderne de New York, ont été saisis car ils ont été identifiés comme pouvant être les œuvres dérobées à deux familles juives pendant la période nazie. Cela a conduit à la mise en place, en novembre 1998, d'une commission d'historiens chargée de faire la lumière sur les biens volés à cette époque et sur leur commerce pendant la IIe République (depuis 1945). Le 6 novembre, une loi a été adoptée, disant que les œuvres d'art extorquées et jamais rendues devaient être restituées à leurs propriétaires. Animé par le même souci, l'avocat américain Ed Fagan avait mis en demeure, en août 1998,

République d'Autriche

Capitale : Vienne.
Superficie : 83 850 km².
Population : 8 140 000.
Langues : allemand (off.), serbo-croate, hongrois, tchèque, slovène.
Monnaie : schilling (1 schilling = 0,47 FF au 30.4.99). Le schilling fait partie de la Zone euro : 1 euro = 13,7603 schillings.
Nature de l'État : république fédérale.
Nature du régime : parlementaire avec des instruments de démocratie directe.
Chef de l'État : Thomas Klestil, président de la République (depuis le 8.7.92).
Chef du gouvernement : Viktor Klima, chancelier fédéral (depuis le 28.1.97).
Vice-chancelier et ministre des Affaires étrangères : Wolfgang Schüssel (depuis le 4.5.95).
Ministre de l'Intérieur : Karl Schlögl (depuis le 28.1.97).
Ministre de la Défense : Werner Fasslabend (depuis le 17.12.90).
Échéances électorales : élections parlementaires fédérales (1999) et présidentielle (2003).

les plus grandes banques autrichiennes de dédommager les anciens travailleurs forcés du national-socialisme, au titre de réparation pour les affaires menées par ces dernières avec le régime d'alors ; un accord a été conclu en mars 1999.

De nombreux secteurs, notamment ceux de l'industrie du papier, des services financiers et de l'agroalimentaire, ont connu d'importantes fusions en 1998 : des firmes étrangères ont racheté 28 entreprises autrichiennes, pour une valeur totale de 690 milliards de dollars. Mais l'internationalisation de l'économie autrichienne a également joué dans l'autre sens : 23 sociétés étrangères ont été acquises par des entreprises nationales, pour une valeur de 390 milliards de dollars.

Un nouveau monopole d'État a disparu avec la libéralisation du marché du téléphone, entraînant une concurrence effrénée. Le même phénomène de bataille commerciale a frappé la presse, à l'occasion de la naissance d'un nouvel hebdomadaire, *Format*, qui n'a pas hésité à enfreindre certains usages ; cette compétition n'a toutefois pas entraîné une augmentation de l'offre en titres de presse de qualité. Le 1er juillet 1998, après l'introduction de la recherche par quadrillage, la « grande offensive de l'écoute » (surveillance au microphone) a été autorisée, notamment lorsque des crimes sont soupçonnés. - **Helmut Szpott** ■

Liechtenstein

L'« affaire » de l'archevêché de Vaduz

Petite principauté prospère et peuplée de quelque 32 000 habitants, dont 34,3 % d'étrangers, le Liechtenstein a retrouvé son calme en 1998, après l'émotion née de la création de l'archevêché de Vaduz, le 2 décembre 1997. Pendant plus de 1 500 ans, les catholiques liechtensteinois avaient été rattachés au diocèse de Coire (Suisse). En souhaitant offrir un diocèse à Mgr Wolfgang Haas, évêque conservateur très contesté en Suisse, Rome avait pris cette décision, qui avait provoqué en son temps passablement de remous. - **Jean-Marc Crevoisier** ■

Principauté du Liechtenstein

Capitale : Vaduz.
Superficie : 157 km².
Population : 32 000.
Langue : allemand.
Monnaie : franc suisse (1 franc suisse = 4,06 FF au 30.4.99).
Nature de l'État : monarchie constitutionnelle.
Nature du régime : parlementaire.
Chef de l'État : prince Hans-Adam II (depuis le 13.11.89).
Chef du gouvernement : Mario Frick (depuis le 25.10.93).
Vice-premier ministre, ministre de l'Intérieur, de l'Économie, de la Santé et des Affaires sociales : Michael Ritter.

Suisse

De nombreux chantiers en avancement

Le renouvellement partiel du gouvernement (Conseil fédéral) et l'élection de la première femme à la présidence du pays ont marqué, en 1998 et 1999, la vie politique intérieure suisse. Sur le front extérieur, Berne est parvenu à régler deux questions épineuses qui l'avaient fortement occupé au cours des dernières années. Un accord a ainsi été trouvé le 12 août 1998 entre les grandes banques helvétiques et les organisations juives mondiales qui reprochaient aux premières de s'être approprié des sommes importantes appartenant à des victimes de l'extermination nazie. Les banques ont accepté de payer un montant global de 1,25 milliard de dollars pour mettre un terme à la polémique et aux menaces de boycottage à propos de l'affaire des comptes en déshérence. Berne, qui n'était pas partie à cet accord, continuera pour sa part ses travaux de recherche visant à mieux cerner l'attitude de la Suisse pendant la Seconde Guerre mondiale.

La Suisse et l'Union européenne (UE) ont par ailleurs conclu, après plusieurs années d'âpres négociations, un accord portant sur une collaboration accrue dans sept dossiers jugés prioritaires pour les deux parties.

Ces négociations bilatérales, achevées le 11 décembre 1998 et qui devront vraisemblablement être avalisées par un vote populaire suisse en l'an 2000, ont ouvert de nouvelles perspectives de collaboration entre Berne et Bruxelles. Elles permettent aussi à la Suisse de sortir de l'isolement politique résultant du refus populaire d'adhérer à l'Espace économique européen (EEE). Les sept domaines concernés sont la libre circulation des personnes, les transports routiers et aériens, l'agriculture, la recherche, l'accès aux marchés publics et les échanges industriels.

Pour la première fois de son histoire, la Suisse aura été présidée, en 1999, par une femme, la socialiste Ruth Dreifuss, qui a été élue par le Parlement le 9 décembre 1998. Une seconde femme a fait son entrée au gouvernement : le 11 mars 1999, Ruth Metzler, une jeune Appenzelloise de 34 ans, a succédé à Arnold Koller au ministère de la Justice. Le même jour, le Parlement a également élu le Fribourgeois Joseph Deiss, qui a pris la suite de Flavio Cotti à la tête du ministère des Affaires étrangères.

Un gouvernement significativement renouvelé allait diriger les destinées du pays pour son entrée dans le XXIe siècle. Pascal Couchepin, ministre de l'Économie, n'était en effet en place que depuis le 1er avril 1998, élu en remplacement de Jean-Pascal Delamuraz, qui est décédé le 4 octobre, peu de temps après son départ. La composition politique de l'exécutif est restée inchangée : deux socialistes (gauche), deux démocrates-chrétiens (centre), deux radicaux (droite) et un démocrate du centre (droite conservatrice).

L'actualité politique a, par ailleurs, été marquée par la question des transports. En acceptant, le 29 novembre 1998, de débloquer un crédit de quelque 14 milliards de francs suisses pour construire deux tunnels ferroviaires dans les Alpes (le Saint-Gothard et le Loetschberg), la population a avalisé la politique de transfert partiel du trafic marchandises de la route au rail.

En matière sociale, la population a refusé par référendum, le 13 juin 1999, de doter le pays d'une assurance maternité, dont la nécessité était contestée par les milieux économiques. Le Parlement a, en outre, édicté les premières lignes d'une révision de l'assurance vieillesse fixant l'âge de la retraite à 65 ans pour les hommes et les femmes, avec la possibiité de prendre une retraite anticipée dès 62 ans. Enfin, la Constitution a été révisée. La politique d'asile est demeurée l'objet de controverses. La guerre

Confédération helvétique

Capitale : Berne.
Superficie : 41 288 km^2.
Population : 7 299 000.
Langues : allemand, français, italien, romanche.
Monnaie : franc suisse (1 franc suisse = 4,06 FF au 30.4.99).
Nature de l'État : confédéral.
Nature du régime : parlementaire, avec des instruments de démocratie directe.
Chef de l'État et du gouvernement : (pour un an) : Ruth Dreifuss, qui a succédé le 1.1.99 à Flavio Cotti.
Chef du département fédéral de l'Intérieur : Ruth Dreifuss (depuis le 1.4.93).
Chef du département fédéral de l'Économie : Pascal Conchepin (depuis le 1.4.98).
Chef du département fédéral des Affaires étrangères : Joseph Deiss (depuis le 1.4.99).

Autriche-Liechtenstein-Suisse/Bibliographie

A. Bergmann, *Le « Swiss Way of management »*, Eska, Paris, 1994.

CH 95, Journal suisse de l'année, Eiselé SA, CH-Prilly.

H. Dachs *et alii, Handbuch des Politischen Systems Österreichs. Die Zweite Republik*, 3 vol., Manz, Vienne, 1997.

F. Heer, *Der Kampf um die Österreichische Identidät*, Böhlau, Vienne, 1996.

H. Kriesi, *Le Système politique suisse*, Économica, Paris, 1995.

V. Lauber (sous la dir. de), *Contemporary Austrian Politics*, Westview, Boulder, 1996 *Österreichisches Jahrbuch für Politik verschiedene Jahrgänge*, Vienne.

A. Pichard, *La Suisse dans tous ses États*, Éd. « 24 heures », Lausanne, 1987.

R. Seider, H. Steinert, E. Talos, *Österreich 1945-1995*, Verlag für Gesellschaftskritik, Vienne, 1995.

R. Steininger, M. Gehler, *Österreich im 20. Jahrhundert. Vom Zweiten Weltkrieg bis zur Gegenwart*, Böhlau, Vienne, 1997.

E. Talos, G. Falner, *EU-Mitglied Österreich*, Manz, Vienne, 1996.

Voir aussi la bibliographie « Allemagne », p. 462.

en Yougoslavie (avec les bombardements aériens de l'OTAN – Organisation du traité de l'Atlantique nord – de mars à juin 1999) a mis sous pression les autorités helvétiques, la Suisse étant le pays qui abrite, proportionnellement, le plus grand nombre de réfugiés en provenance des Balkans.

Deux événements aériens ont retenu l'attention. Le 3 septembre 1998, un MD-11 de la compagnie Swissair, effectuant le vol SR-111 reliant New York à Genève, s'est écrasé peu de temps après son décollage au large des côtes canadiennes de Halifax, faisant 229 morts. Dans un tout autre registre, Bertrand Piccard et son coéquipier britannique Brian Jones ont achevé le 21 mars 1999, dans le désert égyptien, le premier tour du monde en ballon sans escale jamais effectué. - **Jean-Marc Crevoisier** ■

Benelux

Belgique, Luxembourg, Pays-Bas

Belgique

Démissions en série

Les années 1996 et 1997 avaient été traumatisantes pour une majorité de Belges. La découverte des corps de trois enfants – Julie Lejeune, Mélissa Russo et Loubna Benaïssa – et de deux adolescentes – An Marchal et Eefje Lambreckx – enlevées et assassinées dans le cadre de réseaux de pédophilie avait provoqué, le 20 octobre 1996 à Bruxelles, une manifestation de rue inédite en Belgique : la « marche blanche ».

Une commission d'enquête parlementaire avait été établie pour déterminer les conditions et les circonstances dans lesquelles l'enquête avait été menée après la disparition des victimes.

En 1998, la société belge digérait progressivement ces deux années éprouvantes lorsque, le 24 avril 1998, l'impensable s'est produit : le prisonnier le plus surveillé du pays, gravement mis en cause dans cette affaire, Marc Dutroux, s'est évadé pendant quelques heures. Cette courte mais spectaculaire escapade a coûté leur poste aux ministres de l'Intérieur et de la Justice, respectivement Johan Vande Lanotte (Parti socialiste flamand, SP) et Stefaan De Clerck (Parti social-chrétien flamand, CVP), remplacés par Louis Tobback (SP) et Tony Van Parijs (CVP).

Cet événement a semblé contredire la pédagogie gouvernementale à l'œuvre depuis plus d'un an sur le thème : « Nous vous avons compris. » Mais dans le même temps, il a permis une accélération de la réforme de la police et de la justice. En effet, quatre partis d'opposition ont accepté d'être partie prenante dans cette réforme : les libéraux francophones (Parti réformateur libéral, PRL) et flamands (Les libéraux et démocrates flamands, VLD), les régionalistes bruxellois francophones (Front démocratique des francophones, FDF) et les régionalistes flamands (Volksunie). Ils ont,

Royaume de Belgique

Capitale : Bruxelles.
Superficie : 30 500 km^2.
Population : 10 141 000.
Langues : français, néerlandais (flamand), allemand.
Monnaie : franc belge (100 francs belges = 16,26 FF au 30.4.99). Le franc belge fait partie de la Zone euro : 1 euro = 40,3399 francs belges.
Nature de l'État : monarchie fédérale (3 régions).
Nature du régime : parlementaire.
Chef de l'État : roi Albert II (depuis le 9.8.93).
Chef du gouvernement : Guy Verhofstadt, qui a remplacé en juin 99 Jean-Luc Dehaene.
Ministre de l'Intérieur : Antoine Duquesne (depuis le 11.7.99).
Ministre des Finances : Didier Reynders (depuis le 11.7.99).
Vice-premier ministre et ministre des Affaires étrangères : Louis Michel (depuis le 11.7.99).

INDICATEUR	UNITÉ	BELGIQUE	LUXEMBOURG	PAYS-BAS
Démographie[a]				
Population	*(millier)*	10 141	422	15 678
Densité	*(hab./km²)*	332,3	163,2	462,2
Croissance annuelle (1995-2000)	*(%)*	0,1	1,1	0,4
Indice de fécondité (ISF) (1995-2000)		1,5	1,7	1,5
Mortalité infantile (1995-2000)	*(‰)*	7	7	6
Espérance de vie (1995-2000)	*(année)*	77,2	76,7	77,9
Population urbaine	*(%)*	97,2	90,3	89,2
Indicateurs socioculturels				
Développement humain (IDH)[c]		0,923	0,902	0,921
Nombre de médecins	*(‰ hab.)*	3,79[b]	2,29[f]	2,5[l]
Espérance de scolarisation[b]	*(année)*	15,5	• •	15,4
Scolarisation 3e degré	*(%)*	57,4[f]	• •	50,2[f]
Adresses Internet[d]	*(‰ hab.)*	163,45	153,21	359,07
Livres publiés	*(titre)*	13 913[k]	681[i]	34 067[j]
Armées (effectifs)				
Armée de terre	*(millier d'h.)*	28,25		27
Marine	*(millier d'h.)*	2,6	0,81	13,8
Aviation	*(millier d'h.)*	11,6		11,98
Économie				
PIB total (PPA)[c]	*(milliard $)*	231	12,5[f]	329
Croissance annuelle 1987-97	*(%)*	2,2	5,9	2,9
Croissance 1998	*(%)*	2,9	4,1	3,7
PIB par habitant (PPA)[c]	*($)*	22 750	30 140[f]	21 110
Investissement (FBCF)	*(% PIB)*	17,5[e]	20,8[h]	19,7[e]
Recherche et Développement	*(% PIB)*	1,6[b]	• •	2,1[f]
Taux d'inflation	*(%)*	1,0	1,6	2,0
Taux de chômage (fin année)	*(%)*	9,1	2,6	3,6
Énergie (consom/hab.)[f]	*(TEP)*	5,6	8,3	4,9
Énergie (taux de couverture)[f]	*(%)*	21,1	1,1	96,8
Dépense publique Éducation	*(% PIB)*	3,2[f]	4,1[b]	5,2[b]
Dépense publique Défense[c]	*(% PIB)*	1,6	0,8	1,9
Solde administrat. publiques	*(% PIB)*	– 0,7	2,2[m]	– 2
Dette administrat. publiques	*(% PIB)*	117,3	6,7	67,7
Échanges extérieurs				
Importations (douanes)	*(million $)*	162 651	10 129	184 421
Principaux fournisseurs	*(%)*	UE 68,6	UE 91,1[b]	UE 60,9
	(%)	E-U 8,6	Bel 38,1[b]	E-U 9
	(%)	Asie[o] 10,5	RFA 29,8[b]	PED 19,5
Exportations (douanes)	*(million $)*	176 668	7 761	198 507
Principaux clients	*(%)*	UE 74,9	UE 85,5[b]	UE 78,3
	(%)	E-U 5,6	RFA 28,3[b]	E-U 4
	(%)	Asie[o] 8,1	Fra 19,7[b]	PED 10,2
Solde transactions courantes	*(% PIB)*	4,8	• •	6,1[c]

Définition des indicateurs, sigles et abréviations p. 31 et suiv. Chiffres 1998 sauf notes. a. Derniers recensements utilisables : Belgique, 1991 ; Luxembourg, 1991 ; Pays-Bas, 1991. b. 1995 ; c. 1997 ; d. janv. 1999 ; e. 1995-97 ; f. 1996 ; g. 1998 ; h. 1994-96 ; i. 1994 ; j. 1993 ; k. 1991 ; l. 1990 ; m. Non corrigé des variations cycliques ; n. Total 811 ; o. Y compris Japon et Moyen-Orient.

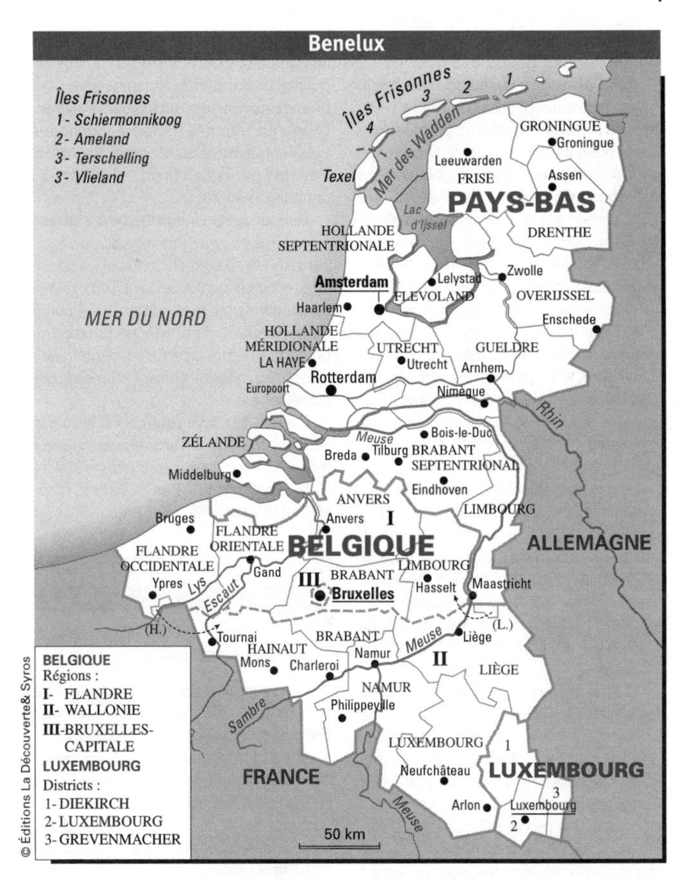

de la sorte, apporté les voix nécessaires pour atteindre la majorité des deux tiers nécessaire pour faire aboutir le projet.

Concernant les forces de sécurité, dans le cadre d'une intégration des différents corps de police, deux niveaux sont désormais prévus : la police fédérale et la police communale. En matière de justice, c'est principalement l'établissement d'un Conseil supérieur de la justice qui a été retenu, chargé notamment de l'évolution des carrières des magistrats.

En septembre 1998, un autre drame est intervenu : une demandeuse d'asile nigériane, Semira Adamu, est décédée pendant son renvoi, étouffée par le coussin qu'un gendarme belge lui avait apposé sur le visage. Le ministre de l'Intérieur, le socialiste flamand Louis Tobback, a immédiatement démissionné, au grand dam de ses partenaires gouvernementaux. Il a été remplacé par Luc Van den Bossche (SP).

Enfin, à la veille des élections nationales, régionales et européennes du 13 juin 1999, le pays a été confronté à un problème de santé publique très important. Des farines animales servant de nourriture dans certains élevages avicoles se sont révélées être contaminées à la dioxine. Cette nouvelle affaire a provoqué la démission de deux nouveaux ministres : Karel Pinxten – CVP – (Agriculture) et Marcel Colla – SP – (Santé).

Ces événements ont quelque peu occulté la performance première du gouvernement : l'entrée de la Belgique dans la Zone euro, le 1er janvier 1999. En effet, le grand dossier de la coalition au pouvoir (socialistes francophones et flamands, et démocrates-chrétiens francophones et flamands) était bien celui-là.

Le pari était difficile compte tenu de l'ampleur de la dette publique (près de 130 % du PIB en 1996). L'exécutif est parvenu à ramener le déficit budgétaire annuel à 1,3 % en 1998, alors qu'il était encore de 3,9 % en 1995 et de 3,1 % en 1996, la dette publique à 117,3 % du PIB et l'inflation à moins de 2 % par an, permettant l'adhésion à la Zone euro.

Cela n'a guère semblé impressionner les électeurs, puisque les quatre partis de la majorité ont sévèrement reculé lors des scrutins du 13 juin 1999, au profit des libéraux et de l'extrême droite flamands, mais surtout au bénéfice des partis « verts », qui ont connu une progression spectaculaire. Un mois plus tard, le libéral flamand Guy Verhofstadt a formé un nouveau gouvernement « arc-en-ciel », réunissant libéraux, socialistes et écologistes.

En 1999, la commission d'enquête parlementaire Dutroux et la commission de suivi ont achevé leurs travaux. Le gouvernement a avancé progressivement dans les lois d'application en matière de réforme de la justice et des polices, tout en maintenant le cap budgétaire adopté depuis plusieurs années. Cette « dépolarisation » en cours a favorisé le retour du débat sur les questions des langues. Celle portant sur les facilités linguistiques dans les communes de la périphérie bruxelloise n'est toujours pas tranchée. Aux yeux des partis francophones elles sont structurelles et constitutionnelles. Pour les partis flamands, elles sont au contraire temporaires.

Surtout, le Parlement flamand a adopté à une large majorité (les verts flamands du parti Agalev se sont abstenus et les socialistes aussi sur quelques points) un plan institutionnel reposant sur dix points et qui viderait de son contenu le fédéralisme belge et romprait le principe de solidarité nationale en régionalisant certains pans de la Sécurité sociale.

Ce vote ne pouvait que cabrer les partis francophones, qui ont affirmé ensemble leur refus de toute nouvelle avancée institutionnelle substantielle. - **Pascal Delwit, Jean-Michel De Waele** ■

Luxembourg

Un pays si tranquille

Le Luxembourg continue à apparaître comme un havre de tranquillité et de prospérité parmi les pays de l'Union européenne. Ce pays conduit par une coalition démocrate chrétienne-socialiste sous la direction de Jean-Claude Juncker (qui a formé un nouveau cabinet le 7 août 1999) bénéficie d'une santé économique florissante, grâce à son statut fiscal sans précompte mobilier, qui en a fait un pôle bancaire européen et international. Un début d'harmonisation fiscale pourrait toutefois amener le Luxembourg à des concessions minimales en la matière. Seule ombre au tableau, la démission, début 1999, de la Commission européenne conduite par l'ancien Premier ministre luxembourgeois Jacques Santer.

Les scrutins législatif et européen du 13 juin 1999 ont vu un tassement notable

Grand-duché de Luxembourg

Capitale : Luxembourg.
Superficie : 2 586 km².
Population : 422 000.
Langues : français, allemand, dialecte luxembourgeois.
Monnaie : franc luxembourgeois, franc belge (100 francs = 16,26 FF au 30.4.99). Le franc luxembourgeois fait partie de la Zone euro : 1 euro = 40,3399 francs lux.
Nature de l'État : monarchie.
Nature du régime : parlementaire.
Chef de l'État : grand-duc Jean (depuis 1964).
Chef du gouvernement : Jean-Claude Juncker, également ministre des Finances (depuis le 26.1.95).
Ministre des Affaires étrangères : Lydie Polfer.

du Parti ouvrier socialiste luxembourgeois (POSL), au profit des libéraux du Parti démocrate (PD). - **Pascal Delwit, Jean-Michel De Waele** ■

Pays-Bas

Les grippages du « modèle hollandais »

Depuis le milieu de la décennie quatre-vingt-dix, les Pays-Bas sont perçus comme un pays « modèle ». Cet État « moyen » – 15,6 millions d'habitants, peuplant près de 41 000 km² – de l'Union européenne se considère, en effet, comme un « grand » et a, surtout, enregistré des résultats économiques qui ont suscité tantôt l'attention, tantôt l'envie ou l'intérêt. Ses « succès » méritaient toutefois d'être nuancés. Depuis 1994, l'écrasante majorité des emplois créés ont été des « temps partiel » et la faiblesse du taux de chômage tient pour une grande part à une terminologie restrictive (les personnes handicapées n'y sont pas comptabilisées par exemple).

A aussi eu valeur de « modèle » la coalition politique en place depuis 1994, réunissant socialistes (Parti du travail, PVDA), libéraux de droite (Parti populaire pour la liberté, VVD) et libéraux de gauche (Démocratie'66, D'66), et qui avait renvoyé les démocrates-chrétiens du Parti démocrate-chrétien (CDA) dans l'opposition, un fait exceptionnel dans l'histoire politique hollandaise.

L'année 1998 a semblé confirmer la santé économique du pays, son crédit à l'étranger et a reconduit la coalition au pouvoir. Le scrutin législatif national du 6 mai 1998 a, en effet, vu la victoire des deux principaux partenaires gouvernementaux. Le PVDA a emporté 45 sièges, soit huit de plus qu'en 1994. Le VVD a enregistré la même progression (39 sièges au total). Au sein de la coalition, le grand perdant a été Démocratie'66, parti libéral-libertaire de centre gauche (14 sièges, contre 24 en 1994). Le CDA a encore perdu du terrain, passant de 34 à 28 sièges. Pour sa part, le parti vert Groen-Links a gagné 6 sièges (11 au total).

Royaume des Pays-Bas

Capitale : Amsterdam.
Superficie : 40 844 km².
Population : 15 678 000.
Langue : néerlandais.
Monnaie : florin (1 florin = 2,97 FF au 30.4.99). Le florin fait partie de la Zone euro : 1 euro = 2,20371 florins.
Nature de l'État : monarchie.
Nature du régime : parlementaire.
Chef de l'État : reine Beatrix Ire (depuis 80).
Chef du gouvernement : Wim Kok (depuis le 22.8.94).
Vice-premiers ministres : Annemarie Jorritsma, chargée des Affaires économiques, et Els Borst, chargée de la Santé publique.
Ministre des Affaires étrangères : Jozias van Aartsen (depuis le 3.8.98).
Ministre des Finances : Gerrit Zalm (depuis le 22.8.94).
Territoires outre-mer : Aruba-Antilles néerlandaises [Caraïbes].

Benelux/Bibliographie

J.-C. Boyer, *Pays-Bas, Belgique, Luxembourg,* Masson, Paris, 1994.

P. Dayez-Burgeon, *Belgique, Nederland, Luxembourg,* Belin, Paris, 1994.

P. Delwit, J.-M. De Waele (sous la dir. de), *Les Partis politiques en Belgique,* Éd. de l'Université de Bruxelles, Bruxelles, 1997.

P. Delwit, J.-M. De Waele, P. Magnette (sous la dir. de), *Gouverner la Belgique. Clivages et compromis dans une société complexe,* PUF, Paris, 1999.

A. Dieckhoff (sous la dir. de), *Belgique : la force de la désunion,* Complexe, coll. « Espace international », Bruxelles, 1996.

J. de La Guérivière, *Belgique : la revanche des langues,* Seuil, Paris, 1994.

X. Mabille, *Histoire politique de la Belgique,* Éditions du CRISP, Bruxelles, 1998.

H.-M. ten Napel, « The Netherlands : Resilience amidst Change », *in* D. Broughton, M. Donovan (sous la dir. de), *Changing Party Systems in Western Europe,* Pinter, New York, 1999.

G. Voerman, *Politick zonder partijen ? Over de horizon van de partijpolitiek,* Het Spinhuis, Amsterdam, 1994.

L'équipe gouvernementale, toujours dirigée par Wim Kok (PVDA), secondé de deux vice-premiers ministres : la ministre des Affaires économiques Annemarie Jorritsma (VVD) et la ministre de la Santé publique Els Borst (D'66), a été fortement renouvelée, dès lors que sur les quinze membres du cabinet (6 PVDA, 6 VVD, 3 D'66) ne restaient que cinq ministres de l'équipe sortante.

Le gouvernement s'est proposé de ramener, en 1999, la dette à 67 % du PIB, d'établir le déficit budgétaire à 1 % à l'horizon 2000, et de diminuer l'impôt sur le revenu. Cette baisse serait compensée par une augmentation de la fiscalité directe et l'établissement d'une taxe sur la pollution. Enfin, Amsterdam a annoncé à ses partenaires européens sa ferme intention de diminuer de 5,5 milliards FF la contribution des Pays-Bas au budget communautaire.

Aux Pays-Bas, la – difficile – nomination de Wim Duisenberg à la tête de la Banque centrale européenne a été vécue comme une preuve de l'aura dont jouit désormais le pays à l'étranger et auprès des organisations internationales.

L'année 1999 s'est présentée sous de nouveaux auspices. Le gouvernement a d'abord été mis sur la sellette dans l'affaire de la chute du Boeing de la compagnie israélienne El Al, le 4 octobre 1992. L'avion s'était abattu sur un quartier d'Amsterdam, faisant 43 morts. Depuis, de nombreux habitants du quartier souffraient de maux inexpliqués. La commission d'enquête parlementaire mise sur pied a rendu un premier rapport montrant la présence de substances non signalées par la compagnie El Al. Elle a aussi mis en cause la passivité du Premier ministre et du ministre de la Santé, de même que le silence d'A. Jorritsma au Parlement.

Au-delà de ce scandale, la coalition gouvernementale n'a pas pu surmonter une dissension interne. Le 19 mai 1999, le Sénat devait se prononcer sur l'introduction du référendum décisionnel dans la vie politique. A la majorité des deux tiers requise, une voix a manqué : celle du sénateur VVD Hans Wiegel. Démocratie'66, qui avait fait de l'aboutissement de ce projet une priorité, a refusé de se maintenir au sein de l'alliance. Le lendemain du vote, W. Kok annonçait la fin de la majorité gouvernementale, ouvrant une ère d'incertitudes à laquelle les Hollandais n'étaient plus habitués.

Les élections parlementaires européennes du 13 juin 1999 ont été remportées par les chrétiens démocrates (26,9 % des suffrages), suivis des travaillistes (20,1 %) et des libéraux (19,7 %). Le grand vainqueur a toutefois été le parti Vert-Rouge (écologistes originaires de l'extrême gauche) arrivé en quatrième position avec 11,9 % des voix. - **Pascal Delwit, Jean-Michel De Waele** ■

Europe du Nord

Danemark, Finlande, Groenland, Islande, Norvège, Suède

Danemark

Les dérogations européennes à l'épreuve

Les quatre dérogations danoises au traité de Maastricht (dispensant le Danemark de participer à l'Union monétaire, à la défense commune, à la citoyenneté européenne, à la justice et aux affaires intérieures) ont été mises à rude épreuve. Les élections au Parlement européen du 13 juin 1999, qui ont vu l'effondrement des conservateurs, ont conforté le gouvernement et la majorité parlementaire (sociaux-démocrates) dans leur souhait de renoncer à ces dérogations, afin de peser davantage sur les décisions prises par l'UE. Si les Danois voyaient d'un œil nettement plus favorable une éventuelle adhésion à l'Union économique et monétaire (UEM), l'opinion restait toutefois plus partagée que les dirigeants. Comme un renoncement impliquerait la tenue d'un nouveau référendum, dont l'issue était loin d'être évidente, la classe politique abordait la question prudemment.

La crise du Kosovo a mis en lumière un paradoxe danois : du fait de sa dérogation sur la défense commune, le royaume ne peut pas prendre part aux décisions portant sur des actions militaires au sein de l'Union européenne (UE), mais il peut y participer en tant que membre de l'OTAN (Organisation

Royaume du Danemark

Capitale : Copenhague.
Superficie : 43 070 km².
Population : 5 270 000.
Langue : danois.
Monnaie : couronne danoise (100 couronnes = 88,36 FF au 30.4.99).
Nature de l'État : monarchie constitutionnelle.
Nature du régime : parlementaire.
Chef de l'État : reine Margrethe II (depuis le 15.1.72).
Chef du gouvernement : Poul Nyrup Rasmussen (depuis le 25.1.93).
Ministre de l'Intérieur : Thorkild Simonsen (depuis le 20.10.97).
Ministre des Affaires étrangères : Niels Helveg Petersen (depuis le 27.9.94).
Ministre de la Défense : Hans Haekkerup (depuis le 27.9.94).
Territoires autonomes : Groenland ; îles Féroé (communautés autonomes au sein du royaume).

du traité de l'Atlantique nord), bouclier favori des Danois. Une grande majorité de la population a d'ailleurs approuvé les bombardements en Yougoslavie, au printemps 1999. Fait inhabituel de la part d'un petit pays, le Danemark « militarise » de plus en plus sa politique étrangère, une façon de se positionner en Europe du Nord, maintenant que le pays ne peut plus jouer les avant-postes géostratégiques face aux pays du pacte de Varsovie.

En dépit d'un ralentissement de la croissance (3,4 % en 1997, 2,9 % en 1998 et, selon les prévisions 1,3 % en 1999), et même si Lego, le fabricant de jouets, a annoncé pour la première fois de son histoire des pertes (194 millions de couronnes en 1998 et un millier de licenciements), l'économie danoise a continué de se bien porter et le taux de chômage, stabilisé (6 % au printemps 1999), a même fait craindre un manque de main-d'œuvre. De ce fait, le gouvernement a décidé de réformer le système généreux de préretraite à 60 ans devenu trop populaire, introduisant des avantages fiscaux si l'on poursuit sa vie active jusqu'à au moins 65 ans, et les salariés de plus de 35 ans doivent désormais cotiser à hauteur de 4 000 couronnes par an pour avoir droit à la préretraite.

Les sociaux-démocrates au pouvoir ont perdu une partie du soutien de l'opinion, déjà échaudée par une affaire révélée en février 1998, où les services de renseignements (PET) ont été accusés d'avoir fiché les communistes danois. Une commission a été nommée pour enquêter sur leurs activités de l'après-guerre jusqu'à l'effondrement du bloc soviétique.

Le gouvernement a, par ailleurs, trouvé un accord financier avec les îles Féroé, territoire autonome danois, après un scandale bancaire qui avait menacé l'économie de l'archipel.

A Copenhague s'est ouvert le procès intenté contre le gouvernement danois par les familles de 105 Inuits déplacés de force en 1953 pour permettre l'agrandissement de la base aérienne américaine de Thulé au Groenland (territoire autonome danois). Ces derniers réclamaient 156 millions de couronnes de dédommagements pour la perte de leur territoire et le manque à gagner en revenus de la chasse. - **Olivier Truc** ■

Finlande

Un président diplomate

Le gouvernement « arc-en-ciel » sortant s'est maintenu à l'issue des élections législatives de mars 1999. Le Parti social-démocrate du Premier ministre Paavo Lipponen, l'Alliance de gauche (ex-communiste), les Verts, le Parti suédois (libéraux suédophones) et le Parti de la coalition nationale (conservateurs) ont poursuivi ensemble une politique de rigueur et de redressement, visant à préserver l'État-providence. La dette des administrations publiques (au sens des critères du traité de Maastricht) s'élevait à 49,6 % du PIB en 1998. Privatisations, allégements fiscaux pour les entreprises et restrictions budgétaires ont complété le dispositif. Après huit ans de lourds déficits, le gouvernement a présenté un budget 1999 légèrement excédentaire, tandis que le chômage continuait de baisser, s'établissant à 11,5 % au printemps 1999. Une fois encore, le projet d'une cinquième centrale nucléaire, désirée par le secteur industriel, a été repoussé sous la pression des Verts.

Les frappes aériennes de l'OTAN (Organisation du traité de l'Atlantique nord) en Yougoslavie (printemps 1999) ont rendu les Finlandais un peu plus sceptiques à l'idée d'une adhésion à l'Alliance atlantique. Membre du « partenariat pour la paix » (sorte d'antichambre de l'OTAN), la Finlande se définissait encore récemment comme un pays non aligné avec une défense indépendance et crédible. Opposé à l'idée de défense commune, Helsinki préfère se voir comme un pays non allié. Certains n'en voyaient pas moins dans toutes ces nuances

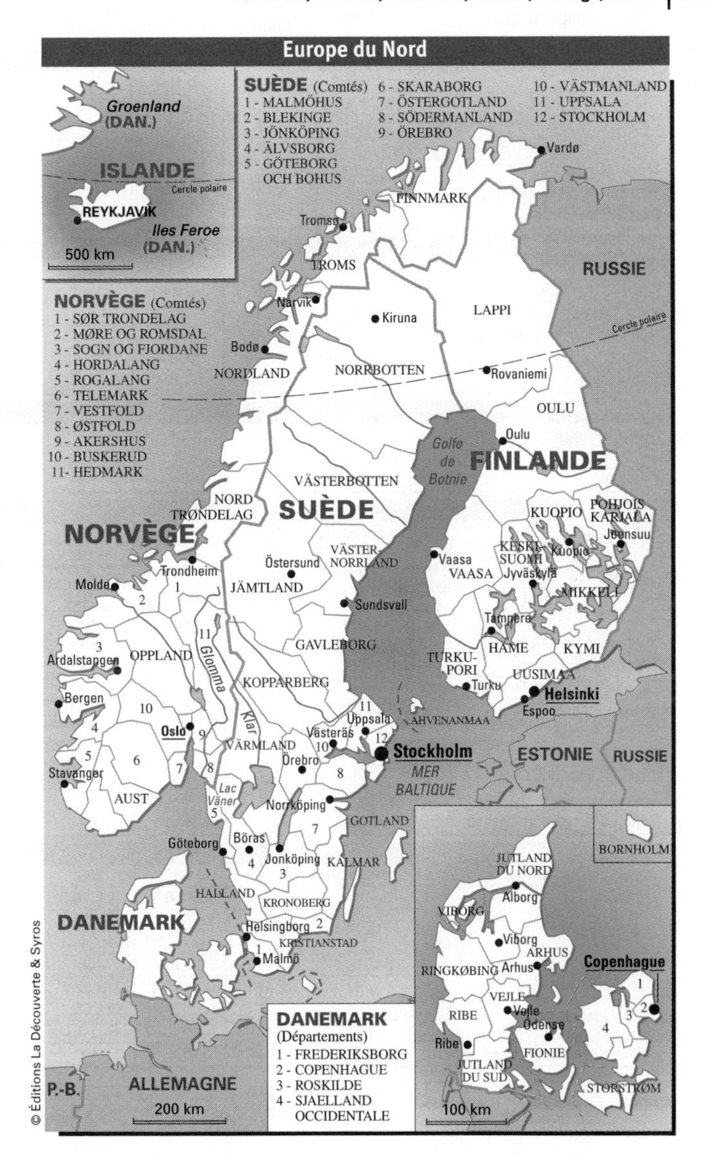
Europe du Nord
Groenland (DAN.)
ISLANDE
Cercle polaire
REYKJAVIK
Iles Feroe (DAN.)
500 km
SUÈDE (Comtés)
1 - MALMÖHUS
2 - BLEKINGE
3 - JÖNKÖPING
4 - ÄLVSBORG
5 - GÖTEBORG OCH BOHUS
6 - SKARABORG
7 - ÖSTERGOTLAND
8 - SÖDERMANLAND
9 - ÖREBRO
10 - VÄSTMANLAND
11 - UPPSALA
12 - STOCKHOLM
NORVÈGE (Comtés)
1 - SØR TRONDELAG
2 - MØRE OG ROMSDAL
3 - SOGN OG FJORDANE
4 - HORDALANG
5 - ROGALANG
6 - TELEMARK
7 - VESTFOLD
8 - ØSTFOLD
9 - AKERSHUS
10 - BUSKERUD
11- HEDMARK
Vardø
FINNMARK
Tromsø
TROMS
RUSSIE
Narvik
Kiruna
LAPPI
Cercle polaire
Bodø
NORDLAND
NORRBOTTEN
Rovaniemi
OULU
Oulu
Golfe de Botnie
FINLANDE
VÄSTERBOTTEN
NORD TRØNDELAG
SUÈDE
KUOPIO
POHJOIS KARJALA
NORVÈGE
Joensuu
KESKI-SUOMI
Kuopio
Trondheim
Östersund
VÄSTER-NORRLAND
Vaasa
VAASA
Jyväskylä
Molde
JÄMTLAND
MIKKELI
Sundsvall
Tampere
Glomma
OPPLAND
Ardalstangen
GAVLEBORG
HÄME
KYMI
TURKU-PORI
KOPPARBERG
Turku
UUSIMAA
Helsinki
Bergen
Klar
Uppsala
AHVENANMAA
Espoo
Oslo
Västerås
VÄRMLAND
Stockholm
ESTONIE
RUSSIE
Örebro
Stavanger
MER BALTIQUE
AUST
Lac Väner
Norrköping
GOTLAND
Göteborg
Böras
Jonköping
KALMAR
BORNHOLM
JUTLAND DU NORD
HALLAND
KRONOBERG
Alborg
VIBORG
DANEMARK
Helsingborg
KRISTIANSTAD
Viborg
Malmö
AHRUS
RINGKØBING
Arhus
Copenhague
VEJLE
RIBE
Vejle
Odense
DANEMARK (Départements)
1 - FREDERIKSBORG
2 - COPENHAGUE
3 - ROSKILDE
4 - SJAELLAND OCCIDENTALE
Ribe
FIONIE
JUTLAND DU SUD
STORSTRØM
P.-B.
ALLEMAGNE
200 km
100 km

INDICATEUR	UNITÉ	DANEMARK	FINLANDE	GROENLAND
Démographie[a]				
Population	*(millier)*	5 270	5 154	56
Densité	*(hab./km²)*	124,2	16,9	0,2
Croissance annuelle (1995-2000)	*(%)*	0,3	0,3	0,1
Indice de fécondité (ISF) (1995-2000)		1,7	1,7	2,2
Mortalité infantile (1995-2000)	*(‰)*	7	6	23,8
Espérance de vie (1995-2000)	*(année)*	75,7	76,8	68,1
Population urbaine	*(%)*	85,5	64,3	79,8[b]
Indicateurs socioculturels				
Développement humain (IDH)[c]		0,905	0,913	• •
Nombre de médecins	*(‰ hab.)*	2,89[i]	2,84[f]	1,14[l]
Espérance de scolarisation[b]	*(année)*	14,7	15,5	• •
Scolarisation 3e degré	*(%)*	46,3[f]	71,1[f]	• •
Adresses Internet[d]	*(‰ hab.)*	530,22	1 058,47	310,69
Livres publiés	*(titre)*	12 352[f]	13 104[f]	• •
Armées (effectifs)				
Armée de terre	*(millier d'h.)*	22,9	24	• •
Marine	*(millier d'h.)*	3,7	5	• •
Aviation	*(millier d'h.)*	5,5	2,7	• •
Économie				
PIB total (PPA)[c]	*(milliard $)*	125	103	0,94
Croissance annuelle 1987-97	*(%)*	2,1	1,7	– 1,5[k]
Croissance 1998	*(%)*	2,9	5,0	• •
PIB par habitant (PPA)[c]	*($)*	23 690	20 150	16 100
Investissement (FBCF)	*(% PIB)*	19,9[h]	16,1[e]	• •
Recherche et Développement	*(% PIB)*	2,1[g]	2,9[g]	• •
Taux d'inflation	*(%)*	1,7	1,5	• •
Taux de chômage (fin année)	*(%)*	4,7	10,8	• •
Énergie (consom/hab.)[f]	*(TEP)*	4,3	6,1	2,3[bm]
Énergie (taux de couverture)[f]	*(%)*	76,7	43,1	0,0[bm]
Dépense publique Éducation	*(% PIB)*	8,2[b]	7,6[b]	14,0[j]
Dépense publique Défense[c]	*(% PIB)*	1,7	1,7	• •
Solde administrat. publiques	*(% PIB)*	0,6	0,9	• •
Dette administrat. publiques	*(% PIB)*	58,1	49,6	• •
Échanges extérieurs				
Importations (douanes)	*(million $)*	45 696	31 364	353[f]
Principaux fournisseurs	*(%)*	UE 71,5	UE 58,1	Dnk 78,5[f]
	(%)	E-U 5	Ex-Caem 11	Nor 10,5[f]
	(%)	PED 11,1	Asie[p] 12,1	E-U&Can 3,1[f]
Exportations (douanes)	*(million $)*	47 047	42 104	458[f]
Principaux clients	*(%)*	UE 66,3	UE 55,4	Jap 22,5[f]
	(%)	E-U 4,7	Ex-CAEM 14,7	Dnk 65,1[f]
	(%)	PED 13,3	Asie[p] 10,7	R-U 3,1[f]
Solde transactions courantes	*(% PIB)*	– 1,38	5,8	• •

Définition des indicateurs, sigles et abréviations p. 31 et suiv. Chiffres 1998 sauf notes. a. Derniers recensements utilisables : Danemark, 1991 ; Finlande, 1995 ; Groenland, 1976 ; Islande, 1970 ; Norvège, 1990 ; Suède, 1990. b. 1995 ; c. 1997 ; d. janv. 1999 ; e. 1995-97 ; f. 1996 ; g. 1998 ; h. 1996-98 ; i. 1994 ; j. 1993 ; k. 1990-94 ; l. 1980 ;

ISLANDE	NORVÈGE	SUÈDE
276	4 419	8 875
2,8	14,4	21,6
0,9	0,5	0,2
2,1	1,8	1,6
5	5	5
79,0	78,1	78,5
92,0	73,8	83,2
0,919	0,927	0,923
3,00[i]	2,8[f]	3,1[f]
• •	14,9	14,2
36,2[c]	61,9	48,7[f]
789,63	719,18	485,94
1 527[f]	6 900[f]	13 496[f]
0,12[o]	15,2	35,1
	6,1	9,2
	6,7	8,8
5,93	107	175
1,5	3,0	1,1
5,1	2,0	2,9
21 970	24 450	19 790
17,1[e]	23,1[h]	14,3[h]
1,6[c]	1,7[c]	3,8[c]
1,7	2,2	– 0,1
2,2[n]	2,9	7,5
8,4	5,3	5,9
61,8	899,1	60,5
5,4[f]	7,5[f]	8,3[f]
• •	2,3	2,4
• •	– 2,8	3,2
45,6	33,4	75,2
2 457	36 193	67 161
UE 56,3	UE 69,2	UE 68,4
E-U 11	E-U 11	E-U 6,2
Asie[p] 10,8	PED 12,2	PED 10
1 925	39 645	84 730
UE 64,9	UE 77,1	UE 56,8
E-U 13,2	E-U 6,2	E-U 8,8
Asie[p] 6,3	PED 7,1	PED 14,9
– 2,3[c]	– 1,4	2,0

m. Chiffres des Nations unies. n. Définition nationale, non harmonisée ; o. Paramilitaires ; p. Y compris Japon et Moyen-Orient.

un premier pas vers une demande d'adhésion à l'OTAN. Les autorités finlandaises ont démenti, tout en précisant que la neutralité était enterrée depuis l'adhésion à l'Union européenne (UE) en 1995.

Bon élève de l'UE, la Finlande s'est faite l'avocat d'une « dimension septentrionale » associant les pays de la région baltique, au premier plan desquels la Russie, et qui permettrait la normalisation des relations entre Moscou et les pays baltes. Les élections parlementaires européennes du 13 juin 1999 ont été marquées par un taux de participation en baisse presque de moitié (31,4 %) et par les percées sensibles des Verts et des conservateurs.

La non-appartenance de la Finlande à l'OTAN, sa future prochaine présidence de l'UE (deuxième trimestre 1999) et ses bonnes relations avec la Russie ont d'ailleurs valu au président finlandais Maarti Ahtisaari de devenir, en mai 1999, l'un des médiateurs clés de la crise en Yougoslavie.

Le voisinage avec la Russie (1 300 kilomètres de frontière) constitue cependant toujours un sujet sensible, comme l'ont montré en juillet 1998 les réactions embarras-

République de Finlande

Capitale : Helsinki.
Superficie : 337 010 km².
Population : 5 154 000.
Langues : finnois, suédois.
Monnaie : mark finlandais (1 mark = 1,10 FF au 30.4.99). Le mark finlandais fait partie de la Zone euro : 1 euro = 5,94573 marks.
Nature de l'État : république unitaire.
Nature du régime : parlementaire.
Chef de l'État :
Martti Ahtisaari (depuis le 6.2.94).
Chef du gouvernement :
Paavo Lipponen (depuis le 13.4.95).
Ministre de l'Intérieur :
Kari Häkämies (depuis le 15.4.99).
Ministre des Affaires étrangères :
Mme Tarja Halonen (depuis le 13.4.95).
Ministre de la Défense :
Jan-Erik Enestam (depuis le 15.4.99).

sées à la déclaration d'un général finlandais qui réclamait la rétrocession de la Carélie orientale (annexée en 1940 par l'URSS) à la Finlande. L'État-Major avait vite pris ses distances.

Les nostalgiques ont pu se rattraper avec la célébration du 150e anniversaire de la version définitive du *Kalevala*, cette épopée des Finnois (la plupart originaires de Carélie) en 23 000 vers, qui chante le génie de l'homme et fonde l'identité finlandaise. - **Olivier Truc** ■

Groenland

Renégocier l'accord de pêche avec l'UE

La découverte de 11 microdiamants sur la côte ouest a relancé l'espoir des autorités, qui voient dans l'exploitation des ressources naturelles le futur pilier économique d'un Groenland indépendant. Après les élections de février 1999, le Siumut (parti social-démocrate, majoritaire) a formé une coalition avec le parti de gauche, Inuit Atagartigiit. Au programme du nouveau gouvernement : renégocier l'accord entre l'Union européenne et le territoire autonome danois (sorti de la CEE en 1985). Les discussions devaient surtout porter sur la pêche. - **Olivier Truc** ■

Groenland

Capitale : Godthab.
Superficie : 2 186 000 km².
Population : 56 000.
Langues : groenlandais, danois.
Monnaie : couronne danoise (100 couronnes = 88,36 FF au 30.4.99).
Statut : territoire autonome rattaché à la couronne danoise.
Chef de l'État : reine Margrethe II.
Chef de l'exécutif : Jonathan Motzfeldt (depuis sept. 97).

Islande

L'hérédité des citoyens exposée

En décembre 1998, le Parlement (Althingi) a accordé à la société Decode Genetics le droit d'accès exclusif aux informations génétiques sur les habitants : fichier médical, archives généalogiques et banques d'ADN. Objectif de ce projet controversé : étudier l'hérédité des populations pour découvrir les gènes à l'origine de certaines maladies et examiner de nouvelles possibilités de traitement.

Début 1999, le Parlement a proposé la reprise de la chasse à la baleine, abandonnée en 1989. Les Islandais ont approuvé cette initiative mais le gouvernement a temporisé, redoutant les réactions de l'opinion mondiale.

En mai 1999, le Parti de l'indépendance (conservateur) a aisément remporté les élections législatives (40,7 % des voix), le Premier ministre David Oddssonn enchaînant ainsi un troisième mandat. A son crédit, de bons résultats économiques (une croissance de 5 % par an et un chômage de 1,7 % en 1998), obtenus au prix d'une politique d'austérité (développement des privatisations, remboursement de la dette), mais avec une baisse mesurée des impôts. - **Olivier Truc** ■

République d'Islande

Capitale : Reykjavik.
Superficie : 103 000 km².
Population : 276 000.
Langue : islandais.
Monnaie : couronne islandaise (100 couronnes = 8,41 FF au 30.4.99).
Nature de l'État : république unitaire.
Nature du régime : parlementaire.
Chef de l'État : Olafur Ragnar Grimsson (depuis le 24.4.91).
Chef du gouvernement : David Oddsson (depuis le 24.4.91).
Ministre des Affaires étrangères : Halldor Asgrimsson (depuis le 10.4.95).

Norvège

Le gouvernement contraint aux concessions

La longévité du gouvernement du Premier ministre chrétien-populaire Kjell Magne Bondevik a sans doute été l'élément dominant de l'année 1998-1999. La coalition centriste au pouvoir ne bénéficiait, en effet, que de 42 des 165 sièges du Stortinget, le Parlement. La première menace a été la surchauffe de l'économie après les augmentations de salaires : 6,25 % (secteurs public et privé) en 1998 et 4,5 % négociés pour 1999. Même LO (Landsorganisasjonen), la confédération syndicale, a admis par la suite que l'accord avait été trop libéral. Puis, acculé par la chute du prix du pétrole – la Norvège est le deuxième exportateur mondial derrière l'Arabie saoudite –, K. M. Bondevik s'est trouvé en si grande difficulté, à la veille de boucler son budget, qu'il en a fait une dépression nerveuse. Il s'est ainsi retiré des affaires pendant plus de trois semaines en septembre 1998.

Par la suite, son budget n'a pu passer qu'avec le soutien du Parti conservateur et du Parti du progrès, la frange populiste et anti-réfugiés de la droite norvégienne. S'il a dû faire des concessions sur l'ampleur des réductions fiscales souhaitées (1 milliard de dollars au lieu d'1,2 milliard), il a pu sauver son projet d'allocation familiale... ainsi que son poste. Au printemps 1999, la couronne avait retrouvé son niveau d'avant la crise de l'été 1998.

Côté « or noir », le portefeuille en actions et obligations internationales du Fonds du pétrole s'élevait à 172,1 milliards de couronnes, fin mars 1999. La Norvège s'est aussi résignée à suivre le mot d'ordre de l'OPEP (Organisation des pays exportateurs de pétrole) en réduisant sa production (passée de 3,4 à 3 millions de barils par jour).

Autre effet des turbulences pétrolières, la relance du débat sur une éventuelle adhésion à l'Union européenne (UE) et sur le rattachement de la couronne à l'euro. Le gouvernement, plutôt hostile à cette perspective, a dû envisager, sous la pression du Parlement, de faire des concessions aux partisans de l'UE. Ainsi en allait-il de la directive européenne sur les contrôles vétérinaires ou du « feu vert » à l'adhésion de la Norvège à l'espace Schengen.

La Norvège a également connu un débat houleux sur la maison royale (devis de la restauration du château dépassé au moins de cinq fois). Dans un pays où l'on souhaite volontiers que la famille royale garde un profil discret, les goûts de luxe de la reine Sonja ont heurté de nombreux Norvégiens.

Toutes ces turbulences n'ont pas empêché la Norvège de poursuivre, en dépit des réserves internationales, la chasse au phoque en mars 1999 (deux bateaux sont partis, correspondant à un quota d'environ 30 000 phoques) et la chasse à la baleine en mai (36 chalutiers se partagent un quota de 753 petits rorquals). - **Olivier Truc** ■

Royaume de Norvège

Capitale : Oslo.
Superficie : 324 220 km^2.
Population : 4 419 000.
Langue : norvégien.
Monnaie : couronne norvégienne (100 couronnes = 79,49 FF au 30.4.99).
Nature de l'État : monarchie constitutionnelle.
Nature du régime : parlementaire.
Chef de l'État : Harald V (depuis le 21.1.91).
Chef du gouvernement : Kjell Magne Bondevik (depuis le 17.10.97).
Ministre de la Justice et de la Police : Odd Einar Dørum (depuis le 15.3.99).
Ministre des Affaires étrangères : Knut Vollebæk (depuis le 17.10.97).
Ministre de la Défense : Eldbjørg Løwer (depuis le 15.3.99).

Europe du Nord/Bibliographie

J.-F. Battail, R. Boyer, *Les Sociétés scandinaves de la Réforme à nos jours,* PUF, Paris, 1992.

J. Chardonnet, « L'originalité de l'économie islandaise », *Géographie et recherche,* n° 97, Dijon, 1996.

B. Drees, C. Pazarbasioglu, *The Nordic Banking Crisis : Pitfalls in Financial Liberalization ?,* International Monetary Fund, Washington DC, 1998.

J.-P. Durand (sous la dir. de), *La Fin du modèle suédois,* Syros, coll. « Alternatives économiques », Paris, 1994.

P. Giniewski, « L'élargissement de l'Union européenne et le "retour" de la Finlande », *Défense nationale,* vol. 51-1, Paris, janv. 1995.

J. Goetschy, *Les Modèles sociaux nordiques à l'épreuve de l'Europe,* La Documentation française, Paris, 1994.

A. Grjebine, « Suède, le modèle banalisé ? », *Les Études du CERI, n° 50,* Paris, 1999.

A. Helle, *Histoire du Danemark,* Hatier, Paris, 1992.

C. Ingebritsen, « Norwegian Political Economy and European Integration : Agricultural Power, Policy Legacies and EU Membership », *Cooperation and Conflict, Conflict,* vol. 30, n° 4, Londres, 1995.

A. Isaksen, « Regional Clusters and Competitiveness : the Norwegian Case », *European Planning Studies,* vol. 5, n° 1, Abingdon, févr. 1997.

A.-M. Klausen, *Le Savoir-Être norvégien,* L'Harmattan, Paris, 1991.

J. Mer, *L'Islande. Une ouverture obligée, mais prudente,* Les Études de La Documentation française, Paris, 1994.

J. Mer, *La Norvège. Entre tradition et ouverture,* Les Études de La Documentation française, Paris, 1997.

A. Michalski, « Le Danemark et sa politique européenne », *Les Études du CERI,* Paris, juin 1996.

J.-P. Mousson-Lestang, *La Scandinavie et l'Europe de 1945 à nos jours,* PUF, Paris, 1990.

M. Nuttall, *Arctic Homeland : Kinship, Community and Development in Northwest Greenland,* Belhaven Press, Londres, 1992.

OCDE, *Études économiques,* Paris [*Danemark :* 1997, 1999 ; *Finlande :* 1997, 1998, 1999 ; *Islande :* 1998 ; *Norvège :* 1998, 1999 ; *Suède :* 1998, 1999].

H. Valen, « La Norvège et l'Europe : la pérennité du clivage centre-périphérie », », *Revue internationale de politique comparée,* vol. 2, n° 1, Bruxelles, avril 1995.

Suède

La Défense dans le collimateur

Le Parti social-démocrate a réalisé l'un des plus mauvais scores de son histoire à l'issue des élections législatives de septembre 1998 (36,7 %, soit près de neuf points de moins qu'en 1994). Un autre résultat historique a été celui du Parti de gauche (ex-communiste) qui a obtenu 13,2 % des suffrages. Le Premier ministre Göran Persson est cependant demeuré en place, choisissant de former un gouvernement minoritaire et de conclure un pacte avec le parti de gauche et les Verts, pacte qui s'est révélé chaotique sur de nombreux dossiers.

Toujours en dehors de l'UEM (Union économique et monétaire), la Suède reste partagée sur l'euro. La crise financière de l'été 1998 avait vu un revirement de l'opinion en sa faveur. Mais avec le redressement de l'économie et la position floue du gouvernement, les « eurosceptiques » semblaient reprendre l'avantage au printemps 1999. Lors des élections parlementaires européennes du 13 juin 1999, le Parti libéral a triplé le score du dernier scrutin européen, tandis que les Verts se sont effondrés.

Après avoir assaini les finances publiques, le gouvernement a tablé sur un excédent budgétaire de 0,5 % du PIB en 1999. L'emploi est resté une priorité et le taux de chômage était de 7,5 % au premier trimestre 1999. Si l'impôt sur les sociétés (28 %) est parmi les plus faibles d'Europe, l'imposition des revenus, de la fortune, de l'immobilier et des produits financiers fait de la fiscalité un sujet de débats très animés. Plusieurs grosses entreprises ont commencé à déménager leur siège social, ce qui ne pouvait qu'inquiéter dans un pays où quelques multinationales jouent un rôle clé.

Dans l'industrie forestière, Stora a fusionné avec Enso, puis s'est installé à Helsinki où Nordbanken, l'une des principales banques suédoises, s'est également déplacée. A l'automne 1998, l'annonce par la compagnie Ericsson (téléphonie) de son déménagement partiel à Londres a fait trembler le royaume. Le groupe pharmaceutique Astra s'est ensuite marié avec le britannique Zeneca (nouveau siège à Londres). Le plus gros choc fut toutefois l'annonce par Volvo de la vente de sa division voitures à l'américain Ford, pour 50 milliards de couronnes.

En pleine guerre en Yougoslavie (printemps 1999), le projet de restructuration des forces de défense présenté par le commandant en chef de l'armée au gouvernement a provoqué d'autres remous. Plus de la moitié des troupes pourrait être amenée à disparaître. Unités, État-Major, écoles, rien ne sera épargné si la proposition, qui allait être discutée en novembre 1999 devant le Parlement, devait être acceptée.

Début 1999, le gouvernement a estimé que d'ici à dix ans la Suède ne devrait pas être exposée à une « situation menaçante ». Conséquence, de 2002 à 2004, le budget de la Défense (39 milliards de couronnes) sera réduit de 10 % par an, soit une réduction de 12 milliards de couronnes à verser au secteur de la santé.

Certains épisodes de l'histoire nationale ont par ailleurs suscité une certaine émotion. Ainsi, en décembre 1998, une commission parlementaire a publié son rapport sur les activités de l'IB, un service de renseignement militaire actif de 1957 jusqu'aux années soixante-dix. Il établit que l'IB fonctionnait avec le relais des sociaux-démocrates, au pouvoir sans discontinuer de 1932 à 1976. Sa mission principale était d'identifier les sympathisants communistes. Autre sujet délicat, en août 1998, un ministre a, pour la première fois, demandé, au nom du gouvernement suédois, pardon à la population lapone pour les injustices commises au cours des âges. A la mi-1999, la Suède n'avait cependant toujours pas ratifié la convention 169 de l'OIT (Organisation internationale du travail) sur les droits des peuples autochtones, qui accorderait – théo-

Royaume de Suède

Capitale : Stockholm.
Superficie : 449 960 km^2.
Population : 8 875 000.
Langue : suédois.
Monnaie : couronne suédoise (100 couronnes = 73,84 FF au 30.4.99).
Nature de l'État : monarchie constitutionnelle.
Nature du régime : parlementaire.
Chef de l'État : roi Carl XVI Gustaf (depuis le 15.9.73).
Chef du gouvernement : Göran Persson (depuis le 22.3.96).
Ministre des Affaires étrangères : Anna Lindh (depuis le 7.10.98).
Ministre de la Défense : Bjørn von Sydow (depuis le 1.2.97).
Ministre de la Justice : Laila Freivalds (depuis le 7.10.98).

riquement – aux Sami des droits à la terre et à l'eau. Au cours des trente années précédentes, les éleveurs de rennes ont été privés de vastes étendues de pacage d'hiver au profit de l'industrie forestière. Plusieurs procès engagés pourraient mettre des villages sami en faillite.

Le 1er janvier 1999 est entrée en vigueur une loi condamnant l'achat de services sexuels (jusqu'à six mois de prison encourus), mais n'interdisant pas la pratique de la prostitution, laquelle est devenue plus souterraine, et donc plus difficile à surveiller.

Enfin le gouvernement a décidé, en février 1999, après des débats dramatiques, de renoncer à récupérer les corps des victimes du naufrage de l'*Estonia*, ce ferry qui avait coulé en septembre 1994 entre l'Estonie et la Suède faisant 852 morts dont 757 corps n'avaient pas été repêchés.
- **Olivier Truc** ■

Iles Britanniques

Irlande, Royaume-Uni

Irlande

Scandales sur fond de croissance

L'adieu de la République d'Irlande à la monnaie nationale, le *punt* (livre irlandaise), et l'accueil de l'euro, le 1er janvier 1999, se sont accompagnés d'inquiétudes gouvernementales sur les fonds structurels européens (destinés notamment à compenser les handicaps économiques régionaux). Le pays a commencé à ressentir les effets d'avoir la plus forte croissance de l'Union européenne (UE), dans un contexte où les États est-européens candidats à l'adhésion accentuaient la pression pour obtenir des subventions.

La remise fiscale de 10 % destinée à encourager les investissements étrangers, qui a contribué à faire du pays un important centre d'activités en informatique, dans les technologies de l'information et dans l'industrie paramédicale, a fait l'objet de critiques à Bruxelles. Les tarifs des ventes immobilières dans la capitale ont augmenté de 40 % pour la seule année 1998, tandis que l'activité industrielle et les investissements continuaient de se développer. Sur le plan du niveau de vie, le « tigre celtique » distance ainsi sensiblement le Royaume-Uni, l'un de ses premiers partenaires dans les échanges parmi les pays n'appartenant pas à la Zone euro.

La vie publique a été marquée par des affaires de corruption impliquant des membres de la classe politique, mais aussi du clergé catholique. Une série de scandales liés à la pédophilie ont également gravement affecté la crédibilité de cette institution ecclésiale. Le débat sur la législation de l'avortement s'est poursuivi, 5 000 femmes continuant de passer la frontière chaque année pour aller avorter au Royaume-Uni. Le principal scandale politique fut celui qui impliqua l'ancien Premier ministre – *taoiseach* – (au pou-

Iles Britanniques
Écosse
(Régions)
1 - CENTRE
2 - FIFE
3 - LOTHIAN
4 - STRATHCLYDE
5 - BORDERS
6 - DUMFRIES ET GALLOWAY
SHETLAND
ORCADES
Thurso
HÉBRIDES
Ullapool
Inverness
HIGHLAND
GRAMPIAN
Aberdeen
ÉCOSSE
TAYSIDE
Perth
Dundee
Oban
ROYAUME-UNI
Edimbourg
Glasgow
OCÉAN ATLANTIQUE
ULSTER
Londonderry
IRLANDE DU NORD
Belfast
Hawick
Dumfries
Newcastle
MER DU NORD
Carlisle
NORD
CONNAUGHT
ULSTER
Kendal
Ile de Man
YORKSHIRE ET HUMBERSIDE
MER D'IRLANDE
NORD-OUEST
York
IRLANDE
Dublin
Bradford
Leeds
Beverley
Liverpool
Manchester
Sheffield
Limerick
LEINSTER
Caernarvon
MIDDLAND DE L'EST
MUNSTER
Waterford
PAYS-DE-GALLES
MIDDLAND DE L'OUEST
Nottingham
Leicester
Cork
Birmingham
Norwich
Canal Saint-Georges
Coventry
EST-ANGLIE
Cambridge
ANGLETERRE
Cardiff
Oxford
SUD-EST
Bristol
Londres
SUD-OUEST
Southampton
Douvres
Brighton
Pas de Calais
Plymouth
Ile de Wight
MANCHE
Iles Anglo-Normandes
Guernesey
Jersey
FRANCE
100 km

INDICATEUR	UNITÉ	IRLANDE	ROYAUME-UNI
Démographie[a]			
Population	*(millier)*	3 681	58 649
Densité	*(hab./km²)*	53,4	242,8
Croissance annuelle (1995-2000)	*(%)*	0,7	0,2
Indice de fécondité (ISF) (1995-2000)		1,9	5,5
Mortalité infantile (1995-2000)	*(‰)*	7	7
Espérance de vie (1995-2000)	*(année)*	76,3	77,2
Population urbaine	*(%)*	58,1	89,4
Indicateurs socioculturels			
Développement humain (IDH)[c]		0,900	0,918
Nombre de médecins	*(‰ hab.)*	2,10[f]	1,6[b]
Espérance de scolarisation[b]	*(année)*	13,7	16,4
Scolarisation 3e degré	*(%)*	40,3[f]	50,4[f]
Adresses Internet[d]	*(‰ hab.)*	148,58	242,55
Livres publiés	*(titre)*	2 679[i]	107 263[f]
Armées (effectifs)			
Armée de terre	*(millier d'h.)*	9,3	113,9
Marine	*(millier d'h.)*	1,1	44,5
Aviation	*(millier d'h.)*	1,1	52,54
Économie			
PIB total (PPA)[c]	*(milliard $)*	75,8	1 223
Croissance annuelle 1987-97	*(%)*	6,3	2,2
Croissance 1998	*(%)*	9,0	2,1
PIB par habitant (PPA)[c]	*($)*	20 710	20 730
Investissement (FBCF)	*(% PIB)*	17,6[e]	15,3[h]
Recherche et Développement	*(% PIB)*	1,4[c]	1,9[c]
Taux d'inflation	*(%)*	2,4	2,7
Taux de chômage (fin année)	*(%)*	7,3	6,4
Énergie (consom/hab.)[f]	*(TEP)*	3,3	4,0
Énergie (taux de couverture)[f]	*(%)*	29,0	114,2
Dépense publique Éducation	*(% PIB)*	5,8[f]	5,4[b]
Dépense publique Défense[c]	*(% PIB)*	1,0	2,8
Solde administrat. publiques	*(% PIB)*	1,0	– 0,4
Dette administrat. publiques	*(% PIB)*	52,1	49,4
Échanges extérieurs			
Importations (douanes)	*(million $)*	44 104	314 106
Principaux fournisseurs	*(%)*	UE 53,5	UE 53,3
	(%)	R-U 33,3	E-U 13,6
	(%)	E-U 16,2	PED 17,6
Exportations (douanes)	*(million $)*	64 281	271 865
Principaux clients	*(%)*	UE 67,9	UE 57,7
	(%)	R-U 22	E-U 13,3
	(%)	E-U 13,5	PED 17,1
Solde transactions courantes	*(% PIB)*	1,8	0,2

Définition des indicateurs, sigles et abréviations p. 31 et suiv. Chiffres 1998 sauf notes. a. Derniers recensements utilisables : Irlande, 1996 ; Royaume-Uni, 1991. b. 1995 ; c. 1997 ; d. janv. 1999 ; e. 1995-97 ; f. 1996 ; g. 1998 ; h. 1994-96 ; i. 1985.

Irlande/Bibliographie

P. Brennan, *La Civilisation irlandaise,* Hachette, Paris, 1994

P. Brennan, *The Conflict in Northern Ireland,* Longman, Londres, 1992.

P. Brennan, R. Deutsch, *L'Irlande du Nord : chronologie, 1968-1991,* Presses de la Sorbonne nouvelle, Paris, 1993.

R. Faligot, *La Résistance irlandaise, 1916-1992,* Terre de Brume, Rennes, 1993.

M. Goldring, *Gens de Belfast,* L'Harmattan, Paris, 1994.

« L'État en Irlande », *Études irlandaises,* PUL, Lille, print. 1995.

voir dans les années quatre-vingt) et ancien chef du Fianna Fáil (populiste, centre droit) Charles Haughey dans une affaire de corruption. Bertie Ahern, le Premier ministre en exercice, aura jusque-là été épargné par les enquêtes menées au sein de ce même parti dont il a pris la direction.

Le blocage du processus de paix en Irlande du Nord n'était pas davantage pour arranger B. Ahern. En effet, après l'euphorie qui a suivi l'accord du Vendredi saint (entériné le 10 avril 1998), la question du désarmement des groupes paramilitaires (à échéance de 2001) a bloqué le processus ; le parti unioniste d'Ulster (UUP, le plus important groupe protestant) réclamait notamment que l'IRA dépose les armes sur-le-champ. L'organe exécutif, faisant partie des nouvelles institutions autonomes nord/sud-irlandaises censées représenter tous les camps, n'avait pas été formé, à l'été 1999, l'UUP (en position dominante à l'Assemblée locale élue en 1998) refusant que soient attribués, comme prévu, deux portefeuilles ministériels au Sinn Féin, l'aile politique de l'IRA (Armée républicaine irlandaise), tant que le désarmement de celle-ci ne serait pas entamé. Par ailleurs, à l'issue des élections tenues en Irlande du Nord, le soutien de la population à l'accord britannico-irlandais a semblé faiblir.

L'assassinat de l'avocate Rosemary Nelson, en mars 1999 à Portadown (Irlande du Nord), revendiqué par un groupe de loyalistes dissidents, a porté un nouveau coup au processus de paix. Elle avait assuré la défense de militants républicains et obtenu la libération de prisonniers politiques. Le choix de Portadown était symbolique, car c'est un point sensible sur le parcours de la marche orangiste annuelle (juillet) qui y traverse le quartier nationaliste de Dumcree.

Le processus de paix a également été éclipsé par la campagne pour les élections parlementaires européennes de juin 1999, un scrutin qui d'habitude permet de mesurer le clivage entre les deux communautés nord-irlandaises. Or, le Premier ministre britannique Tony Blair, accaparé par l'intervention militaire de l'OTAN (Organisa-

République d'Irlande

Capitale : Dublin.
Superficie : 70 280 km^2.
Population : 3 681 000.
Langues : anglais, irlandais.
Monnaie : livre irlandaise – *punt* (1 livre = 8,32 FF au 30.4.99). La livre irlandaise fait partie de la Zone euro : 1 euro = 0,787564 livre.
Nature de l'État : république unitaire.
Nature du régime : parlementaire.
Chef de l'État : Mary McAleese (depuis le 30.10.97).
Chef du gouvernement : Bertie Ahem (depuis le 6.6.97).
Vice-premier ministre, ministre des Entreprises, du Commerce et de l'Emploi : Mary Harney.
Ministre des Finances : Charlie McCreevy.
Ministre des Affaires étrangères : David Andrews.

tion du traité de l'Atlantique nord) en Yougoslavie, au printemps 1999, avait été totalement absent du processus de paix jusqu'en juin.

A la fois en Irlande du Nord et en République d'Irlande, les élections européennes ont reflété une situation de *statu quo*. Dans la première, le Sinn Féin n'a pas obtenu de siège, mais a doublé son précédent score ; alors que celui de l'UUP chutait. Au sein de la seconde, l'équilibre est resté le même, si ce n'est que l'ancienne gagnante de l'Eurovision Dana a obtenu un siège au détriment de Fianna Fáil (en tête du scrutin). - **John Maguire** ■

Royaume-Uni

De l'« affaire Pinochet » aux actions internationales

Le Premier ministre britannique, Tony Blair, s'est donné l'ambition d'incarner politiquement une « troisième voie », opposée à la fois au néo-libéralisme et à la social-démocratie traditionnelle. Les événements de l'année 1999 auront contrarié cette aspiration. L'agenda politique a en effet été dominé par des enjeux diplomatiques et militaires à la gestion complexe et au sens politique confus.

Le plus important a certainement été l'opération militaire entreprise fin mars 1999 par l'OTAN (Organisation du traité de l'Atlantique nord) contre Belgrade. Conçue pour répondre à l'accentuation de la répression dans la province yougoslave du Kosovo, cette action a bénéficié d'un large soutien dans l'opinion publique, et du consensus des partis politiques, tout en étant sévèrement critiquée dans certains milieux intellectuels pour l'absence de clarté de ses objectifs et de ses modalités. A cet égard, elle reproduisait les schémas des attaques aériennes de décembre 1998 décidées bilatéralement par Londres et Washington contre l'Irak, alors que Bagdad, au terme d'un semestre de tensions, avait à nouveau rompu sa collaboration avec l'Unscom (Commission de l'ONU chargée du contrôle du désarmenent de l'Irak), si ce n'est que le Royaume-Uni, allié inconditionnel des États-Unis, se retrouvait, devant la crise au Kosovo, en phase avec ses partenaires européens.

Qu'il s'agisse des initiatives destinées à éviter la guerre (février-mars 1999), de la campagne de bombardements (mars-juin) ou de la force de paix au Kosovo (Kfor) déployée à partir de juin, les positions française et britannique, notamment, ont été très proches.

Des initiatives européennes hors du cadre de l'UE

Les questions européennes ont également occupé le devant de la scène, qu'il s'agisse du discrédit de la Commission européenne – concrétisée en mars 1999 par sa démission collective –, de la réforme du financement de l'Union européenne (UE) dans la perspective de son élargissement, ou de la réforme, jugée prioritaire par le gouvernement britannique, de la Politique agricole commune (PAC). L'Europe est restée d'une gestion délicate pour le gouvernement Blair, favorable à une coopération plus étroite entre États membres, mais aussi hostile à l'intégration politique. Ce n'est pas un hasard si les initiatives britanniques, même à dimension européenne, se sont situées de préférence dans des cadres institutionnels distincts de l'UE. A côté des échanges au sein de l'OTAN ou du « groupe de contact » sur l'ex-Yougoslavie, on a pu noter les rapports bilatéraux de plus en plus étroits avec la France en matière diplomatique et militaire. Pour les fédéralistes, de telles formules à géométrie variable étaient évidemment aux antipodes du projet européen. Le gouvernement Blair devait également compter avec une opinion publique dépourvue d'enthousiasme européen, ainsi qu'avec ses propres incertitudes. La participation éventuelle du Royaume-Uni à l'Union monétaire (la Zone euro est entrée en vigueur le 1er janvier 1999) – à laquelle le gouvernement semblait de plus en plus favorable – est restée le point de convergence de tous ces enjeux. Devant la crise institutionnelle ouverte par la démission de la Commission, le double souci du gouvernement britannique a été d'éviter que l'incident avive l'euroscepticisme au Royaume-Uni et que les partenaires européens y trouvent un prétexte au renforcement des pouvoirs de la Commission ou du Parlement. Un soutien fort a donc été apporté à la désignation rapide de l'Italien Romano Prodi pour succéder à Jacques Santer comme président de l'institution, d'autant que T. Blair voyait dans l'ancien président du Conseil italien un allié idéologique. La profession de foi fédéraliste de celui-ci a cependant apporté au Premier ministre britannique un démenti rapide. De même, la victoire conservatrice aux élections parlementaires européennes du 13 juin 1999 a montré l'attrait pour l'opinion britannique de prises de position franchement hostiles à l'UE.

Par ailleurs, tous les regards ont convergé sur le Royaume-Uni à l'occasion de l'« affaire Pinochet ». A la stupéfaction générale, l'ancien dictateur chilien, en visite privée à Londres, a été arrêté en octobre 1998, à la suite d'une demande d'extradition émise par la justice espagnole. Les tribunaux britanniques ont d'abord jugé illégale cette détention, mais la Chambre des Lords, statuant en appel, a refusé en novembre 1998 d'accorder à Augusto Pinochet une immunité souveraine. Le premier jugement a été cassé, mais les Lords ont confirmé en mars 1999 le principe de la légalité d'une extradition éventuelle ; enfin le ministre de l'Intérieur Jack Straw a décidé en avril de laisser la procédure suivre son cours.

Enlisement de la question de l'Irlande du Nord

Enfin, l'Irlande du Nord – en toute rigueur une affaire de politique intérieure – a été traitée, comme les gouvernements britanniques le faisaient depuis longtemps, sur un mode quasi diplomatique.

Les espoirs suscités par l'accord du Vendredi saint (reconnaissance par les républicains – nationalistes – du droit à l'autodétermination de l'*actuelle* Irlande du Nord, et reconnaissance par les unionistes d'un rôle institutionnel pour la république d'Irlande dans les affaires nord-irlandaises) du 10 avril 1998 se sont progressivement évanouis devant l'impossibilité de trouver une formule de désarmement des groupes paramilitaires qui soit acceptable par toutes les forces en présence. Un an après l'accord, les institutions que celui-ci avait prévues (nouvelle Assemblée de l'Irlande du Nord, élue le 25 juin 1998) n'étaient toujours pas en place, et une série d'initiatives anglo-irlandaises – malgré l'engagement personnel renouvelé de T. Blair – ont simplement confirmé l'impasse. La pacification tenait encore, mais apparaissait de plus en plus fragile.

Devant l'ampleur de cet agenda « extérieur », les affaires intérieures sont passées au second plan. La conjoncture économique a révélé une poursuite du ralentissement de la croissance sans récession, souvent appelé « atterrissage en douceur ». Dès lors, le budget du ministre des Finances Gordon Brown a eu une portée plus « micro-» que « macro-» économique, avec en particulier la poursuite de l'allégement de l'impôt sur les faibles revenus et l'alourdissement des taxes écologiques. La Banque d'Angleterre a, pour sa part, poursuivi la baisse de ses taux d'intérêt, favorisant une convergence inédite entre le Royaume-Uni et la Zone euro.

En matière sociale, la lutte contre l'exclusion que T. Blair résumait par l'expression *« new deal »* a continué, sans que les résultats, nécessairement à long terme, soient encore visibles. L'innovation la plus symbolique a été l'entrée en vigueur, début avril 1999, d'un salaire minimum national – inédit au Royaume-Uni –, qui a souligné

INDICATEUR	UNITÉ	1975	1985	1997	1998
Démographie[a]					
Population	*million*	56,2	56,6	58,5	58,6
Densité	*hab./km²*	232,7	234,3	242,3	242,8
Croissance annuelle	%	0,1[q]	0,3[k]	0,2[c]	• •
Indice de fécondité (ISF)		1,9[q]	1,8[k]	1,7[c]	• •
Indicateurs socioculturels					
Nombre de médecins	*‰ hab.*	1,24	1,63[l]	1,5[e]	• •
Scolarisation 2ᵉ degré[u]	%	79,2[n]	80,0	91,7[d]	• •
Scolarisation 3ᵉ degré	%	19,1[n]	21,7	50,4[b]	• •
Téléviseurs	*‰ hab.*	359,4	432,9	640,7	• •
Livres publiés	*titre*	35 526	52 861	107 263[b]	• •
Économie					
PIB total (PPA)	*milliard $*	305,6	624,5	1 223,5	1 250,4
Croissance annuelle	%	2,3[o]	2,2[f]	3,5	2,1
PIB par habitant (PPA)	$	5 430	11 020	20 730	21 147
Investissement (FBCF)	*% PIB*	17,3[p]	17,1[g]	16,7	17,4
Recherche et Développement	*% PIB*	2,4[m]	2,2	1,87	• •
Taux d'inflation	%	18,9	4,4	2,8	2,7
Population active	*million*	25,56	27,39	28,26	28,9
Agriculture	% } 100 %	2,8	2,3	1,8	1,7
Industrie	% } 100 %	40,4	34,8	26,9	26,7
Services	% } 100 %	56,8	63,0	70,9	71,5
Taux de chômage (fin année)	%	3,2	11,5	7,0	6,3[t]
Énergie (consom./hab.)	*TEP*	3,59	3,60	3,99[b]	• •
Énergie (taux de couverture)	%	56,6	115,9	114,2[b]	• •
Aide au développement (APD)	*% PIB*	0,39	0,32	0,26	• •
Dépense publique Éducation	*% PIB*	6,6	4,9	5,4[d]	• •
Dépense publique Défense	*% PIB*	5,2	5,1	2,8	• •
Solde administrat. publiques	*% PIB*	– 4,8	– 3,4[h]	– 2,5	– 0,4
Dette administrat. publiques	*% PIB*	62,7	53,8	52,1	49,4
Échanges extérieurs		**1974**	**1986**	**1997**	**1998**
Importations de services	*milliard $*	13,19	27,97	74,33	81,32
Importations de biens	*milliard $*	50,35	120,49	300,8	305,25
Produits alimentaires	%	17,9	12,5	9,4	9,3
Produits énergétiques	%	20,0	7,4	3,5	2,4
Produits manufacturés	%	44,1	69,1	79,8	81,1
Exportations de services	*milliard $*	15,44	37,07	93,73	102,31
Exportations de biens	*milliard $*	38,11	106,43	281,31	271,13
Produits énergétiques	%	4,6	11,9	6,1	4,2
Produits agricoles	%	9,0	9,3	7,0	6,4
Produits manufacturés	%	75,4	70,2	82,3	84,9
Solde des transactions courantes	*% du PIB*	0,6[r]	– 1,5[j]	0,8	0,2
Position extérieure nette	*milliard $*	43,2[n]	147,0	– 139,3	– 96,0

Définition des indicateurs, sigles et abréviations p. 31 et suiv. a. Dernier recensement utilisable : 1991 ; b. 1996 ; c. 1995-2000 ; d. 1995 ; e. 1993 ; f. 1987-96 ; g. 1987-96 ; h. 1987 ; i. 1986 ; j. 1985-96 ; k. 1985-95 ; l. 1983 ; m. 1981 ; n. 1980 ; o. 1977-87 ; p. 1977-86 ; q. 1975-85 ; r. 1975-84 ; s. 1974 ; t. Fév. 1999 ; u. 11-17 ans.

l'écart réel entre la « troisième voie » à laquelle aspire Blair et le libéral-conservatisme thatchérien.

Les questions constitutionnelles, qui ont représenté le domaine d'action le plus significatif du gouvernement Blair dans ses deux premières années d'exercice (notamment en ce qui concerne l'Écosse et le Pays de Galles), ont provoqué des querelles importantes. L'annonce, dans le discours du Trône de novembre 1998, de la supression du droit des pairs héréditaires à siéger et à voter dans la seconde chambre du Parlement concrétisait une aspiration travailliste ancienne, mais a également provoqué de vives tensions. Le gouvernement s'est en effet gardé de définir son modèle de remplacement – alors que le caractère « démocratique » d'une Assemblée entièrement nommée n'apparaissait pas clairement. Entre-temps, l'obstruction des Lords a été surmontée.

Autre réforme de grande ampleur : celle du mode de scrutin. En octobre 1998, une commission officielle présidée par l'ancien ministre et président de la Commission européenne Roy Jenkins a publié un rapport plaidant pour une forme de scrutin proportionnel aux élections législatives. T. Blair, que l'on croyait très hostile à pareille évolution, a accueilli le rapport avec une faveur prudente.

Les premières élections aux nouvelles assemblées écossaise et galloise – dans des scrutins à la proportionnelle justement – ont eu lieu en mai 1999, à cheval sur les différentes dimensions de la réforme. Du fait du mode de scrutin, les travaillistes ont été contraints de conclure, dans les deux provinces, des accords de coalition inédits avec les démocrates libéraux.

De même, les élections européennes se sont faites, de manière inédite, à la proportionnelle. Cependant, la sévère défaite du Parti travailliste et, surtout, l'extrême désaffection dont a témoigné l'électorat (76 % d'abstention) ont rendu moins probable une modification du mode de scrutin pour les législatives.

Justice sociale : les discours à l'épreuve des faits

Enfin, deux enjeux spécifiques ont pris de la visibilité début 1999 : l'éducation et le racisme. Tous deux ont souligné, de manière parfois dramatique, les implications pratiques du discours blairiste sur la justice

Royaume-Uni de Grande-Bretagne et d'Irlande du Nord

Capitale : Londres.
Superficie : 244 046 km².
Population : 58 649 000.
Langues : anglais (off.) ; gallois.
Monnaie : livre sterling (1 livre = 9,98 FF au 30.4.99).
Nature de l'État : monarchie constitutionnelle.
Nature du régime : démocratie parlementaire.
Chef de l'État : reine Elizabeth II (depuis le 6.2.52).
Premier ministre : Tony Blair (depuis le 2.5.97).
Premier ministre adjoint : John Prescott.
Chancelier de l'Échiquier (ministre des Finances) : Gordon Brown.
Ministre des Affaires étrangères : Robin Cook.
Ministre de l'Intérieur : Jack Straw.
Principaux partis politiques : *Gouvernement :* Parti travailliste. *Opposition :* Parti conservateur ; Parti libéral démocrate ; Parti unioniste d'Ulster (UUP, Irlande du Nord) ; Parti unioniste démocratique (DUP, Irlande du Nord) ; Parti social-démocrate et travailliste (SDLP, Irlande du Nord) ; Sinn Féin (Irlande du Nord) ; Plaid Cymru (nationaliste gallois) ; Parti nationaliste écossais ; British National Party (extrême droite) ; les Verts.
Possessions, territoires et États associés : Gibraltar [Europe], îles Anglo-Normandes [Europe], îles Bermudes [Atlantique nord], îles Falkland, Sainte-Hélène [Atlantique sud], Anguilla, Cayman, Montserrat, Turks et Caïcos, îles Vierges britanniques [Caraïbes], Pitcairn [Océanie].

Royaume-Uni/Bibliographie

T. Blair, *La Nouvelle Grande-Bretagne : vers une société de partenaires,* Éditions de l'Aube, La Tour-d'Aigues, 1996.

M. Charlot, *Institutions et forces politiques du Royaume-Uni,* Masson/Armand Colin, Paris, 1995.

M. Charlot (sous la dir. de), « Les élections générales de 1997 en Grande-Bretagne », *Revue française de civilisation britannique,* n°s 9-3, nov. 1997.

P. Chassaigne, *Histoire de l'Angleterre,* Aubier, Paris, 1996.

J. Crowley, *Sans épines, la rose. Tony Blair, un modèle pour l'Europe ?,* La Découverte, Paris, 1999.

R. Farretti, *Le Royaume désuni : l'économie britannique et les multinationales,* Syros, Paris, 1995.

J. Leruez, « Le Royaume-Uni après les élections de mai 1997. Changement de gouvernement ou changement de régime ? », *Les Études du CERI,* n° 36, Paris, janv. 1998.

J. Leruez, *Le Système politique britannique depuis 1945,* Armand Colin, coll. « Cursus », Paris, 1994.

P. Lurbe, *Le Royaume-Uni aujourd'hui,* Hachette, Paris, 1996.

R. Marx, *De l'Empire au Commonwealth : 1850-1994,* Ophrys/Ploton, Paris, 1995.

R. Marx, *Histoire de la Grande-Bretagne : du Ve siècle à nos jours,* Armand Colin, Paris, 1996 (4e éd.).

V. Riches, *L'Économie britannique depuis 1945,* La Découverte, coll. « Repères », Paris, 1992.

P. Vaiss, *Le Royaume-Uni : économie et société,* Le Monde Éditions/Marabout, Paris, 1996.

sociale, dans ces domaines plus souvent bafouée que réalisée.

Personne ne contestait la volonté du ministre de l'Éducation David Blunkett de mettre l'égalité des chances au centre de sa politique scolaire. En revanche, les modalités qu'il a privilégiées – qui conduiraient à une accentuation du rôle à la fois des parents d'élèves et de l'État – ont suscité une très forte résistance parmi les enseignants. La perspective d'un mouvement social majeur contre le projet d'individualisation des rémunérations selon la « performance » a été écartée par les syndicats début avril 1999, mais les divergences de fond n'ont nullement été tranchées.

Question majeure des années quatre-vingt, le racisme – autre manière de poser le problème de l'égalité des chances – est redevenu très visible à l'occasion des suites de l'« affaire Stephen Lawrence ». Selon un rapport officiel publié en mars 1999, l'enquête policière sur le meurtre raciste de ce jeune Noir en 1993 – dont les responsables étaient pourtant apparemment connus – a été bâclée du fait des préjugés racistes régnant au sein de la police. Dans la mesure où les Britanniques se targuaient d'avoir moins de problèmes d'intégration que leurs voisins européens, une telle affaire a eu un impact considérable. Le Premier ministre et le ministre de l'Intérieur Jack Straw ont promis une action vigoureuse pour extirper le racisme de l'institution policière. - **John Crowley** ■

Europe latine

Andorre, Espagne, France, Italie, Monaco, Portugal, Saint-Marin, Vatican

Andorre

Une économie frontalière

Célèbre dans la région pour son rôle de *duty free shop* attirant consommateurs frontaliers et touristes, la principauté andorrane est officiellement devenue indépendante en 1993. Elle s'est en effet dotée d'une Constitution qui devrait faire évoluer les institutions jusqu'alors féodales de ce mini-territoire. Formellement, la suzeraineté exercée depuis sept siècles par les deux coprinces – le président de la République française et l'évêque d'Urgel – a été abolie et la principauté a été admise à l'ONU en 1993.

L'économie de la principauté repose non seulement sur les activités commerciales favorisées par une très faible taxation, mais aussi sur les recettes engendrées par le tourisme, notamment l'hiver (neiges pyrénéennes). Comme à Monaco, les autorités se sont dotées entre 1993 et 1996 de lois visant à prouver qu'elles ne sont pas à la tête d'un paradis fiscal. - **Nicolas Bessarabski** ■

Principauté d'Andorre

Capitale : Andorre-la-Vieille.
Superficie : 468 km².
Population : 72 000.
Langues : catalan, français, espagnol.
Monnaie : franc français, peseta espagnole.
Nature de l'État : seigneurie « parrainée » par deux coprinces : le président de la République française et l'évêque d'Urgel, devenue État constitutionnel le 14.3.93.
Nature du régime : parlementaire.
Président du Conseil général : Francesc Areny Casal (syndic), qui a remplacé Josep Dallares le 16.2.97.
Chef du gouvernement : Marc Fomé Mohné (depuis le 6.12.94).

Espagne

Défis autonomiques

L'année 1998 a été dominée par l'affirmation du pouvoir du Parti populaire (PP) et par la question nationaliste. La crise interne de leadership qu'a vécue le Parti socialiste ouvrier espagnol (PSOE) ainsi que l'embellie économique ont placé au second plan les enjeux liés à l'opposition droite-gauche. Les résultats des élections européennes (39,6 % des suffrages pour le PP), municipales et autonomiques partielles du 13 juin 1999 ont confirmé cette tendance, même si le PSOE a opéré, notamment dans le scrutin européen, une notable remontée (35,3 %).

Le taux de croissance de 1998 (3,8 %) a dépassé les prévisions gouvernementales et, s'il était estimé ne devoir se situer en 1999 qu'entre 3,3 % et 3,5 %, cela résultait du contexte international de crise financière. Le niveau d'inflation a été très bas (1,8 %) et le déficit public maintenu au minimum

INDICATEUR	UNITÉ	1975	1985	1997	1998
Démographie[a]					
Population	*million*	35,6	38,5	39,6	39,6
Densité	*hab./km²*	71,3	77,0	79,3	79,3
Croissance annuelle	%	0,8[o]	0,3[i]	0,0[c]	• •
Indice de fécondité (ISF)		2,8[o]	1,7[i]	1,2[c]	• •
Indicateurs socioculturels					
Nombre de médecins	*‰ hab.*	1,34[r]	3,17[j]	4,15[d]	• •
Scolarisation 2e degré[u]	%	73,0[t]	98,5[t]	122,1[dt]	• •
Scolarisation 3e degré	%	23,2[l]	28,5	51,1[b]	• •
Téléviseurs	*‰ hab.*	187,0	270,1	506,4	• •
Livres publiés	*titre*	23 527	34 684	46 330[b]	• •
Économie					
PIB total (PPA)	*milliard $*	152,1	304,3	626,3	649,1
Croissance annuelle	%	1,9[m]	2,6[e]	3,5	3,8
PIB par habitant (PPA)	$	4 280	7 920	15 930	16 502
Investissement (FBCF)	*% PIB*	21,1[n]	21,8[f]	20,6	21,3
Recherche et Développement	*% PIB*	0,40[k]	0,60	0,86	0,88
Taux d'inflation	%	16,1	9,6	3,4	1,8
Population active	*million*	13,02	13,59	16,12	16,27
Agriculture	% } *100 %*	22,1	18,3	8,4	8,0
Industrie	% } *100 %*	38,4	31,7	29,9	30,4
Services	% } *100 %*	39,6	49,9	61,7	61,6
Taux de chômage (fin année)	%	4,3	21,1	20,8	17,3[s]
Énergie (consom./hab.)	*TEP*	1,64	1,87	2,58[b]	• •
Énergie (taux de couverture)	%	22,9	36,9	32,2[b]	• •
Aide au développement (APD)	*% PIB*	• •	0,09	0,23	• •
Dépense publique Éducation	*% PIB*	1,8	3,3	4,9[d]	• •
Dépense publique Défense	*% PIB*	2,1	2,4	1,4	• •
Solde administrat. publiques	*% PIB*	– 1,8[k]	– 4,5	– 1,7	– 1,6
Dette administrat. publiques	*% PIB*	12,8	43,7	67,5	65,6
Échanges extérieurs		**1974**	**1986**	**1997**	**1998**
Importations de services	*milliard $*	2,20	5,98	24,68	27,88
Importations de biens	*milliard $*	14,3	34,95	117,8	128,52
Produits agricoles	%	22,1	17,8	13,8	11,7
Produits énergétiques	%	25,4	18,9	9,2	6,8
Produits manufacturés	%	41,0	54,7	71,7	75,1
Exportations de services	*milliard $*	5,00	17,84	43,9	49,07
Exportations de biens	*milliard $*	7,20	27,76	104,46	109,84
Produits agricoles	%	26,1	18,6	14,2	15,1
Produits manufacturés	%	60,3	64,9	75,8	77,7
dont machines et mat. de transport	%	22,3	30,9	41,1	42,9
Solde des transactions courantes	*% du PIB*	– 1,8[p]	– 1,2[h]	0,5	– 0,3
Position extérieure nette	*milliard $*	– 16,5[k]	– 15,3	– 102,8	• •

Définition des indicateurs, sigles et abréviations p. 31 et suiv. a. Dernier recensement utilisable : 1991 ; b. 1996 ; c. 1995-2000 ; d. 1995 ; e. 1987-97 ; f. 1987-96 ; g. 1986 ; h. 1985-96 ; i. 1985-95 ; j. 1984 ; k. 1981 ; l. 1980 ; m. 1977-87 ; n. 1977-86 ; o. 1975-85 ; p. 1975-84 ; q. 1974 ; r. 1970 ; s. Avril 1999 ; t. Taux brut ; u. 11-17 ans.

(1,8 % du PIB). Le taux de chômage (18 %) est resté le plus élevé de l'Union européenne, mais il est apparu en baisse avec la création de 450 000 emplois dans l'année et la perspective de 370 000 en 1999. Le gouvernement de José María Aznar a profité de ces réussites et de l'entrée de l'Espagne dans la Zone euro au 1er janvier 1999. Le chef de l'État a mené une opération de recentrage de son parti et les sondages du début 1999 semblent lui permettre d'espérer une majorité absolue pour les législatives de l'an 2000. L'enjeu majeur apparu dans l'année aura cependant été celui du nationalisme.

La paix au Pays basque ?

La trêve prononcée unilatéralement par l'ETA (Euskadi ta Askatasuna, « Le Pays basque et sa liberté ») le 16 septembre 1998 a créé un espoir immense, celui d'une paix définitive au Pays basque. La marginalisation croissante de l'ETA, du fait de la mobilisation de la société espagnole, et surtout basque, contre ses attentats, les poursuites judiciaires contre les différentes organisations lui servant de relais et les succès du ministère de l'Intérieur espagnol dans le démantèlement de ses commandos en Espagne et de ses relais internationaux, mettant notamment pratiquement fin au sanctuaire français, ont été les principaux motifs de cette décision. L'exemple du processus de paix irlandais a, quant à lui, influencé les Basques. Au second plan se trouvent les élections basques du 25 octobre 1998. La trêve est intervenue opportunément pour enrayer la dégradation du vote nationaliste au Pays basque, et notamment celle du parti Herri Batasuna (HB, branche politique de l'ETA), sans lequel ce mouvement ne peut survivre. Si le vote nationaliste total est passé de 56,3 % en 1994 à 54,5 % en 1998, la paix et la transformation d'HB en une plateforme élargie ont permis d'éviter une trop grande détérioration de ses positions électorales, et même de faire gagner des voix à l'ex-HB. L'abandon de l'action armée, soit-

Royaume d'Espagne

Capitale : Madrid.

Superficie : 504 782 km².

Population : 39 628 000.

Langues : officielle nationale : espagnol (ou castillan) ; officielles régionales : basque (euskera) ; catalan ; galicien ; valencien.

Monnaie : peseta (100 pesetas = 3,94 FF au 30.4.99). La peseta fait partie de la Zone euro : 1 euro = 166,386 pesetas.

Nature de l'État : monarchie constitutionnelle. 17 communautés autonomes dans une Espagne « unie et indissoluble ».

Nature du régime : parlementaire.

Chef de l'État : roi Juan Carlos Ier de Bourbon (depuis le 22.11.75).

Chef du gouvernement : José María Aznar (depuis le 4.5.96).

Ministre des Affaires étrangères : Abel Matutes.

Ministre de la Défense : Eduardo Serra.

Ministre de l'Intérieur : Jaime Mayor Oreja.

Principaux partis politiques : *Audience nationale :* Parti populaire (PP, droite, au pouvoir) ; Parti socialiste ouvrier espagnol (PSOE, gauche) ; Gauche unie (IU, coalition à majorité communiste). *Audience dans les autonomies :* Convergence et Union (CiU, droite, au pouvoir en Catalogne) ; Esquerra Republicana de Catalunya (ERC, séparatistes catalans) ; Parti nationaliste basque (PNV, droite, au pouvoir au pays basque) ; Herri Batasuna (HB, coalition séparatiste basque, bras politique de l'ETA, présente aux élections dans la plateforme élargie Erokal Herritarrok, EH) ; Bloque Nacionalista Galego (BNG, gauche galicienne) ; Coalition canarienne (CC).

Échéances électorales : catalanes (aut. 1999), municipales (1999), législatives (2000).

Territoires outre-mer : Ceuta, Melilla [Afrique du Nord].

Territoire contesté : Gibraltar, dépendant du Royaume-Uni.

Espagne/Bibliographie

A. Angoustures, *Histoire de l'Espagne au XXe siècle*, Complexe, Bruxelles, 1993.

G. Couffignal, *Le Régime politique de l'Espagne*, Montchrestien, Paris, 1993.

« Espagne : la deuxième alternance démocratique » (dossier constitué par J.-J. Kourlianky), *Problèmes politiques et sociaux*, n° 792, La Documentation française, Paris, oct. 1997.

A. Huez de Lemps, *L'Économie de l'Espagne*, Armand Colin, Paris, 1998.

J. Juaristi, *El Bucle melancólico, historias de nacionalistas vascos*, Espasa Calpe, 1997.

B. Loyer, *Géopolitique du Pays basque : nations et nationalismes en Espagne*, L'Harmattan, Paris, 1997.

V. Pérez-Diaz, *La Démocratie espagnole vingt ans après*, Complexe, Bruxelles, 1996.

« La question de l'Espagne », *Hérodote*, n° 91, La Découverte, Paris, 4e trim. 1998.

M. et M.-C. Zimmermann, *La Catalogne*, PUF, coll. « Que sais-je ? », Paris, 1998

elle temporaire, a ainsi permis, pour la première fois depuis douze ans, un gouvernement nationaliste d'union au Pays basque.

La revendication de souveraineté du Pays basque uni, sur la base de la déclaration de Lizarra (Estella) du 12 septembre 1998, a également été favorisée par la trêve. Cette revendication allait désormais être au centre de la stratégie du Parti nationaliste basque (PNV) de Xabier Arzallus et de l'ETA. La trêve a ainsi posé un défi pour le gouvernement, lequel devait négocier la remise des armes sans remettre en cause l'unité de l'Espagne. Elle est aussi apparue comme une menace pour les non-nationalistes, tenus pour partie négligeable dans les déclarations des nationalistes, notamment dans celles de l'ETA, alors que les élections ont montré qu'ils représentaient 44,4 % de l'électorat au Pays basque. Cette part n'a cessé de croître à compter de 1990, le PP lui-même progressant de plus de cinq points depuis 1994. Cette situation ne pourrait que provoquer des tensions dans le cadre du projet d'indépendance tel que défini par les nationalistes – annexion d'une autonomie espagnole (la Navarre) et d'une partie du département français des Pyrénées-Atlantiques. Outre que la revendication d'un département basque en France, importante pour les nationalistes basques à titre d'étape, a été rejetée par le gouvernement français en mars, ces annexions rendraient les nationalistes franchement minoritaires. Enfin, l'ETA pourrait prendre la direction *de facto* de ce front nationaliste dont il aiguillonne la radicalisation.

La paix n'est donc pas apparue acquise au Pays basque. La trêve a signifié qu'aucun assassinat n'a plus été commis par l'ETA, mais les actions de violence de rue, les menaces et destructions ont continué. Elles se sont même aggravées après les arrestations les 9 et 10 mars 1999 à Paris et à San Sebastian de quinze militants, dont des responsables présumés de l'assassinat en juillet 1997 du jeune conseiller municipal Miguel Angel Blanco Garrido, du PP, et la découverte, le 20 mars, du cadavre d'un militant recherché (l'enquête de la police basque concluant au suicide et l'ETA jugeant qu'il s'agissait d'un assassinat). L'ETA n'a par ailleurs pas semblé avoir pris contact avec le gouvernement, lequel a autorisé l'ouverture de négociations officielles depuis octobre 1998.

Union des nationalistes contre la Constitution ?

L'une des dates importantes de l'année a été la Déclaration de Barcelone du 17 juillet 1998, par laquelle les trois partis nationa-

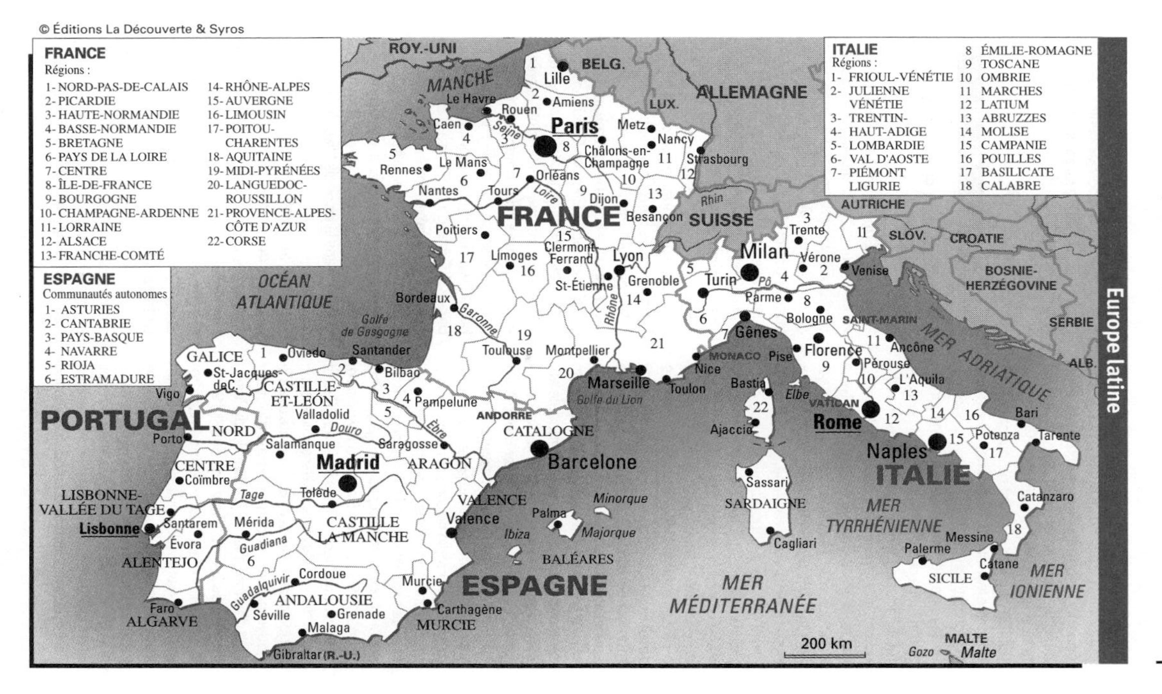

© Éditions La Découverte & Syros
Europe latine
FRANCE
Régions :
1- NORD-PAS-DE-CALAIS
2- PICARDIE
3- HAUTE-NORMANDIE
4- BASSE-NORMANDIE
5- BRETAGNE
6- PAYS DE LA LOIRE
7- CENTRE
8- ÎLE-DE-FRANCE
9- BOURGOGNE
10- CHAMPAGNE-ARDENNE
11- LORRAINE
12- ALSACE
13- FRANCHE-COMTÉ
14- RHÔNE-ALPES
15- AUVERGNE
16- LIMOUSIN
17- POITOU-CHARENTES
18- AQUITAINE
19- MIDI-PYRÉNÉES
20- LANGUEDOC-ROUSSILLON
21- PROVENCE-ALPES-CÔTE D'AZUR
22- CORSE
ESPAGNE
Communautés autonomes
1- ASTURIES
2- CANTABRIE
3- PAYS-BASQUE
4- NAVARRE
5- RIOJA
6- ESTRAMADURE
ITALIE
Régions :
1- FRIOUL-VÉNÉTIE
2- JULIENNE
VÉNÉTIE
3- TRENTIN-
4- HAUT-ADIGE
5- LOMBARDIE
6- VAL D'AOSTE
7- PIÉMONT
LIGURIE
8 ÉMILIE-ROMAGNE
9 TOSCANE
10 OMBRIE
11 MARCHES
12 LATIUM
13 ABRUZZES
14 MOLISE
15 CAMPANIE
16 POUILLES
17 BASILICATE
18 CALABRE
ROY.-UNI
BELG.
LUX.
ALLEMAGNE
SUISSE
AUTRICHE
SLOV.
CROATIE
BOSNIE-HERZÉGOVINE
SERBIE
ALB.
MALTE
FRANCE
ITALIE
ESPAGNE
PORTUGAL
ANDORRE
MONACO
SAINT-MARIN
VATICAN
MANCHE
OCÉAN ATLANTIQUE
Golfe de Gascogne
MER MÉDITERRANÉE
Golfe du Lion
MER TYRRHÉNIENNE
MER ADRIATIQUE
MER IONIENNE
Paris
Lille
Amiens
Rouen
Le Havre
Caen
Rennes
Nantes
Le Mans
Tours
Orléans
Poitiers
Limoges
Bordeaux
Toulouse
Montpellier
Marseille
Toulon
Nice
Clermont-Ferrand
St-Étienne
Lyon
Grenoble
Dijon
Besançon
Châlons-en-Champagne
Metz
Nancy
Strasbourg
Bastia
Ajaccio
Rome
Milan
Turin
Gênes
Trente
Vérone
Venise
Parme
Bologne
Florence
Pise
Pérouse
Ancône
L'Aquila
Naples
Potenza
Bari
Tarente
Catanzaro
Messine
Catane
Palerme
Sassari
Cagliari
SARDAIGNE
SICILE
Elbe
Madrid
Barcelone
Valence
Saragosse
Pampelune
Bilbao
Santander
Oviedo
St-Jacques-deC.
Vigo
Valladolid
Salamanque
Tolède
Mérida
Cordoue
Séville
Grenade
Malaga
Murcie
Carthagène
Gibraltar (R.-U.)
Palma
Majorque
Minorque
Ibiza
BALÉARES
GALICE
CASTILLE-ET-LEÓN
CASTILLE LA MANCHE
ARAGON
CATALOGNE
VALENCE
MURCIE
ANDALOUSIE
Lisbonne
Porto
Coïmbre
Santarem
Évora
Faro
NORD
CENTRE
LISBONNE-VALLÉE DU TAGE
ALENTEJO
ALGARVE
Seine
Loire
Garonne
Rhône
Rhin
Pô
Èbre
Douro
Tage
Guadiana
Guadalquivir
Malte
Gozo
200 km

listes des autonomies « historiques » (celles qui avaient plébiscité un projet d'autonomie sous la Seconde République), le PNV basque, Convergence et Union (CiU) catalane et le Bloque nationalista Galego (BNG) galicien, se sont réunis pour faire connaître leur intention de remettre en cause la Constitution de 1978 sur les autonomies et de réclamer une autodétermination les autorisant à décider de leur statut politique futur (indépendance, confédération, fédération), leur faveur allant à un modèle confédéral. L'union des nationalistes était-elle donc achevée, l'influence des Basques sur les Catalans permettant une radicalisation de la revendication catalane, traditionnellement moins « indépendantiste » que celle des Basques ? La trêve rendait-elle possible l'action commune des deux principales autonomies historiques ?

Par la suite, la CiU a reculé et son leader Jordi Pujol a affirmé en mars 1999 que la modification de la Constitution n'était pas souhaitable. Les partis nationalistes catalans et basques n'en ont pas moins continué de réclamer un dépassement du modèle autonomique actuel et une différenciation accrue de leurs autonomies par rapport aux autres. Le gouvernement ayant besoin de ces partis pour diriger le pays a donc engagé une nouvelle négociation sur ce plan, tout en estimant officiellement que le transfert des compétences était désormais achevé et qu'il avait rempli ses engagements de mai 1996, lors des Pactes d'investiture.

Les partis nationalistes alliés au PP sont cependant restés engagés dans la voie d'une négociation bilatérale permanente avec le gouvernement espagnol en vue d'obtenir plus d'autonomie. Le Catalan Jordi Pujol a formulé deux revendications début 1999 : la possibilité d'augmenter au maximum, notamment dans le domaine de la représentation extérieure, l'autonomie de la Catalogne sans modifier les statuts, en se fondant sur la jurisprudence du Tribunal constitutionnel, et la modification du système fiscal. Dans ce cadre, la revendication d'autodétermination est apparue comme un instrument de pression dirigé contre le pouvoir central dans les négociations. - **Aline Angoustures** ■

France

La grande mue du capitalisme national

Héritier d'une longue tradition d'interventionnisme et de protectionnisme, le capitalisme français aura vécu cette fin de décennie au rythme des mégafusions, des filialisations et des prises de contrôle. En quinze ans, le nombre d'entreprises appartenant à un groupe a été multiplié par cinq. Les restructurations ont atteint un niveau record en 1998-1999. Qu'on en juge : fusion-absorption de la Compagnie de Suez par la Lyonnaise des Eaux ; fusion-absorption de l'UAP par AXA ; absorption de Havas par la Générale des Eaux bientôt rebaptisée Vivendi ; rachat du Gan par Groupama ; rachat du belge Pétrofina par le groupe Total ; création par Rhône-Poulenc et l'allemand Hoechst d'une filiale commune (Aventis) pour les sciences de la vie ; fusion des laboratoires Sanofi et Synthélabo ; offre publique d'échange (OPE) de la BNP sur la Société générale et Paribas visant une fusion des trois banques ; rachat par Vivendi du « numéro un » américain du traitement de l'eau, US Filters ; prise de participation de Renault dans le japonais Nissan...

La fin du système des « participations croisées »

Concentration, internationalisation, financiarisation touchent de nombreux secteurs et particulièrement les services (industries de réseau, banque, assurance, distribution), la pharmacie-chimie, les hydrocarbures, l'aérospatial, les industries d'armement... Ce mouvement n'est pas propre à la France, mais il la marque plus fortement qu'aucun autre pays européen.

Depuis les années soixante, le capitalisme à la française était caractérisé par ses fameuses « participations croisées » qui structuraient des protections mutuelles. Longtemps, les compagnies financières Suez et Paribas, avec leurs systèmes d'alliances respectifs, ont été au cœur du capitalisme français. Ce système s'est vu bouleversé certes par l'internationalisation de l'économie (la mondialisation), mais tout autant par un certain nombre d'actes politiques qui, en quinze ans, ont contribué à transformer le paysage de l'économie française. Les privatisations d'entreprises publiques tout d'abord, notamment dans la banque et l'assurance, ont bouleversé la structure du cœur financier français, dans un contexte de globalisation des marchés de capitaux. La relance du processus européen, intervenue à la fin des années quatre-vingt, a été un autre facteur d'activation, avec la mise en place du Marché unique (1er janvier 1993) et plus encore celle de l'euro (1er janvier 1999) qui unifie le marché des services financiers. A cela s'est ajoutée la déréglementation engagée dans les services de réseau européens (transport aérien, télécommunications, bientôt énergie...).

Enfin, de nouveaux acteurs financiers jouent un rôle d'importance : les investisseurs institutionnels anglo-saxons, dont les fameux fonds de pension qui gèrent l'épargne des salariés américains en vue de leur retraite. Les investisseurs institutionnels étrangers contrôlent ainsi environ 40 % de la capitalisation des grandes entreprises françaises cotées en Bourse, un niveau inégalé en Europe. La place prise par les investisseurs institutionnels (les « zinzins ») dans le capital des entreprises accentue la logique financière de la gestion des groupes en exigeant une plus grande transparence des résultats, laquelle contribue en retour à accélérer les restructurations.

Cette grande mue du capitalisme français n'est cependant pas en rupture complète avec le passé. L'État a joué un rôle de tuteur dans certaines opérations et nombre de fusions ont concerné des entreprises nationales, beaucoup de dirigeants hésitant à se lancer dans des opérations internationales. En de nombreux cas, la recherche d'une solution « française » a primé sur le choix de l'« étranger », comme l'a montré le long feuilleton de l'OPE de la BNP sur Paribas et la Société générale. Il n'en demeure pas moins que ces transformations marquent une tendance lourde de ce tournant de siècle et sont susceptibles d'avoir des conséquences profondes sur l'économie comme sur la société françaises.

Décompositions et recompositions politiques

Une autre tendance lourde est la recomposition du champ politique et du système des partis. Élu en 1995 président de la République, Jacques Chirac (Rassemblement pour la République - RPR, néogaulliste) avait cru bon, en avril 1997, de dissoudre l'Assemblée nationale (où la droite disposait pourtant d'une majorité écrasante) pour tenter de retrouver une nouvelle légitimité, le gouvernement dirigé par Alain Juppé (RPR) étant fort impopulaire. L'échec fut magistral : l'opposition gagna les législatives anticipées et le socialiste Lionel Jospin forma un gouvernement de « gauche plurielle » comprenant des écologistes et des communistes.

Débutait ainsi la troisième « cohabitation politique » de la Ve République après celles de 1986-1988 et de 1993-1995, Présidence et gouvernement reposant sur des assises électorales opposées. Pour la droite, qui s'était en quelque sorte « autodissoute », s'ouvrait une période de crise traumatique, comparable à celle qu'avait connue le Parti socialiste (PS) après sa défaite historique aux législatives de 1993. Les élections régionales de mars 1998 furent vécues à droite comme un nouvel échec : la gauche, qui ne présidait auparavant qu'une région sur vingt-deux, en obtint sept tandis que quatre présidents de droite étaient élus avec l'appui du Front national de Jean-Marie Le Pen (extrême droite).

INDICATEUR	UNITÉ	1975	1985	1997	1998
Démographie[a]					
Population	*million*	52,7	55,2	58,5	58,7
Densité	*hab./km²*	95,8	100,3	106,3	106,7
Croissance annuelle	%	0,5[s]	0,5[k]	0,4[c]	• •
Indice de fécondité (ISF)		2,1[s]	1,8[k]	1,7[c]	• •
Indicateurs socioculturels					
Nombre de médecins	*‰ hab.*	1,34[v]	3,13[l]	2,80[e]	• •
Scolarisation 2e degré[x]	%	78,7[n]	81,7	94,4[d]	• •
Scolarisation 3e degré	%	25,3[n]	29,8	52,2[b]	• •
Téléviseurs	*‰ hab.*	284,6	434,0	605,7	• •
Livres publiés	*titre*	29 371	37 860	34 766[d]	• •
Économie					
PIB total (PPA)	*milliard $*	321,3	686,1	1 290,9	1 321,1
Croissance annuelle	%	2,1[p]	2,1[g]	2,3	3,1
PIB par habitant (PPA)	$	6 100	12 440	22 030	22 464
Investissement (FBCF)	*% PIB*	21,2[q]	19,6[h]	18,3	18,7
Recherche et Développement	*% PIB*	2,0[m]	2,3	2,23	• •
Taux d'inflation	%	11,7	5,3	1,7	0,7
Population active	*million*	21,76	23,36	25,70	25,89
Agriculture	% } *100 %*	10,3	7,6	4,5	4,4
Industrie	% } *100 %*	38,6	32,0	25,6	25,1
Services	% } *100 %*	51,1	60,4	69,9	70,5
Taux de chômage (fin année)	%	4,0	10,2	12,3	11,3[w]
Énergie (consom./hab.)	*TEP*	3,07	3,63	4,35[b]	• •
Énergie (taux de couverture)	%	22,0	42,4	51,1[b]	• •
Aide au développement (APD)	*% PIB*	0,43	0,58	0,45	• •
Dépense publique Éducation	*% PIB*	5,2	5,8	6,1[d]	• •
Dépense publique Défense	*% PIB*	3,8	4,0	3,0	• •
Solde administrat. publiques	*% PIB*	1,7[o]	– 1,4	– 1,9	– 2,4
Dette administrat. publiques	*% PIB*	20,5[r]	31,0	58,1	58,5
Échanges extérieurs		**1974**	**1986**	**1997**	**1998**
Importations de services	*milliard $*	11,50	33,03	63,65	66,72
Importations de biens	*milliard $*	48,80	121,88	256,13	275,53
Produits énergétiques	%	23,0	12,6	7,6	5,4
Produits manufacturés	%	48,2	65,3	77,9	81,1
Produits alimentaires	%	10,9	11,7	9,3	9,0
Exportations de services	*milliard $*	14,20	43,08	81,14	85,42
Exportations de biens	*milliard $*	44,00	120,53	284,2	301,7
Produits agricoles	%	20,5	18,7	13,6	11,9
Produits manufacturés	%	62,8	70,4	81,5	83,0
dont machines et mat. de transport	%	30,2	• •	45,1	47,2
Solde des transactions courantes	*% du PIB*	– 0,3[t]	0,1[j]	2,8	2,8
Position extérieure nette	*milliard $*	• •	26,0[f]	74,3	• •

Définition des indicateurs, sigles et abréviations p. 31 et suiv. a. Dernier recensement utilisable : 1990 ; b. 1996 ; c. 1995-2000 ; d. 1995 ; e. 1994 ; f. 1989 ; g. 1987-97 ; h. 1987-97 ; i. 1986 ; j. 1985-96 ; k. 1985-95 ; l. 1984 ; m. 1981 ; n. 1980 ; o. 1979 ; p. 1977-87 ; q. 1977-86 ; r. 1977 ; s. 1975-85 ; t. 1975-84 ; u. 1974 ; v. 1970 ; w. Avril 1999 ; x. 11-17 ans.

Dans l'année qui a suivi, diverses initiatives ont abouti à balkaniser la droite républicaine. L'Union pour la démocratie française (UDF) a éclaté, son courant le plus libéral, dirigé par Alain Madelin, l'ayant quittée pour fonder Démocratie libérale (DL) en mai 1998 et se rapprocher du RPR. Le RPR, dont Philippe Séguin (l'un des animateurs de la campagne en faveur du « non » lors du référendum de ratification du traité de Maastricht en 1992) avait pris la présidence, a vu quant à lui s'exacerber les oppositions et les ambitions. P. Séguin a démissionné avant que ne commence la campagne pour les élections au Parlement européen du 13 juin 1999. Il a été remplacé par le très libéral Nicolas Sarkozy, tandis que Charles Pasqua, « gaulliste historique », faisait sécession sur une ligne « souverainiste » et s'alliait avec Philippe de Villiers (ultra droite). La droite fut ainsi représentée par trois listes dirigées respectivement par François Bayrou (UDF, démocrate-chrétien), Nicolas Sarkozy (RPR) et Charles Pasqua. Ce fut un désastre pour le parti présidentiel. Avec 12,8 % de voix, la liste RPR-DL se classa derrière celle de Charles Pasqua (13,0 %) et était talonnée par celle de l'UDF (9,3 %). La gauche présentait elle aussi trois listes. Celle menée par le premier secrétaire du Parti socialiste François Hollande obtenait 21,95 %, tandis que les Verts menés par l'ancien leader de Mai 68 Daniel Cohn-Bendit rassemblait 9,7 %, loin devant la liste d'« ouverture » des communistes de Robert Hue (6,8 %)... et devant les démocrates-chrétiens. L'extrême droite, quant à elle, présentait deux listes concurrentes, résultat de la scission intervenue au cours de l'hiver qui a déchiré le parti et attisé les haines parmi ses cadres. Au total, alors que Jean-Marie Le Pen avait obtenu 15 % des voix à la présidentielle de 1995, sa liste (Front national) plafonnait à 5,7 % et son rival Bruno Mégret (Mouvement national) ne rassemblait que 3,3 % des suffrages.

L'explosion de la droite, le succès des

République française

Capitale : Paris
Superficie : 547 026 km².
Population : 58 683 000.
Langues : français (off.), breton, catalan, corse, occitan, basque, alsacien, flamand.
Monnaie : franc (le franc fait partie de la Zone euro : 1 euro = 6,55957 FF et 1 dollar des États-Unis = 6,17 FF au 27.7.99).
Nature de l'État : république unitaire avec une faible décentralisation.
Nature du régime : démocratie parlementaire combinée à un pouvoir présidentiel.
Chef de l'État : Jacques Chirac, président de la République (depuis le 17.5.95, pour un mandat de 7 ans).
Premier ministre : Lionel Jospin (depuis le 2.6.97).
Ministre de l'Économie, des Finances et de l'Industrie : Dominique Strauss-Kahn (depuis le 4.6.97).
Ministre de l'Emploi et de la Solidarité : Martine Aubry (depuis le 4.6.97).
Ministre des Affaires étrangères : Hubert Védrine (depuis le 4.6.97).
Ministre de l'Intérieur : Jean-Pierre Chevènement (depuis le 4.6.97).
Principaux partis politiques : *Gouvernement :* Parti socialiste (PS, social-démocrate) ; Parti communiste français (PCF) ; parti Radical de gauche (PRS), Mouvement des citoyens (MDC), Les Verts. *Oppositions :* Rassemblement pour la République (RPR, droite) ; Union pour la démocratie française (UDF, droite), comprenant notamment Force Démocrate (FD) ; Démocratie libérale (DL) ; Front national (FN, extrême droite) ; Mouvement national (issu du FN, extrême droite).
Échéances électorales : législatives et présidentielle en 2002.
DOM-TOM et CT : *Départements d'outre-mer* (DOM) : Guadeloupe, Martinique, Guyane [Amérique], Réunion [océan Indien]. *Territoires d'outre-mer* (TOM) : Nouvelle-Calédonie, Wallis et Futuna, Polynésie française [Océanie], Terres australes et antarctiques françaises (TAAF). *Collectivités territoriales*(CT) : Saint-Pierre-et-Miquelon [Amérique], Mayotte [océan Indien].

France/Bibliographie

J.-C. Bouvier, P. Jacquin, A. Vogelweith, *Les Affaires ou comment s'en débarrasser,* La Découverte, Paris, 1997.

R. Castel, *Les Métamorphoses de la question sociale,* Fayard, Paris, 1995.

M.-T. Join-Lambert, A. Bolot-Gittler, C. Daniel, D. Lenoir, D. Méda, *Politiques sociales,* Presses de Sciences-Po/Dalloz, Paris, 1997 (nouv. éd.).

L'état de la France 1999-2000, La Découverte, Paris, 1999 (annuel).

« La pauvreté », *Économie et statistique,* INSEE, Paris, 1998.

Les Outre-Mer, La Documentation française/RECLUS, coll. « Atlas de France », vol. XIII, Paris/Montpellier, 1998.

A. Lipietz, *La Société en sablier. Le partage du travail contre la déchirure sociale,* La Découverte/Poche, Paris, 1998 (nouv. éd.).

N. Mayer, P. Perrineau (sous la dir. de), *Le Front national à découvert,* Presses de Sciences-Po, Paris, 1996.

OFCE, *L'Économie française 1999,* La Découverte, coll. « Repères », Paris, 1999.

P. Perrineau, C. Ysmal (sous la dir. de), *Le Vote de crise : l'élection présidentielle de 1995,* Presses de Sciences-Po, Paris, 1995.

P. Perrineau, C. Ysmal, *Le Vote surprise,* Presses de Sciences-Po, Paris, 1998.

D. Robert, *Pendant les « Affaires », les affaires continuent...,* Stock, Paris, 1996.

J. Sellier, *Atlas historique des provinces et régions de France. Genèse d'un peuple,* La Découverte, Paris, 1997.

Verts et l'échec des extrêmes droites auront été les trois traits saillants de ce scrutin, soulignant l'actualité des recompositions du champ politique.

Les réformes et l'horizon de la présidentielle

L'année a par ailleurs été marquée par l'avancée plus ou moins heurtée de différentes réformes. Celle de la réduction de la durée hebdomadaire du travail à 35 heures, engagée en 1997, a cristallisé les passions. Sa première année de mise en œuvre a montré que les objectifs de création d'emplois initialement affichés par le gouvernement avaient été très optimistes et que cette avancée sociale pouvait, dans certaines entreprises, aboutir à une simple flexibilisation du travail. Le projet d'institution d'un Pacte civil de solidarité (PACS, destiné notamment à donner des garanties civiles et fiscales aux couples homosexuels) a fait l'objet d'une obstruction parlementaire émanant de députés de droite. La réforme constitutionnelle sur la parité hommes/femmes a quant à elle été votée à l'unanimité par l'Assemblée nationale le 11 mars, une incontestable étape pour ce pays qui est parmi les plus en retard sur ce plan en Europe et où les salaires féminins restent en moyenne inférieurs de 25 % à celui de leurs collègues masculins. Diverses dispositions et lois touchant aux politiques sociales ont par ailleurs été adoptées, notamment une loi contre les exclusions prévoyant l'instauration d'une Couverture maladie universelle (CMU).

A mesure que se sont profilées les échéances de la présidentielle de 2002, les enjeux de ce scrutin sont davantage apparus dans l'action gouvernementale, au grand dam des Verts et des communistes. L. Jospin et J. Chirac, candidats non déclarés, bénéficiaient à l'été 1999 d'une popularité exceptionnelle, dans un contexte économique extrêmement favorable.

Un rôle actif dans la crise du Kosovo

Sur le plan extérieur, la France et son ministre des Affaires étrangères, Hubert Védrine, ont tenu aux côtés du Royaume-Uni un rôle diplomatique avancé dans la tentative de négociation (février-mars 1999) organisée à Rambouillet puis à Paris pour éviter une solution militaire dans la crise du Kosovo. La participation active de la France à l'opération *Force alliée* contre la Yougoslavie en mars-juin aura ainsi eu une nature politiquement beaucoup moins suiviste vis-à-vis des États-Unis qu'elle ne l'avait été dans la guerre du Golfe au début de la décennie. Le *french doctor* Bernard Kouchner (ministre du gouvernement jusqu'alors) a été nommé à la tête de l'administration mise en place par l'ONU au Kosovo. Cet engagement militaire sous l'égide de l'OTAN (Organisation du traité de l'Atlantique nord) a été approuvé par l'ensemble de la classe politique à l'exception des communistes, des partisans du ministre de l'Intérieur Jean-Pierre Chevènement et de l'extrême droite. La crise du Kosovo a souligné l'enjeu d'une « identité européenne de sécurité et de défense » que défendait la France au sein de l'OTAN [*voir article p. 53*]. Un « Monsieur PESC » a été désigné à la mi-1999 pour être en charge de la Politique extérieure et de sécurité commune. La France, qui, jusqu'alors, tenait à conserver un rôle spécifique au plan diplomatique et au sein des dispositifs de sécurité, héritage du positionnement du général de Gaulle du temps de la « guerre froide », a accompagné l'évolution en s'efforçant de construire des partenariats européens pour contrebalancer, si cela se pouvait, l'hégémonie militaire américaine.

Concernant l'outre-mer, le nouveau statut adopté pour la Nouvelle-Calédonie (Pacifique sud) a ouvert la voie à une autodétermination à terme, tandis que les compétences de l'État central lui seront progressivement transférées. Une évolution de statut plus limitée a aussi été engagée pour la Polynésie française en ce tournant de millénaire. - **Serge Cordellier** ■

Italie

Trois événements, trois hommes

Sept ans après le début des enquêtes « Mains propres », l'Italie est peut-être en passe de devenir un pays « normal » : l'arrivée de Massimo D'Alema à la tête du gouvernement a marqué l'intégration définitive dans le paysage politique des DS (Démocrates de gauche), héritiers de l'ancien Parti communiste ; l'élection de Carlo Azeglio Ciampi à la présidence de la République avec les voix de la majorité et de l'opposition a démontré le sens des responsabilités nouvellement acquis par la classe politique ; enfin, la nomination de l'ancien président du Conseil, Romano Prodi, comme président de la Commission européenne, le 24 mars 1999 lors du conseil des chefs d'État et de gouvernement à Berlin, a consacré le rôle nouveau du pays en Europe et la crédibilité retrouvée de sa classe dirigeante.

Trois événements, trois hommes, qui chacun à sa manière, représentent l'Italie des années quatre-vingt-dix, sa volonté de sortir de la marginalité dans laquelle l'avait reléguée la Ire République de la corruption et du «*malgoverno*». Certes, tout n'est pas réglé pour autant et la vie politique romaine a continué à connaître de ces soubresauts qui étonnent tant les étrangers. La chute du cabinet Prodi, après l'acte de dissidence de la Refondation communiste, l'a prouvé : malgré les indéniables résultats obtenus par son gouvernement, R. Prodi a été contraint à la démission en octobre 1998 pour des raisons peu compréhensibles et des manœuvres de couloir. M. D'Alema l'a remplacé, renouvelant, au moins en partie, la majorité, et s'appuyant à gauche sur les dissidents communistes conduits par Armando Cossutta et au centre sur les amis de l'ancien chef de l'État, Francesco Cossiga. La vieille majorité de la coalition de L'Olivier, déchirée par les polémiques, s'est ainsi

INDICATEUR	UNITÉ	1975	1985	1997	1998
Démographie[a]					
Population	*million*	55,4	56,8	57,4	57,4
Densité	*hab./km²*	188,5	193,1	195,1	195,1
Croissance annuelle	%	0,2[p]	0,1[j]	0,0[c]	• •
Indice de fécondité (ISF)		2,1[p]	1,5[j]	1,2[c]	• •
Indicateurs socioculturels					
Nombre de médecins	*‰ hab.*	1,80[s]	4,33[h]	1,70[e]	• •
Scolarisation 2e degré[v]	%	70,0[u]	73,1[u]	93,9[du]	• •
Scolarisation 3e degré	%	27,0[l]	25,5	42,7[b]	• •
Téléviseurs	*‰ hab.*	270,8	413,3	483,5	• •
Livres publiés	*titre*	9 187	15 545	34 470[d]	• •
Économie					
PIB total (PPA)	*milliard $*	280,7	638,2	1 167,4	1 167,5
Croissance annuelle	%	2,7[n]	1,7[f]	1,5	1,4
PIB par habitant (PPA)	$	5 060	11 280	20 290	20 296
Investissement (FBCF)	*% PIB*	22,4[o]	18,7[g]	16,7	16,6
Recherche et Développement	*% PIB*	0,90[k]	1,10	1,08	1,11
Taux d'inflation	%	17,6	8,6	3,6	1,8
Population active	*million*	20,72	22,89	22,89	23,03
Agriculture	% } *100 %*	16,7	11,2	6,8	6,6
Industrie	% } *100 %*	39,2	33,6	32,0	32,0
Services	% } *100 %*	44,1	55,2	61,2	61,5
Taux de chômage (fin année)	%	5,8	10,1	12,1	12,1[t]
Énergie (consom./hab.)	*TEP*	2,23	2,39	2,81[b]	• •
Énergie (taux de couverture)	%	16,7	16,4	18,2[b]	• •
Aide au développement (APD)	*% PIB*	0,11	0,34	0,11	• •
Dépense publique Éducation	*% PIB*	4,1	5,0	4,7[d]	• •
Dépense publique Défense	*% PIB*	2,5	2,2	1,9	• •
Solde administrat. publiques	*% PIB*	– 10,9[m]	– 11,7	– 1,7	– 1,4
Dette administrat. publiques	*% PIB*	57,6	82,3	122,4	118,7
Échanges extérieurs		**1974**	**1986**	**1997**	**1998**
Importations de services	*milliard $*	6,74	20,19	59,23	63,38
Importations de biens	*milliard $*	38,56	92,16	200,53	206,94
Produits agricoles	%	25,0	21,3	13,7	10,6
Produits énergétiques	%	26,6	17,4	7,9	5,6
Produits manufacturés	%	34,2	51,6	67,4	71,4
Exportations de services	*milliard $*	6,90	23,65	66,99	67,55
Exportations de biens	*milliard $*	3,50	97,21	240,40	242,57
Produits énergétiques	%	7,8	2,8	1,7	1,3
Produits manufacturés	%	75,1	83,2	88,9	89,3
Produits agricoles	%	9,4	8,3	6,2	6,4
Solde des transactions courantes	*% du PIB*	– 0,4[q]	– 0,1[i]	2,8	1,7
Position extérieure nette	*milliard $*	– 3,6	– 9,6	2,2	– 19,9

Définition des indicateurs, sigles et abréviations p. 31 et suiv. a. Dernier recensement utilisable : 1991 ; b. 1996 ; c. 1995-2000 ; d. 1995 ; e. 1992 ; f. 1987-97 ; g. 1987-96 ; h. 1986 ; i. 1985-96 ; j. 1985-95 ; k. 1981 ; l. 1980 ; m. 1979 ; n. 1977-87 ; o. 1977-86 ; p. 1975-85 ; q. 1975-84 ; r. 1974 ; s. 1970 ; t. Janv. 1999 ; u. Taux brut ; v. 11-18 ans.

transformée. Libéré de son aile gauche, M. D'Alema a tendu vers une politique ressemblant beaucoup à celle du Premier ministre britannique Tony Blair : pragmatique et libéral socialiste, peu encline à la vision plus traditionnellement social-démocrate du gouvernement français.

Une classe politique plus responsable

M. D'Alema a peu à peu imposé sa marque à la politique italienne et ce n'est pas un hasard s'il a orchestré l'élection de C.A. Ciampi et la nomination de R. Prodi à Bruxelles. Les rapides négociations avec le chef de l'opposition, Silvio Berlusconi, ont permis d'éviter que l'élection du chef de l'État n'offre le pénible spectacle d'autrefois, quand le Parlement était bloqué par le jeu des vetos croisés. En élisant au premier tour de scrutin C.A. Ciampi, les forces politiques ont su donner le signal que le pays attendait : mettre de côté les rivalités et les mesquineries politiciennes quand la vie institutionnelle le demande. Cela a été un succès pour M. D'Alema, mais aussi pour S. Berlusconi, qui a été reconnu comme le chef de l'opposition et a pu faire oublier les tensions contradictoires entre son rôle politique et sa qualité de magnat du groupe de communication Mediaset.

C'est ce dernier, d'ailleurs, qui l'a emporté aux élections parlementaires européennes du 13 juin 1999, Forza Italia étant redevenu le premier parti du pays (25,2 % des suffrages), loin devant les Démocrates de gauche (17,2 %), l'Alliance nationale de Gianfranco Fini (10,5 %) et la nouvelle formation politique de R. Prodi, les Démocrates (7,7 %). Un succès confirmé par les élections administratives partielles du 27 juin suivant, où la municipalité de Bologne, administrée par la gauche pendant cinquante-quatre ans, est passée à la droite.

La personnalité de C.A. Ciampi y a sûrement contribué. Successivement gouverneur de la Banque d'Italie, président du Conseil, ministre du Trésor dans les gouvernements Prodi et D'Alema, il affichait une intégrité morale et politique que nul ne conteste. En plus, le fait de ne pas être inscrit à un parti et de n'avoir jamais été parlementaire lui conférait le profil idéal d'homme *super partes*, indispensable dans une république parlementaire. Il restait à savoir si la méthode utilisée pour élire le

République italienne

Capitale : Rome.
Superficie : 301 225 km^2.
Population : 57 369 000.
Langues : italien (off.) ; allemand, slovène, ladin, français, albanais, occitan.
Monnaie : lire (1 000 lires = 3,39 FF au 30.4.99). La lire fait partie de la Zone euro : 1 euro = 1 936,27 lires.
Nature de l'État : république, accordant une certaine autonomie aux régions.
Nature du régime : démocratie parlementaire.
Chef de l'État : Carlo Azeglio Ciampi, président de la République, qui a succédé le 18.5.99 à Oscar Luigi Scalfaro.
Chef du gouvernement : Massimo D'Alema, qui a succédé le 21.10.98 à Romano Prodi.
Ministre de l'Intérieur : Rosa Russo Jervolino.
Ministre des Affaires étrangères : Lamberto Dini.
Ministre de la Défense : Carlo Scognamiglio.
Ministre du Trésor : Giuliano Amato.
Principaux partis politiques : *Majorité :* Démocrates de gauche (DS) ; Les Démocrates ; Parti populaire italien (PP) ; Verts ; Parti des communistes italiens (PDCI) ; Union démocratique pour la République ; Südtiroler Volkspartei (SVP). *Opposition :* Forza Italia ; Alliance nationale (AN) ; Centre des chrétiens démocrates (CDD) ; Chrétiens démocrates uni (CDU) ; Ligue Nord ; Refondation communiste.
Échéances électorales : législatives en 2001.

Italie/Bibliographie

G. Balcet, *L'Économie de l'Italie,* La Découverte, coll. « Repères » Paris, 1995.

I. Diamanti, M. Lazar, *Politique à l'italienne,* PUF, Paris, 1997.

B. Gaudillère (sous la dir. de), *Les Institutions de l'Italie,* La Documentation française, coll. « Documents d'études », Paris, 1994.

J. Georgel, *L'Italie au XXe siècle, 1919-1995,* Les Études de La Documentation française, Paris, 1995.

P. Ginsborg, *L'Italia del tempo presente. Famiglia, società civile, Stato, 1980-1996,* Einaudi, Turin, 1998.

P. Ginsborg, *Storia d'Italia dal dopoguerra a oggi. Società e politica 1943-1988,* Einaudi, Turin, 1989.

« Italie, la question nationale », *Hérodote,* n° 89, La Découverte, Paris, 2e trim. 1998.

« Italie : les changements politiques des années 1990 » (dossier constitué par J.-L. Briquet), *Problèmes politiques et sociaux,* n° 788, La Documentation française, Paris, août 1997.

M. Korinman, L. Caracciolo, *A quoi sert l'Italie ?,* La Découverte/LiMes, Paris-Rome, 1995.

M.-A. Metard-Bonucci, *Histoire de la mafia,* Complexe, Bruxelles, 1999.

E. Pace, *La Nation italienne en crise : perspectives européennes,* Bayard, Paris, 1998.

G. Procacci, *Histoire des Italiens,* Fayard, Paris, 1998.

P. Raffone, *L'Italie en marche. Chronique et témoignages,* Marabout/Le Monde Éditions, Paris, 1998.

Stato dell'Italia, Il Saggiatore/Bruno Mondadori, Milan, 1994.

B. Teissier, *Géopolitique de l'Italie,* Complexe, Bruxelles, 1996.

chef de l'État inciterait gauche et droite à reprendre le fil des discussions pour la réforme institutionnelle, dernier et indispensable chapitre de la rénovation politique italienne.

Aux bonnes conditions de l'élection présidentielle n'ont pas été étrangers les bombardements de l'OTAN (Organisation du traité de l'Atlantique nord), effectués entre mars et juin 1999, qui ont poussé les forces politiques à parvenir rapidement à un accord. La guerre a propulsé l'Italie en première ligne, provoquant un véritable choc émotionnel dans l'opinion publique. Fidèle aux alliés occidentaux, malgré les réticences d'une partie de la majorité, l'Italie a joué son rôle jusqu'au bout, tout en œuvrant pour une issue diplomatique du conflit. Le pays a en effet mis à disposition bases et avions pour les raids aériens, puis a engagé ses troupes dans la Kfor (Force de paix au Kosovo).

En même temps, la guerre a eu de lourdes conséquences économiques, à la fois sur la consommation intérieure et sur le tourisme. De ce fait, la croissance est descendue à un niveau préoccupant : selon les estimations, elle devrait se situer entre 0,9 % et 1,2 % en 1999, bien en dessous du modeste 1,5 % sur lequel tablait le gouvernement.

Mais la guerre, loin s'en faut, n'a pas été seule en cause. Les efforts demandés au pays pour pouvoir entrer dans la Zone euro le 1er janvier 1999 ont ralenti la croissance en réduisant la consommation et les investissements. En même temps, les exportations, pénalisées par les crises asiatique et russe (étés 1997 et 1998), ont chuté. L'économie italienne souffre aussi de transformations structurelles : à partir du milieu des années soixante-dix, les exportations, véritable moteur de la croissance, ont été régulièrement dopées par les dévaluations successives de la lire. Avec l'euro, l'appareil industriel italien doit apprendre à améliorer sa compétitivité d'une manière différente (amélioration de la productivité et innovation technologique, associées à une réduction des coûts). Cela demandera un changement de culture et beaucoup de temps. L'intégration monétaire a en outre contraint l'Italie à entrer dans le grand jeu des fusions et de la création de grands groupes, comme l'a prouvé l'OPA (offre publique d'achat) lancée par Olivetti sur Telecom Italia, la plus importante jamais tentée sur le Vieux Continent, et les multiples négociations dans le secteur bancaire, freinées par un certain interventionnisme de la Banque d'Italie.

Nouvelle cheville ouvrière de l'intégration européenne

L'Europe, en tout état de cause, a fourni au pays sa plus grande satisfaction diplomatique des dernières années avec la nomination de R. Prodi à la présidence de la Commission européenne. Ce choix n'a pas seulement représenté un hommage à l'homme qui, contre toute attente, a su faire entrer l'Italie dans l'Union monétaire, ni le résultat des efforts de M. D'Alema, qui a su ainsi se libérer de l'homme qui lui contestait le leadership du centre gauche. L'arrivée de R. Prodi à la Commission a eu une signification bien plus importante : à l'heure où les gouvernements français et allemand sont apparus plus enclins à défendre leurs intérêts nationaux qu'à donner une impulsion nouvelle à la construction européenne, l'Italie a semblé le seul grand pays de l'Union favorable à une plus grande intégration et la nomination de R. Prodi a pu valoir comme reconnaissance du rôle nouveau que l'Italie pourrait être appelée à jouer au sein de l'Union européenne. - **Giampiero Martinotti** ■

Monaco

L'« affaire Binyamin »

Pour le « Rocher », l'année 1998 restera marquée d'une pierre blanche. La cour d'appel de Monaco a en effet eu à juger pour la première fois une affaire de blanchiment d'argent sale. L'Israélien Moshe Binyamin a été condamné à 12 ans de prison pour « détention de fonds provenant du trafic de stupéfiants ». Cette affaire avait tendu les relations avec les autorités françaises. Paradis fiscal (sauf pour les Français depuis la convention de 1963), la principauté de Monaco, soucieuse de son image, avait ces dernières années cherché à démentir les soupçons concernant le blanchiment en se dotant d'une législation *ad hoc*. - **Nicolas Bessarabski** ■

Principauté de Monaco

Capitale : Monaco.
Superficie : 1,81 km^2.
Population : 33 000.
Langues : français, monégasque.
Monnaie : franc français.
Nature de l'État : monarchie.
Nature du régime : constitutionnel.
Chef de l'État : prince Rainier III (depuis le 9.5.49).
Ministre d'État (chef du gouvernement) : Michel Lévêque (depuis fév. 97).

Portugal

Une scène politique un peu trouble

En 1999, le Portugal a fêté tranquillement ses vingt-cinq ans de démocratie, presque comme si la « révolution des œillets » du 25 avril 1974 était déjà un événement historiquement ancien. Le pays a

INDICATEUR	ANDORRE	ESPAGNE	FRANCE	ITALIE
Démographie[a]				
Population *(millier)*	72	39 628	58 683	57 369
Densité *(hab./km²)*	153,8	79,3	106,7	195,1
Croissance annuelle (1995-2000) *(%)*	3,9	0,03	0,4	- 0,01
Indice de fécondité (ISF) (1995-2000)	1,2	1,1	1,7	1,2
Mortalité infantile (1995-2000) *(‰)*	4,1	7	6	7
Espérance de vie (1995-2000) *(année)*	83,5	78,0	78,1	78,2
Population urbaine *(%)*	62,5[b]	77,1	75,2	66,9
Indicateurs socioculturels				
Développement humain (IDH)[c]	• •	0,894	0,918	0,9
Nombre de médecins *(‰ hab.)*	2,23[b]	4,15[b]	2,9[f]	5,5[f]
Espérance de scolarisation[b] *(année)*	• •	15,5	15,4	• •
Scolarisation 3e degré *(%)*	• •	51,1[f]	52,2[f]	42,7[f]
Adresses Internet[d] *(‰ hab.)*	70,43	66,67	83,02	59,06
Livres publiés *(titre)*	57[j]	46 330[f]	34 766[b]	34 470[b]
Armées (effectifs)				
Armée de terre *(millier d'h.)*	• •	127	203,2	165,6
Marine *(millier d'h.)*	• •	36,95	63,3	40
Aviation *(millier d'h.)*	• •	30	78,1	63,6
Économie				
PIB total (PPA)[c] *(milliard $)*	1,2[b]	626	1 290	1 167
Croissance annuelle 1987-97 *(%)*	2,3[m]	2,6	2,1	1,7
Croissance 1998 *(%)*	• •	3,8	3,1	1,4
PIB par habitant (PPA)[c] *($)*	18 000[b]	15 930	22 030	20 290
Investissement (FBCF) *(% PIB)*	• •	20,7[h]	17,5[e]	17,0[e]
Recherche et Développement *(% PIB)*	• •	0,9[g]	2,2[c]	1,1[g]
Taux d'inflation *(%)*	• •	1,8	0,7	1,7
Taux de chômage (fin année) *(%)*	• •	18	11,5	11,8
Énergie (consom/hab.)[f] *(TEP)*	• •	2,6	4,4	2,8
Énergie (taux de couverture)[f] *(%)*	• •	32,2	51,1	18,2
Dépense publique Éducation *(% PIB)*	2,8[b]	4,9[b]	6,1[b]	4,7[b]
Dépense publique Défense[c] *(% PIB)*	• •	1,4	3,0	1,9
Solde administrat. publiques *(% PIB)*	• •	- 1,6	- 2,4	- 1,4
Dette administrat. publiques *(% PIB)*	• •	65,6	58,5	118,7
Échanges extérieurs				
Importations (douanes) *(million $)*	1 000[b]	133 149	287 223	215 887
Principaux fournisseurs *(%)*	UE 85,6[b]	UE 67	UE 63,9	UE 61,6
(%)	Esp 39,5[b]	E-U 5,9	E-U 8,7	E-U 5
(%)	Fra 31,1[b]	PED 18,4	PED 16,5	PED 21,4
Exportations (douanes) *(million $)*	47[b]	109 228	305 031	242 332
Principaux clients *(%)*	Fra 49[b]	UE 71,1	UE 63,6	UE 56,4
(%)	Esp 47[b]	E-U 4,2	E-U 7,5	E-U 8,6
(%)	Autres 4[b]	PED 16,1	PED 18,3	PED 21,66
Solde transactions courantes *(% PIB)*	• •	- 0,3	2,8	1,7

Définition des indicateurs, sigles et abréviations p. 31 et suiv. Chiffres 1998 sauf notes. a. Derniers recensements utilisables : Andorre, 1954 ; Espagne, 1991 ; France, 1990 ; Italie, 1991 ; Monaco, 1990 ; Portugal, 1991 ; Saint-Marin, 1976. b. 1995 ; c. 1997 ; d. janv. 1999 ; e. 1995-97 ; f. 1996 ; g. 1998 ;

MONACO	PORTUGAL	SAINT-MARIN
33	9 869	26
18 232,0	107,9	426,2
1,1	0,04	1,3
1,7	1,4	1,5
7	9	5
78,4	75,3	81,4
100,0	37,0	89,8[b]
• •	0,858	• •
2,65[k]	3,00[f]	2,67[l]
• •	14,3	• •
• •	38,0[f]	• •
74,14	50,38	90,20
41[k]	7 868[f]	• •
• •	24,8	• •
• •	16,85	• •
• •	7,3	• •
0,80[f]	141	0,50
2,6[n]	3,1	• •
• •	3,9	5,0[i]
25 000[f]	14 270	20 000
• •	24,2[e]	• •
• •	0,6[c]	• •
• •	2,8	2,2
• •	4,4	3,8
• •	1,9	• •
• •	12,7	• •
• •	5,5[b]	• •
• •	2,6	• •
• •	– 2,2	• •
• •	57,8	• •
• •	37 049	880[f]
UE	UE 77,6	UE
• •	E-U 2,8	• •
• •	PED 11,9	• •
• •	24 220	894[f]
UE	UE 81,7	UE
• •	E-U 4,8	• •
• •	PED 8,2	• •
• •	– 1,8[c]	• •

h. 1996-98 ; i. 1996-97 ; j. 1994 ; k. 1990 ; l. 1987 ; m. 1986-96 ; n. 1985-92.

connu une profonde mutation depuis ce coup d'État peu ordinaire, où de jeunes militaires démocrates ont renversé quarante-huit ans de dictature salazariste. La société portugaise vivait alors repliée sur ses archaïsmes et enfermée dans les décombres de son empire colonial. A la veille du XXIe siècle, le Portugal regarde résolument vers l'avenir. L'Expo 98, dernière exposition universelle du siècle, qui s'est tenue à Lisbonne à l'été 1998, symbolisait bien ce nouvel état d'esprit.

Lors de son adhésion à la CEE (Communauté économique européenne) en 1986, le pays affichait un PIB par habitant égal à la moitié de la moyenne européenne. Douze ans plus tard, son niveau s'était hissé aux trois quarts de cette moyenne, grimpant jusqu'à 82 % dans la région de Lisbonne. Ce « miracle » a été rendu possible par les aides communautaires, qui représentent chaque année 3 % à 4 % du PIB. Un effort de rigueur budgétaire et une conjoncture internationale favorable ont permis au Portugal d'intégrer le peloton des pays fondateurs de la Zone euro (effective au 1er janvier 1999). En 1998, le taux de croissance s'est élevé à 3,9 %, la dette publique ne dépassait pas 57,8 %

République du Portugal

Capitale : Lisbonne.
Superficie : 92 080 km².
Population : 9 869 000.
Langue : portugais.
Monnaie : escudo (100 escudos = 3,27 FF au 30.4.99). L'escudo fait partie de la Zone euro : 1 euro = 200,482 escudos.
Nature de l'État : république unitaire.
Nature du régime : parlementaire.
Chef de l'État : Jorge Sampaio, président de la République (depuis le 9.3.96).
Chef du gouvernement : António Guterres (depuis le 1.10.95).
Territoire outre-mer : Macao [Asie], jusqu'au 20.12.99.

Europe latine/Bibliographie

« Andorre », Revue géographique des Pyrénées et du Sud-Ouest, 62/2, Universités de Toulouse-Le Mirail, Bordeaux, Pau, Perpignan, avr.-juin 1991.

C. Auscher, *Portugal,* Seuil, Paris, 1992.

J.-L. Bianchini, *Mafia, argent et politique. Enquête sur des liaisons dangereuses dans le Midi,* Seuil, Paris, 1995.

J.-L. Bianchini, *Monaco : une affaire qui tourne,* Seuil, Paris, 1992.

M. Cahen, « L'Expo 98, le nationalisme et nous », *Lusotopie 1998. Des protestantismes en lusophonie catholique,* Karthala, Paris, 1998.

M. Drain, *L'Économie du Portugal,* PUF, coll. Que sais-je ? », Paris, 1994.

J. Georgel, *La République portugaise (1974-1998),* Apogée, Paris, 1998.

J.-F. Labourdette, *Histoire du Portugal,* PUF, coll. « Que sais-je ? », Paris, 1995.

P. M. Lamet, *Jean-Paul II, le pape aux deux visages,* Éd. Golias, Lyon, 1998.

Y. Léonard, *Le Portugal. Vingt ans après la révolution des œillets,* Les Études de la Documentation française, Paris, 1994.

P. Levillain (sous la dir. de), *Dictionnaire historique de la papauté,* Fayard, Paris, 1994.

M. J. Lluelles, *La Transformació economica d'Andorra,* L'Avenç, Barcelone, 1991.

OCDE, *Études économiques : Portugal,* Paris, 1998.

A.-H. Oliveira Marques, *Histoire du Portugal et de son empire colonial,* Karthala, Paris, 1998.

F. Pessoa, *Lisbonne,* Éd. du Rocher (éd. poche 10/18, Paris, 1998).

A. Vircondelet, *Jean-Paul II,* Julliard, Paris, 1994.

Voir aussi les bibliographies « Espagne », « France » et « Italie », p. 496, 502 et 506.

du PIB, et le chômage est descendu à 4,4 %. A la mi-1999, seul un risque de surchauffe de l'économie inquiétait Lisbonne.

Ces résultats ne sauraient cependant cacher la subsistance de poches de pauvreté en province, ni le besoin urgent de réformes en profondeur du système de santé et de la justice. Le gouvernement socialiste dirigé par António Guterres a subi deux échecs politiques cuisants en 1998 : il s'est vu refuser, par voie référendaire, la légalisation de l'avortement ainsi qu'un plan de régionalisation de l'administration territoriale.

En 1999, malgré les échéances électorales européenne (juin) et législative (octobre), le calendrier politique était accaparé par des dossiers de politique extérieure : la préparation de la présidence de l'Union européenne au premier semestre de l'an 2000, la rétrocession de Macao (enclave sous administration portugaise) à la Chine le 20 décembre 1999 et la tentative de résolution de la question de Timor oriental, ancienne colonie portugaise annexée en 1975 par l'Indonésie sans reconnaissance internationale.

Le scrutin européen a entériné l'équilibre politique existant, la gauche distançant la droite de 13 points. Dans l'opposition, les deux partis de droite ont essayé de ressusciter un mythe des années soixante-dix : l'AD (« alliance démocratique », qui avait marqué le retour de la droite au pouvoir après six ans émaillés de dérives gauchistes). Le Parti social-démocrate (PSD) libéral et le Parti populaire (PP), héritier putatif de la démocratie chrétienne portugaise, ont uni leurs forces au sein d'une coalition, la nouvelle

AD (Alternative démocratique), dans l'espoir de « droitiser » la droite. Ce fut un échec, le Portugal rejettant les outrances politiques de tous bords. En revanche, le recentrage politique amorcé dans les années quatre-vingt faisait craindre un « marasme politique » à des intellectuels d'horizons divers, sans rencontrer beaucoup d'écho. - **Ana Navarro Pedro** ■

Saint-Marin

Une enclave souveraine

Traditionnellement présentée comme la plus ancienne république libre du monde, Saint-Marin est enclavée, au nord-est de l'Italie, entre l'Émilie-Romagne et les Marches. Dotée d'une Constitution dès le XVIIe siècle, le suffrage universel y est appliqué depuis 1906 pour désigner le Grand Conseil général (Parlement, dont le renouvellement a lieu tous les cinq ans). Deux capitaines-régents sont élus tous les six mois par ce Grand Conseil et président le Conseil d'État (exécutif de dix membres). Les trois principales forces politiques sont la démocratie chrétienne (PDCS), les socialistes, et les ex-communistes du Parti progressiste démocratique saint-marinais.

Pleinement souveraine en matière administrative et diplomatique, la république est liée à l'Italie par une union douanière. - **Nicolas Bessarabski** ■

République de Saint-Marin

Capitale : Saint-Marin.
Superficie : 61 km².
Population : 26 000.
Langue : italien.
Monnaie : lire italienne (1 000 lires = 3,39 FF au 30.4.99).
Nature de l'État : république unitaire.
Nature du régime : parlementaire.
Chef de l'État : deux capitaines-régents élus tous les six mois président le Conseil d'État (10 membres), qui assure le gouvernement.

Vatican

Deux gestes controversés

En 1998 a été (discrètement) commémoré le vingtième anniversaire de l'élection de Karol Wojtyla au titre de pape. En vingt ans, Jean-Paul II aura, selon les statistiques officielles de l'administration vaticane, effectué 84 voyages hors d'Italie et 132 dans la péninsule, reçu près de 14 millions de pèlerins à Rome, publié 13 encycliques, proclamé 805 bienheureux et 280 saints, réuni 7 consistoires, nommé 157 cardinaux et publié 13 encycliques. La dernière de celles-ci, *Fides et ratio* (Foi et raison), plaide pour une réconciliation de la foi et de la raison et appelle à la réhabilitation de la quête philosophique, notamment contre le scientisme.

En octobre 1998, deux gestes ont suscité controverse. Tout d'abord, la béatification du cardinal Aloysius Stepinac (1898-1960). Au scandale des organisations juives et orthodoxes, le pape n'a voulu voir dans l'ancien archevêque de Zagreb

État de la cité du Vatican (également appelé Saint-Siège)

Superficie : 0,44 km².
Population : 860.
Langues : italien (off.), latin (pour les actes off.).
Monnaie : lire italienne (1 000 lires = 3,39 FF au 30.4.99).
Statut : État souverain exerçant son autorité sur l'Église catholique.
Chef de l'État : Karol Wojtyla (Jean-Paul II, pape depuis oct. 78)
Pro-secrétaire d'État : Angelo Sodano (depuis déc. 90).

qu'un adversaire du communisme ayant subi la répression de celui-ci, préférant oublier que l'Église croate a, pendant la Seconde Guerre mondiale, fait corps avec le régime croate pronazi et converti de force des orthodoxes. Quelques jours plus tard, Jean-Paul II canonisait Édith Stein, philosophe juive convertie, entrée au Carmel avant de périr à Auschwitz. Il a annoncé vouloir faire du jour anniversaire de sa mort une date de commémoration catholique de la Shoah. Le Centre Simon Wiesenthal a protesté, qualifiant cette intention de tentative de « christianisation de l'Holocauste ».

Outre sa visite en Croatie et un très long voyage dans sa Pologne natale, Jean-Paul II s'est notamment rendu au Mexique et aux États-Unis (janvier 1999) et pour la première fois dans un pays de tradition orthodoxe, la Roumanie (mai 1999).. - **Nicolas Bessarabski** ■

Europe centrale

Hongrie, Pologne, République tchèque, Slovaquie

Hongrie

L'entrée au sein de l'OTAN

Les 10 et 24 mai 1998 se sont tenues les troisièmes élections législatives libres, c'est-à-dire selon les règles d'un pluripartisme démocratique. Le taux de participation a été de 56 % à 57 % pour les deux tours, faible certes à l'échelle des taux habituellement observés en Europe mais du même ordre que celui du second tour des élections nationales précédentes, quatre ans plus tôt. Les scrutins de mai ont, comme en 1994 et en 1990, apporté à la Hongrie une alternance politique complète.

Une coalition hétéroclite de centre droit et de droite ayant remporté la majorité, le gouvernement de Gyula Horn (1994 à 1998) a cédé la place au cabinet constitué par Victor Orban (juriste âgé de 35 ans), leader incontesté de la Fédération des jeunes démocrates/Parti de la bourgeoisie hongroise (FIDESz/MPP), dans lequel le parti agrarien et national-populiste de Jozsef Torgyan (Parti indépendant des petits propriétaires, FKgP) constitue une composante mineure mais exigeante. Sans même compter sur l'extrême droite nationaliste animée par l'écrivain Istvan Csurka, la nouvelle coalition gouvernementale dispose au Parlement d'une confortable majorité (55 % des sièges), mais pas de la majorité qualifiée nécessaire à la modification des lois fondamentales. Le Parti socialiste hongrois (MSzP), présidé depuis l'été 1998 par Laszlo Kovacs, ancien ministre des Affaires étrangères, a en effet conservé une minorité de blocage : plus de 40 % des mandats avec les voix, certes bien moins nombreuses, des libéraux de gauche formant l'Alliance des démocrates libres (SzDSz), partenaire des socialistes dans le gouvernement précédent.

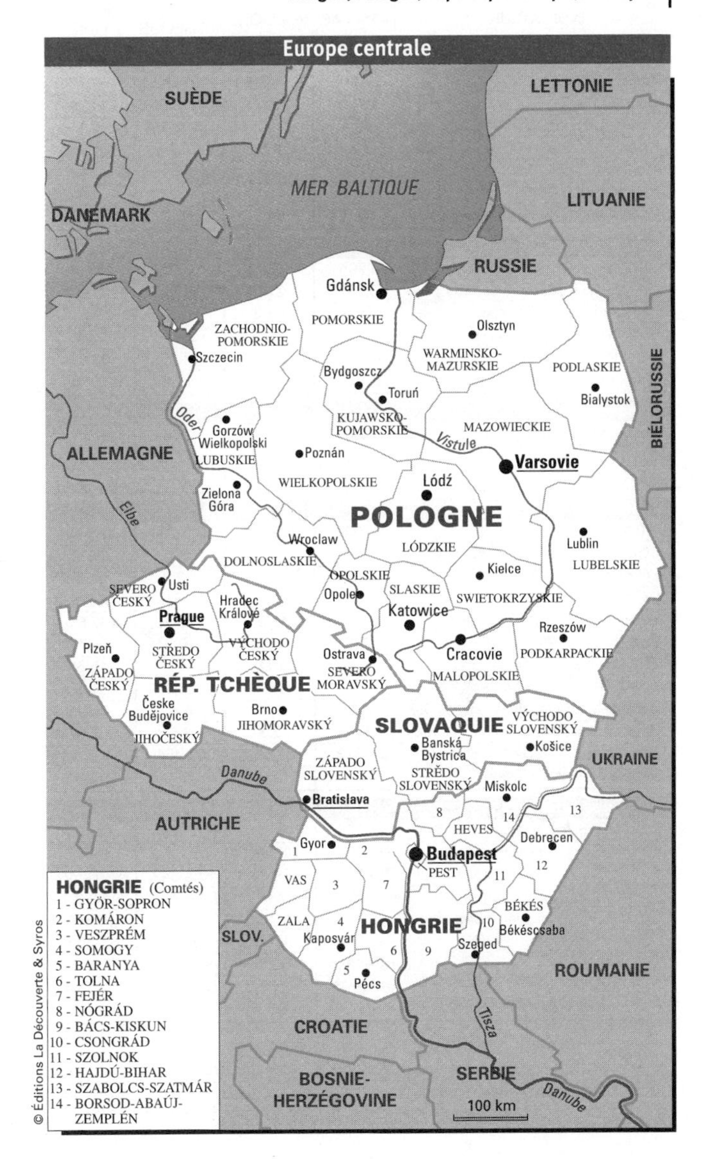
Europe centrale
SUÈDE
LETTONIE
MER BALTIQUE
LITUANIE
DANEMARK
RUSSIE
Gdánsk
POMORSKIE
ZACHODNIO-POMORSKIE
Olsztyn
WARMINSKO-MAZURSKIE
Szczecin
Bydgoszcz
PODLASKIE
Bialystok
Toruń
BIÉLORUSSIE
Oder
KUJAWSKO-POMORSKIE
MAZOWIECKIE
Gorzów Wielkopolski
Vistule
ALLEMAGNE
LUBUSKIE
Poznán
Varsovie
WIELKOPOLSKIE
Lódź
Zielona Góra
Elbe
POLOGNE
Lublin
Wroclaw
LÓDZKIE
DOLNOSLASKIE
Kielce
LUBELSKIE
OPOLSKIE
SEVERO ČESKÝ
Usti
Hradec Králové
Opole
SLASKIE
SWIETOKRZYSKIE
Prague
Katowice
Rzeszów
Plzeň
STŘEDO ČESKÝ
VÝCHODO ČESKÝ
Ostrava
Cracovie
PODKARPACKIE
ZÁPADO ČESKÝ
SEVERO MORAVSKÝ
MALOPOLSKIE
RÉP. TCHÈQUE
Česke Budějovice
Brno
JIHOMORAVSKÝ
SLOVAQUIE
VÝCHODO SLOVENSKÝ
JIHOČESKÝ
Banská Bystrica
Košice
UKRAINE
Danube
ZÁPADO SLOVENSKÝ
STŘEDO SLOVENSKÝ
Miskolc
Bratislava
AUTRICHE
8
14
13
HEVES
Debrecen
Gyor
1
2
Budapest
PEST
12
11
VAS
3
7
BÉKÉS
ZALA
4
HONGRIE
10
Békéscsaba
SLOV.
Kaposvár
Szeged
6
9
5
Pécs
ROUMANIE
Tisza
CROATIE
SERBIE
BOSNIE-HERZÉGOVINE
100 km
Danube
HONGRIE (Comtés)
1 - GYÖR-SOPRON
2 - KOMÁRON
3 - VESZPRÉM
4 - SOMOGY
5 - BARANYA
6 - TOLNA
7 - FEJÉR
8 - NÓGRÁD
9 - BÁCS-KISKUN
10 - CSONGRÁD
11 - SZOLNOK
12 - HAJDÚ-BIHAR
13 - SZABOLCS-SZATMÁR
14 - BORSOD-ABAÚJ-ZEMPLÉN

INDICATEUR	HONGRIE	POLOGNE	RÉP. TCHÈQUE	SLOVAQUIE
Démographie[a]				
Population *(millier)*	10 116	38 718	10 282	5 377
Densité *(hab./km²)*	109,6	127,2	133,0	111,8
Croissance annuelle (1995-2000) *(%)*	– 0,4	0,1	– 0,2	0,1
Indice de fécondité (ISF) (1995-2000)	1,4	1,5	1,2	1,4
Mortalité infantile (1995-2000) *(‰)*	10	15	6	11
Espérance de vie (1995-2000) *(année)*	70,9	72,5	73,9	73,0
Population urbaine *(%)*	66,0	64,8	65,9	60,2
Indicateurs socioculturels				
Développement humain (IDH)[c]	0,795	0,802	0,833	0,813
Nombre de médecins *(‰ hab.)*	3,39[b]	2,35[f]	2,98[f]	3,04[b]
Espérance de scolarisation[b] *(année)*	12,5	13,2	13,1	• •
Scolarisation 3e degré *(%)*	25,1[f]	24,3[f]	22,7[f]	22,1[f]
Adresses Internet[d] *(‰ hab.)*	82,73	28,03	71,80	33,37
Livres publiés *(titre)*	9 193[f]	14 104[f]	10 244[f]	3 800[f]
Armées (effectifs)				
Armée de terre *(millier d'h.)*	23,4	142,5	25,3	23,8
Marine *(millier d'h.)*	0,29	17,1	–	–
Aviation *(millier d'h.)*	11,5	55,3	15	12
Économie				
PIB total (PPA)[c] *(million $)*	73 095	252 121	108 298	42 575
Croissance annuelle 1987-97 *(%)*	– 0,9	2,3	0,4	– 0,2
Croissance 1998 *(%)*	5,0	4,8	– 2,2	4,4
PIB par habitant (PPA)[c] *($)*	7 200	6 520	10 510	7 910
Investissement (FBCF) *(% PIB)*	21,2[e]	18,9[e]	30,6[h]	37,6[h]
Taux d'inflation *(%)*	14,2	11,7	10,7	6,7
Taux de chômage (fin année) *(%)*	7,4	10,8	7,5	15,6[i]
Énergie (taux de couverture)[f] *(%)*	50,4	94,4	78,0	27,6
Dépense publique Éducation *(% PIB)*	4,7[f]	5,2[b]	5,4[f]	4,9[f]
Dépense publique Défense[c] *(% PIB)*	1,4	2,3	2,2	2,1
Dette extérieure totale[c] *(million $)*	24 373	39 890	21 456	9 989
Service de la dette/Export.[e] *(%)*	36,6	8,0	10,2	11,8
Échanges extérieurs				
Importations (douanes) *(million $)*	25 704	48 020	28 920	12 965
Principaux fournisseurs *(%)*	UE 64,0	UE 65,7	UE 63,2	UE 45,6
(%)	RFA 28,2	RFA 26,4	RFA 34,4	Ex-CAEM[k] 47,8
(%)	Ex-CAEM[k] 15,2	Ex-CAEM[k] 13,6	Ex-CAEM[k] 19,7	Asie[j] 3,1
Exportations (douanes) *(million $)*	22 940	26 300	26 337	10 669
Principaux clients *(%)*	UE 72,9	UE 68,2	UE 64,1	UE 46,8
(%)	RFA 36,6	RFA 36,3	RFA 38,6	RFA 25
(%)	Ex-CAEM[k] 16,4	Ex-CAEM[k] 22,4	Ex-CAEM[k] 26,1	Ex-CAEM[k] 46,4
Solde transactions courantes *(% PIB)*	– 4,7	– 3,4	– 1,2	– 10,1

Définition des indicateurs, sigles et abréviations p. 31 et suiv. Chiffres 1998 sauf notes. a. Derniers recensements utilisables : Hongrie, 1990 ; Pologne, 1988 ; République tchèque, 1991 ; Slovaquie, 1991. b. 1995 ; c. 1997 ; d. janv. 1999 ; e. 1995-97 ; f. 1996 ; g. 1998 ; h. 1996-98 ; i. Définition nationale, non harmonisée ; j. Y compris Japon et Moyen-Orient ; k. Y compris républiques de l'ex-Yougoslavie.

Devenu « numéro deux » du gouvernement en obtenant le poste de ministre de l'Agriculture et de l'Aménagement du territoire, J. Torgyan a remisé ses attaques contre le FIDESz en échange de l'engagement qu'il serait pressenti pour être le candidat de la majorité au poste de président de la République lors de la prochaine échéance électorale (printemps 2000).

L'alternance que les législatives de mai 1998 ont imposée contre toute attente témoigne de la bonne santé de la démocratie hongroise ou, plus exactement, du mal qu'ont depuis 1990 toutes les forces politiques arrivées au pouvoir à passer le seuil des élections suivantes.

En politique extérieure, le cap a été maintenu sur trois grandes priorités : l'intégration euro-atlantique, le maintien du bon voisinage avec tous les États environnants, et la défense des communautés magyarophones (au total près de trois millions de personnes) dispersées dans ces mêmes États. La première de ces ambitions a connu quelques légers revers du fait des lenteurs du processus d'élargissement de l'Union européenne, cependant que, sur un autre plan, elle était couronnée de succès avec l'admission de la Hongrie, le 15 mars 1999, au sein de l'OTAN (Organisation du traité de l'Atlantique nord). Ce privilège d'être parmi les tout premiers « reçus » (avec la Pologne et la République tchèque) allait cependant avoir un prix : à peine admise, la Hongrie a dû activement prendre part à la guerre contre la Yougoslavie. Le gouvernement Orban, conforté par un vote quasi unanime du Parlement, s'y est prêté sans états d'âme, mettant à la disposition de l'OTAN les bases aériennes dont elle avait besoin. Il a toutefois essayé de ménager ses rapports avec la Serbie et, plus particulièrement, avec la province la plus proche de celle-ci, la Voïvodine, où résident, mêlés aux Serbes et autres Slaves, 300 000 citoyens yougoslaves de langue magyare.

Le gouvernement Orban a également choisi la continuité dans le domaine économique. Profitant de l'équilibre rétabli en 1995-1996 et tablant sur la poursuite de la forte croissance des deux années suivantes, il n'a envisagé que des rectifications de détail, mise à part sa ferme intention de combattre la corruption et de mettre fin à la gabegie de certains organismes publics ou semi-publics. Ses espérances initiales ont cependant été contrecarrées par trois séries d'événements : la crise financière russe de l'été 1998, avec ses répercussions commerciales ; des inondations exceptionnelles causant de lourds dégâts aux infrastructures et à l'agriculture qui ont bouleversé les calculs budgétaires ; enfin, la guerre en Yougoslavie (printemps 1999) avec ses conséquences sur le budget militaire, les investissements étrangers et le tourisme. Pendant la première moitié de l'année 1999, le déficit du budget central a pris des proportions inquiétantes, tandis que la balance des paiements évoluait dans un sens défavorable.

En politique intérieure, la nouvelle équipe au pouvoir a rompu avec la retenue qui avait caractérisé l'action de la majorité précé-

République de Hongrie

Capitale : Budapest.
Superficie : 93 030 km².
Population : 10 116 000.
Langue : hongrois
Monnaie : forint (au cours officiel, 100 forints = 2,62 FF au 30.4.99).
Nature de l'État : république unitaire.
Nature du régime : démocratie parlementaire.
Chef de l'État : Arpád Gõncz, président de la République (élu par le Parlement le 3.8.90, réélu le 19.6.95).
Premier ministre : Viktor Orbán, qui a succédé le 9.7.98 à Gyula Horn.
Ministre des Finances : Zsigmond Járai.
Ministre des Affaires étrangères : János Mártonyi.
Ministre de l'Intérieur : Sándor Pintér.
Ministre de la Défense : János Szabó.
Échéances électorales : législatives (mai 2002).

dente. A tout propos et dans les domaines les plus variés, elle a déclaré la guerre à ses adversaires réels ou supposés (dénonciation, par exemple, d'un contrat conclu entre la ville de Budapest et l'État pour construire une quatrième ligne de métro, dans le but de mettre en difficulté le populaire maire libéral (SzDSz) de Budapest).

D'aucuns en venaient à penser que les attaques par surprise érigées en méthode de gouvernement ne servaient qu'à cacher l'absence d'une stratégie économique et sociale digne de ce nom. - **Pierre Kende** ■

Pologne

Dissensions dans la coalition

La Pologne, malgré les crises asiatique et russe, est restée parmi les pays émergents prometteurs. Une politique macroéconomique plus restrictive et une discipline budgétaire ont permis la réduction du déficit des finances publiques et une plus juste correspondance entre demande et croissance. L'effet en a été la décélération de cette dernière (4,8 % en 1998, contre 5,6 en 1997). Toutefois, les privatisations ont été menées énergiquement ainsi que les restructurations de secteurs réputés socialement sensibles (mines, sidérurgie, armement...). Leszek Balcerowics, vice-premier ministre et ministre des Finances, a été conforté dans sa politique par l'indicateur du stock d'investissements directs étrangers (IDE). Quasi inexistant en 1989, il dépassait 20 milliards de dollars en 1998, la Pologne devenant ainsi le premier pays hôte d'IDE des PECO (pays d'Europe centrale et orientale).

La vigueur des restructurations a eu pour revers l'extension des mouvements de protestation traduisant une incompréhension des réformes engagées et l'angoisse suscitée par leurs conséquences possibles. En 1998, s'est déroulée en moyenne à Varsovie une manifestation de rue tous les deux jours et demi, tandis que se tenaient 142 réunions publiques, principalement de protestation. La fin de l'année a donné la mesure du phénomène. L'effet d'annonce de plusieurs réformes pour 1999 a beaucoup joué.

Durant tout le mois de décembre, les grèves catégorielles ont touché le secteur minier, celui de la santé et les industries d'armement. D'ici à l'an 2002, les effectifs des mines devraient diminuer de moitié, ce qui supprimerait 105 000 postes. Les industries d'armement qui, à défaut de commandes de l'armée, périclitent, exigent une rapide restructuration et des reconversions. Le train des réformes sociales (retraites, assurances, système de santé, éducation), prévu pour 1999-2000, a surtout provoqué des grèves d'enseignants et de médecins. L'archevêque Henryk Muszynski a publié une déclaration dramatique : « Dans le contexte des réformes sociales mises en œuvre actuellement, tous les groupes devraient être capables de faire des sacrifices et montrer leur aptitude au compromis en faveur du bien commun en tant qu'expression de la solidarité sociale... » Le dernier conflit en date a été animé par un mouvement paysan, Autogestion paysanne, dirigé par Arnold Lepper, populiste de droite et anarcho-syndicaliste. Les paysans ont exprimé violemment leur angoisse face à l'affaissement des marchés de leurs produits (dont la viande), provoqué par l'arrêt des exportations, et par la concurrence, sur le marché russe, des produits de l'Union européenne subventionnés au titre de l'aide alimentaire.

Des deux cohabitations, celle fonctionnant le mieux n'est pas celle à laquelle on pense spontanément. Si quelques anicroches autour du veto présidentiel dont le chef de l'État Aleksander Kwasniewski use de temps en temps ont manifesté l'utilisation à bon escient des ressorts constitutionnels, les disputes internes à la majorité législative sont apparues de très mauvais augure pour la cohabitation entre libéraux et élus « divers droite » soutenant la coalition gouvernementale.

La situation au sein de celle-ci a empiré après les élections locales du 11 octobre 1998 qui ont donné la victoire à l'AWS (Action électorale « Solidarité », 10 613 mandats), suivie de près par son adversaire principal le SLD (alliance des formations de gauche issues de l'ancien régime, 8 840 mandats), tandis que l'UW (Union pour la liberté, 1 146 mandats) s'est retrouvée assez loin derrière. Ces élections ont sanctionné une nouvelle carte administrative (16 grandes régions), en instaurant un nouveau rapport entre les forces politiques locales – les seize voïvodes (préfets) étant de sensibilité AWS et l'UW n'ayant reçu que quelques postes de vice-voïvodes.

L'exécutif a semblé aussi souffrir du dysfonctionnement des coalisés. En mars 1999, le Premier ministre, Jerzy Buzek, comme pour céder aux critiques de l'UW, a avalisé un plan de réduction drastique du personnel de sa chancellerie et procédé à un remaniement ministériel. Le président Aleksander Kwasniewski a considéré ces dissensions avec amusement, l'affaiblissement de la coalition lui ouvrant un espace d'action législatif (en usant de son veto présidentiel), qui ne peut être contré que si une majorité de trois cinquièmes des voix se dégage dans l'hémicycle.

Les négociations en vue de l'adhésion à l'Union européenne ont commencé en mars 1998. L'ampleur de la tâche ne paraissait pas effrayer les Polonais, déterminés à atteindre leur objectif en l'an 2002. L'adhésion à l'OTAN (Organisation du traité de l'Atlantique nord) a satisfait le ministre des Affaires étrangères Bronislaw Geremek : « Pour la Pologne, après les bourrasques de l'histoire des derniers siècles, l'entrée à l'OTAN signifie accoster dans un port de tranquillité. » - **Georges Mink** ■

République de Pologne

Capitale : Varsovie.
Superficie : 312 677 km².
Population : 38 718 000.
Langue : polonais.
Monnaie : zloty (au taux officiel, 1 zloty = 1,53 FF au 31.3.99).
Nature de l'État : république unitaire.
Nature du régime : démocratie parlementaire.
Chef de l'État : Aleksander Kwasniewski, président de la République (élu le 19.11.95).
Premier ministre : Jerzy Buzek (depuis le 17.10.97).
Ministre des Affaires étrangères : Bronislaw Geremek.
Ministre des Finances : Leszek Balcerowicz.
Ministre de l'Intérieur et de l'Administration territoriale : Jerzy Tomaszewski.
Ministre de la Défense : Janusz Onyszkiewicz.

République tchèque

Un gouvernement fragile

La liesse populaire ne devait pas être de la fête lors du dixième anniversaire de la chute de l'ancien régime. De gros nuages, qui n'étaient pas prêts de se disperser, ont noirci l'atmosphère du pays. En 1998, le PIB est tombé à – 2,2 % et on a enregistré les résultats économiques les plus médiocres depuis la naissance de l'État. La dynamique de la croissance du PIB était la pire parmi les pays post-communistes de l'Europe centrale. Le chômage a augmenté de façon spectaculaire et touchait en mars 1999 8,4 % de la population active ; il devrait atteindre 9,5 % à 10 % à la fin de l'année. La production industrielle et les indices d'activité dans le bâtiment continuaient à baisser en février 1999, respectivement de 8,1 % et de 18,7 %, ainsi que la productivité du travail dans ces deux branches. Les analystes parlaient de crise ou de récession

Europe centrale/Bibliographie

BERD, *Transition Report 1997. Enterprise and Growth. Economic Transition in Eastern Europe and the Former Soviet Union,* La Documentation française, Paris, 1998.

C. Delsol, M. Maslowski, *Histoire des idées politiques en Europe centrale,* PUF, Paris, 1998.

P. Gradvohl, I. Szabo, « Les ruptures dans l'histoire de la Hongrie au XXe siècle : la révolution de la continuité » *in Actes du colloque 1988-1998 : dix années de transition en Hongrie* (janv. 1998), CIEH, Paris, 1999.

P. Kende, « Bilan de la transition politique en Hongrie », *La Nouvelle Alternative,* n° 49, Paris, mars 1988.

La Nouvelle Alternative (trimestriel), Paris. Voir notamment les dossiers : « Les minorités nationales en Europe centrale », n° 43, sept. 1996 ; « Les Tchèques et les Slovaques cinq ans après le divorce », n° 48, déc. 1997 ; « L'Union européenne vue d'Europe centrale et orientale », n° 49, mars 1998 ; « Bilan et perspectives de notre espace », nos 51 et 52, sept. et déc. 1998.

Le Courrier des pays de l'Est (périodique, 10 numéros par an), La Documentation française, Paris. Voir notamment « Vers de nouvelles politiques de développement régional en Europe centrale et orientale », n° 432, août-sept. 1998 ; « Les agricultures des PECO face à leur entrée dans l'UE », n° 441, juill.-août 1999 ; « L'Europe centrale et orientale », n° 442, sept. 1999 ; « Europe centrale et orientale, CEI en 1997 : acquis et disparités économiques », n° 428-429, mars-avr.-mai 1998.

É. Lhomel (sous la dir. de), *Europe centrale et orientale : dix ans de transformations,* Les Études de la Documentation française, Paris, 1999.

É. Lhomel, T. Schreiber (sous la dir. de), *L'Europe centrale et orientale. Édition 1999,* Les Études de la Documentation française, Paris, 1999.

L. Lipták, *Petite histoire de la Slovaquie,* Institut d'études slaves, coll. « IRENISE », Paris, 1996.

A. Mares, *Histoire des pays tchèques et slovaques,* Hatier, Paris, 1995.

A. Mares (sous la dir. de), *Histoire et pouvoir en Europe médiane,* L'Harmattan, Paris, 1996.

G. Mink, *Vie et Mort du bloc soviétique,* Casterman, Paris, 1997.

G. Mink, J.-C. Szurek, *La Grande Conversion. Le retour des communistes en Europe centrale,* Seuil, Paris, 1999.

G. Mink, J.-C. Szurek, « L'ancienne élite communiste en Europe centrale : stratégies, ressources et reconstructions identitaires », *Revue française de science politique,* vol. 48/1, Presses de Sciences-Po, Paris, 1998.

M. Molnar, *Histoire de la Hongrie,* Hatier, Paris, 1996.

V. Rey (sous la dir. de), *Les Territoires centre-européens. Dilemmes et défis. L'Europe médiane en question,* La Découverte, coll. « Lectio », Paris, 1998.

O. Urban, *Petite histoire des pays tchèques,* Institut d'études slaves, coll. « IRENISE », Paris, 1996.

pouvant encore s'approfondir. Le rapport du gouvernement social-démocrate sur l'état du pays constatait que, selon les principaux critères économiques, la République se trouvait à peu près ramenée au niveau de l'année 1990...

Bien entendu, le grand sujet du débat public a été de désigner les « coupables » de cet état de choses et les affrontements à ce propos n'ont pas contribué à la stabilité politique, pourtant si nécessaire. Le pays avait un gouvernement fragile, car minoritaire, constitué par le vainqueur des législatives anticipées de juin 1998, le Parti social-démocrate tchèque (CSSD), et grâce à un « accord d'opposition » conclu entre les sociaux-démocrates et le Parti démocratique civique (ODS), au pouvoir jusqu'en 1997 et vaincu de peu lors des dernières législatives. Cet « accord » qui a pu paraître « bizarre » pouvait être rompu chaque jour et un gouvernement majoritaire issu de la coalition de plusieurs partis représentés au Parlement, avec ou sans les sociaux-démocrates, pouvait voir le jour. Une seule chose semblait sûre : toute coalition à venir excluait la collaboration avec le Parti communiste de Bohême et de Moravie (KSCM), pas assez enclin à prendre les distances nécessaires vis-à-vis de l'ancien régime communiste.

Les nuages se sont encore assombris sous l'impact de la conjoncture internationale. Le pays, sans référendum, a adhéré à l'OTAN (Organisation du traité de l'Atlantique nord), où il a été admis le 12 mars 1999, peu avant le début des bombardements sur la République fédérale de Yougoslavie. Le gouvernement a choisi un soutien assez tiède à cette opération, permettant toutefois le survol du territoire et le passage des convois militaires ; le chef de l'ODS et président de l'Assemblée nationale, Václav Klaus, s'y était nettement opposé ; 56 % de la population se déclarait contre cette forme d'intervention à la mi-avril 1999. Le nombre d'opposants à l'adhésion à l'OTAN n'a cessé d'augmenter. Publiquement, le gouvernement avait refusé toute participation à une éventuelle intervention terrestre. L'allié le plus ardent de l'OTAN s'est révélé être le président Václav Havel. La nouvelle guerre des Balkans a affecté les relations économiques extérieures, entre autres le tourisme, dont l'apport a représenté environ 7 % du PIB en 1998. - **Karel Bartošek** ■

République tchèque

Capitale : Prague.
Superficie : 78 864 km².
Population : 10 282 000.
Langues : tchèque, slovaque, allemand, rom.
Monnaie : couronne tchèque (au cours officiel, 100 couronnes tchèques = 17,0 FF au 31.5.99).
Nature de l'État : république unitaire.
Nature du régime : démocratie parlementaire.
Chef de l'État : Václav Havel (depuis le 2.2.93).
Chef du gouvernement : Milŏs Zeman, qui a succédé le 22.7.98 à Josef Tošovský.
Vice-premier ministre : Pavel Rychetský.
Ministre des Affaires étrangères : Jan Kavan.
Ministre de l'Intérieur : Václav Grulich.
Ministre des Finances : Ivo Svoboda.

Slovaquie

Gouvernement de coalition

L'année 1998 a été marquée par les élections. Après l'expiration du mandat présidentiel, le 2 mars 1998, le Parlement n'a pas réussi, malgré huit tentatives, à élire un nouveau président de la République.

La tension sociale s'est accentuée (malgré la croissance du PIB de 4,4 %), surtout à cause de la stagnation des salaires et de la crise dans la santé et l'enseignement. Le taux de chômage atteignait 14 % fin 1998. Accusé de clientélisme, de corruption et de malversations lors des privatisations, le gouvernement de Vladimir Mečiar a fait adopter une loi électorale désavantageuse pour l'opposition. Cette dernière a réagi en créant la Coalition démocratique slovaque (CDS) allant de la droite à la social-démocratie ; les trois partis hongrois ont constitué le Parti de la coalition hongroise (PCH). Rudolf Schuster, le maire populaire de Kosice, a fondé le Parti de la compréhension civique (PCC). V. Meciar a essayé de sauver sa position par un référendum sur l'interdiction de la pri-

République slovaque

Capitale : Bratislava.
Superficie : 49 016 km².
Population : 5 377 000.
Langues : slovaque, hongrois, tchèque, ukrainien, ruthène, rom.
Monnaie : couronne slovaque (au cours officiel, 100 couronnes slovaques = 14,6 FF au 30.4.99).
Nature de l'État : république unitaire.
Nature du régime : démocratie parlementaire.
Chef de l'État : Rudolf Schuster, qui a succédé en mai 99 à Vladimir Mečiar.
Chef du gouvernement : Mikuláš Dzurinda, qui a remplacé Vladimir Mečiar le 30.10.98.
Ministre de l'Intérieur : Ladislav Pitner.
Ministre de la Défense : Pavol Kanis.
Ministre des Affaires étrangères : Eduard Kukan.

vatisation des entreprises et des banques d'importance stratégique, qui, n'ayant attiré que 44,06 % des électeurs, n'a pas été validé.

A l'issue des législatives du 26 septembre 1998, le Mouvement pour une Slovaquie démocratique (HZDS) de V. Meciar est resté le parti le plus puissant avec 27 % des voix, mais ses alliés, les nationalistes du Parti national slovaque, n'ont obtenu que 9,07 % des voix, et l'Union des travailleurs slovaques n'a même pas réussi à entrer au Parlement. Par ailleurs, la CDS a obtenu 26,33 % des suffrages, le Parti de la gauche démocratique (PGD) 14,66 %, le PCH 9,12 %, et le PCC 8,01 %.

Le 30 octobre se constituait un nouveau gouvernement de coalition derrière Mikuláš Dzurinda de la CDS, avec des ministres de la coalition hongroise, du PGD et du PCC. Disposant d'une majorité constitutionnelle de 93 députés sur 150, il a fait passer la loi sur l'élection au suffrage universel du président de la République, poste auquel R. Schuster a été élu en mai 1999. Le gouvernement a décidé la révision des privatisations en cas de violation de la loi, supprimé les pratiques anti démocratiques dans le contrôle des médias et des commissions parlementaires et aboli des mesures discriminatoires envers les minorités. Il a renoué le dialogue avec la Hongrie et la République tchèque et renouvelé énergiquement les démarches visant à l'intégration à l'Union européenne et à l'OTAN. - **Lubomír Lipták** ■

Balkans

Albanie, Bosnie-Herzégovine, Bulgarie, Croatie, Macédoine, Roumanie, Slovénie, Yougoslavie

Albanie

Pas de reprise en vue

Un premier essai de réconciliation entre les deux partis, dont la lutte domine la vie politique depuis 1991 (Parti socialiste – PS –, au pouvoir depuis 1997, Parti démocratique – PD), a eu lieu en mars 1998 en réaction à la crise au Kosovo (qui était peuplé à plus de 80 % d'Albanais jusqu'au printemps 1999). Il a pris fin en juillet suivant, lorsque le PD s'est retiré du Parlement. Une nouvelle crise a éclaté après l'assassinat d'Azem Hajdari, député PD, le 12 septembre 1998, suivi d'une tentative de coup d'État menée par son parti deux jours plus tard. Démissionnaire, Fatos Nano (PS) a été remplacé au poste de Premier ministre par Pandeli Majko (PS) le 29 septembre. La Constitution (la première depuis la fin du communisme en 1991) a été adoptée par référendum le 22 novembre, sans toutefois être reconnue par le PD qui avait appelé au boycottage. Au printemps 1999, l'intervention militaire de l'OTAN (Organisation du traité de l'Atlantique nord) en Yougoslavie a provoqué une nouvelle tentative d'union nationale, freinée par les divisions internes des deux partis.

Sur le plan économique, le départ des investisseurs étrangers depuis la crise financière et politique de 1997 et les incertitudes pesant sur les privatisations comme sur la stabilité de la région ont empêché toute reprise. Le pays vit en grande partie de l'émigration (15 % de la population résidait temporairement à l'étranger en novembre 1998, le chiffre augmentant en été), dont les revenus ne sont pas investis mais utilisés pour payer les importations (alimentation, construction). Dès avril 1999, les autorités et la population attendaient une aide financière massive de l'étranger en compensation de l'accueil des réfugiés kosovars, mais les tendances inflationnistes s'accentuaient.

La préoccupation majeure de la population est demeurée la survie quotidienne, et les réactions face à la situation politique nationale et internationale ont été limitées. L'arrivée massive de réfugiés du Kosovo (444 000 début juin 1999, à la fin de la

République d'Albanie

Capitale : Tirana.
Superficie : 28 748 km².
Population : 3 119 000.
Langues : albanais, grec.
Monnaie : lek (au cours officiel, 100 leks = 4,17 FF au 30.4.99).
Nature de l'État : république unitaire.
Nature du régime : parlementaire.
Chef de l'État : Rexhep Mejdani (depuis le 24.7.97).
Chef du gouvernement : Pandeli Majko, qui a remplacé le 29.9.98 Fatos Nano (démissionnaire).
Vice-président du Conseil des ministres : Ilir Meta (depuis le 2.10.98).
Ministre de l'Intérieur : Spartak Poci (depuis le 21.3.99).

guerre) a pourtant posé des problèmes croissants de logement, d'approvisionnement et de sécurité, que l'aide internationale n'a pas suffi à résoudre, en partie à cause de la corruption généralisée. Certaines régions du pays (Nord, Sud-Ouest) restent aux mains de mafias et de bandes armées qui freinent toute intervention de l'État et des organismes internationaux. L'insécurité, l'absence de reprise économique, la méfiance à l'égard de la classe politique et le niveau d'émigration élevé freinent le développement d'une société civile capable de relayer l'action de l'État.

La politique de conciliation avec la Yougoslavie (rencontre Nano-Milosevic en novembre 1997) et avec la Macédoine, qui écartait toute revendication irrédentiste en faveur des communautés albanaises des pays voisins, a été progressivement abandonnée à partir de mars 1998 lors du déclenchement des hostilités au Kosovo entre forces serbes et Armée de libération du Kosovo (UCK). Lors de l'intervention militaire de l'OTAN, au printemps 1999, l'Albanie s'est rangée au côté de l'organisation atlantique, ouvrant son territoire aux forces alliées. Elle espérait en retour une rapide intégration à l'Alliance et aux structures européennes. Les relations avec la Grèce sont apparues bonnes (ouverture du consulat grec de Korçë en août 1998, du consulat albanais de Thessalonique en mai 1999), celles avec l'Italie restant marquées par les reproches du gouvernement italien face à l'incapacité de Tirana à mettre fin au trafic de réfugiés à travers l'Adriatique. - **Gilles de Rapper** ■

Bosnie-Herzégovine

L'impossible reconstruction

Deux ans après la signature des accords de Dayton (14 décembre 1995), l'année 1998 avait semblé annoncer enfin un épuisement des logiques nationalistes. En janvier 1998, fort des nouveaux pouvoirs que lui avait conférés la conférence de Bonn (décembre 1997), le haut représentant de l'ONU Carlos Westendorp a tranché plusieurs questions en suspens (adoption des lois sur la citoyenneté et la monnaie, introduction de plaques d'immatriculation et de passeports communs, choix du nouveau drapeau bosniaque), surmontant ainsi la paralysie des institutions communes. Au même moment, la crise politique ouverte en juillet 1997 en République serbe (de Bosnie) aboutissait à l'élection du social-démocrate Milorad Dodik comme nouveau Premier ministre, le Parti démocratique serbe (SDS) perdant ainsi le contrôle du pouvoir exécutif dans cette zone. M. Dodik s'empressa alors de briser l'isolement de la République serbe et d'obtenir des aides économiques substantielles. Dans les deux cas, toutefois, les espoirs apparus en début d'année se sont vite évanouis.

Le renforcement de l'autorité du haut représentant et des organisations internationales présentes en Bosnie-Herzégovine a transformé celle-ci en véritable protectorat, comme l'ont montré l'imposition de diverses mesures institutionnelles et législatives (constitution des conseils municipaux, adoption de lois sur la propriété immobilière et la privatisation), l'établissement d'un contrôle étroit sur les médias, ou encore l'application de sanctions financières contre les municipalités récalcitrantes. Toutefois, la politique de la carotte et du bâton n'a pas suffi à faire de l'année 1998 celle du retour des réfugiés : le nombre de « retours minoritaires » n'a été que de 14 500 dans la Fédération croato-musulmane et de 2 000 en République serbe (sur 2 100 000 personnes déplacées entre 1992 et 1995). De même, sur le plan économique, l'aide internationale (1,25 milliard de dollars en 1998) n'a pas permis de réduire les écarts entre les deux entités (salaire mensuel moyen en 1998 : 300 marks allemands dans la Fédération et 130 en République serbe)

Albanie, Bosnie-Herzégovine, Bulgarie, Croatie, Macédoine, Roumanie, Slovénie, Yougoslavie

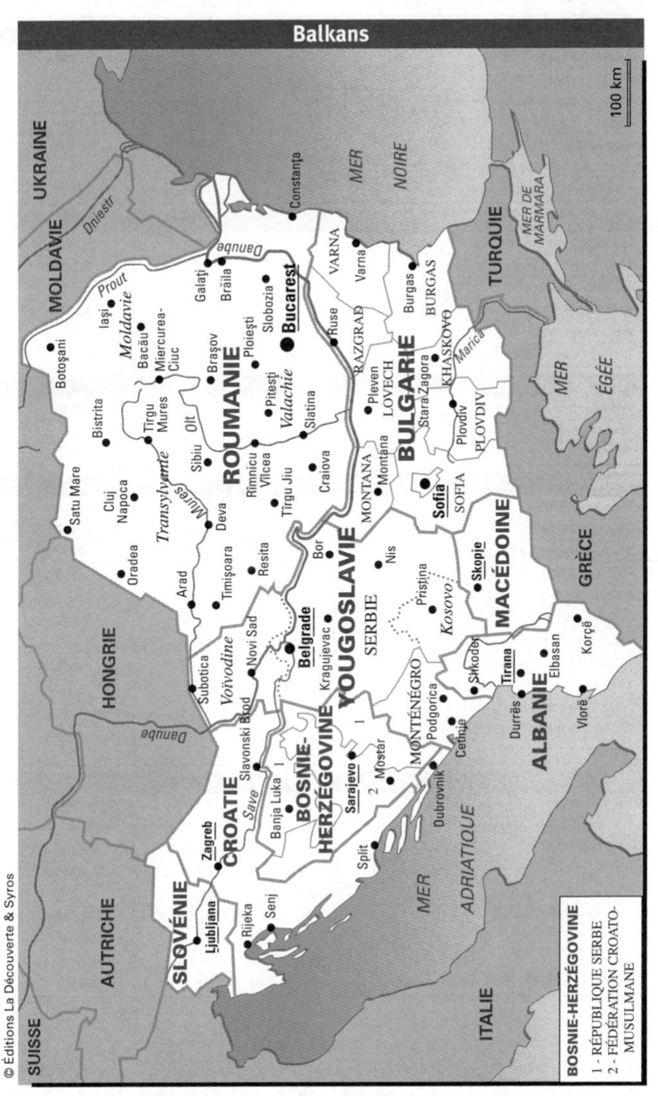

INDICATEUR	ALBANIE	BOSNIE-HERZÉGOVINE	BULGARIE
Démographie[a]			
Population *(millier)*	3 119	3 675	8 336
Densité *(hab./km²)*	113,8	71,9	75,4
Croissance annuelle (1995-2000) *(%)*	– 0,4	3,0	– 0,7
Indice de fécondité (ISF) (1995-2000)	2,5	1,3	1,2
Mortalité infantile (1995-2000) *(‰)*	30	15	17
Espérance de vie (1995-2000) *(année)*	72,8	73,3	71,1
Population urbaine *(%)*	38,3	42,3	69,4
Indicateurs socioculturels			
Développement humain (IDH)[c]	0,699	• •	0,758
Nombre de médecins *(‰ hab.)*	1,41[b]	0,89[b]	3,54[f]
Espérance de scolarisation[b] *(année)*	• •	• •	12,2
Scolarisation 3e degré *(%)*	11,1[f]	• •	41,2[f]
Adresses Internet[d] *(‰ hab.)*	0,33	1,01	8,94
Livres publiés *(titre)*	• •	1 008[j]	4 848[f]
Armées (effectifs)			
Armée de terre *(millier d'h.)*	[m]	40	50,4
Marine *(millier d'h.)*	2,5	• •	6,1
Aviation *(millier d'h.)*	0,6	–	19,3
Économie			
PIB total (PPA)[c] *(million $)*	7 046	4 410	33 303
Croissance annuelle 1987-97 *(%)*	– 1,5	• •	– 4,3
Croissance 1998 *(%)*	8,0	• •	4,0
PIB par habitant (PPA)[c] *($)*	2 120	1 690	4 010
Investissement (FBCF) *(% PIB)*	• •	• •	13,4[e]
Taux d'inflation *(%)*	20,7	3,6	22,3
Taux de chômage (fin année) *(%)*	17,6[l]	38,3[l]	12,2[l]
Énergie (taux de couverture)[f] *(%)*	• •	35,8	45,8
Dépense publique Éducation *(% PIB)*	3,1[i]	• •	3,1[f]
Dépense publique Défense[c] *(% PIB)*	6,7	5,0	3,4
Dette extérieure totale[c] *(million $)*	706	• •	9 858
Service de la dette/Export.[e] *(%)*	3,8	• •	16,7
Échanges extérieurs			
Importations (douanes) *(million $)*	780	2 573	4 980
Principaux fournisseurs[c] *(%)*	UE 83,7	UE 39,6	UE 41,9
(%)	Ita 41,6	E-U 4,8	Ex-CAEM[p] 43,5
(%)	PED 14,7	Ex-CAEM[p] 52,5	Asie[o] 6,2
Exportations (douanes) *(million $)*	190	817	4 275
Principaux clients[c] *(%)*	UE 87,9	Ex-CAEM[p] 46,1	Ex-CAEM[p] 28
(%)	Ita 52	UE 45	UE 45
(%)	PED 10,6	M-O 4,8	Asie[o] 8,4
Solde transactions courantes *(% PIB)*	– 2,4	• •	– 1,0

Définition des indicateurs, sigles et abréviations p. 31 et suiv. Chiffres 1998 sauf notes. a. Derniers recensements utilisables : Albanie, 1989 ; Bosnie-Herzégovine, 1991 ; Bulgarie, 1992 ; Croatie, 1991 ; Macédoine, 1994 ; Roumanie, 1992 ; Slovénie, 1991 ; Yougoslavie, 1991. b. 1995 ; c. 1997 ; d. janv. 1999 ; e. 1995-97 ; f. 1996 ;

CROATIE	MACÉDOINE	ROUMANIE	SLOVÉNIE	YOUGO-SLAVIE
4 481	1 999	22 474	1 993	10 635
80,1	78,6	97,6	99,1	104,3
– 0,1	0,6	– 0,4	– 0,0	0,1
1,6	2,1	1,2	1,3	1,8
10	23	23	7	18
72,6	73,1	69,9	74,4	72,8
56,9	61,1	57,3	52,1	58,6
0,773	0,746	0,752	0,845	••
2,12[f]	2,30[b]	1,81[f]	2,14[f]	2,02[b]
11,6	10,3	11,4	••	••
27,9[f]	18,1[f]	22,5[f]	36,4[f]	22,5[f]
15,37	2,57	7,43	89,51	6,35
1 718[f]	892[f]	7 199[f]	3 441[f]	5 367[f]
50	20	111,3	9,55	90
3	••	22,1	••	7,5
3,18	••	46,3	••	16,7
22 797[f]	6 407	97 102	23 444	24 300
– 2,9	– 3,7	– 2,8	– 0,7	– 6,7
2,4	5,0	– 5,5	3,9	2,6
4 780[f]	3 210	4 310	11 800	2 280
14,2[h]	16,7[e]	21,2[e]	22,5[e]	12
5,7	0,6	59,2	7,9	30,4
18,6[l]	44[l]	10,3[l]	14,6[l]	27,2[l]
57,8	69,5[bk]	68,3	44,8	76,2
5,3[b]	5,6[f]	3,6[f]	5,8[b]	••
5,7	10,2	2,3	1,7	7,8
6 842	1 543	10 442	4 180	5 107
7,0	5,1	12,8	••	••
8 384	1 912	11 821	10 098	4 848
UE 59,4	UE 41,5	UE 41,9	UE 67,4	••
Asie[o] 8,3	E-U 2	Asie[o] 6,2	Asie[o] 6,7	••
Ex-CAEM[p] 22,8	Ex-CAEM[p] 41,8	Ex-CAEM[p] 43,5	Ex-CAEM[p] 17,1	••
4 546	1 310	8 300	9 048	2 858[n]
Ex-CAEM[p] 38,1	Ex-CAEM[p] 34,6	Ex-CAEM[p] 14	Ex-CAEM[p] 28	••
UE 51,3	UE 43,1	UE 56,6	UE 63,6	••
RFA 17,9	Asie[o] 5,6	Asie[o] 15,2	RFA 29,4	••
– 5,4	– 6,3	– 6,8	– 0,02	••

g. 1996-97; h. 1994-96; i. 1994; j. 1989; k. Chiffres des Nations unies; l. Définition nationale, non harmonisée; m. En voie de restructuration à la suite des événements de 1997; n. Estimations ONU; o. Y compris Japon et Moyen-Orient; p. Y compris républiques de l'ex-Yougoslavie.

ni de réduire de façon significative un chômage endémique (taux de chômage en 1998 : 50 % dans la Fédération et 60 % en République serbe).

Surtout, malgré d'énormes moyens, les acteurs internationaux ne sont pas parvenus à atténuer les peurs et les clivages qui empêchent une véritable réintégration politique et humaine de la Bosnie-Herzégovine. Cet échec s'est reflété lors des élections générales organisées les 12 et 13 septembre 1998, marquées par une nouvelle victoire des partis nationalistes. Dans la Fédération croato-musulmane, ceux-ci ont obtenu 69 % des voix (49 % pour la coalition musulmane conduite par le Parti de l'action démocratique – SDA, 20 % pour la Communauté démocratique – HDZ). En République serbe, les modérés de la coalition Sloga (« Entente ») ont recueilli moins de voix (31 %) que les ultranationalistes du SDS et du Parti radical serbe – SRS (35 %). Le radical Nikola Poplasen est parvenu à évincer la nationaliste modérée Biljana Plavsic de la présidence de la République.

Alors que les relations croato-musulmanes restaient au point mort (comme l'a montré en novembre 1998 le rejet par le SDA d'un accord sur les relations spéciales entre la Croatie et la Fédération), la crise politique a rebondi en République serbe. Le conflit opposant N. Poplasen à M. Dodik et l'absence de vraie majorité parlementaire ont entraîné une nouvelle paralysie des institutions.

Le 5 mars 1999, le haut représentant annonçait la destitution de N. Poplasen. Mais, le même jour, la décision prise par l'arbitre international Robert Owen de transformer la ville de Brcko en « district » cogéré par les deux entités provoquait la démission de M. Dodik et l'éclatement de la coalition Sloga. Les contradictions inhérentes aux accords de Dayton, un moment dissimulées par le volontarisme de C. Westendorp, resurgissaient ainsi au grand jour.

Dans les semaines suivantes, les bombardements de l'OTAN (Organisation du traité de l'Atlantique nord) contre la République fédérale de Yougoslavie entraînaient un nouvel affaiblissement des forces politiques modérées en République serbe, un net regain de tension entre les deux entités constitutives de la Bosnie-Herzégovine, et un afflux supplémentaire de réfugiés (20 000 Albanais du Kosovo et 30 000 Musulmans du Sandjak dans la Fédération, 30 000 Serbes en République serbe) dans un pays déjà dépassé par ses propres problèmes. - **Xavier Bougarel** ■

Bosnie-Herzégovine

Capitale : Sarajevo.
Superficie : 51 129 km².
Population : 3 675 000.
Langues : bosniaque, serbe et croate (une même langue).
Monnaie : Deutsche Mark convertible (KM) (au cours officiel, 1 Deutsche Mark = 3,35 FF au 7.6.99).
Nature de l'État : la Bosnie-Herzégovine a été partagée en deux entités confédérées, la Fédération croato-musulmane et la République serbe, par les accords de Dayton signés le 14.12.95.
Nature du régime : constitutionnel, sous tutelle du haut représentant des Nations unies.
Chefs de l'État : la Bosnie-Herzégovine a une présidence collégiale tricéphale (Alija Izetbegovic, Zivko Radisic et Ante Jelavic, élus en septembre 1998). Depuis septembre 1998, la Fédération est présidée par Ivo Andric Luzanski, et la République serbe par Nikola Poplasen (suspendu de ses fonctions en mars 1999).
Premiers ministres : Boro Bosic et Haris Silajdzic (depuis déc. 96) et, respectivement pour la Fédération croato-musulmane et pour la République serbe, Edhem Bicakcic (depuis oct. 96) et Milorad Dodik (depuis janv. 98, en instance de remplacement).
Contestations territoriales : la décision internationale de transformer la ville de Brcko en « district » cogéré par les deux entités (mars 1999) est contestée par la République serbe.

Bulgarie

Politique d'intégration aux structures européennes

Le directoire monétaire mis en place sous l'égide du FMI en juillet 1997 a permis un retour aux grands équilibres économiques. L'inflation s'est stabilisée (22,3 % en 1998) et la croissance est redevenue positive pour la première fois depuis 1995 (3,5 %). Cependant, les privatisations n'ont pas connu l'accélération promise et les entreprises d'État sont demeurées lourdement endettées. Les investissements étrangers ont plafonné à 526 millions de dollars, très en deçà du milliard escompté. En septembre 1998, le FMI a néanmoins confirmé son soutien au gouvernement d'Ivan Kostov (au pouvoir depuis mai 1997) en signant un accord *stand-by* sur trois ans, qui prévoyait la fermeture de vingt conglomérats déficitaires d'ici la fin juin 1999 et l'octroi de 840 millions de dollars.

La vie politique a été dominée par une intense activité législative avec l'adoption de lois sur l'administration, le découpage territorial, le pouvoir judiciaire, les médias et les impôts. En dépit de l'avancement des réformes structurelles, le climat politique a été assombri par la multiplication des affaires de corruption et la dénonciation des pratiques clientélistes de la majorité. Celle-ci n'en a pas moins confirmé la consolidation de l'UFD (Union des forces démocratiques) sous la direction de I. Kostov lors de la conférence nationale des 17-18 octobre 1998. De son côté, l'opposition a commencé à s'organiser en vue des élections locales fixées à l'automne 1999 : ainsi, le 29 novembre 1998, s'est tenu le congrès fondateur de l'Alliance libérale démocratique (ALD), regroupement placé sous l'égide de l'ancien président Jelio Jelev, auquel s'est associé le Mouvement des droits et libertés (MDL, parti de la minorité turque).

La Bulgarie a poursuivi sa politique d'intégration aux structures européennes en devenant membre de l'Accord de libre-échange centre-européen (CEFTA) le 17 juillet 1998 et en ratifiant la convention européenne sur les droits des minorités le 18 février 1999. Face à la crise au Kosovo, Sofia a défini dès mars 1998 une ligne de conduite mêlant soutien aux initiatives de la communauté internationale et efforts de concertation balkanique. Elle s'y est tenue pendant les bombardements de l'OTAN (Organisation du traité de l'Atlantique nord) en Yougoslavie (mars-juin 1999), en dépit d'une opinion publique fortement hostile à l'intervention occidentale, se joignant à l'embargo pétrolier contre Belgrade, le 22 avril 1999, et autorisant les avions de l'OTAN à survoler son espace aérien le 4 mai. Sur la scène régionale, la politique de bon voisinage a débouché sur la signature, le 26 septembre 1998, à Skopje, d'un accord sur la création de forces de déploiement rapide balkaniques, basées à Plovdiv. Le 22 février 1999, la Bulgarie et la Macédoine ont mis un terme au litige linguistique qui les divisait depuis 1992, Sofia reconnaissant *de facto* la langue macédonienne. Enfin, la signature,

République de Bulgarie

Capitale : Sofia.
Superficie : 110 912 km^2.
Population : 8 336 000.
Langues : bulgare (off.), turc.
Monnaie : lev (au cours officiel, 1 000 levs = 3,35 FF au 30.4.99).
Nature de l'État : république unitaire.
Nature du régime : parlementaire.
Chef de l'État : Petar Stoïanov, président de la République (depuis le 22.1.97).
Chef du gouvernement : Ivan Kostov (depuis le 22.5.97).
Ministre des Affaires étrangères : Nadejda Mihaïlova (depuis le 22.5.97).
Ministre de la Défense : Georgui Ananiev (depuis le 12.2.97).
Ministre de l'Intérieur : Bogomil Bonev (depuis le 12.2.97).
Échéances institutionnelles : élections locales (aut. 99).

en novembre 1998, d'un accord d'exportation d'électricité bulgare et la création, le 1er janvier 1999, d'une zone de libre-échange entre Sofia et Ankara ont confirmé la qualité des relations avec la Turquie. - **Nadège Ragaru** ■

Croatie

Préparation des législatives et crise du pouvoir

La vie politique croate s'est structurée, après juillet 1998, sur la préparation des élections législatives prévues au plus tard en janvier 2000. Le recul prévisible du parti du président Franjo Tudjman, le HDZ (Communauté démocratique croate), l'a incité à préconiser un système proportionnel pour rendre difficile une coalition de l'opposition. Pourtant, début septembre 1998, les six principaux partis de l'opposition parlementaire ont conclu un accord de coopération, dont les chevilles ouvrières étaient Ivica Racan, pour le SDP (sociaux-démocrates, issus de la Ligue communiste) et les deux partis libéraux, Drazen Budisa pour le HSLS (libéral-social) et Vlado Gotovac pour le Parti « libéral », auxquels se sont joints le Parti paysan démocrate-chrétien, le Parti paysan et le Parti autonomiste de l'Istrie, excluant seulement trois petits partis d'extrême droite. Début décembre, le président entamait une série de consultations avec l'ensemble des leaders politiques, n'excluant pas une future coalition entre le HDZ et le HSLS, à la différence de D. Budisa.

Le HDZ a en effet connu une crise au mois d'octobre : le ministre de la Défense, Andrija Hebrang, nommé en mai 1998, et le secrétaire général de la Présidence, Hrvoje Sarinic, ont démissionné, le premier pour protester contre le refus du président de destituer plusieurs directeurs de l'administration de son ministère, le second prétextant des activités des services secrets non conformes à la légalité et au respect de l'opposition politique. Les leaders parlementaires de cette dernière ont fait démissionner leurs députés de leurs postes de responsabilité au Parlement, espérant hâter les élections législatives. Un voyage de Madeleine Albright, secrétaire d'État américaine, en septembre 1998, qui a critiqué la législation sur la presse, le retour trop lent des réfugiés serbes et la politique croate en Bosnie, a achevé de polariser le débat.

La croissance a été de 2,4 % en 1998, mais le rapport de Marko Škreb, directeur de la Banque de Croatie, qui est paru en mai 1999, prévoyait une récession pour 1999. La réalisation du grand programme de construction du réseau routier a commencé à l'automne 1998 à la frontière slovène. Le président Franjo Tudjman a continué une vaste tournée des pays de l'Europe de l'Est (Russie) et du sud-est de l'Europe (Grèce, Turquie). Les officiels croates ont noué des contacts avec la Slovaquie, la Hongrie, sans négliger la Bavière, le Bade-Wurtemberg, et Israël, avec lequel le nouveau ministre de la Défense, Pavao Miljavac, a conclu un accord de coopération militaire pour la rénovation de l'aviation. Il est vrai que l'ouverture

République de Croatie

Capitale : Zagreb.
Superficie : 56 538 km².
Population : 4 481 000.
Langues : croate (off.), serbe, italien, hongrois.
Monnaie : kuna (au cours officiel, 1 kuna = 0,86 FF au 30.4.99).
Nature de l'État : république unitaire.
Nature du régime : présidentiel.
Chef de l'État : Franjo Tudjman, président de la République (depuis la proclamation de l'indépendance le 25.6.91, réélu le 15.6.97).
Premier ministre : Zlatko Matesa (depuis le 30.11.95).
Ministre de la Défense : Pavao Miljavac (depuis oct. 98).
Ministre des Affaires étrangères : Mate Granič (depuis mai 90).

prévue du procès de Dinko Sakic (commandant du camp de concentration de Jasenovac en 1942-1944), le 4 mars 1999, qui a dû être retardée jusqu'au 15 mars, a facilité ce rapprochement, que n'avait pas compromis la béatification du cardinal Stepinac par le pape, le 4 octobre 1998. Le comportement de l'ancien archevêque de Zagreb (1937-1960) en 1941-1945 est resté très controversé : beaucoup de Croates le considèrent comme un héros ou un saint, tandis que la plupart des Serbes le tiennent pour un complice du régime oustachi (pro-nazi).

La Croatie a pris parti en faveur de l'intervention de l'OTAN (Organisation du traité de l'Atlantique nord) en Yougoslavie, au printemps 1999, ouvrant même son espace aérien aux missions de l'opération *Force alliée*. Le 2 avril, Mate Granic, ministre des Affaires étrangères, a pu annoncer la fin de l'embargo américain sur les armes à destination de la Croatie. Un sondage publié le 24 avril révélait que 82 % des Croates étaient favorables à l'intervention. - **Joseph Krulic** ■

Macédoine

Base arrière pour l'OTAN

En 1998, la Macédoine a vécu dans l'ombre menaçante du conflit du Kosovo, qui, selon certains, risquait de la déstabiliser. Cet argument a servi à légitimer la politique des grandes puissances consistant à refuser l'indépendance au Kosovo et à imposer la restauration de son autonomie à la Serbie. En fait, le risque de déstabilisation venait plutôt de l'incapacité du gouvernement macédonien à assainir ses relations avec la communauté albanaise (23 % de la population au recensement de 1994), majoritaire dans l'Ouest.

Au pouvoir depuis l'indépendance (1991), le SDSM (Alliance social-démocrate de Macédoine, post-communiste) est apparu usé, miné par la corruption. Aux élections législatives (18 octobre et 1er novembre 1998), il a été nettement battu par la coalition du VMRO-DPMNE (Organisation révolutionnaire intérieure macédonienne – Parti démocratique pour l'unité nationale macédonienne) et de l'Alternative démocratique (DA). Le chef de la première, Ljubco Georgievski, est devenu Premier ministre ; celui de la seconde, Vasil Tupurkovski, qui fut membre de la dernière présidence collégiale de l'ex-Yougoslavie, pourrait briguer la présidence de la République en octobre 1999. Le nouveau gouvernement, bien que nationaliste, a donné à la communauté albanaise deux signes d'apaisement, en associant à sa majorité parlementaire le Parti démocratique des Albanais (PDA) et en amnistiant les détenus politiques. Début 1999 l'intervention militaire de l'OTAN concernant le Kosovo allait faire de la Macédoine une base arrière et la contraindre à accueillir près de 300 000 Albanais expulsés du Kosovo entre fin mars et début juin. Cette situation a engendré des

République de Macédoine

Capitale : Skopje.
Superficie : 25 713 km^2.
Population : 1 999 000.
Langues : macédonien (off.), albanais, serbe, turc, valaque, rom.
Monnaie : denar (au cours officiel, 1 denar = 0,10 FF au 30.4.99).
Nature de l'État : république unitaire.
Nature du régime : multipartiste.
Chef de l'État : Kiro Gligorov, président de la République (depuis la proclamation de l'indépendance, le 17.9.91, réélu le 14.10.94).
Premier ministre : Ljubco Georgievski, qui a succédé en nov. 98 à Branko Crvenkovski.
Ministre des Affaires étrangères : Aleksandar Dimitrov.
Ministre de l'Intérieur : Pavle Trajanov.
Ministre de la Défense : Nikola Kljusev.

tensions entre les Macédoniens slaves, de sensibilité pro-serbe et inquiets du risque de renforcement de la minorité albanaise locale, et cette dernière, solidaire des Kosovars albanais. - **Michel Roux** ■

Roumanie

Année sombre

Réputé pour être le baromètre de la situation sociale du pays, le secteur des mines de charbon a été de nouveau au centre de l'actualité en 1999. A l'image des mouvements de protestation survenus les années précédentes, les « gueules noires » de la vallée du Jiu ont menacé, dans le cadre d'un conflit dur, de marcher une nouvelle fois sur la capitale. Des négociations « à l'arraché » entre le Premier ministre Radu Vasile, ébranlé mais resté ferme, et le leader des mineurs, Miron Cosma, personnage réputé charismatique mais, aussi, souvent contesté en raison de ses liens avec le parti extrêmiste Romania Mare, sont parvenus à mettre un terme au conflit. Celui-ci n'en a pas moins été révélateur de la dureté avec laquelle la restructuration du secteur minier a été entamée. Ce mouvement a été un test pour le gouvernement, dont le manque de cohésion avait été régulièrement critiqué et qui a pu, à cette occasion, prendre conscience de la loyauté très discutable de ses forces de police. Quant aux concessions accordées « à chaud » aux manifestants, elles étaient emblématiques de la difficulté pour les autorités de mener tambour battant et à son terme une privatisation dont le rythme continue d'être jugé trop lent par le FMI.

Ce dernier est resté durant des mois sur la réserve, en raison également de la situation fort opaque de la première banque commerciale de Roumanie, Bancorex, que la Banque centrale a dû renflouer d'urgence pour éviter un krash financier, jugé imminent par certains observateurs. Le 22 avril 1999, le FMI a finalement donné son accord pour un nouvel accord *stand-by* de 500 millions de dollars, en dépit de résultats macroéconomiques toujours très décevants pour l'année 1998. Avec une récession économique de 5,5 %, un déficit public équivalent à 4 % du PIB, une inflation de 40 % et un chômage de 12 %, la Roumanie semblait mal partie pour figurer parmi les États habilités par Bruxelles d'ici décembre 1999 à entamer des négociations d'entrée dans l'Union européenne.

L'économie a également subi le contrecoup de la guerre du Kosovo (printemps 1999), qu'il s'agisse de l'impact négatif sur les projets d'investissements étrangers, des conséquences commerciales sur les échanges avec la République de Yougoslavie – partenaire de longue date –, ou encore des entraves au transit des marchandises sur le Danube. A l'inverse, l'apparente détermination de l'Union européenne à inclure la Roumanie et la Bulgarie dans ses efforts financiers de reconstruction de la ré-

République de Roumanie

Capitale : Bucarest.
Superficie : 237 500 km².
Population : 22 474 000.
Langues : roumain ; les différentes minorités parlent également le hongrois, l'allemand et le rom.
Monnaie : leu, pluriel lei (au cours officiel, 1 000 lei = 0,41 FF au 30.4.99).
Nature de l'État : république unitaire.
Nature du régime : parlementaire à tendance présidentielle.
Chef de l'État : Emil Constantinescu (depuis le 17.11.96).
Chef du gouvernement : Radu Vasile, qui a succédé le 2.4.98 à Victor Ciorbea.
Ministre des Affaires étrangères : Andreï Plesu (depuis le 29.12.97).
Ministre de la Défense : Victor Babiuc (depuis le 7.4.98).
Président du Sénat : Petre Roman (depuis le 18.11.96).

gion touchée par les bombardements de l'OTAN (Organisation du traité de l'Atlantique nord) pouvait constituer une ultime opportunité pour Bucarest d'en finir avec un sentiment d'être tenue en marge de l'organisation. Le gouvernement roumain s'était pourtant montré fidèle à ses engagements pro-atlantiques en se ralliant à l'embargo pétrolier contre la Serbie, passant outre une opinion publique très partagée entre ses sympathies pour Belgrade, sa désapprobation face à l'éviction du Conseil de sécurité des Nations unies dans la décision de bombarder la Yougoslavie, mais aussi sa crainte permanente des réactions de Moscou. En dépit de plusieurs tentatives visant à mettre en difficulté le gouvernement, l'opposition n'a pu s'imposer, même si un certain nombre de sondages la donnaient gagnante aux élections présidentielle et législatives (novembre 2000). - **Édith Lhomel** ■

Slovénie

Régler les différends frontaliers

En l'absence d'échéance électorale proche, la Slovénie a vécu, en 1998-1999, dans la perspective espérée de son adhésion à l'Union européenne. Pour cela doivent être réglés des différends frontaliers avec ses voisins. Or, plusieurs contentieux perdurent avec la Croatie, portant sur les frontières terrestres (trois litiges) et maritimes (golfe de Piran). A cela s'ajoutent deux contentieux économiques, l'un relatif au règlement financier sur les avoirs de la Ljublanska Banka, l'autre sur la participation croate dans la structure financière de la centrale nucléaire slovène de Krsko. Ces désaccords ont pu prendre un tour spectaculaire. Pendant la semaine du 13 au 20 août 1998, les Slovènes ont ainsi interrompu la livraison d'électricité nucléaire à la Croatie, prétextant des dettes croates à la centrale concernée.

Ces polémiques, attisées par le chef de l'extrême droite slovène, Zmago Jelincic, n'ont toutefois pas empêché les compromis : entre juillet 1998 et janvier 1999, chaque mois fut l'occasion d'une rencontre entre les deux ministres des Affaires étrangères. Le 3 décembre 1998, Boris Frlec, chef de la diplomatie slovène, pouvait annoncer que seuls 0,6 % des 680 kilomètres de frontière terrestre commune n'avaient pas encore fait l'objet d'un accord de délimitation. S'agissant de la frontière maritime, un arbitrage du tribunal maritime international de Hambourg était envisagé.

République de Slovénie

Capitale : Ljubjana.
Superficie : 20 251 km².
Population : 1 993 000.
Langues : slovène (off.), italien, hongrois.
Monnaie : tolar (au cours officiel, 100 tolars = 3,43 FF au 30.4.99).
Nature de l'État : république.
Nature du régime : démocratie parlementaire.
Chef de l'État : Milan Kucan, président de la République (depuis la proclamation de l'indépendance le 25.6.91).
Premier ministre : Janez Drnovsek (depuis le 22.4.92).
Ministre des Affaires étrangères : Boris Frlec (depuis nov. 96).

Sur le plan économique, la croissance s'est maintenue au-dessus de 3 % en 1998 et 1999 (comme c'est le cas depuis 1995), affichant un rythme moins spectaculaire mais plus régulier que celui de la croissance en Croatie.

Lors de l'intervention de l'OTAN (Organisation du traité de l'Atlantique nord, que Ljubjana souhaite intégrer) en Yougoslavie, au printemps 1999, la Slovénie a ouvert son espace aérien aux avions de l'opération *Force alliée*. - **Joseph Krulic** ■

Albanie, Bosnie-Herzégovine, Bulgarie, Croatie, Macédoine, Roumanie, Slovénie, Yougoslavie

Balkans/Bibliographie

J. Ancel, *Peuples et nations des Balkans,* CTHS, Paris, 1992 (rééd.).

Balkanologie (périodique, 2 numéros par an), Paris.

J. D. Bell (sous la dir. de), *Bulgaria in Transition : Politics, Economics, Society and Culture after Communism,* Westview Press, Boulder (Co), 1998.

A. Bernard, *Petite histoire de la Slovénie,* Institut d'études slaves, coll. « IRENISE », Paris, 1996.

X. Bougarel, *Bosnie. Anatomie d'un conflit,* La Découverte, coll. « Les Dossiers de L'état du monde », Paris, 1995.

M. J. Calic, *Krieg und Frieden in Bosnien-Herzegowina,* Suhrkamp, Francfort-sur-le-Main, 1996.

G. Castellan, *La Croatie,* PUF, coll. « Que sais-je ? », Paris, 1997.

C. Chiclet, B. Lory, *La République de Macédoine,* L'Harmattan, Paris, 1998.

Diagonales, Est-Ouest (périodique), Lyon.

I. Djuric, *Glossaire de l'espace yougoslave,* L'Esprit des péninsules, Paris, 1999.

C. Durandin, *Histoire des Roumains,* Fayard, Paris, 1995.

« Il Triangolo dei Balcani », *Limes,* n° 3, Rome, aut. 1998 (dossier sur la question albanaise).

J. Krulic, *Histoire de la Yougoslavie. De 1945 à nos jours,* Complexe, Bruxelles, 1993.

Le Courrier des pays de l'Est, La Documentation française, Paris. Voir notamment « Vers de nouvelles politiques de développement régional en Europe centrale et orientale », n° 432, août-sept. 1998 ; « Les agricultures des PECO face à leur entrée dans l'UE », n° 441, juill.-août 1999 ; « L'Europe centrale et orientale », n°s 442, sept. 1999.

La Nouvelle Alternative (trimestriel), Paris. Voir notamment les dossiers « L'Union européenne vue d'Europe centrale et orientale », n° 49, mars 1998 ; « Bilan et perspectives de notre espace », n°s 51 et 52, sept.-déc. 1998.

É. Lhomel (sous la dir. de), *Europe centrale et orientale : dix ans de transformations,* La Documentation française, « Les Études de la Documentation française », Paris, 1999.

É. Lhomel, T. Schreiber (sous la dir. de), *L'Europe centrale, orientale et balte. Édition 1998,* Les Études deLa Documentation française, Paris, 1998.

M. Mihov, « The Macedonian Question in Bulgaria », *Nations and Nationalism,* 4 (3), Cambridge University Press, Cambridge, 1998.

G. Minanian, « The Road to Economic Disaster in Bulgaria », *Europe-Asia Studies,* 50(2), University of Glasgow, Glasgow, 1998.

N. Ragaru, « Démocratie et représentation politique en Bulgarie », *Les Cahiers du CERI,* n° 18, FNSP, Paris, 1998.

V. Rey (sous la dir. de), *Les Territoires centre-européens. Dilemmes et défis. L'Europe médiane en question,* La Découverte, coll. « Lectio », Paris, 1998.

J. Rupnik (sous la dir. de), *Balkans, tableau après la bataille,* Complexe, Bruxelles, 1996.

M. Vickers, J. Pettifer, *Albania : From Anarchy to a Balkan Identity,* University Press, New York, 1997.

S. Woodward, *Balkan Tragedy : Chaos and Dissolution after the Cold War,* The Brookings Institution, Washington DC, 1995.

Voir aussi la bibliographie « Yougoslavie », p. 538.

Yougoslavie

L'escalade de la guerre pour le Kosovo

En 1998 et 1999, l'agenda politique de la République fédérale de Yougoslavie (RFY) a été essentiellement occupé par la question du Kosovo, province du sud de la Serbie peuplée à plus de 80 % d'Albanais (se dénommant également « Kosovars »). Son statut de province autonome (tout comme celui de la Voïvodine, au nord de la Serbie, peuplée d'une majorité de Serbes et, entre autres, d'une forte minorité magyare) a été supprimé en 1989-1990 par le régime de Belgrade.

Le *statu quo* établi au Kosovo à partir de 1990, caractérisé par le contrôle policier et militaire serbe de cette région et par la résistance pacifiste menée par la Ligue démocratique du Kosovo (LDK) dirigée par Ibrahim Rugova, a éclaté en 1998. Les événements se sont précipités avec la multiplication des opérations de l'Armée de libération du Kosovo (UCK), constituée en 1996 avec l'appui de la diaspora albanaise en Europe occidentale, surtout en Suisse et en Allemagne, et luttant pour l'indépendance du Kosovo. L'émergence de cette organisation aux contours idéologiques flous est à rapprocher de l'échec de la politique pacifiste de la LDK qui, en l'espace de huit ans, n'est parvenue ni à concrétiser l'existence d'une République du Kosovo autoproclamée en juillet 1990 ni à améliorer la situation des Albanais. Ne comptant pas plus de quelques dizaines d'hommes au départ, l'UCK a multiplié, à partir de 1996, les attaques contre les forces de police serbes et contre les Albanais soutenant le régime de Belgrade. Début 1998, alors que les provocations de l'UCK redoublaient, les forces spéciales de la police serbe ont entrepris de « nettoyer » la région de la Drenica, bastion de l'UCK. La répression disproportionnée ayant provoqué de nombreuses victimes civiles, les grandes puissances sont intervenues et ont exigé de la Serbie le retrait de ses forces spéciales du Kosovo. Un nouveau rapport de forces s'est établi sur la scène politique albanaise au profit des éléments radicaux : UCK, en premier lieu, et Mouvement démocratique unifié de Rexhep Qosja, indépendantiste et favorable à l'unification albanaise dans un seul État. La formation d'un nouveau gouvernement provisoire du Kosovo en mars 1999, comprenant essentiellement des représentants de ces forces, a mis en évidence la perte de leadership politique de la LDK.

Des accords restés lettre morte

Au cours du printemps 1998, l'UCK a pris le contrôle d'un bon tiers de la province. Mais la contre-offensive des forces de police et militaires serbes, entre juillet et septembre, a entraîné son recul et la prise d'un bon nombre de ses bastions. Ces opérations militaires ont causé l'exode de plus de 300 000 personnes réfugiées à l'intérieur du Kosovo ou dans les pays limitrophes (Albanie, Monténégro et Macédoine). Face à l'affaiblissement de l'UCK et à la catastrophe humanitaire qui s'annonçait à l'approche de l'hiver, les grandes puissances ont redoublé les pressions sur la Yougoslavie (menaces de frappes aériennes de l'OTAN – Organisation du traité de l'Atlantique nord). Un accord a ainsi été signé le 13 octobre 1998 entre le président yougoslave, Slobodan Milosevic, et Richard Holbrooke, émissaire du président des États-Unis, impliquant entre autres un cessez-le-feu, une diminution des effectifs des forces spéciales de la police serbe, le déploiement d'observateurs internationaux dans le cadre d'une « mission de vérification » de l'OSCE (Organisation pour la sécurité et la coopération en Europe), le contrôle de l'espace aérien au-dessus du Kosovo par l'OTAN, l'organisation d'élections dans un délai de neuf mois. De fait, la Yougoslavie s'est vue contrainte de reconnaître l'intervention de la communauté internationale pour régler la question du Ko-

INDICATEUR*	UNITÉ	1985	1990	1997	1998
Démographie**					
Population	*million*	9,85	10,16	10,63	10,64
Densité	*hab./km²*	96,4	99,4	104,0	104,3
Croissance annuelle	%	0,62[a]	0,79[b]	0,14[c]	••
Indice de fécondité (ISF)		2,23[a]	1,93[b]	1,84[c]	••
Mortalité infantile	‰	30[a]	21[b]	18[c]	••
Espérance de vie	*année*	70,0[a]	71,7[b]	72,8[c]	••
Indicateurs socioculturels					
Nombre de médecins	*‰ hab.*	4,12	2,02	2,02[f]	••
Scolarisation 2e degré[e]	%	••	63	65[f]	••
Scolarisation 3e degré	%	••	18,2	22,5[d]	••
Téléviseurs	‰	••	174,9[f]	255,3[d]	••
Livres publiés	*titre*	••	••	5 367[d]	••
Économie					
PIB total (PPA)	*milliard $*	••	••	24,3	••
Croissance annuelle[h]	%	0,3[a]	– 12,2[g]	9,4	2,6
PIB par habitant (PPA)	$	••	••	2 280	••
Investissement (FBCF)	*% PIB*	••	••	12,0[m]	••
Recherche et Développement	*% PIB*	••	••	••	••
Taux d'inflation	%	••	580,0	23,2	30,4
Chômage	%	••	22,5	25,6[i]	27,2[i]
Population active	*million*	4,64	4,89	4,99	••
Agriculture	% } 100 %	34,2	29,7	26,5[f]	19,9[k]
Industrie	% } 100 %	••	••	••	••
Services	% } 100 %	••	••	••	••
Dépense publique Éducation	*% PIB*	••	••	••	••
Dépense publique Défense	*% PIB*	3,7	4,0	7,8	••
Énergie (taux de couverture)	%	48,7	67,0	76,2[d]	••
Dette extérieure totale	*milliard $*	••	••	5,11	••
Service de la dette/Export.	%	••	••	••	••
Échanges extérieurs[o]		**1985**	**1990**	**1997**	**1998**
Importations de services	*milliard $*	••	••	••	••
Importations de biens	*milliard $*	4,66	6,70	4,80	4,85
Produits alimentaires	%	4,7	12,0	14,2[d]	••
Produits énergétiques	%	27,2	17,0	14,0[d]	••
Produits manufacturés	%	54,4	62,7	59,8[d]	••
Exportations de services	*milliard $*	••	••	••	••
Exportations de biens	*milliard $*	3,81	4,65	2,38	2,86
Produits alimentaires	%	9,3	7,3	28,2[d]	••
Minerais et métaux	%	5,6	7,2	14,8[d]	••
Produits manufacturés	%	78,9	78,8	48,9[d]	••
Solde transactions courantes	*% du PIB*	••	••	••	••

* Définition des indicateurs, sigles et abréviations p. 31 et suiv. A. dernier recensement utilisable :
Les chiffres concernant la population sont les estimations faites par les Nations unies en septembre 1998. Elles sont à prendre avec beaucoup de précautions du fait des guerres et des mouvements de population qui ont déchiré l'espace de l'ancienne Yougoslavie.
a. 1985-90 ; b. 1990-95 ; c. 1995-2000 ; d. 1996 ; e. Taux brut 11-18 ans ; f. 1995 ; g. 1990-96 ; h. Les chiffres se réfèrent au Produit matériel brut (mesure de la production utilisée dans les ex-pays communistes, ne correspondant pas au PIB) ; i. En fin de période ; k. Prévision de la FAO pour l'an 2000 ; m. 1996-97.

L'évolution du fédéralisme yougoslave

Les structures de la Fédération yougoslave furent établies par les communistes pendant la Seconde Guerre mondiale (en 1943, par le Conseil antifasciste de libération nationale yougoslave – AVNOJ). Les nouveaux dirigeants du pays rejetèrent la formule unitariste qui avait prévalu dans la première Yougoslavie de 1918 à 1939 (le Royaume des Serbes, des Croates et des Slovènes) et qui ne reconnaissait l'existence que d'une nation yougoslave. Ils créèrent un État fédéral comprenant six républiques : Bosnie-Herzégovine, Croatie, Macédoine, Monténégro, Serbie et Slovénie. La Serbie y occupait une position particulière dans la mesure où elle comprenait deux régions autonomes la Voïvodine au nord, peuplée d'une importante minorité magyare, et le Kosovo au sud, peuplé majoritairement d'Albanais. La Constitution de la République populaire socialiste de Yougoslavie, adoptée en 1946, reconnaissait cinq nations constitutives : Serbes, Croates, Slovènes, Monténégrins et Macédoniens. En 1968, une nation musulmane fut instituée en Bosnie-Herzégovine, complétant ainsi la famille des peuples Slaves du Sud constitutifs de l'État fédéral.

Dans la réalité, l'autonomie des républiques fut limitée de 1945 à la seconde moitié des années soixante. La Yougoslavie s'imposa comme un État centralisé, en dépit des mesures de décentralisation liées à l'introduction de l'autogestion en 1950. De 1968 à 1974, la Ligue des communistes de Yougoslavie, dirigée par Jozip Broz Tito, procéda à une réforme de la Fédération yougoslave, qui accrut sensiblement l'autonomie des républiques, notamment en matière économique. Les provinces socialistes autonomes de Voïvodine et du Kosovo devinrent des unités fédérales à part entière, des quasi-États (gouvernement, assemblée, cour constitutionnelle), au sein de la République socialiste de Serbie. Toutefois, les provinces ne constituaient pas des États souverains. Seules les républiques étaient fondées sur la souveraineté de la nation, tandis que les provinces étaient définies comme des « communautés socio-politiques socialistes autogestionnaires de travailleurs et de citoyens, de nations et de nationalités, égales en droits » [*voir article, p. 49*].

Dès les années soixante-dix, les dirigeants de Belgrade tentèrent de remédier à la fragmentation et à la désintégration de leur république. Néanmoins, la lenteur du règlement de la question constitutionnelle favorisa l'émergence du courant dirigé par Slobodan Milosevic qui opta pour une révision constitutionnelle sans concertation avec les provinces. C'est ainsi qu'en mars 1989, des amendements constitutionnels réduisirent l'autonomie des provinces, avant qu'une nouvelle Constitution n'entérine ce choix en septembre 1990. Si la perte de l'autonomie fut moins conflictuelle en Voïvodine, peuplée majoritairement de Serbes, elle suscita au Kosovo la désapprobation et un mouvement de révolte de la part des Albanais.

La Fédération yougoslave éclata en juin 1991 avec la proclamation de l'indépendance des républiques de Slovénie et de Croatie. La désintégration du pays se poursuivit avec la proclamation de l'indépendance de la Macédoine en septembre 1991 et de la Bosnie-Herzégovine en avril 1992. Les républiques de Serbie et du Monténégro instituèrent, en avril 1992, une fédération se proclamant l'héritière de l'ancienne : la République fédérale de Yougoslavie (RFY). - **Y. T.** ■

sovo, et ce en dépit des résultats du référendum organisé le 23 avril 1998 où la majorité des votants avait rejeté une telle perspective pour résoudre la crise. Afin d'éviter des frappes de l'OTAN, la Serbie a retiré de nombreuses forces de police, sans remettre en cause fondamentalement sa volonté d'anéantir l'UCK, stigmatisée comme « terroriste » et « séparatiste ».

En dépit de la présence des observateurs de l'OSCE et de l'installation d'unités de l'OTAN en Macédoine chargées d'assurer leur sécurité, la violence s'est poursuivie dans la province (attentats dans les villes, massacre de Racak). Confronté à l'échec de la mise en œuvre de l'accord Milosevic-Holbrooke, le groupe de contact a lancé un ultimatum aux parties serbe et kosovare pour les contraindre à négocier et à approuver un plan d'autonomie. Aucun accord n'a été signé lors des négociations de Rambouillet, présidées par la France et le Royaume-Uni (février 1999), la délégation albanaise prétextant la nécessité de consulter sa base et les autorités serbes rejetant le volet militaire impliquant le déploiement de troupes de l'OTAN au Kosovo. Lors de la reprise des pourparlers à Paris, le 15 mars 1999, la délégation yougoslave, ayant parié sur le refus des Albanais de signer un accord de paix (paraphé, cependant, le 18 mars), a non seulement rejeté le volet militaire, mais également l'accord politique, indiquant ainsi qu'elle n'était pas prête à un compromis.

La mission de la « dernière chance » menée à Belgrade par R. Holbrooke ayant échoué le 22 mars 1999, Javier Solana, secrétaire général de l'OTAN, a donné l'ordre le 23 mars 1999 de lancer des « opérations aériennes » en République fédérale de Yougoslavie (premières frappes effectives dans la nuit du 24 au 25 mars 1999). Le chef de l'État S. Milosevic, inculpé le 27 mai 1999 pour « crimes contre l'humanité », n'a pas cédé après les premiers jours de bombardements, contrairement à ce qu'escomptaient les grandes puissances, qui avaient manifestement sous-estimé sa capacité de réaction. En ordonnant le « nettoyage ethnique » du Kosovo, provoquant un flux massif de plus de 700 000 personnes déplacées vers les pays voisins : Macédoine et Albanie, mais aussi Monténégro, le président yougoslave a compliqué la tâche de l'OTAN et déstabilisé son voisinage balkanique immédiat. La campagne d'expulsion des Albanais a été accompagnée d'une politique systématique de terreur (crimes, maisons détruites et incendiées, etc.), dont la communauté internationale, et notamment le Tribunal pénal international pour l'ex-Yougoslavie (TPIY), a découvert l'ampleur en juin 1999. On estimait à 10 000 le nombre des victimes des forces de police et des militaires serbes.

Après onze semaines de guerre (10 000 frappes environ sur plus de 36 000 sorties aériennes), Belgrade a fini par plier en acceptant, le 4 juin 1999, les conditions du G-8 (les sept pays les plus industrialisés + la Russie), qui reprenaient dans des termes nuancés celles de l'OTAN. Un accord militaire entre cette organisation et la Yougoslavie a été signé le 9 juin 1999, prévoyant le retrait des forces armées serbes du Kosovo dans un délai de onze jours et le déploiement d'une force internationale de 50 000 militaires (Kfor, Force de paix au Kosovo), autorisé par une résolution du Conseil de sécurité de l'Organisation des Nations unies le 10 juin. Le Kosovo est passé dès lors sous administration provisoire de l'ONU, qui a pour mission de recréer des conditions de paix dans cette région meurtrie, que plus de 130 000 Serbes avaient quitté en juin-juillet 1999, par peur des représailles de la population albanaise.

Un régime en radicalisation

Sur un plan intérieur, tandis que le pays plongeait dans la dépression économique (chute de la production, inflation, manque de liquidités, endettement extérieur, chômage important, arriérés de salaires de plusieurs mois, etc.) – renforcée depuis le début de la guerre par les effets des frappes aériennes visant les voies de communication et des structures économiques –, on a assisté en 1998 à une radicalisation du régime. Le nouveau gouvernement formé le 24 mars 1998, composé de représentants du Parti socialiste de Serbie (SPS), de la Gauche unifiée yougoslave (JUL) et du Parti radical serbe (SRS), a entrepris de réduire les espaces de liberté après la vague de contestation massive de l'hiver 1996-1997. S. Milosevic a écarté ses détracteurs au sein des structures de pouvoir : le chef de la sécurité d'État, Jovica Stanisic, le 27 octobre 1998, et le chef d'État-Major de l'armée yougoslave, Momcilo Perisic, qui avait critiqué sa stratégie au Kosovo et la marginalisation des forces armées au détriment de la police, le mois suivant. L'arrivée aux affaires du Parti radical serbe, alors que le Mouvement serbe du renouveau (SPO), naviguant entre les idées monarchistes, nationalistes et démocratiques, était sérieusement pressenti comme partenaire gouvernemental, avait valeur de message adressé aux opposants démocrates, aux indépendantistes albanais et à l'Occident. Le SPO ayant finalement opté pour une collaboration avec le régime a obtenu quatre postes au gouvernement fédéral en janvier 1999, dont celui de vice premier ministre pour Vuk Draskovic, chargé de la politique étrangère. Celui-ci a ensuite été écarté du gouvernement pour avoir critiqué la politique de S. Milosevic.

Après la défaite militaire de la Serbie, l'opposition démocratique (l'Alliance pour les changements, structurée autour du Parti démocrate de Zoran Djindjic, ainsi que les formations autonomistes, de Voïvodine), s'est réveillée et a lancé, en juillet 1999, une campagne de contestation à travers le pays, ainsi qu'une pétition pour le départ de S. Milosevic. Le SPO refusait de rejoindre ce mouvement, tout en se réclamant de l'opposition, et laissait la porte ouverte à un arrangement avec le SPS.

Au Monténégro, la coalition Pour vivre mieux, conduite par le président de la République Milo Djukanovic, a remporté les élections législatives du 31 mai 1998 et

République fédérale de Yougoslavie

Capitale : Belgrade.
Superficie : 102 200 km².
Population : 10 635 000.
Langues : serbe (off.), auparavant appelé « serbo-croate », albanais, hongrois et rom en Serbie.
Monnaie : nouveau dinar (au cours officiel, 100 nouveaux dinars = 55,8 FF au 7.6.99)
Nature de l'État : république fédérale. Depuis la signature des accords de Dayton, le 14.12.95, la République fédérale de Yougoslavie (RFY) a été reconnue de fait par la communauté internationale. Cette fédération réunit la République de Serbie et celle du Monténégro.
Nature du régime : parlementaire.
Chef de l'État : Slobodan Milosevic depuis le 24.7.97.
Chef du gouvernement : Momir Bulatovic, qui a succédé en 1998 à Radoje Kontic.
Ministre de l'Intérieur : Zoran Sokolovic.
Ministre de la Défense : Pavle Bulatovic.

RÉPUBLIQUE DE SERBIE

Nature du régime : officiellement démocratique, en fait dominé par le Parti socialiste (ex-communiste).
Chef de l'État : Milan Milutinovic depuis le 21.12.97.
Chef du gouvernement : Mirko Marjanovic (depuis févr. 94).
Principaux partis politiques : Parti socialiste de Serbie (SPS) ; Parti démocrate (DS) ; Mouvement du renouveau serbe (SPO) ; Alliance civique de Serbie (GSS) ; Parti radical serbe (SRS) ; Ligue démocratique du Kosovo (LDK).
Souveraineté contestée : voir encadré p. 535.

RÉPUBLIQUE DU MONTÉNÉGRO

Nature du régime : officiellement démocratique, en fait dominé par le Parti démocratique socialiste (ex-communiste).
Chef de l'État : Milo Djukanovic, qui a succédé le 20.10.97 à Momir Bulatovic.
Chef du gouvernement : Filip Vujanovic, qui a succédé le 8.2.98 à Milo Djukanovic
Principaux partis politiques : Parti démocratique des socialistes du Monténégro (DPSCG) ; Parti populaire (NS) ; Alliance libérale (LS).

Yougoslavie/Bibliographie

D. T. Batakovic, *Kosovo : la spirale de la haine. Les faits, les acteurs, l'histoire,* L'Age d'homme, Lausanne, 1993.

L. Gervereau, Y. Tomic (sous la dir. de), *De l'unification à l'éclatement : l'espace yougoslave, un siècle d'histoire,* BDIC, Nanterre, 1998.

V. Goati (sous la dir. de), *Challenges of Parliamentarism : The Case of Serbia in the Early Nineties,* Institute of Social Science, Belgrade, 1995.

D. Janjic, S. Maliqi (sous la dir. de), *Conflict or Dialogue ? Serbian-Albanian Relations and Integration of the Balkans : Studies and Essays,* Open University, European Civic Centre for Conflict Resolution, Subotica, 1994.

D. Janjic (sous la dir. de), *Serbia. Between the Past and the Future,* Institute of Social Science, Forum of Ethnic Relations, Belgrade, 1995.

T. Judah, *The Serbs : History, Myth and the Destruction of Yugoslavia,* Yale University Press, New Haven/Londres, 1997.

N. Malcolm, *Kosovo : A Short History,* New York University Press, New York, 1998.

D. Masson, « A propos de l'opposition serbe », *La Nouvelle Alternative,* n° 45, Paris, mars 1997.

J. Minic, *EU Enlargement : Yugoslavia and the Balkans,* Institut ekonomskih nauka, Belgrade, 1997.

N. Popov, *Radiographie d'un nationalisme : les racines serbes du conflit yougoslave,* L'Atelier, Paris, 1998.

T. Popovic, *The Basis of Transition and Privatisation (The Yugoslav Case),* Institut ekonomskih nauka, Belgrade, 1996.

S. P. Ramet, *Balkan Babel. The Disintegration of Yugoslavia from the Death of Tito to Ethnic War,* Westview Press, Boulder, 1996.

M. Roux, *Les Albanais en Yougoslavie. Minorité nationale, territoire et développement,* Éd. de la MSH, Paris, 1992.

R. Thomas, *Serbia under Milosevic : Politics in the 1990s,* Hurst & Co, Londres, 1999.

M. Vickers, *Between Serb and Albanian : A History of Kosovo,* Columbia University Press, New York, 1998.

W. Zimmerman, *Origins of a Catastrophe. Yugoslavia and its Destroyers. America's last Ambassador tells what happened and why,* Times books, New York, 1996.

Voir aussi la bibliographie « Balkans », p. 532.

maintenu son cap réformiste en opposition à Belgrade. Les autorités monténégrines ont refusé de reconnaître le nouveau Premier ministre fédéral, Momir Bulatovic, chef du Parti socialiste populaire (SNP), imposé par S. Milosevic, estimant que ce poste revenait à la coalition victorieuse au Monténégro. Le gouvernement monténégrin, enfin, s'est nettement démarqué des autorités fédérales en ne reconnaissant pas l'état de guerre proclamé après les premières frappes aériennes de l'OTAN. En juillet 1999, le Parti démocratique des socialistes (DPSCG) du président M. Djukanovic réclamait une redéfinition des liens avec la Serbie, allant vers une confédéralisation du pays.

Après la défaite de Belgrade contre l'OTAN, S. Milosevic parviendrait-il à se maintenir au pouvoir ? Le processus de désintégration de la Yougoslavie était-il achevé ou au contraire fallait-il craindre la consolidation d'autres revendications autonomistes ou séparatistes (Monténégro, Voïvodine, Sandjak) ? - **Yves Tomic** ■

Méditerranée orientale

Chypre, Grèce, Malte, Turquie

Chypre

Une stratégie moins offensive ?

Fin décembre 1998, le président Glafkos Cléridès a décidé de ne pas installer à Chypre de missiles sol-air S-300. Ceux-ci avaient été achetés à la Russie afin d'assurer la sécurité des avions de combat, prêts à couvrir les blindés de la Garde nationale face à l'armée turque, dont des milliers d'hommes occupent le tiers nord de l'île depuis 1974. Ce choix a été bien accueilli dans le monde et au sein de l'Union européenne (UE). Il a été prévu de déployer des missiles en Crète, la Grèce garantissant le droit de Chypre à améliorer sa défense.

Cette stratégie a cependant provoqué la rupture de la coalition au pouvoir, abandonnée par l'EDEK (Parti grec d'union démocratique socialiste). L'opinion a vivement ressenti la capture du leader kurde Abdullah Öcalan, puis le succès électoral de Bülent Ecevit (qui était Premier ministre de Turquie lors de l'invasion de l'île à l'été 1974), puis, du fait de la solidarité orthodoxe, les bombardements des forces de l'OTAN (Organisation du traité de l'Atlantique nord) en Serbie à partir de mars 1999. Toutefois, le gouvernement chypriote, qui tente de maîtriser l'afflux d'immigrants illégaux et recherche activement l'intégration à l'UE, n'a pu ni freiner la colonisation du nord de l'île par les Turcs, qui s'est accélérée, ni parer aux effets d'une sécheresse persistante.

- **Pierre-Yves Péchoux** ■

République de Chypre

Capitale : Nicosie.

Superficie : 9 521 km^2.

Population : 771 000.

Langues : grec, turc, anglais (officielles).

Monnaie : livre chypriote (1 livre = 11,33 FF au 30.4.99).

Nature de l'État : république unitaire, mais de fait n'exerçant plus ses prérogatives que sur la partie dite « grecque » de l'île depuis 1974.

Nature du régime : démocratie présidentielle. Un quota de sièges est réservé aux Chypriotes turcs au Parlement (il n'est pas pourvu).

Chef de l'État et du gouvernement : Glafkos Cléridès (depuis le 14.2.93, réélu le 15.2.98).

Ministre des Affaires étrangères : Ioannis Kasoulidès.

Ministre de l'Intérieur : Dinos Michaélidès.

Ministre de la Défense : Yannakis Chrysostomis.

Délégué aux pourparlers pour l'adhésion à l'Union européenne : George Vassiliou (ancien chef de l'État, 89-93).

Échéances institutionnelles : élection présidentielle (2002).

Territoires contestés : le tiers nord de l'île et la partie nord de Nicosie (capitale) sont occupés depuis août 1974 par la Turquie, qui y soutient une administration locale présentée depuis 1983 comme le gouvernement d'une « république turque du nord de Chypre », non reconnue, sauf par la Turquie.

INDICATEUR	CHYPRE	GRÈCE	MALTE	TURQUIE
Démographie[a]				
Population *(millier)*	771	10 600	384	64 479
Densité *(hab./km²)*	83,4	82,2	1 200,0	83,8
Croissance annuelle (1995-2000) *(%)*	1,1	0,3	0,7	1,7
Indice de fécondité (ISF) (1995-2000)	2,0	1,3	1,9	2,5
Mortalité infantile (1995-2000) *(‰)*	8	8	8	45
Espérance de vie (1995-2000) *(année)*	77,8	78,1	77,2	69,0
Population urbaine *(%)*	55,7	59,7	90,0	72,9
Indicateurs socioculturels				
Développement humain (IDH)[c]	0,87	0,867	0,85	0,728
Nombre de médecins *(‰ hab.)*	1,76[l]	3,92[b]	2,50[k]	1,13[b]
Analphabétisme (hommes)[c] *(%)*	1,6	1,7	9,5	7,6
Analphabétisme (femmes)[c] *(%)*	6,5	5,1	8,2	26,1
Scolarisation 12-17 ans *(%)*	••	••	••	••
Scolarisation 3e degré *(%)*	20[b]	42,8[f]	21,8[j]	18,2[f]
Adresses Internet[d] *(‰ hab.)*	50,34	48,55	25,07	5,00
Livres publiés *(titre)*	930[f]	4 225[f]	404[b]	6 546[f]
Armées (effectifs)				
Armée de terre *(millier d'h.)*	10[m]	116	••	525
Marine *(millier d'h.)$*		19,5	••	51
Aviation *(millier d'h.)*		33	••	63
Économie				
PIB total (PPA)[c] *(million $)*	11 314[g]	131 946	4 942	404 498
Croissance annuelle 1987-97 *(%)*	5,0	2,1	5,7	4,2
Croissance 1998 *(%)*	4,7	3,7	4,1	2,8
PIB par habitant (PPA)[c] *($)*	14 675[g]	12 540	13 180	6 350
Investissement (FBCF) *(% PIB)*	20,2[i]	20,4[h]	25,9[e]	25,4[h]
Taux d'inflation *(%)*	3,2	4,8	2,5	84,6
Énergie (taux de couverture)[f] *(%)*	0,7	36,1	••	40,9
Dépense publique Éducation *(% PIB)*	4,4[j]	3,0[f]	5,1[b]	2,2[b]
Dépense publique Défense[c] *(% PIB)*	5,8	4,6	0,9	4,2
Dette extérieure totale[c] *(million $)*	••	••	1 034	91 205
Service de la dette/Export.[e] *(%)*	••	••	2,0	22,7
Échanges extérieurs				
Importations (douanes) *(million $)*	3 685	23 470	2 686	45 369
Principaux fournisseurs[c] *(%)*	E-U 19	UE 64	E-U 7,9	UE 51
(%)	UE 47,5	Ita 16,3	UE 71,4	Asie[n] 19,1
(%)	Asie[n] 18,2	PED 21,4	Asie[n] 14,9	Ex-CAEM[o] 10,1
Exportations (douanes) *(million $)*	1 061	9 709	1 820	25 938
Principaux clients[c] *(%)*	UE 27,1	UE 45,8	UE 53,9	UE 46,7
(%)	M-O 23,3	RFA 14,8	E-U 15	Asie[n] 15,8
(%)	Ex-CAEM[o] 36,2	PED 34,9	Asie[n] 20,6	Ex-CAEM[o] 18,6
Solde transactions courantes *(% PIB)*	– 2,5[b]	– 4,1[c]	••	1,4

Définition des indicateurs, sigles et abréviations p. 31 et suiv. Chiffres 1998 sauf notes. a. Derniers recensements utilisables : Chypre, 1992 ; Grèce, 1991 ; Malte, 1995 ; Turquie, 1997. b. 1995 ; c. 1997 ; d. janv. 1999 ; e. 1995-97 ; f. 1996 ; g. 1998 ; h. 1996-98 ; i. 1994-95 ; j. 1994 ; k. 1993 ; l. 1990 ; m. Garde nationale ; n. Y compris Japon et Moyen-Orient ; o. Y compris républiques de l'ex-Yougoslavie.

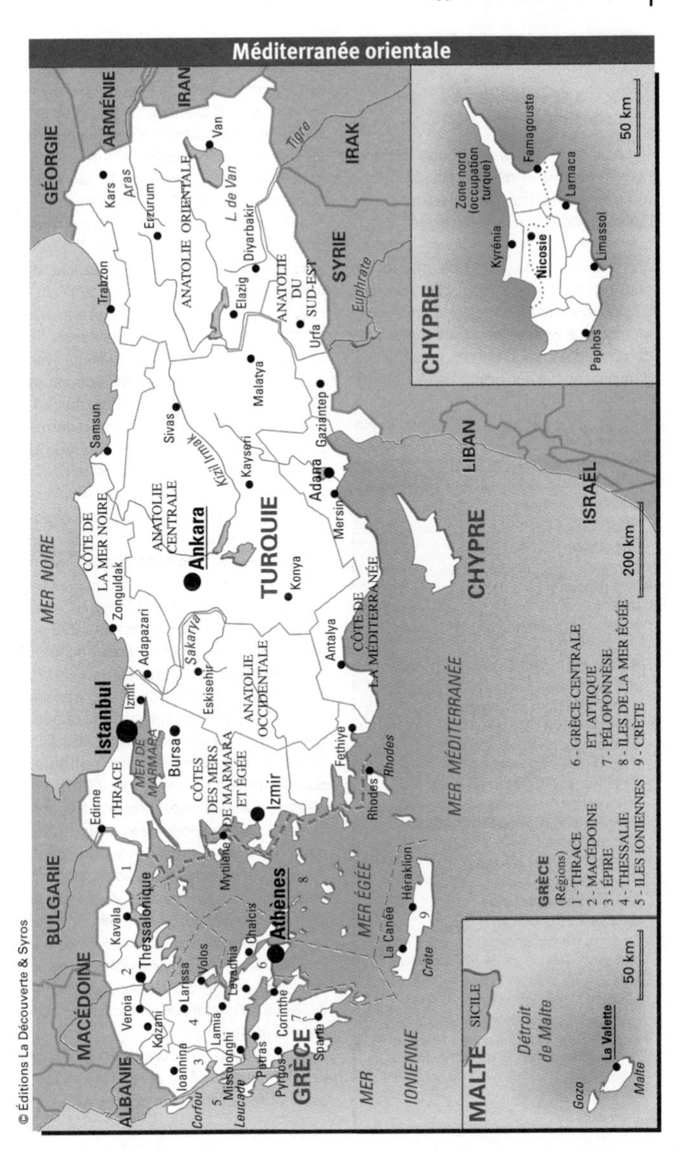
Méditerranée orientale
GÉORGIE
ARMÉNIE
IRAN
IRAK
SYRIE
LIBAN
ISRAËL
CHYPRE
TURQUIE
BULGARIE
MACÉDOINE
ALBANIE
GRÈCE
MER NOIRE
MER MÉDITERRANÉE
MER ÉGÉE
MER IONIENNE
MER DE MARMARA
Ankara
Istanbul
Izmir
Bursa
Athènes
Thessalonique
Kars
Erzurum
Van
L. de Van
Aras
Tigre
Euphrate
Diyarbakir
Elazig
Urfa
Trabzon
Samsun
Sivas
Malatya
Gaziantep
Kayseri
Kizil Irmak
Adana
Mersin
Konya
Antalya
Zonguldak
Adapazari
Sakarya
Eskisehir
Izmit
Edirne
Fethiye
Rhodes
Mytilène
Héraklion
La Canée
Crète
Kavala
Chalcis
Volos
Larissa
Veroia
Kozani
Lamia
Levadhia
Corinthe
Sparte
Patras
Pyrgos
Missolonghi
Ioannina
Corfou
Leucade
ANATOLIE ORIENTALE
ANATOLIE DU SUD-EST
ANATOLIE CENTRALE
ANATOLIE OCCIDENTALE
CÔTE DE LA MER NOIRE
CÔTE DE LA MÉDITERRANÉE
CÔTES DES MERS DE MARMARA ET ÉGÉE
THRACE
200 km
CHYPRE
Zone nord (occupation turque)
Kyrénia
Nicosie
Famagouste
Larnaca
Limassol
Paphos
50 km
MALTE
SICILE
Détroit de Malte
Gozo
La Valette
Malte
50 km
GRÈCE (Régions)
1 - THRACE
2 - MACÉDOINE
3 - ÉPIRE
4 - THESSALIE
5 - ILES IONIENNES
6 - GRÈCE CENTRALE ET ATTIQUE
7 - PÉLOPONNÈSE
8 - ILES DE LA MER ÉGÉE
9 - CRÈTE

Grèce

Succès de la politique économique

La politique économique conduite par le gouvernement de Kostas Simitis (PASOK, Mouvement socialiste panhellénique) – discipline budgétaire, fiscalité exigeante, rigueur monétaire, privatisations – a permis à la Grèce d'approcher des critères de convergence de Maastricht. Son succès a facilité divers grands travaux d'aménagement : création d'un aéroport en Attique, transferts d'eau vers Athènes, construction d'un pont routier sur le golfe de Corinthe. Il s'est accompagné d'une forte appréciation des valeurs à la Bourse d'Athènes, signe d'une mutation des habitudes spéculatives des classes aisées. Il a toutefois entretenu le mécontentement de beaucoup d'agriculteurs, de petits entrepreneurs et de salariés, d'où le succès des conservateurs aux élections municipales de 1998 et aux parlementaires européennes du 13 juin 1999 où ils ont remporté 40 % des suffrages.

Diverses améliorations pourraient marquer les relations gréco-turques : l'OTAN (Organisation du traité de l'Atlantique nord) a décidé en mars 1999 d'établir des états-majors régionaux à Larissa (Grèce) et à Izmir (Turquie) et d'affecter des militaires de chaque armée dans l'autre, idée qui avait été abandonnée en 1958. Mais la poursuite de tels efforts achoppe toujours sur l'afflux de réfugiés kurdes en Grèce, la délimitation des souverainetés en mer Égée et l'occupation par la Turquie du nord de Chypre, ce qui entretient une tension nuisible au tourisme. Les marges de la diplomatie grecque sont restées étroites sur ces dossiers. Après avoir accepté que Chypre se procure en Russie les missiles sol-air tenus pour nécessaires à sa défense, la Grèce a envisagé à partir de décembre 1998 de les installer sur son territoire pour honorer les garanties de sécurité données à Chypre, interprétation laxiste des dispositions prises après 1922 pour démilitariser la mer Égée. L'asile accordé au leader kurde Abdullah Öcalan à l'ambassade de Grèce au Kénya, puis son enlèvement en février 1999 pour être livré aux services turcs ont soulevé une vague d'émotion populaire durable, ranimant l'animosité ordinaire vis-à-vis des Turcs. Ces événements ont également provoqué une crise ministérielle, résolue par la démission forcée de plusieurs ministres, ce qui est apparu pouvoir à terme contribuer à isoler K. Simitis, mais l'a aussitôt débarrassé des représentants de l'aile populiste du PASOK, lui permettant de mieux asseoir son autorité sur le parti.

La question de la recomposition politique des Balkans a dominé le présent et le proche avenir. Entrepreneurs et organisations de

République de Grèce

Capitale : Athènes.
Superficie : 131 944 km².
Population : 10 600 000.
Langues : grec moderne (off.), turc (langue reconnue de la minorité musulmane), albanais, valaque, bulgare.
Monnaie : drachme (100 drachmes = 2,01 FF au 30.4.99).
Nature de l'État : république unitaire.
Nature du régime : parlementaire monocaméral.
Chef de l'État : Costis Stéphanopoulos, président de la République (depuis le 8.3.95).
Chef du gouvernement : Kostas Simitis, Premier ministre (depuis 96).
Ministre des Affaires étrangères : George Papandréou.
Ministre de l'Intérieur : Vasso Papandréou.
Ministre de la Défense : Akis Tsohatzopoulos.
Ministre de l'Économie et des Finances : Yannos Papantoniou.
Ministre de l'Ordre public : Mikhalis Chrysochóidis.
Territoires contestés : différends avec la Turquie à propos de l'usage de l'espace aérien et maritime en mer Égée et de la possession de quelques îlots et récifs.

bienfaisance grecs se sont utilement activés chez les voisins du Nord : Albanie, Macédoine, Bulgarie. L'immigration massive d'Albanais sans travail est apparue désormais bien gérée de part et d'autre, mais la surveillance des confins gréco-albanais reste délicate. Le déclenchement des opérations militaires de l'OTAN pour le Kosovo a placé la Grèce dans une position délicate. En effet, si la sympathie de l'opinion, toujours méfiante vis-à-vis des musulmans et volontiers anti-américaine, va aux orthodoxes serbes, l'État a honoré toutes ses obligations internationales, le gouvernement étant convaincu que seule l'OTAN peut garantir l'équilibre régional alors qu'une majorité d'électeurs a ramené les nationalistes au pouvoir en Turquie. Cette position de la Grèce et la bonne connaissance que l'on y a des mécanismes de subvention de l'Union européenne ont permis au ministre de l'Économie Yannos Papantoniou de réclamer 100 milliards de drachmes (soit 307 millions d'euros) de compensation pour les dommages subis par l'économie nationale du fait du conflit en Yougoslavie. - **Pierre-Yves Péchoux** ■

Malte

La population veut rompre son isolement

Les Maltais, dont le nombre et la densité ont continué de croître, vivent dans un espace étriqué (seuls 12 000 hectares sont cultivés). La faiblesse des pluies pousse à développer un tourisme d'hiver et à utiliser de plus en plus d'eau issue de la désalination d'eau de mer.

La population refuse de vivre dans l'isolement : elle a en effet redonné la préférence, à l'été 1998, à un gouvernement nationaliste dont les dirigeants, qui disputent le pouvoir depuis vingt ans aux travaillistes, ont signifié qu'ils voulaient à nouveau se rapprocher de l'Union européenne (UE), premier partenaire commercial. Partisans de la diplomatie préventive, les dirigeants maltais se sont par ailleurs lancés, lors de la 7e réunion du forum de onze États méditerranéens tenue chez eux en mars 1999, dans la promotion d'une charte pour la paix, l'équilibre et la stabilité en Méditerranée. - **Pierre-Yves Péchoux** ■

République de Malte

Capitale : La Valette.
Superficie : 316 km².
Population : 384 000.
Langues : maltais, anglais (officielles), italien.
Monnaie : livre maltaise (au cours officiel, 1 livre = 15,51 FF au 30.4.99).
Nature de l'État : république unitaire.
Nature du régime : parlementaire.
Chef de l'État : Ugo Mifsud Bonnici, président de la République (depuis le 4.4.94).
Chef du gouvernement : Eddie Fenech Adami, Premier ministre, qui a succédé le 6.9.98 à Alfred Sant.
Ministre des Affaires étrangères : Guido de Marco.

Turquie

Une année de forts remous

Les événements de 1997 et 1998 ont éclairé le rôle exercé par l'armée dans la vie politique, par le biais du Conseil national de sécurité (MGK) ; sous cette pression (« recommandations » du 28 février 1997), le gouvernement de coalition dirigé par Necmettin Erbakan (Refah, islamiste) et Tansu Çiller (Parti de la juste voie, DYP, centre droit) avait dû démissionner en juin 1997, après un an d'exercice du pouvoir. En juillet, Mesut Yilmaz (Parti de la mère patrie, ANAP, centre droit) avait formé une coalition avec le Parti démocratique de gauche (DSP) de

INDICATEUR	UNITÉ	1975	1985	1997	1998
Démographie[a]					
Population	*million*	40,0	50,3	63,4	64,5
Densité	*hab./km²*	52,0	65,4	82,4	83,8
Croissance annuelle	*%*	2,3[r]	2,0[k]	1,7[c]	• •
Indice de fécondité (ISF)		4,3[r]	3,2[k]	2,5[c]	• •
Mortalité infantile	*‰*	111[r]	68[k]	45[c]	• •
Espérance de vie	*année*	61,3[r]	65,7[k]	67,2[c]	• •
Indicateurs socioculturels					
Nombre de médecins	*‰ hab.*	0,46	0,72	1,13[d]	• •
Analphabétisme (hommes)	*%*	21,5	12,4	7,6	• •
Analphabétisme (femmes)	*%*	52,6	35,7	26,1	• •
Scolarisation 12-17 ans	*%*	43,3	53,6	43,1[e]	• •
Scolarisation 3e degré	*%*	5,4[n]	8,9	18,2[b]	• •
Téléviseurs	*‰ hab.*	26,1	157,8	286,2	• •
Livres publiés	*titre*	6 320[q]	6 685	6 546[b]	• •
Économie					
PIB total (PPA)	*milliard $*	63,9	155,0	404,5	415,5
Croissance annuelle	*%*	4,1[o]	4,2[g]	7,6	2,8
PIB par habitant (PPA)	*$*	1 600	3 080	6 350	6 414
Investissement (FBCF)	*% PIB*	15,8[p]	24,4[h]	26,5	24,7
Recherche et Développement	*% PIB*	• •	0,3[f]	0,45[b]	• •
Taux d'inflation	*%*	17,4	42,5	87,2	84,6
Population active	*million*	17,61	21,62	29,96	• •
Agriculture	*% } 100 %*	58,4	49,4	41,9	• •
Industrie	*% } 100 %*	19,3	21,4	23,4	• •
Services	*% } 100 %*	22,3	28,6	34,7	• •
Énergie (taux de couverture)	*%*	60,6	55,7	40,9[b]	• •
Dépense publique Éducation	*% PIB*	• •	1,8	2,2[d]	• •
Dépense publique Défense	*% PIB*	6,3	4,6	4,2	• •
Dette extérieure totale	*milliard $*	5,06	26,01	91,21	• •
Service de la dette/Export.	*%*	11,8[t]	32,8[m]	22,7[l]	• •
Échanges extérieurs		**1974**	**1986**	**1997**	**1998**
Importations de services	*milliard $*	0,37	1,43	8,51	9,40
Importations de biens	*milliard $*	3,59	10,66	48,03	45,38
Produits agricoles	*%*	13,1	9,1	12,6[d]	11,2[b]
Produits énergétiques	*%*	20,5	19,7	13,0[d]	13,9[b]
Produits manufacturés	*%*	48,3	59,1	68,3[d]	69,1[b]
Exportations de services	*milliard $*	0,55	3,00	19,37	22,71
Exportations de biens	*milliard $*	1,53	7,58	32,63	30,08
Produits agricoles	*%*	65,3	34,6	21[d]	21,4[b]
Minerais et métaux	*%*	8,2	14,7	3,3[d]	2,4[b]
Produits manufacturés	*%*	20,9	48,1	74,3[d]	73,8[b]
Solde des transactions courantes	*% du PIB*	– 3,1[s]	– 0,7[j]	– 1,4	1,4

Définition des indicateurs, sigles et abréviations p. 31 et suiv. a. Dernier recensement utilisable : 1997 ; b. 1996 ; c. 1995-2000 ; d. 1995 ; e. 1991 ; f. 1990 ; g. 1987-97 ; h. 1987-96 ; i. 1986 ; j. 1985-96 ; k. 1985-95 ; l. 1995-97 ; m. 1984-86 ; n. 1980 ; o. 1977-87 ; p. 1977-86 ; q. 1976 ; r. 1975-85 ; s. 1975-84 ; t. 1974-76 ; u. 1976.

Bülent Ecevit et le Parti démocratique de la Turquie (DTP) d'Hüsamettin Cindoruk. Accusé d'avoir voulu attenter à la laïcité, le Refah a été interdit le 22 février 1998 et ses dirigeants exclus de la vie politique pour une durée de cinq ans ; la répression des mouvements se réclamant de l'islamisme s'est aggravée (7 500 interpellations en 1997 et 1998) et le contrôle sur l'enseignement s'est accru. En réaction, les manifestations contre l'interdiction du voile islamique dans les établissements d'enseignement n'ont connu aucune interruption, prenant le tour d'une défense plus globale des libertés individuelles.

Majoritaire au Parlement dès mars 1998, le Parti de la vertu (Fazilet – FP –, dirigé par Recai Kutant) a été constitué en remplacement du Refah. Mais la répression s'est accrue : le maire d'Istanbul, Recep T. Erdogan, a été condamné (avril 1998) et incarcéré pour quatre mois (mars 1999). Les dirigeants en place ont critiqué le rôle de l'armée et sa vision du « danger islamiste », mais ont dû s'y soumettre. Les difficultés politiques ont amené l'Assemblée à approuver, en juillet 1998, la tenue d'élections générales anticipées en avril 1999, et le président Demirel a déclaré que l'État « agirait » en cas de victoire du Fazilet.

Les liens entre l'État, la mafia et l'extrême droite, révélés en novembre 1996, ont conduit à l'inculpation d'un ancien ministre de l'Intérieur et à la démission d'un ministre d'État. Une affaire frauduleuse impliquant M. Yilmaz a provoqué la censure de son gouvernement le 25 novembre 1998. Après une longue période de flottement, B. Ecevit, considéré comme intègre, a formé le 11 janvier 1999 un gouvernement DSP (gauche nationaliste).

Internationalisation de la question kurde

Depuis 1984, le conflit qui oppose dans le Sud-Est l'armée au Parti des travailleurs du Kurdistan (PKK) a provoqué la mort d'en-

République de Turquie

Capitale : Ankara.
Superficie : 780 576 km².
Population : 64 479 000.
Langues : turc (off.), kurde (usage privé autorisé depuis 1991).
Monnaie : livre (au taux officiel, 1 000 livres = 0,015 FF au 30.4.99).
Nature de l'État : république centralisée, contrôlée par l'armée *via* le Conseil de sécurité nationale (MGK).
Nature du régime : parlementaire monocaméral.
Chef de l'État : Süleyman Demirel, président de la République (depuis le 17.4.93).
Chef du gouvernement : Bülent Ecevit (DSP), qui a remplacé le 12.1.99 Mesut Yilmaz.
Vice-premiers ministres : Devlet Bahçeli (MHP) et Hüsamettin Özkan (DSP).
Ministre de la Défense nationale : Sebahattin Çakmakoğlu (MHP).
Ministre de l'Intérieur : Sadettin Tantan (ANAP).
Ministre des Affaires étrangères : Ismaïl Cem (DSP).
Principaux partis politiques : *Représentés au Parlement :* Parti de la gauche démocratique (DSP) ; Parti nationaliste du mouvement (MHP, extrême droite) ; Parti de la vertu (FP, islamiste) ; Parti de la mère patrie (ANAP, conservateur) ; Parti de la juste voie (DYP, conservateur).
Non représentés au Parlement : Parti républicain du peuple (CHP, centre gauche) ; Parti démocratique du peuple (HADEP, pro-kurde) ; Grand parti de l'union (BBP, extrême droite) ; Parti de la liberté et de la solidarité (ÖDP, gauche pacifiste).
Mouvements activistes clandestins : Parti des travailleurs du Kurdistan (PKK, marxiste-léniniste) ; Gauche révolutionnaire (Dev-Sol) ; Front islamique des combattants du Grand-Orient (IBDA-C, islamiste).
Échéances électorales : présidentielle (mai 2000) ; législatives et municipales (avr. 2004).
Territoire contesté : le PKK, accusé de séparatisme, s'affronte à l'armée turque dans le sud-est du pays. Le Hatay, territoire comprenant les villes d'Iskenderun et d'Antakya, au sud du pays, est revendiqué par la Syrie depuis 1938.

Turquie/Bibliographie

H. Bozarslan, *La Question kurde : États et minorités au Moyen-Orient,* Presses de Sciences Po, Paris, 1997.

Cahiers d'études sur la Méditerranée orientale et le monde turco-iranien (CEMOTI), Paris.

É. Copeaux, *Espaces et temps de la nation turque,* CNRS-Éditions, Paris, 1997.

H. B. Elmas, *Turquie-Europe. Une relation ambiguë,* Syllepse, Paris, 1998.

G. Fierz, A. L. Hilty, M. Mordey *et alii, Turquie de rêve, Turquie d'exil,* L'Harmattan, Paris, 1995.

N. Göle, *Musulmanes et modernes. Voile et civilisation en Turquie,* La Découverte, Paris, 1993.

R. Mantran (sous la dir. de), *Histoire de l'Empire ottoman,* Fayard, Paris, 1989.

H. et N. Pope, *Turkey Unveiled. Atatürk and After,* John Murray, Londres, 1997.

S. Vaner, D. Akagül, B. Kaleağasi, *La Turquie en mouvement,* Complexe, Bruxelles, 1995.

S. Yérasimos (sous la dir. de), *Les Turcs,* Autrement, Paris, 1994.

Voir aussi la bibliographie « Méditerranée orientale », p. 548.

viron 30 000 personnes. A partir de mars 1995, les offensives de l'armée contre les camps du PKK au nord de l'Irak se sont succédé ; en 1998, l'armée affirmait contrôler la situation, et le PKK n'avait pas réussi à s'implanter durablement hors du Sud-Est. La région demeurait toutefois soumise à un régime d'exception et à la violence.

En 1998, la question kurde a connu un retentissement à l'échelle internationale : en janvier, une vague migratoire vers l'Italie a inquiété l'Europe. Le 13 avril, Semdin Sakik, « numéro deux » du PKK, a été enlevé en Irak par un commando turc. La Turquie a menacé la Syrie, qui abritait le leader du PKK, Abdullah Öcalan, et le 19 octobre Damas a procédé à son expulsion ; après des tribulations en Russie puis en Italie, A. Öcalan a été enlevé par un commando turc au Kénya le 16 février 1999. Des vagues d'arrestations ont frappé les milieux politiques kurdes en Turquie, et une procédure d'interdiction a été entamée envers le HADEP (Parti démocratique du peuple, pro-kurde légaliste), dont de nombreux membres et dirigeants ont été arrêtés ou inquiétés.

Le procès de A. Öcalan devant la Cour de sûreté de l'État (DGM) s'est déroulé en mai-juin 1999 dans des conditions difficiles pour la défense. Le verdict, prononcé le 29 juin, a été la peine de mort.

Bien que la Turquie et la Grèce soient toutes deux membres de l'OTAN (Organisation du traité de l'Atlantique nord), leurs relations se sont encore détériorées. La mer Égée, Chypre, le soutien d'Athènes au PKK, la situation de la minorité musulmane en Thrace grecque sont restés les principales sources de discorde. Le projet d'installation de missiles russes au sud de Chypre a provoqué une importante tension jusqu'à ce que Nicosie renonce au déploiement envisagé.

Après le rejet de la candidature turque à l'Union européenne (UE) lors du sommet de Luxembourg (décembre 1997), la Grèce a menacé d'empêcher la réalisation du plan d'aide financière à la Turquie (150 millions d'écus) adopté fin novembre 1998, et a posé son veto à la participation turque au sommet de Vienne (7 décembre 1998) ; la Turquie a annoncé alors qu'elle cesserait tout dialogue avec l'UE tant qu'elle ne serait pas reconnue comme candidate.

Solidarité avec le Kosovo

La diplomatie turque a maintenu ses grandes orientations : coopération militaire avec Israël (provoquant des tensions avec les pays arabes et l'Iran), développement des relations avec les pays des Balkans entourant la Yougoslavie (Albanie, Bulgarie, Roumanie, Macédoine, Croatie), surtout depuis le redoublement des combats entre l'UCK (armée de libération du Kosovo) et les forces spéciales de la police serbe au Kosovo (printemps 1998) ; en juillet suivant, le Parlement a autorisé le gouvernement à envoyer des troupes en Albanie si la situation le rendait nécessaire. La vague de bombardements de l'OTAN sur la Yougoslavie, suivie d'un nouvel exode des Kosovars (à partir de fin mars 1999), a confirmé la grande sensibilité de l'opinion turque aux affaires balkaniques, et la Turquie a commencé d'accueillir des réfugiés.

Lors des frappes britannico-américaines de décembre 1998 en Irak, dont certaines ont été opérées à partir du territoire turc, Ankara a refusé de soutenir l'intervention des alliés occidentaux et a tenté de jouer un rôle de médiateur ; en janvier 1999, B. Ecevit a critiqué sévèrement les États-Unis et, le 15 février 1999, il recevait Tarek Aziz, vice-premier ministre irakien.

Les relations culturelles et économiques avec les pays d'Asie centrale se sont poursuivies, mais « l'« alternative eurasiatique » parfois proposée en remplacement de la politique européenne était jugée peu sérieuse, la Turquie ne réalisant que 5 % de son commerce extérieur avec cette région.

Parmi les grands projets, la construction de l'oléoduc reliant Bakou à la Méditerranée était en sursis en raison de l'opposition des consortiums pétroliers. Le programme de développement du Sud-Est (GAP) n'a pas suffi à enrayer les problèmes structurels de cette région souffrant de la guerre depuis 1984, et qui a perdu 75 % de ses agriculteurs et de ses éleveurs. Dès 1998, la politique d'irrigation par grands barrages sur l'Euphrate a renforcé les disparités sociales et provoqué des problèmes de pollution chimique et d'érosion. La pauvreté et la guerre continuaient de nourrir la migration vers les villes.

De janvier à décembre 1998, le taux d'inflation est passé de 101 % à 66 % ; les privatisations se sont poursuivies mais ont souffert d'obstacles législatifs décourageant le capital étranger. La dette extérieure s'est encore accrue (94 milliards de dollars en août 1998). Les crises financières asiatique (été 1997) et russe (été 1998) ont gravement affecté l'économie à partir d'août 1998, faisant baisser les exportations, qui ne couvraient que 57 % des importations ; la production industrielle, qui avait crû de 10 % en 1997, a fortement chuté début 1999 (– 9 % en janvier), surtout dans les secteurs automobile et textile. Plus de trois millions d'enfants travaillent toujours en dehors de tout cadre légal.

La Turquie est restée très critiquée pour ses atteintes aux droits de l'homme, alors même que le pays fêtait le soixante-quinzième anniversaire de la République.

Vague nationaliste

Les attentats kurdes qui ont suivi l'arrestation de A. Öcalan, puis la crise du Kosovo et les affaires de corruption ont profité, lors des élections législatives anticipées du 18 avril 1999, au parti de B. Ecevit (DSP, 22 %) et à l'extrême droite menée par Devlet Bahçeli (Parti nationaliste du mouvement – MHP –, 18 %). Les autres partis se sont effondrés (FP, 15 % ; ANAP, 13 % ; DYP, 12 %). Le Parti républicain du peuple (CHP, kémaliste) n'a même pas franchi la barre des 10 %, nécessaire pour être représenté au Parlement. Le pro-kurde HADEP est resté en deçà des 5 %. Les municipales ont, en revanche, consacré les maires islamistes d'Istanbul et d'Ankara et sept grandes

Méditerranée orientale/Bibliographie

S. Basch, *Le Mirage grec. La Grèce moderne devant l'opinion française (1846-1946),* Hatier/Ekdoseis, Paris/Athènes, 1995.

M.-N. Bourguet *et alii, L'Invention scientifique de la Méditerranée. Égypte, Morée, Algérie,* Éd. de l'EHESS, Paris, 1998.

L. Briguglio, *Island Economics – Plans, Strategies and Performance : Malta,* RSPS, Australian National University, Canberra, 1992.

G. Contogeorgis, *Histoire de la Grèce,* Hatier, Paris, 1992.

J. Dalègre, *La Thrace grecque. Populations et territoires,* L'Harmattan, Paris, 1997.

O. Deslondes, « L'évolution de la population grecque (1981-1991) : vers un modèle européen », *Méditerranée,* n° 81, 1-2, Aix-en-Provence, 1994.

O. Deslondes, *Les Fourreurs de Kastoria : entre la Macédoine et l'Occident,* CNRS-Éditions, Paris, 1997.

J.-F. Drevet, *Chypre, île extrême,* Syros Alternatives, Paris, 1991.

« Grèce. Identités, territoires, voisinages, modernisations », *Cahiers d'études sur la Méditerranée orientale et le monde turco-iranien (CEMOTI),* n° 17, Paris, 1994.

« Le carrefour maltais », *REMMM (Revue du monde musulman et de la Méditerranée),* n° 71, Édisud, Aix-en-Provence, 1994.

F. Lerin, L. Mizzi (sous la dir. de), *Malta : Food, Agriculture, Fisheries and the Environment,* IAM-CIHEAM, Montpellier, 1993.

M.-P. Masson-Vincourt, *Paul Calligas (1814-1896) et la fondation de l'État grec,* L'Harmattan, Paris, 1997.

P.-Y. Péchoux, « Les populations de Chypre à la fin de 1994 », *Méditerranée,* n° 81, 1-2, Aix-en-Provence, 1994.

P.-Y. Péchoux, « Le cas de Chypre : recomposition de l'espace méditerranéen ou décomposition des territoires méditerranéens ? », *Les Méditerranées dans le monde,* Arras, 1999.

P.-Y. Péchoux, « Quelle identité chypriote ? », *Sources. Travaux historiques,* n° 43-44, Paris, 1995.

M. Sivignon, « La Grèce », *La Documentation photographique,* n° 7044, La Documentation française, Paris, déc. 1997.

Voir aussi la bibliographie « Turquie », p. 546.

villes ont été gagnées par l'HADEP, dont Diyarbakir, métropole de la région kurde, avec 62 % des voix.

Le 29 mai 1999, un gouvernement de coalition DSP-MHP-ANAP (avec respectivement treize, douze et dix ministères), dirigé par B. Ecevit, a été formé et investi par le Parlement. - **Étienne Copeaux** ■

Présentation par **Charles Urjewicz**
Historien, INALCO

La Moscovie avait atteint les rives du Pacifique et les contreforts du Caucase dès le XVIIe siècle. Un siècle plus tard, des frontières de la Prusse à celles de l'empire du Milieu, la nouvelle « puissance européenne » voulue par Pierre le Grand avait dimension d'empire eurasiatique. La « Troisième Rome », qui devait reprendre le glorieux flambeau de Byzance, ne vit jamais le jour. Mais, jusqu'à l'effondrement de l'URSS, cet immense pays d'un seul tenant se distinguait fortement des autres empires. Au XIXe siècle, alors que peuples et ethnies de Russie accédaient à l'idée nationale, l'*homme russe*, ébloui par ce territoire à l'échelle d'un continent, caressait l'illusion d'un espace littéralement cosmique. Hésitant entre un Occident symbole de progrès et un Orient détenteur de la tradition, il s'engageait dans une quête qu'il n'a toujours pas achevée. Le « géant aux pieds d'argile » se révéla incapable d'accompagner dans la modernité la multitude de peuples et ethnies qui peuplaient tant ses terres de l'intérieur que ses marches, Babel où cohabitaient grandes religions révélées (orthodoxie, islam, judaïsme), mais aussi bouddhisme et chamanisme : Esquimaux du Grand Nord, Turcs de la Volga, de Sibérie, d'Asie centrale ou du Caucase ; Finno-Ougriens, peuples caucasiques aux langues multiples et singulières, Baltes, Polonais, Ukrainiens ou Juifs. Il laissa bientôt la place à l'ensemble soviétique, qui se voulait alors le premier jalon de la « république mondiale des travailleurs » désirée par les communistes. Industrialisation, collectivisation forcée des terres, famines transformèrent radicalement l'Union des républiques socialistes soviétiques (URSS). La société, soumise par une répression systématique, subit un implacable maelström ; brisé, le monde rural en sortit désintégré. En Sibérie, au Kazakhstan, le Goulag imposa un effroyable aménagement du territoire.

En quelques années, la « sixième partie du monde » se couvrit d'un maillage serré de républiques fédérées, de républiques et de régions autonomes : aux uns, le régime offrait l'illusion d'un renouveau national, aux autres la chance d'accéder au statut de nation. La *perestroïka* (reconstruction), engagée dans la seconde moitié des années quatre-vingt-dix, puis l'effondrement de l'URSS (celle-ci a cessé d'exister fin 1991) mirent à nu les réalités et les contradictions d'un empire décidément complexe.

Le discours de l'« amitié des peuples » cachait de fortes disparités culturelles et économiques. En pleine recomposition, les différentes parties de l'ex-empire doivent affronter aujourd'hui les réalités d'un monde dont elles avaient été « protégées » par Moscou, et qui étaient occultées par les vertus décrétées du « socialisme réel ».

Grisés par une indépendance si longtemps espérée, les États baltes célèbrent leur « retour à l'Europe », frappant avec insistance à la porte de l'Union européenne et de l'OTAN (Organisation du traité de l'Atlantique nord). Malgré l'importance des minorités russophones, on y proclame une farouche vo-

L'EFFONDREMENT DE L'URSS A MIS À NU LES RÉALITÉS ET LES CONTRADICTIONS D'UN EMPIRE DÉCIDÉMENT COMPLEXE.

Présentation par **Charles Urjewicz**
Historien, INALCO

APRÈS DES SIÈCLES DE CENTRALISATION, L'IMPORTANCE GRANDISSANTE DES RÉPUBLIQUES ET DES RÉGIONS MARQUE UNE VÉRITABLE RUPTURE.

lonté de tourner le dos à l'espace russe, comme pour mieux s'assurer d'une fragile liberté. La région qui fut la plus développée et la plus prospère de l'URSS vit une mutation difficile, mais pleine de promesses.
L'Asie centrale avait été présentée comme l'exemple de la capacité du régime à sortir peuples et régions de la fatalité du sous-développement, et l'Ouzbékistan avait été proclamé « phare des peuples de l'Orient ». Elle doit faire aujourd'hui l'apprentissage d'une indépendance qu'elle n'avait pas réellement appelée de ses vœux, gérer le lourd passif légué par un système qui la sacrifia à la monoculture du coton. En vingt ans, la mer d'Aral a vu sa superficie réduite de près de 40 %, son niveau baisser de douze mètres, bouleversant l'écosystème de cette région semi-désertique. Aujourd'hui, la région bruisse des échos de la sourde lutte opposant entre eux ces nouveaux États indépendants en quête de puissance et de reconnaissance. La tentation de trouver des partenaires plus prometteurs, voire d'écarter l'ancienne puissance tutélaire, se fait grandissante.
Hier encore terre de villégiature, la Transcaucasie est aujourd'hui une région sinistrée par les conflits, les guerres – notamment civiles – et les nettoyages ethniques. Ses atouts d'hier, une agriculture diversifiée qui trouvait en Russie un marché captif, un climat clément n'ont par ailleurs pas résisté à l'ouverture des frontières. Alors que le doute s'est insinué sur les potentialités réelles de la mer Caspienne, le rêve pétrolier de Bakou et de Tbilissi pourra-t-il s'accomplir ?
Détentrices d'une longue histoire commune, d'une religion et de valeurs partagées, les terres slaves constituées par la Biélorussie, la Russie et l'Ukraine res-

Présentation par **Charles Urjewicz**
Historien, INALCO

Espace post-soviétique/Bibliographie sélective

BERD, *Transition Report 1997. Enterprise and Growth. Economic Transition in Eastern Europe and the Former Soviet Union,* La Documentation française, Paris, 1998.

R. Berton-Hogge, M.-A. Crosnier (sous la dir. de), *Les Pays de la CEI. Édition 1998,* Les Études de La Documentation française, Paris, 1999.

R. Brunet, « Russie, Asie centrale », *in* R. Brunet (sous la dir. de), *Géographie universelle,* vol. X, Belin/RECLUS, Paris/Montpellier, 1995.

R. Brunet, D. Eckert, V. Kolossov, *Atlas de la Russie et des pays proches,* RECLUS/La Documentation française, Montpellier/Paris, 1995.

M. Ferro (sous la dir. de, avec la collab. de M.-H. Mandrillon), *L'état de toutes les Russies. Les États et les nations de l'ex-URSS,* La Découverte, coll. « L'état du monde », Paris, 1993.

La Nouvelle Alternative (trimestriel), Paris.

Le Courrier des pays de l'Est (10 n° par an), La Documentation française, Paris. Voir notamment « L'évolution de la politique de l'Union européenne envers les PECO et l'ex-URSS », n° 421, août 1997 ; « Europe centrale et orientale, Communauté des États indépendants en 1997 : acquis et disparités économiques », n° 428-429, mars-avr.-mai 1998 ; « Les pays de la CEI en 1998-1999. Sous le choc de la crise russe », n° 439, mars-avr. 1999.

M. Lewin, *Russia, USSR, Russia, The Drive and Drift of a Superstate,* The New Press, New York, 1995.

B. Nahaylo, V. Swoboda, *Après l'Union soviétique. Les peuples de l'espace post-soviétique,* PUF, Paris, 1994.

J. Radvanyi (sous la dir. de), *De l'URSS à la CEI : douze États en quête d'identité,* INALCO/Ellipses, Paris, 1997.

J. Sapir, *Feu le système soviétique ? Permanences politiques. Mirages économiques. Enjeux stratégiques,* La Découverte, Paris, 1992.

Voir aussi la bibliographie « Russie », p. 572.

tent très intégrées, voire dominées par un « grand frère » qui a joué habilement de ses atouts énergétiques. Mais cet ensemble vit une évolution rapide. Certes, la Biélorussie, à la recherche d'une improbable identité, frappe à la porte de la Russie. Mais l'Ukraine, dont l'émergence a permis à l'Europe centrale d'élargir son espace politique, veut imposer la réalité de son existence, établir fermement son identité européenne. Rude tâche pour cette « terre des confins », multiple, ambivalente et fragile.

Devenue indépendante, la Russie a changé de configuration territoriale. Après des siècles de centralisation, l'importance grandissante des républiques et des régions qui constituent la Fédération de Russie a marqué une véritable rupture avec toutes les traditions de l'État russe et soviétique. L'espace et les représentations russes ont été profondément transformés par ce processus, véritable restructuration à « échelle humaine » du territoire d'une Fédération que républiques et régions tentent de faire évoluer vers des formes confédératives. Paradoxalement, il donne une légitimité renouvelée à la dimension impériale de cet espace. Mais, alors que la crise économique a semblé s'installer, ce géant de 17 millions de kilomètres carrés trouvera-t-il les ressources pour fonder une nouvelle identité ? ■

Par **Charles Urjewicz**
Historien, INALCO

La CEI (Communauté d'États indépendants) abrite en son sein une grande diversité de membres, à l'image de leurs intérêts souvent divergents. Les pesanteurs, voire l'impuissance, marquant le fonctionnement de la CEI ont privilégié l'établissement de relations bilatérales, en particulier entre la Russie et chacun de ses partenaires.

Le 24 avril 1999, dans les coulisses des célébrations du cinquantenaire de l'OTAN à Washington, l'Ouzbékistan a démonstrativement adhéré au GUAM (Géorgie, Ukraine, Azerbaïdjan et Moldavie), GUUAM dans sa nouvelle dénomination. Ce groupement, créé en novembre 1997 à Tbilissi, se veut le cadre d'une coopération économique et politique permettant à ses membres de se dégager d'une trop grande dépendance de la Russie. Il se nourrit des projets initiés dans le cadre de la TRACECA (projet de corridor entre l'Asie centrale et l'Europe lancé par l'Union européenne) et du Partenariat euro-atlantique. Mais il a d'autres ambitions, dont la constitution d'une force d'interposition capable de remplacer les militaires russes de la CEI (Communauté d'États indépendants) en Abkhazie (république sécessionniste de Géorgie) n'est pas la moindre.

Quelques semaines plus tôt, le 2 avril, le sommet de la CEI s'était tenu à Moscou, après plusieurs reports dus à l'état de santé du président russe Boris Eltsine. L'atmosphère « décente » dépeinte par le chef de l'État ukrainien, Leonid Koutchma, ne devait pourtant pas occulter les résultats limités, voire quelque peu pitoyables de la rencontre : avec le retrait de trois des neuf États signataires du traité de sécurité collective (Azerbaïdjan, Géorgie et Ouzbékistan), la Russie a essuyé un camouflet. En pleine guerre de Yougoslavie (frappes de l'OTAN à partir de fin mars 1999), le sommet n'a pas réussi à s'accorder sur la signature d'une résolution anti-OTAN, plusieurs des États membres de la CEI entretenant des liens « coupables » – aux yeux de Moscou – avec l'Organisation du traité de l'Atlantique nord, certains briguant même une adhésion rapide.

En fait, les participants se sont contentés de rechercher un consensus minimum débouchant sur un maigre bilan : prolongation du mandat des troupes russes d'interposition en Abkhazie, union douanière regroupant la Russie, le Kazakhstan, la Biélorussie et le Kirghizstan, en attendant l'adhésion annoncée du Tadjikistan. La nomination d'un nouveau secrétaire exécutif de la CEI, en la personne de Yuri Yarov, à la suite du limogeage de Boris Berezovski, a semblé avoir mis un terme au moins provisoire à la réorientation esquissée par son prédécesseur : transformer la CEI en un ensemble privilégiant l'économique sur le politique. Malgré le rejet, en octobre 1998, du projet de Comité de consultation et de coordination économique, les perspectives ouvertes par le secrétaire exécutif d'une union économique s'inspirant de l'Union européenne avaient séduit. Seuls l'Azer-

Le « noyau dur » de la CEI (Russie, Biélorussie, Kazakhstan, Kirghizstan) semble avoir laissé la place à une incertaine Union russo-biélorusse.

Par **Charles Urjewicz**
Historien, INALCO

baïdjan et le Turkménistan, tous deux producteurs d'énergie, s'y étaient opposés.

Bien que sortie d'une même matrice, l'URSS, la Communauté abrite en son sein une grande diversité de membres à l'image d'intérêts souvent divergents, voire contradictoires ; pour beaucoup, le cadre communautaire est non seulement astreignant, mais étriqué. Pour les uns, la CEI doit être un creuset d'intégration, pour les autres, une structure imposant le minimum de contraintes. Les pesanteurs, voire l'impuissance dont a souvent fait preuve l'organisation ont privilégié l'établissement de relations bilatérales, en particulier entre la Russie et chacun de ses partenaires. Elles ont entraîné la création de structures transversales destinées à corriger les insuffisances de la Communauté, alliances régionales et regroupements par affinités. Mais l'Union centre-asiatique, formée en 1994 par le Kazakhstan, le Kirghizstan et l'Ouzbékistan, restait fragile ; début 1999, Tachkent coupait le gaz à Bichkek pour « impayés », tandis que les relations avec le Tadjikistan, allié privilégié de Moscou, demeuraient difficiles. Le « noyau dur » de la CEI, constitué en mars 1996 autour de la Russie, de la Biélorussie, du Kazakhstan et du Kirghizstan, semble avoir laissé la place à une incertaine Union russo-biélorusse. Premier jalon d'une Union slave ramenant l'Ukraine dans le giron des « pays frères » ou projet eurasien incluant le Kazakhstan ? Les traités signés en 1997 par la Russie avec les deux autres membres fondateurs de la CEI, la Biélorussie et l'Ukraine, avaient apporté des réponses contradictoires, à l'image d'un espace où les recompositions internes et externes sont loin d'être arrivées à leur terme.

La signature définitive, le 1er avril 1999, d'un Traité d'amitié russo-ukrainien, après deux ans de manœuvres et de tergiversations, a marqué une rupture avec un passé qui avait vu la Russie nier l'identité ukrainienne. Mais elle en dit long, aussi, sur les résistances rencontrées, en particulier à Moscou. Que dire de la Charte d'union, signée le 23 mai 1997, par le président russe et son homologue biélorusse Alexandre Loukachenko ? Elle s'est inscrite dans une logique différente, renvoyant à une autre culture. Mais la « fusion » des deux pays n'était pas réellement à l'ordre du jour.

Les conflits minant la Transcaucasie, Abkhazie et Haut-Karabakh (région de l'Azerbaïdjan peuplée en majorité d'Arméniens réclamant le rattachement à l'Arménie), n'avaient toujours pas trouvé de solution. Le pétrole de la mer Caspienne, malgré les incertitudes pesant sur son exploitation, a continué de susciter de nombreuses convoitises. Mais la Russie, qui s'appuie essentiellement sur son allié arménien, peine désormais à s'imposer fermement dans une région disputée par les grandes puissances. En Asie centrale, en Transcaucasie et en Biélorussie, les tendances autoritaires se sont renforcées. En Ouzbékistan et en Géorgie, attentats ou tentatives de coup d'État ont ébranlé les pouvoirs en place.

Alors que les membres de la CEI ont continué de subir à des degrés divers les conséquences de la crise économique partie de Russie au cours de l'été 1998, la Communauté sera-t-elle en mesure de surmonter la crise identitaire et structurelle qui la mine ? ■

LE PÉTROLE DE LA MER CASPIENNE, VÉRITABLE DONNÉE GÉOPOLITIQUE, SUSCITE LES CONVOITISES, MALGRÉ LES INCERTITUDES PESANT SUR SON EXPLOITATION.

Par **Roberte Berton-Hogge**
Problèmes politiques et sociaux *(série « Russie »), La Documentation française*

1998

17 août. Russie. Alors que, le 14, le président Boris Eltsine excluait encore toute dévaluation, le rouble continuant de plonger, la Banque centrale de Russie et le gouvernement le dévaluent et décrètent un moratoire sur le remboursement de la dette intérieure. Le 23, Sergueï Kirienko sera limogé de ses fonctions de Premier ministre. Après avoir rejeté par deux fois la candidature de Victor Tchernomyrdine pour le remplacer, la Douma accordera, le 11 septembre, son investiture à Evgueni Primakov, ministre des Affaires étrangères depuis 1996. Celui-ci formera un gouvernement comprenant des communistes et se prononcera en faveur d'un pacte de non-agression entre les grands acteurs politiques jusqu'aux élections suivantes. Il cherchera également à renouer avec les institutions financières internationales.

3 octobre. Lettonie. Référendum sur l'assouplissement des conditions d'attribution de la citoyenneté. Les amendements concernant les quotas de naturalisation des russophones sont approuvés par 53 % des votants. Aux élections législatives, le Parti populaire d'Andris Skele remporte 24 sièges, Voie lettonne 21 sièges, le Parti de la patrie et de la liberté 17 sièges, le Parti de l'entente nationale 16 sièges, l'Union sociale-démocratique 14 sièges et le Parti nouveau 8 sièges. Le 26 novembre sera formé un gouvernement minoritaire confié à Vilis Kristopans de Voie lettonne.

11 octobre. Azerbaïdjan. Le président sortant, Heidar Aliev, remporte l'élection présidentielle dès le premier tour avec plus de 76 % des suffrages. L'opposition, qui a boycotté le scrutin, et les observateurs de l'OSCE (Organisation pour la sécurité et la coopération en Europe) contestent la régularité de la consultation.

17 octobre. Kirghizstan. Référendum approuvant la propriété privée de la terre, avec un moratoire de cinq ans sur la vente des terres agricoles. Le 23 décembre, le président Askar Akaiev limogera son gouvernement pour ne pas avoir préparé de programme limitant les effets de la crise russe. Le 25, Djumabek Ibrahimov deviendra Premier ministre. Il sera remplacé le 21 avril 1999 par Amangeli Mouraliev.

10 décembre. Biélorussie. Accord entre le pouvoir biélorusse et les pays de l'Union européenne (UE) mettant fin à la crise des ambassades.

1999

10 janvier. Kazakhstan. Son concurrent le plus dangereux, Akejan Kajegueldine, ayant été écarté de la compétition, le président sortant, Noursultan Nazarbaiev, remporte l'élection présidentielle anticipée dès le premier tour avec 82 % des suffrages. Les observateurs de l'OSCE constatent de nombreuses irrégularités.

3 février. Moldavie. Limogeage du Premier ministre, Ion Ciubuc. Le 12 mars, Ion Sturza lui succédera. Le 23 mai, les élections régionales donneront l'avantage aux communistes, tandis qu'un référendum consultatif sur l'élargissement des prérogatives présidentielles aura lieu. Le président Petru Lucinschi verra dans les résultats de cette consultation un signal clair en sa faveur, bien que la participation n'ait été que de 55 % alors que constitutionnellement elle aurait dû être de 60 %. La Cour constitutionnelle devra statuer sur la validité de ce scrutin.

7 mars. Estonie. Aux élections législatives, le Parti centriste obtient 28 sièges sur 101, l'Union pour la patrie et le Parti de la réforme 18 sièges chacun, le Parti des modérés 17 sièges, le Parti du peuple et le Parti de la coalition respectivement 7 sièges chacun, le Parti du peuple uni 6 sièges. Le 25, formation d'un gouvernement de droite dirigé par Mart Laar, de l'Union pour la patrie.

24 mars. Russie/OTAN/Kosovo. En riposte à la décision de l'OTAN (Organisation du traité de l'Atlantique nord) de procéder à des frappes aériennes contre la Serbie, la Russie rappelle son représentant spécial au quartier général de l'Alliance atlantique, ferme la représentation de l'OTAN à Moscou et gèle la coopération avec l'Alliance. Le président

Par **Roberte Berton-Hogge**

Problèmes politiques et sociaux *(série « Russie »), La Documentation française*

B. Eltsine exige la convocation du Conseil de sécurité des Nations unies.

2 avril. CEI. Au sommet des chefs des États membres, l'Azerbaïdjan, la Géorgie et l'Ouzbékistan annoncent qu'ils ne renouvelleront pas leur participation au traité de sécurité collective (traité de Tachkent). Les participants n'arrivent pas à se mettre d'accord sur une condamnation commune des frappes aériennes de l'OTAN en Yougoslavie.

13 avril. Russie/OTAN/Kosovo. Les chefs des diplomaties russe et américaine s'entendent sur les principe d'une sortie de crise, mais divergent sur le rôle de l'OTAN dans une force internationale de paix. Le 22, V. Tchernomyrdine, représentant spécial du président B. Eltsine dans les Balkans, est reçu par le président Slobodan Milosevic qui propose « une présence internationale civile » au Kosovo, plan rejeté par l'OTAN. Le 6 mai, le G-8 définira les principes généraux de l'arrêt des bombardements, qui prévoient le déploiement d'une présence internationale civile et de sécurité au Kosovo avec l'aval des Nations unies et l'établissement d'une administration intérimaire. A partir du 14, V. Tchernomyrdine et le président finlandais Martti Ahtisaari entreprendront des missions de médiation entre le G-8 et S. Milosevic. Le 3 juin, le président yougoslave acceptera le plan de paix. Le 10, les bombardements cesseront. Le 18, après l'investissement surprise par les forces russes de l'aéroport de Pristina, un accord sera trouvé sur les conditions de participation de la Russie à la Kfor (Force de paix au Kosovo).

23 avril. GUAM. Lors du sommet commémorant à Washington les cinquante ans de l'OTAN, l'Ouzbékistan annonce son intention de rejoindre le GUAM (Géorgie, Ukraine, Azerbaïdjan, Moldavie), qui devient le GUUAM.

3 mai. Lituanie. Le Premier ministre, Gediminas Vagnorius, dont le président Valdas Adamkus n'approuve ni le style de gouvernement, ni la volonté de limiter ses prérogatives, finit par démissionner. Le 18, Romualdas Paksas, membre du Parti conservateur, lui succède.

5 mai. Tadjikistan. Le chef de l'Opposition tadjike unie (OTU), Saïd Abdollah Nouri, lance un ultimatum au président Imamali Rahmanov pour qu'il entérine les amendements constitutionnels proposés par le Comité de réconciliation nationale.

12 mai. Russie. Limogeage d'Evgueni Primakov quelques jours avant le vote de la Douma sur la destitution du président. Tétanisés par la possibilité d'une dissolution de la Chambre basse, les députés ne rassemblent la majorité qualifiée sur aucun des cinq chefs d'inculpation qu'ils avaient retenus. Le 19, ils voteront, dès le premier tour, l'investiture de Sergueï Stepachine, ministre de l'Intérieur dans le gouvernement précédent, l'un des responsables de la guerre en Tchétchénie. La valse des Premier ministres n'en était cependant pas à son dernier tour. Le 9 août suivant, S. Stepachine sera à son tour écarté, B. Eltsine le remplaçant « par intérim » par Vladimir Poutine. Ce dernier, qui était directeur du FSB (Service fédéral de la sécurité, successeur du KGB), dans une de ses premières déclarations en tant que chef de gouvernement, annoncera être en mesure de mater les rebelles islamistes agissant au Daghestan.

6-16 mai. Biélorussie. Élection présidentielle parallèle organisée par l'opposition biélorusse pour démontrer le manque de légitimité du président Alexandre Loukachenko. Contestant la régularité de la procédure, Zianon Pazniak, le dirigeant du Front populaire biélorussien en exil, se retire de la compétition. Les organisateurs décident de renouveler l'opération dans les trois mois en en améliorant les modalités.

30 mai. Arménie. Élections législatives pour partie au scrutin de liste et pour partie au scrutin uninominal. Le bloc Miasnoutioun (Unité, Parti républicain et Parti du peuple) obtient 42 % des suffrages , le Parti communiste d'Arménie 12,1 % (10 sièges), le bloc Droit et concorde et le Dashnaktsutsium respectivement 7,97 % et 7,83 % des voix et 7 sièges, Pays de la loi et l'Union nationale-démocratique respectivement 5,28 % et 5,17 % des voix, soit 6 sièges chacun, le Mouvement pan-national arménien et Arakelutium un siège chacun. On compte également 32 indépendants.

17 juin. Lettonie. Élection de Vaira Vike-Freiberga à la présidence de la République. ■

Pays baltes

Estonie, Lettonie, Lituanie

Estonie

Cap à l'ouest

Deux questions de population pèsent sur l'Estonie et ses relations de voisinage. Les paramètres démographiques promettent une diminution de population de l'ordre de 15 % d'ici à 2025 et une certaine pression migratoire s'exerce aux frontières, alors que 62 % seulement des habitants sont estoniens et qu'il s'agit de définir la position des autres, russes en majorité, dans l'espace civique national. Beaucoup de leurs enfants nés dans le pays, désormais naturalisés, y sont en cours d'assimilation, mais les non-estophones demeurent inéligibles et le chômage, qui affecte 10 % de la population active, les touche un peu plus.

Quel que soit l'émiettement des partis – treize concouraient aux élections législatives de mars 1999 remportées par le centre droit –, l'opinion est favorable à l'entrée, activement préparée, dans l'Union européenne et dans l'OTAN (Organisation du traité de l'Atlantique nord). Cela ne réduit pas le poids des difficultés héritées de la période soviétique : question encore sensible des marges frontalières annexées en 1945 par l'Union soviétique, atermoiements quant au versement des retraites des militaires estoniens par la Russie, différends relatifs à la facture de l'eau potable livrée à Ivangorod, face à Narva, et à la hausse des tarifs douaniers russes sur les produits estoniens, disputes pour le rattachement de la cathédrale Alexandre-Nevski au patriarcat de Constantinople plutôt qu'à Moscou. Enfin, le nettoyage des déchets de l'Armée rouge, surtout dans la péninsule de Pakri et la base de Paldiski, est resté très coûteux.

L'actualité de l'année 1998-1999 était

République d'Estonie

Capitale : Tallinn.
Superficie : 45 100 km².
Population : 1 429 000.
Langues : estonien (off.), russe.
Monnaie : couronne estonienne (EEK) (au cours officiel, 1 EEK = 0,41 FF au 30.4.99).
Nature de l'État : république unitaire.
Nature du régime : démocratie parlementaire.
Chef de l'État : Lennart Meri (élu le 5.10.92, réélu le 20.9.96).
Chef du gouvernement : Mart Laar, qui a succédé le 25.3.99 à Mart Siimann.
Ministre de l'Intérieur : Jüri Mõis (depuis le 25.3.99).
Ministre de la Défense : Jüri Luik (depuis le 25.3.99).
Ministre des Affaires étrangères : Toomas Hendrick Ilves (depuis déc. 96).
Territoires contestés : l'Estonie s'est résignée à ne pas récupérer les parcelles de territoire de Petseri (Petchori) et Joanilinn (Ivangorod), que la Russie avait annexées en 1945, abandonnant l'idée que cette dernière finirait par reconnaître le traité de Tartu (1920). L'accord sur la délimitation des frontières entre les deux pays n'était toujours pas signé à l'été 98.

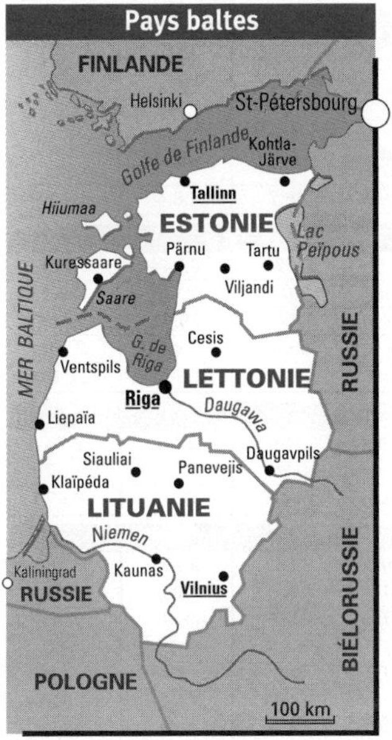

dominée par les difficultés accompagnant le nouveau cours économique : agriculteurs mécontents de l'été 1998 frais et humide, épargnants et entreprises victimes de faillites qui permettent aux banques suédoises de prendre le contrôle des établissements de crédit ; et par les bons résultats du transit des hydrocarbures, des industries du bois et des services téléphoniques. - **Pierre-Yves Péchoux** ■

Lettonie

Les effets de la crise monétaire russe

Après une mauvaise campagne agricole due à un été frais et humide et alors que l'agriculture et l'élevage nationaux étaient concurrencés par des importations d'Europe et des États-Unis, le Parlement élu en octobre 1998 est resté dominé par des partis du centre et de droite trop divisés pour former mieux qu'un gouvernement de coalition minoritaire. Les autorités ont poursuivi, en accord avec l'opinion majoritaire, le rapprochement avec l'Union européenne et l'OTAN (Organisation du traité de l'Atlantique nord) et la privatisation de l'économie, accomplie aux deux tiers, mais qui devait être étendue aux entreprises les plus importantes : transports maritimes et énergie.

A court et à moyen terme, l'avenir demeurait lié aux relations avec la Russie. Elles se sont améliorées sur le plan politique : la base radar russe de Skrunda a été fermée

République de Lettonie

Capitale : Riga.
Superficie : 64 500 km^2.
Population : 2 424 000.
Langues : letton (off.), russe.
Monnaie : lats letton (au cours officiel, 1 lats = 10,46 FF au 30.4.99).
Nature de l'État : république unitaire.
Nature du régime : démocratie parlementaire.
Chef de l'État : Vaira Vike-Freiberga, présidente de la République, qui a succédé le 8.7.99 à Guntis Ulmanis.
Chef du gouvernement : Andris Skele, qui a succédé le 16.7.99 à Vilis Kristopans, lequel avait remplacé en nov. 98 Guntars Krasts.
Ministre des Affaires étrangères : Indulis Berzins (depuis le 16.7.99).
Ministre des Finances : Edmunds Krastins (depuis le 16.7.99).
Ministre de la Défense : Girts Kristovskis (depuis le 16.7.99).
Territoires contestés : la Lettonie a abandonné ses revendications vis-à-vis de la Russie sur le sujet du tracé de leur frontière commune et sur la reconnaissance du traité signé par les deux États en 1920. La région d'Abrene (« Pitalovo » en russe) avait été rattachée à la république socialiste soviétique de Russie en 1945). A l'été 99, aucun accord n'avait été signé.

INDICATEUR	UNITÉ	ESTONIE	LETTONIE	LITUANIE
Démographie[a]				
Population	*(millier)*	1 429	2 424	3 694
Densité	*(hab./km²)*	33,8	39,1	57,0
Croissance annuelle (1995-2000)	*(%)*	– 1,2	– 1,5	– 0,3
Indice de fécondité (ISF) (1995-2000)		1,3	1,2	1,4
Mortalité infantile (1995-2000)	*(‰)*	19	18	21
Espérance de vie (1995-2000)	*(année)*	68,7	68,4	69,9
Indicateurs socioculturels				
Développement humain (IDH)[c]		0,773	0,744	0,761
Nombre de médecins	*(‰ hab.)*	3,04[f]	2,95[f]	3,98[f]
Scolarisation 2e degré	*(%)*	83,4[bi]	78,6[fh]	80,4[gh]
Scolarisation 3e degré	*(%)*	45,2[c]	33,4[f]	31,4[f]
Livres publiés	*(titre)*	2 628[f]	1 965[f]	3 645[f]
Armées (effectifs)				
Armée de terre	*(millier d'h.)*	3,98	2,35	6,75
Marine	*(millier d'h.)*	0,32	0,88	1,32
Aviation	*(millier d'h.)*	0,036	0,13	0,97
Économie				
PIB total (PPA)[c]	*(million $)*	7 647	9 705	15 653
Croissance annuelle 1987-97	*(%)*	– 1,5	– 4,5	– 3,5
Croissance 1998	*(%)*	4,0	3,8	4,4
Croissance agriculture	*(%)*	– 1,0	0,2[c]	– 3,0
Croissance industrie	*(%)*	0,8	2,0	7,0
PIB par habitant (PPA)[c]	*($)*	5 240	3 940	4 220
Investissement (FBCF)	*(% PIB)*	26,4	17,5	23,5
Taux d'inflation	*(%)*	8,2	4,7	5,1
Taux de chômage (fin année)	*(%)*	5,1[j]	9,2[j]	6,9[j]
Énergie (taux de couverture)[f]	*(%)*	68,5	23,9	46,6
Dépense publique Éducation	*(% PIB)*	7,3[f]	6,5[f]	5,6[f]
Dépense publique Défense[c]	*(% PIB)*	2,5	4,6	4,4
Dette extérieure totale[c]	*(million $)*	658	503	1 541
Service de la dette/Export.[e]	*(%)*	1,2	2,8	3,4
Échanges extérieurs				
Importations (douanes)	*(million $)*	4 611	3 189	5 765
Principaux fournisseurs[c]	*(%)*	Ex-CAEM[l] 24,4	Ex-CAEM[l] 34,6	Ex-CAEM[l] 47,5
	(%)	UE 67,2	UE 53,2	UE 45,6
	(%)	E-U 1,2	E-U 2,1	E-U 1,7
Exportations (douanes)	*(million $)*	3 123	1 801	3 693
Principaux clients[c]	*(%)*	Ex-CAEM[l] 27	Ex-CAEM[l] 43,3	Ex-CAEM[l] 45,5
	(%)	UE 62,3	UE 48,9	UE 45,3
	(%)	EU 2,8	Asie[k] 3,2	EU 2,6
Solde transactions courantes	*(% PIB)*	• •	– 12,3	– 12,8

Définition des indicateurs, sigles et abréviations p. 31 et suiv. Chiffres 1998 sauf notes. a. Derniers recensements utilisables : Estonie, 1989 ; Lettonie, 1989 ; Lituanie, 1989. b. 1995 ; c. 1997 ; d. janv. 1999 ; e. 1995-97 ; f. 1996 ; g. 1994 ; h. 11-18 ans ; i. 12-17 ans ; j. Définition nationale, non harmonisée ; k. Y compris Japon et Moyen-Orient ; l. Y compris républiques de l'ex-Yougoslavie.

en septembre 1998 et les Russes, majoritaires parmi les 28 % d'habitants non lettons et qui forment 85 % de la population de Daugavpils, deuxième ville du pays, ont plus facilement accès à la citoyenneté grâce au référendum d'octobre 1998. Mais les relations économiques sont devenues plus délicates depuis la crise monétaire russe de l'été 1998, qui a fragilisé banques et institutions de crédit locales. Or, la Russie absorbe 20 % des exportations de la Lettonie et fournit 16 % de ses importations, utilisant 70 % des facilités de transport du pays : voies ferrées, pipelines, ports. Les activités liées au transit intéressant la Russie par le port de Ventspils (hydrocarbures et produits chimiques) représentaient 25 % du PIB en 1998, faisant de la petite ville un îlot de prospérité et de son maire, Aivars Lembergs, un arbitre dans divers débats économiques et politiques. - **Pierre-Yves Péchoux** ■

Lituanie

Des atouts pour attirer les investisseurs

Tous les dirigeants de Lituanie réclament avec une constance jusque-là infructueuse que la Lituanie soit associée à l'Union européenne (UE) et incorporée à l'OTAN (Organisation du traité de l'Atlantique nord). Ils font valoir la liberté de la presse, l'absence de tension entre Lituaniens, majoritaires à 90 %, et minorités polonaise, russe et biélorusse, l'équilibre du budget et la stabilité politique du régime parlementaire. Ils rappellent que le système bancaire est stabilisé et l'inflation limitée, que le marché national vaut celui des deux autres États baltes réunis et que le pays dispose de main-d'œuvre qualifiée peu coûteuse et de bonnes infrastructures de transports routiers, ferroviaires, maritimes, aériens, utilisables pour desservir la Russie avec laquelle les relations sont satisfaisantes, même si ce marché, qui absorbe 20 % des exportations, s'est fait difficile car de plus en plus fondé sur le troc (produits agricoles contre hydrocarbures). La privatisation a progressé avec des résultats incertains dans l'agriculture, contribuant à expliquer que le chômage affectait vraisemblablement 20 % des actifs en 1998, même avec des emplois non déclarés dans la restauration, le commerce de véhicules d'occasion, les tricotages et la bonneterie. Ce processus rend la Lituanie attractive pour les capitaux étrangers, notamment suédois, investis dans la banque, le pétrole, l'agro-alimentaire, les constructions électriques et l'hôtellerie – le nombre de touristes a approché les 4 millions en 1998.

Les risques de pollution par le nouveau terminal pétrolier de Butinge, proche de la Lettonie, ont troublé les relations avec cette dernière ; trafics de petits colporteurs biélorusses et achats d'électricité non acquittés par Minsk ont affecté les rapports avec

République de Lituanie

Capitale : Vilnius.
Superficie : 65 200 km².
Population : 3 694 000.
Langues : lituanien (off.), russe, polonais.
Monnaie : le litas (au cours officiel, 1 litas = 1,54 FF au 30.4.99).
Nature de l'État : république unitaire.
Nature du régime : démocratie parlementaire.
Chef de l'État et président du Parlement : Valdas Adamkus, qui a succédé en janv. 98 à Algirdas Brazauskas.
Chef du gouvernement : Romualdas Paksas, qui a succédé en 1999 à Gediminas Vagnorius.
Ministre de l'Intérieur : Česlovas Blažys (depuis 1999).
Ministre de la Défense nationale : Česlovas Vytautas Stankevičius.
Ministre des Affaires étrangères : Algirdas Saudargas.

Pays baltes/Bibliographie

H. Aage (sous la dir. de), *Environmental Transition in Nordic and Baltic Countries*, Edward Elgar, Cheltenham, 1998.

M. Cabouret, « Questions posées par la décollectivisation d'une agriculture soviétisée : le cas de l'Estonie », *Géographies et campagnes*, ENS, Fontenay, 1993.

S. Champonnois, X. de Labriolle, *L'Estonie, des Estes aux Estoniens*, Karthala, Paris, 1997.

« Europe centrale et orientale, Communauté des États indépendants en 1997 : acquis et disparités économiques », *Le Courrier des pays de l'Est*, n° 428-429, La Documentation française, Paris, mars-avr.-mai 1998.

L. Hedegaard *et alii*, *The NEBI Yearbook 1998. North European and Baltic Sea Integration*, Springer, 1998.

O. F. Knudsen, « La sécurité coopérative dans la région de la mer Baltique », *Cahiers de Chaillot*, 33, Institut d'études de sécurité, UEO, 1998.

La Nouvelle Alternative (trimestriel), Paris. Voir notamment les dossiers « Diversité des pays baltes », n° 47, sept. 1997 ; « L'Union européenne vue d'Europe centrale et orientale », n° 49, mars 1998.

M. Lauristin, P. Vihalemm, *Return to the Western World. Cultural and Political Perspectives on the Estonian Post-communist Transition*, Tartu University Press, Tartu, 1997.

G. Le Marc, M.-A. Crosnier, « Pays baltes », *in* M. Ferro (sous la dir. de), *L'état de toutes les Russies. États et nations de l'ex-URSS*, La Découverte, coll. « L'état du monde », Paris, 1993.

É. Lhomel, T. Schreiber (sous la dir. de), *L'Europe centrale, orientale et balte. Édition 1998*, Les Études de la Documentation française, Paris, 1998.

A. Lieven, *The Baltic Revolution. Estonia, Latvia, Lithuania and the Path to Independence*, Yale University Press, New Haven/Londres, 1993.

J. Maciulyte, « Une troisième réforme agraire en Lituanie ? », *Revue d'études comparatives Est-Ouest*, 26-3, 1996.

R. Misiunas, R. Taagepera, *The Baltic States. Years of Dependence 1940-1990*, Hurst, Londres, 1993.

O. Nørgaard, *The Baltic States after Independence*, Edward Elgar, Cheltenham, 1996.

P.-Y. Péchoux, « La Lituanie post-soviétique : nation, territoire, mutation économique », *Géographies, Bull. Ass. géogr. fr.*, 1998.

Y. Plasseraud, *Les États baltes*, Montchrestien, Paris, 1996.

G. von Rausch, *The Baltic States. The Years of Independence. Estonia, Latvia, Lithuania 1917-1940*, Hurst, Londres, 1995.

A. et J. Sellier, *Atlas des peuples d'Europe centrale*, La Découverte, Paris, 1998 (nouv. éd.).

L. Teiberis, *La Lituanie*, Karthala, Paris, 1995.

Voir aussi la bibliographie sélective « Espace post-soviétique », p. 551.

cette dernière. Mais les enjeux apparaissaient sans commune mesure avec les débats suscités en Europe par la sécurité de la centrale nucléaire d'Ignalina qui fournit 80 % de l'énergie locale et nourrit une partie des exportations (risque d'obstacle pour la candidature à l'UE). D'autre part, beaucoup d'entreprises dont le champ commercial a été rétréci depuis dix ans fondent de grands espoirs sur les projets de rapprochement avec la « Petite Lituanie » (sous souveraineté russe). - **Pierre-Yves Péchoux** ■

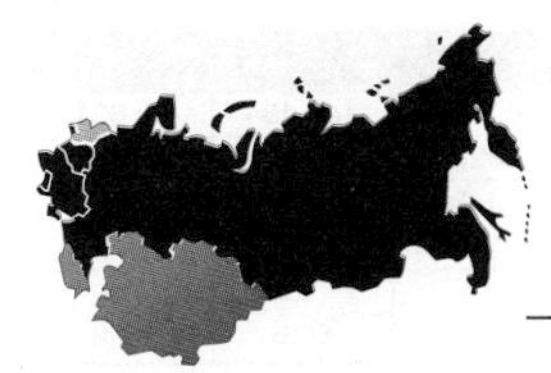

Europe orientale

Biélorussie, Moldavie, Russie, Ukraine

Biélorussie

Une idéologie « verticale »

Le président Alexandre Loukachenko a poursuivi sa politique velléitaire ainsi que le processus d'« union » avec Moscou. Les opposants communistes, libéraux et nationalistes ont organisé des manifestations, lancé des pétitions, récoltant tabassages, arrestations, procès, amendes. La crise financière russe de l'été 1998 a entraîné le ralentissement du commerce extérieur, la reprise de l'inflation (73,2 % en 1998, contre 10 % en 1997) et la chute de la monnaie. Les productions agricole et industrielle ont sensiblement baissé, tandis qu'augmentait le déficit commercial.

La création d'un « état-major économique » n'a pas enrayé le mouvement d'érosion de l'économie, mais le meilleur argument du pouvoir est resté l'échec des réformes russes. L'accord d'« unification », signé le 25 décembre 1998 entre Moscou et Minsk, a ouvert la possibilité d'une citoyenneté commune, ce qui permettrait la participation d'A. Loukachenko aux élections en Russie. Minsk a établi des représentations dans les régions russes et poursuivi le rapprochement avec la Chine, le Vietnam et les pays musulmans. La Pologne a été amenée, sous la pression de l'Union européenne (UE), à limiter les passages à ses frontières orientales, ce qui a provoqué un mécontentement dont le président a profité en sommant, en juin 1998, tous les ambassadeurs des pays occidentaux de quitter leurs résidences voisinant la sienne. Cette crise a entraîné leur rappel puis la conclusion d'un compromis avec les pays de l'UE en décembre 1998. La guerre en Yougoslavie, au printemps 1999, a poussé le président biélorusse à s'engager en faveur d'une union slave, ce qui a empêché tout réchauffement des relations avec l'Occident.

République de Biélorussie (« Belarus »)

Capitale : Minsk.
Superficie : 207 600 km^2.
Population : 10 315 000.
Langues : biélorusse (off.), russe (off.), polonais, ukrainien.
Monnaie : rouble biélorusse (au cours officiel, 10 000 roubles = 0,26 FF au 30.4.99).
Nature de l'État : république unitaire.
Nature du régime : présidentiel fort.
Chef de l'État : Alexandre Loukachenko, président de la République (depuis le 10.7.94).
Chef du gouvernement : Sergueï Ling (depuis le 18.11.96).
Ministre des Affaires étrangères : Oural Latipov (depuis le 1.12.98).
Ministre de la Défense nationale : Alexandre Tchoumakov (depuis le 5.2.98).
Ministre de l'Intérieur : Iouri Sivakov (depuis le 14.6.99).
Président du Comité pour la sécurité d'État (KGB) : Vladimir Matchkievitch (depuis le 5.2.98).

INDICATEUR	BIÉLO-RUSSIE	MOLDAVIE	RUSSIE	UKRAINE
Démographie[a]				
Population *(millier)*	10 315	4 378	147 434	50 861
Densité *(hab./km²)*	49,7	132,8	8,7	87,8
Croissance annuelle (1995-2000) *(%)*	– 0,3	0,0	– 0,2	– 0,4
Indice de fécondité (ISF) (1995-2000)	1,4	1,8	1,3	1,4
Mortalité infantile (1995-2000) *(‰)*	23	29	18	19
Espérance de vie (1995-2000) *(année)*	68,0	67,5	66,6	68,8
Indicateurs socioculturels				
Développement humain (IDH)[c]	0,763	0,683	0,747	0,721
Nombre de médecins *(‰ hab.)*	4,2[f]	3,6[f]	4,1[f]	4,5[c]
Scolarisation 2e degré *(%)*	92,9[fj]	80,5[fk]	87,0[hj]	91,2[hk]
Scolarisation 3e degré *(%)*	44,0[f]	26,1[f]	41,4[f]	41,5[f]
Livres publiés *(titre)*	3 809[f]	921[f]	36 237[f]	6 460[f]
Armées (effectifs)				
Armée de terre *(millier d'h.)*	43	10	1 159	171,3
Marine *(millier d'h.)*	••	1,05		12,5
Aviation *(millier d'h.)*	22	–		124,4
Économie				
PIB total (PPA)[c] *(million $)*	49 758	6 470	644 202	111 126
Croissance annuelle 1987-97 *(%)*	– 2,3	– 8,8	– 4,6	– 8,1
Croissance 1998 *(%)*	8,3	– 5,0	– 4,8	– 1,7
Croissance agriculture *(%)*	– 0,4	– 10,6	– 12,3	– 8,0
Croissance industrie *(%)*	11,0	– 11,0	– 5,2	– 1,5
PIB par habitant (PPA)[c] *($)*	4 850	1 500	4 370	2 190
Investissement (FBCF) *(% PIB)*	24,2[g]	18,4[e]	19,1[g]	20,8[e]
Taux d'inflation *(%)*	73,2	6,9	27,6	10,6
Taux de chômage (fin année) *(%)*	2,3[i]	1,9[i]	12,4[i]	4,3[i]
Énergie (taux de couverture)[f] *(%)*	12,8	1,2	154,0	51,3
Dépense publique Éducation *(% PIB)*	6,1[f]	9,7[f]	4,1[h]	7,2[b]
Dépense publique Défense[c] *(% PIB)*	2,9	4,4	5,8	2,7
Dette extérieure totale[c] *(million $)*	1 162	1 040	125 645	10 901
Service de la dette/Export.[e] *(%)*	2,4	7,9	6,5	6,4
Échanges extérieurs				
Importations (douanes) *(million $)*	8 509	1 135	59 573	6 511
Principaux fournisseurs[c] *(%)*	Ex-CAEM[n] 75,4	Ex-CAEM[n] 70,2	Ex-CAEM[n] 36,1	Ex-CAEM[n] 75,7
(%)	UE 16,6	UE 20	UE 37,6	UE 16,4
(%)	E-U 1,6	E-U 3,5	E-U 7,8	Asie[m] 2,8
Exportations (douanes) *(million $)*	7 016	677	73 871	8 435
Principaux clients *(%)*	Ex-CAEM[n] 82,1	Ex-CAEM[n] 80,6	Ex-CAEM[n] 35,9	Ex-CAEM[n] 59,7
(%)	UE 6,9	UE 10,3	UE 33,3	UE 13,3
(%)	Asie[m] 4,5	EU 6,6	Asie[m] 14,6	Asie[m] 15,8
Solde transactions courantes *(% PIB)*	– 7,4	– 23,3	0,6	– 4,1

Définition des indicateurs, sigles et abréviations p. 31 et suiv. Chiffres 1998 sauf notes. a. Derniers recensements utilisables : Biélorussie, 1999 ; Moldavie, 1989 ; Russie, 1989 ; Ukraine, 1991. b. 1995 ; c. 1997 ; d. janv. 1999 ; e. 1995-97 ; f. 1996 ; g. 1996-98 ; h. 1993 ; i. Définition nationale, non-harmonisée ; j. Taux brut, 10-16 ans ; k. Taux brut, 11-17 ans ; l. Total 1 159 000 ; m. Y compris Japon et Moyen-Orient ; n. Y compris républiques de l'ex-Yougoslavie.

Europe orientale
OCÉAN ATLANTIQUE
NORVÈGE
MER DE BARENTS
Cercle polaire arctique
Mourmansk
Presqu'île de Kola
MER BLANCHE
SUÈDE
Golfe de Botnie
FINLANDE
Carélie
Arkhangelsk
Dvina sept.ale
KOMIS
Petrozavodsk
Lac Onega
Åland
G. de Finlande
Lac Ladoga
Saint-Pétersbourg
ESTONIE
Lac Peïpous
Novgorod
Réservoir de Rybinsk
RUSSIE
Rybinsk
Kostroma
MER BALTIQUE
LETTONIE
Volga
Iaroslav
Ivanovo
Nijni-Novgorod
Iochkar-Ola
MARIS
TATARSTAN
Kaliningrad
RUSSIE
LITUANIE
Niemen
Moscou
Vladimir
Oka
Kazan
TCHOUVACHIE
Vitebsk
Orsha
Smolensk
Riazan
Minsk
Toula
MORDOVIE
Baranovitchi
Moguilev
POLOGNE
BIÉLORUSSIE
Briansk
Penza
Samara
Brest
Pinsk
Gomel
Orel
Koursk
Voronej
Saratov
Rivne
Tchernobyl
Kiev
Lviv
Jitomir
SLOV.
UKRAINE
Dniepr
Kharkiv
Don
Volga
Dniestr
Kamenets-Podolski
Ivano-Frankovsk
HONG.
Bug
Volgograd
KAZAKHSTAN
Prut
Balti
Dniepropetrovsk
Lougansk
Krivoï Rog
Donetsk
Makiivka
MOLDAVIE
Chisinau
Zaporijia
Rostov
Astrakhan
ROUMANIE
Tiraspol
Odessa
Marioupol
KALMOUKIE
Mer d'Azov
Crimée
ADYGHÉENS
Krasnodar
OSSÉTIE DU NORD
KABARDINO-BALKARIE
INGOUCHIE
TCHÉTCHÉNIE
Simferopol
Sébastopol
Danube
Balaklava
Novorossiisk
KARATCHEVO-TCHERKESSIE
BULGARIE
MER NOIRE
DAGHESTAN
GRÈCE
TUR.
Bosphore
GÉORGIE
TURQUIE
300 km
ARM.
AZERB.
Dardanelles

La Biélorussie est restée stable, mais le manque de perspectives est resté un défi pour son régime. Le Soviet suprême, supprimé en 1996, a voulu organiser une élection présidentielle le 16 mai 1999, démarche que le pouvoir a considérée comme illégale. Le réenregistrement des partis et des associations constituait une mesure d'intimidation complétant la formation de structures politiques axées autour de la « verticale idéologique » dont le but est de faire descendre la parole présidentielle jusqu'à la base de la société. - **Bruno Drweski** ■

Moldavie

Les dégâts de la crise russe

Dépourvue de ressources énergétiques, fragilisée par un secteur agricole ayant pour tout débouché les marchés de la CEI (Communauté d'États indépendants), la Moldavie a subi de plein fouet le choc de la crise financière russe (été 1998). En automne 1998, la Banque nationale a réagi face à la dépréciation du leu en abandonnant le contrôle des changes. L'inflation atteignait 7,6 % au premier trimestre 1999. Aussi, malgré le nouveau Code fiscal entré en vigueur le 1er janvier 1998, les revenus de l'État sont-ils demeurés bien inférieurs aux prévisions. La dette extérieure s'élevait à 1,3 milliard de dollars en mai 1999 et la dette interne à 1,6 milliard de lei. Avec un salaire moyen mensuel équivalent à 25 dollars, le niveau de vie de la population s'est sensiblement détérioré.

C'est dans ce climat de récession que le Premier ministre Ion Ciubuc a démissionné le 3 février 1999. Ion Sturza, vice-premier ministre et ministre de l'Économie et des Réformes, lui a succédé, soutenu lors du vote au Parlement par le bloc Pour une Moldavie démocratique et prospère (parti de Dumitru Diacov, président du Parlement), la Convention démocratique (dirigée par l'ex-président Mircea Snegur) et le Parti des forces démocratiques (parti de centre droit de Valeriu Matei), formations appartenant toutes à la coalition gouvernementale. Les communistes ont voté contre, et le Front populaire chrétien démocrate (FPCD), ancienne composante du gouvernement, s'est abstenu.

La réforme de l'organisation territoriale adoptée par le Parlement en décembre 1998 a créé un découpage administratif en 10 *judet* (contre 40 « rayons » auparavant). Un statut spécial a été accordé à la minorité des chrétiens orthodoxes turcophones du Sud : l'Unité territoriale autonome de Gagaouzie (UTAG). Mais les négociations piétinaient sur le statut définitif

République de Moldavie (« Moldova »)

Capitale : Chisinau.
Superficie : 33 700 km².
Population : 4 378 000.
Langues : roumain (off.), russe, ukrainien, turc, bulgare.
Monnaie : leu, pluriel : lei (au cours officiel, 1 leu = 0,71 FF au 30.4.99).
Nature de l'État : république unitaire.
Nature du régime : parlementaire à forte dominante présidentielle.
Chef de l'État : Petru Lucinschi, président de la République (depuis le 1.12.96).
Chef du gouvernement : Ion Sturza, qui a succédé le 12.3.99 à Ion Ciubuc.
Ministre de l'Intérieur : Victor Catan (depuis le 21.5.98).
Ministre de la Défense : Boris Gamurari (depuis le 13.5.99).
Ministre des Affaires étrangères : Nicolae Tabacaru (depuis le 21.5.98).
Échéances institutionnelles : élections présidentielle (2000) et législatives (2001).
Territoire contesté : le conflit avec la « république moldave du Driestr » (autoproclamée) n'était toujours pas réglé à la mi-1999, ses autorités donnant une interprétation *pro domo* du mémorandum signé en mai 1997.

de la Transdniestrie, région séparatiste, autoproclamée en 1990 « république moldave de Transdniestrie » (RMT), malgré le mémorandum signé le 8 avril 1997 qui devait normaliser les relations et prévoyait le retrait de l'ex-14e armée russe mais n'était pas appliqué.

Enfin, quoique n'ayant pas d'accès direct à la mer, la Moldavie est membre de la Coopération économique de la mer Noire (CEMN). Le sommet de Yalta, en juin 1998, a donné naissance à la Charte sur l'organisation économique régionale, prémices d'une zone de libre-échange dont l'enjeu majeur est le transport du pétrole caspien. - **Hervé Dupouy** ■

Russie

Crise économique, radicalisations et limogeages

Provoquée par l'instabilité sur les marchés asiatiques, la baisse des prix du pétrole, du gaz et des métaux, et surtout suscitée par l'incapacité des autorités à restructurer l'économie russe, la crise financière d'août 1998 a mis un terme à la spirale d'endettement de la Russie et un coup d'arrêt à la politique des réformateurs libéraux. Le 17 août 1998, le Premier ministre Sergueï Kirienko a dû annoncer un défaut de paiement sur la dette publique interne (11,6 milliards de dollars), un moratoire sur la dette extérieure et la dévaluation du rouble.

Celui-ci a perdu 72 % de sa valeur au cours de l'année 1998. Même si la forte baisse du pouvoir d'achat et la politique monétaire restrictive menée par les autorités russes ont pu la modérer, l'inflation s'est rapidement développée à la suite entre autres de la hausse des prix des produits importés, atteignant, en 1998, un taux de 27,6 %.

Le FMI appelé au chevet de l'économie russe

La défiance à l'égard du rouble a contribué à la reprise de la dollarisation de l'économie. Les échanges intérieurs sont restés largement « démonétisés », le troc et la remise de titres de créances constituant le moyen de paiement de plus de 50 % des échanges. Si l'importance considérable de l'économie souterraine ne permettait pas d'établir des calculs sûrs, la récession a été estimée pour 1998 à – 4,8 %, la production industrielle résistant relativement bien, ce qui pourrait refléter un regain de compétitivité sur le marché intérieur du fait de la baisse du rouble. Si la balance commerciale a supporté la baisse des prix des matières premières d'exportation grâce à une forte baisse des importations, la fuite des capitaux empêchait la Banque centrale de reconstituer ses réserves de change. La faiblesse des rentrées fiscales, due au ralentissement de l'économie et à la destruction d'une grande partie du système bancaire, a aggravé la situation budgétaire. Fin décembre 1998, la Russie était, pour la première fois, en incapacité d'honorer ses engagements sur sa dette extérieure souveraine (garantie par l'État), qui avait pourtant été rééchelonnée en 1997.

Malgré l'état inquiétant de l'économie, le gouvernement n'avait à l'été 1999 encore pris aucune décision stratégique alors que se profilaient les élections législatives de décembre 1999 et la présidentielle de l'été 2000.

Le budget voté par la Douma (Parlement) a été, comme les années précédentes, irréaliste, envisageant un déficit budgétaire d'environ 2 % du PIB. Cela a considérablement freiné les négociations avec les organisations multilatérales et contribué à la dégradation des relations avec les créditeurs privés internationaux.

La Russie espérait obtenir un soutien du FMI pour la restructuration de sa dette extérieure (17,5 milliards de dollars, dont

INDICATEUR	UNITÉ	1975	1985	1997	1998
Démographie[a]					
Population	*million*	134,2	143,3	147,7	147,4
Densité	*hab./km²*	7,9	8,5	8,7	8,7
Croissance annuelle	%	0,7[p]	0,3[m]	– 0,2[d]	• •
Indice de fécondité (ISF)		2,0[p]	1,8[m]	1,4[d]	• •
Mortalité infantile	‰	28[p]	21[m]	18[d]	• •
Espérance de vie	*année*	67,5[p]	67,9[m]	66,6[d]	• •
Indicateurs socioculturels					
Nombre de médecins	*‰ hab.*	3,49	4,50	4,06[c]	• •
Scolarisation 2[e] degré[u]	%	95,7[ot]	96,8[t]	87,0[ft]	• •
Scolarisation 3[e] degré	%	46,1[o]	54,2	41,4[c]	• •
Téléviseurs	*‰ hab.*	• •	364,9[i]	389,8	• •
Livres publiés	*titre*	• •	34 050[h]	36 237[c]	• •
Économie					
PIB total (PPA)	*milliard $*	• •	923,7[i]	644,2	• •
Croissance annuelle	%	• •	– 4,6[j]	0,8	– 4,8
PIB par habitant (PPA)	$	• •	6 230[i]	4 370	• •
Investissement (FBCF)	*% PIB*	• •	23,8[k]	19,4	17,4
Recherche et Développement	*% PIB*	• •	0,3[i]	0,7[e]	• •
Taux d'inflation	%	• •	1 353[s]	70,1	27,7
Population active	*million*	71,13	76,24	78,07	• •
Agriculture	% } *100 %*	14,3	13,2	14,0	10,5[r]
Industrie	% } *100 %*	41,7	42,3	33,5[c]	• •
Services	% } *100 %*	44,0	44,5	52,5[c]	• •
Énergie (taux de couverture)	%	97,6	123,5	154,0[c]	• •
Dépense publique Éducation	*% PIB*	3,9	3,2	4,1[f]	• •
Dépense publique Défense	*% PIB*	• •	• •	5,8	• •
Dette extérieure totale	*milliard $*	• •	28,30	125,65	• •
Service de la dette/Export.	%	• •	• •	6,5[n]	• •
Échanges extérieurs		**1974**	**1986**	**1997**	**1998**
Importations de services	*milliard $*	• •	• •	18,85	16,09
Importations de biens	*milliard $*	• •	• •	71,6	57,45
Produits agricoles	%	• •	• •	26,0[c]	25,3[b]
Produits chimiques	%	• •	• •	11,9[c]	12,3[b]
Machines et mat. de transport	%	• •	• •	27,9[c]	31,0[b]
Exportations de services	*milliard $*	• •	• •	14,16	12,94
Exportations de biens	*milliard $*	• •	• •	89,04	74,75
Produits miniers	%	• •	• •	48[c]	50,3[b]
Produits chimiques	%	• •	• •	7,8[c]	7,2[b]
Machines et mat. de transport	%	• •	• •	9,4[c]	10[b]
Solde des transactions courantes	*% du PIB*	• •	1,5[g]	0,9	0,6

Définition des indicateurs, sigles et abréviations p. 31 et suiv. a. Dernier recensement utilisable : 1989 ; b. 1997 ; c. 1996 ; d. 1995-2000 ; e. 1995 ; f. 1993 ; g. 1992-96 ; h. 1991 ; i. 1990 ; j. 1987-97 ; k. 1987-96 ; l. 1986 ; m. 1985-95 ; n. 1995-97 ; o. 1980 ; p. 1975-85 ; q. 1974 ; r. An 2000, estimation FAO ; s. Sommet atteint en 1992 ; t. Taux brut ; u. 10-16 ans.

4,5 milliards dus à l'organisation elle-même), ainsi que le versement de 4,8 milliards de dollars représentant la deuxième tranche du crédit stand-by de 22,5 milliards accordé en 1998. L'accord paraissait néanmoins difficile à trouver, le FMI réclamant entre autres la réduction des dépenses publiques et l'augmentation sensible de la collecte des impôts. De plus, des accusations ont circulé sur le détournement de fonds déjà versés et les Occidentaux se sont montrés réticents face à une Russie instable où se développent les discours hostiles. Un accord a néanmoins été conclu le 28 avril 1999, dans le contexte très politique de la crise du Kosovo.

Les grands perdants du krach financier ont été les épargnants et en particulier la classe moyenne émergente, qui était le principal soutien des réformes. Ont moins souffert ceux qui étaient le moins insérés dans l'économie marchande. Malgré les impayés de salaires et l'appauvrissement de la population, et contrairement à ce que pouvait laisser croire la manifestation nationale de très grande envergure d'octobre 1998, la mobilisation sociale est restée très faible, les Russes préférant dans leur majorité le repli sur soi et les stratégies de survie individuelles. Le taux de chômage a pourtant continué à augmenter, passant de 11,4 % à 14,1 % d'août 1998 à mars 1999, et les salaires réels à baisser (43 % de juillet 1998 à mars 1999). Enfin, la situation démographique et sanitaire s'est largement détériorée.

Au sommet de l'État, toujours le jeu des chaises tournantes

La crise politique qui a suivi la tourmente économique a poussé le président Boris Eltsine à renvoyer le Premier ministre S. Kirienko, remplacé, après que la Douma eut refusé le retour du chef de gouvernement limogé Victor Tchernomyrdine, par Evgueni Primakov (précédemment ministre des Affaires étrangères) en septembre 1998. Celui-ci a formé un gouvernement d'union nationale avec plusieurs communistes aux postes clés, dont Iouri Maslioukov, ancien patron du Gosplan soviétique, nommé premier vice-premier ministre en charge du bloc économique, tout en maintenant certains membres de l'équipe sortante, comme Mikhaïl Zadornov, ministre des Finances en exercice depuis 1997 et ancien membre du parti réformiste Iabloko. Le conservateur Viktor Gerachtchenko, ancien président de la Banque internationale de Moscou, mais aussi de la Gosbank du temps de l'URSS, a été nommé à la tête de la Banque centrale. La faiblesse physique et politique de B. Eltsine a provoqué un renforcement du pouvoir du Premier ministre et créé un nouvel équilibre entre le président et la Douma, de plus en plus favorable à cette dernière.

Marquée par l'affrontement entre le Parlement et la Présidence, d'une part, et entre le gouvernement et le Kremlin, d'autre part, l'année a été rythmée par la multiplication des scandales, des alliances et des limogeages ainsi que des accusations de corruption aux plus hauts sommets de l'État. Dans la course aux élections, chacun paraissait lutter pour garder un statut susceptible de lui assurer une certaine immunité et des privilèges.

Le 7 décembre 1998, B. Eltsine a limogé le chef de son administration, Valentin Ioumachev, ainsi que trois de ses adjoints, et l'a remplacé par Nikolaï Bourdiouja, secrétaire du Conseil de sécurité, organe consultatif auprès du président, limogé à son tour fin mars. Le 4 mars 1999, sans consulter les autres membres de la CEI (Communauté d'États indépendants), il a renvoyé de son poste de secrétaire exécutif de l'organisation Boris Berezovski, qui avait vivement critiqué le gouvernement et qui se trouvait affaibli politiquement. Au milieu du bras de fer continuel entre les pouvoirs exécutif et législatif, le procureur général Iouri Skouratov, proche des communistes et des ultranationalistes, devenant gênant pour le Kremlin, a été suspendu de ses fonctions par le président Eltsine, mais le Conseil de la Fédération a refusé par deux fois d'entériner cette

Républiques membres de la Fédération de Russie

1- MORDOVIE (Saransk)
2- TCHOUVACHIE (Tcheboksary)
3- Rép. des MARIS (Iochkar-Ola)
4- TATARSTAN (Kazan)
5- OUDMOURTIE (Ijevsk)
6- BACHKORTOSTAN (Oufa)
7- Rép. des ADYGHÉENS ((Maïkop)
8- KARATCHAEVO-TCHERKESSIE (Tcherkessk)
9- KABARDINO-BALKARIE (Naltchik)
10- OSSÉTIE DU NORD (Vladikavkaz)
11- INGOUCHIE (Nazran)
12- TCHÉTCHÉNIE (Groznyi)

Russie
80° N
70° N
ÉTATS-UNIS
Alaska
GLACIAL ARCTIQUE
Détroit de Béring
I.Wrangel
MER DE BÉRING
60° N
Terre du Nord
Archipel de la Nouvelle-Sibérie
Anadyr
TCHOUKOTKA
MER DE LAPTEV
Cercle polaire arctique
Rép. des KORIAKS
Iles du Commandeur
Kolyma
Verkhoïansk
Indiguirk
Kamtchatka
IAKOUTIE (SAKHA)
Magadan
Okhotsk
Petropavlovsk-Kamtchatski
RUSSIE
Sibérie
Iakoutsk
Toura
MER D'OKHOTSK
50° N
Léna
Iles Kouriles
Sakhaline
Komsomolsk-sur-l'Amour
Ioujno-Sakhalinsk
Bratsk
Krasnoïarsk
Amour
BOURIATIE
Lac Baïkal
Tchita
Birobidjan
Khabarovsk
Irkoutsk
TOUVA
Oulan-Oude
Kyzyl
MER DU JAPON
40° N
Vladivostok
JAPON
MONGOLIE
CHINE
CORÉE DU NORD
CORÉE DU SUD
1000 km

décision. Dans ce climat de très grande instabilité politique, la Douma a décidé d'examiner la destitution de B. Eltsine, lors d'une séance fixée au 15 avril, puis repoussée au 13 mai. Les cinq chefs d'accusation pesant contre lui étaient : génocide contre le peuple russe, dissolution de l'URSS, effondrement de l'armée et du complexe militaro-industriel, assaut contre le Parlement en 1993 et guerre en Tchétchénie (1994-1996). Le limogeage, le 12 mai 1999, d'E. Primakov, remplacé par Sergueï Stepachine (lui-même remplacé le 9 août suivant par Vladimir Poutine), et l'échec de la procédure de destitution ont à nouveau modifié l'équilibre politique.

A l'approche des élections législatives, fixées au 19 décembre 1999 et de la présidentielle de juin-juillet 2000, certains hommes politiques sont apparus clairement entrés en campagne. De nouvelles unions politiques se sont créées. En décembre 1998, le maire de Moscou, Iouri Loujkov, a fondé son propre parti, La Patrie, prônant la mise en place d'un État fort et d'une économie de marché assortie d'une forte politique sociale. Son patriotisme et son appel à l'unité nationale lui ont assuré le soutien de plusieurs gouverneurs de région ainsi que celui des industriels de la première heure de la *perestroïka*. Au printemps 1999 sont apparues deux nouvelles unions politiques d'assise régionale : Toute la Russie, comprenant seize gouverneurs dont Mintimir Chaïmiev, président du Tatarstan, que le parti de I. Loujkov a rejointe, et Voix de Russie, dirigée par Konstantin Titov, gouverneur de Samara. Enfin, dans le camp des nationaux-communistes a été fondé, début juin 1999, le mouvement Renouveau et unité, avec à sa tête Aman Touliev, gouverneur de Kemerovo.

Les régions sont devenues des acteurs majeurs de la politique russe et les gouverneurs apparaissent tout-puissants. E. Primakov a certes affirmé dès sa prise de fonctions vouloir éviter la dislocation de la Russie et réduire au silence les tendances séparatistes, mais les régions, en particulier pour survivre aux difficultés économiques, ont continué à marquer leur indépendance.

La crise dans le Caucase s'est aggravée. Les conflits entre clans tchétchènes rivaux, en particulier entre le président élu Aslan Maskhadov et les anciens chefs de guerre, dont Chamil Bassaïev, les attentats et les prises d'otages ont plongé la Tchétchénie dans un profond chaos. L'enlèvement, le 5 mars 1999, du représentant du ministre de l'Intérieur russe a créé de nouvelles tensions entre Moscou et la république indépendantiste. Dans un rapport de forces avec E. Primakov, B. Eltsine a renvoyé le 27 avril 1999 le premier vice-ministre Vadim Goustov, chargeant S. Stepachine, alors ministre de l'Intérieur, impliqué depuis longtemps dans la résolution de la question tchétchène, du suivi des élections et de la politique régionale.

La crise économique, l'instabilité politique et l'approche des élections ont provoqué une radicalisation du discours politique et une montée en puissance des forces nationalistes. Cela s'est accompagné d'un regain d'antisémitisme, dont les propos du député Albert Makachov en octobre 1998 n'étaient que l'un des reflets. La crise des Balkans a exacerbé les discours prônant la confrontation.

Attaques verbales contre le « gendarme » américain

La Russie a dénoncé, sans avoir les moyens d'aller plus loin, l'hégémonie américaine et le rôle de « gendarme du monde » que s'arroge Washington. Elle a ainsi vivement protesté contre les frappes aériennes des États-Unis et du Royaume-Uni de décembre 1998 en Irak et a tenté de conclure des accords de partenariat sans réellement s'engager. En décembre 1998, lors d'un voyage en Inde, E. Primakov a ainsi évoqué un « triangle de sécurité » constitué par la Russie, la Chine et l'Inde, témoignant de la volonté russe de demeurer une grande puissance. Les tensions entre Washington et Moscou au sujet de l'Irak ont rendu plus difficile la ratification du traité de réduction des armes nucléaires stratégiques START-2, même si la poursuite du processus est l'une des conditions de l'aide financière accordée à la Russie. Le 16 mars, la Douma semblait l'accepter tout en la liant au respect par les États-Unis du traité antimissile ABM cosigné en 1972. Le même mois, un accord était en passe d'être conclu sur la réduction des armes conventionnelles en Europe, le texte final, remplaçant le traité de 1990, devant être signé à Istanbul en novembre 1999.

Les tensions anti-occidentales, et en particulier l'opposition à l'OTAN (Organisation du traité de l'Atlantique nord), se sont toutefois exacerbées avec la guerre dans les Balkans (crise du Kosovo), où la Russie, affichant essentiellement pour des raisons de politique intérieure sa sympathie pour Belgrade, n'a pas eu, du moins dans les premiers temps, le rôle de médiateur qu'elle souhaitait. Elle a vigoureusement condamné les frappes armées lancées par l'OTAN contre la Serbie, à partir de la fin mars 1999, estimant la stratégie de l'Alliance atlantique contraire au droit international et à la Charte de l'ONU, et réclamant une place centrale pour les Nations unies (non consultées lors du déclenchement des frappes) dans le règlement de la crise yougoslave. Le président Eltsine a choisi comme représentant spécial V. Tchernomyrdine, qui a marqué son souci de réaffirmer le rôle de la Russie dans la sécurité européenne. Après avoir finalisé un accord avec les Occidentaux, celui-ci a présenté au président yougoslave Slobodan Milosevic, les 2-3 juin 1999, en compagnie de l'émissaire de l'Union européenne Martti Ahtissari, un plan de paix qu'a accepté Belgrade. Pourtant, le 18 juin, à Helsinki, à l'aube du G-8 (Groupe des sept pays les plus industrialisés + la Russie) de Cologne qui devait porter en partie sur l'aide financière à apporter à la Russiie, Moscou a fait d'importantes concessions pour parvenir à un accord avec les États-Unis sur sa participation à la Force de paix au Kosovo (Kfor). L'alliance étant essentiellement liée à des considérations économiques, B. Eltsine et Bill Clinton ont affirmé, en marge du sommet de Cologne, leur souhait de renouer la coopération et le dialogue sur la réduction de leurs armes stratégiques.

Face à l'hégémonie américaine, Moscou a relancé son projet d'union avec la Biélo-

Fédération de Russie

Capitale : Moscou.

Superficie : 17 075 400 km².

Population : 147 434 000.

Langues : russe (langue off. d'État), bachkir, tatar, tchétchène, etc.

Monnaie : nouveau rouble russe (au taux officiel, 100 nouveaux roubles = 25,54 FF au 30.4.99).

Nature de l'État : république fédérale, comportant 89 « sujets de la Fédération ».

Nature du régime : présidentiel fort.

Chef de l'État : Boris Eltsine (président depuis le 12.6.91, réélu le 3.7.96).

Premier ministre : Vladimir Poutine, qui a remplacé le 9.8.99 Sergueï Stepachine, lequel avait succédé le 19.5.99 à Evgueni Primakov, lui-même désigné pour prendre la suite de Sergueï Kirienko le 11.9.98 (successeur en avril 98 de Victor Tchernomyrdine).

Premiers vice-premiers ministres : Nikolaï Aksenenko et Victor Khristenko.

Vice-premiers ministres : Ilia Klebanov, chargé de l'Énergie atomique et de la Science ; Vladimir Cherbak, chargé de l'Agriculture ; Valentina Matvienko, chargée des Affaires sociales.

Principaux partis politiques : Parti communiste de la Fédération de Russie (G. Ziouganov) ; « Notre maison la Russie » (V. Tchernomyrdine) ; Parti libéral-démocrate (V. Jirinovski) ; Iabloko (G. Lavlinski).

Échéances électorales : législatives (1999) et présidentielle (2000).

Souveraineté contestée : la république de Tchétchénie s'est autoproclamée indépendante le 1.11.91.

Territoires contestés : îles Kouriles [Pacifique], revendiquées par le Japon.

Carte : p. 568-569 ; voir aussi p. 563.

Russie/Bibliographie

R. Berton-Hogge, M.-A. Crosnier (sous la dir. de), *Les Pays de la CEI. Édition 1998,* Les Études de la Documentation française, Paris, 1999.

R. Brunet, D. Eckert, V. Kolossov, *Atlas de la Russie et des pays proches,* La Documentation française/RECLUS, Paris/Montpellier, 1995.

M. Ferro (sous la dir. de, avec la collab. de M.-H. Mandrillon), *L'état de toutes les Russies. Les États et nations de l'ex-URSS,* La Découverte, coll. « L'état du monde », Paris, 1993.

« La Caspienne. Une nouvelle frontière », *Cahiers d'études sur la Méditerranée orientale et le monde turco-iranien (CEMOTI),* n° 23, Paris, 1997.

« La Russie en quête d'équilibres », *Politique étrangère,* IFRI, Paris, hiv. 1996.

Problèmes politiques et sociaux. Série « Russie » (3 numéros par an), La Documentation française, Paris. Voir notamment : « La Russie et l'Orient » (dossier constitué par C. Mouradian), n° 796, 1998 ; « Russie : quel avenir pour la recherche ? » (dossier constitué par M.-H Mandrillon), n° 809, 1998 ; « L'espace baltique/mer Noire, une zone tampon pour la Russie ? » (dossier constitué par F. Daucé), n° 802, 1998 ; « La société civile en Russie : de l'utopie à l'engagement civique ? » (dossier constitué par A. Le Huérou et K. Rousselet), n° 814, 1999.

« Qui gouverne en Russie ? » (dossier coord. par M. Mendras), *La Revue Tocqueville,* XIX-1, 1998.

J. Radvanyi, *La Nouvelle Russie,* Masson/Armand Colin, Paris, 1995.

J. Sapir, *Le Krach russe,* La Découverte, Paris, 1998.

J. Sapir, *Le Chaos russe. Désordres économiques, conflits politiques, décomposition militaire,* La Découverte, Paris, 1996.

« La Sibérie et l'Extrême-Orient russe », *Le Courrier des pays de l'Est,* n° 422, La Documentation française, Paris, sept. 1997.

A. de Tinguy, *L'Effondrement de l'empire soviétique,* Bruylant, Bruxelles, 1998.

N. Werth, *L'Histoire de l'Union soviétique. De l'Empire russe à l'Union soviétique 1900-1990,* PUF, Paris, 1991.

Y. Zlotowski, *La Crise des paiements en Russie, expression d'un consensus social,* n° 43, Les Études du CERI, Paris, 1998.

Y. Zlotowski, *L'Économie et la société russes après le choc d'août 1998 : rupture ou enlisement,* n° 51, Les Études du CERI, Paris, 1999.

Voir aussi la bibliographie sélective « Espace post-soviétique », p. 551, ainsi que la bibliographie « Biélorussie-Moldavie-Ukraine », p. 574.

russie (dont les relations diplomatiques avec les États occidentaux se sont brouillées) : le président Alexandre Loukachenko et B. Eltsine ont signé, le 25 décembre 1998 et le 28 avril 1999 des accords visant à une intégration progressive des systèmes politiques et économiques des deux pays ; ils envisageaient une politique de sécurité commune. Une union entre la Russie, la Biélorussie et la République fédérale de Yougoslavie (RFY) a également été brièvement évoquée, la Douma – nationaliste – soutenant très fortement cette idée. Les relations avec l'Ukraine sont, en revanche, restées difficiles. Le traité, signé par B. Eltsine et le président Leonid Koutchma, le 31 mai 1997, garantissant l'inviolabilité des frontières, a été ratifié par les deux États en 1998-1999, mais il n'entrera en vigueur que lorsque les accords sur le partage de la flotte soviétique de la mer Noire auront été ratifiés par l'Ukraine. - **Kathy Rousselet** ■

Ukraine

Le poids de Moscou

Alors que, pour la première fois depuis l'éclatement de l'URSS (1991), l'année 1998 avait vu poindre une petite reprise économique, l'Ukraine a été rattrapée en fin d'année par les effets de la crise financière russe (été 1998) auxquels sont venus s'ajouter en novembre les dégâts des inondations en Transcarpatie. Finalement, l'amélioration s'est limitée aux secteurs du bois et de la construction, une légère amélioration se faisant par ailleurs sentir dans le déficit de la balance commerciale. C'était trop peu pour satisfaire une population réduite à la misère mais dont la débrouillardise explique l'absence de fortes tensions sociales. Les élections législatives de 1998 n'ont pas permis la formation d'une majorité, d'autant que se préparait déjà l'élection présidentielle du 31 octobre 1999. Le budget voté en janvier 1999 a prévu de financer par des emprunts le déficit et le remboursement des prêts.

Le président Leonid Koutchma a dû négocier simultanément avec les députés, les « clans » et le FMI. Il a multiplié les zones franches. Deux tiers des entreprises et la moitié des terres ont été formellement privatisées, mais l'Ukraine ne s'est pas débarrassée de sa bureaucratie ni de la corruption, en partie conséquence de la précarité des conditions de vie des fonctionnaires. L. Koutchma a signé en octobre 1998 un décret visant à réduire le troc estimé à environ 40 % des échanges industriels. Il a décrété des mesures de répression fiscale, de contrôle des changes et des activités des entreprises. En juin 1998, le Premier ministre Valery Pustovoïtenko a déclaré que les négociations avec le FMI étaient « très, très difficiles », en raison de la crainte des dirigeants qu'une économie dérégulée n'entraîne des tensions sociales. Après l'effondrement russe, plusieurs dirigeants ukrainiens ont estimé que la lenteur des réformes avait permis d'amortir en partie le choc de la crise. La hrivna a perdu en 1998 la moitié de sa valeur et a continué à se déprécier en 1999. L'Ukraine peine à honorer sa dette. Le FMI a accepté en septembre 1998 de débloquer des prêts, suspendus depuis à plusieurs reprises. Washington a menacé en février 1999 de diminuer de moitié son aide pour contraindre Kiev à introduire de nouvelles réformes.

Les prises de contrôle d'entreprises

Ukraine

Capitale : Kiev.

Superficie : 603 700 km².

Population : 50 861 000.

Langues : ukrainien (off.), russe, turco-tatar, roumain, hongrois, bulgare, polonais, allemand, slovaque, biélorusse, grec.

Monnaie : hrivna (au cours officiel, 1 hrivna = 1,57 FF au 31.5.99).

Nature de l'État : république unitaire.

Nature du régime : présidentiel fort. Le président de la République gère directement, depuis déc. 96, les ministères des Affaires étrangères, de l'Intérieur, de la Défense et de l'Information. Le président du Soviet suprême, Alexander Tchakenko, occupe la troisième place dans la hiérarchie du pouvoir.

Chef de l'État (au 8.7.99) : Leonid Koutchma (depuis le 10.7.94).

Chef du gouvernement : Valery Pustovoïtenko (depuis juill. 97).

Ministre des Affaires étrangères : Boris Tarasiouk (depuis le 17.4.98).

Ministre de l'Intérieur : Youri Kravtchenko (depuis le 16.7.97).

Ministre de la Défense nationale : Oleksander Kouzmouk (depuis le 16.7.97).

Échéances électorales : présidentielle (31.10.99).

Litige de souveraineté : la presqu'île de Crimée (fortement peuplée de Russes) a fait l'objet d'âpres négociations avec la Russie avant que son statut ukrainien ne soit reconnu, mais le différend sur la base navale de Sébastopol est resté disputé.

Biélorussie-Moldavie-Ukraine/Bibliographie

D. Arel, « Politique étrangère de l'Ukraine : un virage à l'Ouest mal négocié », *in* R. Berton-Hogge, M.-A. Crosnier (sous la dir. de), *Les Pays de la CEI. Édition 1998,* Les Études de la Documentation française, Paris, 1999.

« Belarus, Moldova », *Country Report,* The Economist Intelligence Unit, Londres (trim.).

R. Berton-Hogge, M.-A. Crosnier (coord.), *Ukraine, Biélorussie, Russie. Trois États en construction,* Les Études de la Documentation française, Paris, 1995.

M. Cazacu, N. Trifon, « La Moldavie ex-soviétique, histoire et enjeux actuels, suivi de Notes sur les Aroumains en Grèce, Macédoine et Albanie », *Cahiers d'Iztok,* 2/3 Akratie, Paris, 1993.

M.-A. Crosnier, « Moldavie », *Le Courrier des pays de l'Est,* n° 417, La Documentation française, Paris, 1997.

N. Dima, *From Moldavia to Moldova, the Soviet-Romanian Territorial Dispute,* Columbia University Press, New York, 1991.

J.-G. Ditter, S. Smessow, *Moldavie,* CFCE, coll. « Un marché », Paris, 1996.

B. Drweski, *La Biélorussie,* PUF, coll. « Que sais-je ? », Paris, 1993.

B. Drweski, « Biélorussie : une société avide de stabilité dans un régime autoritaire », *in* R. Berton-Hogge, M.-A. Crosnier (sous la dir. de), *Les Pays de la CEI. Édition 1998,* Les Études de la Documentation française, Paris, 1999.

L. Finberg, « L'Ukraine post-communiste (1994-1997) : une transition difficile », *in* R. Berton-Hogge, M.-A. Crosnier (sous la dir. de), *Les Pays de la CEI. Édition 1998,* Les Études de la Documentation française, Paris, 1999.

Government of Moldova, European Expertise Service (TACIS), *Moldovan Economic Trends,* Chisinau (mensuel).

L. Hajda, *Ukraine and the World : Studies in the International Relations and Security Structure of a Newly Independent State,* Harvard University Press, Cambridge MA, 1998.

A. Kappeler, *Petite histoire de l'Ukraine,* Institut d'études slaves, coll. « IRENISE », Paris, 1997.

C. King, *Post-Soviet Moldavia : a Borderland in Transition,* The Royal Institute of International Affairs, Londres, 1995.

T. Kuzio, *Ukraine and Kuchma : Political Reform, Economic Transformation and Security Policy in Independent Ukraine,* Macmillan, Basingstoke, 1997.

T. Kuzio, *Contemporary Ukraine – Dynamics of Post-Soviet Transformation,* M.E. Sharpe, Londres, 1998.

La Tribune ukrainienne, Paris (bimestriel).

A. Liehm (sous la dir. de), *La Moldavie dans le dialogue culturel de l'Europe,* 4e Salon du livre d'Europe centrale et orientale, Die, 1996.

Perspectives biélorussiennes, Paris (trimestriel).

A. et J. Sellier, *Atlas des peuples d'Europe centrale,* La Découverte, Paris, 1998 (nouv. éd.).

V. Symaniec, A. Goujon, *Parlons biélorussien, langue et culture,* L'Harmattan, Paris, 1997.

Ukraine information, Bulletin de Presse, Paris (hebdomadaire).

B. Vieru, « Moldova. Back to the Brink », *Transition,* vol. 6, n° 3, Prague, mars 1999.

N. Werth, M.-A. Crosnier, M. Kahn, « Biélorussie », « Ukraine », « Moldavie », *in* M. Ferro (sous la dir. de), *L'état de toutes les Russies. États et nations de l'ex-URSS,* La Découverte, coll. « L'état du monde », Paris, 1993.

Voir aussi la bibliographie sélective « Espace post-soviétique », p. 551.

ukrainiennes par des capitaux russes, conjuguées à la dépendance énergétique, limitent la marge de manœuvre des dirigeants ukrainiens, dont la seule réaction est de répéter leur volonté d'évoluer indépendamment de Moscou. Cette situation contraste avec celle de la Biélorussie où les déclarations de fraternité avec la Russie cachent une politique de limitation des prises de participation russes dans l'économie. Kiev cherche à alléger le poids de Moscou en affermissant ses relations avec le Caucase, l'Asie centrale et l'Extrême-Orient. Plus du tiers des exportations restaient dirigées vers la Russie.

La situation diplomatique est demeurée trouble. La chambre haute du Parlement russe a refusé, le 27 janvier 1999, de ratifier l'accord de 1997 reconnaissant l'appartenance de Sébastopol (port de Crimée et siège d'une importante base navale) à l'Ukraine. Une délégation parlementaire ukrainienne a, par ailleurs, signé à Minsk, en janvier 1999, un accord de coopération avec le Parlement biélorusse officiel. Au niveau présidentiel, la volonté d'un rapprochement avec l'Occident a semblé se maintenir, malgré la nécessité de calmer la composante russophile de la société ukrainienne et d'obtenir des appuis à Moscou pour les élections présidentielles. Le président français Jacques Chirac s'est rendu en visite à Kiev en septembre 1998 et le sommet de l'Union européenne de Vienne en octobre a permis d'élaborer des coopérations dans les domaines économique, militaire et diplomatique.

Des manœuvres politiques ont visé en 1999 à conquérir une opinion très divisée dans ses aspirations tant socioéconomiques que géopolitiques. L'administration présidentielle semble avoir repris en main le clan de Dniepropetrovsk, pépinière de la *nomenklatura* depuis Leonid Brejnev. La mise en accusation pour corruption de l'ancien Premier ministre Pavel Lazarenko a permis d'affaiblir les proches de celui-ci qui avaient talonné les candidats du parti du Premier ministre lors des législatives de 1998. Dans tous les camps, néocommuniste, centriste et nationaliste, 1999 a vu des réaménagements permettant de déceler l'émergence d'une nouvelle génération. - **Bruno Drweski** ■

Transcaucasie

Arménie, Azerbaïdjan, Géorgie

Arménie

Crise du régime

L'élection à la présidence de la République, le 30 mars 1998, du Premier ministre Robert Kotcharian, ancien président de la « république autoproclamée du Haut-Karabakh » (territoire d'Azerbaïdjan à population majoritairement arménienne), semblait avoir mis fin à la crise de régime qui avait conduit Levon Ter Petrossian à la démission, le 3 février 1998. Malgré les « sérieuses irrégularités » notées par les observateurs, beaucoup espéraient qu'elle assainirait l'atmosphère délétère qui avait acculé le premier président de l'Arménie « post-soviétique » à la démission. A la veille des élections législatives du 30 mai 1999, l'atmosphère politique n'était pas à la sérénité. Mais la victoire du bloc Miasnoutiun (Unité) avec 42 % des suffrages, qui obtenait ainsi la majorité absolue au Parlement, ne semblait pas devoir être remise en cause, malgré une faible participation (56 %) et de nombreuses irrégularités. Vazgen Sarkissian, ancien ministre de la Défense et leader du Parti républicain, a été nommé Premier ministre, Karen Demirtchian, dirigeant du Parti populaire d'Arménie et ancien « patron » du Parti communiste d'Arménie, président du Parlement.

Dès l'été 1995, ses amis politiques avaient reproché à R. Kotcharian son autoritarisme à l'occasion d'un projet de réforme de la Constitution. Au cours de l'hiver, la politique économique et la réforme électorale présentée par le gouvernement relançaient un débat virulent. Le 18 février 1999, le scandale était à son comble, après que le président eut signé un texte différent de celui amendé par le Parlement. Mais bientôt, priorité était donnée à la préparation des élections ; les formations politiques étaient prises d'une frénésie d'alliances, dont se détachait le Miasnoutiun (Unité), regroupement du Parti populaire d'Arménie et du Parti républicain.

République d'Arménie

Capitale : Erevan.
Superficie : 29 800 km².
Population : 3 536 000.
Langues : arménien (off.), russe.
Monnaie : dram (au cours officiel, 100 drams = 1,15 FF au 30.4.99).
Nature de l'État : république unitaire.
Nature du régime : présidentiel.
Chef de l'État : Robert Kotcharian, président de la République, qui a succédé en avr. 98 à Levon Ter Petrossian.
Chef du gouvernement : Vazgen Sarkissian, qui a succédé le 11.6.99 à Armen Darpinian.
Président du Parlement : Karen Demirtchian (depuis le 10.6.99).
Ministre des Affaires étrangères : Vardan Oskanian.
Litige territorial : le Haut-Karabakh, situé en Azerbaïdjan, est peuplé en majorité d'Arméniens qui réclament son rattachement à l'Arménie.

Le 6 août 1998, l'assassinat par son adjoint du procureur général de la République, Henrik Khatchatrian, avait plongé le pays dans la consternation. Pour beaucoup, il jetait une lumière crue sur une « dérive mafieuse » qui aurait atteint le plus haut niveau de l'État. Le 10 décembre, le ministre adjoint de la Défense, Vahram Khororouni, tombait sous les balles de tueurs. Le 9 février 1999, le général Markarian, commandant des troupes du ministère de l'Intérieur, était abattu. Quelques jours plus tard, au vu des graves accusations d'assassinat portées contre l'ancien ministre de l'Intérieur Vano Sidareghian, le président Kotcharian contraignait le Parlement à lever son immunité parlementaire.

Avec une croissance qui s'est élevée à 5,5 %, l'économie a semblé prolonger les progrès des années précédentes. Mais l'Arménie a été touchée de plein fouet par la crise financière russe. Malgré ses bonnes relations avec l'Iran, le pays est resté relativement isolé dans une région où le pétrole azerbaïdjanais est devenu un élément géopolitique incontournable. Erevan est resté l'allié privilégié de Moscou en Transcaucasie. Alors que l'OSCE (Organisation pour la sécurité et la coopération en Europe) avait infléchi ses positions dans un sens plus favorable aux Arméniens du Haut-Karabakh, théâtre de violents affrontements à la mi-juin 1999, R. Kotcharian a tenté de rapprocher son pays de l'Occident. - **Charles Urjewicz** ■

INDICATEUR	UNITÉ	ARMÉNIE	AZER-BAÏDJAN	GÉORGIE
Démographie[a]				
Population	*(millier)*	3 536	7 669	5 059
Densité	*(hab./km²)*	125,4	88,6	72,6
Croissance annuelle (1995-2000)	*(%)*	– 0,3	0,4	– 1,1
Indice de fécondité (ISF) (1995-2000)		1,7	2,0	1,9
Mortalité infantile (1995-2000)	*(‰)*	26	36	19
Espérance de vie (1995-2000)	*(année)*	70,5	69,9	72,7
Indicateurs socioculturels				
Développement humain (IDH)[c]		0,728	0,695	0,729
Nombre de médecins	*(‰ hab.)*	3,11[f]	3,86[f]	3,52[f]
Scolarisation 2e degré	*(%)*	90,0[fj]	77,0[fj]	70,7[bh]
Scolarisation 3e degré	*(%)*	11,7[c]	17,5[f]	41,4[c]
Livres publiés	*(titre)*	396[f]	542[f]	581[f]
Armées (effectifs)				
Armée de terre	*(millier d'h.)*	52	55,6	12,6
Marine	*(millier d'h.)*	• •	2,2	2
Aviation	*(millier d'h.)*	• •	10,35	3
Économie				
PIB total (PPA)[c]	*(million $)*	8 939	11 771	10 650
Croissance annuelle 1987-97	*(%)*	– 5,4	– 9,3	– 11,2
Croissance 1998	*(%)*	5,5	10,0	4,0
Croissance agriculture	*(%)*	13,0	4,0	– 8,0
Croissance industrie	*(%)*	– 2,5	2,2	– 2,7
PIB par habitant (PPA)[c]	*($)*	2 360	1 550	1 960
Investissement (FBCF)[e]	*(% PIB)*	9,1	21,2	5,7
Taux d'inflation	*(%)*	8,7	-0,8	3,6
Taux de chômage (fin année)	*(%)*	5,1[i]	1,4[i]	4,2[i]
Énergie (taux de couverture)[f]	*(%)*	41,4	121,3	44,5
Dépense publique Éducation	*(% PIB)*	2[f]	3,3[f]	5,2[g]
Dépense publique Défense[c]	*(% PIB)*	8,9	4,0	3,0
Dette extérieure totale[c]	*(million $)*	666	504	1 446
Service de la dette/Export.[e]	*(%)*	6,8	3,1	4,3
Échanges extérieurs				
Importations (douanes)	*(million $)*	824	794[c]	931[c]
Principaux fournisseurs[c]	*(%)*	Ex-CAEM[l] 30,4	Ex-CAEM[l] 46,9	Ex-CAEM[l] 44,8
	(%)	UE 20,1	UE 12,8	UE 22,6
	(%)	M-O 28,6	M-O 12,5	E-U 13,2
Exportations (douanes)	*(million $)*	229	781[c]	230[c]
Principaux clients[c]	*(%)*	Ex-CAEM[l] 40,8	Ex-CAEM[l] 51	Ex-CAEM[l] 64,3
	(%)	UE 26,7	UE 11,3	UE 8,7
	(%)	M-O 23,9	M-O 25,2	Asie[k] 2,6
Solde transactions courantes	*(% PIB)*	– 22,4	– 27,9	– 7 ,0

Définition des indicateurs, sigles et abréviations p. 31 et suiv. Chiffres 1998 sauf notes. a. Derniers recensements utilisables : Arménie, 1989 ; Azerbaïdjan, 1989 ; Géorgie, 1999. b. 1995 ; c. 1997 ; d. janv. 1999 ; e. 1995-97 ; f. 1996 ; g. 1994 ; h. 10-16 ans ; i. Définition nationale, non harmonisée ; j. Taux brut, 10-16 ans ; k. Y compris Japon et Moyen-Orient ; l. Y compris républiques de l'ex-Yougoslavie.

Azerbaïdjan

Nouveau Koweït ou fantasme pétrolier ?

Après des années d'euphorie, l'Azerbaïdjan a été confronté aux réalités d'un marché pétrolier marqué par l'effondrement des cours et la prudence des partenaires occidentaux de la SOCAR, la compagnie nationale des pétroles, chasse gardée de la famille du chef de l'État Heidar Aliev. Depuis fin 1998, le nombre des forages « secs » est devenu inquiétant, alors que les incidents techniques se sont multipliés. Les opérateurs ont rechigné à mettre en exploitation plusieurs puits *offshore* aux capacités de 40 % à 60 % inférieures au seuil de rentabilité. Certains envisageaient même de se retirer. Mais les autorités de Bakou – le secteur pétrolier relève de l'administration présidentielle – ont continué à signer contrat sur contrat avec des partenaires étrangers...

De grands projets, tel l'oléoduc Bakou-Ceyhan devant transporter sur 1 500 kilomètres le « nouveau pétrole » sur la côte méditerranéenne de la Turquie, ont été remis en cause malgré l'appui vigoureux de Washington et d'Ankara. Alors que les perspectives s'assombrissaient sur le marché mondial, le coût de cet oléoduc, estimé de 4 à 5 milliards de dollars, a semblé exorbitant aux majors anglo-saxonnes. Elles préféraient se contenter des capacités limitées de l'oléoduc Bakou-Supsa (Géorgie), tout en s'accommodant des nombreux incidents dont est victime l'oléoduc Bakou-Novorossiisk (Russie), en particulier sur son parcours en Tchétchénie.

En dépit d'une croissance de 26 % de la production en 1998, les recettes tirées du pétrole ont peu augmenté en raison de la baisse des prix du brut. Dans un pays qui a fondé sa stratégie de développement sur le « tout pétrole «, le sort de la population, avec un salaire mensuel moyen de 44 dollars, n'a pas connu d'amélioration notable. La situation du million de réfugiés originaires des territoires occupés par les combattants arméniens du Haut-Karabakh (15 % de la superficie de l'Azerbaïdjan, à population majoritairement arménienne) restait précaire. Bakou a violemment rejeté les propositions du Groupe de Minsk, *via* l'OSCE (Organisation pour la sécurité et la coopération en Europe), de créer un État commun. Les liens tissés entre Erevan et Moscou et l'aide militaire apportée par la Russie à son allié ont incité l'Azerbaïdjan, seul État de Transcaucasie à ne pas abriter de bases russes, à proposer l'installation de bases de l'OTAN (Organisation du traité de l'Atlantique nord).

H. Aliev a été réélu à la tête de l'État le 11 octobre 1998, avec plus de 76 % des voix contre 11,6 % à son principal adversaire, Etibar Mamedov. Méthodes musclées contre l'opposition et censure ont continué à marquer les pratiques d'un pouvoir centré autour de la forte personnalité d'un président âgé de 76 ans. Mais la santé de celui-ci, qui a subi une intervention chirurgicale en avril 1999, suscite de nombreuses inquiétudes.

Malgré l'amélioration des relations avec

République azerbaïdjanaise

Capitale : Bakou.
Superficie : 86 600 km².
Population : 7 669 000.
Langues : turc (off.), russe, arménien.
Monnaie : manat (au cours officiel, 100 manats = 0,15 FF au 30.4.99).
Nature de l'État : république fédérale.
Nature du régime : présidentiel.
Chef de l'État : Heidar Aliev (depuis le 3.10.93, réélu le 11.10.98).
Chef du gouvernement : Artor Rasizadé (depuis 96).
Président du Parlement : Mourtouz Aleskerov (depuis fin 96).
Ministre des Affaires étrangères : Tofik Zoulfougarov (depuis le 5.3.98).
Territoire contesté : le Haut-Karabakh, peuplé en majorité d'Arméniens revendiquant son rattachement à l'Arménie.

Transcaucasie/Bibliographie

M. Bennigsen-Broxup (sous la dir. de), *The North Caucasian Barrier; The Russian Advance toward Muslim World,* Hurst & Company, Londres, 1992.

R. Berton-Hogge, M.-A. Crosnier (sous la dir. de), *Arménie, Azerbaïdjan, Géorgie : l'an V des indépendances,* « Les Études de la Documentation française », Paris, 1996.

M.-R. Djallili (sous la dir. de), *Le Caucase post-soviétique : la transition dans le conflit,* Bruylant/LGDJ, Bruxelles/Paris, 1995.

« La Caspienne, une nouvelle frontière », *Cahiers d'études sur la Méditerranée et le monde turco-iranien (CEMOTI),* Paris, 1997.

C. Mouradian, *L'Arménie,* PUF, coll. « Que sais-je ? », Paris, 1995.

C. Mouradian, C. Urjewicz, M. Kahn, « Caucase », *in* M. Ferro (sous la dir. de), *L'état de toutes les Russies, États et nations de l'ex-URSS,* La Découverte, coll. « L'état du monde », Paris, 1993.

J. et A. Sellier, *Atlas des peuples d'Orient. Moyen-Orient, Caucase, Asie centrale,* La Découverte, Paris, 1994 (nouv. éd. 1999).

T. Swietochowski, *Russia and Azerbaijan. A Borderland in Transition,* Columbia University Press, New York, 1995.

C. Urjewicz, « Abkhazie », « Adjanie », « Arménie », « Azerbaïdjan », « Géorgie », *in* Y. Lacoste (sous la dir. de), *Dictionnaire de géopolitique,* Flammarion, Paris, 1993.

C. Urjewicz, « La Géorgie à la croisée des chemins : archaïsmes et modernité », *Hérodote,* n° 54-55, La Découverte, Paris, 1990.

Voir aussi la bibliographie sélective « Espace post-soviétique », p. 551.

l'Iran, les sujets de tension n'ont pas manqué entre les deux pays, en particulier sur le statut de la Caspienne. En effet, si la Russie semble prête à revoir sa position, Téhéran continue à considérer la Caspienne non comme une mer mais comme un lac, dont les richesses en hydrocarbures doivent être partagées par les riverains. Par ailleurs, Bakou ne désespère pas de faire valoir ses atouts pétroliers afin de trouver une issue favorable à la douloureuse question du Haut-Karabakh, où de violents affrontements s'étaient déroulés à la mi-juin 1999. - **Charles Urjewicz** ■

Géorgie

L'actualité de la question abkhaze

Le sommet maintes fois annoncé entre Édouard Chevardnadzé, le président géorgien, et Vladislas Ardzinba, son homologue de la « république autonome d'Abkhazie », ne s'est pas tenu. Réunions bilatérales, tentatives de médiation de la CEI (Communauté des États indépendants), de la Russie ou de l'OSCE (Organisation pour la sécurité et la coopération en Europe) ont été vaines. « Terroristes » pour le président géorgien, « patriotes » pour le « ministre d'État », les « partisans » ont pris pour cibles policiers et officiels abkhazes.

Le 27 janvier 1999, le Conseil de l'Europe intégrait la Géorgie sous conditions : réforme légale, adoption d'un cadre fédéral pour l'Abkhazie et l'Ossétie du Sud, droit au retour des 300 000 Turcs meskhètes, l'un des « peuples punis » déportés par Staline en 1944. Les revendications des autonomies et des minorités ne se sont pas apaisées. La République autonome d'Adjarie a continué à contester l'autorité de Tbilissi. Son président, Aslan Abachidzé, a tenté de constituer un front de tous les régionalismes, en particulier avec les Arméniens de Djavakhétie, tout en apparaissant comme une alternative crédible à É. Chevardnadzé. Le 19 octobre 1998, le colonel Akaki Eliava, un partisan de l'ancien président Zviad Gamsakhourdia, avait tenté d'organiser un soulèvement. Le lendemain, il fuyait vers la Mingrélie, région d'origine de Z. Gamsakhourdia.

Début décembre 1998, le lari, victime de la crise russe, avait perdu 25 % de sa valeur ; fin avril 1999, la chute atteignait 75 % (1 dollar = 2,15 laris début mai). Le budget 1999, marqué par l'austérité, a été adopté début mars sous la pression du FMI. Fonctionnaires, militaires et policiers cumulent des mois de traitements impayés, accentuant une corruption devenue endémique. Au printemps 1999, dans la capitale, 7 personnes sur 10 vivaient en dessous du seuil de pauvreté.

Les élections locales du 15 novembre 1998 ont été marquées par une faible participation (un peu plus du tiers des inscrits). L'Union des citoyens, au pouvoir, a reculé sous la pression des formations populistes, Parti du travail et Parti socialiste. Alors que les partis préparaient les législatives de l'automne 1999, manœuvres et regroupements se sont multipliés dans un paysage politique chaotique. L'inauguration du terminal pétrolier de Supsa, sur la mer Noire, par les présidents azerbaïdjanais, géorgien et ukrainien, le 17 avril 1999, a apporté une lueur d'espoir. Beaucoup ont voulu y voir le symbole d'une ouverture économique et politique permettant au pays de se dégager de la pression russe. Alors que les gardes-frontières russes quittaient graduellement la Géorgie, les frappes de l'OTAN (Organisation du traité de l'Atlantique nord) en Serbie ont fait espérer à certains la fin de l'indifférence occidentale à l'égard de la question abkhaze. - **Charles Urjewicz** ■

République de Géorgie

Capitale : Tbilissi.
Superficie : 69 700 km^2.
Population : 5 059 000.
Langues : géorgien (off.), russe, abkhaze, ossète, arménien, turc.
Monnaie : lari (au cours officiel, 1 lari = 10,19 FF fin 1998).
Nature de l'État : république unitaire.
Nature du régime : présidentiel.
Chef de l'État : Édouard Chevardnadzé (depuis le 7.3.92, élu président de la République le 5.11.95).
Chef du gouvernement : Vaja Lordkipanidzé, qui a succédé le 7.8.98 à Niko Lekichvili (démissionnaire).
Président du Parlement : Zurab Jvania.
Ministre des Affaires étrangères : Irakli Menagarachvili.
Ministre de la Défense : David Tevzadzé.
Souveraineté contestée : séparatisme en Abkhazie ; l'Ossétie du Sud a demandé son rattachement à l'Ossétie du Nord, laquelle relève de la Fédération de Russie.

Asie centrale

Kazakhstan, Turkménistan, Ouzbékistan, Tadjikistan, Kirghizstan

(Les républiques sont présentées ici selon un axe géographique ouest/est).

Kazakhstan

Concentration des pouvoirs

L'annonce par le Parlement, le 7 octobre 1998, des élections présidentielles anticipées pour le 10 janvier 1999 (au lieu de l'an 2000) a pris l'opposition au dépourvu, contribuant à la dislocation du Front populaire, union de partis d'opposition. Le Parlement a porté de cinq à sept ans le mandat du président, aboli la limite à deux mandats et le seuil de 50 % de participation pour valider le scrutin, tout en annulant la limite d'âge des candidats à 65 ans. Autant de mesures destinées à permettre à Noursultan Nazarbaiev de briguer à nouveau « son » poste au-delà de 2006.

Le harcèlement de l'opposition a continué, surtout à l'égard d'Akejan Kajegueldine (ancien Premier ministre), écarté pour faute administrative. N. Nazarbaiev l'a emporté avec 82 % des voix, son plus sérieux concurrent, Serikbolsyn Abdildine (Parti communiste), ayant obtenu 12 %. L'OSCE (Organisation pour la sécurité et la coopération en Europe) avait appelé à reporter les élections, qui ne respectaient pas ses critères. Le 16 mars 1999, le ministre de la Justice a finalement enregistré le Parti national républicain du Kazakhstan, fondé par A. Kajegueldine, en vue des élections parlementaires prévues pour la fin de 1999. Cette reconnaissance a fait de l'ombre aux partis d'opposition traditionnels comme Azamat (« Citoyen », pluriethnique libéral) ou Lad (« Harmonie », russophone). Les partis progouvernementaux ont fusionné avec le nouveau parti proprésidentiel Otan (« Patrie »).

Les tensions sociales se sont maintenues, principalement dues à l'accumulation de salaires et pensions non payés. La détérioration de la situation a encouragé l'émigration parmi les minorités ethniques. Entre 1992 et 1998, presque 1,5 million de Russes ont quitté le pays et environ 130 000 Kazakhs s'y sont installés (49 % de la population totale), principalement en provenance des autres pays de la CEI et de la Mongolie. Après le déclin du PIB réel de 2,5 % en 1998, N. Nazarbaiev a annoncé une période difficile à cause des crises asiatique (été 1997) et russe (été 1998) et de la baisse du prix du pétrole, dont dépend étroitement le budget. Les dépenses du gouvernement ont été révisées à la baisse, tandis qu'une tranche supplémentaire d'environ 217 millions de dollars a été transférée fin décembre 1998 par le FMI, satisfait d'une gestion financière qui a stabilisé la monnaie et jugulé l'inflation (2 %).

Le gouvernement a introduit, dès janvier 1999, des mesures visant à limiter les importations de produits de consommation. Le développement des relations commerciales dans le cadre de l'union douanière avec la Russie, la Biélorussie, le Kirghizstan et le Tadjikistan a été plutôt décevant, comme au sein de la Communauté économique de l'Asie centrale (avec ces deux derniers pays plus l'Ouzbékistan), rongée par la rivalité ouzbéko-kazakhe. La Russie est restée le partenaire économique privilégié, mais sa part dans les échanges s'est abaissée à 33 %. A part le pétrole et ses dérivés, les mauvais résultats du commerce extérieur ont été provoqués par la baisse du prix des métaux et des céréales, tous trois constituant 75 % des exportations. La récolte des céréales en 1998 a été la plus faible depuis quarante ans (8 millions de tonnes contre 12 en 1997). La production du pétrole s'est stabilisée à 25,8 millions de tonnes (90 % des objectifs), niveau auquel ont contribué le marasme sur le marché mondial et le manque d'infrastructures de transport. Les investissements étrangers ont baissé de moitié (700 millions de dollars en 1998) par rapport à 1997.

La Russie est restée le partenaire stratégique essentiel du Kazakhstan. Ce dernier constitue un bouclier pour Moscou face aux mouvements islamistes et aux trafics de drogue et d'armes. Les deux pays ont signé, le 6 juillet 1998, un important accord sur le partage des fonds sous-marins de la mer Caspienne. Ils ont également signé une déclaration d'« amitié éternelle » et, le 15 octobre 1998, des accords sur la coopération économique, sur le règlement de la dette mutuelle et sur la délimitation de la frontière. Le 10 mai 1998, le Kazakhstan a obtenu la présidence de l'Organisation de coopération économique (OCE), dont les activités sont apparues décevantes. Le 29 octobre, N. Nazarbaiev a signé la déclaration d'Ankara soutenant le tracé de l'oléoduc de Bakou vers la Turquie, suppléant ainsi le tracé russe. Lors du sommet des États du groupe de Shanghaï (Kazakhstan, Kirghizstan, Tadjikistan, Russie, Chine) à Almaty, les 3-4 juillet 1998, les présidents kazakh et chinois ont signé un accord réglant tous les problèmes frontaliers. Comme preuve de bons rapports avec les États-Unis, se sont déroulées en juin 1998 des manœuvres militaires américano-kazakhes dans les environs d'Almaty, et, en septembre, des manœuvres multilatérales avec l'OTAN dans le cadre du partenariat pour la paix. - **Witt Raczka** ■

République du Kazakhstan

Capitale : Astana.
Superficie : 2 717 300 km².
Population : 16 319 000.
Langues : kazakh (langue d'État) et russe (off.), allemand, ukrainien, coréen.
Monnaie : tengue (au cours officiel, 100 tengues = 5,4 FF au 30.4.99).
Nature de l'État : république unitaire
Nature du régime : présidentiel.
Chef de l'État : Noursultan Nazarbaiev, président de la République (depuis déc. 1991, réélu le 10.1.99).
Chef du gouvernement : Nourlan Balguimbaiev, Premier ministre (depuis oct. 97).
Vice-premier ministre et ministre des Finances : Ouraz Djandosov (depuis janv. 99).
Ministre de l'Intérieur : Kaïrbek Souleymenov (depuis oct. 95).
Ministre de la Défense : Moukhtar Altynbaiev (depuis oct. 96).
Ministre des Affaires étrangères : Kasymjomart Tokaiev (depuis oct. 94).
Échéances institutionnelles : élections législatives (déc. 99).

Turkménistan

En quête de désenclavement

Le Turkménistan poursuit sa recherche désespérée d'un désenclavement qui lui permettrait d'exporter son gaz et de sortir de la crise économique qui le frappe : la récolte de coton de 1998 a été très mauvaise et, malgré l'annonce officielle d'une bonne campagne pour le blé, le prix de la farine

INDICATEUR	UNITÉ	KAZAKHSTAN	KIRGHIZ-STAN
Démographie[a]			
Population	*(millier)*	16 319	4 643
Densité	*(hab./km²)*	6,1	24,2
Croissance annuelle (1995-2000)	*(%)*	– 0,3	0,5
Indice de fécondité (ISF) (1995-2000)		2,3	3,2
Mortalité infantile (1995-2000)	*(‰)*	35	40
Espérance de vie (1995-2000)	*(année)*	67,6	67,6
Indicateurs socioculturels			
Développement humain (IDH)[c]		0,74	0,702
Nombre de médecins	*(‰ hab.)*	3,64[f]	3,27[f]
Scolarisation 2e degré	*(%)*	87,0[fn]	79,0[bn]
Scolarisation 3e degré	*(%)*	32,3[f]	12,2[f]
Livres publiés	*(titre)*	1 226[f]	351[f]
Armées (effectifs)			
Armée de terre	*(millier d'h.)*	40	9,8
Marine	*(millier d'h.)*	0,1	–
Aviation	*(millier d'h.)*	15	2,4
Économie			
PIB total (PPA)[c]	*(million $)*	56 223	10 423
Croissance annuelle 1987-97	*(%)*	– 3,9	– 3,0
Croissance 1998	*(%)*	– 2,5	2,0
Croissance agriculture	*(%)*	– 18,9	4,1
Croissance industrie	*(%)*	– 2,1	4,6
PIB par habitant (PPA)[c]	*($)*	3 560	2 250
Investissement (FBCF)	*(% PIB)*	18,8[e]	18,6[e]
Taux d'inflation	*(%)*	7,3	12,0
Taux de chômage (fin année)	*(%)*	3,7[j]	3,1[j]
Énergie (taux de couverture)[f]	*(%)*	144,4	48,9
Dépense publique Éducation	*(% PIB)*	4,7[f]	5,7[f]
Dépense publique Défense[c]	*(% PIB)*	2,3	2,5
Dette extérieure totale[c]	*(million $)*	4 278	928
Service de la dette/Export.[e]	*(%)*	5,1	9,5
Échanges extérieurs			
Importations (douanes)	*(million $)*	4 242	713[c]
Principaux fournisseurs[c]	*(%)*	Ex-CAEM[p] 59,1	Ex-CAEM[p] 60,4
	(%)	UE 21,7	UE 12,2
	(%)	E-U 4,7	Asie[o] 11,7
Exportations (douanes)	*(million $)*	5 339	555[c]
Principaux clients[c]	*(%)*	Ex-CAEM[p] 47,6	Ex-CAEM[p] 68,6
	(%)	UE 26,8	UE 5,9
	(%)	Asie[o] 16,2	Asie[o] 12,5
Solde transactions courantes	*(% PIB)*	– 4,1	– 19,1

Définition des indicateurs, sigles et abréviations p. 31 et suiv. Chiffres 1998 sauf notes. a. Derniers recensements utilisables : Kazakhstan, 1999 ; Kirghizstan, 1999 ; Ouzbékistan, 1989 ; Tadjikistan, 1989 ; Turkménistan, 1995. b. 1995 ; c. 1997 ; d. janv. 1999 ; e. 1995-97 ; f. 1996 ; g. 1996-97 ; h. 1994 ; i. 1991 ; j. Définition nationale, non harmonisée ; k. Paramilitaires ; l. Pays non spécifiés ; m. Taux brut,

OUZBÉKI-STAN	TADJIKI-STAN	TURKMÉNI-STAN
23 574	6 015	4 309
56,9	42,8	9,2
1,6	1,5	1,8
3,4	4,1	3,6
44	57	55
67,5	67,2	65,4
0,72	0,665	0,712
3,16[f]	2,02[f]	3,24[h]
94,0[hm]	78,0[fn]	••
36,1[f]	19,9[f]	19,7[f]
1 003[f]	132[f]	450[h]
50	} 8[k]	15
–		–
4		3
57 347[f]	6 505	9 453[f]
– 0,3	– 10,7	– 4,6
2,8	5,3	4,5
4,0	6,5	24,4
5,8	8,1	0,2
2 470[f]	1 100	2 060[f]
35,7[g]	12,5[f]	41,1[g]
29,0	43,2	16,8
0,4[j]	2,9[j]	
111,8	38,2	268,2
8,1[f]	2,2[f]	3,9[i]
3,9	12,1	2,7
2 761	901	1 771
8,7	1,6	15,4
3 210	766	500
Ex-CAEM[p] 45,1	Ex-CAEM[p] 75,8	Ex-CAEM[p] 52
UE 19,6	UE 6,2	UE 14,8
Asie[o] 24,2	Asie[o] 12,3	E-U 10,8
3 000	637	285
Ex-CAEM[p] 61,8	Ex-CAEM[p] 71,8	Ex-CAEM[p] 10,3
UE 19,9	UE 14,8	UE 2,4
Asie[o] 10	Asie[o] 10,1	PNS[l] 80,1
– 3,4	– 4,6	– 25,4

10-16 ans; n. Taux brut, 11-17 ans; o. Y compris Japon et Moyen-Orient; p. Y compris républiques de l'ex-Yougoslavie.

subventionnée par l'État a quadruplé fin 1998. L'abandon par la compagnie américaine Unocal du projet de gazoduc à travers l'Afghanistan, annoncé fin août 1998, pour des raisons politiques (tensions indo-pakistanaises consécutives aux essais nucléaires de ces deux pays, conflit entre les taliban afghans et l'Iran, présence du terroriste Oussama ben Laden en Afghanistan) a été un coup, même si la compagnie argentine Bridas s'est remise sur les rangs.

La visite du président Separmourad Nyazov aux États-Unis, en avril 1998, ne s'est pas très bien passée, les autorités américaines s'inquiétant des bons rapports régnant entre le Turkménistan et l'Iran. Achkhabad a donc entrepris de réajuster sa politique en direction des États-Unis et de leurs alliés, acceptant de privilégier le tracé d'évacuation des hydrocarbures passant par la mer Caspienne, l'Azerbaïdjan, la Géorgie et la Turquie. Le président turc Süleyman Demirel s'est rendu au Turkménistan en novembre, après conclusion d'un accord sur la livraison de gaz turkmène par la mer Caspienne. En février 1999, un accord a été signé pour la construction du gazoduc transcaspien contournant l'Iran. La colère de l'Iran a été redoublée par le fait que l'un des maîtres d'œuvre est la firme israélienne Merhav, dont le président dispose du titre de représentant spécial du président Nyazov. L'influence turco-israélienne est en

Turkménistan

Capitale : Achkhabad.
Superficie : 488 100 km^2.
Population : 4 309 000.
Langues : turkmène, russe.
Monnaie : manat (au cours officiel, 1 000 manats = 1,076 FF fin 1998).
Nature de l'État : république.
Nature du régime : présidentiel.
Chef de l'État : Separmourad Nyazov, président de la République depuis l'indépendance (27.10.91).
Ministre des Affaires étrangères : Boris Sheykhmuradov.

passe d'évincer l'Iran, qui s'était pourtant toujours efforcé de mettre une sourdine à son idéologie pour courtiser son seul pays ami en Asie centrale. Le ministre turkmène des Affaires étrangères, Boris Sheykhmuradov, a rendu visite aux taliban afghans à Kandahar en février 1999, relançant les spéculations sur le gazoduc transafghan, et accentuant encore la distance avec l'Iran.

Sur le plan intérieur, le régime est resté aussi autocratique. Avdy Kulyiev, ancien ministre des Affaires étrangères qui avait fui en 1995, titulaire d'un passeport russe, a été arrêté à l'aéroport d'Achkhabad en avril 1998, en pleine visite du président à Washington. - **Olivier Roy** ■

Ouzbékistan

Purge dans la haute administration

La stabilité politique de l'Ouzbékistan a été sérieusement remise en cause en 1998 et 1999 par des troubles chroniques dans la vallée du Ferghana et par l'attentat perpétré le 16 février 1999 contre le président Islam Karimov, attribué aux fondamentalistes musulmans, appelés « wahhabis » par les autorités. En octobre 1998, quinze d'entre eux ont été condamnés à de lourdes peines de prison à Andijan, dans la vallée du Ferghana. Un autre procès a eu lieu en janvier 1999, impliquant un groupe lié à Abidkhan Nazarov, ancien imam d'une mosquée de Tachkent. Les activités islamistes ne sont donc plus confinées au Ferghana...

Si la crise a éclaté dans le Ferghana en décembre 1997, après l'assassinat d'officiers de police, la lutte contre les islamistes radicaux date des premières années de l'indépendance (1991). Le chef du Parti de la renaissance islamique (Abdullah Otaïev) a disparu après son arrestation en 1992, de même qu'un des plus célèbres prédicateurs du Ferghana, Sheykh Abdoul Vali (1995).

En février 1998, le ministre des Affaires étrangères, Akmal Kamalov, a dénoncé l'asile accordé par le Pakistan aux islamistes ouzbeks, dont Takirjan Yoldashev, accusé d'être responsable des événements de décembre. Le 1er mai 1998, une loi sur la « liberté de conscience » a été adoptée, exigeant l'enregistrement préalable de toute organisation religieuse de plus de cent per-

sonnes et de toutes les mosquées. Chaque religion doit être représentée par une seule institution pour tout le pays ; les vêtements religieux ont été prohibés, sauf pour les mollahs. Arrestations et pressions ont touché les prédicateurs indépendants. En mai 1998, l'Ouzbékistan a signé avec la Russie une déclaration sur le danger fondamentaliste, à laquelle se sont joints le Kirghizstan et le Tadjikistan. L'évolution de la guerre civile en Afghanistan a été source d'inquiétude, avec notamment l'arrivée des taliban afghans sur la frontière ouzbèke en août 1998, après l'écrasement du général afghan d'ethnie ouzbèke Rashid Doustom. Pourtant, l'Ouzbékistan s'est gardé d'une attitude trop offensive : en octobre, un train d'armes et de munitions iraniennes desti-

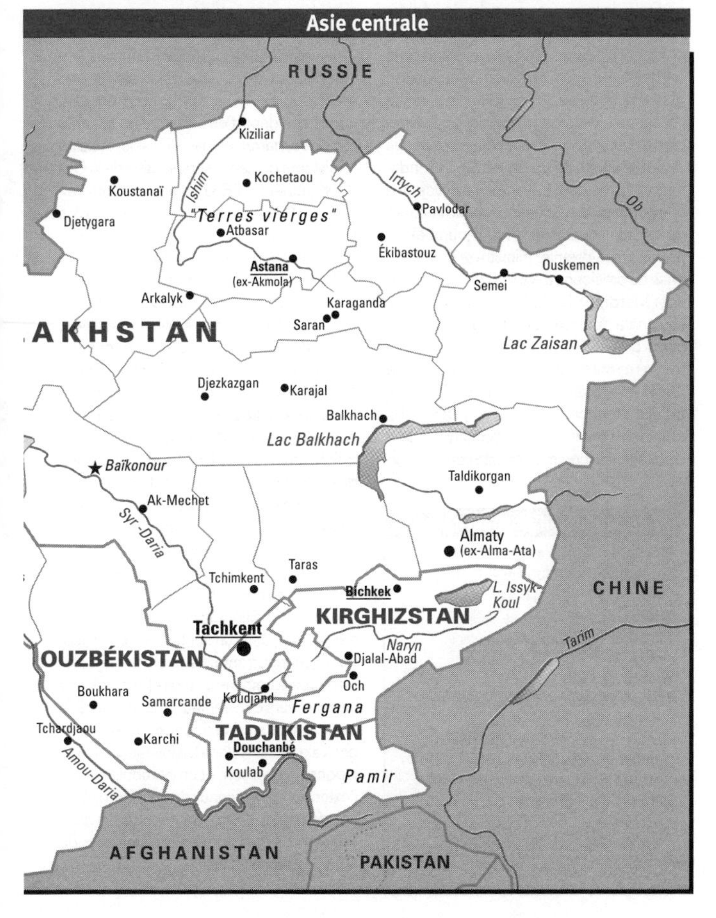

nées au commandant Ahmed Shah Massoud (opposé aux taliban), intercepté, a été envoyé à Och, au Kirghizstan.

Un autre incident a accru la tension entre l'Ouzbékistan et le Tadjikistan : le 4 novembre 1998, le colonel tadjik d'ethnie ouzbèke Mahmoud Khodaberdaiev, opposé au nouveau gouvernement de coalition formé à Douchanbé en 1997, a attaqué Koudjand, capitale de la province tadjike de Léninabad, en passant par le territoire ouzbek. Le président I. Karimov a nié tout soutien à cette tentative qui échoua rapidement. Mais le gouvernement tadjik y a vu l'expression de la volonté d'hégémonie ouzbèke (cette région a fait partie de la république soviétique d'Ouzbékistan jusqu'en 1929). Le lendemain, le président I. Karimov a procédé à une purge sans précédent dans la haute administration ouzbèke. Ismaïl Djourabekov, premier vice-premier ministre et éminence grise du président, a été limogé, ainsi qu'Alisher Mardiyev, le chef de l'administration régionale de Samarcande. Quelque trois cents gouverneurs, maires, et hauts fonctionnaires ont été privés de leur poste. Cette purge a été d'autant plus impressionnante qu'elle a touché des hommes proches du président et venant de Samarcande. Elle a été présentée comme une lutte contre la corruption et les mafias, d'autant que les liens entre I. Djourabekov et le chef d'une des trois principales mafias du pays (dirigée par « Ghaffour ») étaient notoires. Mais elle a aussi affaibli le président, confronté pour la première fois à une opposition issue de son propre mouvement. La création d'un nouveau parti, Fidokorlar (« les militants »), dirigé par Erkin Norbotaev, un fidèle du président, ne visait qu'à faire apparaître un pluralisme de façade.

Le président a continué d'affirmer l'indépendance de l'Ouzbékistan par rapport à la Russie. En février 1999, Tachkent a annoncé son départ de l'alliance de sécurité régionale, parrainée par la Russie, et quitté le système de sécurité collective de la CEI (Communauté d'États indépendants), signé en 1992 à Tachkent. Il ne restait plus à cette date avec la Russie qu'un traité bilatéral de coopération signé en 1994.

Le 16 février 1999, un attentat à la bombe contre le président Karimov a fait des dizaines de morts en pleine ville de Tachkent, sans atteindre son but. Le gouvernement dénonça aussitôt les islamistes radicaux. Mais les arrestations qui ont suivi touchaient aussi des milieux nationalistes laïques, comme le frère du dissident en exil Ahmed Saleh, chef du parti Erk. La sophistication de l'attentat laissait pourtant penser qu'il avait été organisé avec des complicités dans l'appareil d'État. D'importantes mesures de sécurité ont été prises, mais ni la loi martiale ni l'état d'urgence n'ont été proclamés.

Le gouvernement a craint une conjonction des oppositions islamiques et internes à son camp, dans un contexte de crise économique récurrente. La faiblesse des prix du pétrole a entraîné un moindre intérêt des investisseurs occidentaux pour l'ensemble de la zone. La crise économique en Asie centrale a aussi ralenti les investissements japonais et coréen, et en particulier limité l'extension des réseaux de commercialisation des voitures Daewoo fabriquées dans le Ferghana et exportées dans les pays de la CEI. - **Olivier Roy** ■

République d'Ouzbékistan

Capitale : Tachkent.
Superficie : 447 400 km^2.
Population : 23 574 000.
Langues : ouzbek, russe, tadjik.
Monnaie : som (au cours officiel, 100 soms = 5,31 FF au 7.6.99).
Nature de l'État : république.
Nature du régime : présidentiel fort.
Chef de l'État : Islam Karimov, depuis l'indépendance (1.9.91).
Chef du gouvernement : Outkour Soultanov (depuis déc. 95).
Ministre de la Défense : Hikmatoullah Toursounov.
Ministre des Affaires étrangères : A. Kamalov.

Tadjikistan

Sérieuses tensions avec l'Ouzbékistan

Malgré les tensions, la mise en place d'un gouvernement de coalition prévu par les accords de 1997 a lentement avancé. Zakir Vazirov, de l'OTU (Opposition tadjike unie), dont la composante principale est islamiste, a été nommé vice-premier ministre en octobre 1998. Le gouvernement du président Imamali Rahmanov a cependant retardé la nomination de Mizo Mirzayev au poste sensible de ministre de la Défense. La situation intérieure du pays est rendue difficile par une extension du banditisme, par le poids croissant des mafias, mais aussi par la résurgence d'une opposition armée.

Une faction proche du régime est entrée en dissidence, refusant les accords de paix de 1997. Menée par Mahmoud Khodaberdaiev (d'ethnie ouzbèke), elle avait été contrainte à l'exil. Mais les 4 et 5 novembre 1998, un millier d'hommes, sous la direction de M. Khodaberdiev, passèrent la frontière ouzbèke et s'emparèrent brièvement de Koudjand (capitale de la province du Nord), en liaison avec l'ancien Premier ministre Abdou Malik Abdoulajanov. Cette attaque entraîna une crise sérieuse avec l'Ouzbékistan et l'interdiction du parti d'Abdoulajanov qui s'est enfui. Une autre conséquence a été le resserrement des liens au sein du gouvernement de coalition. L'assassinat, le 22 septembre 1998, du porte-parole de l'opposition Otakhan Latifi, a fait craindre la déstabilisation de la coalition, mais il a été remplacé par Mohammed Sharif Himmatzade, l'un des chefs du Parti de la renaissance islamique.

La victoire des taliban en Afghanistan suscite des inquiétudes. L'ambassade américaine avait fermé en septembre 1998, par crainte d'attentats islamistes, suite au bombardement de camps de terroristes en territoire taliban par les missiles de croisière américains, mais elle a rouvert début 1999. La résistance d'Ahmed Shah Massoud en Afghanistan est encouragée par le gouvernement. Cette solidarité tadjike face aux taliban pachtou inquiète les Ouzbeks, qui y voient l'amorce d'une politique de « grand Tadjikistan ». A l'inverse, les Tadjiks sont convaincus que l'Ouzbékistan menace leur indépendance. Les tensions sont fortes et se traduisent par une quasi-fermeture des frontières. - **Olivier Roy** ■

République du Tadjikistan

Capitale : Douchanbé.
Superficie : 143 100 km².
Population : 6 015 000.
Langues : tadjik, russe.
Monnaie : rouble tadjik (au taux officiel, 1 000 roubles = 8,13 FF en janv. 98).
Nature de l'État : république.
Nature du régime : présidentiel autoritaire (Constitution de 1994).
Chef de l'État : Imamali Rahmanov (président du Parlement, faisant fonction de chef de l'État depuis le 25.11.92).
Chef du gouvernement : Yahya Azimov (depuis févr. 96).
Ministre des Affaires étrangères : Talbeg Nazarof.

Kirghizstan

Dépendance vis-à-vis du Kazakhstan

Le Kirghizstan n'a guère fait parler de lui. Le 17 octobre 1997, un référendum constitutionnel a donné davantage de pouvoir au Parlement. Cela ne fait pas grand sens, tant le pouvoir présidentiel reste fort, limité essentiellement par des pouvoirs locaux qui s'autofinancent par divers trafics. Un nouveau Premier ministre, Jumabek Ibrahimov, a été nommé le 25 décembre 1998 après la démission de l'ancien cabinet, à la demande du président Askar Akaiev. Malgré

Asie centrale/Bibliographie

« Au cœur de l'Asie centrale », *Globe Mémoires* (cédérom + magazine), n° 1, hiv. 1999.

C. et R. Choukourov, *Peuples d'Asie centrale,* Syros, Paris, 1994.

V. Fourniau, *Histoire de l'Asie centrale,* PUF, coll. « Que sais-je ? », Paris, 1994.

« La Caspienne : une nouvelle frontière », *Cahiers d'études sur la Méditerranée et le monde turco-iranien (CEMOTI),* n° 23, Paris, 1997.

C. Poujol (sous la dir. de), *Asie centrale. Aux confins des empires, réveil et tumulte,* Autrement, Paris, 1992.

C. Poujol, V. Fourniau, K. Feigelson, M.-A. Crosnier, M. Kahn, « Asie centrale », *in* M. Ferro (sous la dir. de), *L'état de toutes les Russies. États et nations de l'ex-URSS,* La Découverte, coll. « L'état du monde », Paris, 1993.

A. Rashid, *The Resurgence of Central Asia. Islam or Nationalism ?,* Zed Books, Londres, 1994.

O. Roy, *La Nouvelle Asie centrale ou la fabrication des nations,* Seuil, Paris, 1997.

O. Roy (sous la dir. de), « Des ethnies aux nations en Asie centrale », *REMMM (Revue du monde musulman et de la Méditerranée),* n°s 59-60, Édisud, Aix-en-Provence, 1992.

J. et A. Sellier, *Atlas des peuples d'Orient, Moyen-Orient, Caucase, Asie centrale,* La Découverte, Paris, 1994 (nouv. éd. 1999).

Voir aussi la bibliographie sélective « Espace post-soviétique », p. 551.

les limites aux libertés, le Kirghizstan a connu un meilleur climat que ses voisins. Le chef du parti de l'opposition Erkin Kirghyzstan, Topchubek Turgunaliev, a ainsi été libéré en novembre 1998.

La situation économique est restée très mauvaise et l'aide internationale constitue une part significative des revenus du pays.

République kirghize

Capitale : Bichkek.
Superficie : 198 500 km².
Population : 4 643 000.
Langues : kirghize, russe.
Monnaie : som (au cours officiel, 1 som = 0,18 FF au 31.3.99).
Nature de l'État : république unitaire.
Nature du régime : présidentiel.
Chef de l'État : Askar Akaiev, président de la République (depuis l'indépendance, le 31.8.91).
Chef du gouvernement : Koubanichbeg Journaliev, qui a remplacé en mars 98 Apas Djoumagouloy (décédé en avr. 99).

Une économie parallèle se développe autour de la drogue, qui circule sur l'axe routier venant d'Afghanistan, passant par le Pamir tadjik puis débouchant sur la ville d'Och, où, le 20 octobre 1998, un convoi d'armes à destination du commandant afghan Ahmed Shah Massoud a été saisi et renvoyé en Iran.

Même s'il a rejoint l'Organisation mondiale du commerce en octobre 1998 – c'est le premier pays de la CEI (Communauté d'États indépendants) à le faire – grâce à une politique économique libérale et en particulier à une liberté des changes de devises, le Kirghizstan n'a guère les moyens de jouer un rôle sur la scène internationale et songe même à fermer certaines de ses ambassades à l'étranger. Il reste en fait dépendant de son grand voisin le Kazakhstan et garde des liens étroits avec la Russie. Pourtant, le désengagement russe est en cours : le 1er janvier 1999, les gardes-frontières russes ont été remplacés par des Kirghizes, sauf sur la frontière chinoise, où ils doivent rester en place jusqu'en 2003. - **Olivier Roy** ■

Documents annexes

Tables et index

L'indicateur du « développement humain »

L'état du monde présente dans les pages 103 et suivantes et dans les synthèses statistiques des ensembles géopolitiques un « Indicateur du développement humain » (IDH). Cet indicateur composite est calculé chaque année, depuis 1990, par le Programme des Nations unies pour le développement (PNUD).

Une telle initiative est venue du fait que l'indicateur de développement le plus couramment utilisé, le produit intérieur brut (PIB) par habitant, calculé au taux de change du marché, est, dans de nombreux cas, une très mauvaise mesure du niveau de bien-être atteint. Par exemple, le Qatar, avec 20 987 dollars par habitant en 1997, ne comptait pas moins de 20 % d'analphabètes dans sa population adulte et présentait un taux de mortalité infantile de 17 ‰. L'Espagne, dont le PIB par habitant atteint seulement les trois quarts de celui du Qatar, semble néanmoins avoir un développement « humain » beaucoup plus élevé ; elle ne compte pratiquement pas d'analphabètes et le taux de mortalité infantile y est de moins de la moitié (8 ‰).

Dans l'idéal, un indicateur du « développement humain » devrait pouvoir tenir compte de nombreux facteurs. Le PNUD a préféré ne retenir que trois éléments pour construire son indice : l'espérance de vie à la naissance ; le niveau d'instruction, représenté par le taux d'alphabétisation des adultes et le taux brut de scolarisation tous niveaux confondus (avec une pondération de deux tiers pour le premier et d'un tiers pour le second) ; et enfin le revenu représenté par le PIB par habitant après une double transformation tenant compte de la différence des prix relatifs d'un pays à l'autre et du fait que le revenu n'augmente pas le développement humain d'une manière linéaire (lorsqu'on passe de 1 000 à 2 000 dollars de revenu annuel par habitant, la diversité des nouveaux choix qui s'ouvrent augmente beaucoup plus que lorsqu'on passe de 14 000 à 15 000 dollars).

Des valeurs minimales et maximales sont fixées pour chacun de ces éléments :

– espérance de vie à la naissance : 25 ans à 85 ans ;

– alphabétisation des adultes : 0 % à 100 % ;

– taux de scolarisation : 0 % à 100 % ;

– PIB réel par habitant : 100 dollars PPA à 40 000 dollars PPA.

Chacun de ces indicateurs est d'abord exprimé sur l'échelle de 0 à 1. Ainsi, à l'espérance de vie à la naissance en Espagne (78 ans) est attachée la valeur :

$$0{,}883 = \frac{78 - 25}{(85 - 25)}$$

A l'espérance de vie au Qatar (71,7 années) est attachée la valeur :

$$0{,}778 = \frac{71{,}7 - 25}{(85 - 25)}$$

Le même calcul est réalisé pour l'indicateur de niveau d'instruction et pour l'indicateur de niveau de revenu. Dans une seconde étape, on effectue la moyenne des trois chiffres ainsi obtenus. On obtient ainsi l'indice composite du développement humain. On aboutit pour l'Espagne à un IDH de 0,894 et pour le Qatar de 0,814. Par ce moyen, il est possible d'opérer un classement de tous les pays. - **Francisco Vergara** ■

PIB–PPA et PIB aux taux de change courants

Les tableaux des pages 600 et suivantes indiquent le Produit intérieur brut (PIB) par habitant de 206 pays calculé par la Banque mondiale et le Fonds monétaire international en utilisant la méthode des « parités de pouvoir d'achat » (PPA). Les PIB le plus souvent cités dans la presse sont calculés en utilisant les taux de change courants par la méthode dite de la Banque mondiale. Avec cette méthode, la production d'un pays est d'abord évaluée en utilisant les prix intérieurs du pays concerné ; les valeurs ainsi obtenues sont ensuite converties en dollars en utilisant une moyenne pondérée des taux de change des trois dernières années. Les PIB-PPA, en revanche, sont obtenus en utilisant un taux de change fictif qui rend équivalent le prix d'un panier de marchandise. La méthode des PPA permet ainsi une comparaison beaucoup plus rigoureuse du pouvoir d'achat dans les différents pays. Dans la méthode de la Banque mondiale, par exemple, un kg de riz est évalué à un prix six fois plus élevé dans le PIB japonais que dans celui de la Thaïlande, ce qui tend à gonfler artificiellement le PIB japonais. Dans la méthode PPA, un prix similaire est utilisé pour le riz ainsi que pour toute autre production ; deux productions identiques sont ainsi évaluées exactement au même prix.

Le calcul des PIB par la méthode des PPA donne certains résultats inattendus qui contredisent maintes idées reçues. Ainsi, apparaît-il, par exemple, que deux pays nouvellement industrialisés comme Hong Kong ou Singapour ont dépassé pour le PIB par habitant le niveau atteint par le Canada ou la plupart des pays européens. Le Japon, en revanche, apparaît relativement moins développé que ne le suggère le PIB aux taux de change courants. En 1997, l'empire du Soleil-Levant venait derrière Hong Kong et Singapour, mais devant tous les pays européens, à l'exception du Luxembourg, de la Norvège et de la Suisse.

D'autres exemples peuvent également surprendre : le PIB par habitant de la Chine a ainsi atteint plus de 3 000 dollars en 1997, soit quatre fois plus que le montant indiqué en utilisant la méthode de la Banque mondiale. On constatera, de même, que le PIB-PPA par habitant de la Chine est supérieur de deux fois à celui de l'Inde.

Très surprenant aussi peut apparaître à d'aucuns le niveau atteint par certains pays africains comme le Botswana et l'île Maurice qui talonnent désormais les pays les plus riches d'Amérique latine (le Chili et l'Argentine). Taïwan, désormais plus riche que la Suède, et au même niveau que les Pays-Bas, est une autre surprise. Parallèlement, on constate la faiblesse du PIB par habitant de la Russie et des anciennes républiques soviétiques, d'une richesse moyenne inférieure à celle du Pérou ou de la Tunisie. Le PIB par habitant de la Russie atteint seulement les deux tiers de celui de la Turquie.

Plusieurs institutions ont des programmes pour calculer les PPA par habitant. La Banque mondiale, les Nations unies et la CIA font des estimations pour tous les pays du monde ou presque. Les estimations sont parfois très différentes, notamment pour les pays « sensibles » (Corée du Nord, Cuba, etc.). - **Francisco Vergara** ■

Pour lire les tableaux suivants

Pays	Rang dans le tableau IDH (p. 596 et suiv.)	Rang dans le tableau PIB (p. 600 et suiv.)
Afrique du Sud	101	70
Albanie	100	137
Algérie	109	94
Allemagne	14	16
Angola	160	165
Antigua et Barbuda	38	57
Arabie saoudite	78	49
Argentine	39	48
Arménie	87	129
Australie	7	21
Autriche	16	13
Azerbaïdjan	103	160
Bahamas	31	45
Bahreïn	37	32
Bangladesh	150	181
Barbade	29	46
Belgique	5	11
Bélize	83	98
Bénin	155	171
Bhoutan	145	206
Biélorussie	60	89
Birmanie : voir Myanmar		
Bolivie	112	123
Botswana	122	68
Brésil	79	80
Brunéi	25	30
Bulgarie	63	102
Burkina Faso	171	182
Burundi	170	199
Cambodge	137	170
Cameroun	134	143
Canada	1	12
Cap-Vert	106	121
Centrafrique	165	167
Chili	34	41
Chine	98	119
Chypre	26	37
Colombie	57	76
Comores	139	161
Congo (-Brazzaville)	135	156
Congo (-Kinshasa)	141	189
Corée du Sud	30	39
Costa Rica	45	78
Côte-d'Ivoire	154	146
Croatie	55	91
Cuba	58	• •
Danemark	15	9
Djibouti	157	180
Rép. Dominicaine	88	90
Dominique	53	96
Égypte	120	120
El Salvador	107	124
Émirats arabes unis	43	27
Équateur	72	88
Érythrée	167	192
Espagne	21	35
Estonie	54	86
États-Unis	3	2
Éthiopie	172	203
Fidji	61	103
Finlande	13	22
France	11	14
Gabon	124	69
Gambie	163	164
Géorgie	85	141
Ghana	133	154
Grèce	27	42
Grenade	52	92
Guatémala	117	101
Guinée	161	144
Guinée équatoriale	131	122
Guinée-Bissau	168	188
Guyana	99	117
Haïti	152	172
Honduras	114	135
Hong Kong (Chine)	24	7
Hongrie	47	72
Inde	132	153
Indonésie	105	110
Irak	125	139
Iran	95	83
Irlande	20	19
Islande	9	15
Israël	23	26
Italie	19	20
Jamaïque	82	113
Japon	4	8
Jordanie	94	112
Kazakhstan	76	107
Kénya	136	173
Kirghizstan	97	134
Koweït	35	28

Pour lire les tableaux suivants

Pays	Rang dans le tableau IDH *(p. 596 et suiv.)*	Rang dans le tableau PIB *(p. 600 et suiv.)*
Laos	140	169
Lésotho	127	145
Lettonie	74	105
Liban	69	82
Libye	65	43
Lituanie	62	99
Luxembourg	17	1
Macédoine	73	118
Madagascar	147	186
Malaisie	56	61
Malawi	159	197
Maldives	93	106
Mali	166	195
Malte	32	40
Maroc	126	115
Maurice	59	54
Mauritanie	149	148
Mexique	50	60
Moldavie	104	162
Mongolie	119	168
Mozambique	169	196
Myanmar	128	183
Namibie	115	87
Népal	144	179
Nicaragua	121	142
Niger	173	191
Nigéria	146	187
Norvège	2	6
Nouvelle-Zélande	18	31
Oman	89	52
Ouganda	158	175
Ouzbékistan	92	127
Pakistan	138	158
Panama	49	74
Papouasie-Nlle-Guinée	129	128
Paraguay	84	104
Pays-Bas	8	17
Pérou	80	93
Philippines	77	109
Pologne	44	79
Portugal	28	38
Qatar	41	34
République dominicaine : voir à D.		
République tchèque : voir à T.		
Roumanie	68	97
Royaume-Uni	10	18
Russie	71	95
Rwanda	164	198
Sainte-Lucie	81	84
Saint Kitts et Nevis	51	66
Salomon	118	132
Samoa	70	108
São Tomé et Principe	123	190
Sénégal	153	149
Seychelles	66	73
Sierra Léone	174	205
Singapour	22	3
Slovaquie	42	65
Slovénie	33	44
Soudan	142	159
Sri Lanka	90	126
St-Vincent et les G.	75	100
Suède	6	25
Suisse	12	4
Suriname	64	64
Swaziland	113	114
Syrie	111	116
Tadjikistan	108	177
Tanzanie	156	202
Tchad	162	184
Rép. Tchèque	36	47
Thaïlande	67	77
Togo	143	163
Trinidad et Tobago	46	75
Tunisie	102	85
Turkménistan	96	138
Turquie	86	81
Ukraine	91	136
Uruguay	40	56
Vanuatu	116	111
Vénézuela	48	58
Vietnam	110	155
Yémen	148	193
Zambie	151	185
Zimbabwé	130	130

Indicateur du développement humain (IDH)

Classement selon l'IDH		Indicateur du développement humain 1997	Espérance de vie à la naissance (années) 1997	Taux d'alphabétisation des adultes (%) 1997	Taux brut de scolarisation (%) 1997	PIB réel par habitant (PPA) 1997
Développement humain élevé		**0,904**	**77,0**	**98,3**	**89**	**21 647**
1	Canada	0,932	79,0	99,0	99	22 480
2	Norvège	0,927	78,1	99,0	95	24 450
3	États-Unis	0,927	76,7	99,0	94	29 010
4	Japon	0,924	80,0	99,0	85	24 070
5	Belgique	0,923	77,2	99,0	100	22 750
6	Suède	0,923	78,5	99,0	100	19 790
7	Australie	0,922	78,2	99,0	100	20 210
8	Pays-Bas	0,921	77,9	99,0	98	21 110
9	Islande	0,919	79,0	99,0	87	22 497
10	Royaume-Uni	0,918	77,2	99,0	100	20 730
11	France	0,918	78,1	99,0	92	22 030
12	Suisse	0,914	78,6	99,0	79	25 240
13	Finlande	0,913	76,8	99,0	99	20 150
14	Allemagne	0,906	77,2	99,0	88	21 260
15	Danemark	0,905	75,7	99,0	89	23 690
16	Autriche	0,904	77,0	99,0	86	22 070
17	Luxembourg	0,902	76,7	99,0	69	30 863
18	Nouvelle-Zélande	0,901	76,9	99,0	95	17 410
19	Italie	0,900	78,2	98,3	82	20 290
20	Irlande	0,900	76,3	99,0	88	20 710
21	Espagne	0,894	78,0	97,2	92	15 930
22	Singapour	0,888	77,1	91,4	73	28 460
23	Israël	0,883	77,8	95,4	80	18 150
24	Hong Kong (Chine)	0,880	78,5	92,4	65	24 350
25	Brunéi	0,878	75,5	90,1	72	29 773
26	Chypre	0,870	77,8	95,9	79	14 201
27	Grèce	0,867	78,1	96,6	79	12 769
28	Portugal	0,858	75,3	90,8	91	14 270
29	Barbade	0,857	76,4	97,6	80	12 001
30	Corée du Sud	0,852	72,4	97,2	90	13 590
31	Bahamas	0,851	73,8	95,8	74	16 705
32	Malte	0,850	77,2	91,1	78	13 180
33	Slovénie	0,845	74,4	99,0	76	11 800
34	Chili	0,844	74,9	95,2	77	12 730
35	Koweït	0,833	75,9	80,4	57	25 314
36	Rép. tchèque	0,833	73,9	99,0	74	10 510
37	Bahreïn	0,832	72,9	86,2	81	16 527
38	Antigua et Barbuda	0,828	75,0	95,0	76	9 692
39	Argentine	0,827	72,9	96,5	79	10 300
40	Uruguay	0,826	73,9	97,5	77	9 200
41	Qatar	0,814	71,7	80,0	71	20 987
42	Slovaquie	0,813	73,0	99,0	75	7 910
43	Émirats arabes unis	0,812	74,8	74,8	69	19 115
44	Pologne	0,802	72,5	99,0	77	6 520
45	Costa Rica	0,801	76,0	95,1	66	6 650

Source : PNUD. Pour retrouver facilement un pays, voir la liste alphabétique de ces derniers, p. 594-595.

Indicateur du développement humain (IDH)

Classement selon l'IDH		Indicateur du développement humain 1997	Espérance de vie à la naissance (années) 1997	Taux d'alphabétisation des adultes (%) 1997	Taux brut de scolarisation (%) 1997	PIB réel par habitant (PPA) 1997
Développement humain moyen		**0,662**	**66,6**	**75,9**	**64**	**3 327**
46	Trinidad et Tobago	0,797	73,8	97,8	66	6 840
47	Hongrie	0,795	70,9	99,0	74	7 200
48	Vénézuela	0,792	72,4	92,0	67	8 860
49	Panama	0,791	73,6	91,1	73	7 168
50	Mexique	0,786	72,2	90,1	70	8 370
51	Saint Kitts et Nevis	0,781	70,0	90,0	78	8 017
52	Grenade	0,777	72,0	96,0	78	4 864
53	Dominique	0,776	74,0	94,0	77	4 320
54	Estonie	0,773	68,7	99,0	81	5 240
55	Croatie	0,773	72,6	97,7	67	4 895
56	Malaisie	0,768	72,0	85,7	65	8 140
57	Colombie	0,768	70,4	90,9	71	6 810
58	Cuba	0,765	75,7	95,9	72	3 100
59	Maurice	0,764	71,4	83,0	63	9 310
60	Biélorussie	0,763	68,0	99,0	80	4 850
61	Fidji	0,763	72,7	91,8	80	3 990
62	Lituanie	0,761	69,9	99,0	75	4 220
63	Bulgarie	0,758	71,1	98,2	70	4 010
64	Suriname	0,757	70,1	93,5	71	5 161
65	Libye	0,756	70,0	76,5	92	6 697
66	Seychelles	0,755	71,0	84,0	61	8 171
67	Thaïlande	0,753	68,8	94,7	59	6 690
68	Roumanie	0,752	69,9	97,8	68	4 310
69	Liban	0,749	69,9	84,4	76	5 940
70	Samoa	0,747	71,3	98,0	66	3 550
71	Russie	0,747	66,6	99,0	77	4 370
72	Équateur	0,747	69,5	90,7	73	4 940
73	Macédoine	0,746	73,1	94,0	70	3 210
74	Lettonie	0,744	68,4	99,0	71	3 940
75	St-Vincent et les G.	0,744	73,0	82,0	78	4 250
76	Kazakhstan	0,740	67,6	99,0	76	3 560
77	Philippines	0,740	68,3	94,6	82	3 520
78	Arabie saoudite	0,740	71,4	73,4	56	10 120
79	Brésil	0,739	66,8	84,0	80	6 480
80	Pérou	0,739	68,3	88,7	78	4 680
81	Sainte-Lucie	0,737	70,0	82,0	74	5 437
82	Jamaïque	0,734	74,8	85,5	63	3 440
83	Bélize	0,732	74,7	75,0	72	4 300
84	Paraguay	0,730	69,6	92,4	64	3 980
85	Géorgie	0,729	72,7	99,0	71	1 960
86	Turquie	0,728	69,0	83,2	61	6 350
87	Arménie	0,728	70,5	98,8	72	2 360
88	Rép. dominicaine	0,726	70,6	82,6	66	4 820
89	Oman	0,725	70,9	67,1	58	9 960
90	Sri Lanka	0,721	73,1	90,7	66	2 490

Source : PNUD. Pour retrouver facilement un pays, voir la liste alphabétique de ces derniers, p. 594-595.

Indicateur du développement humain (IDH)

Classement selon l'IDH		Indicateur du développement humain 1997	Espérance de vie à la naissance (années) 1997	Taux d'alphabétisation des adultes (%) 1997	Taux brut de scolarisation (%) 1997	PIB réel par habitant (PPA) 1997
91	Ukraine	0,721	68,8	99,0	77	2 190
92	Ouzbékistan	0,720	67,5	99,0	76	2 529
93	Maldives	0,716	64,5	95,7	74	3 690
94	Jordanie	0,715	70,1	87,2	66	3 450
95	Iran	0,715	69,2	73,3	72	5 817
96	Turkménistan	0,712	65,4	98,0	90	2 109
97	Kirghizstan	0,702	67,6	97,0	69	2 250
98	Chine	0,701	69,8	82,9	69	3 130
99	Guyana	0,701	64,4	98,1	64	3 210
100	Albanie	0,699	72,8	85,0	68	2 120
101	Afrique du Sud	0,695	54,7	84,0	93	7 380
102	Tunisie	0,695	69,5	67,0	70	5 300
103	Azerbaïdjan	0,695	69,9	96,3	71	1 550
104	Moldavie	0,683	67,5	98,3	70	1 500
105	Indonésie	0,681	65,1	85,0	64	3 490
106	Cap-Vert	0,677	68,9	71,0	77	2 990
107	El Salvador	0,674	69,1	77,0	64	2 880
108	Tadjikistan	0,665	67,2	98,9	69	1 126
109	Algérie	0,665	68,9	60,3	68	4 460
110	Vietnam	0,664	67,4	91,9	62	1 630
111	Syrie	0,663	68,9	71,6	60	3 250
112	Bolivie	0,652	61,4	83,6	70	2 880
113	Swaziland	0,644	60,2	77,5	73	3 350
114	Honduras	0,641	69,4	70,7	58	2 220
115	Namibie	0,638	52,4	79,8	82	5 010
116	Vanuatu	0,627	67,4	64,0	47	3 480
117	Guatémala	0,624	64,0	66,6	47	4 100
118	Salomon	0,623	71,7	62,0	46	2 310
119	Mongolie	0,618	65,8	84,0	55	1 310
120	Égypte	0,616	66,3	52,7	72	3 050
121	Nicaragua	0,616	67,9	63,4	63	1 997
122	Botswana	0,609	47,4	74,4	70	7 690
123	São Tomé et Principe	0,609	64,0	75,0	57	1 851
124	Gabon	0,607	52,4	66,2	60	7 550
125	Irak	0,586	62,4	58,0	51	3 197
126	Maroc	0,582	66,6	45,9	49	3 310
127	Lésotho	0,582	56,0	82,3	58	1 860
128	Myanmar	0,580	60,1	83,6	55	1 199
129	Papouasie-Nlle-Guinée	0,570	57,9	73,7	37	2 654
130	Zimbabwé	0,560	44,1	90,9	68	2 350
131	Guinée équatoriale	0,549	50,0	79,9	64	1 817
132	Inde	0,545	62,6	53,5	55	1 670
133	Ghana	0,544	60,0	66,4	42	1 640
134	Cameroun	0,536	54,7	71,7	43	1 890
135	Congo (-Brazzaville)	0,533	48,6	76,9	68	1 620
136	Kénya	0,519	52,0	79,3	50	1 190
137	Cambodge	0,514	53,4	66,0	61	1 290

Source : PNUD. Pour retrouver facilement un pays, voir la liste alphabétique de ces derniers, p. 594-595.

Indicateur du développement humain (IDH)

Classement selon l'IDH	Indicateur du développement humain 1997	Espérance de vie à la naissance (années) 1997	Taux d'alphabétisation des adultes (%) 1997	Taux brut de scolarisation (%) 1997	PIB réel par habitant (PPA) 1997
138 Pakistan	0,508	64,0	40,9	43	1 560
139 Comores	0,506	58,8	55,4	39	1 530
Faible développement humain	**0,416**	**50,6**	**48,5**	**39**	**982**
140 Laos	0,491	53,2	58,6	55	1 300
141 Congo (-Kinshasa)	0,479	50,8	77,0	39	880
142 Soudan	0,475	55,0	53,3	34	1 560
143 Togo	0,469	48,8	53,2	61	1 490
144 Népal	0,463	57,3	38,1	59	1 090
145 Bhoutan	0,459	60,7	44,2	12	1 467
146 Nigéria	0,456	50,1	59,5	54	920
147 Madagascar	0,453	57,5	47,0	39	930
148 Yémen	0,449	58,0	42,5	49	810
149 Mauritanie	0,447	53,5	38,4	41	1 730
150 Bangladesh	0,440	58,1	38,9	35	1 050
151 Zambie	0,431	40,1	75,1	49	960
152 Haïti	0,430	53,7	45,8	24	1 270
153 Sénégal	0,426	52,3	34,6	35	1 730
154 Côte-d'Ivoire	0,422	46,7	42,6	40	1 840
155 Bénin	0,421	53,4	33,9	42	1 270
156 Tanzanie	0,421	47,9	71,6	33	580
157 Djibouti	0,412	50,4	48,3	21	1 266
158 Ouganda	0,404	39,6	64,0	40	1 160
159 Malawi	0,399	39,3	57,7	75	710
160 Angola	0,398	46,5	45,0	27	1 430
161 Guinée	0,398	46,5	37,9	28	1 880
162 Tchad	0,393	47,2	50,3	29	970
163 Gambie	0,391	47,0	33,1	41	1 470
164 Rwanda	0,379	40,5	63,0	43	660
165 Centrafrique	0,378	44,9	42,4	26	1 330
166 Mali	0,375	53,3	35,5	25	740
167 Érythrée	0,346	50,8	25,0	27	820
168 Guinée-Bissau	0,343	45,0	33,6	34	861
169 Mozambique	0,341	45,2	40,5	25	740
170 Burundi	0,324	42,4	44,6	23	630
171 Burkina Faso	0,304	44,4	20,7	20	1 010
172 Éthiopie	0,298	43,3	35,4	24	510
173 Niger	0,298	48,5	14,3	15	850
174 Sierra Léone	0,254	37,2	33,3	30	410
Total pays en développement	**0,637**	**64,4**	**71,4**	**59**	**3 240**
Pays les moins avancés	**0,430**	**51,7**	**50,7**	**37**	**992**
Pays industrialisés	**0,919**	**77,7**	**98,7**	**92**	**23 741**
Monde	**0,706**	**66,7**	**78,0**	**63**	**6 332**

Source : PNUD. Pour retrouver facilement un pays, voir la liste alphabétique de ces derniers, p. 594-595.

Produit intérieur brut (PIB)

Rang	Pays *	PIB par habitant (1997, en dollars) à parité de pouvoir d'achat	PIB par habitant (1997, en dollars) aux taux de change courants	Part dans le total mondial 1998 (en %)	Taux de croissance annuel 1977-87	Taux de croissance annuel 1987-97	Taux de croissance annuel 1998	Taux d'investissement (en % du PIB) 1995-1997
1	Luxembourg	30 140	45 000	0,04	3,7	5,9	4,1	20,8
2	États-Unis	29 010	29 080	20,76	2,8	2,6	3,9	17,4
3	Singapour	28 460	32 810	0,21	7,0	8,9	1,5	35,6
4	Suisse	25 240	43 060	0,46	1,8	1,2	2,1	20,4
5	Monaco	25 000	• •	• •	• •	• •	• •	• •
6	Norvège	24 450	36 100	0,28	2,5	3,0	2,0	23,1
7	Hong Kong (Chine)	24 350	25 200	0,41	8,3	5,0	– 5,1	32,4
8	Japon	24 070	38 160	7,44	3,7	3,0	– 2,8	28,1
9	Danemark	23 690	34 890	0,32	2,2	2,1	3,0	19,9
10	Liechtenstein	23 000	• •	• •	• •	• •	• •	• •
11	Belgique	22 750	26 730	0,57	1,4	2,2	3,0	17,5
12	Canada	22 480	19 640	1,84	3,0	2,1	3,0	18,4
13	Autriche	22 070	27 920	0,47	1,7	2,6	3,3	22,9
14	France	22 030	26 300	3,44	2,1	2,1	3,1	17,5
15	Islande	21 970	27 000	0,02	4,8	1,5	5,1	17,1
16	Allemagne	21 260	28 280	4,50	1,8	2,6	2,8	7,0
17	Pays-Bas	21 110	25 830	0,90	2,7	2,9	3,7	19,7
18	Royaume-Uni	20 730	20 870	3,31	2,3	2,2	2,1	15,3
19	Irlande	20 710	17 790	0,20	3,4	6,3	9,0	17,6
20	Italie	20 290	20 170	3,10	2,7	1,7	1,4	17,0
21	Australie	20 210	20 650	1,08	3,3	3,2	5,1	21,8
22	Finlande	20 150	24 790	0,28	3,6	1,7	5,0	16,1
23	Saint-Marin	20 000	• •	• •	• •	• •	• •	• •
24	Taïwan	19 870	• •	1,06	8,7	6,7	4,9	22,3
25	Suède	19 790	26 210	0,48	2,7	1,1	2,9	14,3
26	Israël	18 150	16 180	0,27	3,6	4,7	2,0	21,9
27	Émirats arabes unis	18 110	• •	0,16	– 2,2	4,9	-5,7	25,8
28	Koweït	18 100	• •	0,14	– 1,8	3,0	2,2	14,0
29	Andorre	18 000	• •	• •	• •	• •	• •	• •
30	Brunéi	18 000	• •	0,01	• •	1,0	1,0	• •
31	Nouvelle-Zélande	17 410	15 830	0,17	1,5	1,9	– 0,3	20,6
32	Bahreïn	16 140	• •	0,02	3,3	3,4	2,1	14,7
33	Groenland	16 100	• •	• •	• •	• •	• •	• •
34	Qatar	16 080	• •	0,03	0,0	2,7	11,5	25,0
35	Espagne	15 930	14 490	1,65	1,9	2,6	3,8	20,7
36	Macao	15 600	• •	• •	• •	• •	• •	32,2
37	Chypre	14 675	• •	0,03	6,2	5,0	4,7	20,2
38	Portugal	14 270	11 010	0,34	3,0	3,1	3,9	15,0
39	Corée du Sud	13 590	10 550	1,50	7,7	7,7	-5,5	36,1
40	Malte	13 180	9 330	0,02	3,7	5,7	4,1	25,9
41	Chili	12 730	4 820	0,48	3,4	7,9	3,3	24,6
42	Grèce	12 540	11 640	0,27	1,9	2,1	3,7	20,4

* Pour retrouver facilement un pays, voir la liste alphabétique de ces derniers, p. 594-595 qui indique leur rang dans le tableau ; a. 1989-97. Pour la Corée du Nord, non mentionnée dans ce tableau, les estimations varient

Produit intérieur brut (PIB)

Rang	Pays *	PIB par habitant (1997, en dollars) à parité de pouvoir d'achat	PIB par habitant (1997, en dollars) aux taux de change courants	Part dans le total mondial 1998 (en %)	Taux de croissance annuel 1977-87	Taux de croissance annuel 1987-97	Taux de croissance annuel 1998	Taux d'investissement (en % du PIB) 1995-1997
43	Libye	11 832	• •	0,15	– 1,7	1,9	2,6	11,0
44	Slovénie	11 800	9 840	0,07	• •	– 0,6a	3,9	22,5
45	Bahamas	10 780	• •	0,01	5,1	1,1	2,2	22,8
46	Barbade	10 580	• •	0,01	2,3	0,8	4,9	12,7
47	Rép. tchèque	10 510	5 240	0,26	• •	• •	– 2,2	30,6
48	Argentine	10 300	8 950	0,76	0,3	3,1	4,2	19,0
49	Arabie saoudite	10 120	7 150	0,58	2,0	3,3	1,2	18,5
50	Martinique	10 000	• •	• •	• •	• •	• •	• •
51	Nauru	10 000	• •	• •	• •	• •	• •	• •
52	Oman	9 980	• •	0,06	7,2	5,3	3,6	18,8
53	Réunion	9 978	• •	• •	• •	• •	• •	• •
54	Maurice	9 310	3 870	0,05	4,3	5,5	5,6	25,5
55	Guadeloupe	9 200	• •	• •	• •	• •	• •	• •
56	Uruguay	9 200	6 130	0,08	2,0	3,1	4,5	12,2
57	Antigua et Barbuda	9 030	7 380	0,00	7,2	3,3	3,8	35,4
58	Vénézuela	8 860	3 480	0,53	0,7	2,6	– 0,4	16,6
59	Porto Rico	8 600	8600	0,09	0,7	2,9	. .	15,2
60	Mexique	8 370	3 700	2,32	3,5	3,0	4,9	17,9
61	Malaisie (Féd. de)	8 140	4 530	0,60	5,6	8,7	– 6,8	42,5
62	Nouvelle-Calédonie	8 000	• •	• •	• •	• •	• •	• •
63	Polynésie française	8 000	• •	• •	• •	• •	• •	• •
64	Suriname	7 922	1 320	0,01	– 1,6	2,3	1,9	18,4
65	Slovaquie	7 910	3 680	0,12	. .	. .	4,4	37,6
66	St. Kitts et Nevis	7 830	6 260	0,00	4,9	5,6	3,8	• •
67	Turks et Caicos	7 700	• •	• •	• •	• •	• •	• •
68	Botswana	7 690	3 310	0,03	11,0	7,3	4,0	23,9
69	Gabon	7 550	4 120	0,01	– 3,9	4,7	2,0	23,8
70	Afrique du Sud	7 380	3 210	0,49	2,2	1,5	0,1	11,6
71	Anguilla	7 200	• •	• •	• •	• •	• •	• •
72	Hongrie	7 200	4 510	0,19	2,2	– 0,9	5,0	21,2
73	Seychelles	7 012	6 910	0,00	3,2	4,6	4,1	39,0
74	Panama	7 000	3 080	0,05	4,5	2,9	4,0	27,0
75	Trinidad et Tobago	6 840	4 250	0,04	– 2,1	1,0	6,0	18,3
76	Colombie	6 810	2 180	0,69	4,1	4,0	0,2	17,9
77	Thaïlande	6 690	2 740	1,22	6,4	8,4	– 8,0	39,3
78	Costa Rica	6 650	2 680	0,06	2,7	3,9	6,2	20,0
79	Pologne	6 520	3 590	0,86	0,2	2,3	4,8	18,9
80	Brésil	6 480	4 790	2,93	3,7	2,0	0,2	19,7
81	Turquie	6 350	3 130	1,12	4,1	4,2	2,8	25,4
82	Liban	5 940	3 350	0,03	4,4	– 3,6	5,0	29,9
83	Iran	5 460	1 780	1,04	– 1,4	3,6	1,7	24,6
84	Sainte-Lucie	5 310	3 510	0,00	5,9	5,0	3,6	19,0

entre 1 000 et 4 000 dollars. Pour Cuba, également non mentionné dans ce tableau, les estimations varient entre 1 540 et 3 100 dollars. Source : Banque mondiale.

Produit intérieur brut (PIB)

Rang	Pays *	PIB par habitant (1997, en dollars) à parité de pouvoir d'achat	PIB par habitant (1997, en dollars) aux taux de change courants	Part dans le total mondial 1998 (en %)	Taux de croissance annuel 1977-87	Taux de croissance annuel 1987-97	Taux de croissance annuel 1998	Taux d'investissement (en % du PIB) 1995-1997
85	Tunisie	5 300	2 110	0,16	4,6	4,1	5,1	24,0
86	Estonie	5 240	3 360	0,03	• •	– 1,5	4,0	26,4
87	Namibie	5 010	2 110	0,01	0,5	3,0	1,7	21,2
88	Équateur	4 940	1 570	0,16	2,4	3,6	0,2	18,5
89	Biélorussie	4 850	2 150	0,17	• •	– 2,3	8,3	24,2
90	Rép. dominicaine	4 820	1 750	0,10	3,6	3,7	7,0	25,5
91	Croatie	4 780	4 060	0,08	• •	• •	2,4	14,2
92	Grenade	4 750	3 140	0,00	4,7	3,5	3,6	32,9
93	Pérou	4 680	2 610	0,30	2,8	1,1	1,5	24,0
94	Algérie	4 460	1 500	0,47	1,7	0,9	3,4	27,9
95	Russie	4 370	2 680	1,62	• •	– 4,6	– 4,8	19,1
96	Dominique	4 320	3 040	0,00	6,0	2,5	2,6	30,2
97	Roumanie	4 310	1 410	0,20	3,9	– 2,8	– 5,5	21,2
98	Bélize	4 300	2 670	0,00	3,4	5,9	3,1	21,2
99	Lituanie	4 220	2 260	0,03	• •	– 3,5	4,4	23,5
100	St. Vincent et les G.	4 150	2 420	0,00	6,2	3,7	4,0	• •
101	Guatémala	4 100	1 580	0,12	1,1	3,9	4,9	14,6
102	Bulgarie	4 010	1 170	0,11	4,7	– 4,3	4,0	13,4
103	Fidji	3 990	2 460	0,01	1,7	4,3	4,0	10,8
104	Paraguay	3 980	2 000	0,06	4,7	3,6	3,5	22,3
105	Lettonie	3 940	2 430	0,04	• •	– 4,5	3,8	17,5
106	Maldives	3 690	1 180	0,00	9,5	8,0	6,0	• •
107	Kazakhstan	3 560	1 350	0,15	• •	– 3,9	– 2,5	18,8
108	Samoa	3 550	1 140	0,00	14,9	1,9	1,3	• •
109	Philippines	3 520	1 200	0,58	1,8	3,8	– 0,5	23,1
110	Indonésie	3 490	1 110	2,04	5,2	7,6	– 13,7	28,8
111	Vanuatu	3 480	1 340	0,00	2,9	3,5	2,1	40,8
112	Jordanie	3 450	1 520	0,06	6,0	2,6	0,5	30,1
113	Jamaïque	3 440	1 550	0,02	2,4	0,5	– 1,9	34,2
114	Swaziland	3 350	1 520	0,01	4,7	4,5	2,0	31,8
115	Maroc	3 310	1 260	0,29	3,3	3,1	6,3	20,6
116	Syrie	3 250	1 120	0,26	3,5	4,9	4,3	25,8
117	Guyana	3 210	800	0,01	-2,0	4,0	– 1,5	33,2
118	Macédoine	3 210	1 100	0,01	• •	• •	5,0	12,5
119	Chine	3 130	860	11,95	9,5	9,7	7,8	34,5
120	Égypte	3 050	1 200	0,76	5,9	3,1	5,3	18,3
121	Cap-Vert	2 990	1 090	0,00	3,8	1,9	4,8	34,2
122	Guinée équatoriale	2 949	1 060	0,00	1,2	15,7	93,6	100,2
123	Bolivie	2 880	970	0,06	– 0,7	4,2	4,7	19,6
124	El Salvador	2 880	1 810	0,05	– 1,1	4,4	4,0	16,0
125	Samoa américaines	2 600	• •	• •	• •	• •	• •	• •
126	Sri Lanka	2 490	800	0,20	5,0	4,8	5,0	24,6

* Pour retrouver facilement un pays, voir la liste alphabétique de ces derniers, p. 594-595 qui indique leur rang dans le tableau ; a. 1989-97. Pour la Corée du Nord, non mentionnée dans ce tableau, les estimations varient

Produit intérieur brut (PIB)

Rang	Pays *	PIB par habitant (1997, en dollars) à parité de pouvoir d'achat	PIB par habitant (1997, en dollars) aux taux de change courants	Part dans le total mondial 1998 (en %)	Taux de croissance annuel 1977-87	Taux de croissance annuel 1987-97	Taux de croissance annuel 1998	Taux d'investissement (en % du PIB) 1995-1997
127	Ouzbékistan	2 470	1 020	0,15	• •	– 0,3	2,8	35,7
128	Papouasie-Nlle-G	2 379	930	0,03	2,2	3,4	3,8	29,0
129	Arménie	2 360	560	0,03	• •	– 5,4	5,5	9,1
130	Zimbabwé	2 350	720	0,05	3,6	3,3	1,6	22,1
131	Antilles néerlandaises	2 310	• •	0,00	0,8	1,9	3,0	• •
132	Salomon	2 310	870	0,00	2,6	3,4	1,0	• •
133	Yougoslavie	2 280	• •	• •	2,2	• •	• •	12,0
134	Kirghizstan	2 250	480	0,03	• •	– 3,0	2,0	18,6
135	Honduras	2 220	740	0,04	3,0	3,5	5,0	26,2
136	Ukraine	2 190	1 040	0,35	• •	– 8,1	– 1,8	20,5
137	Albanie	2 120	760	0,01	2,2	– 1,5	8,0	• •
138	Turkménistan	2 060	640	0,02	• •	– 4,6	4,5	41,1
139	Irak	2 000	• •	• •	– 0,4	– 11,3a	12,0	• •
140	Wallis et Futuna	2 000	• •	• •	• •	• •	• •	• •
141	Géorgie	1 960	860	0,03	• •	– 11,2	4,0	5,7
142	Nicaragua	1 950	410	0,03	– 3,2	0,1	5,0	24,8
143	Cameroun	1 890	620	0,10	7,2	– 1,6	5,1	15,3
144	Guinée	1 880	550	0,01	2,4	4,3	4,6	18,9
145	Lésotho	1 860	680	0,01	3,9	6,5	– 5,8	86,0
146	Côte-d'Ivoire	1 840	710	0,08	2,4	2,4	5,7	14,2
147	Micronésie (États fédérés de)	1 760	1 920	• •	• •	• •	– 2,8	• •
148	Mauritanie	1 730	440	0,01	4,9	3,2	4,2	17,6
149	Sénégal	1 730	540	0,05	1,7	2,5	5,7	17,1
150	Bosnie-Herzégovine	1 690	• •	• •	• •	• •	• •	• •
151	Marshall (îles)	1 680	1 610	• •	• •	• •	-4,3	• •
152	Tonga	1 673	1 810	0,00	2,0	1,0	– 1,5	15,5
153	Inde	1 670	370	4,39	4,5	6,1	5,6	23,8
154	Ghana	1 640	390	0,11	1,3	4,5	4,5	21,6
155	Vietnam	1 630	310	0,05	4,5	7,7	3,5	28,0
156	Congo (-Brazzaville)	1 620	670	0,02	7,8	1,2	4,1	37,5
157	Cisjordanie	1 600	• •	• •	• •	• •	• •	• •
158	Pakistan	1 560	500	0,89	6,5	4,5	5,4	14,1
159	Soudan	1 560	290	0,13	1,9	3,8	5,2	• •
160	Azerbaïdjan	1 550	510	0,03	• •	– 9,3	10,0	21,2
161	Comores	1 530	400	0,00	3,9	0,0	1,0	19,0
162	Moldavie	1 500	460	0,03	• •	– 8,8	-5,0	18,4
163	Togo	1 490	340	0,02	1,0	2,7	– 1,0	14,3
164	Gambie	1 470	340	0,00	3,5	3,1	7,8	19,8
165	Angola	1 430	260	0,05	1,3	0,3	0,4	16,9
166	Afghanistan	1 330	• •	0,07	– 0,1	1,2	6,0	• •
167	Centrafrique	1 330	320	0,01	2,4	0,7	3,1	8,5

entre 1 000 et 4 000 dollars. Pour Cuba, également non mentionné dans ce tableau, les estimations varient entre 1 540 et 3 100 dollars. Source : Banque mondiale.

Produit intérieur brut (PIB)

Rang Pays *	PIB par habitant (1997, en dollars) à parité de pouvoir d'achat	PIB par habitant (1997, en dollars) aux taux de change courants	Part dans le total mondial 1998 (en %)	Taux de croissance annuel 1977-87	Taux de croissance annuel 1987-97	Taux de croissance annuel 1998	Taux d'investissement (en % du PIB) 1995-1997
168 Mongolie	1 310	390	0,01	6,5	– 0,1	3,5	24,4
169 Laos	1 300	400	0,04	5,0	6,0	5,0	28,4
170 Cambodge	1 290	300	0,01	• •	• •	0,0	19,2
171 Bénin	1 270	380	0,03	2,5	3,2	4,4	17,4
172 Haïti	1 270	380	0,02	1,3	– 1,1	3,0	9,5
173 Kénya	1 190	340	0,11	4,6	3,0	1,5	19,8
174 Somalie	1 176	• •	0,03	1,9	• •	• •	14,9
175 Ouganda	1 160	330	0,08	0,9	6,2	5,5	15,9
176 Gaza	1 100	• •	• •	• •	• •	• •	• •
177 Tadjikistan	1 100	330	0,02	• •	– 10,7	5,3	12,5
178 Libéria	1 092	• •	0,01	0,7	• •	• •	• •
179 Népal	1 090	220	0,08	2,7	4,9	4,5	21,2
180 Djibouti	1 053	• •	0,00	1,8	– 1,6	1,7	9,1
181 Bangladesh	1 050	360	0,56	4,1	4,8	4,3	18,7
182 Burkina Faso	1 010	250	0,03	3,6	3,4	6,3	26,3
183 Myanmar (Birmanie)	997	• •	0,11	3,8	3,6	7,0	13,1
184 Tchad	970	230	0,01	0,6	3,8	7,0	18,8
185 Zambie	960	370	0,02	0,6	0,6	– 2,0	14,2
186 Madagascar	930	250	0,03	0,2	1,5	3,9	11,4
187 Nigéria	920	280	0,45	– 0,6	4,8	2,4	14,7
188 Guinée-Bissau	918	230	0,00	6,1	3,5	– 21,0	23,1
189 Congo (-Kinshasa)	880	110	0,03	1,2	– 4,9	– 5,7	8,0
190 São Tomé et Principe	851	290	0,00	– 0,1	1,3	2,7	52,7
191 Niger	850	200	0,02	1,9	1,7	8,4	9,0
192 Érythrée	820	230	• •	• •	• •	3,0	29,8
193 Yémen	810	270	0,09	• •	• •	2,7	20,9
194 Tuvalu	800	• •	• •	• •	• •	• •	• •
195 Mali	740	260	0,02	1,6	3,6	4,6	25,1
196 Mozambique	740	140	0,04	– 0,5	5,0	11,6	31,9
197 Malawi	710	210	0,03	2,6	3,9	3,6	10,3
198 Rwanda	660	210	0,01	4,3	– 2,7	8,9	12,3
199 Burundi	630	140	0,01	3,0	– 1,0	4,5	7,8
200 Guyane française	600	• •	• •	• •	• •	• •	• •
201 Mayotte	600	• •	• •	• •	• •	• •	• •
202 Tanzanie	580	210	0,05	2,5	3,4	3,4	21,4
203 Éthiopie	510	110	0,08	2,6	3,2	0,5	19,5
204 Kiribati	506	910	0,00	– 5,8	1,6	2,0	55,7
205 Sierra Léone	410	160	0,01	0,4	-3,4	0,7	3,3
206 Bhoutan	389	430	0,00	7,9	5,1	4,6	44,3

* Pour retrouver facilement un pays, voir la liste alphabétique de ces derniers, p. 594-595 qui indique leur rang dans le tableau ; a. 1989-97. Pour la Corée du Nord, non mentionnée dans ce tableau, les estimations varient entre 1 000 et 4 000 dollars. Pour Cuba, également non mentionné dans ce tableau, les estimations varient entre 1 540 et 3 100 dollars.
Source : Banque mondiale.

La population mondiale

L'évolution démographique des différentes régions du monde souligne les phénomènes de transition démographique, *le passage d'un régime démographique caractérisé par une natalité et une mortalité élevées (qui « s'équilibrent ») à un régime de natalité et mortalité basses. Dans un premier temps, dans l'histoire des populations, les progrès sanitaires et économiques font baisser sensiblement la mortalité sans que la natalité ne suive le même mouvement, et la population croît alors de manière accélérée. C'est ce fort déséquilibre que l'on nomme souvent l'« explosion démographique ». Ensuite, ce n'est que progressivement que la modernisation provoque une baisse de la fécondité (par la transformation de l'organisation familiale, la scolarisation des filles, la salarisation des femmes...) qui permet de rétablir l'équilibre démographique. Les pays industrialisés ont achevé cette transition et connaissent une croissance démographique faible, voire nulle ou négative, tandis que les pays en développement sont en général encore dans la phase de transition caractérisée par des croîts de population élevés. Toutes les données présentées ci-après ont l'ONU pour source.*

Population

	1970	1980	1990	1995	2000[b]	2025[b]
Monde (en millions)	3 696	4 440	5 266	5 666	6 055	7 824
En % du total						
Afrique	9,7	10,5	11,7	12,3	12,9	16,6
Amérique latine	7,7	8,1	8,4	8,5	8,6	8,9
Amérique du Nord[a]	6,3	5,7	5,4	5,2	5,1	4,7
Asie[c]	58,1	59,5	60,4	60,6	60,8	60,4
Europe[c]	17,7	15,6	13,7	12,8	12,0	9,0
Océanie	0,5	0,5	0,5	0,5	0,5	0,5
Pays développés	27,3	24,4	21,8	20,7	19,6	15,5
Pays en develop.	72,7	75,6	78,2	79,3	80,4	84,5

a. Mexique non compris ; b. Projection ; c. Les républiques de l'ex-URSS sont classées pour les unes en Europe et pour les autres en Asie.

Taux de croissance de la population (en % annuel)

	1975-80	1980-85	1985-90	1990-95	95-2000	2005-10[b]
Monde	1,72	1,71	1,70	1,46	1,33	1,11
Afrique	2,79	2,79	2,73	2,51	2,37	2,11
Amérique latine	2,32	2,07	1,89	1,72	1,57	1,30
Amérique du Nord[a]	0,93	0,98	1,02	1,02	0,85	0,67
Asie[c]	1,87	1,88	1,84	1,55	1,38	1,10
Europe[c]	0,49	0,38	0,44	0,16	0,03	– 0,09
Océanie	1,13	1,51	1,54	1,51	1,30	1,14

a. Mexique non compris ; b. Projection ; c. Les républiques de l'ex-URSS sont classées pour les unes en Europe et pour les autres en Asie.

Indice synthétique de fécondité[c]	1975-80	1980-85	1985-90	1990-95	95-2000	2005-10[b]
Monde	3,92	3,58	3,34	2,93	2,71	2,44
Afrique	6,52	6,37	5,97	5,47	5,06	4,19
Amérique latine	4,49	3,86	3,35	2,97	2,70	2,37
Amérique du Nord[a]	1,79	1,80	1,90	2,02	1,94	1,87
Asie[d]	4,22	3,70	3,39	2,85	2,60	2,28
Europe[d]	1,97	1,87	1,83	1,57	1,42	1,47
Océanie	2,79	2,58	2,51	2,50	2,38	2,28

a. Mexique non compris ; b. Projection ; c. Nombre d'enfants qu'une femme mettrait au monde, en moyenne, du début à la fin de sa vie, en supposant que prévalent pendant cette vie, les taux de fécondité par tranche d'âge observés pendant la période indiquée ; d. Les républiques de l'ex-URSS sont classées pour les unes en Europe et pour les autres en Asie.

Mortalité infantile[c]	1975-80	1980-85	1985-90	1990-95	95-2000	2005-10[b]
Monde	87	78	69	62	57	46
Afrique	120	110	99	94	87	73
Amérique latine	69	57	48	40	36	28
Amérique du Nord[a]	14	11	10	7	7	6
Asie[d]	94	83	72	63	57	44
Europe[d]	22	18	15	12	12	10
Océanie	35	30	28	26	24	20

a. Mexique non compris ; b. Projection ; c. Nombre de décès d'enfants âgés de moins de un an pour mille enfants nés vivants ; d. Les républiques de l'ex-URSS sont classées pour les unes en Europe et pour les autres en Asie.

Espérance de vie[c]	1975-80	1980-85	1985-90	1990-95	95-2000	2005-10[b]
Monde	59,7	61,3	63,1	64,3	65,6	68,3
Afrique	48,0	49,5	51,3	51,1	51,4	53,2
Amérique latine	63,1	64,9	66,7	68,1	69,2	71,4
Amérique du Nord[a]	73,3	74,7	75,2	75,9	76,9	78,2
Asie[d]	58,5	60,4	62,5	64,5	66,3	69,4
Europe[d]	71,2	71,9	73,0	72,6	73,3	75,0
Océanie	68,2	70,1	71,3	72,9	73,8	75,6

a. Mexique non compris ; b. Projection ; c. Nombre d'années que vivrait, en moyenne, un enfant né pendant la période indiquée, en supposant que les taux de mortalité par tranche d'âge demeurent durant toute sa vie inchangés par rapport à la période de naissance ; d. Les républiques de l'ex-URSS sont classées pour les unes en Europe et pour les autres en Asie.

Taux brut de natalité[c]

	1975-80	1980-85	1985-90	1990-95	95-2000	2005-10[b]
Monde	28,3	27,4	26,6	23,9	22,1	19,6
Afrique	45,9	44,8	42,6	39,9	38,0	33,9
Amérique latine	33,2	30,2	27,6	25,1	23,1	20,0
Amérique du Nord[a]	15,1	15,6	15,8	15,3	13,8	12,5
Asie[d]	29,6	28,4	27,5	24,1	21,9	18,5
Europe[d]	14,8	14,4	13,7	11,5	10,3	10,1
Océanie	20,9	19,8	19,3	19,1	17,9	16,5

a. Mexique non compris ; b. Projection ; c. Pour 1 000 habitants ; d. Les républiques de l'ex-URSS sont classées pour les unes en Europe et pour les autres en Asie.

Taux brut de mortalité[c]

	1975-80	1980-85	1985-90	1990-95	95-2000	2005-10[b]
Monde	11,0	10,3	9,6	9,3	8,9	8,5
Afrique	17,7	16,3	14,8	14,4	13,9	12,6
Amérique latine	8,8	7,9	7,2	6,7	6,5	6,4
Amérique du Nord[a]	8,5	8,5	8,6	8,6	8,3	8,6
Asie[d]	10,5	9,6	8,8	8,3	7,7	7,3
Europe[d]	10,5	10,7	10,5	11,3	11,3	11,7
Océanie	8,7	8,1	7,9	7,5	7,7	7,6

a. Mexique non compris ; b. Projection ; c. Pour 1 000 habitants ; d. Les républiques de l'ex-URSS sont classées pour les unes en Europe et pour les autres en Asie.

Taux d'accroissement naturel[c]

	1975-80	1980-85	1985-90	1990-95	95-2000	2005-10[b]
Monde	1,73	1,71	1,70	1,46	1,32	1,11
Afrique	2,82	2,85	2,78	2,55	2,41	2,13
Amérique latine	2,44	2,23	2,04	1,84	1,66	1,36
Amérique du Nord[a]	0,66	0,71	0,72	0,67	0,55	0,39
Asie[d]	1,91	1,88	1,87	1,58	1,42	1,12
Europe[d]	0,43	0,37	0,32	0,02	– 0,10	– 0,16
Océanie	1,22	1,17	1,14	1,16	1,02	0,89

a. Mexique non compris ; b. Projection ; c. Pour 100 habitants ; d. Les républiques de l'ex-URSS sont classées pour les unes en Europe et pour les autres en Asie.

Mortalité des enfants de moins de 5 ans[a]

	1970	1980	1990	1995	1997	2005-10
Monde	152	125	••	••	79	63
Union européenne	29	16	9	••	6	••
Afrique subsaharienne	222	189	••	••	147	••
Amérique latine	123	••	••	••	41	35
Moyen-Orient et Afrique du Nord	200	137	••	••	63	••
Europe et Asie centrale	••	••	35	••	30	••
Asie de l'Est et Pacifique	128	83	56	••	47	••
Asie du Sud	209	180	••	••	100	••

a. Pour 1 000 naissances.

Démographie	Population totale (millions) (2000)	Taux moyen d'accrois. de pop. (1995-2000)	Taux total de fécondité	Mortalité infantile	Espérance de vie Hommes	Espérance de vie Femmes	Pourcentage de la population ayant, en l'an 2000-2005 moins de 15 ans	Pourcentage de la population ayant, en l'an 2000-2005 65 ans et plus
Total mondial	**6 055,0**	**1,3**	**2,71**	**57**	**63,2**	**67,6**	**46,9**	**10,9**
Régions plus développées	**1 188,0**	**0,3**	**1,57**	**9**	**71,1**	**78,7**	**27,0**	**21,3**
Régions moins développées	**4 867,1**	**1,6**	**3,00**	**63**	**61,8**	**65,0**	**52,1**	**8,2**
Afrique	**784,4**	**2,4**	**5,06**	**87**	**50,0**	**52,8**	**78,2**	**5,9**
Afrique Orientale	**247,0**	**2,6**	**5,79**	**101**	**44,4**	**46,4**	**88,0**	**5,3**
Burundi	6,7	1,7	6,28	119	41,0	43,8	90,9	5,1
Érythrée	3,9	3,8	5,70	91	49,3	52,4	83,3	5,4
Éthiopie	62,6	2,5	6,30	115	42,4	44,3	90,5	5,6
Kénya	30,1	2,0	4,45	66	51,1	53,0	79,7	5,5
Madagascar	15,9	3,0	5,40	82	56,0	59,0	84,4	5,4
Malawi	10,9	2,4	6,75	138	38,9	39,6	93,9	5,3
Maurice	1,2	0,8	1,91	15	67,9	75,1	37,0	9,1
Mozambique	19,7	2,5	6,25	114	43,9	46,6	86,6	6,3
Ouganda	21,8	2,8	7,10	107	38,9	40,4	104,5	4,3
Rwanda	7,7	7,7	6,20	124	39,4	41,7	86,9	4,6
Somalie	10,1	4,2	7,25	122	45,4	48,6	96,6	4,8
Tanzanie	33,5	2,3	5,48	81	46,8	49,1	87,4	5,0
Zambie	9,2	2,3	5,55	82	39,5	40,6	93,4	4,3
Zimbabwé	11,7	1,4	3,80	69	43,6	44,7	73,9	4,9
Afrique centrale	**95,7**	**2,7**	**6,17**	**95**	**48,6**	**51,7**	**93,5**	**6,2**
Angola	12,9	3,2	6,80	125	44,9	48,1	95,7	5,8
Cameroun	15,1	2,7	5,30	74	53,4	56,0	82,2	6,9
Centrafrique	3,6	1,9	4,90	98	42,9	46,9	79,3	7,2
Congo (-Brazza)	2,9	2,8	6,06	90	46,3	50,8	91,8	6,3
Congo (-Kinshasa)	51,7	2,6	6,43	90	49,2	52,3	99,0	5,8
Gabon	1,2	2,6	5,40	87	51,1	53,8	74,4	10,7
Tchad	7,7	2,6	6,07	112	45,7	48,7	89,3	6,6
Afrique septentrionale	**173,3**	**2,0**	**3,58**	**52**	**63,3**	**66,4**	**59,0**	**6,6**
Algérie	31,5	2,3	3,81	44	67,5	70,3	61,5	6,3
Égypte	68,5	1,9	3,40	51	64,7	67,9	58,4	6,8
Libye	5,6	2,4	3,80	28	68,3	72,2	63,6	5,4
Maroc	28,4	1,8	3,10	51	64,8	68,5	51,6	7,0
Soudan	29,5	2,1	4,61	71	53,6	56,4	68,7	5,6
Tunisie	9,6	1,4	2,55	30	68,4	70,7	47,5	9,1
Afrique australe	**46,9**	**1,6**	**3,43**	**62**	**51,5**	**57,5**	**59,3**	**5,9**
Afrique du Sud	40,4	1,5	3,25	59	51,5	58,1	57,0	5,8
Botswana	1,6	1,9	4,35	58	46,2	48,4	76,1	4,4
Lésotho	2,2	2,2	4,75	93	54,7	57,3	71,3	7,5
Namibie	1,7	2,2	4,90	65	51,8	53,0	76,1	7,0
Afrique de l'Ouest	**221,7**	**2,5**	**5,47**	**90**	**48,6**	**51,3**	**82,9**	**5,7**
Bénin	6,1	2,7	5,80	88	51,7	55,2	89,2	5,5
Burkina Faso	11,9	2,7	6,57	99	43,6	45,2	94,5	5,2
Côte-d'Ivoire	14,8	1,8	5,10	87	46,2	47,3	81,0	5,5
Gambie	1,3	3,2	5,20	122	45,4	48,6	71,3	5,4
Ghana	20,2	2,7	5,15	66	58,3	61,8	80,4	5,9
Guinée	7,4	0,8	5,51	124	46,0	47,0	82,6	5,2

Démographie

	Population totale (millions) (2000)	Taux moyen d'accrois. de pop. (1995-2000)	Taux total de fécondité	Mortalité infantile	Espérance de vie		Pourcentage de la population ayant, en l'an 2000-2005	
					Hommes	Femmes	moins de 15 ans	65 ans et plus
Libéria	3,2	8,2	6,31	116	46,1	48,5	76,5	5,0
Mali	11,2	2,4	6,60	118	52,0	54,6	92,6	7,5
Mauritanie	2,7	2,7	5,50	92	51,9	55,1	81,4	6,1
Niger	10,7	3,2	6,84	115	46,9	50,1	97,6	5,0
Nigéria	111,5	2,4	5,15	81	48,7	51,5	80,0	5,7
Sénégal	9,5	2,6	5,57	63	50,5	54,2	84,6	4,7
Sierra Léone	4,9	3,0	6,06	170	35,8	38,7	83,0	5,5
Togo	4,6	2,6	6,05	84	47,6	50,1	89,9	6,1
Asie	**3 682,6**	**1,4**	**2,60**	**57**	**64,8**	**67,9**	**46,6**	**9,1**
Asie orientale	**1 485,2**	**0,9**	**1,77**	**38**	**68,8**	**73,4**	**34,9**	**11,3**
Chine	1 277,6	0,9	1,80	41	67,9	72,0	36,3	10,0
Corée du Nord	24,0	1,6	2,05	22	68,9	75,1	41,2	7,9
Corée du Sud	46,8	0,8	1,65	10	68,8	76,0	29,9	9,4
Hong Kong, Chine	6,9	2,1	1,32	6	75,8	81,4	23,9	14,6
Japon	126,7	0,2	1,43	4	76,8	82,9	21,7	25,0
Mongolie	2,7	1,7	2,60	51	64,4	67,3	56,3	6,5
Asie méridionale	**1 490,8**	**1,8**	**3,36**	**73**	**61,8**	**62,9**	**57,3**	**7,6**
Afghanistan	22,7	2,9	6,90	151	45,0	46,0	82,0	5,4
Bangladesh	129,2	1,7	3,11	79	58,1	58,2	56,9	5,2
Bhoutan	2,1	2,8	5,50	63	59,5	62,0	79,7	7,6
Inde	1 013,7	1,6	3,13	72	62,3	62,9	54,0	8,1
Iran	67,7	1,7	2,80	35	68,5	70,0	61,0	7,4
Népal	23,9	2,4	4,45	83	57,6	57,1	73,9	6,4
Pakistan	156,5	2,8	5,03	74	62,9	65,1	76,0	5,8
Sri Lanka	18,8	1,0	2,10	18	70,9	75,4	38,8	9,9
Asie du Sud-Est	**518,5**	**1,5**	**2,69**	**46**	**63,7**	**67,8**	**49,4**	**7,4**
Cambodge	11,2	2,2	4,60	103	51,5	55,0	72,9	5,5
Indonésie	212,1	1,4	2,58	48	63,3	67,0	47,3	7,3
Laos	5,4	2,6	5,75	93	52,0	54,5	83,4	6,3
Malaisie (Féd. de)	22,2	2,0	3,18	11	69,9	74,3	55,0	6,7
Myanmar	45,6	1,2	2,40	79	58,5	61,8	41,5	7,2
Philippines	76,0	2,1	3,62	35	66,5	70,2	61,5	6,1
Singapour	3,6	1,4	1,68	5	74,9	79,3	31,2	10,2
Thaïlande	61,4	0,9	1,74	29	65,8	72,0	36,6	8,4
Vietnam	79,8	1,6	2,60	38	64,9	69,6	54,0	8,6
Asie occidentale	**188,0**	**2,2**	**3,77**	**51**	**65,9**	**70,2**	**58,1**	**7,9**
Arabie saoudite	21,6	3,4	5,80	23	69,9	73,4	71,6	5,1
Émirats arabes unis	2,4	2,0	3,42	16	73,9	76,5	40,3	3,6
Irak	23,1	2,8	5,25	95	60,9	63,9	74,5	5,7
Israël	6,2	2,2	2,68	8	75,7	79,7	44,4	15,7
Jordanie	6,7	3,0	4,86	26	68,9	71,5	76,1	5,3
Koweït	2,0	3,1	2,89	12	74,1	78,2	52,4	3,1
Liban	3,3	1,7	2,69	29	68,1	71,7	53,2	9,5
Oman	2,5	3,3	5,85	25	68,9	73,3	82,6	4,7
Syrie	16,1	2,5	4,00	33	66,7	71,2	72,7	5,5
Turquie	66,6	1,7	2,50	45	66,5	71,7	43,0	8,8

Démographie								
	Population totale (millions) (2000)	Taux moyen d'accrois. de pop. (1995-2000)	Taux total de fécondité	Mortalité infantile	Espérance de vie		Pourcentage de la population ayant, en l'an 2000-2005	
					Hommes	Femmes	moins de 15 ans	65 ans et plus
Yémen	18,1	3,7	7,60	80	57,4	58,4	97,9	4,8
Europe	**728,9**	**0,0**	**1,42**	**12**	**69,2**	**77,4**	**25,8**	**21,7**
Europe orientale	**307,0**	**– 0,2**	**1,36**	**18**	**63,3**	**73,8**	**26,4**	**18,8**
Bulgarie	8,2	– 0,7	1,23	17	67,6	74,7	23,9	23,4
Hongrie	10,0	– 0,4	1,37	10	66,8	74,9	24,9	21,5
Pologne	38,8	0,1	1,53	15	68,2	76,9	28,3	17,5
République tchèque	10,2	– 0,2	1,19	6	70,3	77,4	23,7	19,5
Roumanie	22,3	– 0,4	1,17	23	66,2	73,9	25,7	19,3
Slovaquie	5,4	0,1	1,39	11	69,2	76,7	28,6	16,5
Europe septentrionale	**94,4**	**0,2**	**1,69**	**8**	**73,5**	**79,5**	**28,6**	**23,9**
Danemark	5,3	0,3	1,72	7	73,0	78,3	26,9	22,7
Estonie	1,4	– 1,2	1,29	19	63,0	74,5	25,4	20,1
Finlande	5,2	0,3	1,73	6	73,0	80,6	27,0	22,2
Irlande	3,7	0,7	1,90	7	73,6	79,2	31,5	16,8
Lettonie	2,4	– 1,5	1,25	18	62,5	74,4	26,0	21,0
Lituanie	3,7	– 0,3	1,43	21	64,3	75,6	28,5	19,8
Norvège	4,5	0,5	1,85	5	75,2	81,1	30,2	23,8
Royaume-Uni	58,8	0,2	1,72	7	74,5	79,8	28,9	24,6
Suède	8,9	0,3	1,57	5	76,3	80,8	28,3	27,1
Europe méridionale	**144,2**	**0,1**	**1,31**	**10**	**73,7**	**80,1**	**23,1**	**24,4**
Albanie	3,1	– 0,4	2,50	30	69,9	75,9	45,7	9,5
Bosnie-Herzégovine	4,0	3,0	1,35	15	70,5	75,9	26,4	13,9
Croatie	4,5	– 0,1	1,56	10	68,8	76,5	25,1	21,7
Espagne	39,6	0,0	1,15	7	74,5	81,5	21,3	24,9
Grèce	10,6	0,3	1,28	8	75,6	80,7	22,3	26,7
Italie	57,3	0,0	1,20	7	75,0	81,2	21,1	26,9
Macédoine	2,0	0,6	2,06	23	70,9	75,3	34,3	15,2
Portugal	9,9	0,0	1,37	9	71,8	78,8	24,1	23,2
Slovénie	2,0	0,0	1,26	7	70,6	78,2	22,7	19,7
Yougoslavie	10,6	0,1	1,84	18	70,2	75,5	30,0	19,9
Europe occidentale	**183,3**	**0,3**	**1,48**	**6**	**74,1**	**80,8**	**25,3**	**23,6**
Allemagne	82,2	0,1	1,30	5	73,9	80,2	22,8	24,0
Autriche	8,2	0,5	1,41	6	73,7	80,2	24,9	21,5
Belgique	10,2	0,1	1,55	7	73,8	80,6	25,9	25,2
France	59,1	0,4	1,71	6	74,2	82,0	28,6	24,4
Pays-Bas	15,8	0,4	1,50	6	75,0	80,7	26,6	20,2
Suisse	7,4	0,7	1,47	6	75,4	81,8	25,7	21,7
Amérique latine et Caraïbes	**519,1**	**1,6**	**2,69**	**36**	**66,1**	**72,6**	**50,0**	**8,6**
Caraïbes	**38,1**	**1,1**	**2,55**	**36**	**66,3**	**71,0**	**46,3**	**10,8**
Cuba	11,2	0,4	1,55	9	74,2	78,0	30,7	13,8
Haïti	8,2	1,7	4,38	68	51,4	56,2	73,1	6,4
Jamaïque	2,6	0,9	2,50	22	72,9	76,8	50,1	11,2
Porto Rico	3,9	0,8	2,11	12	69,4	78,5	37,2	15,8
République dominicaine	8,5	1,7	2,80	34	69,0	73,1	52,9	7,2
Trinidad et Tobago	1,3	0,5	1,65	15	71,5	76,2	36,6	9,7

Démographie

	Population totale (millions) (2000)	Taux moyen d'accrois. de pop. (1995-2000)	Taux total de fécondité	Mortalité infantile	Espérance de vie		Pourcentage de la population ayant, en l'an 2000-2005	
					Hommes	Femmes	moins de 15 ans	65 ans et plus
Amérique centrale	**135,2**	**1,9**	**3,05**	**33**	**68,4**	**74,0**	**57,5**	**7,5**
Bélize	0,2	2,4	3,66	29	73,4	76,1	71,2	7,8
Costa Rica	4,0	2,5	2,83	12	74,3	78,9	51,8	8,2
El Salvador	6,3	2,0	3,17	32	66,5	72,5	59,9	8,4
Guatémala	11,4	2,6	4,93	46	61,4	67,2	82,5	6,7
Honduras	6,5	275,0	4,30	35	67,5	72,3	75,9	6,3
Mexique	98,9	1,6	2,75	31	69,5	75,5	53,4	7,6
Nicaragua	5,1	2,7	4,42	43	65,8	70,6	79,0	5,8
Panama	2,9	1,6	2,63	21	71,8	76,4	49,5	8,8
Amérique du Sud	**345,8**	**1,5**	**2,58**	**37**	**65,3**	**72,3**	**47,6**	**8,7**
Argentine	37,0	1,3	2,62	22	69,7	76,8	44,3	15,5
Bolivie	8,3	2,3	4,36	66	59,8	63,2	70,3	7,1
Brésil	170,1	1,3	2,27	42	63,1	71,0	43,7	7,8
Chili	15,2	1,4	2,44	13	72,3	78,3	44,2	11,1
Colombie	42,3	1,9	2,80	30	67,3	74,3	52,3	7,5
Équateur	12,6	2,0	3,10	46	67,3	71,5	55,0	7,6
Paraguay	5,5	2,6	4,17	39	67,5	72,0	69,4	6,1
Pérou	25,7	1,7	2,98	45	65,9	70,9	54,0	7,8
Uruguay	3,3	0,7	2,40	18	70,5	78,0	39,8	20,7
Vénézuela	24,2	2,0	2,98	21	70,0	75,7	55,3	7,2
Amérique du Nord	**309,6**	**0,9**	**1,94**	**7**	**73,6**	**80,2**	**32,0**	**18,9**
Canada	31,1	1,0	1,55	6	76,1	81,8	27,7	18,7
États-Unis d'Amérique	278,4	0,8	1,99	7	73,4	80,1	32,5	19,0
Pacifique sud	**30,4**	**1,3**	**2,38**	**24**	**71,4**	**76,3**	**38,7**	**15,2**
Australie	18,9	1,0	1,79	6	75,5	81,1	30,7	18,0
Fidji (îles)	0,8	1,2	2,73	20	70,6	74,9	48,8	7,2
Mélanésie	6,5	2,2	4,28	53	59,9	62,2	64,2	5,6
Nouvelle-Zélande	3,9	1,0	2,01	7	74,1	79,7	34,5	17,7
Papouasie-Nlle-Guinée	4,8	2,2	4,60	61	57,2	58,7	66,3	5,2
Polynésie	0,6	1,6	3,38	17	69,3	74,1	58,5	7,2
Pays à économie en transition (ex-URSS)[1]								
Arménie	3,5	– 0,3	1,70	26	67,2	73,6	36,7	12,9
Azerbaïdjan	7,7	0,5	1,99	36	65,5	74,1	44,4	10,8
Biélorussie	10,2	– 0,3	1,36	23	62,2	73,9	27,6	20,1
Géorgie	5,0	– 1,1	1,92	19	68,5	76,8	33,9	19,4
Kazakhstan	16,2	– 0,4	2,30	35	62,8	72,5	42,2	10,8
Kirghizstan	4,7	0,6	3,21	40	63,3	71,9	59,3	10,1
Moldavie	4,4	0,0	1,76	29	63,5	71,5	34,8	14,7
Ouzbékistan	24,3	1,6	3,45	44	64,3	70,7	64,6	7,9
Russie	146,9	– 0,2	1,35	18	60,6	72,8	26,2	18,1
Tadjikistan	6,2	1,5	4,15	57	64,2	70,2	73,1	8,2
Turkménistan	4,5	1,8	3,60	55	61,9	68,9	64,8	7,3
Ukraine	50,5	– 0,4	1,38	19	63,8	73,7	26,1	20,8

1. Les États successeurs de l'ex-URSS sont déjà compris dans leurs régions respectives. L'Europe orientale englobe la Biélorussie, la Russie, la Moldavie et l'Ukraine. L'Asie occidentale englobe l'Arménie, l'Azerbaïdjan et la Géorgie. L'Asie méridionale englobe le Kazakhstan, le Kirghizstan, l'Ouzbékistan, le Tadjikistan et le Turkménistan.
Source : Division de la population du Secrétariat de l'ONU, *World Population Prospects : the 1998 Revision.*

L'ONU et son système

L'ONU (Organisation des Nations unies), fondée en 1945, s'est vue assigner des objectifs très vastes par la Charte signée à San Francisco. Elle comporte six organes principaux : l'Assemblée générale, le Conseil de sécurité, le Conseil économique et social, le Conseil de tutelle, la Cour internationale de justice et le Secrétariat.

Par ailleurs, une trentaine d'organisations spécialisées formant ce qu'on appelle le système des Nations unies couvrent pratiquement tous les champs du développement. Encore doit-on distinguer les institutions appartenant au système des Nations unies qui sont autonomes (FAO, UNESCO, FIDA, OMS, OIT, ONUDI, etc., ainsi que le FMI, le groupe de la Banque mondiale – BIRD, AID, SFI) et, d'autre part, les organes proprement dits des Nations unies (PNUD, CNUCED, UNICEF, HCR, PAM, UNITAR, FNUAP, etc.). Du fait de leur caractère et influence propres, le FMI et la Banque mondiale ont acquis une grande indépendance.

Les principaux organes de l'ONU

L'ASSEMBLÉE GÉNÉRALE DE L'ONU

C'est le principal organe de délibération. Chaque État membre (187 à la mi-1999) dispose d'une voix. L'Assemblée se réunit en sessions. Le fonctionnement repose sur les séances plénières et sur sept grandes commissions.

– Première commission : questions politiques et de sécurité.

– Commission politique spéciale : questions politiques diverses.

– Deuxième commission : questions économiques et financières.

– Troisième commission : questions sociales, humanitaires et culturelles.

– Quatrième commission : territoires sous tutelle et territoires non autonomes.

– Cinquième commission : questions administratives et judiciaires.

– Sixième commission : questions juridiques.

LE CONSEIL DE SÉCURITÉ DE L'ONU

La fonction principale du Conseil de sécurité (Security Council) est de maintenir la paix et la sécurité internationales. Depuis 1963, il est composé de quinze membres (onze à l'origine), dont cinq membres permanents : la Chine, les États-Unis, la France, le Royaume-Uni et la Russie qui a hérité du siège de l'URSS à la disparition de celle-ci en décembre 1991. Ces pays peuvent exercer un droit de veto sur les décisions du Conseil. Les dix autres membres sont élus pour une période de deux ans par l'Assemblée générale. Le Conseil de sécurité est le seul organe de l'ONU habilité à prendre des décisions. Selon la Charte des Nations unies, tous les États membres sont dans l'obligation d'accepter et d'appliquer les décisions du Conseil.

LE CONSEIL ÉCONOMIQUE ET SOCIAL DE L'ONU

Placé sous l'autorité de l'Assemblée générale, le Conseil économique et social (Economic and Social Council, ou Ecosoc) coordonne les activités économiques et sociales des Nations unies et des institutions spécialisées. Depuis 1971, il est composé de 54 membres, dont 18 sont élus chaque année pour une période de trois ans. Les décisions sont prises à la majorité simple. Le Conseil, qui se réunit deux fois par an, à Genève et à New York, est composé de plusieurs organes subsidiaires :

– Les comités permanents qui traitent des questions de programme et coordination, organisations non gouvernementales, ressources naturelles, sciences et techniques au service du développement, etc. La Commission des sociétés transnationales et la Commission des établissements humains sont, elles aussi, des organes permanents.

– Les commissions économiques régionales :

Commission économique pour l'Afrique CEA (Economic Commission for Africa ECA), siège à Addis-Abéba.
http://www.un.org/Depts/eca

Commission économique pour l'Amérique latine et les Caraïbes CEPALC (Economic Commission for Latin America and Carribean ECLAC), siège à Santiago du Chili.
http://www.eclac.org

Commission économique pour l'Asie occidentale CEAO (Economic and social Commission for Western Asia ESCWA), siège à Beyrouth. **http://www.escwa.org.lb**

Commission économique pour l'Asie et le Pacifique CESAP (Economic and Social Commission for Asia and the Pacific ESCAP), siège à Bangkok).
http://www.unescap.org

Commission économique pour l'Europe CEE (Economic Commission for Europe ECE), siège à Genève.
http://www.unece.org

– Les commissions techniques : Commission de statistique, Commission de la population, Commission du développement social, Commission des droits de l'homme, Commission de la condition de la femme, Commission des stupéfiants.

LE CONSEIL DE TUTELLE DE L'ONU

Le Conseil de tutelle (Trusteeship Council) est chargé de superviser l'administration des territoires sous tutelle dans le but de favoriser leur évolution progressive vers l'autonomie et l'indépendance. Le dernier territoire relevant de la compétence de ce Conseil, Palau, qui était sous la tutelle des États-Unis, étant devenu indépendant, en 1994, le Conseil est voué à disparaître.

LA COUR INTERNATIONALE DE JUSTICE DE L'ONU

Principal organe judiciaire des Nations unies, la Cour (siège à La Haye) regroupe tous les États membres de l'ONU. Les États non membres peuvent l'intégrer sur recommandation du Conseil de sécurité. L'Assemblée générale ainsi que le Conseil de sécurité peuvent demander un avis consultatif à la Cour sur les questions juridiques. Elle règle aussi les différends juridiques entre États dont elle est saisie. Elle est composée de 15 magistrats indépendants des États, élus pour neuf ans (et rééligibles) par l'Assemblée générale et le Conseil de sécurité, indépendamment de leur nationalité.
CIJ Cour internationale de Justice (ICJ International Court of Justice)
http://www.icj.cij.org

LE SECRÉTARIAT DE L'ONU

Le Secrétariat assume les fonctions administratives de l'ONU, sous la direction d'un secrétaire général nommé par l'Assemblée générale sur recommandation du Conseil de sécurité pour une période de cinq ans. Il peut attirer l'attention du Conseil de sécurité sur toute affaire pouvant mettre en danger le maintien de la paix et de la sécurité internationales. Le secrétaire général nomme le personnel de l'administration des Nations unies et présente chaque année un rapport sur l'activité de l'organisation. Depuis sa fondation, l'ONU a connu sept secrétaires généraux successifs :

– Trygre Lie (Norvège) de 1946 à 1953.

– Dag Hammarskjöld (Suède) de 1953 à 1961.

– U Thant (Birmanie) de 1961 à 1971.

– Kurt Waldheim (Autriche) de 1972 à 1981.

– Javier Perez de Cuellar (Pérou) de 1982 à 1991.

– Boutros Boutros-Ghali (Égypte) de 1991 à 1995.

– Kofi Annan (Ghana) à compter de 1996.

ONU Oganisation des Nations unies (UNO United Nations Organization) **http://www.un.org et http://www.unsystem.org**

Autres organes de l'ONU

LE CMA

Créé en 1974 à Rome, à l'occasion de la Conférence mondiale de l'alimentation, le Conseil mondial de l'alimentation (CMA, WFC-United Nations World Food Council, siège à Rome) est composé des représentants de 36 membres des Nations unies, de rang ministériel. Il est chargé d'examiner périodiquement la situation alimentaire mondiale et d'exercer une influence sur les gouvernements et les organes compétents de l'ONU.

LA CNUCED

Créée en 1964 parce que les pays en développement jugeaient le GATT (Accord général sur les tarifs douaniers et le commerce) trop exclusivement préoccupé par les positions des pays industrialisés, la Conférence des Nations unies sur le commerce et le développement (CNUCED, siège à Genève) est une organisation qui a fait progresser l'analyse et le débat Nord-Sud. Elle a pour organe permanent le Conseil du commerce et du développement.
Secrétaire général : Rubens Ricupero (Brésil).

CNUCED Conférence des Nations unies sur le commerce et le développement (UNCTAD United Nations Conference on Trade and Development)
http://www.unctad.org

LE FNUAP

Créé en 1967, le Fonds des Nations unies pour les activités en matière de population (FNUAP, siège à New York) est financé par des contributions volontaires gouvernementales et privées. Il est chargé d'entreprendre des activités de coopération dans le domaine démographique : collecte de données de base, étude de l'évolution de la population, service de planification familiale, programme de régulation de la fécondité, etc.
Directeur exécutif : Mme Nafis Sadik (Pakistan).
FNUAP Fonds des Nations unies pour les activités en matière de population (UNFPA United Nations Population Fund)
http://www.unfpa.org

LE HAUT COMMISSARIAT DES NATIONS UNIES AUX DROITS DE L'HOMME

Créé en 1993 par une résolution de l'Assemblée générale, le Haut Commissariat des Nations unies aux droits de l'homme (siège à Genève) assure, sous la direction du secrétaire général, la responsabilité des activités des Nations unies dans le domaine des droits de l'homme.
Haut Commissaire : Mary Robinson (Irlande).
http://www.unhcr.ch

LE HCR

Créé en 1951, le Haut Commissariat des Nations unies pour les réfugiés (HCR, siège à Genève) assure protection juridique et aide matérielle aux réfugiés sur des bases strictement humanitaires. Le HCR compte 60 bureaux dans le monde entier pour s'occuper des quelque 20 millions de réfugiés et environ 25 millions de

personnes déplacées dans leur propre pays.
Haut Commissaire : Mme Sadoka Ogata.
HCR Haut Commissariat des Nations unies pour les réfugiés (UNHCR United Nations High Commissioner for Refugees)
http://www.unhcr.ch

LE PAM

Le Programme alimentaire mondial (PAM, siège à Rome) a été créé en 1963 à la fois pour répondre aux besoins des pays déficitaires en produits vivriers et pour écouler les surplus céréaliers. Le PAM, parrainé conjointement par l'ONU et la FAO, aide aussi à répondre aux besoins alimentaires d'urgence créés par les catastrophes naturelles.
Directeur exécutif : Mme Bertini (É-U)
PAM Programme alimentaire mondial (WFP World Food Programm)
http://www.wfp.org

LE PNUD

Créé en 1965, le Programme des Nations unies pour le développement (PNUD, siège à New York) est le principal organe d'assistance technique du système. Il aide – sans restriction politique – les pays en développement à se doter de services administratifs et techniques de base, forme des cadres, cherche à répondre à certains besoins essentiels des populations, prend l'initiative de programmes de coopération régionale, et coordonne, en principe, les activités sur place de l'ensemble des programmes opérationnels des Nations unies. Le PNUD s'appuie généralement sur un savoir-faire et des techniques occidentales, mais parmi son fort contingent d'experts, un tiers est originaire du tiers monde.
Le PNUD publie annuellement un *Rapport sur le développement humain* (diffusion Économica, Paris) qui classe notamment les pays selon l'Indicateur du développement humain (IDH). *[A ce sujet, voir p. 592 et 596 et suiv.]*
Administrateur : Mark Malloch Brown (R-U).
PNUD Programme des Nations unies pour le développement (UNDP United Nations Development Programme)
http://www.undp.org

LE PNUE

Créé en 1972, le Programme des Nations unies pour l'environnement (PNUE, siège à Nairobi) est chargé de surveiller les modifications notables de l'environnement, d'encourager et de coordonner des pratiques positives en la matière.
Directeur exécutif : Klaus Topfer (Allemagne).
PNUE Programme des Nations unies pour l'environnement (UNEP United Nations Environment Programme)
http://www.unep.org

LE TPIR

Organe subsidiaire du Conseil de sécurité créé par la résolution 955 du Conseil de sécurité du 8 novembre 1994, il est composé de 11 juges (élus par l'AG de l'ONU) siégeant à Arusha (Tanzanie), chargés de juger les responsables du génocide rwandais de 1994.
Président : Laïty Kama (Sénégal) ; procureur général : Carla del Ponte (Suisse) qui a remplacé Louise Arbour (Canada) en août 1999.
TPIR Tribunal pénal international pour le Rwanda (ICTR International Criminal Tribunal for Rwanda) **http://www.ictr.org**

LE TPIY

Organe subsidiaire du Conseil de sécurité créé par la résolution 827 du Conseil de sécurité (25 mai 1993), il siège à La Haye. Composé de 14 juges, il poursuit les personnes coupables de crimes de guerre, crimes contre l'humanité et génocide en ex-Yougoslavie depuis le 1er janvier 1991.
Président : Gabrielle Kirk McDonald (États-Unis) ; procureur général : Louise Arbour (Canada).
TPIY Tribunal pénal international pour l'ex-

Yougoslavie (ICTY International Criminal Tribunal for Former Yugoslavia) **http://www.un.org/icty**

L'UNICEF

Créé en 1946, le Fonds des Nations unies de secours d'urgence à l'enfance (UNICEF ou FISE, siège à New York) avait à l'origine pour but d'apporter d'urgence un secours massif aux enfants et adolescents victimes de la Seconde Guerre mondiale. Le Fonds aide aujourd'hui les gouvernements à mettre au point des « services de base » dans les domaines de la santé, de la nutrition, de l'hygiène, de l'enseignement, du contrôle des naissances, etc. Dépendant entièrement de contributions volontaires, l'UNICEF peut aussi intervenir rapidement en cas de catastrophe naturelle, conflit civil ou épidémie. Son Conseil d'administration est composé de représentants de trente pays désignés par le Conseil économique et social.
Directeur général : Mme Carol Bellamy (É-U).
UNICEF (ou FISE) Fonds des Nations unies pour l'enfance (United Nations Children's Emergency Fund) **http://www.unicef.org**

L'UNITAR

L'Institut des Nations unies pour la formation et la recherche (UNITAR, siège à Genève depuis 1993), créé en 1965, est un organisme autonome de l'ONU financé par des contributions volontaires. L'Institut prépare des fonctionnaires nationaux, en particulier des pays en développement, aux travaux dans le domaine de la coopération internationale. Il a aussi un vaste programme de recherches, notamment sur l'instauration d'un nouvel ordre économique international.
Directeur général : Marcel Boisard (Suisse).
UNITAR Institut des Nations unies pour la formation et la recherche (United Nations Institute for Training and Research)
http://www.unitar.org

L'UNU

Instituée en 1973 sous le patronage conjoint de l'ONU et de l'UNESCO, l'Université des Nations unies (UNU) a ouvert ses portes en septembre 1976, à Tokyo. L'UNU ne forme pas d'étudiants, elle est surtout une communauté de recherche visant à trouver des solutions aux problèmes mondiaux de la survie, du développement et du bien-être de l'humanité.
Recteur : Hans Van Ginkel (Pays-Bas).
UNU Université des Nations unies (United Nations University) **http://www.unu.edu**

L'UNRWA

L'Office des secours et des travaux des Nations unies pour les réfugiés de Palestine au Proche-Orient (siège à Amman et Gaza depuis 1996), créé en 1949 pour venir en aide aux réfugiés victimes du conflit israélo-arabe de 1948, étend son action à la Jordanie, au Liban, à la Syrie et aux Territoires occupés – Cisjordanie et Gaza.
Commissaire général : Peter Hansen (Danemark).
UNRWA Office des secours et des travaux des Nations unies pour les réfugiés de Palestine au Proche-Orient (United Nations Relief and Works Agency for Palestine Refugees in the Near East)
http://www.un.org/unrwa

Les institutions spécialisées de l'ONU

LA BANQUE MONDIALE

La création de la Banque mondiale (siège à Washington) a été décidée en même temps que celle du FMI, lors de la conférence monétaire et financière de Bretton Woods en 1944. Le groupe de la Banque mondiale comprend aujourd'hui :

– la BIRD Banque internationale pour la reconstruction et le développement (IBRD

International Bank for Reconstruction and Development), créée en 1945
http://www.worldbank.org

– l'AID Association internationale pour le développement (IDA International Development Association), fonds créé en 1960
http://www.worldbank.org/html/extdr/ida

– la SFI Société financière internationale (IFC International Finance Corporation), créée en 1956 **http://www.ifc.org**

– l'AMGI Agence multilatérale de garantie des investissements (MIGA Multilateral Investment Guarantee Agency), créée en 1988.
Président : James D. Wolsensohn (É-U)
http://www.miga.org

LA FAO

Créée en 1945, l'Organisation des Nations unies pour l'alimentation et l'agriculture (FAO, siège à Rome) a pour mission d'élever le niveau de nutrition et les conditions de vie, d'améliorer le rendement et l'efficacité de la distribution des produits agricoles, d'améliorer les conditions des populations rurales et de contribuer à l'élimination de la faim dans le monde.
Directeur général : Jacques Diouf (Sénégal).

FAO Organisation des Nations unies pour l'alimentation et l'agriculture (Food and Agriculture Organization of the United Nations)
http://www.fao.org

LE FIDA

Créé en 1977, le Fonds international de développement agricole (FIDA, siège à Rome) cherche à mobiliser de nouveaux fonds pour le développement agricole dans les pays en développement.
Président : Fawzi Hamad al-Sultan (Koweït).

FIDA Fonds international de développement agricole (IFAD International Fund for Agricultural Development)
http://www.ifad.org

LE FMI

Créé en 1945, en même temps que la Banque mondiale, en application des décisions de la conférence monétaire et financière de Bretton Woods en 1944, le Fonds monétaire international (FMI, siège à Washington) conseille les gouvernements dans le domaine financier. Le Fonds peut aussi vendre des devises et de l'or à ses membres afin de faciliter leur commerce international. Il a créé une monnaie internationale, le DTS (droits de tirage spéciaux), que les membres peuvent utiliser pour leurs paiements internationaux. Le Fonds comprend un Conseil des gouverneurs nommés par chacun des États membres, les administrateurs et un directeur général.
Directeur général : Michel Camdessus (France).

FMI Fonds monétaire international (IMF International Monetary Fund)
http://www.imf.org

L'OACI

Créée en 1947, l'Organisation de l'aviation civile internationale (OACI, siège à Montréal) est chargée des questions relatives à l'aviation civile : principes et techniques de la navigation aérienne internationale, développement et planification des transports aériens.
Secrétaire général : Renato Claudio Costa-Pereira (Brésil).

OACI Organisation de l'aviation civile internationale (ICAO International Civil Aviation Organization) **http://www.icao.int**

L'OIT

Créée en 1919 par le traité de Versailles, l'Organisation internationale du travail (OIT, siège à Genève) est devenue, en 1946, la première institution spécialisée des Nations unies. L'OIT réunit les représentants des gouvernements, des employeurs et des tra-

vailleurs, dans le but de recommander des normes internationales minimales et de rédiger des conventions internationales touchant le domaine du travail. L'OIT comprend une conférence générale annuelle, un conseil d'administration composé de 56 membres (28 représentants des gouvernements, 14 des employeurset 14 des travailleurs) et le Bureau international du travail (BIT) qui assure le secrétariat de la conférence et du conseil.
Directeur général : Juan Somavia (Chili).

OIT Organisation internationale du travail (ILO International Labour Organization) **http://www.ilo.org**

L'OMI

Née en 1975, l'Organisation maritime internationale (OMI, siège à Londres) a pris la succession de l'OMCI (Organisation intergouvernementale consultative de la navigation maritime), elle-même née en 1958. Elle est concernée par les questions relatives au commerce international par mer, à la sécurité maritime, aux restrictions nationales, aux pratiques déloyales des entreprises de navigation, à la préservation du milieu marin et à la lutte contre la pollution marine.
Secrétaire général : William A. O'Neil (Canada)

OMI Organisation maritime internationale (IMO International Maritime Organization) **http://www.imo.org**

L'OMM

Née en 1950, l'Organisation météorologique mondiale (OMM, siège à Genève) organise l'échange international des rapports météorologiques et aide les pays à créer des services dans ce domaine. Il existe six associations météorologiques régionales.
Secrétaire général : Godwin Obasi (Nigéria).

OMM Organisation météorologique mondiale (WMO World Meteorological Organization) **http://www.wmo.ch**

L'OMPI

En 1967, l'Organisation mondiale de la propriété intellectuelle (OMPI, siège à Genève) succéda au Bureau international réuni pour la propriété intellectuelle (BIRPI) fondé en 1893. L'OMPI devint une institution spécialisée de l'ONU en 1974. Elle encourage la conclusion de nouveaux traités internationaux et l'harmonisation des législations en matière de propriété intellectuelle et de patentes.
Directeur général : Kamil Idris (Soudan).

OMPI Organisation mondiale de la propriété intellectuelle (WIPO World Intellectual Property Organization) **http://www.wipo.int**

L'OMS

Née en avril 1948, l'Organisation mondiale de la santé (OMS, siège à Genève) a pour but d'amener tous les peuples au niveau de santé le plus élevé possible. L'OMS comprend une Assemblée mondiale de la santé qui se réunit annuellement et un Conseil exécutif élu par l'Assemblée.
Directeur général : Mme Gro Harlem Brundtland (Norvège).

OMS Organisation mondiale de la santé (WHO World Health Organization) **http://www.who.ch**

L'ONUDI

Créée en 1967, l'Organisation des Nations unies pour le développement industriel (ONUDI, siège à Vienne) est chargée de promouvoir le développement industriel et d'aider dans ce domaine les pays en développement qui souhaitent élaborer des politiques industrielles, créer de nouvelles industries ou améliorer des industries existantes. L'ONUDI est devenue une institution spécialisée de l'ONU en 1986. Les États-Unis s'en sont retirés le 31.12.1997.
Directeur général : Carlos Magarinos (Argentine).

ONUDI Organisation des Nations unies pour le développement industriel (UNIDO United Nations Industrial Development Organization) **http://www.unido.org**

L'UNESCO

Créée en 1945, l'Organisation des Nations unies pour l'éducation, la science et la culture (UNESCO, siège à Paris) vise à diffuser l'éducation, à établir les bases scientifiques et techniques nécessaires au développement, à encourager et préserver les valeurs culturelles nationales, à développer les communications dans un échange équilibré, et à promouvoir les sciences sociales. L'UNESCO comprend une conférence générale se réunissant tous les deux ans et un Conseil exécutif élu pour quatre ans qui se réunit au moins deux fois par an. Les États-Unis ont quitté l'organisation en décembre 1984. Le Royaume-Uni, qui en était sorti en décembre 1985, l'a réintégrée en juillet 1997.
Directeur général : Federico Major Zaragoza (Espagne).

UNESCO Organisation des Nations unies pour l'éducation, la science et la culture (United Nations Educational, Scientific and Cultural Organization) **http://www.unesco.org**

L'UPU

Créée en 1874, l'Union postale universelle (siège à Berne) est devenue une institution spécialisée de l'ONU en 1948. L'Union vise à former un seul espace postal pour l'échange réciproque des correspondances entre les pays membres.
Directeur général : Tom Leavey (É-U).
UPU Union postale universelle (Universal Postal Union) **http://www.upu.int**

L'UIT

Fondée en 1865 à Paris (sous le nom d'Union télégraphique internationale), l'Union internationale des télécommunications (UIT, siège à Genève) est devenue une institution spécialisée de l'ONU en 1947. Son objectif est de promouvoir la coopération internationale en matière de télégraphie, téléphonie et radiocommunications. En particulier, l'UIT attribue les fréquences de radiocommunications et enregistre les assignations de fréquences.
Secrétaire général : Pekka Tarjane (Finlande).
UIT Union internationale des télécommunications (ITU International Telecommunication Organization) **http://www.itu.int**

Organisations à statut spécial

L'AIEA

Née en 1957, l'Agence internationale de l'énergie atomique (AIEA, siège à Vienne) est une organisation autonome liée à l'ONU par un accord spécial. L'Agence s'efforce de hâter et d'accroître la contribution de l'énergie atomique pour la paix, la santé et la prospérité du monde et s'assure que son aide n'est pas utilisée à des fins militaires.
Directeur général : Mohamed El Baradei (Égypte).

AIEA Agence internationale de l'énergie atomique (IAEA International Atomic Energy Agency) **http://www.iaea.or.al**

L'OMT

L'Organisation mondiale du tourisme (siège à Madrid) bénéficie d'un statut spécial auprès de l'ONU depuis 1977. Elle est chargée des questions relatives au développement mondial du tourisme.
Secrétaire général : Francisco Frangialli (France)

OMT Organisation mondiale du tourisme (WTO World Tourism Organization) **http://www.world-tourism.org**

Organisations « régionales »

Vastes aires géopolitiques ou culturelles

L'AGENCE DE LA FRANCOPHONIE

L'Agence de la francophonie, qui a remplacé en 1996 l'ACCT (Agence de coopération culturelle et technique) créée en 1970, est l'opérateur des programmes décidés par les sommets. Créé en 1986 (à l'initiative de la France), le Sommet des chefs d'État et de gouvernement ayant en commun l'usage du français réunissait à la mi-1999 52 pays francophones (ou dont une partie de la population utilise la langue française), et des États membres d'une fédération, comme le Québec et le Nouveau-Brunswick. Un poste de secrétaire général a été institué en novembre 1997.
Secrétaire général de la Francophonie : Boutros Boutros-Ghali (Égypte).

Agence de la Francophonie
http://www.francophonie.org

LA BID

Créée en 1974, la Banque islamique de développement (siège à Jeddah) comptait à la mi-1999 50 États membres. Elle finance des projets de développement dans les pays islamiques.

BID Banque islamique de développement (IDB Islamic Development Bank)
http://www.isdb.org

LE COMMONWEALTH (secrétariat à Londres)

Il comptait à la mi-1999 54 États depuis la réintégration des Fidji, exclues dix ans plus tôt, et avec l'adhésion du Cameroun et du Mozambique en novembre 1995 ; le Nigéria a été suspendu pour deux ans à cette même date. Avec la disparition de l'Empire britannique, en 1949, est apparue une nouvelle entité politique et culturelle qui regroupe autour du Royaume-Uni les anciens territoires de la Couronne. Divers organes et structures coordonnent les activités de l'organisation.
Secrétaire général : Emeka Anyaoku (Nigéria).

Commonwealth
http://www.thecommonwealth.org

LA CPLP

La Communauté des pays lusophones a été créée le 17 juillet 1996 par le Portugal, l'Angola, la Guinée-Bissau, le Cap-Vert, le Mozambique, São Tomé et Principe et le Brésil pour promouvoir la langue portugaise.
Secrétaire exécutif : Dr Marcolino Moco (Angola).

CPLP Communauté des pays lusophones (Comunidade dos paises de lingua portuguesa) **http://www.cplp.org**

L'OCI (siège à Jeddah)

L'Organisation de la conférence islamique (ou OIC, Organisation of the Islamic Conference) a été fondée en 1969. Elle regroupait à la mi-1999 55 États membres, d'Afrique, du Moyen-Orient, d'Asie et d'Europe, ainsi que l'Organisation de libération de la Palestine (OLP).

L'OIM

L'Organisation internationale pour les migrations (OIM, siège à Genève) porte ce nom depuis 1989. C'est l'héritière du Comité intergouvernemental pour les mouvements migratoires d'Europe, lui-même successeur, en 1952, de l'Organisation

internationale des réfugiés créée après la Seconde Guerre mondiale.
Directeur général : Brunson McKinley (É-U).

OIM Organisation internationale pour les migrations (IOM International Migration Organization) **http://www.iom.ch**

L'OMC

L'Organisation mondiale du commerce est entrée en vigueur le 1er janvier 1995 (siège à Genève). Cette organisation internationale ne fait pas partie du système des Nations unies. Elle a remplacé le GATT (Accord général sur les tarifs douaniers et le commerce) et a pour vocation de fixer les règles du commerce international et de se saisir des différends commerciaux. Elle comptait 135 membres à la mi-1999.
Directeur général : Mike Moore (Nouvelle-Zélande), qui a succédé à Renato Ruggiero (Italie) le 1.9.99.

OMC Organisation mondiale du commerce (WTO World Trade Organization)
http://www.wto.org

LE SOMMET IBÉRO-AMÉRICAIN

Depuis 1991 se tient une réunion annuelle des chefs d'État et de gouvernement d'Amérique centrale et du Sud, d'Espagne et du Portugal, sur la coopération politique et le développement économique.

Pays industrialisés

LE G-7, G-8

Le groupe des sept pays les plus industrialisés rassemble, depuis 1975, les États-Unis, le Japon, l'Allemagne, la France, le Royaume-Uni, l'Italie et le Canada. Le président de l'Union européenne est associé à ses « sommets ». A compter de 1994, la Russie a été invitée aux réunions politiques du sommet annuel. En juin 1997, le G-7 a accueilli officiellement la Russie, se transformant en G-8, sauf pour les questions économiques et financières. Le G-7 ne dispose pas de secrétariat permanent.

L'OCDE (siège à Paris)

En 1948 avait été créée l'Organisation européenne de coopération économique (OECE) visant à favoriser la reconstruction de l'Europe *via* l'aide américaine. L'Organisation de coopération et de développement économiques a pris sa succession en 1960. Elle comptait à la mi-1999 29 membres : Allemagne, Australie, Autriche, Belgique, Canada, Corée du Sud, Danemark, Espagne, États-Unis, Finlande, France, Grèce, Hongrie (depuis mai 1996), Irlande, Islande, Italie, Japon, Luxembourg, Mexique (depuis 1994), Norvège, Nouvelle-Zélande, Pays-Bas, Pologne (depuis juillet 1996), Portugal, République tchèque (depuis 1995), Royaume-Uni, Suède, Suisse, Turquie. La Yougoslavie possédait un statut spécial. La Russie a fait acte de candidature et l'adhésion de la Slovaquie était en cours de négociation.
Secrétaire général : Donald Johnston (Canada).

OCDE Organisation de coopération et de développement économiques (OECD Organization for Economic Cooperation and Development)
http://www.oecd.org

– L'AEN Agence pour l'énergie nucléaire de l'OCDE a été créée en 1972
http://www.oecdnea.org

– L'AIE Agence internationale de l'énergie de l'OCDE a été créée en 1974, après le premier choc pétrolier
http://www.iea.org

– Le Centre de développement de l'OCDE, créé en 1962, mène par ailleurs des activités de recherche et d'édition.

Pays en développement

LE G-15

Le Groupe des quinze, ou Groupe au sommet de coopération Sud-Sud, a été constitué en 1989 à Belgrade par quinze pays en développement pour promouvoir un dialogue avec le G-7 des pays industrialisés. A la mi-1999, le G-15 comptait 17 membres : Algérie, Argentine, Brésil, Chili, Égypte, Inde, Indonésie, Jamaïque, Kénya, Fédération de Malaisie, Mexique, Nigéria, Pérou, Sénégal, Sri Lanka (adhésion en 1998), Vénézuela, Zimbabwé.

Groupe des quinze
http://wwwsittdec.org.my/g15

LE GROUPE DES 77

Le groupe des 77 fut constitué par les pays en développement qui étaient alors soixante-dix-sept à la fin de la 1re CNUCED (Conférence des Nations unies pour le commerce et le développement) en 1964. Il réunit 133 membres à la mi-1999.

Groupe des 77 **http://www.g77.org**

LE MOUVEMENT DES NON-ALIGNÉS

Forum aux structures souples, le mouvement des non-alignés a regroupé après la décolonisation les pays soucieux d'échapper à la logique des blocs Est-Ouest et de favoriser une indépendance effective pour les pays du Sud. Son impact politique a décliné dans les années soixante-dix et il ne représente plus, aujourd'hui que la bipolarité a disparu, qu'une survivance symbolique. Il comptait 114 membres à la mi-1999.

L'OPEP (secrétariat à Vienne)

L'Organisation des pays exportateurs de pétrole fut fondée à Bagdad en 1960 à l'initiative du Vénézuela. Membres : Algérie, Arabie saoudite, Indonésie, Irak, Iran, Qatar, Koweït, Libye, Nigéria, Émirats arabes unis, Vénézuela. L'Équateur, auparavant membre, a quitté l'Organisation en 1992, le Gabon en 1995.

OPEP Organisation des pays producteurs de pétrole (OPEC Organization of the Petroleum Exporting Countries)
http://www.opec.org

LES PMA

Les pays les moins avancés (PMA) correspondent à la catégorie des pays les plus pauvres dans la nomenclature de l'ONU. Ils étaient au nombre de 48 à la mi-1999.

Héritage Est-Ouest

LA BERD

La Banque européenne pour la reconstruction et le développement (siège à Londres) vise à favoriser la transition des pays de l'Est vers l'économie de marché. Elle a été fondée en 1990 par 30 pays (Canada, États européens, États-Unis, Japon, Mexique, Corée du Sud, Australie, Nouvelle-Zélande, Israël, Égypte, Maroc) ainsi que par la Banque européenne d'investissement et la Commission européenne. Elle comptait 60 membres à la mi-1999.
Président : Horst Köhler (Allemagne).

BERD Banque européenne pour la reconstruction et le développement (EBRD European Bank for Reconstruction and Development) **http://www.ebrd.org**

LE COCONA

Le Conseil de coopération nord-atlantique est un forum de consultation créé en 1991 à l'initiative de l'OTAN. Il rassemble les pays de l'Alliance atlantique et ceux de l'ex-pacte de Varsovie.

L'OSCE

La Conférence sur la sécurité et la coopération en Europe (CSCE) a été initiée en 1975 par la conférence d'Helsinki (35 États parties). La CSCE a donné naissance en décembre 1994 à l'OSCE (Organisation pour la sécurité et la coopération en Europe, secrétariat à Vienne). A la mi-1999, elle comptait 55 membres, soit tous les États européens – à l'exception de la Yougoslavie, suspendue en 1992 –, ainsi que les États issus de l'ex-URSS, les États-Unis et le Canada. En mars 1995 a été adopté le Pacte de stabilité en Europe dont le suivi est confié à l'OSCE.

OSCE Organisation pour la sécurité et la coopération en Europe (Organization for Security and Cooperation in Europe) **http://www.osce.org**

L'OTAN

L'Organisation du traité de l'Atlantique nord (siège à Bruxelles) a été fondée en 1949 à Washington par douze États occidentaux. Elle comptait à la mi-1999 dix-neuf États membres : Allemagne, Belgique, Canada, Danemark, Espagne, États-Unis, France, Grèce, Islande, Italie, Luxembourg, Norvège, Pays-Bas, Portugal, Royaume-Uni, Turquie, ainsi que, depuis mars 1999, Hongrie, Pologne et République tchèque. En 1994, l'OTAN a proposé à ses partenaires de l'ex-pacte de Varsovie l'adhésion au « partenariat pour la paix », dans l'attente d'un élargissement de l'Alliance. La France a réintégré le Comité militaire en 1996. Le 27 mai 1997 ont été signé à Paris, entre les seize membres de l'Alliance et la Russie, l'Acte fondateur OTAN-Russie et créé un conseil permanent conjoint. Le 29 mai 1997 a été paraphé à Sintra (Portugal), une charte de partenariat Ukraine-OTAN. Secrétaire général : George Robertson (R.-U.), qui a succédé à Javier Solana (Espagne) en sept. 99.

OTAN Organisation du traité de l'Atlantique nord (NATO North Atlantic Treaty Organization) **http://www.nato.int**

Afrique

LA BAFD

La Banque africaine de développement (siège à Abidjan, Côte-d'Ivoire) a été créée en 1963. Elle regroupait à la mi-1999 77 États d'Afrique, d'Asie et d'Europe.

BAfD Banque africaine de développement (ADB African Development Bank) **http://www.afdb.org**

LA CEA

La Communauté économique africaine (ou AEC, African Economic Community), instituée par le traité d'Abuja adopté par l'OUA en 1991, a été relancée en 1997 dans le but d'établir un marché commun africain.

LA CEDEAO

La Communauté économique des États de l'Afrique de l'Ouest (siège à Lagos, Nigéria) est entrée en vigueur en 1977. En sont membres : Bénin, Burkina Faso, Cap-Vert, Côte-d'Ivoire, Gambie, Ghana, Guinée, Guinée-Bissau, Libéria, Mali, Mauritanie, Niger, Nigéria, Sénégal, Sierra Léone, Togo.

CEDEAO Communauté économique des États de l'Afrique de l'Ouest (ECOWAS Economic Community of West African States) **http://www.cedeao.org**

LA CEEAC

La Communauté économique des États d'Afrique centrale (siège à Libreville, Gabon) a été créée en 1983. Elle comptait onze membres à la mi-1999 : Angola (adhésion en 1998), Burundi, Cameroun, Congo, Gabon, Guinée équatoriale, Rwanda, São Tomé et Principe, Centrafrique, Tchad et Congo-Kinshasa.

LE COMESA

Le Marché commun de l'Afrique australe et orientale (siège à Lusaka, Zambie) s'est substitué en 1994 à la PTA (Preferential Trade Areas, ou ZEP, Zone d'échanges préférentiels), créée en 1981 à Lusaka. 21 pays d'Afrique en étaient membres à la mi-1999. Une discussion a été engagée en vue d'une fusion avec la SACU.

Comesa Marché commun de l'Afrique australe et orientale (Common Market for Eastern and Southern Africa)
http://www.comesa.int

LA COMMISSION DE L'OCÉAN INDIEN

La COI (siège à Maurice) a été créée en 1984. Membres à la mi-1999 : Comores, Madagascar, Maurice, Réunion, Seychelles.

Commission de l'océan Indien (IOC Indian Ocean Commission)
http://www.atta.com/coi

L'EAC

La Communauté d'Afrique de l'Est (ou East African Community), créée en 1967 et dissoute en 1977, a été relancée en 1994 sous le nom de Coopération est-africaine. Elle a pour objectif la coopération entre le Kénya, l'Ouganda et la Tanzanie.

L'IOR-ARC

L'Association régionale pour la coopération des pays riverains de l'océan Indien (Indian Ocean Rim Association for Regional Cooperation, secrétariat à Maurice) a été lancée par Maurice en 1995. Elle comptait 19 membres à la mi-1999 : Afrique du Sud, Australie, Inde, Kénya, Maurice, Oman, Singapour, Indonésie, Madagascar, Fédération de Malaisie, Mozambique, Sri Lanka, Tanzanie, Yémen. Le Bangladesh, les Émirats arabes unis, l'Iran, les Seychelles et la Thaïlande ont adhéré en mars 1999. La France et le Pakistan restent candidats.

L'OUA

L'Organisation de l'unité africaine (siège à Addis-Abéba, Éthiopie) a été fondée en 1963. Elle comptait à la mi-1999 52 États membres. L'Afrique du Sud a été accueillie en 1994. Le Maroc a suspendu sa participation depuis 1984 pour des raisons diplomatiques liées à la crise du Sahara occidental.

OUA Organisation de l'unité africaine (OAU Organization of African Unity)
http://www.oau-oua.org

LA SACU

L'Union douanière de l'Afrique australe (Southern African Customs Union, siège à Prétoria, Afrique du Sud) a été créée en 1969. Membres à la mi-1999 : Afrique du Sud, Botswana, Lésotho, Namibie, Swaziland.

LA SADC

La Communauté de développement de l'Afrique australe (siège à Gaborone, Botswana) s'appelait SADCC avant d'être transformée en 1992. Elle a été créée en 1979 à Lusaka (Zambie) et comptait à la mi-1999 quatorze membres depuis l'entrée de l'Afrique du Sud en 1994, puis celle du Congo-Kinshasa et des Seychelles en 1997 : Angola, Botswana, Lésotho, Malawi, Maurice, Mozambique, Namibie, Swaziland, Tanzanie, Zambie, Zimbabwé.

SADC Communauté de développement de l'Afrique australe (Southern African Development Community)
http://www.sadc-online.com

L'UDEAC/CEMAC

La Communauté économique et monétaire en Afrique centrale (CEMAC, siège à Bangui, Centrafrique), ou EMCCA (Economic and Monetary Community of Central Africa), a officiellement succédé à l'Union douanière et économique de l'Afrique centrale (UDEAC) en 1998. Celle-ci avait elle-même été créée en 1964 en remplacement de l'Union douanière de l'Afrique équatoriale. Membres à la mi-1999 : Cameroun, Congo, Gabon, Guinée équatoriale, Centrafrique, Tchad. La BEAC (Banque des États d'Afrique centrale) en est la banque centrale.

L'UEMOA

L'Union économique et monétaire ouest-africaine remplace, depuis le 1er août 1994, l'UMOA (Union monétaire ouest-africaine), qui avait été créée en 1962. Membres à la mi-1997 : Bénin, Burkina Faso, Côte-d'Ivoire, Mali, Niger, Sénégal, Togo, Guinée-Bissau. L'UEMOA a la BCEAO (Banque centrale des États d'Afrique de l'Ouest) pour banque centrale.

L'UMA

L'Union du Maghreb arabe (siège à Rabat, Maroc) a été créée en février 1989 entre l'Algérie, la Libye, le Maroc, la Mauritanie et la Tunisie. Elle est en sommeil du fait notamment de l'aggravation de la crise politique en Algérie.

LA ZONE FRANC

Elle regroupe les huit États membres de l'UEMOA, les six de l'UDEAC/CEMAC, ainsi que les Comores.
http://www.izf.net

Amériques

L'AEC

L'Association des États de la Caraïbe, créée en 1994, comprenait à la mi-1999 25 pays de la région, dont le Mexique, le Vénézuela et la Colombie.

AEC Association des États de la Caraïbe (ACS Association of Caribbean States)
http://www.acs-aec.org

L'ALENA

L'Accord de libre-échange nord-américain est entré en vigueur le 1er janvier 1994 entre les États-Unis, le Canada et le Mexique.

ALENA Accord de libre-échange nord-américain (NAFTA North American Free Trade Agreement)
http://www.nafta-sec-alena.org

LA BID

La Banque interaméricaine de développement (siège à Washington), créée en 1959, comptait, à la mi-1999, 46 États membres américains et européens ainsi que le Japon. Son objectif est le développement économique de l'Amérique latine et des Caraïbes.
Président : Enrique V. Iglesias (Uruguay)

BID Banque interaméricaine de développement (IDB Inter-American Development Bank) **http://www.iadb.org**

LA CARICOM

La Communauté des Caraïbes (siège à Georgetown, Guyana) a été créée en 1973 par la Barbade, le Guyana, la Jamaïque et Trinidad et Tobago. Outre les fondateurs, elle regroupait à la mi-1999 douze autres pays en majorité anglophones : Antigua-Barbuda, Bahamas, Bélize, Dominique, Grenade, Haïti (depuis 1997), Montserrat, St. Kitts et Nevis, Sainte-Lucie, Saint-Vincent et les Grenadines, le Suriname.

Caricom Communauté des Caraïbes (Caribbean Community)
http://www.caricom.org

LA COMMUNAUTÉ ANDINE (ou **PACTE ANDIN**)

Créé en 1969 par l'accord de Carthagène, le Pacte andin a été relancé en avril 1996 sous le nom de Communauté andine. États membres mi-1999 : Bolivie, Colombie, Équateur, Vénézuela et Pérou. Objectifs : union douanière (en cours, sans la participation du Pérou), coordination des politiques économiques.

Communauté andine
http://www.communidadandina.org

LA ZLEA

Le projet de Zone de libre-échange des Amériques, lancé en décembre 1994 lors du « sommet des Amériques » à Miami, concerne tous les pays du continent américain, à l'exclusion de Cuba.

ZLEA Zone de libre-échange des Amériques (FTAA Free Trade Area of the Americas) **http://www.ftaa.alca.org**

LE GROUPE DE RIO

Créé en 1986, il a d'abord eu une vocation politique en tant que dispositif permanent de consultation et de concertation politique, puis de plus en plus économique. Des réunions ministérielles ont régulièrement lieu avec l'Union européenne. Il comptait à la mi-1999 douze membres : Argentine, Bolivie, Brésil, Chili, Colombie, Équateur, Mexique, Panama, Paraguay, Pérou, Uruguay, Vénézuela, ainsi que deux représentants par roulement, respectivement de l'Amérique centrale et des Caraïbes.

Groupe de Rio
http://www.pla.net.py/gruporio

LE GROUPE DES TROIS

La Colombie, le Mexique et le Vénézuela mettent en œuvre un accord de libre-échange depuis le 1er janvier 1995.

LE MCCA

Le Marché commun centre-américain (Central American Common Market, CACM, siège au Guatémala) a été créé en 1960. Cinq pays membres : Costa Rica, Guatémala, Honduras, Nicaragua, El Salvador.

LE MERCOSUR

Le Marché commun du sud de l'Amérique (secrétariat à Montevideo, Uruguay) regroupant à la mi-1999 l'Argentine, le Brésil, le Paraguay et l'Uruguay est entré en vigueur le 1er janvier 1995.
Membres associés : Chili et Bolivie.

Mercosur Marché commun du sud de l'Amérique (Mercado Común de America del Sur)
http://bull.bull.com.uy/secretariamercosur

L'OEA

L'Organisation des États américains (siège à Washington) a été fondée en 1948. Elle regroupait à la mi-1999 les 34 États américains indépendants, à l'exception de Cuba (expulsé en 1962).

OEA Organisation des États américains (OAS Organization of American States)
http://www.oas.org

Europe

L'ACCORD DE LIBRE-ÉCHANGE CENTRE-EUROPÉEN

Fondé en 1992 par les pays du Groupe de Visegrad, le Central European Free Trade Agreement (CEFTA ou ACELE) regroupait à la mi-1999 les pays fondateurs (Hongrie, Pologne, République tchèque, Slovaquie) rejoints par la Bulgarie, la Roumanie et la Slovénie.

L'AELE

L'Association européenne de libre-échange (siège à Genève) a regroupé à partir de 1958 et à l'initiative du Royaume-Uni les pays européens ne souhaitant pas adhérer au traité de Rome (Communautés européennes). En 1999, il ne comptait plus que quatre membres : Islande, Liechtenstein, Norvège, Suisse.

AELE Association européenne de libre-échange (EFTA European Free Trade Association) **http://www.efta.int**

LE CONSEIL DES ÉTATS DE LA MER BALTIQUE

Le Conseil de la mer Baltique a été créé en mars 1992 (secrétariat à Stockholm). Membres à la mi-1999 : Allemagne, Danemark, Estonie, Finlande, Islande, Lettonie, Lituanie, Norvège, Pologne, Russie, Suède, Commission européenne.

Conseil des États de la mer Baltique (CBSS Council of the Baltic Sea States) **http://.baltinfo.org**

LE CONSEIL DE L'EUROPE

Fondé en 1949 par dix États, le Conseil de l'Europe (siège à Strasbourg) en comptait 41 à la mi-1999 : Allemagne, Albanie, Andorre, Autriche, Belgique, Bulgarie, Chypre, Croatie, Danemark, Espagne, Estonie, Finlande, France, Géorgie (avril 1999), Grèce, Hongrie, Irlande, Islande, Italie, Lettonie, Liechtenstein, Lituanie, Luxembourg, Macédoine, Malte, Moldavie, Norvège, Pays-Bas, Pologne, Portugal, République tchèque, Roumanie, Royaume-Uni, Russie, Saint-Marin, Suède, Suisse, Slovaquie, Slovénie, Turquie, Ukraine. Candidate officielle à l'adhésion : Arménie, Azerbaïdjan, Bosnie-Herzégovine.
Secrétaire général : Walter Schwimmer (Autriche).

Conseil de l'Europe (Council of Europe) **http://www.coe.fr**

LE CONSEIL NORDIQUE

Le Conseil nordique (siège à Stockholm) a été créé en 1952 par le Danemark (ainsi que les îles Féroé et le Groenland), la Finlande, l'Islande, la Norvège et la Suède. Il a pour vocation la coopération économique, sociale et culturelle.

Conseil nordique (Nordic Council) **http://www.norden.org**

LA COOPÉRATION ÉCONOMIQUE DE LA MER NOIRE

La CEMN, ou BSEC (Black Sea Economic Cooperation, secrétariat à Istanbul) a été fondée en 1992 à l'initiative de la Turquie. Elle regroupait à la mi-1999 : Albanie, Arménie, Azerbaïdjan, Bulgarie, Géorgie, Grèce, Moldavie, Roumanie, Russie, Turquie et Ukraine. Observateurs : Italie, Autriche.

L'EEE

L'Espace économique européen (European Economic Area, EEA) créé par le traité de Porto (1992) est entré en vigueur le 1er janvier 1994. Il associait à la mi-1999 les quinze membres de l'Union européenne et 3 pays de l'AELE, l'Islande, le Liechtenstein et la Norvège, à l'exception de la Suisse.

L'INITIATIVE CENTRO-EUROPÉENNE (ICE OU CEI)

D'abord forum informel, réunissant l'Autriche, l'Italie, la Hongrie et la Yougoslavie, l'ICE a été créée en 1992 pour favoriser la coopération économique et politique. A la mi-1999, elle comptait 16 membres : Albanie, Autriche, Bosnie-Herzégovine, Bulgarie, Biélorussie, Croatie, Hongrie, Italie, Macédoine, Moldavie, Pologne, République tchèque, Roumanie, Slovaquie, Slovénie et Ukraine.

ICE Initiative centro-européenne (CEI Central European Initiative) **http://ceinet.org**

L'INITIATIVE POUR LA COOPÉRATION EN EUROPE DU SUD-EST (ICES)

Créée en décembre 1996, l'Initiative pour la coopération en Europe du Sud-Est a pour but de promouvoir la coopération économique et la protection de l'environnement dans la région. Initiée par les États-Unis, elle regroupe l'Albanie, la Bosnie-Herzégovine, la Bulgarie, la Croatie, la Grèce, la Hongrie, la Macédoine, la Moldavie, la Roumanie, la Slovénie et la Turquie.

ICES Initiative pour la coopération en Europe du Sud-Est (SECI Southern European Cooperative Initiative)
http://www.unece.org/seci

L'UEO

L'Union de l'Europe occidentale (siège à Londres) a été créée en 1955 dans le but de promouvoir l'intégration de l'Europe, la défense collective et la sécurité. Elle a fait suite au traité de Bruxelles de 1947. A la mi-1999, en étaient membres : Allemagne, Belgique, Espagne, France, Grèce, Italie, Luxembourg, Pays-Bas, Portugal, Royaume-Uni.
Membres associés : Hongrie, Islande, Norvège, Pologne, République tchèque, Turquie.
Observateurs : Autriche, Danemark, Finlande, Irlande, et Suède.
Partenaires associés : Bulgarie, Estonie, Lettonie, Lituanie, Roumanie, Slovaquie, Slovénie.
Secrétaire général : Jose Cutileiro (Portugal).

UEO Union de l'Europe occidentale (WEU Western European Union)
http://www.weu.int

L'UNION EUROPÉENNE

(Commission à Bruxelles, Parlement à Luxembourg). Au 1er janvier 1995, l'Union européenne (nouveau nom de la Communauté européenne depuis l'entrée en vigueur du traité de Maastricht, le 1er novembre 1993) comptait quinze membres : Allemagne, Belgique, Danemark, Espagne, France, Grèce, Irlande, Italie, Luxembourg, Pays-Bas, Portugal, Royaume-Uni, auxquels sont venues s'ajouter Autriche, Suède et Finlande. Un processus d'élargissement a été officiellement lancé en décembre 1997 concernant l'Estonie, la Hongrie, la Pologne, la République tchèque, la Slovénie et Chypre (mais non pas la Turquie).
Les principales institutions de l'UE sont : la Commission européenne, qui comprend 20 commissaires nommés pour 5 ans, (derniers présidents de la Commission : Jacques Delors 1985-1994 – France –, Jacques Santer 1995-1999 – Luxembourg –, Romano Prodi nommé en 1999 – Italie) ; le Parlement européen (626 députés élus pour 5 ans) dont c'est la cinquième législature depuis l'élection au suffrage universel en 1979 (présidents des dernières législatures : Enrique Baron Crespo 1989-1992 – Espagne, PSE –, Egon A. Klepsh 1992-1994 – Allemagne, PPE –, Klaus Hänsch 1994-1997 – Allemagne, PSE –, José Maria Gil-Roblès 1997-1999 – Espagne, PPE –, Nicole Fontaine 1999 – France, PPE) ; le Conseil européen (réunion des chefs d'État et de gouvernement qui se tient au moins deux fois par an) ; le Conseil de l'Union européenne (réunion des ministres) et la Cour européenne de justice.
Autres institutions : Banque centrale européenne, Cour des comptes, Comité économique et social, Comité des régions, Banque européenne d'investissement.

UE : **http://www.europa.eu.int**

Commission européenne :
http://www.europa.eu.int.comm

Parlement européen :
http://www.europarl.eu.int

Conseil de l'Union européenne :
http://ue.eu.int

Cour européenne de justice :
http://curia.eu.int

Banque centrale européenne :
http://www.ecb.int

Comité des régions de l'Union européenne :
http://www.cor.eu.int/

Comité économique et social :
http://www.ces.eu.int

Cour des comptes européenne :
http://www.eca.eu.int

Banque européenne d'investissement :
http://bei.eu.int

LA ZONE EURO

Elle est entrée en vigueur le 1er janvier 1999, réunissant onze des quinze pays de l'Union européenne : Allemagne, Autriche, Belgique, Espagne, Finlande, France, Irlande, Italie, Luxembourg, Pays-Bas, Portugal. Le SEBC, Système européen de banques centrales (ESCB European System of Central Banks), mis en place en juin 1998, regroupe les banques centrales des pays, sous l'autorité de la BCE, Banque centrale européenne (ECB European Central Bank, siège à Francfort).
Président : Wim Duisenberg (Pays-Bas).

Espace post-soviétique

LA CEI

La Communauté d'États indépendants (ou Commonwealth of Independent States CIS) est issue du démantèlement de l'URSS fin 1991 (secrétariat à Minsk, Biélorussie). A l'exclusion des trois pays baltes, elle regroupait à la mi-1999 toutes les anciennes républiques : Russie, Biélorussie, Ukraine, Moldavie, Azerbaïdjan, Géorgie, Arménie, Kazakhstan, Ouzbékistan, Kirghizstan, Turkménistan, Tadjikistan.

Pacifique

L'APEC

La Coopération économique en Asie-Pacifique (siège à Singapour) a été initiée par l'Australie à la conférence de Canberra (Australie) de 1989. Membres à la mi-1999 : Australie, Brunéi, Canada, Chili, Chine, Corée du Sud, États-Unis, Fédération de Malaisie, Hong Kong, Indonésie, Japon, Mexique, Nouvelle-Zélande, Papouasie-Nouvelle-Guinée, Philippines, Singapour, Taïwan, Thaïlande, ainsi que Pérou, Russie et Vietnam (adhésions en 1998).

APEC Coopération économique en Asie-Pacifique (Asia Pacific Economic Cooperation) http://www.apecsec.org.sg

LA COMMUNAUTÉ DU PACIFIQUE

La Commission du Pacifique sud (créée en 1947, siège à Nouméa, Nouvelle-Calédonie) a pris le nom de Communauté du Pacifique en 1998. Elle regroupe les pays de la région et les six membres fondateurs : Australie, États-Unis, France, Nouvelle-Zélande, Pays-Bas et Royaume-Uni.

Communauté du Pacifique (Pacific Community) http://www.spe.org.nc

LE FORUM DU PACIFIQUE SUD

Créé en 1971 par les États riverains (à l'exclusion des grandes puissances), le Forum (siège à Suva, Fidji) a été à l'initiative du traité de Rarotonga sur la dénucléarisation du Pacifique sud et de l'équateur. La France a été réadmise comme partenaire le 3.9.96 (elle avait été exclue en sept. 95 lors de la reprise de ses essais nucléaires).

Forum du Pacifique sud (SPF South Pacific Forum) http://www.forumsec.org.fj

Asie

L'ANSEA

L'Association des nations du Sud-Est asiatique (siège à Jakarta, Indonésie) a été créée en 1967. Membres à la mi-1999 : Birmanie,

Pour en savoir plus

International Geneva Yearbook 1995, vol. IX, Georg Éditeur, Genève.

Organisations internationales à vocation universelle, La Documentation française, coll. « Les Notices », Paris, 1993.

Organisations internationales à vocation régionale, La Documentation française, coll. « Les Notices », Paris, 1994.

Union of International Association, *Yearbook of International Organizations*, Éd. Saur. Munich, 1995-1996.

Par ailleurs, on peut consulter sur rendez-vous les dossiers du CIDIC (Centre d'information et de documentation internationale contemporaine) sur l'activité des organisations internationales et régionales, régulièrement mis à jour.

(CIDIC, La Documentation française, 29, quai Voltaire, 75344 Paris Cedex 07. Tél. 01 40 15 72 18.)

Brunéi, Cambodge (admis en avril 1999), Fédération de Malaisie, Indonésie, Laos, Philippines, Singapour, Thaïlande, Vietnam (depuis juillet 1995). La Papouasie-Nouvelle-Guinée a le statut d'observateur, tandis que la Corée du Sud dispose d'un statut spécial.

ANSEA Association des nations du Sud-Est asiatique (ASEAN Association of South East Asian Nations)
http://www.asean.or.id

L'ANZUS

Pacte militaire signé en 1951 entre l'Australie, la Nouvelle-Zélande et les États-Unis.

LA BASD

(siège à Manille, Philippines). La Banque asiatique de développement a été créée en 1965. Elle comptait à la mi-1999 57 États membres d'Asie, d'Europe et d'Amérique et intervenait dans 40 États asiatiques.
BAsD Banque asiatique de développement (ADB Asian Development Bank)
http://www.adb.org

LE FRA

Le Forum régional de l'ANSEA (Asian Regional Forum, ARF) créé en 1994 réunissait à la mi-1999 les dix pays de l'ANSEA, ainsi que : Australie, Chine, Corée du Sud, États-Unis, Hong Kong, Inde, Japon, Mongolie (adhésion en juillet 1998), Nouvelle-Zélande, Russie, Taïwan et Union européenne sur les questions de sécurité dans la zone Asie-Pacifique.

L'OCE

L'Organisation de coopération économique (Economic Cooperation Organization, ECO, siège à Téhéran) a été créée en 1985 par la Turquie, l'Iran et le Pakistan. Elle regroupe aussi, depuis 1992, l'Afghanistan et six républiques héritières de l'URSS : Azerbaïdjan, Kazakhstan, Ouzbékistan, Kirghizstan, Turkménistan, Tadjikistan.

LA SAARC

L'Association d'Asie du Sud pour la coopération régionale (siège à Katmandou, Népal) a été fondée en 1985. Membres à la mi-1999 : Bangladesh, Bhoutan, Inde, Maldives, Népal, Pakistan, Sri Lanka.

SAARC Association d'Asie du Sud pour la coopération régionale (South Asian Association for Regional Cooperation)
http://www.south-asia.com/saarc

Moyen-Orient et Maghreb

LE CCG

Le Conseil de coopération du Golfe (Gulf Council Cooperation, GCC, siège à Riyad, Arabie saoudite) a été fondé en 1981 en réaction à la révolution iranienne. Il regroupait à la mi-1999 l'Arabie saoudite, Bahreïn, les Émirats arabes unis, le Koweït, Oman et Qatar.

LA LIGUE ARABE

Fondée en 1945 au Caire par l'Égypte, l'Irak, le Yémen, le Liban, l'Arabie saoudite, la Syrie et la Transjordanie, la Ligue arabe (siège au Caire) regroupait 22 membres à la mi-1999.

Dossier réalisé
avec la collaboration
de Véronique Chaumet.

Le monde sur Internet

Voir aussi les sites référencés dans le répertoire des organisations internationales et régionales

Afrique

Africa Intelligence
(site français parmi les plus complets et les plus spécialisés)
http://www.indigo-net.com/africa.html

Africa News Online
(site couplé avec l'agence PANA ; le plus grand volume d'informations sur le continent)
http://www.africanews.org

Africa Online
(information économique, politique et sociale sur les pays africains, mise à jour quotidienne)
http://www.africaonline.com

Africa Wire
(liste de services d'information)
http://www.africawire.com/africawire.html

African Studies, Université de Pennsylvanie (É-U)
(répertoire de ressources pour de nombreux pays d'Afrique)
http://www.sas.upenn.edu/African_Studies/

Afrique francophone, Lehman College (New York)
(page de liens très complète)
http://www.lehman.cuny.edu/depts/langlit/french/afrique.html

Banque internationale d'information sur les États francophones
http://www.acctbief.org/

CEAN (Centre d'étude de l'Afrique noire), CNRS/IEP-Bordeaux (Université Montesquieu)
http://www.cean.u-bordeaux.fr

CLIO en Afrique
(revue électronique d'histoire de l'Afrique, GDR 1118 du CNRS)
http://newsup.univ-mrs.fr/~wclio-af/

CREPAO (Centre de recherche sur les pays d'Afrique orientale), Université de Pau et des Pays de l'Adour
(site du principal centre de recherche français sur l'Afrique orientale, comprenant notamment les bibliographies des travaux de ses chercheurs et un accès à son fichier informatisé).
http://www.univ-pau.fr/ser/CR/COREJE/CREPAO

Francophonie
(consultation par pays)
http://www.francophonie.org/

Habari
(répertoire de ressources sur l'Afrique)
http://www.africa.u-bordeaux.fr

H-AFRICA
(réseau américain des centres d'études africaines)
http://h-net2.msu.edu/~africa/

Index on Africa
(répertoire de sites d'information et de recherche sur les pays africains)
http://www.africaindex.africainfo.no/

Institute of African Studies, Columbia University (É-U)
(informations académiques sur les pays, leurs universités, leurs médias)
http://www/columbia.edu/cu/sipa/REGIONAL/IAS

IRD (Institut de recherche pour le développement, ex-ORSTOM)
http://www.ird.fr

PANA (Pan African News Agency)
http://www.rapide-pana.com/rapide/sommaire.htm

Reliefweb
(site du département des Affaires humanitaires des Nations unies, voir notamment les statistiques et les cartes)
http://www.notes.reliefweb.int/

SEDET (laboratoire « Sociétés en développement dans l'espace et le temps », études africaines), Université Paris-VII
http://www.sedet.jussieu.fr

Afrique de l'Est

Région des Grands Lacs
(répertoire des principaux sites sur la région)
http://www.grandslacs.net

Réseau documentaire international sur la région des Grands Lacs, *CD-Rom n° 6*, nov. 1998, [CP 136, 1211 Genève 21, Suisse]. Banque de données regroupant pratiquement tous les documents publiés par le système des Nations unies, les organismes et ONG internationaux, et tous ceux qui lui parviennent de la part des gouvernements, partis politiques, Églises, etc. de la région.

Afrique du Sud

Site du gouvernement et de l'ANC (Congrès national africain)
(avec notamment un répertoire des sites sur l'Afrique australe)
http://www.anc.org.za

Site du Parti national
http://www.natweb.co.za

Mail and Guardian (hebdomadaire)
http://www.mg.co.za

Sunday Independent (hebdomadaire)
http://www.Sunday.co.za

Institut pour la démocratie en Afrique du Sud (IDASA)
http://www.idasa.org.za

Conseil pour la recherche en sciences humaines (HRSC)
http://www.hsrc.ac.za

Université d'Afrique du Sud (Prétoria)
http://www.unisa.ac.za

Algérie

CERIST
http://www.cerist.dz

ANP (Armée nationale populaire)
http://www.anp.org

FIS (Front islamique du salut)
http://menbers.aol.com//Alg Fis//ribat//a.htm

Angola

Site donnant accès à divers instruments (bibliographies, rapports, sites)
http://www.columbia.edu/cu/libraries/indiv/area/Africa/Angola.html

Site aux composantes similaires
http://www-sul.stanford.edu/depts/ssrg/africa/angola.html

Site de l'Unita (Union nationale pour l'indépendance totale de l'Angola)
http://www.kwacha.com

Site proposant des extraits de la presse angolaise
http://www.ebonet.net/index-3.html

Questions humanitaires
http://www.anc.org.za/angola

Questions politico-stratégiques
(notamment en liaison avec la région)
http://www.marekinc.com/NCN.html

Bénin

http://www.bj.refer.org/

Botswana

Informations générales
http://www.nerdworld.com

http://www.stuart.iit.edu/botswana

Site d'actualités
http://www.oneworld.org/news/africa/botswana.html

Burkina Faso

Burkina Faso Home Page
http://www.iie.cnam.fr/~castera/burkina/

Cap-Vert

http://www.erols.com/kauberdi/

Congo (-Brazza)

http://www.congoscopie.com.

Congo (-Kinshasa)

Site gouvernemental :

– Agence congolaise de presse (bulletins quotidiens)
http://rdcongo.org/frames/acp/archives

Droits de l'homme et réfugiés :

– Banque de données du HCR (sur le Congo-Kinshasa)
http://www.unhcr.ch/refworld/country/menus/zar.htm
– Rapports de Human Rights Watch
gopher://gopher.igc.apc.org:5000/11/int/hrw/africa/zaire
– Fox News Crisis in Zaire
http://www.foxnews.com/news/features/zaire

Informations générales :

– Congonline
(économie, histoire, annuaire, bibliographie, politique...)
http://www.congonline.com
– Congo 2000 (idem)
http://www.Congo2000.com

Côte-d'Ivoire

http://www.cotedivoire.com

http://www.ci.refer.org/

http://www.africaonline.co.ci/

Égypte

A Brief Review of Modern Egyptian History
http://www.cad.strath.ac.uk/˜ayman/modern-egypt.html

Library Ibis Catalogs, American University in Cairo
http://lib.auc.eun.eg/

Made in Egypt
http://www.ritsec.com.eg/mieg/old/mieg.html

Abzu Regional Index, sur l'Égypte
http://www-oi.uchicage.edu/oi/dept/ra/abzu/abzu-regiindx-egypt.html

Focus on Egypt
http://focusmm.com.au/egypt/eg-anamn.htm

Érythrée

http://www.primenet.com/~ephrem/

Éthiopie

http://ethiopiaonline.net/

Gabon

Site officiel
http://www.presidence-gabon.com.

Gambie

http://www.gambia.com/gambia.html

Ghana

http://www.ghana.com

http://www.ghanareview.co.uk/

gww.ghana.com

http://www.ghana.embassy.org/profile/

http://www.graphic.com.gh/

Guinée

http://www.myna.com/~boubah/faq_fr.htm

Guinée-Bissau

http://www.sas.upenn.edu/African_Studies/Country_Specific/G_Bissau.html

Kénya

Kenya web
(informations officielles sur les institutions et sur l'activité économique, notamment)
http://www.kenyaweb.com

Central Bank of Kenya (Banque centrale du Kénya)
(suivi précis et documenté de la situation économique et financière)
http://www.arcc.or.ke/cbk.htm

Lésotho

http://www.azania.za/lesotho

http://www.sas.upenn.edu/African_Studies/country_specific/Lesotho.html

Libéria

http://groove.mit.edu/LiberiaPages/index.htm

http://www.gis.net/~toadoll/

Libye

http://www.libyaonline.com

Bibliothèque du Congrès (Washington), sur la Libye
http://lcweb2.loc.gov/frd/cs/lytoc.html

http://i-cais.com/e.o/index.htm

Madagascar

Serveur proposant des sites d'informations pratiques sur le pays
http://www.madagascar-contacts.com

Midi Madagasiraka (quotidien en malgache et en français)
http://www.midi.madagascar.com

Maghreb

Site consacré à la défense des droits de l'homme au Maghreb
http://www.maghreb-ddh.sgdg.org
Groupe de discussion (mot clé : subscribe)
Maghreb-ddh-l-request@ras.eu.org

Mali

MaliNet
(répertoire de ressources malien)
http://www.mirinet.net/malinet/

Malinet
(sites de la diaspora)
http://callisto.si.usherb.ca/~malinet/index_fr.html

CIA Worldfactbook, sur le Mali
(page de renseignements de la CIA sur le Mali)
http://physig.ph.kcl.ac.uk/local/cia/1994/150.html

Maroc

Ambassade de France à Rabat
(informations institutionnelles, revue de presse quotidienne)
http://www.ambafrance-ma.org/public/webmaroc.htm

Canal Maroc
(large sélection de sites)
http://www.indigo-net.com/canaux/ai/canal-maroc.htm

Moroccan Daily News
http://194.204.200.2/french/actua/actualite.htm

Vie économique
http://www.marocnet.net.ma/vieeco/

Maurice

L'Express (quotidien)
http://lexpress-net.com

Le Mauricien (quotidien)
http://lemauricien.com/mauricien/

Namibie

Site général
(nouvelles, économie, relations internationales, adresses utiles…)
http://www.republicofnamibia.com

Archives nationales (site du ministère de l'Éducation et de la Culture)
http://witbooi.natarch.mec.gov.na

Presse
http://the.namibian.com.na

Niger

NSRC (Network Sartup Resource Center), sur le Niger
http://www.nsrc.org/db/lookup/ISO=NE

Focus on Niger
http://www.txdirect.net/users/jmayer/fon.html

Délégation du Niger à l'UNESCO
http://www.unesco.org/delegates/niger/index.htm

Nigéria

Répertoire de ressources très complet
http://odili.net/nigeria.html

Répertoire de sites sur le pays
http://www.internets.com/nigeria.html

Nigeria Online
http://www.afrocaribbean.com/nigeria.html

Site d'informations financières et commerciales
http://www.expdisc.com/

Poste d'expansion économique (Ambassade de France à Lagos)
http://www.dree.org/nigeria

Droits de l'homme
http://www.agora.stm.it/politic/nigeria.htm

Université de Stanford (É-U)
http://www-sul.stanford.edu/depts/ssrg/africa/nigeria.html

National Archives of Nigeria (Archives nationales)
http://www2.rz.hu-berlin.de/inside/orient/nae

Post Express
http://www.postexpresswired.com/

Today et *Abuja Mirror*
http://www.ndirect.co.uk/~n.today/today.htm

The Week
http://www.theweekonline.com/

Ouganda

http://www.africanews.com/monitor

http://www.africanews.com/obbo

Réunion

Université de La Réunion
http://univ-reunion.fr/

Le Journal de l'île
http://www.jir.fr

Sénégal

http://www.earth2000.com/sénégal/

http://www.metissacana.sn/

Somalie et Somaliland

http://www.users.interport.net/%7Emmaren/index.html
(qu'on peut trouver par le nom nomadNet)

http://www.Somaliland.com

Soudan

http://www.sudan.net/

Swaziland

Times of Swaziland
http://www.swazinews.co.sz

Swazi Observer
http://www.swaziobserver.sz

Tchad

http://www.strategic-road.com/pays/afrique/tchad01.htm

Mbendi, sur le Tchad
http://mbendi.co.za/cychcy.htm

Tchad Socatel
http://www.socatel.intnet.cf/tchad1.htm

Togo

http://www.republicoftogo.com

http://www.cafe.tg

Zimbabwé

The Herald
http://www.zimsurf.co.zw/theherald

The Financial Gazette
http://www.africaonline.co.zw/fingaz/

The Independent
http://www.samara.co.zw/zimin/index.cfm

Proche et Moyen-Orient

INALCO (Institut national des langues et civilisations orientales)
http://www.inalco.fr

Middle East Internet Directory
http://www.arab.net/mied/welcome.html

Afghanistan

http://www.incore.ulst.ac.uk/cds/countries/afghanistan

http://ourworld.compuserve.com/homepages/afghanistan_france/

Arabie saoudite

Ambassade royale d'Arabie saoudite aux États-Unis
(informations générales, répertoire de sites saoudiens)
http://www.saudi.net/

Autonomie palestinienne

Birzeit University's *Complete Guide* to Palestine's Websites
http://www.birzeit.edu/links/index.html

Center for Palestine Research and Studies (CPRS)
http://www.cprs-palestine.org/

Fatah
http://www.fateh.org/index.htm

Hamas (Mouvement de la résistance islamique)
http://www.palestine-info.org

Palestinian Academic Society for the Study of International Affairs (PASSIA)
http://www.passia.org/

Palestinian Legislative Council
http://www.pal-plc.org/ma.htm

Palestinian National Authority Official Website
http://www.pna.net/

Bahreïn

Bahrain Monetary Agency
(informations sur le secteur de la finance et des banques)
http://www.bma.gov.bh/fin

University of Bahrain
http://www.uob.bh/

Émirats arabes unis

UAE Net
http://emirates.net.ae/

Al-Fujairah
http://www.alfujairah.com

Ministère des Finances et de l'Industrie
(informations sur les politiques industrielle, monétaire et fiscale ; répertoire de sites d'intérêt plus général)
http://www.fedfin.gov.ae/

Ministère de l'Économie et du Commerce
(informations économiques)
http://www.economy.gov.ae/

University of UAE
http://www.uaeu.ac.ae/homepage.html

The Emirates Center for Strategic Studies and Research
(informations politiques et stratégiques)
http://www.ecssr.ac.ae/01uae.homepage.html

Irak

Répertoire de ressources
(accès à de nombreux sites de l'opposition notamment)
http://www.inc.org.uk

http://www.France.diplomatie.fr

http://www.desert-storm.com/

http://www.cnn.com.

http://www.washingtonpost.com.

http://auto-.cs.tu-berlin.de/fb13ini/-main/cia.html

Iran

http://www.iranOnline.com

http://www.persianet.net/news

http://www.irna.com

Israël

Haaretz (quotidien, édition anglaise)
http://www3.haaretz.co.il/eng/htmls/1_1.htm

Globes (quotidien économique, en anglais)
http://www.globes.co.il

Revue quotidienne de la presse israélienne (disponible en anglais)
http://www.math.technion.ac.il/israeline

Jerusalem Post (quotidien de droite en anglais ; un point de vue orienté sur Israël)
http://www.jpost.com

Jordanie

Center for Strategic Studies, University of Jordan
uojcss@nets.com.jo

CERMOC (Centre d'études et de recherches sur le Moyen-Orient contemporain), sur la Jordanie
http://www.jo.refer.org/cermoc

Jordan Times
http://accessme.com/Jordan Times/

School of Oriental and African Studies (SOAS), University of London
http://endjinn.soas.ac.uk/home.html

Koweït

Kuwait Investment Authority
(économie, banque et finance)
http://www.kia.gov.kw/

Gulfnet Kuwait
http://www.kuwait.net

Kuwait University
http://www.kuniv.edu.kw/

Liban

CERMOC (Centre d'études et de recherches sur le Moyen-Orient contemporain), sur le Liban
http://www.lb.refer.org/cermoc

Oman

Oman Infoworld
http://Home.InfoRamp.Net/~emous/oman

Oman Studies Centre
(institutions, associations, bibliographies, documentation...)
http://www.oman.org/

Pakistan

Pakistan Gateway
(répertoire de sites)
http://www.super.net.pk/about_pakistan.html

Dawn (principal quotidien de Karachi)
http://dawn.com/daily/

Qatar

Ministère des Affaires étrangères
(informations générales)
http://www.mofa.gov.qa/

Internet Qatar
(répertoire de sites d'information politique ou d'intérêt général)
http://www.qatar.net.qa/html/

Business and Economy
(répertoire des sites d'intérêt économique)
http://www.qatar.net/business.htm/

Syrie

Site d'informations officielles, données politiques, sociales et économiques, et renseignements touristiques. Liens avec les médias.
http://www.Syria-online.com

Yémen

Centre français d'études yéménites
(recherches, archéologie, bibliographie)
http://www.univ-aix.fr/cfey

Yemen Gateway
(documents, chronologies et analyses)
http://www.ndirect.co.uk/~brian.w

Yemen Webdate
(documents, liste de sites, bibliographie, analyses)
http://www.geocities.com/Athens/Oracle/9361

Yemen Times
(hebdomadaire en anglais)
http://www.y.net.ye/yementimes

Asie

Asiaweek (hebdomadaire)
(couvre l'actualité du Sud-Est asiatique en temps réel)
http://www.asiaweek.com

Far Eastern Economic Review (Hong Kong)
http://www.feer.com

South China Morning Post
http://www.scmp.com

Straits Times (hebdomadaire, Singapour)
http://www.asia1.com.sg/straitstimes

Banque de données générales sur l'Asie-Pacifique
http://www.sources-asie.tm.fr

INALCO (Institut national des langues et civilisations orientales)
http://www.inalco.fr

Informations sur les relations Asie-Europe
http://www.asef.org

International Institute of Asian Studies, Université de Leyde (Pays-Bas)
(bases de données ; programme de recherche européen sur l'Asie)
http://iias.leidenuniv.nl

Site de l'Université de New York sur la crise financière asiatique
http://www.stern.nyu.edu/-nroubini/asia/AsiaHomepage.htm

Francophonie
(consultation par pays)
http://www.francophonie.org/

Bangladesh

Sites de nouvelles
http://www.bangla.org/news/amitech

Bangladesh Net
(informations, statistiques, arts, littérature, éducation, médias ; répertoire de sites)
http://www.bangladesh.net

UNDP Web Site
(informations générales et opportunités d'investissement)
http://www.undp.org/missions/bangladesh

Dhaka-Bangladesh English Language Newspaper (mise à jour quotidienne)
http://www.dhaka-bangladesh.com

Bhoutan

http://vhf.msh-paris.fr/labos/himalaya/

http://www.nepalnews.com

Brunéi

Informations gouvernementales
http://www.brunet.bn

Cambodge

http://www.cambodia.org

Chine

South China Morning Post (couvre toute l'Asie, mais surtout la Chine et Hong Kong)
http://www.scmp.com

Répertoire de sites d'information et d'analyse sur l'économie et le commerce chinois (en français)
http://www.ifrance.com/gec

Ministère du Commerce extérieur (en anglais, mis à jour quotidiennement)
http://www.moftec.gov.cn

The China Daily (quotidien officiel, en anglais)
http://www.chinadaily.net

Site officiel de données et d'analyses économiques (accès semi-restreint)
http://www.cei.gov.cn

Commission d'État au Plan (en chinois)
http://www.sdpc.gov.cn

Corée du Nord-Corée du Sud

Korea Centural News Agency
(banque de données établie par l'Agence centrale de presse de Corée du Nord)
http://kcna.co.jp

Welcome to Unikorea
(banque de données établie par le ministère de la Réunification de la Corée du Sud)
http://www.unikorea.go.kr

Fédération de Malaisie

Informations gouvernementales
http://penerangan.gov.my

Inde

Centre for the Advanced Study of India, Université de Pennsylvanie (É-U)
(énergie et environnement, gouvernement dans les sociétés multiculturelles, sécurité internationale, développement économique)
http://www.sas.upenn.edu/casi

Ministère des Affaires extérieures
http://www.meadev.gov.in

Times of India (principal quotidien du nord de l'Inde)
http://www.timesofindia.com

Frontline (hebdomadaire d'actualité politique et économique publié à Madras)
http://www.frontline.com

Indonésie

Inside Indonesia (magazine australien) (propose notamment des témoignages de dissidents du régime suhartien, des interviews de leaders du mouvement étudiant indonésien...)
http://www.pactok.net.au/docs/inside

Japon

Maison franco-japonaise de Tokyo
(répertoire de sites, mise à jour régulière, en français)
http://www.iijnet.or.jp/MFJ/

Vue du Japon
(site du ministère japonais des Affaires étrangères, en anglais)
http://www.mofa.go.jp

Laos

Comité lao pour les droits de l'homme
http://home.carthlin.net/~laohumrights

Bibliothèque du Congrès (É-U), sur le Laos
http://lcweb2.loc.gov/frd/cs/latoc.html

Macao

Site gouvernemental
http://www.macau.gov.mo

La Revista de Macau (en portugais)
http://revista.macau.gov.mo

Agence Lusa
(actualité en anglais, pays lusophones)
http://www.lusa.pt/lusanews

Macau Hoje (en portugais)
http://www.macauhoje.ctm.net/

Université de Macao
http://www.umac.mo

Maldives

Site gouvernemental
http://www.Maldives-info.com

http://www.nullify.com/Maldives/

Myanmar (Birmanie)

Informations gouvernementales
http://www.myanmar.com

Projet sur la Birmanie de l'Open Society Institute
http://www.soros.org/burma.html

Philippines

Informations gouvernementales
http://philippines.gov.ph

Informations économiques
http://mozcom.com

Singapour

Singapore Infomap
(page d'introduction à divers sites)
http://www.sg

Asia One
(site de ressources, notamment sur la presse locale)
http://www.asia1.com.sg

Site gouvernemental
http://www.gov.sg

Université nationale de Singapour
http://www.nus.sg

Sri Lanka

Lanka Academic Network
(informations universitaires et générales, presse locale, liens avec les autres sites)
http://www.lacnet.org

Taïwan

Représentation de Taïwan à New York
(services gouvernementaux)
http://www.taipei.org

The Democratic Progressive Party
http://www.dpp.org.tw

Tigernet
(articles du *Hong Kong Standard* sur Taïwan)
http://www.hkstandard.com

Central News Agency (agence officielle d'actualités en anglais)
http://www.taipei.org/teco/cicc/news/english/index.htm

Les Échos et *La Chine libre*
(deux publications officielles en français)
http://publish.gio.gov.tw

Thaïlande

http://www.inet.co.th

http://nectec.or.th

Vietnam

Vietnam Insight (É-U)
http://www.insight.org

Que Huong (revue de la diaspora en France)
http://home.vnd.net/quehuong

Vietnam Economic Times (en vietnamien et anglais)
http://www.vneconomy.com.vn

Agence vietnamienne d'information – VNA – (en vietnamien, anglais, français et espagnol)
http://www.vnagency.com.vn

Vietnam Data Communication (en vietnamien et en anglais)
http://www.vnn.vn

Vietnam Data Bank
http://www.hanoi-pressclub.com

Pacifique sud

Pacific Islands Internet Resources
(informations institutionnelles, culturelles et touristiques sur les îles du Pacifique)
http://www2.hawaii.edu/~ogden/piir/index.html

South Pacific Information Network (SPIN)
(répertoire de ressources)
http://sunsite.anu.edu.au/region/spin/

Pacific Islands Report
(répertoire de ressources ; information quotidienne sur les îles du Pacifique)
http://pidp.ewc.hawaii.edu/pireport/

The CocoNET Wireless
(rapports économiques, atlas et informations quotidiennes sur les îles du Pacifique)
http://www.uq.edu.au/jrn/coco/index.htm

Center for Pacific Island Studies (Hawaii)
http://www2.hawaii.edu/cpis/

Combsweb ANU Social Science/Asian Studies
(répertoire de ressources sur les sciences sociales dans la région Asie-Pacifique)
http://combs.anu.edu.au/

Université nationale australienne, département d'études sur le Pacifique (Canberra)
http://sunsite.anu.edu.au/spin/wwwvl-pacific/index.html

Kavabowl (groupe de discussion sur les pays de l'Océanie)
http://www.pacificforum.com/kavabowl/

Centre culturel Jean-Marie Tjibaou (Nouméa)
http://www.adck.nc/

Tahiti Pacifique (mensuel)
http://www.tahitiweb.com/f/info/index.phtml

Australie

Guide to Australia
http://www.csu.edu.au/education/australia.html

About-Australia
http://www.about-australia.com/

http://www.fafa.dynamite.com.au

Amérique du Nord

Ministère canadien des Affaires étrangères et du Commerce international
(documentation de base, en français, sur l'ALENA, le projet de Zone de libre-échange des Amériques – AFTA – et d'autres accords commerciaux impliquant le Canada)
http://www.infoexport.gc.ca/section4/agreement-f.asp

Secrétariat d'État américain au Commerce extérieur
(sur l'ALENA)
http://www.infoserv2.ita.doc.gov/tic/nafta

University of Texas - Latin American Network Information Center (UT-LANIC)
(répertoire de tous les sites concernant l'Amérique latine ; voir notamment les sections sur le Mexique et sur le commerce)
http://lanic.utexas.edu/

Francophonie
(consultation par pays)
http://www.francophonie.org

Canada

Site gouvernemental du Canada (en français)
http://canada.gc.ca/main_f.html

Site gouvernemental du Québec
http://www.gouv.qc.ca/

Canadiana
(répertoire des ressources canadiennes)
http://www.cs.cmu.edu/Unofficial/Canadiana/LISEZ.html

Toile du Québec
(répertoire de référence pour tous les sites du Québec)
http://www.toile.qc.ca/

Conseil pour l'unité canadienne
(site fédéraliste de référence ; actualité, dossiers, liens)
http://www.ccu-cuc.ca/fran/index.html

Vigile (site souverainiste de référence ; actualité, dossiers, liens)
http://w3.alphacom.net/~frapb/vigile/index/indexa.html

Le Devoir
http://www.ledevoir.com/

The Globe and Mail
http://www.theglobeandmail.com/

États-Unis

CIA (Central Intelligence Agency) - 1998 World Factbook
http://www.odci.gov/cia/publications/factbook/index.html

Bibliothèque du Congrès (Washington), Country Handbook
http://lcweb2.loc.gov/frd/cs/cshome.html#toc/

Liste de sites du gouvernement fédéral
http://ecs.rams.com/wwwlinks

Maison-Blanche (site présidentiel)
http://www.whitehouse.gov

Los Angeles Times
http://www.latimes.com

New York Times
http://www.nytimes.com

Washington Post
http://www.washingtonpost.com

Mexique

University of Texas - Latin American Network Information Center (UT-LANIC)
(répertoire de tous les sites concernant l'Amérique latine ; voir notamment les sections sur le Mexique)
http://lanic.utexas.edu/

Amérique centrale et du Sud

Internet Resources for Latin America
http://lib.nmsu.edu/subject/bord/laguia

Latin American Network Information Center, Université du Texas (Austin)
(informations pays par pays, notamment)
http://lanic.utexas.edu

Latin World - Latin America on the Net
http://latinworld.com
Mundo Latino
http://www.Mundolatino.org

Université de Toulouse-Le-Mirail/CNRS serveur Amérique latine
http://www.univ-tlse2.fr/amlat/

Banques de données spécialisées (accès à des sources diversifiées sur de multiples thèmes) :

Banque interaméricaine de développement (données socio-économiques actualisées sous forme de tableaux statistiques, par pays)
http://www.iadb.org/statistics/socioe.htm

Handbook of Latin American Studies (répertoire bibliographique élaboré à partir des collections internationales de la bibliothèque du Congrès à Washington)
http://lcweb2.loc.gov/hlas

Political Database of the Americas (données politico-institutionnelles)
http://www.georgetown.edu/LatAmerPolitical/home.html

Catalogues de bibliothèques :

http://lanic.utexas.edu.world/library

http://library.usask.ca/hytelnet/sites1a.html

Argentine

La Nación (conservateur)
http://www.lanacion.com

Clarín (radical)
http://www.clarin.com

Página 12 (Frepaso)
http://www.pagina12.com

Université de Buenos Aires
(nombreux liens avec d'autres serveurs argentins et des groupes de discussion)
http://www.uba.ar.

Bélize

Ambergris Cay Online News
(actualité et informations)
http://www.belizenews.com

Bolivie

Répertoire de ressources
http://jaguar.pg.cc.md.us/

Brésil

Brazil Center, Université du Texas (Austin)
(principal répertoire de recherche au monde sur le Brésil)
http://lanic.utexas.edu/brazctr/

Institut brésilien de géographie et de statistiques (données démographiques et économiques)
http://www.ibge.org/

A Folha de São Paulo (quotidien)
http://www.uol.com.br/fsp/indices/htm

O Estado de São Paulo (quotidien, payant pour les archives)
http://www.estado.com.br/edicao/pano/pol.html

O Jornal do Brasil (quotidien)
http://www.jb.com.br/

Revue de la presse quotidienne nationale
http://www.radiobras.gov.br

Catalogue de la principale bibliothèque universitaire brésilienne (USP)
http://www.usp.br/sibi.html

Chili

Index de sites chiliens
http://www.brujula.cl

El Mercurio (édition réduite du quotidien conservateur)
http://www.mercurio.cl

La Epoca (La Concertation, analyses très complètes)
http://www.laepoca.cl

La Tercera (quotidien, droite)
http://latercera.cl

Hoy (proche de La Concertation)
http://www.hoy.web.cl

Qué pasa ? (hebdomadaire, sensibilité proche des forces armées)
http://www.quepasa.cl

Colombie

Site de ressources des organisations non gouvernementales colombiennes
http://www.colnodo.apc.org

Colombie presse
http://www.eltiempo.com

Cuba

Université de Pittsburgh
http://www.pitt.edu/~clas/

Florida International University (Miami)
http://lacc.fiu.edu/

Équateur

Répertoire de ressources
http://www.nic.ec/

Grandes Antilles

Footprint Handbooks
(informations complètes sur chaque pays de la région)
http://www.caribbeansupersite.com

CANA (agence de presse régionale)
http://www.cananews.com

Guyana

News from Guyana
http://www.32.cyberhost.net/guyana

Haïti

Ambassade de Haïti aux États-Unis
(liste de toutes les ressources Internet sur Haïti)
http://www.monumental.com/embassy/haiti/~1.htm

Windows on Haiti
(actualité, culture)
http://windowsonhaiti.com

Groupe de discussion de Bob Corbett
bcorbett@netcom.com

Paraguay

Université nationale d'Asunción
http://www.una.py

Pérou

Centre de recherche indépendant réalisant des revues de presse et éditant des revues et dossiers de références
http://www.desco.org.pe/

Petites Antilles

Footprint Handbooks
(informations complètes sur chaque pays de la région)
http://www.caribbeansupersite.com

Ministère français des DOM-TOM
http://www.outre-mer.gouv.fr

Caribbean Outpost
(liste des sites pour toutes les îles)
http://www.cariboutpost.com

Journaux de la Caraïbe
(une trentaine de journaux en ligne)
http://www.caribbeannewspapers.com

CANA (agence de presse régionale)
http://www.cananews.com

Suriname

The Complete Guide to Surinam
(informations complètes sur le pays, dont actualité, économie, culture, histoire)
http://www.surinam.net

Parbo
(actualités et informations politiques, économiques et culturelles)
http://www.parbo.com

Uruguay

Red Académica Uruguaya (Réseau académique uruguayen)
http://www.rau.edu.uy

Presse
http://www.montevideo.com.uy/prensa.htm

Vénézuela

DOID (Departemento de Orientación, Información y Documentación), Université centrale du Vénézuela
http://www.geocities.com/collegepark/library/3146

Bibliothèque nationale
http://www.bnv.bib.ve/

CLIC (Centre latino-américain d'information et de communication, spécialisé dans la communication sociale)
http://www.unet.ve/~crick

Europe

http://www.europa.eu.int

Eurostat
http://europa.eu.int/eurostat.html

Francophonie
(consultation par pays)
http://www.francophonie.org/

Albanie

Albanian Home Page
(informations générales sur le pays, sur les Albanais en Albanie et à l'extérieur. Nombreux liens avec les médias albanais)
http://www.albanian.com

Albanian Daily News (payant)
http://www.albaniannews.com/

Albanews
http://listserv.acsu.buffalo.edu/archives/albanews.html

Allemagne

Bundesbank
(statistiques économiques et financières, analyses économiques, rapports)
http://www.bundesbank.de

Germany-live
(actualité)
http://www.germany-live.de

Fireball
(système de recherche Internet/Suchmaschine)
http://www.fireball.de

Deutsche Bibliothek (bibliographie)
http://www.ddb.de

Ancienne Yougoslavie

Alternativna informativna mreza (AIM, réseau alternatif d'information)
(site regroupant les journalistes indépendants des États issus de l'ancienne Yougoslavie ; articles en serbo-croate et en anglais. Abonnement payant)
http://www.aimpress.org.

Autriche

Österreichische Nationalbibliothek (Bibliothèque nationale)
http://www.onb.ac.at

Österreichischer Bibliothekenverbund « bib-opac »
http://bibopac.univie.ac.at

Université de Vienne
http://www.univie.ac.at

Institut für Höhere Studien (Institut d'études supérieures)
http://www.ihs.ac.at

Chambre du Commerce et de l'Industrie
http://www.wk.or.at

Österreichischer Rundfunk
http://www.orf.at

Der Standard (quotidien)
http://DerStandard.at

Die Presse (quotidien)
http://www.DiePresse.at

Salzburger Nachrichten (quotidien)
http://www.salzburg.com

Profil (hebdomadaire)
http://www.profil.at

Balkans

Balkanologie (revue semestrielle, Paris)
http://www.chez.com/balkanologie/

International Information Center on Sources on Balkan and Mediterranean History (CIBAL)
http://www.balcanica.org/cibal/index.html

Le Courrier des Balkans
http://www.bok.net/balkans/index.html

Balkan Neighbours
(analyse par l'association ACCESS, à Sofia, sous le patronage de l'Open Society Institute, à Budapest, des images et des stéréotypes des nations et des peuples balkaniques véhiculés ou construits par la presse en Albanie, Bulgarie, Grèce, Macédoine, Roumanie, Serbie et Monténégro, Turquie, et examen de leurs effets sur les relations interétatiques et l'émergence de sociétés civiles)
http://www.online.bg/access

Bosnie-Herzégovine

Moteur de recherche
http://www.bosnia-online.com/

Site du haut représentant de l'ONU
http://www.ohr.int

Mission de l'OSCE en Bosnie-Herzégovine
http://www.oscebih.org

Tribunal pénal international pour l'ex-Yougoslavie
http://www.u.org/icty

Réseau d'information indépendant AIM
(couvre tous les États de l'ancienne Yougoslavie)
http://www.aimpress.org

Bulgarie

Bulgaria Online (site générique, « news »)
http://b-info.com/places/Bulgaria/News

Questions juridiques
http://www.bild.acad.bg/bglegal.htm

Droits de l'homme (Congrès, États-Unis)
http://www.state.gov/www/global/human_rights/1997_hrp_report/Bulgaria.htm

Croatie

Moteur de recherche
http://www.hr/hrvatska/www_s.html

URL
http://www.croatia.HR

Danemark

Berlingske (quotidien)
http://www.berlingske.dk

Politiken (quotidien)
http://www.politiken.dk

The Copenhaguen Post (hebdomadaire)
http://www.cphpost.dk

Espagne

Moteurs de recherche spécialisés :

http://www.ole.es

http://ozu.es

http://buscador.todoesp.es

Sites :

Gouvernements espagnol et autonomiques
http://www.la-moncloa.es

Centro de Investigaciones Sociologicas (CIS)
(centre de recherches sur la société espagnole ; banques de données, catalogue de publications, enquêtes d'opinion)
http://www.cis.es

Université complutense de Madrid
(banque de données, bibliothèque, accès à des revues en texte complet)
http://www.ucm.es

Université autonome de Barcelone
(banque de données statistiques, bibliothèque, etc.)
http://www.uam.es

Institut national de la statistique (INE)
(liens avec d'autres sites de statistiques espagnols et étrangers)
http://www.ine.es

Bibliothèque nationale d'Espagne
http://www.bne.es

Manos blancas
(l'un des sites de l'action contre le terrorisme basque ; agenda, listes d'assassinats, forum de discussion)
http://manos.blancas@uam.es

Europe du Nord

Politik i Norden
(périodique édité par le Conseil nordique, informations générales, politiques, sociales, culturelles et économiques sur les pays et la coopération nordiques)
http://www.norden.org.

Mensuel lapon
http://www.samefolket.se

Finlande

Revue de la presse quotidienne (en anglais)
http://virtual.finland.fi

Helsinginsanonat (quotidien)
http://www.helsinginsanonat.fi

Finnfacts
(périodique économique de la Confédération de l'industrie et des employeurs finlandais/ Conseil de promotion de la Finlande)
http://www.tt.fi

France

CEVIPOF (Centre d'étude de la vie politique française)
http://www.msh-paris.fr/cevipof

INSEE (Institut national de la statistique et des études économiques)
http://www.insee.fr

OFCE (Observatoire français des conjonctures économiques)
http://www.ofce.sciences-po.fr

La Documentation française
http://www.ladocfrancaise.gouv.fr

Hongrie

Répertoire des sites de Hongrie
http://www.fsz.bme.hu/hungary/home page.html

MTI (Agence de presse hongroise ; en plusieurs langues, dont français et anglais)
http://www.mti.hu/

Magyar Hirlap (quotidien national)
http://www.mhirlap.hu

Magyar Nemzet (quotidien)
http://www.magyarnemzet.hu/

Hungarian Quarterly (périodique en anglais)
http://www.net.hu/hungq/

CIEH (Centre interuniversitaire d'études hongroises), site hébergé par l'Université Paris-III (page d'accès à de nombreux sites)
http://www.univ-paris3.fr/cieh.html

EUnet Hungary
(sur les questions de l'intégration à l'Union européenne)
http://www.eunet.hu/

Irlande

Répertoire de ressources
http://www.browseireland.com

Central Statistics Office (Bureau central des statistiques)
http://www.cso.ie

The Irish Times
http://www.ireland.com

Gaeilge ar an Ghréasan
http://www.smo.uhi.ac.uk/saoghal/gaeilge.html

Doras
http://doras.tinet.ie

Islande

Revue de la presse quotidienne (en anglais)
http://www.centrum.is/icerev/daily1.html

Italie

Répertoire de sites politiques et institutionnels
http://www.gksoft.com/govt/en/it.html

Site de ressources sur les partis, les résultats électoraux, les médias
http://www.agora.stm.it/politic/italy1.htm

Banque centrale
http://www.bancaditalia.it

La Repubblica (quotidien)
http://www.repubblica.it

France-Italie
http://www.france-italia.it

Politique et société
nuovo.virgilio.it/siti_italiani/4/027/027.html

Macédoine

Moteur de recherche
http://directory.macedonia.org/

Méditerranée orientale

Balkan Neighbours
Analyse par l'association ACCESS, à Sofia, sous le patronage de l'Open Society Institute, à Budapest, des images et des stéréotypes des nations et des peuples balkaniques véhiculés ou construits par la presse en Albanie, Bulgarie, Grèce, Macédoine, Roumanie, Serbie et Monténégro, Turquie, et examen de leurs effets sur les relations interétatiques et l'émergence de sociétés civiles)
http://www.online.bg/access

Norvège

Dagbladet (quotidien)
http://www.telepost.no/dagbladet.no

Aftenposten (quotidien)
http://www.aftenposten.no/nyheter

Revue de la presse quotidienne (en anglais)
http://odin.dep.no/ud/publ/daily

Bureau central des statistiques
http://www.ssb.no

Pologne

http://www.gazeta.pl

http://www.rzeczposplita.pl

Portugal

Ministère des Finances-Direction générale des prévisions
(état de l'économie, budget ; adresses utiles)
http://www.dgep.pt

Banque de données de l'Institut national de statistiques (en portugais et en anglais)
http://www.ine.pt

Roumanie

Poste d'expansion économique de l'ambassade de France à Bucarest
http://www.drce.org/Roumanie

Chambre de commerce et d'industrie de Roumanie
http://www.ccir.ro/ccir/romania/

Royaume-Uni

Ministère des Finances
http://www.hm-treasury.gov.uk/

Débats parlementaires
http://www.parliament.the-stationery-office.co.uk.

Daily Telegraph
http://www.telegraph.co.uk

BBC
http://www.bbc.co.uk

Slovénie

Moteur de recherche
http://www.ijs.si:90/slo/resources/

Suède

Swedish Institute (agence gouvernementale de promotion et d'information sur la Suède ; accès au bulletin d'informations politiques, économiques et sociales *Wired from Sweden*)
http://www.si.se

Site de la Suède
http://www.sweden.si.se

Ambassade de Suède à Paris (informations générales sur la Suède, accès aux journaux *Dagens Nyheter* et *Svenska Dagbladet*)
http://www.amb-suede.fr

Suisse

Site de l'administration fédérale
http://www.admin.ch/

Turquie

Turkish Daily News (quotidien en anglais)
http://www.TurkishDailyNews.com

Devlet Istatistik Enstitüsü (Institut de statistiques de l'État)
(économie, commerce extérieur, investissements, banques, population)
http://www.die.gov.tr

Yougoslavie (RFY)

Moteur de recherche
http://www.yusearch.com

Site officiel de la République fédérale de Yougoslavie
http://www.gov.yu

Site d'informations sur le Monténégro
http://www.montenegro.org
http://www.montenegro.com
http://www.cg.yu
http://www.montenet.org

Gouvernement de la République autoproclamée du Kosovo
http://web.eunet.ch:80/government/

Site albanais d'information sur la crise du Kosovo
http://www.alb-net.com/index.htm

Information sur la province de Voïvodine
http://www.vojvodina.com

Espace post-soviétique

INALCO (Institut national des langues et civilisations orientales)
http://www.inalco.fr

Le web franco-russe
(la presse spécialisée sur la Russie et la CEI, en français)
http://www.russie.net/presse.htm

Radio Free Europe/Radio Liberty
(agence de nouvelles ; chronologies, sujets d'actualité politiques et économiques sur les pays d'Europe centrale et orientale et de l'ex-URSS)
http://www.rferl.org

Arménie

http://www.armeniaonline.com

RFE/RL
http://euro.rferl.org/bd/ar/index.html

Asie centrale

http://www.chalidze.com/cam.htm

http://www.cpss.org/casianw/canews.htm

http://www.angelfire.com

Azerbaïdjan

http://www.azer.com

Open Society SOROS
http://www.soros.org/azerbaijan.html

Biélorussie

http://www.ligvo.minsk.by/mab/k&d.html

http://www.charter97.org

http://www.belarus.net

http://www.css.minsk.by/Publications/MinskEconomicNews/

http://www.worldwide.edu/ci/belarus/fbelarus.html

http://www.lexadin.nl/wlg/legis/nofr/oeur/lxwebru.htm

Estonie

Bureau national des statistiques
http://www.stat.ee

Institut estonien (histoire, culture et traditions)
http://www.einst.ee

Géorgie

Georgian Times (Tbilissi)
http://duggy.sanet.ge

Kirghizstan

The Central Eurasia Project Kyrgyzstan
http://www.soros.org/kyrgycep/kyrgyz.html

Lettonie

Rapport du PNUD (24 octobre 1997)
http://www.riga/lv/-undp

Agence lettone de développement
http://www.ida.gov.lv

Lituanie

Parlement
http://www.rc.lrs.lt

Moldavie

Site officiel, consultable sur Admifrance (sites étrangers)
http://www.ladocfrancaise.gouv.fr

Ouzbékistan

http://www.soros.org/uzbekistan/omri/index.html

Pays baltes

The Baltic Times (hebdomadaire d'actualité en anglais)
http://www.lvnet.lv/baltictimes

Russie

Radio Free Europe
http://www.rferl.org/

Site de recherche russe
http://www.rambler.ru

Itar-Tass
http://www.itar-tass.com/tassnews/rs1

Russia Online
http://www.online.ru/channel

Groupe Izvestia
http://izvestia.ru

Ministère de la Statistique
http://www.minstp.ru

Site tchétchène
http://www.amina.com

Transcaucasie

Caucasus report (RFE/RL)
(Arménie, Azerbaïdjan, Géorgie)
http://www.rferl.org

Université de Hokkaido (Japon), sur le Caucase
http://src-home.slav.hokudai.ac.jap/eng/fsu/caucasus-e-fr.html

Ukraine

http://www.mia.gov.ua/

http://www.ukraine.org/

http://www.rada.kiev.ua/

http://www.agora.stm.it/politic/ukraine.htm

http://ifes.ipri.kiev.ua

http://www.online.com.ua/phpads/click.php3

http://www-freenet.kiev.ua/

Index général

Plus de 2 000 entrées permettant une recherche ciblée

LÉGENDE

- 402 : référence du *mot clé*.
- **326** : référence d'un *article* ou d'un *paragraphe* relatif au mot clé.
- **124 et suiv.** : référence d'une *série d'articles* ou d'un *chapitre* relatif au mot clé.

A

B

D

E

G

H

I

J

K

M

N

O

P, Q

R

T

U

V, W

X, Y

Z

Liste alphabétique des pays

États souverains et territoires sous tutelle

□ *Territoire non souverain au 31.7.99 (colonie, territoire associé à un État, territoire sous tutelle, territoire non incorporé, territoire d'outre-mer, etc.).*
• *État non membre de l'ONU au 31.7.99*
Les ***pays*** *en caractères gras bénéficient d'informations plus détaillées (statistiques, notamment).*

a. Au 31.7.99, l'Autonomie palestinienne ne possédait pas les attributs complets d'un État.

Liste des cartes

Entrez!
LE DEVOIR
Montréal est en deuil
Une histoire de ville
Un rendez-vous avec votre monde
LE DEVOIR